FOCLÓIR PÓCA

D15593931

FOCLÓIR PÓCA

ENGLISH-IRISH/IRISH-ENGLISH DICTIONARY

G An Gúm
Baile Átha Cliath

© Rialtas na hÉireann, 1986
Athchló 1988, 1990, 1992, 1993, 1995, 1998
Athchló 2001, © Foras na Gaeilge
Athchló 2003, 2004, 2006, 2007, 2008, 2009

ISBN 978-1-85791-047-6

Design & Art Facilities Teo. a chuir suas an cló.
Cumarsáid Creative a dhear an clúdach.

ColourBooks Teo. a chlóbhuail in Éirinn

Le fáil ar an bpost uathu seo:

An Siopa Leabhar,   *nó*   An Ceathrú Póilí,
6 Sráid Fhearchair,   Cultúrlann Mac Adam–Ó Fiaich,
Baile Átha Cliath 2.   216 Bóthar na bhFál,
ansiopaleabhar@eircom.net   Béal Feirste BT12 6AH.
                                 leabhair@an4poili.com

Orduithe ó leabhardhíoltóirí chuig:
Áis,
31 Sráid na bhFíníní,
Baile Átha Cliath 2.
eolas@forasnagaeilge.ie

**An Gúm, 24-27 Sráid Fhreidric Thuaidh,
Baile Átha Cliath 1**

CONTENTS

Abbreviations and Signs	vi
Preface	vii
Phonetic Preface	xi
English-Irish Dictionary	1
Irish-English Dictionary	255
Appendices	
Geographical Names	509
Languages	516
Table of Regular Verbs	517
Table of Irregular Verbs	523
Phonetic Appendix	528

ABBREVIATIONS & SIGNS

a	adjective	npl	nominative plural/noun plural
adj	adjectival	nsg	nominative singular
adv	adverb	num	numerical
art	article	p	past
aut	autonomous	part	participle
aux	auxiliary	pl	plural
comp	comparative	poss	possessive
cond	conditional	pref	prefix
conj	conjunction	prep	preposition
def	definite	pres	present
dem	demonstrative	pron	pronoun, pronominal
dep	dependent	rel	relative
ds	dative singular	R.P.	Received Pronunciation
f	feminine	s	substantive
fpl	feminine plural	sg	singular
fut	future	spl	substantive plural
gpl	genitive plural	sth	something
gs	genitive singular	subj	subjunctive
gsf	genitive singular feminine	suff	suffix
gsm	genitive singular masculine	v	verb
hab	habitual	var	variant
indecl	indeclinable	vb	verbal
int	interjection	vi	verb intransitive
interr	interrogative	vide	see
I.P.A.	International Phonetic Alphabet	vn	verbal noun
m	masculine	voc	vocative
mpl	masculine plural	vt	verb transitive
n	noun	vt & i	verb transitive and intransitive
neg	negative	1,2,3,4	1st, 2nd, 3rd, 4th declension

-   indicates repetition of headword
    as far as following letter
~   (1) indicates repetition of head-
    word in its entirety
    (2) in phonetic description, indi-
    cates that different pronuncia-
    tions given are interchangeable.
    But see†.

†   indicates a further note in the
    phonetic appendix *pp 528 ff*

PREFACE

The aim of this dictionary is to meet the ordinary needs of school-goers and of the general public. It comprises a wide and useful modern vocabulary in both Irish and English.

It was felt that mere word-lists would not achieve the dictionary's aim, given the greatly differing characters of the two languages involved, and consequently a good sprinkling of exemplary phrases occur throughout the work.

The Irish/English section has been abstracted from *Foclóir Gaeilge/Béarla* (ed. N. Ó Dónaill *et al*), and supplemented by a number of new terms which have since come into being, mainly as a result of the work of the Terminology Committee (An Coiste Téarmaíochta).

This section also carries basic grammatical data, and for the first time ever in a work of this nature, each headword is accompanied by a phonetic description. An account of the phonetic system used is to be found on pp.xi ff.

Grammatical detail is sparser in the English/Irish section, and users are referred to the Irish/English section for further elucidation.

Geographical names, languages, etc. are to be found in separate appendices.

Punctuation

Commas are used in both sections to separate words with the same or similar meaning, or where specific meanings have been flagged; a semicolon separates various shades of meaning within the same entry. It should be noted, however, that semantic ranges in the two languages do not always correspond exactly.

In sample phrases, a comma indicates interchangeability, e.g. *tá cleas, dóigh, dul, air = tá cleas air/tá dóigh air/tá dul air*, while a semicolon generally serves to separate alternative meanings of the same phrase. More rarely, a semicolon may serve to separate two different constructions one of which already contains commas.

The colon is used to cross-reference irregular Irish grammatical forms to the appropriate headwords, e.g. **mná: bean.**

Grammar and Spelling

Official standardised spelling and grammar are used for Irish forms throughout. No alternative spellings have been admitted, and alternative grammatical forms have been minimised.

For English, British standard spelling is employed. Users should check under alternative spellings where these are current, e.g. brier/briar, gipsy/gypsy.

The Noun in Irish

The abbreviations *m*1, *f*2, *m*3, *f*3, *m*4 & *f*4 indicate that a noun is declined like:

	nsg	gs	npl	gpl
*m*1	bád	báid	báid	bád
	bacach	bacaigh	bacaigh	bacach
	peann	pinn	pinn	peann
	beithíoch	beithígh	beithígh	beithíoch
	páipéar	páipéir	páipéir	páipéar
*f*2	beach	beiche	beacha	beach
	bos	boise	bosa	bos
	scornach	scornaí	scornacha	scornach
	eaglais	eaglaise	eaglaisí	eaglaisí
*m*3	cainteoir	cainteora	cainteoirí	cainteoirí
	gnólacht	gnólachta	gnólachtaí	gnólachtaí
	tincéir	tincéara	tincéirí	tincéirí
*f*3	admháil	admhála	admhálacha	admhálacha
	beannacht	beannachta	beannachtaí	beannachtaí
	ban-ab	ban-aba	ban-abaí	ban-abaí
*m*4	bata	bata	bataí	bataí
	féirín	féirín	féiríní	féiríní
	císte	císte	cístí	cístí
	rúnaí	rúnaí	rúnaithe	rúnaithe
	ordú	ordaithe	orduithe	orduithe
	cruinniú	cruinnithe	cruinnithe	cruinnithe
*f*4	bearna	bearna	bearnaí	bearnaí
	comhairle	comhairle	comhairlí	comhairlí

Where nouns are not declined entirely according to any of the above patterns, (e.g. nouns traditionally assigned to the 5th declension, nouns with irregular plurals etc.) the irregular forms are given.

The Adjective in Irish

The abbreviation *a*1 indicates that an adjective is declined like:

	gsm	gsf & comp	npl	gpl
1.	bán	báin	báine	bána	bán
2.	glic	glic	glice	glice	glic
3.	cleasach	cleasaigh	cleasaí	cleasacha	cleasach

The abbreviation *a*2 indicates that an adjective is declined like:

gsm	gsf & comp	npl	gpl
misniúil	misniúla	misniúla	misniúil

Adjectives designated *a*3 do not change in form. Departures from the above patterns are noted in the dictionary.

The Verb

Verbs are entered under the root, i.e. the 2nd sg imperative. For those verbs which are conjugated like *mol*, *bris*, *sábháil*, *tíolaic*, *cráigh*, *léigh*, *figh*, *beannaigh*, *cruinnigh*, no grammatical data has been given under the headword. A table of regular verbs can be found on pp. 517 ff.

In the case of syncopated verbs, conjugated like *ceangail*, *díbir*, etc., the 3rd sg pres has been given as a guide.

A table of the irregular verbs appears on pp. 523 ff.

The Verbal Noun

Regular vns, i.e. those ending in -(*e*)*adh*, (*i*)*ú*, and those like *sábháil* and *crá*, are not given as such, but may appear in separate entries as nouns.

Irregular vns are only included under the verb where they are not listed separately as nouns, or where such listing would separate them unduly from the parent verb.

Whereas some verbal nouns have two genitives according to whether the noun function or the verbal function predominates, only the nominal genitive appears here.

Participles and Verbal Adjectives

These only appear as headwords where they function as adjectives.

Foireann

Iad seo a leanas a chuir an foclóir seo in eagar sa Ghúm:

Annraoi Ó Liatháin nach maireann (Eagarthóir); Máire Nic Mhaoláin (Eagarthóir);

Eilís Ní Bhrádaigh, Máire Ní Ící agus Seán Ó Briain (Eagarthóirí Cúnta).

Eagarthóir Foghraíochta: an Dr. Dónall P. Ó Baoill (I.T.É.).

PHONETIC PREFACE
Preparation of Pronunciation Guide

Since this is the first dictionary of Irish to contain a comprehensive guide to pronunciation it is necessary to outline briefly how such a system of pronunciation was devised and developed. The Department of Education decided that for the benefit of those unfamiliar with Irish pronunciation each headword in this pocket dictionary should be accompanied by an indication as to how the word is to be pronounced. Institiúid Teangeolaíochta Éireann was asked to assist in providing this guide and an advisory committee was set up by the Institiúid to steer the work. The members of the committee were as follows:

Dr. Dónall P. Ó Baoill (I.T.É.) (Chairman); Tomás Ó Domhnalláin (Director I.T.É.); Dr. Niall Ó Dónaill (An Gúm, Dept. of Education); Pádraig Ó Maoileoin (An Gúm, Dept. of Education); Dr. Éamonn Ó hÓgáin (An Gúm, Dept. of Education); Annraoi Ó Liatháin (An Gúm, Dept. of Education); Éamonn Ó Tuathail (Gaeleagras); Prof. Tomás De Bhaldraithe (University College, Dublin); Prof. Máirtín Ó Murchú (Trinity College, Dublin); Diarmaid Ó Donnchadha (Gael-Linn); Seán Ó Dubháin (Dept. of Education); Liam Budhlaeir (R.T.É.) and Seán Ó Lúing (Translation Dept., Leinster House)

At its first meeting, the committee agreed that its main objective should be the formulation of a satisfactory system of phonetic notation, and that where possible only a single recommended pronunciation should accompany each headword.

Since there are various ways of pronouncing Irish correctly, it was necessary to agree on a 'neutral' or 'core' pronunciation which would encompass all the essential sound contrasts and stress rules of Irish. To this end a subcommittee of three was appointed to devise such a pronunciation system. The members of the subcommittee were: Dr. Dónall P. Ó Baoill (Chairman), Éamonn Ó Tuathail and Pádraig Ó Maoileoin, all native speakers of Irish. The subcommittee referred their recommendations to the advisory committee over a period, and these were approved, with minor alterations, by the advisory committee. Once the principles were agreed work commenced on fixing the pronunciation of the headwords, of which there are about 16,000 in the Irish/English section of the dictionary. A thesaurus of rules and examples was compiled covering various aspects of Irish pronunciation including the basic sounds, stress patterns, deletion and assimilation of particular sounds, and word inflection. This work was carried out by Dónall P. Ó Baoill (I.T.É.) and Seán Ó Briain (An Gúm).

The committee later decided that an essential feature of the work would be the publication of a sample tape, the examples on the tape being illustrated by three native speakers, representing the three main dialects.

Institiúid Teangeolaíochta Éireann has published *Lárchanúint don Ghaeilge* (Dónall P. Ó Baoill), which is a more detailed and technical account (with a more comprehensive tape) of the general principles, rules and recommendations on which the pronunciation given in the dictionary is based.

Outline of the Pronunciation Guide

The system of pronunciation proposed here contains all the essential contrasts found in the three main dialects. It does not correspond in every detail to any one dialect but contains a core common to them all. It is hoped that this core dialect will assist the teaching and learning of spoken Irish at a basic and intermediate level, and that the system will serve as a guide to Irish pronunciation for those involved in lecturing, broadcasting and in the media generally. For those already fluent in Irish, this core dialect is not meant to displace their existing dialect but is intended as an alternative medium for use in more formal contexts. The sound transcription used in the dictionary is explained briefly below.

THE VOWELS

It was agreed that a vowel system containing five long vowels, five corresponding short vowels and a neutral vowel would suffice to cover all the contrasts found in Irish. Long and short vowels must be distinguished because replacing one by the other can change the meaning of a word. When /:/ is placed after a vowel it denotes that the vowel is long. The eleven elements of the vowel system are listed below.

Symbol used in Dictionary	I.P.A. Symbol	Irish Examples	Nearest English Equivalent
i	i	duine, im, sin	sit
i:	i:	buí, naoi, sín	me
e	e	ceist,te	set
e:	e:	mé, tae	say
a	a	bean, mac	bat
a:	a:	ard, tá	far
o	o	obair, seo	son
o:	o:	ceol, mór	more
u	u	dubh, tiubh	book
u:	u:	siúl, tú	who
ə	ə	mála, míle	*a*bout

THE DIPHTHONGS:

In the core system of pronunciation found in this dictionary there are *four contrasting diphthongs*. They are as follows:

Symbol used in Dictionary	I.P.A. Symbol	Irish Examples	Nearest English Equivalent
ai	ai	radharc,	I
au	au	leabhar,	cow
iə	iə	bia, pian	pianist
uə	uə	fuar, suas	fluent

THE CONSONANTS:

It was agreed that a consonant system containing thirty-six consonants would suffice to cover all the contrasts found in Irish. With the exception of /h/ and /d'z'/, Irish can be regarded as having two sets of consonant sounds. One set contains seventeen *broad* consonants, the other set contains the corresponding seventeen *slender* consonants. More technically, the terms *velarised* and *palatalised* are used for *broad* and *slender* respectively. Broad and slender consonants must be distinguished because replacing one by the other can change the meaning of a word. In written Irish, broad consonants are preceded or followed by 'A', 'O' or 'U'. Slender consonants are preceded or followed by 'I' or 'E'. Thus Irish has a slender /b'/ as in *beo* 'alive' /b'o:/ and a broad /b/ as in *bó* 'cow' /bo:/ and it is the type of 'b' used that distinguishes *beo* from *bó*. The same can be said for the pair *cead* 'permission', /k'ad/, and *cad*? 'what?', /kad/, where the two words are distinguished by the 'c' sounds used. The other fifteen pairs can be similarly distinguished.

In the notation used in this dictionary broad consonants are left unmarked and the slender consonants are marked by placing /'/ after them. The I.P.A. equivalents for all the consonants are given on the chart below for those familiar with that notation. Although English words are given as an illustration for some of the consonants appearing on the left-hand side of the chart below it should be stressed that Irish broad and slender b,c,d, etc. are pronounced differently from the neutral b,c,d, etc. of English. Readers unfamiliar with the distinction between broad and slender consonants are referred to the accompanying cassette and separate illustrative text.

Symbol used in Dictionary	I.P.A.	Irish Examples	Nearest English Equivalent
b′	bj	bí, beo /b′i:/,/b′o:/	be, beauty
b	ƀ	bán, buí /ba:n/,/bi:/	—
k′	c	cé, cead /k′e:/,/k′ad/	key, came
k	k	cad /kad/	cot
d′	dj	deo /d′o:/	—
d	đ	dó /do:/	—
f′	fj	fíon, fiú /f′i:n/,/f′u:/	feet, few
f	f	faoin /fi:n/	—
g′	ɟ	gé, óige /g′e:/,/o:g′ə/	gay, egg
g	g	Gaeil, óga /ge:l′/,/o:gə/	fog
h	h	hata, thit /hatə/,/hit′/	hat
l′	lj	leon, míle /l′o:n/,/m′i:l′ə/	live
l	ł	lón, mála /lo:n/,/ma:lə/	mill (R.P.)
m′	mj	mé, mín /m′e:/,/m′i:n′/	may, me

m	ᴍ	maoin, mór /mi:n′/,/mo:r/	—
n′	nj	ainm, ní /an′əm′/,/n′i:/	canyon
n	ᴎ	anam, naoi /anəm/,/ni:/	—
p′	pj	peaca /p′akə/	piece
p	ᴘ	paca /pakə/	—
r′	rj	fuair /fuər′/	—
r	ᴦ	fuar /fuər/	—
s′	ʃj	cáis /ka:s′/	she
s	ꜱ	cás /ka:s/	—
t′	tj	teacht /t′axt/	—
t	ᴛ	tacht /taxt/	—
v′	vj	bhí /v′i:/	very
v	β/w	vóta /vo:tə/	wore
w	w	wigwam /'wig,wam/	wigwam
z′	ʒj	xileafón /'z′il′ə,fo:n/	pleasure
z	ᴢ	zú /zu:/	—
ŋ′	ŋ	loingeas /loŋ′g′əs/	sing
ŋ	ŋ̟	longa /loŋgə/	long
γ′	j	dhíol /γ′i:l/	yes
γ	γ	dhá /γa:/	Spanish '*Agua*'
x′	ç	cheol /x′o:l/	Hugh; German '*Ich*'
x	x	loch /lox/	German '*Bach*'
d′z′	djʒj	jab /d′z′ab/	job

TRANSCRIPTION OF SOUNDS

The sound transcription used in the dictionary (and in the I.P.A. equivalents given in the chart above) is referred to generally by linguists as a 'broad transcription'. The use of a broad transcription means that any vowel or consonant symbol permits a range of possible pronunciations, recognising the fact that a particular word can be pronounced correctly in different ways by different people. Thus the Irish word *bád* 'boat' /ba:d/ may be pronounced [bæ:d], [ba:d] or [bɑ:d]. We have illustrated as much as possible of this type of variation on the tape to which the reader is referred for further examples.

WORD STRESS

The stress pattern to be assigned to Irish words in this dictionary is governed by the following conventions:

(a) Most words have the main or primary stress on the first syllable, all other syllables being unstressed. In such cases stress is not marked:

Examples:	*bádóir*	'boatman'	/ba:do:r'/
	capall	'horse'	/kapəl/
	aicsean	'action'	/ak's'əñ/

(b) When the main or primary stress falls on a second or following syllable and all other syllables in the word are unstressed, then a /'/is placed before the syllable bearing the main stress.

| *Examples*: | amach | 'out' | /ə'max/ |
| | tobac | 'tobacco' | /tə'bak/ |

(c) Compound words and many recent loanwords from English have different degrees of stress showing various combinations of primary and secondary stress. Secondary stress is shown by placing /ˌ/ before the relevant syllable.

Examples:

(a) Words with two primary stresses

| drochobair | 'bad/evil work' | /'drox'obər'/ |
| ró-ard | 'too high/tall' | /'ro:'a:rd/ |

(b) Words with primary and secondary stress (in that order)

| bunscoil | 'primary school' | /'bunˌskol'/ |
| búmaraing | 'boomerang' | /'bu:məˌraŋ'/ |

(c) Words with secondary and primary stress (in that order)

| do-dhéanta | 'impossible' | /ˌdo'ɣ'e:nta/ |

(See also The Phonetic System: Supplementary Notes pp 528ff.)

A

aback *adv*, *I was taken* ~ baineadh siar, stad, stangadh, asam
abandon *vt* tréig, tabhair do dhroim le
abandonment *n* tréigean
abase *vt* uirisligh
abashed *a* corrabhuaiseach, náireach
abate *vt & i* lagaigh, maolaigh, tráigh, *to* ~ *the rent* maitheamh a thabhairt sa chíos
abatement *n* laghdú, lascaine, maolú
abattoir *n* seamlas
abbess *n* ban-ab, máthairab
abbey *n* mainistir
abbot *n* ab
abbreviation *n* giorrú, nod
abdicate *vt & i* tabhair suas, éirigh as
abdomen *n* bolg
abduct *vt* fuadaigh
abduction *n* fuadach
abductor *n* fuadaitheoir
aberration *n* earráid, iomrall, saofacht, mearbhall, *mental* ~ saochan céille
abet *vt* neartaigh le
abettor *n* neartaitheoir
abeyance *n*, *in* ~ ar fionraí
abhor *vt* gráinigh, *to* ~ *sth* fuath a bheith agat ar rud
abide *vt & i* cónaigh; fulaing, *to* ~ *by one's promise* cloí, seasamh, le do ghealltanas; fanacht ar d'fhocal
ability *n* cumas, ábaltacht, inniúlacht
abject *a* cloíte, meata, lodartha
ablative *n & a* ochslaíoch
ablaze *adv & a*, *the house is* ~ tá an teach ar dearglasadh, faoi bharr lasrach, ina aon chaor amháin, ~ *with light* faoi shoilse
able *a* ábalta, cumasach, inniúil, in-fheidhme, ~ *to do sth* in ann, in acmhainn, in inmhe, rud a dhéanamh, *she is well* ~ *for her work* tá sí os cionn a buille
abnormal *a* mínormálta, sonraíoch, as an ngnáth
abnormality *n* mínormáltacht, sonraíocht, ainspiantacht
aboard *adv* ar bord
abode *n* áitreabh, áras, baile
abolish *vt*, *to* ~ *sth* rud a chur ar ceal

abolition *n* cealú, cur ar ceal
abominable *a* adhfhuafar, gráiniúil
aboriginal *a* bundúchasach
aborigine *n* bundúchasach
abortion *n* ginmhilleadh; breith anabaí; mairfeacht
abound *vi*, *to* ~ *in* bheith lán, bheith ag cur thar maoil, le
abounding *a* flúirseach, raidhsiúil
about *adv & prep*, *walking* ~ ag siúl thart, ~ *the place* timpeall na háite, *round* ~ máguaird, *round* ~ *here* thart faoi seo, ~ *one hundred* tuairim is céad, ~ *Christmas* faoi, um, Nollaig, ~ *to do sth* ar tí, ar shéala, rud a dhéanamh, *anxious* ~ *sth* imníoch faoi rud, *she was* ~ *to leave* bhí sí ar tí, ar hob, imeacht
above *adv & prep* lastuas, ~ *the door* os cionn an dorais, *the water was* ~ *their knees* bhí an t-uisce thar a nglúine orthu, *the rooms* ~ na seomraí thuas
abrasion *n* scríobadh, scráib
abrasive *a* scríobach
abreast *adv* bonn ar aon, ~ *of each other* ar comhrian le chéile
abridgement *n* coimre, giorrú
abroad *adv* ar an gcoigríoch, thar lear, *at home and* ~ i mbaile is i gcéin, *from* ~ ón iasacht, *the story got* ~ d'éirigh an scéal amach
abrogate *vt* aisghair
abrupt *a* giorraisc, grod
abscess *n* easpa
abscond *vi* éalaigh, teith
absence *n* éagmais, easpa; neamh-láithreacht
absent *a* neamhláithreach, as láthair *vt*, *to* ~ *oneself* fanacht as láthair
absentee *n* neamhláithrí *a* neamh-chónaitheach
absinth *n* apsaint
absolute *a* absalóideach, iomlán, dearbh-, ~ *power* lánchumhacht, *to refuse* ~ *ly* diúltú glan, ~ *ly certain* lánchinnte, lándearfa
absolution *n* aspalóid

1

absolve vt éigiontaigh, saor, to ~ a person from an obligation duine a scaoileadh ó dhualgas, to ~ a person from a sin aspalóid a thabhairt do dhuine i bpeaca

absorb vt súigh; tóg

absorbed a, ~ in sth báite, gafa, i rud

absorbent a súiteach, óltach

abstain vi staon, to ~ from meat tréanas a dhéanamh

abstainer n staonaire

abstention n staonadh

abstinence n tréanas

abstract[1] n achomaireacht, coimriú a teibí

abstract[2] vt bain as

absurd a áiféiseach, dícheillí, míréasúnta

absurdity n áiféis, míréasún

abundance n fairsinge, flúirse, raidhse, tréan

abundant a fairsing, flúirseach, líonmhar, raidhsiúil

abuse n drochíde, masla, drug ~ mí-úsáid drugaí, to give ~ to a person duine a chur as a ainm, verbal ~ íde béil, sciolladh teanga vt díbligh, ídigh, maslaigh, scól

abusive a maslach, spídiúil

abysmal a duibheagánach, ~ ignorance dearg-aineolas

abyss n aibhéis, duibheagán, domhain

academic a acadúil

academy n acadamh

accelerate vt & i luasghéaraigh, luathaigh

acceleration n luasghéarú, luathú

accelerator n luasaire

accent n blas, canúint; tuin; aiceann, length ~ sineadh fada vt aiceannaigh

accept vt faomh, glac, to ~ sth toiliú le rud, to ~ a person's apology leithscéal duine a ghabháil

acceptable a inghlactha

access n cead isteach; rochtain, teacht

accessible a soghluaiste, inaimsithe

accessory n gabhálas; cúlpháirtí pl oiriúintí, trealamh

accidence n deilbhíocht

accident n taisme, timpiste, tionóisc

accidental a taismeach, timpisteach

acclaim n gairm, with one ~ d'aon ghair vt gair

acclamation n gáir mholta

acclimatize vt clíomaigh

accommodate vt, to ~ a person cóir a chur ar dhuine; oiriúntas a dhéanamh le duine

accommodation n cóiríocht, iostas, lóistín

accompaniment n coimhdeacht, comóradh, tionlacan

accompanist n tionlacaí

accompany vt comóir, tionlaic

accomplice n comhchoirí

accomplish vt críochnaigh, déan, to ~ sth rud a chur i gcrích

accomplished a críochnaithe, déanta; rianta; ildánach, tréitheach, saoithiúil

accord[1] n comhréir, of one ~ ar aon intinn, in ~ with ar aon aigne le, of his own ~ dá thoil féin, uaidh féin

accord[2] vt & i, to ~ with sth bheith ag teacht le rud, to ~ a person a welcome fáilte a fhearadh roimh dhuine, the privilege which was ~ ed us an phribhléid a deonaíodh dúinn

accordance n comhréireacht, in ~ with your instructions de réir mar a d'ordaigh tú

according adv, ~ to the experts dar leis na heolaithe, ~ to his means ar feadh a acmhainne, ~ to size de réir méide, ~ly dá réir sin, he acted ~ly rinne sé amhlaidh

accordion n cairdín

accost vt, to ~ a person bleid a bhualadh ar dhuine, forrán a chur ar dhuine, caidéis a chur ar dhuine, she ~ ed me chaintigh sí mé

account n cuntas, tuairisc, tuarascáil, cur síos, bank ~ cuntas bainc, to take sth into ~ rud a chur san áireamh, to turn sth to ~ rud a chur chun tairbhe, it is of no ~ ní fiú biorán é, working on his own ~ ag obair ar chion a láimhe féin, ar a chonlán féin, on ~ of de bharr, ar son, as ucht, de dhroim, toisc, on that ~ mar gheall air sin vi, to ~ for sth cuntas a thabhairt i rud; rud a mhíniú

accountable a freagrach

accountancy n cuntasóireacht

accountant n cuntasóir, turf ~ geall-ghlacadóir

accredit vt creidiúnaigh

accumulate vt & i bailigh, cruinnigh, tiomsaigh, carn

accumulative a tiomsaitheach, carnach

accuracy *n* beachtas, cruinneas, grinneas

accurate *a* beacht, cruinn, grinn

accursed *a* mallaithe, *to be* ~ bheith faoi chrann smola

accusation *n* cúiseamh, gearán, éileamh

accusative *vt & a* ainsíoch, cuspóireach

accuse *vt* ciontaigh, cúisigh, gearán, iomardaigh, *he was* ~ *d of stealing* cuireadh gadaíocht ina leith, *you* ~ *d me of lying* chas tú bréag liom, chuir tú bréag orm

accused *n, the* ~ an cúisí

accuser *n* cúiseoir

accustomed *a* gnáth-, gnách, ~ *to sth* cleachtach, taithíoch, ar rud, *to be, become,* ~ *to sth* rud a chleachtadh, tú féin a chló le rud

ace *n* aon

ache *n* pian, tinneas *vi, my head* ~ *s* tá pian i mo cheann

achieve *vt, to* ~ *sth* rud a chur i gcrích, *to* ~ *a purpose* cuspóir a shroicheadh, a bhaint amach

achievement *n* éacht, gníomh, gníomhaíocht; gnóthú

acid *n* aigéad, searbh *a* aigéadach, searbh

acknowledge *vt* admhaigh; aithin, *to* ~ *a salute* cúirtéis a fhreagairt

acknowledgement *n* admháil

acolyte *n* acalaí, cléireach

acorn *n* dearcán

acoustics *npl* fuaimíocht, fuaimeolaíocht

acquaint *vt, to* ~ *a person with sth* rud a chur in iúl do dhuine, *to become* ~ *ed with a person* aithne a chur ar dhuine

acquaintance *n* aithne, aitheantas, eolas, ~ *s* lucht aitheantais

acquiesce *vi* toiligh, aontaigh

acquire *vt* faigh, *to* ~ *money* airgead a chruinniú

acquisition *n* fáil; éadáil, prae

acquit *vt* saor

acre *n* acra

acreage *n* acraíocht

acrid *a* garg, searbhánta

acrimonious *a* searbh, searbhasach

acrimony *n* searbhas

acrobat *n* cleasaí, gleacaí

across *adv & prep* thar, trasna, *to* ~ *England* anonn go Sasana, *gone* ~ imithe sall

act *n* acht; beart, gníomh, *Acts of the Apostles* Gníomhartha na nAspal, ~

of contrition gníomh dóláis, ~ *of parliament* acht parlaiminte *vt & i* feidhmigh, gníomhaigh, oibrigh, *to* ~ *justly* an chóir a imirt, *to* ~ *the part of Hamlet* páirt Hamlet a dhéanamh

acting *n* aisteoireacht *a* gníomhach

action *n* aicsean, gníomh, beart, oibriú; caingean, *in* ~ ar obair, i mbun oibre

activate *vt* gníomhachtaigh

activator *n* músc.lóir

active *a* gníomhach, beo, lúfar, tapúil

activity *n* gníomhaíocht, obair, luadar, luail *pl* imeachtaí

actor *n* aisteoir

actress *n* ban-aisteoir

actual *a* dearbh-, fíor-, ~ *sin* peaca gnímh

actually *adv* go cinnte, déanta na fírinne

actuary *n* achtúire

acute *a* géar; géarintinneach

adamant *a* dobhogtha, daingean

Adam's apple *n* úll na brád

adapt *vt* athchóirigh, oiriúnaigh

adaptable *a* solúbtha

adaptation *n* oiriúnú

add *vt & i* suimigh, *to* ~ *sth to sth* rud a chur le rud eile

addendum *n* aguisín

addict *n* andúileach

addicted *a,* ~ *to drink* ligthe ar an ól, tugtha don ól, luiteach leis an ól

addiction *n* andúilíocht

addition *n* suimiú; agús, aguisín, *in* ~ *to* mar aon le, de bhreis ar, i dteannta

additive *n* breiseán

address *n* seoladh; agallamh, aitheasc, dileagra; teacht i láthair *vt* seol, *to* ~ *the crowd* labhairt leis an slua

adenoids *npl* adanóidí

adequate *a* sásúil, leor-, *it is* ~ *for our needs* tá riar ár gcáis ann

adhere *vi* greamaigh (de); ~ *to* lean de, seas le, taobhaigh le, cloígh le

adhesive *n* greamachán *a* greamaitheach

adjacent *a,* ~ *to* in aice le, cóngarach do

adjective *n* aidiacht

adjoin *vt, his lands* ~ *mine* tá sé ag críochantacht liom

adjoining *a* tadhlach, teorantach, buailte ar

adjourn *vt & i, to* ~ *a meeting* cruinniú a chur ar atráth, *to* ~ *to a place* aistriú go dtí áit

adjudge *vt* breithnigh

adjudicate *vt & i* breithnigh, *to ~ in a competition* moltóireacht a dhéanamh ar chomórtas

adjudicator *n* moltóir

adjust *vt* ceartaigh, coigeartaigh, feistigh, socraigh

adjustable *a* inathraithe, inchoigeartaithe

adjustment *n* ceartú, coigeartú, socrú

adjutant *n* aidiúnach

administer *vt* riar, *to ~ the sacraments to a person* na sacraimintí a thabhairt do dhuine

administration *n* riar, riarachán, reachtas

administrative *a* riarthach, ~ *officer* oifigeach riaracháin

administrator *n* reachtaire ; riarthóir

admirable *a* fónta, inmholta

admiral *n* aimiréal, *red ~* aimiréal dearg

admiralty *n* aimiréalacht

admiration *n* mórmheas

admire *vt*, *to ~ a person* ardmheas a bheith agat ar dhuine

admissible *a* inghlactha

admission *n* admháil; cead isteach

admit *vt* admhaigh, géill; lig isteach

adobe *n* adóib

adolescent *n & a* inmheach

adopt *vt* uchtaigh, *to ~ a habit* béas a tharraingt chugat féin

adopted *a*, ~ *child* uchtleanbh

adoption *n* uchtú

adoration *n* adhradh

adore *vt* adhair

adorn *vt* deasaigh, maisigh, oirnigh

adornment *n* maise, maisiúchán

adrenalin *n* aidréanailín

adrift *adv* ar fán, ar fuaidreamh, *to go ~* imeacht san fheacht, le sruth

adroit *a* aclaí, deaslámhach

adult *n* duine fásta *a* fásta, *of ~ age in* aois duine

adulterate *vt* truaillmheasc

adulterous *a* adhaltrach

adultery *n* adhaltranas

advance *n* dul ar aghaidh, dul chun cinn; ionsaí; airleacan, réamhíocaíocht, ~ *copy* réamhchóip, *in ~* roimh ré *vt & i* cuir chun cinn, réimnigh, téigh chun tosaigh, *to ~ a person money* airgead a thabhairt ar airleacan do dhuine, *to*

~ *upon a place* ionsaí a dhéanamh ar áit, áit a ionsaí

advantage *n* bua, brabús, buntáiste, sochar, *to get the ~ of a person* an ceann is fearr a fháil ar dhuine

advantageous *a* buntáisteach, sochrach

Advent *n* Aidbhint

adventure *n* eachtra, fiontar

adventurer *n* eachtránaí; fiontraí

adventurous *a* eachtrúil, misniúil, tionscantach

adverb *n* dobhriathar

adversary *n* céile comhraic, namhaid; an tÁibhirseoir

adversity *n* anachain, cruáil

advertise *vt & i* fógair

advertisement *n* fógra, fógraíocht

advice *n* comhairle, moladh

advisable *a* inmholta

advise *vt* comhairligh, mol

advocate *n* abhcóide *vt* mol; tacaigh le

aerate *vt* aeraigh

aerial *n* aeróg *a* aerga

aerodrome *n* aeradróm

aerodynamics *npl* aeraidinimic

aeronautics *npl* aerloingseoireacht

aeroplane *n* eitleán

aerosol *n* aerasól

aesthetic *a* aeistéitiúil

aesthetics *npl* aeistéitic

afar *adv* amuigh, i gcéin

affable *a* fáilí, lách, solabhartha

affair *n* dáil, scéal, rud *pl* gnóthaí, cúrsaí, *foreign ~ s* gnóthaí eachtracha

affect *vt* cuir isteach ar, goill ar, téigh i bhfeidhm ar, *his health is ~ ed* tá an tsláinte ag imirt air

affectation *n* forcamás, gotha *pl* geáitsí

affection *n* ceanúlacht, cion, dáimh, gean, gnaoi

affectionate *a* ceanúil, bách, geanúil, grámhar, muirneach

affidavit *n* mionnscríbhinn

affiliate *vt & i* comhcheangail

affinity *n* dúchas; gaolmhaireacht; col

affirm *vt* cruthaigh, deimhnigh

affirmation *n* dearbhú, deimhniú

affirmative *a* dearbhach, deimhniúil

affix *vt* greamaigh do, *to ~ a stamp to a letter* stampa a chur ar litir

afflict *vt* goill ar, caith ar

affliction *n* angar, léan, diachair, dobrón, doilíos, galar

affluence n deisiúlacht

affluent n craobh-abhainn a deisiúil, saibhir

afford vt, he can ~ to buy it is acmhainn dó, tá sé de ghustal aige, é a cheannach

afforestation n coillteoireacht

affront n easonóir, tarcaisne vt easonóraigh, tarcaisnigh

afloat adv ar snámh

afoot adv ar cois, ar bun, there is mischief ~ tá an urchóid ina suí

aforesaid a réamhráite

afraid a eaglach, faiteach, he became ~ tháinig eagla, faitíos, air, I am ~ that is eagal liom, is baolach, go, I am ~ of it tá eagla orm roimhe

afresh adv as an nua, go húrnua

after prep & a & adv, to walk ~ a person siúl i ndiaidh duine, one ~ another i ndiaidh a chéile, three days ~ that trí lá ina dhiaidh sin, ~ three tar éis a trí, ~ his death tar éis a bháis, ~ all tar éis an tsaoil, the day ~ an lá dár gcionn, the day ~ tomorrow anóirthear, amanathar, arú amárach

after-birth n slánú

after-care n iarchúram

after-effects npl deasca, fuíoll, iarsmaí, iarmhairt

aftergrass n athfhéar, cluain

afternoon n iarnóin, tráthnóna

afterthought n athsmaoineamh

afterwards adv ina dhiaidh sin, tar (a) éis sin

again adv arís, athuair, fós, as much ~ a oiread eile, all over ~ go húrnua

against prep in aghaidh, i gcoinne, in éadan, faoi

agate n agáit

age n aois, ré, twenty years of ~ fiche bliain d'aois, ~ s ago na cianta cairbreacha ó shin, the golden ~ an ré órga vt & i ól, i críon, aosaigh

aged a aosta, críonna, sean, a child ~ seven páiste i gceann n sheacht mbliana d'aois

agency n gníomhaireacht; oibriú, by the ~ of a person ar idirghabháil duine

agenda n clár oibre

agent n feidhmeannach, gníomhaire, ionadaí

aggravate vt géaraigh ar; saighid faoi, don't ~ it ná cuir in olcas é

aggregate n & a comhiomlán

aggression n ionsaí; boirbe

aggressive a borb, ionsaitheach

aggressor a ionsaitheoir

agile a aclaí, lúfar, oscartha

agility n aclaíocht, lúfaireacht, lúth

agitate vt iomluaigh; suaith, gríosaigh, oibrigh

agitated a oibrithe, tógtha, suaite, the sea was ~ bhí coipeadh san fharraige; bhí an fharraige corraithe

agitation n oibriú, suaitheadh, coipeadh, corraíl

agitator n gríosóir, suaiteoir

agnostic n agnóisí a agnóisíoch

ago adv, a year ~ bliain ó shin, a year ~ next Monday bliain go Luan seo chugainn, a month ~ last Monday mí is an Luan seo caite, long ~ fadó, a little while ~ ar ball beag, ó chianaibh

agonizing a coscrach, léanmhar, cráite

agony n céasadh, léan, pianpháis

agrarian a talúntais

agree vt & i aontaigh, réitigh, toilígh, the food didn't ~ with us níor fhóir an bia dúinn, to ~ on a price luach a shocrú

agreeable a deonach, toilteanach; cineálta, suairc, fáilí, pléisiúrtha

agreement n comhaontú, réiteach, socrú, to be in ~ with a person bheith ar aon intinn le duine

agricultural a talmhaíoch, ~ land talamh curaíochta, ~ college coláiste talmhaíochta, the A~ Institute an Foras Talúntais

agriculture n talmhaíocht

ahead adv, to walk ~ of a person siúl roimh dhuine, go ~ ar aghaidh leat, buail ar aghaidh, he is ~ of us tá sé chun tosaigh orainn, summer lies ~ tá an samhradh dár gcionn, romhainn

aid n cabhair, cúnamh, fortacht vt cabhraigh le, cuidigh le, fóir ar

ail vt & i, what ~ s you? cad tá ort? ~ ing ag éileamh, ag ceisneamh

ailing a breoite

ailment n casaoid, easláinte, gearán

aim n aidhm, cuspóir; aimsiú, amas, he has a good ~ tá urchar maith aige vt & i aimsigh, deasaigh, dírigh, pointeáil

aimless a fánach

air¹ n aer, putting on ~ s ag deánamh geáitsí vt aeráil

air² *n* fonn, aer
air-conditioned *a* aeroiriúnaithe
aircraft *n* aerárthach
air-force *n* aerfhórsa
air-hostess *n* aeróstach
air-lock *n* aerbhac
airman *n* eitleoir
airport *n* aerfort
air-tight *a* aerdhíonach
airy *a* aerach, spéiriúil; alluaiceach
aisle *n* taobhroinn; pasáiste
ajar *a* ar faonoscailt, ar leathoscailt
alacrity *n* éascaíocht, líofacht
alarm *n* aláram, rabhadh, scaoll, ~ *signal* rabhchán, *to raise the* ~ gáir a thógáil
alarm-clock *n* clog aláraim
alas *int* mo bhrón, faraor, monuar, mo léan, mo dhíth
alb *n* ailb
albatross *n* albatras
albino *n* ailbíneach, bánaí, dall bán *a* ailbíneach, bán
album *n* albam
alchemy *n* ailceimic
alcohol *n* alcól; deoch mheisciúil
alcoholic *n* & *a* alcólach
alcove *n* cailleach, almóir
alder *n* fearnóg
alderman *n* bardasach
ale *n* coirm, leann
alert *n, on the* ~ san airdeall, ar aire *a* airdeallach, braiteach
alga *n* alga
algebra *n* ailgéabar
alias *n* ainm bréige
alibi *n* ailibí
alien *n* & *a* coimhthíoch, eachtrannach
alienate *vt, to* ~ *one person from another* duine a chur in aghaidh duine eile, teacht idir dhaoine
alight *vi* ísligh, tuirling
align *vt* ailínigh
alike *a, they are* ~ tá siad cosúil le chéile, is ionann le chéile iad
alimentary *a,* ~ *canal* conair an bhia
alimony *n* ailiúnas
alive *a* beo, i do bheatha
alkaline *a* alcaileach
all *n* an uile, ~ *of them* iad go léir, ~ *of our people* iomlán ár ndaoine, ár muintir uile, *that is* ~ *I have* níl agam ach é; *sin a bhfuil agam; sin an méid atá*

agam, *when* ~ *is said and done* i ndeireadh na dála, *for* ~ *I know ar* scáth a bhfuil a fhios agamsa, ~ *dressed-up* gafa gléasta, *after* ~ tar éis an tsaoil *a & adv,* ~ *day* an lá ar fad, ~ *over the place* ar fud na háite, ~ *the time* i rith an ama, *from* ~ *directions* as gach aird, ~ *right* ceart go leor
allay *vt* maolaigh
allegation *n* líomhain
allege *vt* líomhain
allegiance *n* dílseacht, géillsine
allegorical *a* fáthchiallach
allegory *n* fáthscéal
allergic *a* ailléirgeach
allergy *n* ailléirge
alleviate *vt* éadromaigh, maolaigh
alley *n* caolsráid, scabhat, (*ball-*) ~ *pinniúr*
alliance *n* comhaontas
alligator *n* ailigéadar
alliteration *n* uaim
allocate *vt,* ~ (*to*) riar (ar), dáil (ar)
allot *vt* dáil ar, leag amach, *what has been* ~ *ted for us* an rud atá geallta, daite, dúinn
allotment *n* áirithe; dáileacht; cuibhreann
all-out *a & adv* dólámhach, *to make an* ~ *effort* do chroídhícheall a dhéanamh
allow *vt* ceadaigh, lamháil, leomh; admhaigh, ~ *him to speak* lig dó labhairt
allowance *n* ciondáil, lacáiste, lamháltas, liúntas, logha, ~ *for error* lamháil earráide
alloy *n* cóimhiotal
all-round *a* ilbheartach, cuimsitheach
allude *vt, to* ~ *to sth* tagairt do rud
allure *vt* cealg, meall
alluring *a* cealgach, meallacach
allusion *n* tagairt
ally *n* comhghuaillí *vt* snaidhm (*to* le), ceangail (*to* de), ~ *oneself with a person, group* dul i leith duine, grúpa
almanac *n* almanag
almighty *a* uilechumhachtach
almond *n* almóinn
almost *adv* beagnach, nach mór, *I* ~ *fell* is beag nár thit mé, dóbair dom titim, ~ *every day* bunús gach aon lá, ~ *finished* ionann is réidh
alms *n* almsa, déirc

aloe *n* aló
aloft *adv* in airde, lastuas
alone *a & adv, not ~ that* ní hamháin sin, *he lives ~* cónaíonn sé leis féin, *I am ~* tá mé i m'aonar, *let him ~* ná bac leis, lig dó
along *prep & adv, to be ~ with a person* bheith i bhfochair, i dteannta, in éineacht le, duine, *~ by the river* cois abhann, *~ the road* feadh an bhóthair, *~ with that* ina aice sin, ina cheann sin, lena chois sin, *he was walking ~* bhí sé ag siúl roimhe
alongside *prep & adv* cois, *~ the quay* buailte suas leis an gcé
aloof *a* deoranta, coimhthíoch
aloud *adv, say it ~* abair amach, os ard, é
alphabet *n* aibítir
already *adv* cheana (féin)
Alsatian *n & a* Alsáiseach
also *adv* fosta, freisin, leis
altar *n* altóir
altar-boy *n* cléireach
altar-bread *n* abhlann
alter *vt & i* athraigh
alteration *n* athrach, athrú
alternate *a* gach dara, gach re *vt & i* malartaigh, *to ~ (with each other)* sealaíocht, uainíocht, a dhéanamh (ar a chéile)
alternating *n* sealaíocht *a* iomlaoideach *~ heat and cold* teas agus fuacht (faoi seach)
alternative *n* athrach, malairt, *I have no ~* níl an dara rogha agam; níl aon dul as agam *a*, *~ road* bealach eile
although *conj* bíodh (is) go, cé go
altitude *n* airde
altogether *adv* ar fad, go hiomlán, go léir; in éineacht
aluminium *n* alúmanam
always *adv* riamh; i gcónaí, i dtólamh, go buan, ar fad, go brách, choíche
amalgamate *vt & i* cónaisc, cumaisc
amateur *n & a* amaitéarach
amaze *vt, to ~ a person* alltacht, ionadh, a chur ar dhuine
amazement *n* alltacht, ionadh
amazing *a* iontach
ambassador *n* ambasadóir
amber *n* ómra *a* ómrach
ambiguity *n* athbhrí, débhríocht

ambiguous *a* athbhríoch, débhríoch
ambition *n* glóirmhian, uaillmhian, scóip
ambitious *a* aidhmeannach, glóirmhianach, uaillmhianach, *he is ~* tá a shúil ard
ambulance *n* otharcharr
ambush *n* luíochán, oirchill *vt, to ~ a person* luíochán a chur ar dhuine, luí roimh dhuine
amen *int* áiméan
amenable *a* sochomhairleach, soghluaiste
amend *vt* ceartaigh, leasaigh
amendment *n* ceartú, leasú, leasúchán
amends *npl, to make ~ for an injury* éagóir a chúiteamh, leorghníomh a dhéanamh in éagóir
amenities *npl* áiseanna, saoráidí; taitneamhachtaí
amethyst *n* aimitis
amiable *a* geanúil, lách, grámhar
amicable *a* cairdiúil, carthanach
ammonia *n* amóinia
ammunition *n* armlón, lón cogaidh, muinisean
amnesia *n* aimnéise
amnesty *n* pardún ginearálta, ollmhaithiúnas
among *prep* ar fud, idir, i measc, trí
amoral *a* dímhorálta
amount *n* cuid, méid, oiread, suim, *large ~ of money* lear, moll, cuimse, airgid *vi, it ~ed to five pounds* bhí cúig phunt ann san iomlán, *it ~s to the same thing* is ionann an cás, is é an dá mhar a chéile é
ampère *n* aimpéar
amphibian *n & a* débheathach
ample *a* fairsing, fras
amplifier *n* aimplitheoir
amplify *vt* aimpligh; fairsingigh, méadaigh
amputate *vt* bain, teasc
amulet *n* briocht
amuse *vt, to ~ a person* siamsa a dhéanamh do dhuine, *amusing oneself* ag déanamh spraoi, ag déanamh spóirt
amusement *n* caitheamh aimsire, siamsa
amusing *a* greannmhar, spórtúil
anachronism *n* iomrall aimsire
anaemia *n* anaemacht
anaemic *a* anaemach

anaesthetic *n & a* ainéistéiseach
anagram *n* anagram
analogy *n* analach
analyse *vt* anailisigh; miondealaigh
analysis *n* anailis, anailisiú; miondealú
anarchist *n* ainrialaí
anarchy *n* ainriail, anlathas
anatomy *n* anatamaíocht
ancestor *n* sinsear
ancestral *a* athartha, sinsearach
anchor *n* ancaire
anchorage *n* acarsóid, ród
ancient *n* seanduine, duine aosta *a* ársa, seanda
and *conj* agus, is
anecdote *n* scéilín, staróg
aneurin *n* ainéirin
anew *adv* as an nua, as úire
angel *n* aingeal
angel-fish *n* cat mara; bráthair
angelic *a* ainglí
angelus *n* Fáilte an Aingil, ~ *bell* clog an aingil
anger *n* fearg, olc, colg *vt, to* ~ *a person* fearg a chur ar dhuine
angina *n* aingíne (chléibh)
angle *n* cúinne, cearn; uillinn
angler *n* duánaí
Anglican *n & a* Anglacánach
anglicism *n* béarlachas
anglicization *n* galldachas
angling *n* duántacht
angora *n* angóra
angry *a* feargach, colgach, *to get* ~ *with a person* borradh, spriúchadh, chuig duine
anguish *n* buairt, crá, pianpháis, léan
angular *a* uilleach, beannach, corránach
animal *n* ainmhí, beithíoch, míol *a* ainmhíoch
animate *vt* beoigh
animated *a* anamúil, beoga
animation *n* beochan, beocht, spionnadh
animosity *n* fuath, naimhdeas, nimh
aniseed *n* síol ainíse
ankle *n* caol na coise, murnán, rúitín
annalist *n* annálaí
annals *npl* annála
annex *n, (building)* fortheach *vt, to* ~ *sth to sth else* rud a nascadh, a chur (mar aguisín), le rud eile, *the province was* ~*ed to the empire* gabhadh an cúige isteach san impireacht

annihilate *vt* diothaigh, neamhnigh
anniversary *n, the* ~ *of his birth* cothrom an lae a rugadh é
announce *vt & i* craol, fógair
announcement *n* fógra
announcer *n* bolscaire, fógróir
annoy *vt* ciap, cráigh, griog, *don't* ~ *me about it* ná bí liom mar gheall air
annoyance *n* ciapadh, griogadh, dóiteacht, iarghnó
annoying *a* ciapach, dóiteach
annual *n, (plant)* bliantóg, *(yearbook)* bliainiris *a* bliantúil
annuity *n* anáid, blianacht
annul *vt* neamhnigh, cealaigh
annulment *n* neamhniú
annunciation *n, the A* ~ Teachtaireacht an Aingil, *A* ~ *Day* Lá Fhéile Muire san Earrach
anoint *vt* olaigh, ung, *he was* ~*ed* cuireadh an ola air
anomalous *a* aimhrialta
anomaly *n* aimhrialtacht
anorak *n* anarac
another *a & pron* eile, duine eile, ~ *day* athlá
answer *n* freagra, *back* ~ aisfhreagra *vt & i* freagair, *to* ~ *back* aisfhreagra a thabhairt ar dhuine
answerable *a* freagrach
ant *n* seangán
antagonism *n* eascairdeas
antagonist *n* céile comhraic
antagonize *vt, to* ~ *a person* duine a chur sa droim ort
Antarctic *n & a* Antartach
ante- *pref* réamh-
antecedent *n* réamhtheachtaí *a* réamhtheachtach
antechamber *n* forsheomra
antenna *n* aintéine, adharcán
anthem *n* aintiún, *national* ~ amhrán náisiúnta
ant-hill *n* nead seangán
anthology *n* díolaim, ~ *of verse* duanaire, díolaim dána
anthracite *n* antraicít
anthrax *n* antrasc
anthropoid *n & a* antrapóideach
anthropology *n* antraipeolaíocht
anti- *pref* frith-
antibiotic *n & a* frithbheathach, antaibheathach

anticipate *vt, to* ~ *sth* bheith ag súil, ag feitheamh, le rud, *to* ~ *a person* dul, teacht, roimh dhuine, *to* ~ *a result* toradh a dhéanamh amach roimh ré

anticipation *n* réamhghabháil, súil, feitheamh, *in* ~ *of death* in oirchill an bháis

anticlimax *n* frithbhuaic

anticlockwise *a & adv* tuathal, tuathalach

antics *npl* geáitsí

anticyclone *n* frithchioclón

antidote *n* frithnimh, nimhíoc

antiquarian *n* ársaitheoir

antique *n, pl* seandachtaí á ársa, seanda

antiquity *n* seandacht; seaniarsma; an seansaol

antiseptic *n* frithsheipteán, antaiseipteán *a* frithsheipteach, antaiseipteach

antler *n* beann

anus *n* anas, áthán, timpireacht

anvil *n* inneoin

anxiety *n* imní, sníomh, buairt

anxious *a* imníoch, cúramach, scimeach, buartha, *to be* ~ *to do sth* fonn a bheith ort rud a dhéanamh

any *a & pron & adv*, *have you* ~ *money ?* an bhfuil aon airgead agat? *take* ~ *one of them* tóg ceann ar bith acu, *he is not* ~ *better today* níl sé pioc níos fearr inniu

anybody *n* aon duine, duine ar bith

anyhow *adv & conj* cibé, pé scéal é; ar dhóigh ar bith, ar chuma ar bith

anyone *n* aon duine, duine ar bith

anything *n* rud ar bith, aon rud, aon cheo, dada

anyway *adv* ar aon chaoi, ar aon nós

anywhere *adv* (in) áit ar bith, aon áit

apart *adv* ar leithligh, *they are a mile* ~ tá siad míle ó chéile, tá míle eatarthu, *a person* ~ duine ar leith, ~ *from that* lasmuigh de, diomaite de, sin, *it fell* ~ thit sé as a chéile

apartheid *n* cinedheighilt

apartment *n* árasán

apathetic *a* fuar, patuar, marbh, suanach

apathy *n* fuarchúis, patuaire, fuarthé

ape *n* ápa

aperitif *n* greadóg

aperture *n* cró, poll

apex *n* barr, buaic, rinn

aphid *n* aifid

aphoristic *a* nathach

apiary *n* beachlann

apiece *adv*, *they cost me a shilling* ~ scilling an ceann a thug mé orthu, *he gave them a shilling* ~ thug sé scilling an duine dóibh

apocalypse *n* apacailipsis

apocalyptic *a* apacailipteach

apocryphal *a* apacrafúil

apogee *n* apaigí, barrchéim

apologetic *a* leithscéalach

apologetics *npl* díonchruthú

apologize *vi, to* ~ *to a person* (do) leithscéal a ghabháil le duine

apology *n* leithscéal

apoplexy *n* apaipléis

apostate *n* séantóir

apostle *n* aspal

apostolate *n* aspalacht

apostolical *a* aspalda

apostrophe *n* uaschamóg

apothecary *n* poitigéir

appal *vt* scanraigh

appalling *a* scáfar, scanrúil

apparatus *n* fearas, gaireas, gléasra, sáslach

apparel *n* culaith, éadach, feisteas

apparent *a* dealraitheach, follasach, ~ *ly* de réir dealraimh, de réir cosúlachta; is cosúil (go)

apparition *n* taispeánadh; cruth, taibhse, taise

appeal *n* achainí; achomharc; tarraingteacht *vt* achainigh (*to* ar); achomharc, *it* ~ *ed to me* thaitin sé liom

appear *vi* taibhsigh; láithrigh, nocht, taispeáin, *it* ~ *s to me that* feictear dom go, samhlaítear dom go, *it* ~ *s that is* cosúil go, dealraíonn sé go, *the ship* ~ *ed on the horizon* nocht an long ag bun na spéire, *to* ~ *for a person* bheith i láthair in ionad duine, ar son duine

appearance *n* gné, cruth, cló, deilbh, cuma; araí; cosúlacht, dealramh, fíor, *facial* ~ dreach, *good* ~ slacht, *to all* ~ *s* de réir cosúlachta, *keeping up* ~ *s* ag seasamh na honóra, *to make an* ~ teacht ar an láthair

appease *vt* ceansaigh, *to* ~ *a child* baint faoi leanbh

appeasement *n* ceansú

appellant *n* achomharcóir

append *vt*, ~ *to* cuir le

appendage *n* géagán

appendicitis n aipindicíteas

appendix n aguisín; aipindic

appertain vi, to ~ to baint le, gabháil le

appetite n goile; dúil

appetizer n greadóg

appetizing a blasta

applaud vt mol os ard, his speech was ~ed tógadh gáir mholta, buaileadh bosa, nuair a labhair sé

applause n bualadh bos

apple n úll, Adam's ~ úll na brád, ~ charlotte úllóg

appliance n fearas, gléas

applicable a fóirsteanach, ~ to infheidhme maidir le; bainteach le

applicant n iarratasóir

application n iarratas; feidhmiú; dúthracht

apply vt & i, to ~ a poultice to a wound ceirín a chur le cneá, to ~ for a job cur isteach ar phost, he applied himself to his work chrom sé ar a chuid oibre, this applies to my case tá feidhm aige seo i mo chás-sa

appoint vt ceap; ainmnigh, socraigh

appointed a ceaptha, ~ day sprioclá, ceannlá

appointment n coinne; ceapachán

apportion vt cionroinn

apportionment n cionroinnt, dáileadh

apposite a ceart, cothrom; oiriúnach (to do)

appraisal n luacháil, meastóireacht

appraise vt luacháil, meas

appreciable a inmheasta, suntasach

appreciate vt & i meas, (of value) ardaigh, éirigh, I ~ that, is mór agam sin; tuigim é sin go maith, he ~s music tá ciall cheart do cheol aige

appreciation n léirthuiscint, tuiscint, meas; ardú (luacha)

appreciative a léirthuisceanach, fabhrach

apprehend vt meabhraigh, tabhair faoi deara, to ~ a person duine a ghabháil

apprehension n tuiscint; eagla, faitíos

apprehensive a eaglach, faiteach

apprentice n printíseach

apprenticeship n printíseacht

approach n teacht; ionsaí; bealach vt & i taobhaigh; tar (i leith); ionsaigh, to ~ a person dul chuig duine; druidim le duine, he ~ed me tháinig sé a fhad

liom, the time is ~ing tá an uair buailte linn

approachable a sochaideartha; insroichte

approbation n toiliú, ceadú; dea-mheas, on ~ ar triail

appropriate a feiliúnach, iomchuí vt dílsigh, leithreasaigh

appropriation n dílsiú, leithreasú

approval n ceadú; dea-mheas, I hope it will meet with your ~ tá súil agam go mbeidh tú sásta leis, goods on ~ earraí ar triail

approve vt faomh, ceadaigh, aontaigh le; formheas, I wouldn't ~ of it ní mholfainn é; ní thabharfainn mo bheannacht dó

approvingly adv go sásta, go moltach

approximate a gar-, neas-

approximately adv, a year ~ amuigh agus istigh ar bhliain, amach is isteach le bliain, timpeall is bliain

approximation n garmheastachán

apricot n aibreog

April n Aibreán

apron n naprún, workman's ~ práiscín

apropos adv, ~ of that dála an scéil sin, maidir leis sin

apt a cóir, tráthúil; aibí, cliste, he is ~ to cause a quarrel is furasta leis achrann a thógáil

aptitude n éirim, he has an ~ for learning tá mianach an léinn ann, she has a natural ~ for music tá dúchas an cheoil inti

aquarium n uisceadán

Aquarius n an tUisceadóir

aqueduct n uiscerian

aquiline a iolarach

arable a arúil, ~ land ithir, míntír

arbitrary a aondeonach; ar togradh

arbitrate vt & i réitigh, to ~ eadráin a dhéanamh (between idir)

arbitrator n eadránaí, réiteoir

arbutus n caithne

arc n stua

arcade n stuara

arch[1] n áirse; stua vt & i, the cat ~ed its back chuir an cat cruit air féin, it ~es at the east end tá stua sa cheann thoir de

arch-[2] pref ard-

archaeologist n seandálaí

archaic n ársa, seanda

archbishop n ardeaspag
arched a droimneach, dronnach, stuach
archer n boghdóir, saighdeoir
archery n boghdóireacht, saighdeoireacht
archipelago n oileánrach
architect n ailtire
architecture n ailtireacht
archives npl cartlann
archivist n cartlannaí
archway n póirse, súil (droichid)
Arctic n & a Artach
ardent a díbhirceach, teasaí, díograiseach
ardour n díbhirce, díograis
arduous a dian, ~ *journey* turas maslach
area n achar; limistéar, ceantar
arena n airéine; láthair na teagmhála
arguable a inargóinte, ináitithe
argue vt & i áitigh, conspóid, *they were arguing back and forth* bhí siad ag cur is ag cúiteamh, ag allagar
argument n aighneas, argóint, conspóid, díospóireacht
argumentative a aighneasach, conspóideach, ~ *person* conspóidí
aria n ária
arid a loiscneach; tur, tirim
Aries n an Reithe
arise vi éirigh; tar, tarlaigh, *a storm arose* tháinig sé ina stoirm, *arising from that* dá bharr sin, *the question arose* tháinig sé i gceist
aristocracy n uasaicme; uaslathas
aristocrat n uaslathaí, uasal
aristocratic a uasaicmeach, uaslathach
arithmetic n uimhríocht, áireamh
arithmetical a uimhríochtúil
ark n áirc
arm[1] n lámh, sciathán, géag, arm, *heraldic* ~ *s* armas, ~ *of the sea* loch, ascaill mhara, ~ *in* ~ uillinn ar uillinn, *under his* ~ faoina ascaill aige, *she was carrying the child in her* ~ *s* bhí an leanbh ina baclainn aici, *to carry sth over one's* ~ rud a iompar ar do chuisle, ar bhacán do láimhe
arm[2] vt & i armáil, *to* ~ dul faoi arm
armada n armáid
armament n armáil
armchair n cathaoir uilleann
armed a armach, *fully* ~ faoi iomlán airm

armful n asclán, uchtóg, ~ *of hay* gabháil féir, ~ *of turf* baclainn mhóna
armour n armúr, plátáil vt plátáil
armoured a armúrtha
armourer n armadóir
armoury n armlann
armpit n ascaill
arms npl arm, *feat of* ~ gaisce, *coat of* ~ armas
army n arm; slua
aroma n dea-bholadh
aromatic a spíosrach; cumhra
around adv & prep máguaird, timpeall, fá dtaobh de, *they stood* ~ *him* sheas siad ina thimpeall, thart air, ~ *Christmas* faoi Nollaig, i dtrátha na Nollag
arouse vt spreag; dúisigh, múscail
arraign vt díotchúisigh
arrange vt cóirigh, eagraigh, leag amach, réitigh, socraigh
arrangement n eagar, feisteas, leagan amach, ord; oirniú, socrú; cóiriú
array n eagar, cóiriú, inneall vt gléas, ordaigh; innill
arrears n riaráiste, *he is in* ~ *with the work* tá sé chun deiridh leis an obair
arrest n gabháil; cosc, *under* ~ gafa vt gabh; coisc, stop
arrival n teacht
arrive vi ráinigh, tar, *when I* ~ *d home* nuair a shroich mé an baile, nuair a bhain mé an baile amach
arrogance n díomas, bródúlacht, sotal, uabhar
arrogant a díomasach, uaibhreach, sotalach, bródúil
arrow n saighead
arrowroot n ararút
arsenic n arsanaic
arson n coirloscadh
art n dán, ealaín, *the fine* ~ *s* na míndána
artefact n déantán
arterial a artaireach
artery n artaire
artesian a airtéiseach
artful a ealaíonta, géar, glic
arthritis n airtríteas
artichoke n bliosán
article n alt; airteagal, ~ *of clothing* ball éadaigh, ~ *of faith* bunalt creidimh
articulate a altach; glinn, sothuigthe vt alt, *to* ~ *sth* rud a chur in alt a chéile
articulated a altach, in alt a chéile

articulation *n* urlabhraíocht

artificial *a* saorga, tacair

artillery *n* airtléire

artisan *n* ceardaí

artist *n* ealaíontóir

artistic *a* ealaíonta

artistry *n* ceardúlacht, ealaín

as *adv & conj* chomh; fearacht, mar; faoi mar, *as white as snow* chomh geal le sneachta, *as well (as)* chomh maith (le), *as far as* fad le, a fhad le, *as long as* fad (is) a, a fhad (is) a, *as if he were angry* faoi mar a bheadh fearg air, *just as I was leaving* (go) díreach agus mé ag imeacht, *as it is, we must pay* mar atá an scéal caithfimid íoc, *as a matter of fact* déanta na fírinne, *as a token of peace* mar chomhartha síochána, *as you are right* ós agat atá an ceart, *as it were* mar a déarfá, *as usual* mar is gnách, *as yet* go dtí seo, *as for, as regards* mar le, maidir le, *such as* mar shampla

asbestos *n* aispeist

ascend *vt & i* ardaigh, téigh suas, tóg, *to ~ the throne* teacht i gcoróin

ascendancy *n* cinseal, *the A ~* an Chinsealacht

ascendant *a* ardaitheach, cinsealach

ascension *n, A ~ Thursday* Déardaoin Deascabhála

ascent *n* éirí; bealach suas, *~ of hill* tógáil cnoic

ascertain *vt* fionn, cinntigh

ascetic *n* aiséiteach *a* aiséitiúil, diantréanach

asceticism *n* diantréanas

ascribe *vt, to ~ to* cur ar, cur i leith, *a poem ~ d to Colm Cille* dán a fhágtar ar Cholm Cille

aseptic *a* aiseipteach

ash[1] *n, (tree)* fuinseog, *mountain ~* caorthann

ash[2] *n, ~ es* luath(reach); gríosach, *A ~ Wednesday* Céadaoin an Luaithrigh

ashamed *a, to be ~* náire a bheith ort, *he is ~* tá eagnaí faoi, ceann síos, air

ash-bin *n* bosca luatha; bosca bruscair

ashore *adv* istir, *to go ~* dul i dtír

ash-pit *n* clais luatha

ash-tray *n* luaithreadán

ashy *a* luaithriúil

aside *n* seachfhocal *adv* i leataobh, *cast*

~ caite i gcúil coicíse, caite i gcártaí, *leave it ~* fág uait é

ask *vt & i* fiafraigh, iarr, *~ him* cuir ceist air, *to ~ a person to lunch* cuireadh chun lóin a thabhairt do dhuine, *they were ~ ing for you* bhí siad ag cur do thuairisce, do d'fhiafraí, *to ~ the way* eolas an bhealaigh a chur

askance *adv, he looked ~ at me* d'amharc sé orm le heireaball a shúil; shaobh sé a shúile orm; d'amharc sé go hamhrasach orm

askew *adv & a* ar sceabha, ar fiar

asleep *adv & a, he is ~* tá sé ina chodladh, *my foot is ~* tá codladh grifín i mo chos

asparagus *n* asparagas, lus súgach

aspect *n* aghaidh, dreach, gné

aspen *n* crann creathach

aspersion *n* spíd, *to cast ~ s on a person* drochmheas a chaitheamh ar dhuine

asphalt *n* asfalt

asphyxia *n* lánmhúchadh, aisfisce

asphyxiate *vt & i* múch, plúch, tacht, *they ~ d* plúchadh iad

aspirate *vt* análaigh; séimhigh

aspiration *a* análú; dréim; séimhiú

aspire *vi, to ~ to* bheith ag dúil, ag dréim, le

aspirin *n* aspairín

ass *n* asal

assail *vt* ionsaigh

assailant *n* ionsaitheoir

assassinate *vt* feallmharaigh

assassination *n* feallmharú

assault *n* ionsaí *vt* ionsaigh

assemble *vt & i* cruinnigh, comóir, tiomsaigh, tionóil, *to ~ machinery* innealra a chóimeáil

assembly *n* aonach, comóradh, dáil, tiomsú, tionól, *~ line* líne chóimeála

assent *n* aontú *vi* aontaigh

assert *vt* dearbhaigh, *he ~ ed himself* chuir sé é féin i gcion, in iúl, i gceill, i bhfáth

assertion *n* dearbhú, maíomh; teanntás

assertive *a* teanntásach, ceannasach, treallúsach

assess *vt* measúnaigh

assessment *n* measúnacht, measúnú; cáinmheas

assessor *n* meastóir; measúnóir

asset *n* áirge, sócmhainn, *he is a great* ~ *to them* is mór an cúnamh dóibh é
assiduous *a* dúthrachtach
assign *vt* tabhair (do), ceap, leag amach; sann, *the place has been* ~ *ed to him* tá an áit luaite leis
assignation *n* dáileadh maoine; ainmniú; coinne
assignment *n* sannadh; tabhairt; tasc
assimilate *vt & i* comhshamhlaigh, *to* ~ *food* bia a shú (isteach)
assist *vt & i* cabhraigh, cuidigh, *to* ~ *a person* cuidiú le duine, *to* ~ *at a ceremony* bheith páirteach i gceiliúradh; bheith i láthair ag searmanas
assistance *n* cabhair, cuidiú, cúnamh
assistant *n* cúntóir, *shop* ~ buachaill, cailín, siopa *a*, ~ *master* fomháistir, ~ *teacher* múinteoir cúnta
associate *n* comhpháirtí, ~ *(s)* páirtí *a* comh-, comhlach *vt & i* comhlachtaigh, *to* ~ *with a person* caidreamh, comhluadar, a dhéanamh le duine ; taithí le duine
association *n* caidreamh, páirt(íocht); comhaltas, comhlachas, cumann, ~ *of ideas* comhcheangal smaointe
assonance *n* comhfhuaim
assorted *a* measctha
assortment *n* ilchumasc
assume *vt* gabh, glac, *to* ~ *authority* údarás a ghabháil, *let us* ~ *that you are right* abraimis go bhfuil an ceart agat, *don't* ~ *you can do as you please here* ná tuig, ná tóg, go bhfuil cead do chinn anseo agat
assumed *a*, ~ *name* ainm bréige
assumption *n* deastógáil (na Maighdine Muire), *Feast of the A* ~ Lá Fhéile Muire san Fhómhar, ~ *of authority* gabháil údaráis, *on the* ~ *that* ar an mbun go
assurance *n* cinnteacht; dearbhú, deimhin; árachas; teann(tás), *to speak with* ~ labhairt go ceannasach
assure *vt* cinntigh, dearbhaigh, deimhnigh, *I* ~ *you* geallaim duit, go deimhin duit
assured *a* ceannasach, teann(tásach), ~ *ly* go dearfa, go deimhin
asterisk *n* réiltín
astern *adv*, *to go* ~ dul chun deiridh; druidim siar

asteroid *n & a* astaróideach
asthma *n* múchadh, plúchadh
asthmatic *a* gearranálach, múchtach
astonish *vt*, *to* ~ *a person* alltacht, ionadh, a chur ar dhuine
astonishing *a* iontach, uafásach
astonishment *n* iontas; alltacht
astound *vt*, *to* ~ *a person* alltacht, uafás, a chur ar dhuine
astounding *a*, *it is most* ~ is mór an t-uafás é
astral *a* réaltach
astray *adv* amú, ar fán, ar strae, *to go* ~ dul ar seachrán, *to lead a person* ~ duine a bhaint dá threoir, duine a shaobhadh, duine a chur ar a aimhleas, *to be* ~ bheith ar mearbhall
astride *adv* ar scaradh gabhail (ar)
astringent *n* fuilchoscach *a* fuilchoscach; géar, borb
astrologer *n* astralaí
astrological *a* astralaíoch
astrology *n* astralaíocht
astronaut *n* spásaire
astronomer *n* réalteolaí
astronomy *n* réalteolaíocht
astute *a* géarchúiseach, praitinniúil
astuteness *n* géarchúis, praitinniúlacht, gliceas
asunder *adv*, *to tear sth* ~ rud a stróiceadh ó chéile, *it fell* ~ thit sé as a chéile
asylum *n* dídean, tearmann; teach na ngealt
asymmetric *n* neamhshiméadrach
at *prep* ag, ar, chun, faoi, le, um, *at work* ag obair, *at home* ag baile, sa bhaile, *at school* ar scoil, *at six o'clock* ag, ar, a sé a chlog, *at a pound a bag* ar phunt an mála, *at present* faoi láthair, *at Christmas* faoi, um, Nollaig, *laughing at us* ag gáire fúinn, *at night* san oíche, istoíche, *whistling at us* ag feadaíl linn, *looking at you* ag breathnú ort, *good at games* maith chuig cluichí, *at all* ar chor ar bith, in aon chor, *at any rate* ar aon chor
atavism *n* athdhúchas
atavistic *a* athdhúchasach
atheism *n* aindiachas
atheist *n* aindiachaí
athlete *n* lúithnire, lúthchleasaí
athletic *n* lúfar

athleticism n lúithnireacht

athletics npl lúthchleasa, cleasa lúith, lúthchleasaíocht

athwart a & adv trasna, ar fiarlaoid

Atlantic n & a Atlantach

atlas n atlas

atmosphere n aerbhrat, atmaisféar

atmospheric(al) a atmaisféarach

atmospherics npl aerthormán

atom n adamh

atomic a adamhach

atomize vt adamhaigh

atone vi, to ~ for a fault leorghníomh, cúiteamh, a dhéanamh i gcoir; íoc as coir

atonement n leorghníomh, sásamh, in ~ for our sins in íoc ár bpeacaí

atrocious a uafásach

atrocity n gníomh uafáis

attach vt greamaigh (to de), ceangail (to as), he ~ ed great importance to that ba ríthábhachtach leis é sin

attached a, the condition ~ to it an coinníoll a ghabh(ann) leis, to be ~ to a person bheith ceanúil, leanúnach, ar dhuine

attachment n greamú, ceangal; forbhall, ball breise; leanúnachas

attack n amas, drochiarraidh, ruathar, fogha, ionsaí; ráig, taom vt ionsaigh, to ~ a person tabhairt faoi dhuine

attacker n ionsaitheoir

attain vt & i bain amach, sroich, to ~ to perfection teacht chun foirfeachta, to ~ a certain age aois áirithe a shlánú

attainable a so-aimsithe

attainment n gnóthú, sroicheadh

attempt n iarracht, iarraidh, ionsaí, at the first ~ ar an gcéad ásc, ar an gcéad fháscadh, he made no ~ to leave níor iarr sé imeacht vt, I ~ ed it d'fhéach mé leis, thug mé faoi

attend vt & i freastail, friotháil, to ~ Mass Aifreann a éisteacht, ~ ing to the house i mbun an tí, I have many things to ~ to is iomaí rud ar m'aire

attendance n freastal, tinreamh; giollacht

attendant n freastalaí, friothálaí; giolla, timire, ~ s lucht coimhdeachta a coimhdeach

attention n aird, suntas; aire, friotháil, to pay ~ to a person éisteacht le duine,

pay no ~ to it ná cuir aon nath ann, ná tóg ceann ar bith dó

attentive a aireach, feifeach

attenuate vt & i caolaigh

attested a dearbhaithe

attic n áiléar

attire n feisteas, cóir éadaigh, gléasadh vt deasaigh, gléas

attitude n mana, dearcadh, aigne, fighting ~ goic throda, gothaí troda

attorney n aturnae

Attorney-General n Ard-Aighne

attract vt tarraing, meall, they are ~ ed to one another tá siad tógtha le chéile

attraction n imtharraingt, tarraingt

attractive a tarraingteach

attribute n airí, cáilíocht vt, to ~ sth to a person rud a chur i leith duine; rud a fhágáil, a leagan, ar dhuine

auburn a órdhonn

auction n ceant vt ceantáil

auctioneer n ceantálaí

audacious a dána, teanntásach

audacity n dánacht, teanntás, I wouldn't have the ~ (to) ní bheadh sé d'éadan orm

audible a inchloiste

audience n éisteacht; lucht éisteachta, lucht féachana

audio-visual a, ~ aids, áiseanna closamhairc

audit n iniúchadh vt iniúch

audition n, ~ of musician triail ar cheoltóir

auditor n iniúchóir; reachtaire

auditorium n halla éisteachta

auger n tarathar

augment vt méadaigh

August n Lúnasa

aunt n aintín

auricle n cluaisín

auspices npl, under the ~ of faoi choimirce

auspicious a fabhrach; rathúil

austere a géar, dian

austerity n géire, déine

authentic a barántúil, údarach

authenticate vt deimhnigh; fíoraigh

authenticity n údaracht

author n scríbhneoir, údar

authoritative a údarásach

authority n ceannas, forlámhas, cumhacht; barántas; údarás, *he is an ~ on the subject* tá sé ina údar air, *I have it on good ~* tá údar, urra, maith agam leis, *the authorities* na húdaráis

authorize vt údaraigh

auto- pref féin-, uath-

autobiography n dírbheathaisnéis

autocracy n uathlathas

autocratic a uathlathach

autograph n síniú vt sinigh

automatic a uathoibríoch, uath-fheidhmeach

automation n uathoibriú

automaton n uathoibreán

autombile n gluaisteán

autonomous a féinrialaitheach, uath-rialach, *~ verb* briathar saor

autonomy n féinriail

autumn n fómhar

autumnal a fómharach

auxiliary a cúntach

avail n, *of no ~* gan éifeacht, *to work to no ~* saothar in aisce a dhéanamh vt & i, *to ~ oneself of sth* leas a bhaint as rud, *it ~s him little* is beag an éadáil dó é .

available a infhaighte; ar fáil, le fáil

avalanche n maidhm shléibhe; maidhm shneachta

avarice n saint

avaricious a santach

avenge vt, *to ~ a crime on a person* coir a agairt ar dhuine, *to ~ oneself* díoltas, sásamh, a bhaint amach

avenger n díoltach

avenue n aibhinne, ascaill

average n meán a cothrom, meánach, meán-

averse a, *to be ~ to doing sth* dochma a bheith ort rud a dhéanamh, *he wouldn't be ~ to a little drop* ní dhiúltódh sé braon beag

aversion n col, dochma, drogall, *it is his pet ~* is é púca na n-adharc aige é

avert vt, *to ~ anger* fearg a iompú, *to ~ danger* contúirt a choinneáil uait, a chosaint

aviary n éanlann

aviation n eitlíocht

avid a críocrach, *~ for sth* scafa chun ruda

avoid vt seachain, teith ó

avoidance n seachaint

await vt fan le, fair

awake vt & i dúisigh, múscail a, *to be ~* bheith i do dhúiseacht, *he is wide ~* tá sé ina lándúiseacht, níl néal air

awaken vt & i múscail, dúisigh

awakening n múscailt

award n moladh, duais vt, *to ~ a prize to a person* duais a thabhairt do dhuine

aware a meabhrach, braiteach, *I am ~ of it* is feasach dom é, *I became ~ of a smell* mhothaigh mé boladh, *to make a person ~ of sth* rud a chur ar a shúile do dhuine

awareness n meabhraíocht

away adv ar shiúl, *he went ~* d'imigh sé (leis), *he took it ~* thug sé leis é, *work ~* oibrigh leat, *do it right ~* déan láithreach é, *far ~* i bhfad ó bhaile, *~ from home* as baile, *he kept ~ from them* d'fhan sé glan orthu, amach uathu, *to do ~ with sth* deireadh a chur le rud, *if you get ~ with it* má ritheann leat

awe n uafás, uamhan

awful a uafásach, millteanach, scanrúil, *he is an ~ liar* is deamhanta an bréag-adóir é, *the weather was ~* bhí léan ar an aimsir

awfully adv go huafásach, *I am ~ sorry* tá brón an domhain orm

awhile adv nóiméad, ar feadh nóiméid, *wait ~* fan go fóill

awkward a anásta, amscaí, ciotógach, driopásach, tútach, míshásta, *~ person* amlóir

awkwardness n ciotaí, tútachas

awl n meana

awning n scáthbhrat

awry a & adv cam; ar fiar; cearr, *it is all ~* tá sé bunoscionn

axe n tua

axiom n aicsím, soiléirse

axis n ais

B

babble n cabaireacht, (of stream) crónán vt & i, babbling ag cabaireacht; ag crónán, ag plobaireacht, to ~ a secret rún a scileadh, a sceitheadh

baboon n babún

baby n babaí, leanbh, leanbán, ~ seal éan róin

babyish a bábánta, leanbaí

babysitter n feighlí páistí

bachelor n baitsiléir; buachaill

bacillus n bachaillín

back n cúl, droim, muin; cúlaí, ~ to front taobh thiar aniar, droim ar ais adv & a siar, ar gcúl, ar ais, ~ there thiar ansin, ~ and front thiar agus abhus, ~ door doras cúil, ~ legs cosa deiridh vt & i cúlaigh, baiceáil; tacaigh le, to ~ a horse geall a chur ar chapall, to ~ up a person seasamh le duine, to ~ down tarraingt siar

back-band n dromán

backbiter n cúlchainteoir, creimire

backbiting n cúlchaint, athchaint, athiomrá

backbone n cnámh droma, slat droma

backer n cúl taca; gealltóir

backfire vi cúltort

backgammon n táiplis mhór

background n cúlra; cúlionad, in the ~ ar an gcúlráid

backing n tacaíocht, cúl taca; cúlú

backlash n fritonn

backlog n riaráiste

backside n tóin, tiarpa

backward a cúthail, cúlánta, cúlráideach, iargúlta, ~ place iargúil

backwards adv ar gcúl, siar, they were moving ~ bhí siad ag dul i ndiaidh a gcúil, ar lorg a gcúil

backwater n marbhuisce, uisce cúil; áit cúl le faobhar

bacon n bagún

bacteria npl baictéir

bacterial a baictéarach

bacteriology n baictéareolaíocht

bad n, to go to the ~ dul i ndonas, imeacht chun an diabhail a dona, olc, mí-, ain-, an-, droch-, ~ egg ubh ghlugair, it's not ~ níl caill air

badge n suaitheantas

badger n broc

badly adv go dona, ~ off ar míchaoi

badminton n badmantan

badness n donacht, olcas

baffle vt, to ~ a person duine a mhearú, a chur i sáinn, a case that ~ d the doctors cás a chuaigh thar scil na ndochtúirí, it is baffling me tá sé ag dul sa mhuileann orm, tá sé ag déanamh mearbhaill dom

bag n mála, bolg, ~s under the eyes sprochaillí faoi na súile vt baig, cuir i mála(í)

baggage n bagáiste

baggy a máilíneach

bagpipe n píb (mhála), playing the ~s ag píobaireacht

bail[1] n bannaí, to go ~ for a person dul i mbannaí ar dhuine vt, to ~a person out dul i mbannaí ar dhuine

bail[2] vt taom, taosc

bailiff n báille, maor

bait n baoite vt baoiteáil

bake vt & i bruith, beirigh, bácáil

bakelite n bácailít

baker n báicéir

bakery n bácús, teach báicéireachta

baking n báicéireacht, bruith, ~ powder púdar bácála

balance n cóimheá; meá, scálaí, ainsiléad; cothrom, cothromaíocht; comhardú; fuílleach, in the ~ idir dhá cheann na meá vt meáigh; cothromaigh; comhardaigh

balanced a cothrom

balcony n balcóin, grianán

bald a maol, lom, plaiteach, ~ head plait, blagaid

balderdash n seafóid, raiméis

bale[1] n corna, burla vt corn, burláil

bale[2] vi, to ~ out of a plane dul i muinín an pharaisiúit

baleful a, ~ eye, glance súil mhillteach

baler n burlaire

balk n bac, balc vt & i bac, ob, to ~ at sth loiceadh ó, roimh, rud

ball[1] n liathróid, meall; lúbán; peil; sliotar, ~ of thread ceirtlín snátha

ball[2] n damhsa

ballad n bailéad

16

ball-alley n pinniúr
ballast n ballasta
ball-bearings npl grán iompair
ballerina n rinceoir bailé
ballet n bailé
ballistics npl balaistíocht
balloon n balún, éadromán
ballot n ballóid, páipéar vótála
ball-point a, ~ *pen* peann gránbhiorach
balm n balsam, íocshláinte
balmy a cumhra; sámh
balsam n balsam; íocshláinte
baluster n balastar
balustrade n balastráid
bamboo n bambú
bamboozle vt, *to* ~ *a person* an dubh a chur ina gheal ar dhuine, ball séire a dhéanamh de dhuine
ban n cosc, toirmeasc vt coisc, toirmisc
banal a seanchaite, leamh
banana n banana
band n banda, crios, fleasc; banna, búíon, díorma, cipe, baicle vi, *to ~ together* cruinniú le chéile, teacht le chéile
bandage n bindealán, buadán, bréid, fáisceán vt, *to ~ sth* buadán, bindealán, a chur ar rud
bandit n tóraí, meirleach
banditry n meirleachas
bandy[1] a bórach, gabhlach
bandy[2] vt, *to ~ words* bheith ag beachtaíocht, ag stangaireacht
bane'n, *they were the ~ of my life* fuair mé mo chéasadh leo
bang n & vt & i plab, pléasc
bangle n bráisléad
banish vt díbir, ruaig
banishment n díbirt, deoraíocht, ionnarbadh
banister n balastar, ~ *s* ráillí
banjo n bainseo
bank[1] n banc; bruach, port; múr; oitir vt & i bancáil, *to ~ up a fire* tine a choigilt
bank[2] n banc, ~ *account* cuntas bainc vt, *to ~ money* airgead a chur sa bhanc, *to ~ on sth* talamh slán a dhéanamh de rud, bheith ag brath ar rud
banker n baincéir
banking n baincéireacht
bankrupt n clisiúnach, féimheach
bankruptcy n clisiúnas, féimheacht

banner n meirge
bannock n bonnóg
banns npl bannaí pósta
banquet n féasta, fleá, cóisir
banshee n bean sí, badhbh chaointe
bantam n bantam, círcín
banter n greanntaíocht, nathaíocht vi, *you are only ~ ing with me* níl sibh ach ag eagnaíocht orm
baptism n baiste(adh)
baptismal a baistí, ~ *font* umar baiste
baptize vt baist
bar n barra, maide; beár, *colour ~* cneaschol vt bac, coisc, toirmisc
barb n friofac, frídín; goineog
barbarian n & a barbarach
barbaric a barbartha
barbarism n barbarachas
barbarity n barbarthacht, danarthacht
barbarous a barbartha, danartha
barbecue n fulacht
barbed n deilgneach, frídineach; nimheanta, ~ *wire* sreang dheilgneach
barber n bearbóir
barbiturate n barbatúráit
bard n bard
bare a lom, nocht, maol; dealbh vt lom, nocht, *he was baring his teeth at me* bhí sé ag scamhadh na bhfiacla chugam; chuir sé scaimh, draid, air féin liom
bareback adv, *to ride a horse ~* capall a mharcaíocht droimnocht
barefaced a, *it is a ~ lie* is í an bhréag is cruthanta í
barefooted a cosnochta
bareheaded a ceann-nochta
barely adv ar éigean, *he is ~ a year old* is beag má tá sé, níl ann ach go bhfuil sé, bliain d'aois, *he ~ managed to do it* chuaigh sé rite leis é a dhéanamh
bargain n conradh, margadh, sladmhargadh vi, ~ *ing with a person* ag margáil le duine, *to ~ over sth* margáil a dhéanamh faoi rud
barge[1] n báirse, bád canála vi, *to ~ into a person* greadadh in éadan duine, *to ~ into a conversation* do ladar a chur i gcomhrá, do gheab a chur isteach
barge[2] n báirseach
baritone n baratón

bark¹ *n* glam, tafann, amhrastach, *his ~ is worse than his bite* is troime a bhagairt ná a bhuille *vi*, *~ing* ag amhrastach, ag tafann

bark² *n* coirt, rúsc, snamh

barley *n* corna

barley-sugar *n* eornóg

barmaid *n* cailín tábhairne

barmbrack *n* bairín breac

barn *n* scioból

barnacle *n* giúrann, *~ goose* gé ghiúrainn, cadhan

barometer *n* baraiméadar

baron *n* barún

barony *n* barúntacht

barracks *npl* beairic

barrage *n* baráiste

barred *a*, *~ gate* sparra

barrel *n* bairille

barren *a* aimrid, seasc; creagach, gortach

barrenness *n* aimride, disc, seascacht; creagacht

barricade *n* baracáid

barrier *n* bac, fál, sparra, constaic

barring *prep*, *~ accidents* amach ó thimpistí

barrister *n* abhcóide

barrow *n* bara

barter *n* babhtáil, malairt *vt & i* babhtáil, malartaigh

basalt *n* basalt

base¹ *n* bonn, bun, trácht, foras, dúshraith; bunáit *vt* bunaigh, *it is ~d on fact* tá bunús fírinne leis

base² *a* suarach, lábúrtha, táiriúil, cloíte, díblí

baseless *a*, *~ rumour* ráfla gan bhunús, ráfla gan údar

basement *n* íoslach

bash *vt & i* basc, rúisc, *they were ~ing away at each other* bhí siad ag stealladh leo ar a chéile

bashful *a* cúthail, cotúil, cúlánta

bashfulness *n* cotadh, scáth

bashing *n* bascadh, stealladh, smiotadh

basic *a* bunúsach, bunata, bun-

basilica *n* baisleac

basin *n* báisín, mias, (*river*) *~* abhantrach, (*canal*) *~* duga

basis *n* bonn, bunús, dúshraith

bask *vi*, *~ing in the sun* ag grianaíocht, *to ~* grianadh a thabhairt duit féin

basket *n* bascaed, ciseán, cliabh

basketball *n* cispheil

basketry *n* caoladóireacht

basking-shark *n* seoltóir, liamhán gréine

bass¹ *n*, (*fish*) bas gheal, doingean

bass² *n*, (*voice*) dordghuth *a* dordánach

bassoon *n* basún

bastard *n* bastard, páiste gréine

baste¹ *vt*, *to ~ meat* feoil a bhealú

baste² *vt* creimneáil, *to ~ cloth* gúshnáithe a chur in éadach

bastion *n* urdhún

bat¹ *n* ialtóg, sciathán leathair, leadhbóg leathair

bat² *n* slacán, slis *vt & i* slac

batch *n* dol, baisc

bath *n* folcadán; folcadh, fothragadh *vt* folc

bathe *vt & i* folc, fothraig, ionnail, *to ~ a wound* cneá a ní, *~d in sweat* báite le hallas

bathing *n*, *sea ~* folcadh sáile

bathos *n* turnamh; leimhe

bathroom *n* seomra folctha

batik *n* baitíc

baton *n* bata, *conductor's ~* baitín

batsman *n* slacaí

battalion *n* cath(lán)

batten *n* bráicín, haiste, sparra *vt*, *to ~ down the hatches* na haistí a theannadh, a dhaingniú, a sparradh

batter *n* fuidreamh *vt* batráil, tuargain

battering *n* greadadh, tuargaint, plancadh

battering-ram *n* reithe cogaidh

battery *n* bataire, cadhnra

battle *n* cath, comhrac, gleo, *~ of words* briatharchath *vt & i* troid, *battling against the wind* ag streachailt in éadan na gaoithe

battle-axe *n* sáfach, tua chatha

battle-cry *n* rosc catha

battle-dress *n* cathéide

battlefield *n* páirc an áir, machaire an chatha

battlements *n* forbhallaí, táibhle

bawdy *a* gáirsiúil, graosta

bawl *n* béic *vt & i* béic, *he ~ed* lig sé goldar as

bawn *n* bábhún

bay¹ *n* bá, cuan, camas; cuas

bay² *n*, (*tree*) labhras

bay³ *n* glam *vi* glam, *~ing* ag glamail, ag tafann

bayonet *n* beaignit

bazaar *n* basár

be *vi*, to ~ big bheith mór, ~ it long or short (pé) fada gearr é, ~ it good or bad bíodh sé maith nó olc, he is tired tá tuirse air, *she is a nurse* is banaltra í

beach *n* trá, stony, pebbly, ~ duirling trá, to ~ a boat rith cladaigh a thabhairt do bhád; bád a tharraingt aníos as an bhfarraige

beachcomber *n* tonn bháite; fear raice, tráiteoir

beacon *n* rabhchán

bead *n* coirnín, cloichín, cloch; mónóg, súilín, ~ s of sweat drithlíní, drúchtíní, allais, *Rosary* ~ s paidrín, coróin Mhuire

beagle *n* gadhar, pocadán

beak *n* gob, gulba

beaker *n* eascra

beam *n* bíoma, balc, maide, giarsa, sail, crann; léas (solais), *the* ~ *in one's own eye* an tsail i do shúil féin *vt & i* spalp, *the sun was* ~ *ing* bhí an ghrian ag soilsiú, ag taitneamh, *he was* ~ *ing with delight* bhí aoibh air

bean *n* pónaire

bear[1] *n* béar, *the Great B* ~ an tSeisreach, an Camchéachta, an Béar Mór

bear[2] *vt & i* iompair, foighnigh, fulaing; seas; beir, *she bore a child* rugadh leanbh di, *he* ~ *s himself well* is breá an t-imeacht atá faoi, an leagan atá air, *to* ~ *the cost* an costas a sheasamh, ~ *that in mind* cuimhnigh air sin, *to* ~ *out the story* de dhearbhú an scéil

bearable *a* sofhulaingthe

beard *n* féasóg, meigeall, ulcha *vt* greannaigh, *to* ~ *a person* dúshlán duine a thabhairt

bearded *a* colgach; ulchach, féasógach

bearer *n* iompróir, seachadóir

bearing *n* iompar, imeacht, leagan, méin, (*mechanical*) imthaca, *compass* ~ treo-uillinn, *to take* ~ s comharthaí, marcanna, a thógáil (ar áit), *he lost his* ~ s chuaigh sé as a eolas

beast *n* beithíoch, ainmhí; péist

beat *n* buille, (*of police, etc*) *on the* ~ ar stádar *vt & i* buail, greasáil, liúr, léirigh, gleadhair, cnag, sáraigh, cáith, *we were well* ~ *en* buadh glan orainn;

cniogadh muid, ~ it! buail an bóthar! gread leat!

beater *n* buailteoir

beatific *a* beannaitheach

beatify *vt* beannaigh

beating *n* bualadh, liúradh, plancadh, *he got a* ~ fuair sé leadradh

beatitude *n* beannaitheacht, *the eight* ~ s na hocht mbeannacht

beautiful *a* álainn, dathúil, dóighiúil, gnaíúil, maisiúil, sciamhach, ~ *woman* spéirbhean

beautify *vt* maisigh, breáthaigh

beauty *n* áilleacht, breáthacht, gnaoi, maise, scéimh

beaver *n* béabhar

becalmed *a* gan chóir, ar díth chórach

because *conj & adv* de bhrí, mar, arae, toisc, as siocair, cionn is (go), óir, ~ *of that* mar gheall air sin, dá bharr sin

beck *n*, *you are at his* ~ *and call* níl aige ach fead a ligean, *smé*ideadh, ort

beckon *vt & i* sméid, bagair

become *vt & i* éirigh, téigh chun, téigh i; feil, oir (do), *to* ~ *tired* éirí tuirseach, *the weather is becoming settled* tá an aimsir ag socrú, *he became a priest* rinneadh sagart de, *she became a Catholic* d'iompaigh sí ina Caitliceach, *the blue* ~ s *you better* is fearr a oireann an gorm duit, *it would ill* ~ *me* b'olc an mhaise dom é

becoming *a* feiliúnach, maisiúil, *he acted in a* ~ *manner* ba mhaith an mhaise dó é

bed *n* leaba, nead; grinneall; ceap bláth-anna, *to go to* ~ dul a luí *vt* leabaigh, *to* ~ *down the horses* easair a chur faoi na capaill, *to* ~ *(out) plants* plandaí a chur amuigh

bed-clothes *n* éadach leapa

bedding *n* cuilce, leapachas, cóir leapa; easair, sop

bedeck *vt* oirnigh, gléas

bedlam *n* ruaille buaille

bedraggled *a* aimlithe, sraoilleach, ~ *person* maidrín lathaí, sraoill

bed-ridden *a* cróilí

bedroom *n* seomra leapa, seomra codlata

bedside *n* colbha (leapa)

bedsore *n* anacair leapa

bedspread *n* scaraoid leapa

bedstead *n* stoc leapa

bedtime *n* am luí

bee *n* beach, *queen* ~ cráinbheach

beech *n* fáibhile, feá

beef *n* mairteoil, ~ *cattle* mairt

beefburger *n* martbhorgaire

beef-tea *n* súram mairteola

beehive *n* coirceog, ~ *hut* clochán (coirc-eogach)

beekeeper *n* beáchaire

beer *n* beoir, leann

beestings *n* bainne buí, maothal, nús

beet *n* biatas

beetle[1] *n* builtín, tuairgnín, slis, farcha, smiste *vt* slis

beetle[2] *n* ciaróg, daol, *water* ~ doirb

beetroot *n* meacan biatais, biatas

befall *vt & i* tit amach, éirigh do, *it befell (that)* tharla (go)

befit *vt* oir (do), *as* ~ *s the occasion* mar is cuí don ócáid, *as* ~ *s a king* mar is dual do rí

before *prep* roimh; os comhair, os coinne, *the year* ~ *last* arú anuraidh *adv*, *never* ~ riamh roimhe *conj* sula, ~ *I bought the book* sular cheannaigh mé an leabhar

beforehand *adv* cheana, roimh ré

befriend *vt*, *to* ~ *a person* éirí cairdiúil le duine; duine a ghlacadh faoi do choimirce

beg *vt & i* achainigh, impigh, ~*ging* ag déircínteacht, ag bacachas, ag iarraidh do choda, *I* ~ *your pardon* gabhaim pardún agat

beget *vt & i* gin, tuismigh; tosaigh

beggar *n* bacach, fear (bean) déirce, bochtán; sirtheoir *vt* creach, *they* ~*ed him* chuir siad ar an déirc é, chuir siad an mála aniar air

beggary *n* dealús, *to be reduced to* ~ bheith, dul, ar an déirc

begging *n* impí; déircínteacht *a* geocúil, iarratach, impíoch

begin *vt & i* tosaigh, tionscain, ~ *the story* bain an ceann den scéal

beginner *n* núíosach, tionscnóir, tosaitheoir

beginning *n* tosach, tús, *in the* ~ ar dtús, ó thús, i dtosach báire

begonia *n* beagóinia

begrudge *vt* maígh, *I don't* ~ *it to you* ní mór liom duit é, *to* ~ *sth to a person* rud a mhaíomh ar dhuine

beguile *vt* meall, bréag, cealg, *she* ~ *d him* chuir sí an chluain air, *to* ~ *the time for us* le cian a thógáil dínn

beguiling *a* cealgach, mealltach, cluanach, meabhlach

behalf *n*, *on* ~ *of* ar son, i leith, as ucht, thar ceann

behave *vi*, *to* ~ *well* tú féin a iompar go maith, *she knows how to* ~ tá fios a béas aici

behaviour *n* iompar, béasa, *good* ~ múineadh, *bad* ~ drochiompar

behead *vt* dícheann

behest *n* ordú, iarratas, *at your* ~ ar ordú uaitse

behind *adv* thiar, *to fall* ~ dul chun deiridh, titim siar *prep* laistiar, ~ *my back* ar chúl mo chinn, ~ *the hill* taobh thiar den chnoc, *the people who are* ~ *him* an dream atá ar a chúl *n* tóin

behindhand *a*, *to be* ~ *with sth* bheith ar deireadh, chun deiridh, le rud

behold *vt* féach, dearc

beholden *a*, *to be* ~ *to a person* bheith faoi chomaoin ag duine, *I won't be* ~ *to you for it* ní bheidh sé le maíomh agat orm

beholder *n* féachadóir; dearcadóir

beige *n* béas

being *n* beith; neach, *earthly* ~ gin shaolta, dúil chré

belated *a* mall, deireanach

belch *n* brúcht, ~ *of smoke* calc toite *vt & i* brúcht

beleaguer *vt* imshuigh, *to* ~ *a town* léigear a dhéanamh ar bhaile

belfry *n* clogás, cloigtheach

belie *vt* sáraigh, bréagnaigh, *they* ~ *their appearance* níl siad ag teacht lena gcosúlacht

belief *n* creideamh; tuairim

believe *vt & i* creid, *I don't* ~ *in ghosts*, ní ghéillim do thaibhsí, ní thugaim isteach do thaibhsí, ~ *it or not* tuig é nó ná tuig

believer *n* creidmheach

belittle *vt* dispeag, tarcaisnigh, *to* ~ *sth* a bheag a dhéanamh de rud, caitheamh anuas ar rud

bell *n* clog, cloigín; gligín

bellicose *a* cogúil, trodach

belligerent *n & a* cogaíoch

bellow n búir, géim, glam, búireach vt & i bladhair, búir, géim

bellows npl boilg

bell-tower n clogás

belly n bolg, tarr

belly-band n tarrghad

belong vi, it ~s to me is liomsa é, he ~s to the society tá sé ina bhall den chumann

belongings npl giuirléidí, traipisí, trucailí

beloved n searc, grá geal a ionúin, muirneach, dil, grách

below adv thíos, laistíos, as stated ~ mar atá ráite thíos prep faoi, faoi bhun, taobh thíos de

belt n crios, beilt vt timpeallaigh, crioslaigh, to ~ a person greasáil a thabhairt do dhuine

bemoan vt & i éagaoin, cásaigh, he was ~ing his plight bhí sé ag déanamh trua dó féin

bemuse vt dall, caoch, to ~ a person mearbhall a chur ar dhuine, duine a chur trí chéile

bench n binse, forma

bend n lúb, fiar, filleadh, coradh, cam; camas vt & i claon, crom, fiar; fill, lúb, to ~ one's knee do ghlúin a fheacadh

beneath adv thíos, laistíos prep faoi, faoi bhun

Benedictine n & a Beinidicteach

Benediction n Beannacht (na Naomh-Shacraiminte)

benefactor n pátrún, tiolacthóir

benefice n beinifís

beneficial a sochrach, tairbheach

beneficiary n tairbhí

benefit n tairbhe, buntáiste, leas, gnóthachan, sochar, brabach vt & i tairbhigh, fóin, to ~ by sth bheith buaite le rud

benevolent a dea-mhéineach

benign a caoin, lách; neamhdhíobhálach

benighted a aineolach; dorcha

bent¹ n claonadh; féith, dúchas, to have a ~ for sth luí a bheith agat le rud

bent² a cam, cuar, fiar, ~ (down) claon, crom, sleabhctha, to be ~ on mischief drochfhuadar a bheith fút

benzine n beinsín

bequeath vt oidhrigh (to ar), tiomnaigh, uachtaigh, to ~ sth rud a fhágáil le huacht

bequest n tiomnacht

berate vt liobair

bereavement n bás, to sympathize with a person on his ~ a thrioblóid a chásamh le duine

beret n bairéad

berry n caor, sméar

berserk a, to go ~ dul ar dásacht, dul le báiní, dul as do chraiceann

berth n, ship's ~ leaba, beart (loinge) vt & i calaigh, feistigh, the ship ~ed along the quay shin an long leis an gcé

beseech vt guigh, impigh (ar), achair (ar), éigh (ar)

beset vt ionsaigh, ~ting sin leannán peaca

beside prep le hais, in aice, cois, i bhfarradh le, he was ~ himself (with anger) bhí sé ag dul as a chraiceann, níor fhan néal aige

besides adv lena chois sin, freisin prep diomaite de, seachas, le cois, fara

besiege vt imshuigh, imdhruid, to ~ a place léigear a dhéanamh ar áit

besmear vt sram, smear

besom n scuab, scuabán

besotted a, he is ~ with her tá sé splanctha ina diaidh, tá sé sa chéill is aigeantaí aici

bespatter vt draoibeáil, scaird ar

bespeak vt, to ~ sth focal a chur ar rud

best n rogha, togha, the ~ of men scoth na bhfear, it is ~ for you is é do bhuaic é, at their ~ i mbarr a maitheasa, to do one's ~ do dhícheall a dhéanamh, to the ~ of my knowledge ar feadh m'eolais air, you know ~ agatsa is fearr a fhios a, ~ man vaidhtéir, finné fir vt, to ~ a person duine a bharraíocht

bestial a brúidiúil

bestiality n béistiúlacht

bestir vt, ~ yourself corraigh thú féin, déan imní anois

bestow vt bronn, tíolaic

bestrew vt scaip, croith, ~n with breac, greagnaithe, le

bestride vt, to ~ sth dul, bheith, ar scaradh gabhail ar rud

bet n geall vt & i, to ~ geall a chur, I ~ he was there gabhaim orm go raibh sé ann

betake vt, to ~ oneself to a place áit a thabhairt ort féin

betoken *vt* comharthaigh, tuar

betray *vt* braith, feall (ar), sceith ar

betrayal *n* feall, meabhlú, brath, brathadóireacht

betrayer *n* brathadóir, feallaire

betrothal *n* dáil

better[1] *comp a & adv, he is a ~ driver than I am* is fearr de thiománaí é ná mise, *to get ~* dul i bhfeabhas, feabhsú; bisiú, biseach a fháil, *there is nothing ~ to be had* níl níos fearr le fáil, níl a shárú le fáil, *he slept ~ last night* chodail sé níos fearr aréir, *they don't know any ~* níl fios a mhalairte acu, *you had ~ stay* b'fhearr duit fanacht, *~ still* agus rud is fearr arís *n, you are the ~ for it* is fearrde thú é, *to get the ~ of a person* bua a fháil ar dhuine, an ceann is fearr a fháil ar dhuine, duine a shárú, *the country has changed for the ~* tháinig feabhas ar an tír

better[2] *vt & i* feabhsaigh, *to ~ a feat* gaisce a shárú, *he is trying to ~ himself* tá sé ag iarraidh é féin a chur chun tosaigh

betterment *n* feabhsú

betting *n* geallchur; cearrbhachas

between *prep* idir, *~ fields* idir pháirceanna, *~ Dublin and Cork* idir Baile Átha Cliath agus Corcaigh, *to be betwixt and ~* bheith idir eatarthu

bevel *n & vt* beibheal

beverage *n* deoch

bevy *n* scata, foireann

bewail *vt* caigh, caoin, cásaigh

beware *vt & i* seachain, coimhéad, fainic, faichill, *~ of him* fainic thú féin air

bewilder *vt* mearaigh

bewildered *a* mearbhlach, ar mearaí

bewilderment *n* meadhrán, mearbhall, trí chéile, mearaí

bewitch *vt* cronaigh, mothaigh, ciorraigh, *to ~ a person* duine a chur faoi dhraíocht

bewitched *a, the place is ~* tá draíocht ar an áit

bewitching *a* draíochtach, meallacach

beyond *adv* ansiúd, thall *prep* thar, lastall de, taobh thall de, *~ measure* thar meán, as cuimse, *~ the bridge* lastall den droichead, *~ compare* os cionn comórtais

bias *n* fiar; laofacht, *~ binding* fiar-chumhdach

biased *a* laofa, claonta, leataobhach, leatromach, *~ judgment* claonbhreith

bib *n* bibe; bráidín

Bible *n* Bíobla

biblical *a* bíobalta

bibliography *n* leabhareolaíocht

bicarbonate *n* déchárbónáit

bicentenary *n* comóradh dhá chéad bliain

biceps *n* bícéips

bicker *vi, ~ing* ag cnádánacht, ag spallaíocht

bicycle *n* rothar

bid *n* tairiscint; amas, iarraidh, *(cards)* glao *vt, to ~ farewell to a person* slán a chur le duine, slán a fhágáil ag duine; ceiliúradh de dhuine, *to ~ a person do sth* aithint ar dhuine rud a dhéanamh

biddable *a, ~ child* páiste soghluaiste

bidder *n* tairgeoir

bide *vt & i* cónaigh, *to ~ one's time* fanacht le cóir

biennial *n* débhliantóg *a* débhliantúil

bier *n* árach, cróchar, eileatram

big *a* mór, *to grow ~ger* dul i méid, fás, *the ~gest one* an ceann is mó

bigamy *n* biogamacht, déchéileachas

bigot *n* biogóid

bigotry *n* biogóideacht

bigwig *n* boc mór, bodach mór

bike *n* rothar

bilateral *a* déshleasach, déthaobhach

bilberry *n* fraochán

bile *n* domlas

bilge *n, (of ship)* ruma

bilge-water *n* bodharuisce

bilingual *a* dátheangach

bilingualism *n* dátheangachas

bilious *a* domlasta

biliousness *n* domlastacht

bill[1] *n* bille

bill[2] *n* gob

billet *n* billéad

billhook *n* bileog, halbard

billiards *npl* billéardaí

billion *n & a* billiún

billow *n* brúcht farraige, tonn *vi* tonn, *the sail was ~ing* bhí an seol ag plucadh amach

billy-goat *n* poc(aide) gabhair, pocán (gabhair)

bin *n* araid, gabhdán, *litter* ~ bosca bruscair

binary *a* dénártha

bind *vt* ceangail, cuibhrigh; fáisc, naisc, snaidhm, táthaigh; fuaigh, *he is bound to come* is cinnte go dtiocfaidh sé, *I'm not bound to do that* níl ceangal orm a leithéid a dhéanamh

binder *n* fáisceán; ceanglóir (arbhair)

binding *n* banna, ceangal, cuibhreach, nascadh *a* ceangailteach; oibleagáideach

bindweed *n* ialus

binge *n* babhta óil, ragús óil

bingo *n* biongó

binoculars *npl* déshúiligh, gloiní

bio- *pref* bith-

biographer *n* beathaisnéisí

biography *n* beathaisnéis, beatha

biology *n* biteolaíocht

biped *n & a* déchosach

birch *n* beith, *silver* ~ beith gheal

bird *n* éan, *pl* éanlaith, *lone* ~ leathéan

bird-cage *n* éanadán

biretta *n* bairéad

birth *n* breith, saolú, gin, *she gave* ~ *to a son* rugadh, saolaíodh, mac di

birth-certificate *n* teastas beireatais

birthday *n* lá breithe

birthmark *n* ball broinne

birthrate *n* ráta beireatais

birthright *n* ceart folaíochta, dúchas

biscuit *n* briosca *a* donnbhuí

bisect *vt* déroinn

bishop *n* easpag

bishopric *n* easpagóideacht; suí easpaig

bison *n* bíosún

bit¹ *n* blúire, píosa, mír, giota, greim, píoc, *the tiniest* ~ oiread na fríde, *it is broken in* ~*s* tá sé ina bhrus, ina smionagar, ina smidiríní *adv*, *a* ~ *soon* buille luath, *she is a* ~ *deaf* tá allaire bheag uirthi, *you are not one* ~ *better off* níl tú a dhath, ploc, níos fearr as

bit² *n* béalbhach; béalmhír

bitch *n* soith, bitseach

bite *n* greim, plaic, sclamh; cealg, (*fishing*) broideadh *vt* cailg; ith, miotaigh, *to* ~ *sth* greim a bhaint as rud, *to* ~ *a person's head off* an tsrón a bhaint de dhuine

biting *a* goimhiúil, faobhrach, nimh-

neach, ~*wind* gaoth bhiorach, gaoth pholltach, *it is* ~*ly cold* tá ribe fuar air

bitter *a* searbh, gangaideach; feanntach, dóite, *weeping* ~*ly* ag gol go garg, go goirt, *to the* ~ *end* go bun an angair

bittern *n* bonnán (buí, léana)

bitterness *n* searbhas, seirfean, nimh, goirteamas, gangaid

bitumen *n* biotúman

bizarre *a* aisteach, aduain, deoranta

blab *vt & i, he* ~*bed out the secret* sceith sé, spalp sé, an rún

blabber *n* béal gan scáth, sceithire

black *n & a* dubh

Black-and-Tan *n* Dúchrónach

blackberry *n* sméar (dubh)

blackbird *n* lon (dubh), (*female*) ~ céirseach

blackboard *n* clár dubh

blacken *vt & i* dubhaigh

black-faced *a*, ~ *sheep* caora chrosach, caora bhrocach

blackguard *n* bligeard, scabhaitéir

black-haired *a* dubh

blackhead *n* goirín dubh

blackleg *n* ceathrú dhubh, ceathrú ghorm

blackmail *n & vt* dúmhál

blackness *n* dubh, duibhe

black-out *n* lánmhúchadh (soilse); támhnéal

blacksmith *n* gabha (dubh)

blackthorn *n* draighean, draighneán (donn); maide draighin

bladder *n* éadromán, lamhnán

blade *n* seamaide, gas, brobh, ribe (féir); lann, faobhar; lián, *corn in the* ~ geamhar

blaeberry *n* fraochán

blame *n* milleán, locht, cion, *I got the* ~ *for it* leagadh ormsa é *vt* ciontaigh, cáin, lochtaigh, *who would* ~ *you for it* cé a thógfadh ort é, cé a bheadh ina dhiaidh ort, *you are to* ~ *for it* is tú is ciontaí leis, tusa faoi deara é

blameless *a* neamhlochtach, saor ó locht, saor ó cháineadh

blanch *vt & i* bánaigh, tuar, *she* ~*ed* d'iompaigh an lí bhán uirthi

blancmange *n* bánghlóthach

bland *a* máránta; plásánta; leamh

blandishment *n* láinteacht, plámás

blank *n* spás folamh, bearna; cartús caoch *a* bán, folamh; caoch

blanket *n* blaincéad, pluid, súsa

blare *n*, ~ *of trumpet* búir, scol, trumpa, ~ *of light* scaladh, dallrú, solais *vt & i* búir; dallraigh, scal

blarney *n* bladar, béal bán

blaspheme *vt & i* maslaigh; diamhaslaigh; eascainigh

blasphemy *n* diamhasla, blaisféim

blast *n* rois, soinneán, bleaist; cuaifeach, séideán, *hot* ~ gal, ~ *of trumpet* blosc trumpa *vt & i* bleaisteáil, séid, ~*ing with dynamite* ag réabadh le dinimit, ~*ed oats* coirce caoch

blast-off *n* imeacht (de bhlosc); adhaint (inneall roicéid) *vi* imigh (d'urchar, ar nós roicéid)

blatant *a* mináireach, lom-, dearg-, ~ *injustice* éagóir fhollasach

blaze[1] *n* bladhmann, lasair, laom; dóiteán, tine, *go to* ~*s* téigh i dtigh diabhail *vi* bladhm, scal, las, *he* ~*d up* spréach sé

blaze[2] *n* scead, ceannainne

blazer *n* bléasar

blazing *a* bladhmannach, gleadhrach, laomtha

blazon *n* armas *vt*, *to* ~ *forth sth* rud a fhógairt go hard, rud a reic go poiblí

bleach *n* tuarthóir; bléitse *vt & i* tuar, bánaigh, *to* ~ *clothes (in sun)* éadaí a chur ar tuar

bleaching-green *n* tuairín

bleak *a* dealbh, dearóil, sceirdiúil

bleary *a* sramach, brachaí, geamhchaoch

bleat *vi, a goat* ~*ing* gabhar ag meigeallach, *a sheep* ~*ing* caora ag méileach

bleed *vt & i* fuiligh, *to* ~ fuil a chur

blemish *n* ainimh, máchail, smál, breall

blend *n* cumasc *vt & i* cumaisc

blender *n* cumascóir

bless *vt* beannaigh, coisric, *God* ~ *him* bail ó Dhia air, ~ *my soul!* Dia le m'anam!

blessed *a* beannaithe, naofa

blessing *n* beannacht, coisreacan; suáilce

blight *n* smol, *potato* ~ dubh na bprátaí, (an) dúchan *vt* dubhaigh, smol; mill

blind[1] *n* dall, caoch, ~ *drunk* caoch, ar stealladh na ngrás *vt & i* dall, caoch, dallraigh

blind[2] *n* dallóg

blindfold *n* púicín *vt, to* ~ *a person* púicín

a chur ar dhuine

blindman's buff *n* dalladh púicín

blindness *n* daille, caoiche

blink *n* sméideadh, faiteadh súl; ciorrú *vt & i, to* ~ *an eye* súil a bhobáil, *to* ~ *a person* duine a chiorrú

blinkers *npl* púicín, léaróga

bliss *n* aoibhneas

blissful *a* aoibhinn

blister *n* clog, léas, balscóid, spuaic *vt & i* clog, bolg

blistered *a* clogach, spuaiceach

blizzard *n* síobadh sneachta

bloat *vt & i* at, ~*ed with drink* séidte ag an ól

blob *n* daba

block *n* bloc, ceap, staic, ~ *of flats* áraslann, ceap árasán *vt* coisc, stop, bac

blockade *n* longbhac; imshuí *vt* stop, bac

blockage *n* caochaíl; bac

blockhead *n* dundarlán, cloigeann maide, ceann cipín

blonde *n* bean fhionn, cailín fionn *a* folt-bhuí, fionn

blood *n* fuil, cró, folracht; folaíocht

bloodhound *n* madra fola

bloodless *a* neamhfholach

bloodshed *n* doirteadh fola

bloodshot *a* sreangach, ~ *eye* sreang-shúil

bloodthirsty *a* fuilteach

blood-vessel *n* fuileadán

bloody *a* fuilteach, dearg

bloom *n* bláth, snua, snas, *in* ~ faoi bhláth *vi* bláthaigh

blooming *a* bláfar, faoi bhláth, *the whole* ~ *lot of them* an t-iomlán dearg acu

blossom *n* bláth, plúr *vi* bláthaigh

blot *n* smál, teimheal *vt* smear, salaigh, (*of ink*) súigh, triomaigh, ~ *out* folaigh, díothaigh

blotch *n* balscóid, smál, gríos

blotting-paper *n* páipéar súite

blouse *n* blús

blow[1] *n* buille, béim, clabhta, cnag, flíp, leadhb

blow[2] *vt & i* séid, sead, ~ *away* síob, *to* ~ *up a rock* carraig a phléascadh, ~ *out the candle* múch an choinneal

blowpipe *n* séideadán

blowy *a* gaofar

blubber n blonag vi, ~ ing ag pusaireacht (ghoil), ag plobaireacht

bludgeon n smachtín, cleith

blue n & a gorm, the blues gruaim, lionn dubh

bluebell n cloigín gorm pl coinnle corra

bluebottle n, (fly) cuil ghorm; (flower) gormán

bluff n cur i gcéill vt, ~ ing people ag cur madraí ar shuinneoga, ag cur dalla-mullóg ar dhaoine

blunder n botún, meancóg, tuaiplis vi, to ~ botún a dhéanamh

blunderbuss n mothar

blundering a breallach, tuaiplisiúil

blunt a maol; neamhbhalbh vt & i maol-aigh

blur n smál, ceo vt & i smálaigh, doiléirigh

blurt vt & i, he ~ ed out the secret sceith, spalp, sé amach an rún

blush n luisne, lasadh vi dearg, las, luis-nigh

bluster n stolladh (gaoithe); stoirm; gaot-aireacht vi, to ~ callán a thógáil

blustery a stamhlaí, callánach, séid-eánach

boa n bua-chrapaire, feather ~ muince chleití

boar n collach, torc

board n clár, bord, kneading ~ losaid, ~ and lodging bia agus leaba, on ~ ship ar bord loinge vt & i bordáil, to ~ in a house bheith ar lóistín i dteach

boarder n lóistéir

boarding-house n teach lóistín

boarding-school n scoil chónaithe

boast n maíomh vi maígh

boaster n bladhmaire, gaiscíoch

boastful a bladhmannach, maíteach, mórálach, mórtasach, gaisciúil

boat n bád, árthach vi, ~ ing ag bádóireacht

boat-hook n duán báid

boatman n bádóir

boatswain n bósan

bob vt & i bobáil, sciot; damhsaigh

bobbin n eiteán

bodice n cabhail, cabhaileog

bodily a corpartha, ~ strength neart coirp adv, he was thrown in ~ caith-eadh isteach é idir cheann is chosa, idir chorp chleite is sciathán

bodkin n bóidicín, meana

body n corp, cabhail, colainn; corpán; comhlacht; tathag, ~ of people dream, drong, heavenly bodies reanna neimhe

bodyguard n garda cosanta

bog n portach, móinteán, corrach, criathrach vt, to get ~ ged down dul in abar

bogberry n mónóg

bog-cotton n ceannbhán, canach

bog-deal n giúis

bogey[1] n bógaí

bogey[2] n taibhse

bogged a, ~ down in abar

boggy a, ~ ground abar, seascann, bogach, móinteach, puiteach

bog-hole n poll móna, caochpholl

bog-myrtle n raideog

boil[1] n neascóid

boil[2] n, to bring sth to the ~ fiuchadh a bhaint as rud vt & i beirigh, fiuch, bruith, coip, to ~ down sth rud a laghdú, rud a choimriú

boiler n coire, gailleadán

boisterous a gleoiréiseach, spleodrach

bold a dána, dalba; teann, buannúil, coráisiúil, to make ~ with a person teanntás a dhéanamh ar dhuine

boldness n dánacht, dalbacht; coráiste, misneach

bollard n mullard

Bolshevik n & a Boilséiveach

bolster n babhstar, bolastar, adhairt vt, to ~ up dul i dtacaíocht ar

bolt n bolta, sparra; saighead, splanc, like a ~ from the blue d'urchar neimhe, mar splanc vt & i boltáil, to ~ food bia a alpadh, the horse ~ ed d'imigh an capall chun scaoill, he ~ ed out of the room sciurd sé amach as an seomra

bomb n buama vt & i buamáil

bombast n bladhmann, scaothaireacht

bombastic a bladhmannach, bastallach, mórfhoclach

bomber n buamadóir; eitleán buamála

bond n banna; ceangal, nasc, cuing, snaidhm; géibheann vt naisc, táthaigh

bondage n braighdeanas, daoirse

bondholder n bannóir

bone n cnámh vt díchnámhaigh

bonesetter n fear cnámh

bonfire n tine chnámh

bonham n banbh

bonnet n boinéad, caidhp

bonny a dóighiúil, dathúil

bonus n bónas

bony a cnámhach

boo n faireach vt, to ~ a person faireach a dhéanamh faoi dhuine

booby n bobarún

booby-trap n bobghaiste

book n leabhar vt, to ~ a seat suíochán a chur in áirithe, focal a chur ar shuíochán

bookcase n leabhragán

book-end n leabharthaca

booking-office n oifig ticéad

book-keeping n cuntasóireacht; leabharchoimeád

booklet n leabhrán

bookmaker n geallghlacadóir

booley n buaile

boom[1] n bumaile

boom[2] n tormán, búireach, bonnán vi, ~ ing ag búireach

boom[3] n buacacht, borradh (trádála), there is a ~ in cattle tá ráchairt mhór ar an eallach vi, trade is ~ ing tá borradh faoin trádáil

boomerang n búmaraing

boon[1] n fabhar, comaoin, buntáiste

boon[2] a, ~ companion comrádaí suáilceach

boor n búr, daoi

boorish a amhlánta, búruil

boost vt treisigh, to ~ a person's reputation cur le clú duine

booster n breisvoltaire; treiseoir

boot[1] n bróg, (top-) ~ buatais

boot[2] n, and a pound to ~ agus punt mar bhreis

booth n both, stainnín

bootlace n (barr)iall

bootmaker n gréasaí

bootpolish n snasán, smearadh bróg

booty n creach, slad

booze n deoch mheisciúil, to be on the ~ bheith ar an ól vi, boozing ag druncaeireacht

boracic n bórásach

borax n bórás

border n ciumhais, imeall, eochair; imeallbhord; críoch, teorainn vt & i, ~ ing my land ag críochantacht liom, sa chríoch agam, ~ ing on ag bordáil ar

bore[1] n, (of gun, pipe, etc) cró vt toll, poll

bore[2] n leadránaí, liostachán vt tuirsigh, I am ~ d with the work tá mé bréan, cortha, den obair

boredom n leamhthuirse, bailitheacht

boreen n bóithrín

bore-hole n poll tóraíochta

boring a tuirsiúil, leadránach

born a, the day he was ~ an lá a rugadh, a saolaíodh, é, ~ liar bréagadóir cruthanta

borough n buirg

borrow vt & i, to ~ sth rud a fháil ar iasacht

borrower n iasachtaí

borrowing n iasacht; focal iasachta a, the ~ days laethanta na riabhaí

bosom n brollach, cliabh, ucht a, ~ friend cara cléibh, cara cnis

boss[1] n bocóid, mol

boss[2] n saoiste, máistir vt, to ~ people about saoistíocht a dhéanamh ar dhaoine

bossy a tiarnúil

botanic a, ~ garden luibhghairdín, National B ~ Gardens Garraí na Lus

botanist n luibheolaí

botany n luibheolaíocht

botch n praiseach vt, to ~ sth abláil, ball séire, praiseach, a dhéanamh de rud, to ~ up sth cóiriú maolscríobach a dhéanamh ar rud

both pron & conj & a, ~ of us an bheirt againn, sinn araon, on ~ sides ar an dá thaobh, ~ men and women idir fhir agus mhná

bother n crá, buairt vt & i, don't let that ~ you ná cuireadh sin mairg, aon tinneas, ort, don't ~ me ná buair, bodhraigh, mé, don't ~ ná bac, ~ you! bodhrú ort!

bottle n buidéal vt buidéalaigh, to ~ up one's anger d'fhearg a bhrú fút, a chosc

bottleneck n caolas, scrogall

bottom n bun, íochtar, grinneall, tóin, baby's ~ geadán linbh, to get to the ~ of sth fios fátha ruda a fháil, from the ~ of my heart ó mo chroí amach a íochtarach, ~ teeth draid íochtair

bottomless a, ~ pit poll duibheagáin

bough n craobh, géag

boulder n bollán, moghlaeir, carball

bounce n boc, preab vt & i bocáil, preab; scinn

bouncing n preabaireacht a léimneach, ~ baby preabaire linbh

bound[1] n abhóg, léim, spreang, at a ~ de gheit, glanoscartha vi léim

bound[2] n, out of ~ s thar teorainn; toirmiscthe vt teorannaigh, ciorclaigh, timpeallaigh

bound[3] a, the ship was ~ for Ireland bhí an long ag triall ar Éirinn

boundary n críoch, fóir, teorainn

boundless a dochuimsithe, as miosúr

bountiful a fairsing, fial, flaithiúil

bounty n fairsinge, féile; fordheontas, dearlacadh, deolchaire

bouquet n pósae

bourgeois a meánaicmeach, buirgéiseach

bout n babhta, dreas; ráig, taom, poc

boutique n siopa; siopa éadaigh faiseanta

bovine a buaibheach, ~ animal beithíoch

bow[1] n bogha; cuan; cuach(óg)

bow[2] n, ~ s of boat gualainn báid, ceann báid

bow[3] n umhlú vt & i claon; sléacht, umhlaigh, to ~ the knee glúin a fheacadh

bowed a crom, ceanníseal

bowels npl inní, ionathar

bower n grianán; lúibín coille

bow-knot n cuach(óg), snaidhm lúibe

bowl[1] n babhla, cuach, ~ of lamp bolg lampa

bowl[2] n bolla, game of ~ s cluiche bollaí vt & i babhláil, bolláil

bow-legged a bórach, gabhlach

bowler[1] n, (sports) babhlálaí

bowler[2] n, (hat) babhlaer

bowman n boghdóir, saighdeoir

box[1] n bosca; stalla

box[2] vt, to ~ the compass an compás a bhocsáil

box[3] n cluaisín vt & i dornáil, to ~ a person's ear cluaisín a thabhairt do dhuine

boxer n dornálaí

boxing n dornáil, dornálaíocht

box-office n oifig ticéad

boxty n bacstaí

boxwood n (crann) bosca

boy n buachaill, garsún, gasúr, ~ scout gasóg

boycott n baghcat vt baghcatáil

boyfriend n stócach, buachaill

boyhood n óige, leanbaíocht

boyo n buachaill báire, diúlach

brace n snaidhm, teanntán; ceannrópa; cuing; péire pl guailleán, gealais vt snaidhm; neartaigh, úraigh

bracelet n bráisléad

braces npl gealais, guailleán

bracing a folláin, neartaitheach, athbhríoch

bracken n raithneach

bracket n brac, lúibín, income ~ réim ioncaim vt, to ~ words focail a chur idir lúibíní, to ~ (people) together (daoine) a chur ar aon chéim

brackish a, ~ water uisce goirt, mearsháile, breacsháile

bradawl n bradmheana

brag n braig, maíomh vi maígh, braigeáil, to ~ about sth maíomh as rud, ~ ging ag mustar, ag déanamh mórtais

braggart n bladhmaire, buaileam sciath, he is only a ~ níl ann ach an tsiollóg

braid n dual, trilseán; bréad, órshnáithe vt trilsigh, dual

braided a trilseach

braille n braille

brain n inchinn, he has ~ s tá eagna chinn aige

brain-wave n smaoineamh intleachtach

brainy a intleachtach, éirimiúil

braird n geamhar

braise vt galstobh

brake n coscán; bráca vt coisc

bramble n dris(eog), sceach

bran n bran (mór)

branch n craobh, géag, brainse, gabhal, gasra vi craobhaigh, géagaigh, (of road), to ~ off imeacht (ó); gabhlú

branching a craobhach, géagach, gabhlach

branchline n craobhlíne

brand n breo; branda, lorg, marc vt brandáil, creach

brandish vt beartaigh, bagair, croith

brand-new a úrnua, amach as an bpíosa

brandy n branda

brass n prás a, I haven't a ~ farthing níl cianóg rua agam

brassière n cíochbheart

brassy a prásach; soibealta

brat n dailtín, raispín

bravado n gaisce, laochas, *to do sth out of* ~ rud a dhéanamh as dúshlán

brave a cróga, calma, misniúil vt, *he* ~ *d the sea* thug sé dúshlán na farraige

bravery n calmacht, crógacht

bravo int mo cheol thú, Dia (go deo) leat, (mo) sheacht mh'anam thú

brawl n racán, scliúchas

brawn n arrachtas; toirceoil

brawny a féitheogach

bray n béic, búir vi, ~ *ing* ag grágáil, ag búiríl

brazen a prásach; dána, *he is* ~ *is* air atá an aghaidh

brazier n prásaí; ciseán tine

breach n bearna, scoilt, ~ *of covenant* sárú cúnaint vt bearnaigh, bris

bread n arán

breadth n leithead, fairsinge, *along its* ~ ar a thrasna

break n briseadh, scoilt, maidhm, *at* ~ *of day* le hamhscarthanach, le fáinne, an lae; leis an maidneachan vt & i bris, réab, *day is* ~ *ing* tá an lá ag gealadh, ag briseadh, ~ *apart* scoilt, scoith, *the meeting broke up* scoir an cruinniú, *the car broke down* chlis an carr

breakdown n cliseadh

breaker n maidhm thoinne pl bristeacha

breakfast n bricfeasta, céadphroinn

breakwater n bábhún, tonnchosc

bream n bran; deargán

breast n brollach, ucht, broinne, cíoch, *to make a clean* ~ *of sth* faoistin ghlan a dhéanamh i rud

breastplate n lúireach, scaball; uchtach

breath n anáil, dé, smid, ~ *of wind* puth ghaoithe, aer (beag) gaoithe, sméamh

breathe vt & i análaigh, tarraing anáil, *he is still breathing* tá an dé, an anáil, ann

breathing n análú

breathless a as anáil, séidte, *she arrived* ~ tháinig sí agus a hanáil i mbarr a goib aici, agus ga seá inti

breech n craos (gunna)

breeches npl briste

breed n pór, síolrach, sliocht, *animal of good* ~ ainmhí cineálta vt & i póraigh, síolraigh, *they were bred in poverty* fáisceadh, fuineadh, as an mbochtaineacht iad

breeder n síolraitheoir, tógálaí, ~ *reactor* imoibreoir pórácháin

breeding n pórú; folaíocht; oilteanas, múineadh

breeze n leoithne, feothan

breezy a feothanach; pléascánta

breviary n portús

brevity n giorra, gontacht, achomaireacht

brew n bríbhéireacht, grúdaireacht vt & i grúdaigh, *there is a storm* ~ *ing* tá sé ag tolgadh stoirme

brewer n bríbhéir, grúdaire

brewery n grúdlann

briar n dris(eog)

bribe n breab vt breab, ceannaigh

bribery n breabaireacht

brick n bríce

bricklayer n bríceadóir

bridal n bainis a, ~ *party* lucht bainise, ~ *gown* culaith bridí

bride n brídeach, an cailín óg

bridegroom n grúm, an fear óg

bridesmaid n cailín coimhdeachta

bridge[1] n droichead, ~ *of nose* caol na sróine

bridge[2] n beiriste

bridle n srian, araí vt srian, coisc

bridle-bit n béalbhach

brief n coimre; mionteagasc, ~ *s* bristíní a achomair, gairid vt coimrigh, *to* ~ *a person* duine a chur ar an eolas, (mion)treoir a thabhairt do dhuine

briefcase n mála cáipéisí

briefly adv go haicearrach, go hachomair; i mbeagán focal

brigade n briogáid

brigadier n briogáidire

brigand n tóraí, robálaí

bright a geal, fionn, glan, glé, lonrach

brighten vt & i geal, soilsigh

brightness n gile, loinnir, lonradh, soilse

brilliance n loinnir, laomthacht, niamh

brilliant a lonrach, gléigeal, laomtha

brim n béal (gloine), duilleog (hata), *full to the* ~ lán go béal, go buinne (béil) vi, ~ *ming over* ag cur thar maoil

brimstone n bromastún, ruibhchloch

brindled a riabhach

brine n sáile

bring vt tabhair, beir, *to* ~ *sth about* tús a chur le rud, rud a údarú, *what brought about his death* an rud a thug a bhás, *to* ~ *forth* tuismigh, *where I was brought up* an áit ar tógadh mé

brink n bruach

briquette n brícín

brisk a briosc, géar, ~ *fire* greadóg thine

bristle n guaire, ribe, colg vi, *he* ~ *d* tháinig colg air; d'éirigh sé colgach

bristly a guaireach, ribeach, mosach, colgach

brittle a briosc, sceiteach, sobhriste

broach vt bróitseáil, *to* ~ *a subject* an ceann a bhaint de scéal; scéal a bhogadh, a tharraingt anuas (le duine)

broad a fairsing, leathan, leitheadach; clárach

broadcast n craoladh, craobhscaoileadh vt & i craobhscaoil, craol; scaip

broadcaster n craoltóir, craobhscaoilteoir

broadcasting n craolachán, scaipeadh

broaden vt & i fairsingigh, leathnaigh

broad-minded a leathanaigeanta

broadsheet n mórbhileog

brocade n bróicéad

broccoli n brocailí

brochure n bróisiúr

brogue n barróg; tuin chainte

broil vt & i gríosc

broke a briste, sportha

broken a briste; bristeach

broker n bróicéir

bromide n bróimíd

bronchial a broncach, ~ *tubes* píobáin

bronchitis n broincíteas

bronze n cré-umha, umha a cré-umhaí, umhaí

brooch n bróiste, dealg

brood n ál, éillín vi, *to* ~ luí ar fáir; dul, bheith, 'ar gor, *to* ~ *over sth* gor a dhéanamh ar rud

brooding a, ~ *hen* cearc ghoir, cearc fáire

brook n sruthán

broom n scuab; giolcach shléibhe

brose n bróis

broth n anraith, brat

brothel n drúthlann

brother n deartháir; bráthair

brotherhood n bráithreachas, comhaltas

brother-in-law n deartháir céile

brotherly a bráithriúil

brow n fabhra, mala, ~ *of hill* grua cnoic

brown n & a donn vt & i donnaigh

browse vi, *to* ~ bheith ag iníor, *to* ~ *among books* bheith ag piocadh trí leabhair

brucellosis n brúsalóis

bruise n brú, ball gorm, ballbhrú vt brúigh, ballbhrúigh

brunt n, *we had to bear the* ~ *of the fight* bhí luí na troda orainn, *take the* ~ *of sth* trom ruda a iompar, a sheasamh

brush n scuab, bruis, *fox's* ~ scoth sionnaigh vt scuab, *to* ~ *up on sth* athstaidéar a dhéanamh ar rud, an mheirg a bhaint de rud

brushwood n crannlach, casarnach, scrobarnach

brusque a giorraisc, gairgeach

brutal a brúidiúil, *he was* ~*ly treated* tugadh íde ghránna dó

brutality n brúidiúlacht

brute n brúid, ainmhí

brutishness n brúidiúlacht

bubble n bolgán, boilgeog, súil vi, *bubbling* ag boilgearnach, ag fiuchadh, ag plobarnach

bubonic a búbónach

buccaneer n bucainéir

buck n fiaphoc, poc; boc vt & i, *to* ~ *a person up* uchtach a thabhairt do dhuine, ~ *up* bíodh uchtach agat, croith suas thú féin

bucket n buicéad

buckle n búcla vt & i búcláil; leacaigh, lúb

buckler n cruinnsciath

bucolic a & a búcólach

bud n bachlóg vi bachlaigh

Buddhism n Búdachas

budge vi bog, corraigh, *he wouldn't* ~ *an inch* ní ghéillfeadh sé orlach, níorbh fhéidir bogadh ná sá a bhaint as, *without budging* gan corraí

budgerigar n budragár

budget n cáinaisnéis, buiséad vt & i buiséad

buff vt & i sliob

buffalo n buabhall

buffer n maolaire, ~ *state* stát eadrána

buffet[1] n leidhce vt tuairteáil, tolg

buffet[2] n cuntar bia; proinn fhéinseirbhíse

buffoon n abhlóir, óinmhid

bug n aithid, fríd; gaireas cúléisteachta

bugbear n púca na n-adharc

bugle n buabhall, stoc

bugler *n* buabhallaí

build *n* cruth, déanamh, *of the same* ~ *as* ar aon déanamh le *vt & i* tóg, déan, ~ *up* neartaigh; éirigh

builder *n* tógálaí, foirgneoir

building *n* áras, foirgneamh; foirgníocht

built-up *a*, ~ *area* limistéar faoi fhoirgnimh

bulb *n* bleib, (*light-*)~ bolgán, bulba

bulbous *a* bleibeach

bulge *n* boilsc; bolg, pluc *vt & i* boilscigh, pluc, bolg

bulging *a* boilsceannach, bolgach

bulk *n* bulc, téagar, toirt; trom, *in* ~ *ar* an mórchóir

bulkhead *n* bulcaid

bulky *a* toirtiúil, téagartha

bull [1] *n* tarbh

bull [2] *n*, (*papal*) ~ bulla

bulldog *n* tarbhghadhar, bulladóir

bulldozer *n* ollscartaire

bullet *n* piléar

bulletin *n*, *news* ~ ráiteas nuachta

bullfight *n* tarbhchomhrac

bullfinch *n* corcrán coille

bullion *n* buillean

bullock *n* bullán, bológ

bull's-eye *n* súil sprice

bully *n* tíoránach, bulaí, maistín *vt* ansmachtaigh

bulrush *n* bogshifín; coigeal na mban sí

bulwark *n* bábhún; clai cosanta

bum [1] *n* tóin, geadán

bum [2] *n* drabhlásaí, leoiste, geocach, *on the* ~ ar an drabhlás

bumble-bee *n* bumbóg

bump *n* tuairt; cnapán; uchtóg *vt & i* gread, buail, ~ *ing against each other* ag tuairteáil a chéile, *to* ~ *into a person* bualadh le duine (de thaisme); bualadh faoi dhuine

bumper *n* tuairteoir, cosantóir, maolaire; gloine lán

bumpkin *n* cábóg

bumptious *a* stráisiúnta, postúil

bumpy *a* cnapánach, tuairteálach

bun *n* borróg, (*of hair*) cocán

bunch *n* scoth, dos, dornán, triopall

bundle *n* beart, burla, cual

bung *n* bundallán, piollaire, plocóid *vt, to* ~ *up a pipe* píopa a chalcadh, a stopadh

bungalow *n* bungaló

bungle *vt, to* ~ *sth* praiseach, ball séire, a dhéanamh de rud

bungling *n* fútráil, útamáil *a* ciotach

bunion *n* buinneán, pachaille

bunting *n* stiallbhratacha

buoy *n* baoi, bulla

buoyancy *n* buacacht, snámhacht

buoyant *a* buacach, snámhach

bur *n* cnádán, leadán

burden *n* ualach, eire, muirear *vt* ualaigh, *to be* ~ *ed* bheith faoi ualach

burdensome *a* trom

burdock *n* leadán liosta

bureau *n* oifig; biúró

bureaucracy *n* maorlathas

bureaucratic *a* maorlathach

burger *n* borgaire

burgess *n* buirgéiseach

burglar *n* buirgléir

burglary *n* buirgléireacht

burgle *vt, to* ~ *a house* buirgléireacht a dhéanamh ar theach

burgundy *n* burgúin

burial *n* adhlacadh, cur

burlesque *n* scigaithris

burly *a* téagartha, tacúil

burn *n* dó, ball dóite *vt & i* dóigh, bruith, loisc

burner *n* dóire, dóiteoir

burning *n* dó, loscadh *a* dóiteach, loiscneach

burnish *vt* niamhghlan, slíob, líomh

burrow *n* uachais, poll *vt & i* tochail, poll

bursar *n* sparánaí

bursary *n* sparánacht

burse *n* bursa

burst *n* brúcht, rois, maidhm, ~ *of light* scal, ~ *of speed* fáscadh reatha *vt & i* pléasc, maidhm, bris, ~ *forth* scaird, scal, brúcht, *I* ~ *out laughing* d'imigh an gáire orm

bury *vt* adhlaic, cuir, *buried* faoi chré

bus *n* bus

bush *n* tor, tom, dos, sceach; mongach; díthreabh

bushel *n* buiséal

bushy *a* dosach, mothallach, ~ *top, tail* scothán

business *n* gnó, ~ *enterprise* gnóthas

businessman *n* fear gnó

bust *n* bráid; busta

bustle *n* fuadar, griothalán, driopás *vi* fuirsigh, fuaidrigh

busy · *a* broidiúil, crúógach, fuadrach, gnóthach, cúramach *vt*, *to* ~ *oneself with sth* bheith ag gabháil do rud

busybody *n* bumbóg, socadán

but *conj & prep* ach, ~ *for that* murach sin, ach ab é sin, *who knows* ~ *that they were stolen* cá bhfios ná gur goideadh iad

butane *n* bútán

butcher *n* búistéir

butchery *n* búistéireacht

butler *n* buitléir

butt[1] *n* bun, stoc, buta

butt[2] *n* sprioc, ~ *of ridicule* ceap magaidh, dóigh mhagaidh

butt[3] *n* buta (fíona)

butt[4] *n* poc *vt & i* pocáil, *he* ~ *ed him with his head* thug sé sonc dá cheann dó, *to* ~ *into the conversation* do ladar a chur sa chomhrá

butter *n* im *vt*, *to* ~ *bread* im a chur ar arán, *to* ~ *a person up* duine a chuimilt

buttercup *n* cam an ime

butter-fingered *a* sliopach

butterfly *n* féileacán

buttermilk *n* bláthach

butterscotch *n* imreog

buttery *n* butrach

buttocks *npl* mása, tiarpa

button *n* cnaipe

button-hole *n* lúbóg, polláire, poll cnaipe

buttress *n* taca, *flying* ~ taca crochta *vt*, *to* ~ *a wall* taca a chur le balla

buxom *a*, ~ *woman* sodóg

buy *vt & i* ceannaigh

buyer *n* ceannaitheoir, ceannaí

buzz *n* dordán, seabhrán, ~ *of talk* sioscadh cainte *vi* dord

buzzard *n* clamhán

buzzer *n* adharc, dordánaí

by *prep* le, de réir, cois, láimh le, ~ *the side of the road* ar leataobh an bhóthair, ~ *morning* faoi mhaidin, *six* ~ *seven* a sé faoi a seacht, ~ *right* ó cheart, ~ *heavens* dar fia, *I know her* ~ *her walk* aithním as a siúl í *adv* thart, *the money she put* ~ an t-airgead a chuir sí i leataobh, ~ *and* ~ ar ball beag, ~ *the way* dála an scéil, *north* ~ *west* ó thuaidh lámh siar

by-election *n* fothoghchán

bygone *a*, *let* ~*s be* ~*s* fág na sean-chairteacha i do dhiaidh, fág marbh é mar scéal a caite, thart

by-law *n* fodhlí

bypass *n* seachród, seach-chonair *vt* seachain, timpeallaigh

by-product *n* fotháirge, seachtháirge

byre *n* bóitheach

by-road *n* fobhóthar, seachród

by-stander *n* féachadóir

by-way *n* fobhealach

byword *n* seanfhocal, nathán, *he has become a* ~ tá sé ina sceith bhéil

C

cab *n* cab

cabbage *n* cabáiste, cál

cabin *n* bothán, cábán

cabinet *n* caibinéad, ~ *minister* aire rialtais

cable *n* cábla

cablegram *n* cáblagram

cable-stitch *n* cor na péiste, casadh an tobac, lapa na circe

cache *n* taisce, gnáthóg, folachán

cackle *n* grág (circe) *vi*, *cackling* ag grág-ail, ag scolgarnach

cactus *n* cachtas

caddie *n* giolla

cadet *n* dalta (airm); sóiséar

cadge *vt & i*, *to* ~ *money from people* airgead a dhiúgaireacht ar dhaoine, *cadging* ag súmaireacht, ag siolp-aireacht

café *n* caife

cafeteria *n* caifitéire

caffeine *n* caiféin

cage *n* éanadán, cás; cliabhán

cairn *n* carn; leacht

cajoler *n* bréagadóir, plámásaí

cake *n* cáca, ciste *vt & i* calc, stolp, ~ *d with mud* faoi dhraoib

calamitous *a* tubaisteach, púrach

calamity *n* anachain, liach, matalang, tubaiste; cat mara

calcify *vt & i* cailcigh

calcium *n* cailciam

calculate vt & i comhair, ríomh; meas
calculation n comhaireamh, ríomhaireacht
calculator n áireamhán
calculus n calcalas
calendar n féilire, caileandar
calf[1] n lao, gamhain, *seal* ~ éan róin
calf[2] n colpa
calibre n mianach
calico n ceaileacó
call n glao(ch), gairm, scairt; scol; cuairt; call, gá vt & i glaoigh, gair, scairt, ~ *after* ainmnigh as, *he is* ~ *ed John* Seán atá air, *she* ~ *ed me a fool* thug sí amadán orm, *to* ~ *on a person* dul ar cuairt chuig duine; glaoch, beannú, isteach chuig duine
caller n cuairteoir
calling n ceird, gairm; scairteach
callous a cranrach, fadharcánach; fuarchróíoch
callow a glas
callus n creagán, bonnbhualadh, bonnleac
calm a calm, ciúnas a ciúin, téigli, socair, (*of weather*) cneasta, soineanta, *the sea is dead* ~ tá an fharraige ina clár vt & i ciúnaigh, sáimhrigh, suaimhnigh, ~ *down* ! lig fút!
calorie n calra
calumny n béadán
calve vi, *the cow* ~ *d* rug an bhó
Calvinism n Cailvíneachas
calyx n cailís
camber n dronn, dromán, cuaire
cambric n cáimric
camel n camall
camera n ceamara, *in* ~ i gcúirt iata
camogie n camógaíocht, ~ *stick* camóg
camomile n camán meall
camouflage n duaithníocht vt duaithnigh
camp n campa, longfort vi campáil
campaign n feachtas vi, *to* ~ dul ar feachtas; cogadh a chur (*against* ar)
camper n campálaí
camphor n camfar
campus n campas
can[1] n canna, ceaintín vt cannaigh, stánaigh
can[2] aux v, *I* ~ *do it* féadaim, is féidir liom, tig liom, é a dhéanamh, *he* ~ *swim*, tá snámh aige, *do the best you* ~ *with it* déan do dhícheall leis, *how* ~

you tell cá bhfios duit, *I would do it if I could* dhéanfainn é dá bhféadfainn, *I couldn't do it* chinn orm, chuaigh díom, é a dhéanamh; ní bhfaighinn (ó mo chroí) é a dhéanamh
canal n canáil
canary n canáraí
cancel vt cealaigh, scrios, *it was* ~ *led* cuireadh ar ceal é
cancellation n cealúchán, cealú
cancer n ailse, *C* ~ an Portán
candid a díreach, oscailteach, neamhbhalbh
candidate n iarrthóir
candle n coinneal
candlemas n, *C* ~ *Day* Lá Fhéile Muire na gCoinneal
candlestick n coinnleoir
candour n oscailteacht
candy n candaí
cane n cána, slat; giolcach vt sciúr, *to* ~ *a person* an tslat a thabhairt do dhuine
canine a, ~ *tooth* géarán
canister n ceanastar
canker n cancar
canned a stánaithe; ar na cannaí
cannibal n & a canablach
cannon n canóin
cannon-ball n caor ordanáis
canoe n canú, báidín, crann snámha
canon n canónach a, ~ *law* dlí canónta
canonical a canónta
canonization n canónú
canonize vt canónaigh
canopy n ceannbhrat, forscáth, ~ (*of bed*) téastar
cant n béarlagair, ~ *word*, ~ *phrase* leathfhocal, nath
cantankerous a agóideach, cancrach
canteen n bialann, ceaintín
canter n gearrshodar, bogshodar
canticle n caintic
canvas n canbhás; anairt (bheag), bréid
canvass n & vt canbhasáil
cap n bairéad, caipín vt , *to* ~ *sth off* an dlaoi mhullaigh a chur ar rud, *and to* ~ *all* mar bharr ar an scéal
capability n cumas, acmhainn
capable a ábalta, cumasach, *to be* ~ *of sth* rud a bheith ionat, bheith inniúil ar rud
capacious a luchtmhar

capacity n acmhainn, cumas, lucht, toilleadh, *filled to* ~ lomlán, *in the* ~ *of a secretary* i bhfeidhm, i gcáil, rúnaí

cape[1] n cába

cape[2] n rinn (tíre), ceann tíre

caper n ceáfar, ealaín vt & i rad, ~ *ing about* ag ceáfráil, ag pramsáil thart

capillary n ribeadán a ribeadach

capital n rachmas, caipiteal; príomhchathair a ceann-, príomh-, ~ *sum* bunairgead, ~ *punishment* pionós báis

capitalism n caipitleachas

capitalist n caipitlí; rachmasaí

capitation n ceannsraith

capitulate vi géill

caprice n fíbín, treall; ceáfar

capricious a galamaisíoch, meonúil, taghdach, treallach

Capricorn n an Gabhar

capsize vt & i iompaigh, tiontaigh (béal faoi)

capstan n tochard

capsule n capsúl; cochall

captain n captaen

caption n ceannteideal; foscríbhinn

captious a bastallach, beachtaíoch, breithghreamannach

captivate vt meall, *to* ~ *a person* cluain a chur ar dhuine, duine a chur faoi dhraíocht

captivating a meallacach

captive n braighdeanach, cime, géibheannach, geimhleach a geimhleach

captivity n braighdeanas, géibheann

capture n gabháil vt gabh

Capuchin n & a Caipisíneach

car n carr, gluaisteán

carafe n caraf

caramel n caramal

caravan n carbhán

caraway n ainís, cearbhas

carbine n cairbín

carbohydrate n carbaihiodráit

carbolic a carbólach

carbon n carbón

carboniferous a carbónmhar

carbuncle n carrmhogal; bun ribe

carburettor n carbradóir

carcass n conablach, ablach, ~ *of beef* mart

card[1] n cárta

card[2] vt & i cardáil

cardboard n cairtchlár

cardiac a cairdiach

cardigan n cairdeagan

cardinal n cairdinéal a cairdinéalta, príomh-, ~ *number* bunuimhir

card-index n treorán cártaí

care n aire, faichill, cúram; imní, buairt, *take* ~ *not to fall* fainic is ná tit vi, *to* ~ *for a person* aire a thabhairt do dhuine; cion a bheith agat ar dhuine, *I don't* ~ is cuma liom, *I don't* ~ *for it* ní maith liom é, *if you* ~ *to* má thograíonn tú; más maith leat, ~ *of* faoi chúram

career n cúrsa, réim; slí bheatha, ~ *guidance* gairmthreoir

carefree a neamhbhuartha, aerach

careful a aireach, faichilleach, cúramach, *be* ~ *not to fall* fainic is ná tit

careless a míchúramach

caress n muirníú vt muirnigh, ~ *ing* ag muirnéis

caretaker n airíoch

careworn a ciaptha, cráite

cargo n lasta, lucht, ládáil

cargo-boat n bád tráchta, bád lastais

caricature n caracatúr; scigphictiúr

caries n cáiréas

carillon n clogra

carman n carraeir

Carmelite n & a Cairmilíteach

carnage n eirleach, ár

carnal a collaí

carnation n coróineach

carnival n carnabhal

carnivore n carnabhóir, feoiliteoir

carnivorous a feoiliteach

carol n carúl

carousal, carouse n carbhas, drabhlás

carp[1] n carbán

carp[2] vi, ~ *ing* ag tormas, ag cámas

car-park n carrchlós

carpenter n siúinéir, saor adhmaid

carpentry n adhmadóireacht, siúinéireacht

carpet n cairpéad, brat urláir

carrageen n, ~ (*moss*) carraigín

carriage n carráiste, cóiste; carraeireacht, iompar, imeacht

carrier n carraeir, iompróir

carrion n ablach

carrion-crow n badhbh, feannóg charrach

carrot n cairéad, meacan dearg
carry vt iompair, ~ one tabhair leat a haon, to ~ on working leanúint (ort) ag obair, he carries on a business tá gnó ar siúl aige, to ~ out a scheme scéim a chur i bhfeidhm, she carries herself well is breá an t-imeacht atá fúithi, to ~ sth off rud a bhreith, a chrochadh, leat; rud a éirí leat
carry-on n, his ~ a gheáitsí, such ~ a leithéid d'obair, d'ealaín
cart n cairt, trucail vt iompair, ~ it away croch, ardaigh, leat é
cartel n cairtéal
Carthusian n & a Cartúiseach
cartilage n loingeán
cartography n cartagrafaíocht
carton n cartán
cartoon n cartún
cartridge n cartús
cartwheel n roth cairte; rothalchleas
carve vt gearr; grean, snoigh
carver n scian feola; snoíodóir
carving n snoí(odóireacht)
carving-knife n scian feola
cascade n eas, scairdeán, slaod
case¹ n cás, cúis; tuiseal, in any ~ ar aon chaoi, ar scor ar bith, just in ~ ar eagla na heagla, as in my own ~ mo dhála féin, in ~ I tell a lie leisce na bréige
case² n cás, bosca, faighin, truaill vt cásáil
cash n airgead (tirim) vt bris
cashier n airgeadóir
cashmere n caismír
cash-register n scipéad cláraithe
casing n cásáil
cask n buta, casca, leastar
casserole n casaról
cassette n caiséad
cassock n casóg
cast n caitheamh, teilgean, urchar; fiarshúil; beart; buille (dorú), cor, dol; múnla; foireann (dráma) vt caith, cuir, diúraic, teilg
castanet n castainéad
castle n caisleán
cast-off a athchaite, ~ suit culaith athláimhe
castor n rothán, pepper ~ piobarán
castor-oil n ola ricne
castrate vt coill, spoch, gearr

castration n coilleadh, spochadh
casual a neamhthuairimeach; neamhchúiseach, (of clothes) neamhfhoirmiúil, ~ conversation comhrá fánach, ~ employment breacfhostaíocht, ~ worker oibrí ócáideach
casualty n taismeach
cat n cat
catacomb n catacóm
catalogue n catalóg vt cláraigh
catalyst n catalaíoch
catapult n crann tabhaill
cataract n eas; fionn
catarrh n réama, catarra
catastrophe n tubaiste, matalang
catch n gabháil; laiste, ~ in breath snag anála, ~ of fish díol, gabháil, éisc, there's the ~ sin é an buille, he's a good ~ is maith an dóigh mná é vt & i beir (ar), fostaigh, gabh, ceap, to ~ in sth dul i ngreim, i bhfostú, i rud, ~ me (doing such a thing) baol orm (a leithéid a dhéanamh), I caught a cold tholg, ghlac, mé slaghdán, I caught up with him tháinig mé suas leis
catching a tógálach
catchword n leathfhocal, mana
catechism n caiticeasma, an Teagasc Críostaí
category n rangú; aicme
cater vi, to ~ for a person riar ar dhuine, soláthar do dhuine, freastal ar dhuine
caterer n lónadóir
catering n lónadóireacht
caterpillar n bolb, péist chabáiste
catgut n caolán
cathedral n ardeaglais
cathode n catóid
Catholic n & a Caitliceach
Catholicism n Caitliceachas
catkin n caitín
cattle n eallach, airnéis, bólacht
caubeen n cáibín
caul n caipín sonais, scairt
cauldron n coire
cauliflower n cóilis
caulk vt & i calc
cause n ábhar, cúis, fáth, cionsiocair, údar; caingean, you are the ~ of it yourself tú féin faoi deara é, tú féin is ciontaí leis vt, to ~ trouble trioblóid a tharraingt, what ~ d the trouble an rud faoi deara an trioblóid

causeway n cabhsa, tóchar, ciseach

caustic n & a loiscneach

cauterize vt poncloisc

caution n faichill, fainic vt, to ~ a person about sth rabhadh a thabhairt do dhuine faoi rud, duine a chur ar a fhaichill ar rud

cautious a faichilleach, airdeallach, aireach

cavalcade n marcshlua

cavalry n eachra, marcra, marcshlua

cave n pluais, uaimh vi, to ~ in titim isteach

cavernous a cuasach

caviar n caibheár

cavity n bléin, coguas, cuas

cawing n grágail

cease vt & i scoir, stad, staon

cease-fire n sos lámhaigh

cedar n céadar

cede vt dílsigh, géill

ceiling n síleáil

celandine n, lesser ~ grán arcáin, greater ~ garra buí

celebrate vt & i ceiliúir, comóir, to ~ Mass an tAifreann a léamh, a cheiliúradh, a rá, to ~ Easter an Cháisc a dhéanamh

celebrated a cáiliúil

celebration n ceiliúradh, comóradh

celebrity n duine cáiliúil, duine mór le rá

celery n soilire

celestial a neamhaí

celibacy n aontumha

celibate a aontumha, gan phósadh

cell n cill, cillín, honeycomb ~ cuinneog mheala

cellar n siléar

cellist n dordveidhleadóir

cello n dordveidhil

cellophane n ceallafán

celluloid n ceallalóid

cellulose n ceallalós

Celt n Ceilteach

Celtic n Celltis a Ceiltceach

cement n stroighin, suimint vt stroighnigh; táthaigh

cemetery n reilig

censer n túiseán

censor n cinsire vt, it is ~ ed tá sé coiscthe ag an gcinsire; tá sé scrúdaithe ag an gcinsire

censorial a cinsiriúil

censorious a cáinteach, lochtaitheach

censorship n cinsireacht

censure n cáineadh, tromaíocht vt & i cáin

census n daonáireamh, móráireamh

cent n ceint, he hasn't a red ~ níl cianóg rua aige, per ~ faoin gcéad, sa chéad

centenary n (comóradh) céad bliain

centigrade n ceinteagrád a ceinteagrádach

centilitre n ceintilítear

centimetre n ceintiméadar

centipede n céadchosach

central a lárnach, the C~ Bank of Ireland Banc Ceannais na hÉireann, the C~ Criminal Court an Phríomh-Chúirt Choiriúil

centralize vt láraigh

centre n lár, croí, ceartlár; lárionad vt meánaigh

centre-forward n lárthosaí

centrifugal a lártheifeach

century n céad, the twentieth ~ an fichiú haois

ceramic a criaga

ceramics npl criadóireacht; earraí criaga

cereal n arbhar, gránach a gránach

cerebral a ceirbreach

cerebrum n ceirbream

ceremonial a deasghnách

ceremony n deasghnáth, searmanas

cerise a silíneach

certain a cinnte, dearfa, deimhin, a ~ person duine áirithe, make ~ cinntigh

certainty n áirithe, cinnteacht

certificate n teastas, teistiméireacht, leaving ~ ardteistiméireacht

certify vt deimhnigh

cess n, bad ~ to you marbhfháisc ort, greadadh chugat

cessation n staonadh, stopadh, faill, scor, ~ (of rain) turadh

cesspool n bréanlach

chafed a oigheartha

chaff n cáith, lóchán vt, to ~ a person séideadh faoi dhuine

chaffinch n rí rua

chain n slabhra; sraith a slabhrúil

chair n cathaoir; ollúnacht

chairman n cathaoirleach

chalet n sealla

chalice n cailís

chalk n cailc vt marcáil le cailc

challenge n dúshlán vt, to ~ a person dúshlán duine a thabhairt, you should ~ her on that statement ba cheart duit an chaint sin a iomardú uirthi

challenger n fear (bean) dúshláin

chamber n seomra, underground ~ uaimh, ~ of commerce cumann lucht tráchtála, ~ music ceol aireagail

chamberlain n seomradóir

chamber-pot n fualán

chameleon n caimileon

chamois-leather n seamaí

champagne n seaimpéin

champion n gaiscíoch, cíoná, curadh; crann taca vt, to ~ a person ceart a sheasamh do dhuine

championship n craobh; craobhchluiche

chance n seans; áiméar, faill; cinniúint, fortún, by ~ de thaisme, now is your ~ anois d'am, anois an t-am agat vt & i seansáil; teagmhaigh, tarlaigh a cinniúnach, teagmhasach

chancel n córlann

chancellor n seansailéir

chandelier n crann solais, coinnleoir craobhach

change n athrach, athrú; claochlú; briseadh, sóinseáil, ~ of air malairt spéire vt & i malartaigh, athraigh, claochlaigh, bris, she ~d colour d'iompaigh a lí uirthi

changeable a athraitheach, inathraithe, claochlaitheach

changeling n fágálach, iarlais, síofra

channel n bealach, cainéal; caidhséar, silteán; coigeal, clais; cuisle uisce, North C~ Sruth na Maoile, English C~ Muir nIocht vt & i clasaigh; seol

channelled a clasach, cuisleach

chant n coigeadal, dord, plain, Gregorian, ~ cantaireacht eaglasta vt & i can

chanting n cantain, cantaireacht

chaos n anord, it is in ~ níl tús ná deireadh air; tá sé ina chíor thuathail ar fad

chaotic a anordúil, trí chéile

chap¹ n diúlach

chap² n gág, méirscre

chapel n séipéal, teach pobail, eaglais

chaperon n bean choimhdeachta vt, to ~ a person coimhdeacht a dhéanamh ar dhuine

chaplain n séiplíneach

chapped a gágach

chapter n caibidil

char¹ vi, to go out charring glantachán tí a dhéanamh (ar phá lae)

char² vt dúloisc, gualaigh

character n carachtar, meon; (in play) pearsa

characteristic n airí, tréith; sonra, saintréith a sain-, tréitheach

characterization n carachtracht, tréithriú

characterize vt tréithrigh

charcoal n fíoghual, gualach

charge n cúis, cúiseamh; íoc, táille, muirear; lán(án); éirse, ruathar, in ~ (of) i gceannas (ar), os cionn, in the ~ of faoi chúram, free of ~ saor in aisce vt cúisigh; luchtaigh; stang, lódáil, he ~d me a pound for them bhain sé punt díom orthu, to ~ at a person ruathar ionsaithe a thabhairt faoi dhuine

charger n capall cogaidh

chariot n carbad

charioteer n ara

charitable a carthanach, Críostúil; déirceach

charity n carthanacht, déirc, grá (dia); carthanas, Christian ~ Críostúlacht

charm n briocht, draíocht, ortha, geasróg; caithis, meallacacht vt & i meall, cuir faoi dhraíocht

charming a gleoite, meallacach, aoibhinn

charnel-house n ula

chart n cairt; graf

charter n cairt vt cairtfhostaigh

chary a faichilleach (of ar), drogallach (of roimh)

chase¹ n tóir, ruaig; fiach, seilg vt & i ruaig; fiach, seilg, cluich

chase² vt cabhair

chasm n duibheagán, aibhéis, gáibéal

chassis n fráma, creat, ~ of cart carra cairte

chaste a geanasach, geanmnaí, íon, glan

chastened a múinte, maslaithe, smachtaithe

chastise vt ceartaigh, cúr, smachtaigh, to ~ a person múineadh, smacht, a chur ar dhuine

chastisement n ceartú, múineadh, smachtú

chastity n geanas, geanmnaíocht

chasuble n casal

chat n comhrá vi, ~ting ag comhrá
chattels npl airnéis
chatter n durdam, geab, spruschaint; gliogar vi, ~ing ag geabaireacht, ag seinm, (teeth) ag cnagadh, ag greadadh
chatterbox n geabaire
chatty a cainteach
chauffeur n giománach, tiománaí
chauvinism n seobhaineachas
cheap a saor; suarach, táir
cheapen vt & i saoirsigh, íslígh
cheapness n saoirse; suarachas
cheat n caimiléir, séitéir vt & i, to ~ a person calaois, caimiléireacht, a dhéanamh ar dhuine, ~ing ag séitéireacht
check n srian, cosc; seiceáil; seic vt & i srian, bac, ceansaigh, coisc; seiceáil; (chess) sáinnigh, ~ in (at airport, etc) sínigh isteach
checked a, (of cloth) páircíneach
checkmate n marbhsháinn
checkout n, (in supermarket) ~ counter cuntar amach
check-up n seiceáil
cheddar n, ~ (cheese) céadar
cheek n leiceann, grua, (round) ~ pluc, lower ~ giall, such ~ a leithéid d'éadan, de shotal
cheeky a soibealta, sotalach, dalba, ~ fellow dailtín
cheep n & vi gíog, míog
cheer n gáir; meanma vt & i, to ~ gáir (mholta, mhaíte) a ligean, ~ up bíodh misneach agat, to ~ a person up duine a mhisniú
cheerful a croíúil, meanmnach, misniúil, suairc; suáilceach
cheerfulness n croíúlacht, aigne, somheanma, suairceas, subhachas
cheerio int beannacht leat; slán agat
cheerless a duairc, gruama
cheese n cáis
cheeseburger n cáisbhorgaire
cheetah n síota
chef n príomhchócaire
chemical n ceimiceán a ceimiceach
chemist n ceimiceoir; poitigéir
chemistry n ceimic
cheque n seic
chequered a eangach, seicear
cherish vt caomhnaigh, muirnigh

cherry n sílín
cherub n ceiribín
chess n ficheall
chess-player n ficheallaí
chest n araid, cófra, ciste; cliabh(rach), ucht
chestnut n, (spanish, sweet) ~ castán, (horse) ~ cnó capaill a donnrua, dúrua
chevron n rachtán
chew vt & i cogain, to ~ over sth machnamh fada, marana, a dhéanamh ar rud
chewing-gum n guma coganta
chic a faiseanta
chicanery n lúbaireacht
chick n éan (circe)
chicken n sicín, circeoil; eireog
chicken-pox n deilgneach
chickweed n fliodh
chicory n siocaire
chief a flaith, taoiseach, cíoná, ceann urra a ard-, ceann-, príomh-
chiefly adv go háirithe, go mór mór, go príomha
chieftain n ceann fine
chiffon n sreabhann
chilblain n fochma, fuachtán
child n gasúr, leanbh, páiste; duine clainne, having no ~ren gan chlann, their ~ren's ~ren sliocht a sleachta
childbirth n breith clainne, luí seoil
childhood n leanbaíocht, óige, second ~ an aois leanbaí
childish a leanbaí, páistiúil
childishness n leanbaíocht, páistiúlacht
childlike a leanbaí, páistiúil
chill n fuacht a fuar vt & i fuaraigh
chilly a féithuar
chime n clogra; cling vt & i cling
chimera n ciméara
chimney n simléar
chimney-sweep n glantóir simléar
chimpanzee n simpeansaí
chin n smig
china n greithe poircealláin; poirceallán
chink n gág
chintz n síons
chin-wagging n cabaireacht
chip n scealpóg, scolb, slis, (potato) ~s sceallóga (prátaí) vt & i smiot, scealp, snoigh
chipped a mantach, scealptha

chiropodist n coslia
chiropody n cosliacht
chirp n bíog, giog vi gíog, to ~ bíog a
ligean asat
chirping n bíogarnach, giolcadh
chisel n & vt & i siséal
chivalrous a ridiriúil; cúirtéiseach
chivalry n niachas, ridireacht; cúirtéis
chive n síobhas
chloride n clóirid
chlorinate vt clóirínigh
chlorine n clóirín
chloroform n clóraform
chocolate n seacláid
choice n rogha, roghnú, toghadh; scoth,
plúr, togha a scothúil, tofa
choir n córlann; claisceadal, cór
choke n tachtaire vt & i sclog, tacht,
caoch, calc
choking n píopáil, tachtadh; caochadh a
tachtach, múchtach
cholera n calar
cholesterol n colaistéaról
choose vt & i roghnaigh, togair, togh
chop n, (of sea) briota, cuilithín; lamb ~
gríscín uaineola vt gearr, mionghearr,
smiot, to ~ down a tree crann a leagan
chopper[1] n scoiltire
chopper[2] n héileacaptar
choppy a, ~ wave briota, ~ sea clag-
fharraige, farraige shalach
choral a córúil, ~ singing claisceadal
chord n corda
choreography n cóiréagrafaíocht
chores npl, doing ~ ag timireacht, ag
dioscaireacht
chorography n córagrafaíocht
chorus n cór; curfá, loinneog
chough n cág cosdearg
chrism n criosma
Christ n Críost
christen vt baist
christening n baisteadh; bainis bhaiste
Christian n Críostaí a Críostaí, Críostúil,
~ charity Críostúlacht
Christianity n Críostaíocht
Christmas n Nollaig, ~ Eve Oíche
Nollag
chromatic a crómatach
chrome n cróm
chromium n cróimiam
chronic a ainsealach, leannánta, to
become ~ dul in ainseal, daingniú

chronicle n croinic
chronicler n croiniceoir
chronological a cróineolaíoch, in ~
order de réir dátaí
chrysanthemum n órscoth
chubby a plucach
chuck vt, he was ~ed out caitheadh
amach é, he ~ed it up d'éirigh sé as;
chaith sé in aer é
chuckle n maolgháire vi, chuckling ag
sclogadh gáire
chum n comrádaí, compánach
chunk n alpán, canta, dabhaid, smután,
slaimice
church n eaglais, séipéal, teach pobail,
medieval, protestant, ~ teampall, C ~
of Ireland Eaglais na hÉireann vt cois-
ric
churchman n eaglaiseach, pearsa eaglaise
churchyard n cill, reilig
churl n aitheach, bodach, búr
churlish a doicheallach, tútach, bodúil,
daoithiúil
churn n cuigeann, cuinneog vt & i
maistrigh; coip, ~ ing about ag
únfairt, to ~ butter cuigeann a
dhéanamh
churn-dash n loine
churning n cuigeann, maistreadh
chute n fánán, sleamhnán
chutney n seatnaí
ciborium n cuach abhlann, cuach altóra
cicatrize vt & i cneasaigh
cider n ceirtlis
cigar n todóg
cigarette n toitín
cincture n crios, sursaing
cinder n cnámhóg ghuail
cine-camera n cineacheamara
cinema n cineama, pictiúrlann
cinnamon n cainéal
cipher n rúnscríbhinn; náid; figiúr
circle n ciorcal, fáinne vt & i ciorclaigh,
circling round ag fáinneáil, ag guair-
deall, timpeall
circuit n timpeall, cuairt, imchuairt; cior-
cad, C ~ Court Cúirt Chuarda
circuitous a timpeallach
circular n ciorclán, imlitir a ciorclach
circularize vt ciorclán, imlitir, a chur
chuig daoine
circulate vt & i imigh (thart), to ~ a
rumour ráfla a chur sa siúl

circulating *a* rothánach

circulation *n* cúrsaíocht; imshruthú; díol, scaipeadh, *there is counterfeit money in* ~ tá airgead bréige ag imeacht, sa timpeall

circumcise *vt* timpeallghearr

circumcision *n* imghearradh, timpeallghearradh

circumference *n* compás, timpeall, imlíne

circumscribe *vt* imscríobh; cuimsigh

circumspect *a* aireach, faichilleach

circumstance *n* cúinse, cúrsa, *in the* ~ *s* agus an scéal mar atá, *in any, under no,* ~ *s* ar aon chúinse, *the* ~ *s of the case* tosca, dálaí, an cháis, *they are in good* ~ *s* tá deis, dóigh, mhaith orthu

circumstantial *a* imthoisceach

circumvent *vt* timpeallaigh; sáraigh

circus *n* sorcas

cirrhosis *n* cióróis

Cistercian *n* & *a* Cistéirseach

cistern *n* sistéal

citadel *n* daingean

citation *n* toghairm, téacs, sliocht; aitheasc

cite *vt* luaigh

citizen *n* cathróir, saoránach, *the Irish* C~ *Army* an tArm Cathartha

citizenship *n* cathróireacht, saoránacht

citric *a* citreach

citrus *n* citreas

city *n* cathair

civic *a* cathartha, C~ *Guard* Garda Síochána

civil *a* cathartha; sibhialta, ~ *war* cogadh cathartha, *the* ~ *service* an státseirbhís

civilian *n* & *a* sibhialtach

civility *n* sibhialtacht, solabharthacht, cuntanós

civilization *n* sibhialtacht

civilize *vt, to* ~ *people* daoine a thabhairt chun sibhialtachta, chun míne

claim *n* ceart, teideal, éileamh, ceartas *vt* éiligh; maígh

claimant *n* éilitheoir

clairvoyance *n* fiosaíocht

clam *n* breallach

clamber *vi* daingean

clammy *a* sramach, greamaitheach, tais

clamour *n* callán, gleo *vi, to* ~ *for something* rud a éileamh go gáróideach

clamp *n* clampa; teanntán, (*of oar*) claba,

~ *of turf* clampa móna *vt* & *i* clampaigh

clan *n* clann; treibh

clandestine *a* folaitheach

clap *n* bualadh (bos), ~ *of thunder* plimp thoirní, rois toirní *vt* & *i,* ~ *ping* ag bualadh bos, *to* ~ *a person in jail* duine a chaitheamh, a ropadh isteach, i bpríosún, *to* ~ *eyes on something* súil a leagan ar rud

clapper *n,* ~ *of bell* teanga cloig, ~ *of mill* clabaire

clapping *n,* ~ *of hands* bualadh bos, ~ *of wings* bualadh, greadadh, sciathán

claret *n* cláiréad

clarification *n* léiriú, soiléiriú

clarify *vt* soiléirigh, (*of fat*) gléghlan

clarinet *n* cláirnéid

clarion *n* galltrumpa, ~ *call* géim galltrumpa

clarity *n* glaine, glinne, soiléireacht

clash *n* easontas, achrann, ~ *of swords* coigeadal claimhte *vi, they are* ~ *ing* tá siad ag teacht salach ar a chéile

clasp *n* claspa, nasc; greim, diurnú *vt* dún; fáisc, diurnaigh

class *n* aicme, cineál, grád; rang, *the working* ~ an lucht oibre *vt* rangaigh, grádaigh

classic *n* & *a* clasaiceach

classical *a* clasaiceach

classification *n* aicmiú, rangú

classify *vt* aicmigh, rangaigh

clatter *n* clagarnach, gleadhradh, ~ *of feet* gliogram, trup, cos *vi,* ~ *ing* ag clagarnach

clause *n* clásal; agús

claustrophobia *n* clástrafóibe, uamhan clóis

clavicle *n* dealrachán, cnámh smiolgadáin

claw *n* crág, crúb, crobh; ionga, leadán, ordóg (gliomaigh) *vt* & *i* glám, crágáil, crúbáil; crúcáil, *the cat would* ~ *you* chuirfeadh an cat a leadáin ionat

claw-hammer *n* casúr cluasach, casúr ladhrach

clay *n* cré, créafóg, *modelling* ~ marla, *heavy* ~ moirt

clean *a* & *vt* & *i* glan *adv, I* ~ *forgot it* rinne mé dearmad glan de

cleaner *n* glantóir

cleaning *n* glanadh, glantóireacht

cleanliness n glanachar, glaineacht

cleanness n glaine

cleanse vt glan, nigh; úraigh

clear a glan, glé, geal, glinn, solasmhar; follas, léir, soiléir, ~ *profit* brabach glan, *stay* ~ *of it* fan glan air, *to be* ~ *about sth* bheith cruinn faoi, ar, rud vt & i glan; réitigh, *to* ~ *a jump, debts,* léim, fiacha, a ghlanadh, *the sky is* ~*ing* tá an spéir ag gealadh, ~ *out* bánaigh, díláithrigh; cart, ~ *off!* croch leat! glan leat! gread leat!

clearance n bánú, díláithriú; cur as seilbh; glanadh amach; réiteach, *(of field)* gortghlanadh; ceantáil

clear-cut a glan, soiléir; greanta

clearing n, *(level space)* réiteach, plásóg, *(of weather)* breacadh, gealadh

clearness n cruinneas, léire; gléine, glaine

clearway n glanbhealach

cleat n cléata, *(of oar)* claba, cluas

cleavage n deighilt, scoilt

cleave¹ vt scoilt; dealaigh

cleave² vi, *to* ~ cloígh le, greamaigh de

cleaver n scoiltire; ~ *s* garbhlus

clef n eochair

cleft n gnás, gág, scailp, siúnta a scailpeach, *he is in a* ~ *stick* tá sé i sáinn

clematis n gabhrán

clemency n trócaire, daonnacht

clement a trócaireach; séimh, soineanta

clench vt & i dún, druid; greamaigh

clenched a, ~ *fist* dorn druidte

clergy n cléir

clergyman n eaglaiseach, pearsa eaglaise

clerical a cléiriúil, ~ *student* ábhar sagairt, ~ *work* obair chléireachais

clerk n cléireach

clever a aibí, cliste, gasta, glic

cliché n sean-nath

clicking n, *(sound)* smeachaíl

client n cliant

clientele n cliantacht

cliff n aill, binn

climate n aeráid, clíoma

climatic a aeráideach, clíomach

climax n dígeann, forchéim, barrchéim, buaic

climb n dreapadh vt & i dreap, tóg, *to* ~ *down* tuirlingt, teacht anuas; géilleadh

climber n dreapadóir

climbing n dreapadóireacht

clinch vt, *to* ~ *a bargain* margadh a cheangal

cling vi, ~ *to* ceangail de, greamaigh de; lean de; cloígh le

clinic n clinic

clinical a cliniciúil

clink n & vt & i cling

clip¹ n fáiscín vt fáisc, ceangail le chéile

clip² vt bearr, sciot

clipper n lomthóir; ~ *s* deimheas

clique n aicme, baicle, drong

cloak n brat, clóca, falaing vt, *to* ~ *sth* rud a chur faoi chlóca

cloakroom n seomra cótaí; seomra bagáiste

clock¹ n clog, *one o'* ~ a haon a chlog vt & i, *to* ~ *a runner* am reathaí a choinneáil, *to* ~ *in, out* am tagtha, am imeachta, a mharcáil

clock² vi, *to* ~ *gor* a dhéanamh

clock³ n daol

clocking a, ~ *hen* cearc ghoir, cearc ar gor

clockwise adv, *to go* ~ dul deiseal

clockwork n, *like* ~ bonn ar aon

clod n scraithín, dairt, torpa

clodhopper n cábóg

clog n bróg adhmaid, paitín vt & i calc, tacht, caoch

cloister n clabhstra; mainistir, clochar

close¹ n clós

close² n críoch, deireadh, *to bring sth to a* ~ an clabhsúr a chur ar rud a dhúth; druidte; meirbh, ~ *relationship* gaol gairid, ~ *to* cóngarach do, deas do vt & i druid, dún, iaigh, *to* ~ *the subject* ceann a chur ar an scéal adv, *to draw* ~ *to a person* dlúthú, druidim, le duine, ~ *by* in aice láithreach; láimh le

closed a druidte, dúnta, iata

close-fisted a lámhiata, ceachartha

close-fitting a luiteach

closely adv, ~ *related* gar i ngaol, ~ *woven* fite go dlúth, *to examine sth* ~ rud a fhéachaint go grinn

closeness n deiseacht, gaire; dlús, tiús; rúnmhaireacht; meirbhe

closet n clóiséad, póirse

closure n clabhsúr, iamh, dúnadh

clot n, ~ *of blood* cnapán, téachtán, fola vi téacht

cloth n éadach, bréid; ceirt, *men of the* ~ an chléir

clothe *vt* éidígh, cuir éadach ar, feistigh

clothes *npl* éadach, feisteas; ceirteacha, balcaisí

clothes-hanger *n* crochadán

clothes-horse *n* cnagadán, cliath éadaí

clothier *n* éadaitheoir

clothing *n* éadach, éide

cloud *n* néal, scamall, smál, ~ *of dust* ceo deannaigh, ~ *s of smoke* bús deataigh, calcanna toite *vt & i* dorchaigh, diamhraigh, *to* ~ *the issue* an scéal a dhéanamh doiléir

cloudburst *n* maidhm bháistí

clouded *a* ceoch, scamallach, néalmhar

cloudy *a* néaltach, scamallach, ceoch; modartha

clout *n* balcais, ceirt, giobal; boiseog, clabhta, langaire *vt* clabhtáil

clove *n* clóbh, tacóid ghaoithe, ~ *of garlic* ionga gairleoige

clover *n* seamair

clown *n* áilteoir; fear grinn; cábóg

cloying *a* ceasúil, oiltiúil

club *n* lorga, smachtín; triuf; club *vi, to* ~ *together* dul i bpáirt le chéile, airgead a bhailiú i bpáirt le chéile

club-footed *a* crúbach

clucking *n* gocarsach

clue *n* leid

clump *n* tor, tom; garrán

clumsy *a* anásta, ciotach, ciotrúnta, tútach; míshásta; místuama

cluster *n* crobhaing, mogall, (*of houses*) gráig, cloigín *vt & i* cruinnigh, bailigh le chéile

clutch[1] *n* éillín, líne, ál

clutch[2] *n* greim, glám, (*of engine*) crág, *to get sth in one's* ~ *es* do chrúcaí a chur i rud *vt & i* glám, ~ (*at*) crúcáil (ar), *to* ~ *sth to oneself* rud a fháscadh chugat

clutter *n* tranglam *vt* truncáil

co- *pref* comh-

coach *n* cóiste; traenálaí *vt* traenáil

coachman *n* cóisteoir, giománach

coadjutor *n* cóidiútar

coagulate *vt & i* téacht

coal *n* gual, (*live*) ~ aibhleog, smeachóid

coalesce *vi* comhtháthaigh, táthaigh

coalfield *n* gualcheantar

coal-fish *n* glasán, crothóg dhubh

coalition *n*, ~ *government* comhrialtas

coal-mine *n* mianach guail

coarse *a* garbh, borb, barbartha, madrúil

coast *n* cósta

coastal *a* cósta

coastguard *n* garda cósta, vaidhtéir

coastline *n* líne an chósta

coat *n* casóg, cóta, ~ *of arms* armas *vt* coirtigh, screamhaigh

coat-hanger *n* crochadán

coating *n* brat, scraith, scim, coirt, screamh

coax *vt* bréag meall

cob *n* gearrchapall; gandal eala

cobalt *n* cóbalt

cobbler *n* gréasaí, caibléir; caibléireog

cobblestone *n* cloch dhuirlinge

cobweb *n* líon, téad, damháin alla

cocaine *n* cócaon

cock[1] *n* coileach; buacaire, (*of gun*) bainteoir; goic, maig *vt, to* ~ *one's hat* goic a chur ar do hata

cock[2] *n*, ~ *of hay* coca (féir) *vt*, ~ *ing hay* ag cocadh féir

cockade *n* cnota, curca

cockatoo *n* cocatú

cock-crow *n* glao coiligh, *at* ~ le gairm na gcoileach

cockle *n* ruacan

cockpit *n* láthair comhraic; cábán píolóta

cockroach *n* ciaróg dhubh

cockscomb *n* cíor coiligh

cocksure *a* stradúsach, diongbháilte

cocktail *n* manglam

cocky *a* cocach, sotalach

cocoa *n* cócó

coconut *n* cnó cócó

cocoon *n* cocún

cod *n* trosc

code *n* cód

codicil *n* codaisil

codify *vt* códaigh

codling *n* coidlín

coerce *vt* comhéignigh, *he was* ~ *d into doing it* cuireadh d'iallach air é a dhéanamh

coercion *n* comhéigean

co-existence *n* comhbheith; réiteach

coffee *n* caife

coffer *n* ciste, cófra

coffin *n* cónra

cog *n*, (*of wheel*) fiacail

cogent *a* áititheach, éifeachtach

cogitate *vi* cogain, machnaigh, meabhraigh

cognac n coinneac
cognate a gaolmhar
cohabit vi caidrigh (le), cumaisc (le), to ~ bheith, dul, in aontíos
cohabitation n aontíos, céileachas
coherent a comhtháite, leanúnach, cruinn
cohesion n comhghreamú, comhtháthú
cohesive a comhghreamaitheach, comhtháite
coil n corna, lúb(án) vt corn, dual
coiled a lúbánach
coin n bonn, píosa, mona vt, to ~ money airgead a bhualadh; saibhreas a charnadh, to ~ a word focal a chumadh
coinage n mona
coincide vi comhtharlaigh
coincidence n comhtharlú
coition n comhriachtain
coke n cóc
colander n síothlán, stráinín
colcannon n cál ceannann
cold n fuacht; slaghdán a fuar; dearóil, ~ wind gaoth bhioranta
cold-blooded a danartha, beartaithe, to do sth ~ ly rud a dhéanamh as fuil fhuar
cold-cream n fuarungadh
coldness n fuaire; doicheall
colic n coiliceam
collaborate vi comhoibrigh (le)
collaborator n comhoibrí
collapse n titim; cliseadh vi tit, he ~ d thit sé i mbun a chos, the wall ~ d thug, sceith, an balla
collapsible a infhillte
collar n bóna, coiléar; muince
collar-bone n cnámh smiolgadáin, dealrachán, branra brád
collate vt cóimheas
collateral a comhthaobhach
collation n cóimheas; colláid
colleague n comhghleacaí, comhalta
collect vt & i bailigh, cruinnigh, cnuasaigh
collection n bailiúchán, cnuasach, díolaim, teaglaim
collective a comhchoiteann, tiomsaitheach, ~ noun cnuasainm
collector n bailitheoir
college n coláiste
collegiate a coláisteach

collide vi, they ~ d bhuail siad faoi chéile
collie n madra caorach, sípéir
colliery n mianach guail
collision n imbhualadh
colloquial a comhráiteach, ~ speech caint na ndaoine
colloquialism a canúnachas; caint, abairt, neamhfhoirmiúil
collusion n claonpháirteachas
colon[1] n drólann
colon[2] n idirstad
colonel n coirnéal
colonial a coilíneach
colonist n coilíneach
colonize vt coilínigh
colonnade n colúnáid
colony n coilíneacht
colossal a ábhalmhór
colour n dath, lí, snua, ~ bar cneaschol vt & i dathaigh
coloured a daite
colourful a dathannach, dathúil
colt n bromach
coltsfoot n sponc
column n colún
columnist n colúnaí
coma n cóma, támhnéal
comb n cíor, raca; cuircín, círín vt & i cíor(láil), spíon
combat n comhrac vt & i comhraic
combatant n comhraiceoir, trodaí
combination n comhcheangal, cumasc; teaglaim
combine n, ~ (harvester) comhbhuainteoir vt & i comhcheangail, cumaisc, aontaigh
combustible a indóite
combustion n dó
come vi tar, she is coming tá sí ag teacht, here he ~ s seo chugainn é, ~ along téana ort, ~ in bí istigh, where do you ~ from cad as duit, ~ what may cibé ar bith céard a tharlós, the total ~ s to two pounds dhá phunt an t-iomlán, to ~ to teacht chugat féin, it came about in this way tharla sé ar an gcaoi seo, to ~ in useful for sth fónamh le haghaidh ruda
comedian n fuirseoir
comedy n coiméide
comely a córach, dathúil, gnaíúil, leacanta
comet n réalta (an) eireaball, cóiméad

comfort n cluthaireacht, compord, sáile, só; sólás, fortacht vt, to ~ a person sólás a thabhairt do dhuine

comfortable a cluthar, compordach, seascair, sócúlach

comforter n sólásaí

comforting a compordach, it is very ~ is mór an sólás é

comic n fuirseoir a barrúil, greannmhar, ~ paper greannán

comical a ait, greannmhar

coming n teacht a, the ~ year an bhliain seo chugainn, an bhliain atá romhainn, the ~ generations na glúine a thiocfas inár ndiaidh

comma n camóg

command n ordú, foláireamh; ceannas, ceannasaíocht vt ordaigh, to ~ a person to do sth aithint ar dhuine rud a dhéanamh

commandant n ceannfort

commander n ceannasaí, ceannfort

commanding a ceannasach, ~ voice glór údarásach

commandment n aithne

commemorate vt, to ~ a person duine a chomóradh; duine a chuimhneamh

commemoration n cuimhneachán; searmanas cuimhneacháin

commence vt & i tosaigh

commencement n tosú, tús

commend vt mol, tiomnaigh

commendable a inmholta

commendation n moladh

commensurate a comhchuimseach (le)

comment n plé, trácht; nóta, tuairisc, I have no ~ to make on it níl rud ar bith le rá agam faoi vt & i pléigh, trácht (on ar)

commentary n gluais; tráchtaireacht

commentator n tráchtaire

commerce n tráchtáil, trádáil

commercial a trádálach, ~ firm gnólacht, cuideachta, comhlacht (gnó)

commiserate vi, she ~ d with us on his death chásaigh sí a bhás linn, rinne sí comhbhrón linn faoina bhás

commissar n coimeasár

commissariat n lónroinn

commission n coimisiún vt coimisiúnaigh, he was ~ ed tugadh coimisiún dó

commissioned a, ~ officer oifigeach coimisiúnta

commissioner n coimisinéir

commit vt, ~ (to prison) cuir (i bpríosún), ~ to memory, cuir de ghlanmheabhair, meabhraigh, to ~ a crime coir a dhéanamh

commitment n, financial ~ geall airgeadais

committee n coiste

commodity n earra, tráchtearra

commodore n comadóir

common n coimín; coiteann a coiteann, coitianta; comónta, gnáth-, ~ sense ciall, the C ~ Market an Cómhargadh

commonage n coimíneacht

commonalty n coitiantacht

commonplace a síorghnách, gnách

commonwealth n comhlathas

commotion n caismirt, clampar, ruaille buaille, hurlamaboc

communal a comhchoiteann

commune n común

communicant n comaoineoir

communicate vt & i, to ~ sth to a person rud a chur in iúl do dhuine, to ~ with a person scéala a chur chuig duine, teagmháil le duine, they ~ d by letter scríobhaidís chuig a chéile, (of sacrament), to ~ comaoineach(a) a ghlacadh

communication n cumarsáid, teagmháil

Communion n Comaoineach, the ~ of Saints Comaoin na Naomh

communiqué n scéala, ráiteas (oifigiúil)

communism n cumannachas

communist n cumannaí a cumannach

community n comhphobal, pobal, plant ~ cumann plandaí, ~ school pobalscoil

commute vt & i iomalartaigh, to ~ by car comaitéireacht a dhéanamh i gcarr; dul ag (an) obair sa charr

commuter n comaitéir

compact a conláisteach, dlúth

compactness n conláiste, dlús

companion n compánach, comrádaí

companionable a comhluadrach, soranna

companionship n cumann, cuibhreann, cuideachta

company n buíon, foireann, (of army) complacht; comhlacht; cuallacht, cumann; comhluadar, cuideachta, cuibhreann, to be in a person's ~ bheith i dteannta, i bhfochair, duine

comparable *a,* to be ~ to bheith inchomórtais, inchurtha, le

comparative *a* comparáideach, ~ *degree* breischéim

compare *n, it is beyond* ~ níl a sharú ann *vt & i* cóimheas, *he can't* ~ *with you* níl aon bhreith aige ort, níl sé inchurtha leat, to ~ *things* rudaí a chur i gcomórtas, i gcomparáid, le chéile; rudaí a shamhlú le chéile, ~ *d with* le hais, le taobh, seachas, ~ *d to formerly* i bhfarradh (is) mar a bhí

comparison *n* cóimheas, comórtas, comparáid; samhail

compartment *n* urrann

compass *n,* ~ , *pair of* ~ *es* compás

compassion *n* taise, trua, trócaire, bá

compassionate *a* tais, trócaireach

compatibility *n* comhoiriúnacht

compatible *a* comhoiriúnach (*with* do)

compatriot *n* comhthíreach

compel *vt,* to ~ *a person to do sth* iallach a chur ar dhuine rud a dhéanamh, *I was* ~ *led to go* cuireadh d'fhiacha orm dul, b'éigean dom dul, *you are not* ~ *led to do it* níl caitheamh ar bith ort é a dhéanamh, ní gá duit é a dhéanamh

compensate *vt* cúitigh, íosaigh

compensating *a* cúiteach

compensation *n* cúiteamh, éiric; cothromú, comhardú

compensator *n* cúititheoir

compère *n* aíochtóir, fear (an) tí

compete *vi,* to ~ *with a person* dul in iomaíocht le duine

competence *n* éifeacht, inniúlacht

competent *a* fearastúil, ábalta, cumasach, éifeachtach

competition *n* coimhlint, iomaíocht; comórtas

competitive *a* iomaíoch, ~ *examination* scrúdú comórtais

competitor *n* iomaitheoir

compilation *n* díolaim, tiomsú

compile *vt* teaglamaigh, tiomsaigh, cuir le chéile

complacent *a* bogásach; sámh

complain *vt & i* casaoid, éagaoin, éiligh, gearán

complainant *n* éilitheoir

complaining *n* casaoid, ceasacht, cnáimhseáil *a* casaoideach, gearánach

complaint *n* casaoid, clamhsán, éileamh, gearán, *I have no cause for* ~ níl gearánta dom

complement *n* comhlánú, líon *vt* comhlánaigh

complementary *a* comhlántach

complete *a* críochnaithe, déanta, foirfe, iomlán, slán, ~ *fool* amadán cruthanta *vt* críochnaigh, cuir i gcrích, slánaigh

completely *adv* go hiomlán, amach is amach, scun scan

completion *n* comhlíonadh, críoch

complex *n* coimpléasc *a* coimpléascach, casta

complexion *n* gné, snua, lí, cneas

complexity *n* castacht

compliance *n* géilleadh

compliant *a* géilliúil, umhal

complicate *vt,* to ~ *matters* cúrsaí a chur trí chéile, a chur in achrann

complicated *a* casta, cas

complication *n* fadhb, deacracht; seachghalar

complicity *n* comhpháirteachas

compliment *n* comaoin, *with* ~ *s* le deamhéin *vt,* to ~ *a person* duine a mholadh

complimentary *a* moltach, ~ *copy* cóip dhea-mhéine

compline *n* coimpléid

comply *vi,* to ~ *with* déanamh de réir, géilleadh do

component *n,* ~ *part* ball, comhpháirt

compose *vt* comhshuigh; cum, ceap, déan

composed *a* suaimhneach, socair, ~ *of* déanta, comhdhéanta, as

composer *n* ceapadóir, cumadóir

composite *a* ilchodach

composition *n* aiste; cumadóireacht, ceapadóireacht, cumadh; comhdhéanamh; dréacht; saothar

compositor *n* cló-eagraí

compost *n* múirín

composure *n* neamhchúis

compound *n* comhdhúil; cumasc *a* ilchodach, ~ *fracture* briseadh créachtach, ~ *word* comhfhocal, ~ *interest* ús iolraithe *vt & i* cumaisc

comprehend *vt* cuimsigh; tuig

comprehensible *a* sothuigthe

comprehension *n* tuiscint

comprehensive *a* cuimsitheach, uileghabhálach

compress n adhartán, comhbhrúiteán vt comhbhrúigh, dlúthaigh
compressed a dlúite
compressor n comhbhrúiteoir
comprise vt cuimsigh
compromise n comhghéilleadh, comhréiteach vt & i comhréitigh, he ~ d himself tharraing sé amhras air féin
comptometer n áirmhéadar
compulsion n éigean, foréigean, iallach, caitheamh
compulsory a éigeantach
compunction n scrupall
computation n ríomhaireacht
compute vt ríomh
computer n ríomhaire
computerization n ríomhairiúchán
comrade n comrádaí
comradeship n comrádaíocht
conacre n conacra, talamh reachtais
concave a cuasach
conceal vt ceil, folaigh
concealment n ceilt, folach
concede vt géill, lig le
conceit n leithead, postúlacht, stráice
conceited a leitheadach, postúil, stróúil, suimiúil
conceivable a, every ~ thing gach rud dá bhféadfá cuimhneamh air
conceive vt & i gin; coincheap, ceap, cuimhnigh, samhlaigh, she ~ d ghabh sí
concentrate vt & i comhchruinnigh; tiubhaigh, to ~ on a subject d'intinn a dhíriú ar ábhar
concentration n comhchruinniú; dianmhachnamh; tiúchan, ~ camp sluachampa géibhinn
concentric a comhlárnach
concept n coincheap, smaoineamh
conception n cuimhneamh; coimpeart, giniúint, gabháil (gine), the Immaculate C ~ Giniúint Mhuire gan Smál
concern n cásmhaireacht, imní, business ~ gnóthas, they are no ~ of mine ní cás liom, orm, iad, vt, it doesn't ~ you ní bhaineann sé duit; ní de do chúram é, the people ~ ed na daoine atá i gceist, as far as I am ~ ed i dtaca liomsa de
concerned a cásmhar, imníoch, to be ~ about sth bheith i gcás faoi rud, you needn't be ~ about it ná bíodh ceist

ort faoi, as far as that is ~ sa dóigh sin de, i dtaca le sin de
concerning prep fá dtaobh de, faoi, mar gheall ar
concert n ceolchoirm, coirm cheoil
concerted a, by ~ effort d'aon lámh
concertina n consairtín
concerto n coinséartó
concession n lamháltas, logha
conciliation n eadráin, ~ board bord réitigh
conciliator n réiteoir
conciliatory a síochánta
concise a achomair, comair
conclude vt & i críochnaigh, concluding that ag déanamh go, he ~ d that I was right rinne sé amach go raibh an ceart agam
conclusion n críoch, deireadh, do not jump to ~ s ná déan deimhin de do bharúil
conclusive a críochnaitheach; cinntitheach
concoct vt, to ~ a story scéal a chumadh
concoction n comhbhruith; cumadóireacht
concomitance n coimhdeacht
concord n comhaontas, teacht le chéile
concordat n concordáid
concourse n comhthionól, slua
concrete n coincréit a coincréiteach, nithiúil
concupiscence n miangas
concur vi aontaigh (le), bheith ar aon intinn (le duine)
concurrently adv i gcomhthráth
concussion n comhshuaitheadh
condemn vt cáin, damnaigh; daor, teilg
condemnation n cáineadh, damnú; daoradh
condemned a cáinte; daortha, ~ person daor
condensation n comhdhlúthú
condense vt & i comhdhlúthaigh
condescend vi deonaigh, crom
condescending a deonach
condiment n anlann, tarsann
condition n caoi, cruth, dóigh, staid; coinníoll, acht, cuntar
conditional n & a coinníollach
condolence n cásamh, comhbhrón
condominium n comhthiarnas; áraslann
condone vt maith; leomh, lig le

conducive *a* fabhrach (chun), *it is ~ to good health* cuidíonn sé le sláinte an duine

conduct *n* béasa, iompar; stiúradh *vt* riar, rith, stiúir; seol; comóir, *to ~ oneself properly* tú féin a iompar mar is ceart

conductor *n* stiúrthóir; seoltóir

conduit *n* seoladán

cone *n* buaircín; coirceog, cón

confection *n* sócamas; ullmhóid; (foirgneamh, etc) straibhéiseach

confectioner *n* sólaisteoir

confectionery *n* milseoga, sócamais

confederation *n* cónaidhm

confer *vt & i* tabhair, (*of degree*) bronn, *to ~ with a person* dul i gcomhairle le duine

conference *n* comhdháil

confess *vt & i* admhaigh, *to ~ one's sins* faoistin a dhéanamh, do pheacaí a admháil, *to ~ a person* duine a éisteacht, faoistin a thabhairt do dhuine

confession *n* faoistin, *~ box* bosca an éistigh

confessor *n* athair faoistine, anamchara

confidant(e) *n* rúnchara

confide *vt & i, to ~ in a person* do rún a ligean, a thaobhú, le duine, *he ~d to me (that)* dúirt sé i gcogar liom (go)

confidence *n* dánacht, urrús; muinín, iontaoibh, *in ~* faoi rún

confident *a* dána, teann, urrúsach, dóchasach; muiníneach

confidential *a* rúnda

configuration *n* cumraíocht, imchruth

confine *vt, to be ~d to bed* bheith ag coinneáil na leapa, *~d space* áit chúng, cúngach, *~d competition* comórtas teoranta

confinement *n* braighdeanas, géibheann; luí seoil

confines *npl, within the ~ of the place* faoi iamh na háite

confirm *vt* cinntigh, deimhnigh; cuir faoi lámh easpaig, cóineartaigh

confirmation *n* cinntiú, dearbhú, deimhniú; dul faoi lámh easpaig, cóineartú

confiscate *vt* coigistigh

confiscation *n* coigistíocht

confiteor *n, the C~* an Fhaoistin Choiteann

conflagration *n* dóiteán, tine

conflict *n* caismirt, cath, deabhaidh, *in ~* i dtreis *vi, their interests ~* tá siad ag teacht salach ar a chéile

confluence *n, the ~ of two streams* bun, comhrac, cumar, dhá uisce

conform *vi, ~ to, with, sth* freagair do rud, déan de réir ruda

confound *vt, to ~ a person* duine a mhearadh; duine a chur trí chéile, *~ him!* droch-chríoch air!

confraternity *n* comhbhráithreachas

confront *vt, to ~ a person* aghaidh a thabhairt ar dhuine, *to be ~ed by dangers* guaiseacha a bheith romhat, i do bhealach

confrontation *n* comhfhorrántas; (daoine) aghaidh a thabhairt ar a chéile

confuse *vt* mearaigh, suaith, cuir trí chéile, *he got ~d* tháinig mearbhall air, *to ~ sth with sth else* rud a mheascadh le rud eile

confused *a* mearbhlach, scaipeach; bunoscionn, trí chéile

confusing *a* suaiteach, mearbhlach

confusion *n* mearbhall, mearú, suaitheadh; cíor thuathail, tranglam; (cur) trí chéile, dallamullóg

congeal *vt & i* téacht; oighrigh, reoigh, sioc

congenial *a* cóimheonach

congenital *a* comhbheirthe, ó bhroinn

conger *n, ~ (eel)* concar

congested *a* plúchta, *~ area* ceantar cúng

congestion *n* cúngach, *traffic ~* brú, plódú, tráchta

conglomeration *n* cumasc, meascán; comhcheirtleán

congratulate *vt, to ~ a person on sth* rud a mhaireachtáil, a thréaslú, do dhuine; comhghairdeas a dhéanamh le duine faoi rud

congratulation *n* comhghairdeas, tréaslú, *~s!* go maire tú i bhfad, molaim thú

congregate *vt & i* comhchruinnigh, bailigh

congregation *n* pobal, tréad; tionól

congress *n* comhdháil

conic *a* cónach

conical *a* coirceogach

conifer *n* cónaiféar, buaircíneach

coniferous *a* buaircíneach

conjecture n meath-thuairim vt & i tuairimigh, conjecturing ag tuairimíocht

conjugal a, ~ rights cearta pósta

conjugate vt réimnigh

conjugation n réimniú

conjunction n cónasc, in ~ with in éineacht le

conjunctivitis n toinníteas

conjure vt & i, to ~ asarlaíocht a dhéanamh, to ~ up memories seanchuimhní a mhúscailt

conjurer n asarlaí, doilbheoir

conjuring n, ~ (tricks) cleasa asarlaíochta

Connacht n Connachta, Cúige Chonnacht a Connachtach

connect vt cónaisc, ceangail, all ~ed with you gach a mbaineann leat, the two words are ~ed tá gaol idir an dá fhocal

connecting a ceangailteach, cónascach

connection n baint; cónasc, in ~ with mar gheall ar, maidir le

connivance n cúlcheadh

connive vi, he ~d at the injustice dhún sé a shúile ar an éagóir

connoisseur n eolaí

connotation n cuimsiú; fochiall, seachchiall

conquer vt & i buaigh (ar), cloígh

conqueror n cloiteoir, gabhálaí, William the C ~ Liam Concaire

conquest n concas, gabháltas

conscience n coinsias

conscientious a coinsiasach

conscious a comhfhiosach, meabhrach, to be ~ of sth mothú a bheith agat ar rud, rud a bhrath

consciousness n meabhraíocht, mothú, she regained ~ tháinig an mheabhair ar ais chuici

conscript n & a coinscríofach vt coinscríobh

conscription n coinscríobh

consecrate vt coisric

consecration n coisreacan, sácráil

consecutive a leantach, three ~ days trí lá as a chéile

consensus n comhaontú (barúla, tola)

consent n deoin, aontú, toil, toiliú vi deonaigh, toiligh

consequence n iarmhairt, iarsma, in ~ of de dheasca, of no ~ gan tábhacht, gan aird

consequential a iarmhartach

consequently adv & conj dá bharr sin

conservation n caomhnú

conservationist n caomhnóir

conservatism n coimeádachas

conservative n & a coimeádach

conservator n coimeádaí

conservatory n teach gloine

conserve vt caomhnaigh, to ~ one's strength do neart a choigilt

consider vt cuimhnigh, síl, smaoinigh; dearc; meas, all things ~ed i dtaca le holc

considerable a suimiúil, ~ amount suim mhaith, I had ~ difficulty with it bhí a lán dá dhua agam; ní gan dua a rinne mé é

considerate a dearcach, tuisceanach

consideration n dearcadh, tuiscint; comaoin, to take sth into ~ rud a chur san áireamh

considering prep & conj, ~ that nuair a, ráite (go), ~ how dear they were agus a dhaoire a bhí siad

consign vt coinsínigh, to ~ sth to a person's care rud a fhágáil i gcúram duine

consignment n coinsíneacht; lastas

consist vi, it ~s of is éard atá ann

consistency n comhsheasmhacht; dlús, raimhre

consistent a comhsheasmhach; de réir a chéile, ~ with i gcomhréir le; ag teacht le

consolation n sólás, ~ prize duais aitheantais

console vt, to ~ a person sólás a thabhairt do dhuine

consolidate vt & i daingnigh

consoling a sólásach

consonance n comhfhuaim

consonant n consan

consort n comrádaí; céile vi, to ~ with a person taithí le duine

conspicuous a feiceálach

conspiracy n comhcheilg, plota

conspirator n comhchealgaire

conspire vi, to ~ against a person comhcheilg a bheartú in aghaidh duine, plota a dhéanamh ar dhuine

constable n constábla

constabulary n constáblacht
constancy n diongbháil, dílse, seasmhacht, síoraíocht
constant a bith-, gnáth-, cónaitheach, buan, síoraí; diongbháilte, seasmhach
constantly adv go buan, de shíor
constellation n réaltbhuíon
consternation n anbhá, corrbhuais
constipated a iata, crua sa chorp
constipation n iatacht, ceangailteacht (coirp)
constituency n dáilcheantar, toghlach
constituent n comhábhar; toghthóir a, ~ college comhcholáiste
constitute vt comhdhéan; ceap, bunaigh, reachtaigh
constitution n bunreacht; comhdhéanamh, physical ~ coimpléasc
constitutional a bunreachtúil
constraint n iallach
constrict vt cúngaigh; crap, craplaigh
constriction n cúngú; snaidhm
construct vt déan, tóg
construction n déanamh, tógáil; leagan, dul; construáil, léamh
constructive a éifeachtach, tairbheach, cuidiúil, cúntach
construe vt construáil
consul n consal
consult vt & i, to ~ with a person dul i gcomhairle le duine, he ~ ed me about it cheadaigh sé liom é
consultant n comhairleoir; lia comhairleach
consultation n comhairle, in ~ i ndáil chomhairle
consultative a comhairleach
consume vt caith, ith, tomhail, díscigh, idigh
consumer n caiteoir, tomhaltóir
consummate a, a ~ artist ealaíontóir cruthanta vt, to ~ a marriage pósadh a chríochnú, a chur i gcrích
consumption n caitheamh, tomhailt; eitinn, créachta
contact n tadhall, teagmháil vt teagmhaigh (le)
contagious a, ~ disease galar tadhaill
contain vt, it ~ s a gallon coinníonn, tógann, sé galún; tá galún ann, to ~ a flood tuile a chosc, a smachtú, he couldn't ~ himself for rage bhí sé ag

dul as a chrann cumhachta, ag dul as a chraiceann le fearg
container n árthach, soitheach, gabhdán; coimeádán
contaminate vt truailligh, éilligh
contamination n truailliú
contemplate vt & i machnaigh, meabhraigh
contemplation n machnamh, marana; rinnfheitheamh
contemplative a machnamhach, smaointeach, ~ order ord rinnfheithimh
contemporary n, our contemporaries lucht ár gcomhaimsire, lucht ár linne a comhaimseartha, ~ with in aon aimsir, i gcomhaimsir, le
contempt n dímheas, drochmheas, tarcaisne
contemptuous a drochmheasúil, tarcaisneach, díomasach
contend vt & i spairn (le); maígh, éiligh, to ~ with a person for an honour bheith ag dréim le duine faoi onóir
content[1] n lucht, ~ s lán, table of ~ s clár (ábhair), lead ~ cion luaidhe
content[2] a sásta vt sásaigh
contention n caismirt, cointinn, iomarbhá; maíomh, bone of ~ cnámh spairne
contentious a cointinneach, imreasach
contentment n sástacht, soilíos
contest n báire, coimhlint; comhlann, gleic; comórtas vt conspóid, troid
contestant n coimhlinteoir, (of will, etc) conspóidí
context n comhthéacs
contiguous a teorantach
continent n ilchríoch, mór-roinn
continental a ilchríochach, mór-roinneach
contingency n teagmhas
contingent[1] n, (army) meitheal
contingent[2] a teagmhasach
continual a cónaitheach, buan, síoraí
continually adv de shíor
continuation n leanúint
continue vt & i lean, mair, ~ (talking) lean ort (ag caint), to be ~ d ar leanúint
continuity n leanúnachas
continuous a leanúnach
contorted a freangach, casta

contortion n freanga, riastradh, ~ of face strainc, cár

contour n comhrian a comhrianach vt comhrianaigh

contraband n contrabhanna a contrabhannach

contraception n frithghiníúint

contraceptive n & a frithghiniúnach

contract n conradh vt & i conraigh; crap; tóg, tolg

contraction n crapadh, giorrú; nod; tolgadh

contractor n conraitheoir

contradict vt bréagnaigh, cros, trasnaigh, ~ing one another ag sárú a chéile

contradiction n bréagnú, frisnéis, trasnáil

contradictory a bréagnaitheach, frisnéiseach

contralto n contralt

contraption n acra, gléas

contrariness n contráil(teacht); ciotrúntacht

contrary n contráil, quite the ~ a mhalairt ar fad, a mhilleadh sin a contráilte, contrártha; crosta, ciotrúnta

contrast n codarsnacht, contrárthacht vt frithshuigh

contrasting a codarsnach

contravene vt bris, sáraigh

contravention n sárú

contribute vt & i, (money, etc) tabhair, íoc, to ~ to the din cur leis an ngleo, méadú ar an ngleo

contribution n síntiús; ranníocaíocht; cion

contributor n ranníocóir; síntiúsóir; scríbhneoir, colúnaí (nuachtáin)

contributory a ranníocach

contrite a croíbhrúite, doilíosach, aithríoch

contrition n croíbhrú, doilís, act of ~ gníomh dóláis

contrivance n beartú, cumadh; gaireas, inneall

contrive vt beartaigh, scithigh, (of story, etc) figh, cum, ceap

contrived a tacair

control n smacht, urlámhas; stiúir, stiúradh; srian, (device) rialaitheoir, to lose ~ of oneself dul as do chrann cumhachta, guaim ort féin a chailleadh vt & i ceansaigh, smachtaigh; rialaigh, stiúir

controlled a srianta; rialaithe

controller n ceannasaí, stiúrthóir

controversial a conspóideach

controversialist n conspóidí

controversy n conspóid, iomarbhá

contuse vt brúigh

conundrum n cruacheist, dubhfhocal

convalesce vi téarnaigh, convalescing ar fainnéirí

convalescence n fainnéiri, téarnamh

convalescent n & a téarnamhach, ~ home teach téarnaimh

convector n, ~ heater téitheoir comhiompair

convene vt & i comóir, tionóil, cruinnigh

convenience n áisiúlacht; áis, gar, at your ~ ar do chaoithiúlacht, public ~ leithreas poiblí

convenient a áisiúil, caoithiúil, ~ to cóngarach do

convent n clochar, coinbhint

convention n coinbhinsiún; gnás; comhdháil, dáil, National ~ Ard-Fheis, (social) ~ s comhghnás

conventional a coinbhinsiúnach, comhghnásach

converge vi cruinnigh

conversant a taithíoch (with ar)

conversation n comhrá

conversational a comhráiteach

converse¹ vi, to ~ with a person comhrá a dhéanamh le duine

converse² n contrárthacht, glanmhalairt a contrártha

conversion n malartú; iompú, tiontú

convert n iompaitheach vt iompaigh, tiontaigh, athraigh, to ~ a try úd a shlánú

convertible a inathraithe, inmhalartaithe

convex a dronnach

convey vt iompair, tabhair, beir; tiolaic

conveyance n iompar; cóir thaistil

conveyor-belt n crios iompair

convict n daoránach vt ciontaigh, daor, teilg

conviction n ciontú, daoradh, daorbhreith; creideamh

convince vt, to ~ a person of sth rud a áitiú ar dhuine, he is firmly ~ of it tá sé suite, dearfa, de

convivial a, ~ company cuideachta mheidhreach, shuairc

conviviality n fleáchas, meidhir

convocation *n* comhghairm, gairm scoile
convolvulus *n* ialus
convoy *n* conbhua, tionlacan *vt* tionlaic, comóir
convulse *vt*, ~ *d with laughter* sna trithí gáire
convulsion *n* tritheamh
coo *vi* durdáil
cook *n* cócaire *vt & i* cócaráil, *(by boiling)* beirigh, bruith, ~ *ing* ag cócaireacht
cooker *n* bruthaire, cócaireán
cooking *n* cócaireacht
cool *a* fionnuar; fuaraigeanta; fuarchúiseach, ~ *place* fuarthan *vt & i* fuaraigh, téigh i bhfuaire
cool-headed *a* fuaraigeanta
coolness *n* fionnuaire; fuarthan; fuarchúis
coop *n* cúb, bothán, púirín *vt & i* cúb
cooper *n* cúipéir
co-operate *vi* comhoibrigh
co-operation *n* comhar, comhoibriú, cur le chéile
co-operative *a* comhoibríoch, ~ *society* comharchumann
co-opt *vt* comhthogh
co-ordinate *vt* comhordaigh
co-ordination *n* comheagar, comhordú
cope[1] *n*, *(vestment)* cóip
cope[2] *vi* déileáil, *to* ~ *with sth* ceart a bhaint de rud, *to* ~ *with life* an saol a bharraíocht
copier *n* gléas cóipeála
coping *n* cóipeáil; vuinsciú
copious *a* faioch, *weeping* ~ *ly* ag caí go fras
copper *n* copar, umha; pingin (rua) *a* crónbhuí, ar dhath an chopair
copula *n* copail
copulate *vi* cúpláil
copulation *n* comhriachtain, cúpláil
copy *n* cóip, macasamhail *vt* athscríobh, cóipeáil
copy-book *n* cóipleabhar
copyist *n* cóipeálaí, scríobhaí
copyright *n* cóipcheart
coquetry *n* cluanaireacht
coracle *n* curach, naomhóg
coral *n* coiréal *a* coiréalach
corbel *n & vt* coirbéal
cord *n* corda, sreangán, suaithne, *the spinal* ~ snáithe an droma
cordial *n* coirdial *a* croíúil

cordiality *n* croíúlacht
cordon *n* tródam
corduroy *n* corda an rí
core *n* croí, corplár
cork *n* corc *vt* corcáil
corkscrew *n* corcscriú
cormorant *n* broigheall, cailleach dhubh
corn[1] *n* arbhar
corn[2] *n*, *(on foot)* fadharcán
corncrake *n* traonach, gearr goirt
cornea *n* coirne
corned *a* saillte
corner *a* coirnéal, clúid, cúil, cúinne, binn; cearn, ~ *(-kick)* cúinneach, *in a tight* ~ i gcúngach *vt* sáinnigh, teanntaigh
cornet *n* coirnéad, *(ice-cream)* ~ coirnín (uachtair reoite)
cornflakes *npl* calóga arbhair
cornflour *n* gránphlúr
cornflower *n* gormán
cornucopia *n* corn na bhfuíoll
corona *n* coróin
coronary *a* corónach
coronation *n* corónú
coroner *n* cróinéir
coronet *n* coróinéad
corporal[1] *n* ceannaire
corporal[2] *a* corpartha
corporate *a* corparáideach, ~ *body* corparáid
corporation *n* bardas; cuallacht
corporeal *a* corpartha
corps *n* cór
corpse *n* corp(án), marbhán
corpulent *a* corpanta, beathaithe, ramhar
corpuscle *n* coirpín
correct *a* ceart, fíor *vt* ceartaigh, beachtaigh
correction *n* ceartú(chán)
corrective *a* ceartaitheach
corrector *n* ceartaitheoir
correspond *vi* comhfhreagair, *to* ~ *to sth* freagairt do rud
correspondence *n* comhfhreagras; comhfhreagracht
correspondent *n* comhfhreagraí, tuairisceoir
corresponding *a* comhfhreagrach, *at the* ~ *time* cothrom na haimsire sin
corridor *n* dorchla, pasáiste
corroborate *vt* comhthacaigh (le)
corroboration *n* comhthacaíocht

corrode *vt & i* cnaígh, creim, ith

corrosion *n* cnaí, creimeadh

corrosive *a* creimneach

corrugated *a* rocach, iomaireach

corrupt *a* lofa, truaillí; fiar *vt & i* morg, truailligh, lobh; breab, saobh

corruption *n* morgadh, lobhadh, truaillíú; breabaireacht

corset *n* cóirséad

cortège *n* sochraid

cortisone *n* cortasón

corvette *n* coirbhéad

cosiness *n* seascaireacht, teolaíocht

cosmetic *n* cosmaid *a* cosmaideach

cosmic *a* cosmach

cosmopolitan *n & a* iltíreach

cosmos *n* cosmas

cosset *vt, to ~ a person* peataireacht a dhéanamh ar dhuine

cost *n* costas, *at all ~ s* ar ais nó ar éigean *vt & i* cosain; costáil, *how much did it ~* cá mhéad a bhí air

costly *a* costasach, daor; luachmhar

costume *n* culaith, feisteas

cosy *n, (tea) ~* púic (tae) *a* seascair, teolaí

cot *n* cliabhán

cottage *n* iostán, teachín

cotton *n* cadás

cotton-grass *n* ceannbhán (móna)

cotton-wool *n* flocas cadáis, olann chadáis

couch *n* tolg

couch-grass *n* broimfhéar

cough *n* casacht *vi, to ~* casacht a dhéanamh, *~ing* ag casacht, *~ing ag casacht* ag casachtach

could: see **can**[2]

coulter *n* coltar

council *n* bord, comhairle

councillor *n* comhairleoir

counsel *n* abhcóide; comhairle *vt* comhairligh

counsellor *n* comhairleoir, cunsailéir

count[1] *n* cunta

count[2] *n* comhaireamh, cuntas *vt & i* áirigh, comhair, cuntais, ríomh

countenance *n* cuntanós, gnúis *vt, to ~ sth* cúinse a thabhairt do rud

counter[1] *n* clár, cuntar; ríomhaire

counter[2] *pref* frith-, ath-

counteract *vt* frithbheartaigh

counteraction *n* frithghníomh

counterbalance *n* cóimheáchan *vt* cothromaigh

counterfeit *a, ~ money* airgead bréige, airgead falsa *vt* góchum

counterfoil *n* comhdhuille

countermand *vt, to ~ an order* freasordú a thabhairt

counterpart *n* leathbhreac, leithéid, macasamhail

counterpoint *n* cuntraphointe

countess *n* cuntaois

countless *a* do-áirithe, dí-áirithe, *~ hundreds* na céadta dubha

country *n* tír, dúiche; tuath

countryman *n* fear tíre, fear tuaithe; tuathánach

countryside *n* taobh tíre, tuath, tír

county *n* contae

coup *n* éacht, gaisce

couple *n* cúpla, dís; cuingir; lánúin *vt & i* cuingrigh, cúpláil

couplet *n* leathrann

coupling *n* cúpláil; cúplán

coupon *n* cúpón

courage *n* misneach, sprid, uchtach, sracadh

courageous *a* misniúil, spridiúil, uchtúil

courier *n* teachtaire

course *n* imeacht, seoladh, cúrsa; cur, ciseal, sraith; cuairt; cúrsáil; lorg, rian, *in the ~ of* i gcaitheamh, i rith, *in due ~* i gceann na haimsire, in am agus i dtráth, *of ~* ar ndóigh *vt & i* cúrsáil

coursing *a* cúrsach, snítheach *n* cúrsáil (giorria, etc)

court *n* cúirt; (*in street names*) clós *vt & i*, *~ing* ag cúirtéireacht, ag suirí (le)

courteous *a* cúirtéiseach, síodúil, sibhialta

courtesy *n* cúirtéis

courtier *n* cúirteoir

courting *n* cúirtéireacht, suirí

court-martial *n* armchúirt *vt, to ~ a person* armchúirt a chur ar dhuine

courtship *n* suirí

courtyard *n* cúirt

cousin *n, first ~* col ceathrair, col ceathar, *second ~* col seisir

cove *n* camas, cuas, cuainín

covenant *n* coinníoll, cúnant

covenanter *n* cúnantóir

cover n clúdach, cumhdach; dídean; scáth vt clúdaigh, cumhdaigh, folaigh, to ~ the expenses na costais a ghlanadh, ~d with brata, foirgthe, breac, le

coverage n tuairisciú

covering n brat; súsa; díon; clúdach, clúid, folach; truaill

coverlet n súisín

covert n cluthair, scairt a ceilteach; folaitheach

covet vt santaigh

covetous a santach, antlásach

covetousness n saint, antlás

cow[1] n bó

cow[2] vt smachtaigh, cloígh

coward n cladhaire, meatachán

cowardice n claidhreacht, meatacht

cowardly a cladhartha, meata

cowboy n buachaill bó

cow-dung n bualtrach

cower vi cúb

cowherd n buachaill bó

cowhouse n bóitheach

cowl n cochall

cowlick n deisealán, líog

cowslip n bainne bó bleachtáin

coxwain n liagóir

coy a leamhnáireach

crab n portán

crab-apple n fia-úll

crack n bloscadh, cnag, craic; gág, méirscre, scoilt vt & i scoilt; blosc, to ~ a nut cnó a chnagadh

cracked a gágach, scoilte; craiceáilte

cracker n pléascóg

cracking n cnagadh, ~ sound cnag, cnagarnach, blosc

crackle n brioscarnach, cnagarnach vi, crackling ag brioscarnach, ag cnagarnach

cradle n cliabhán

craft n ceardaíocht, ceird, ealaín, sailing ~ árthach seoil

craftiness n gliceas, lúbaireacht

craftsman n ceardaí, ealaíontóir, saor

craftsmanship n ceardaíocht, saoirseacht

craftwork n ceardaíocht

crafty a cleasach, glic, ~ person cleasaí, draíodóir, lúbaire

crag n creig

craggy a creagach

cram vt & i ding, sac, pulc, plódaigh

cramp n crampa, (in wrist) tálach vt crap, cúngaigh (ar)

cramped a craptha; cúng

cranberry n mónóg

crane[1] n corr

crane[2] n craein, crann tógála, (fire) croch vt, to ~ one's neck dúid a chur ort féin

crane-fly n galán, snáthadán (cogaidh)

cranium n cráiniam, blaosc an chinn

crank n cromán; cancrán

crank-shaft n cromfhearsaid

cranky a cantalach, cancrach

crannog n crannóg

crape n sípris

crash n plimp, tuairt, imbhualadh, brúscán; (financial) tobthitim vt & i pléasc, tuairteáil, he ~ed into me bhuail sé fúm

crate n cis, cliathbhosca

crater n cráitéar

cravat n carbhat

crave vt tothlaigh

craving n andúil, miangas, mearadh, ~ for tobacco gabhair thobac, dúil sa tobac

craw n spochán, prócar

crawfish n piardóg

crawl n crágsnámh vi snámh, to ~ on one's hands and knees dul ar do cheithre boinn, do cheithre croibh; dul ag lámhacán, the place is ~ing with them tá an áit beo, foirgthe, leo

crawling n lámhacán; snámhaíocht a snámhach; míolach

crayon n crián

craze n gabhair, mearadh

crazed a ar mearaí, néaltraithe

craziness n gealtachas, mearaí

crazy a craiceáilte, ~ about her splanctha ina diaidh, ~ for sth ar gabhair, scafa, chun ruda

creak vi díosc

creaking n díoscán

creaky a díoscánach

cream a uachtar (bainne), (face) ungadh (éadain), ~ of tartar gealltar-tar a bánbhuí nó coip

cream-coloured a bánbhuí, buíbhán

creamery n uachtarlann

creamy a uachtarúil; cúránach

crease n filltín, roc vt & i roc

creased a rocach

create *vt* cruthaigh, *to ~ discord* easaontas a tharraingt, iaróg a thógáil

creation *n* cruthú; na dúile

creative *a* cruthaitheach

creator *n* cruthaitheoir, *the C~* an Dúileamh

creature *n* créatúr, dúil

crèche *n* naíolann

credence *n* creidiúint, *to give ~ to sth* géilleadh do rud

credentials *npl* dintiúir; teastais

credibility *n* inchreidteacht

credible *a* creidte, inchreidte

credit *n* creidiúint; cairde, creidmheas, *the ~ side* taobh an tsochair *vt* creid

creditable *a* creidiúnach; sochreidte

creditor *n* creidiúnaí

credulous *a* saonta, géilliúil

creed *n* cré; creideamh

creek *n* casla, crompán, góilín, cuaisín; sruthán

creel *n* cliabh, cléibhín

creep *vi* snámh, téaltaigh, *it made my flesh ~* chuir sé fionnachrith orm, chuir sé cáithníní ag rith ar mo chraiceann, *(of child, etc) ~ing* ag lámhacán

creeper *n*, *(plant)* athair, *(child, etc)* lámhacánaí

creeping *n*, *(as of child)* lámhacán; snámhaíocht *a* snámhach, *~ plant* athair

creepy *a*, *~ feeling* driuch fionnaidh, *~ place* áit uaigneach, áit aerachtúil, áit iarmhaireach

cremate *vt* créam

cremation *n* créamadh

crematorium *n* créamatóiriam

crepe *n* sipris; créip, *~ - de - chine* síprisín

crescent *n* corrán *a*, *~ moon* gealach dheirceach

cress *n* biolar, *Indian ~* gleorán

cresset *n* cam, slige

crest *n* círín, cnota, cuircín, buaic; suaitheantas, *~ of wave* droim toinne

crested *a* círíneach, cuircíneach, curcach, starraiceach

crestfallen *a* maolchluasach

cretonne *n* creiteon

crevice *n* gág, méirscre, dreapa

crew *n* criú, foireann

crib *n* beithilín, mainséar

crick *n*, *~ in the neck* claon adhairte

cricket[1] *n* criogar (iarta), urchuil

cricket[2] *n* cruicéad

crier *n* callaire, reacaire; caointeoir, caointeachán

crime *n* coir

criminal *n* coirpeach *a* coiriúil

crimson *n* corcairdhearg *a* craorag, corcairdhearg

cringe *vi* cúb, lútáil

crinkle *n* roicín, filltín *vt*, *to ~ paper* páipéar a chrapadh, a rocadh

crinkled *a* rocach

cripple *n* cláiríneach, mairtíneach *vt* craplaigh, martraigh

crippling *a* crapallach

crisis *n* drochuair; géarchéim, *(in sickness)* aothú

crisp *n*, *(potato) ~ s* brioscáin (phrátaí) *a* briosc

crispness *n* brisce

criss-cross *a* cliathach

criterion *n* critéar, slat tomhais

critic *n* criticeoir, léirmheastóir

critical *a* beachtaíoch, breithiúnach, criticiúil; géibheannach

criticism *n* beachtaíocht, criticeas, léirmheas(tóireacht)

criticize *vt* lochtaigh, beachtaigh (ar)

critique *n* critic, léirmheas

croak *n* grág

croaking *n* grágáil

crochet *n* cróise *vt & i* cróiseáil

crock[1] *n* próca

crock[2] *n*, *(of car, etc)* seanghliogar, seanchreatlach

crockery *n* gréithe

crocodile *n* crogall, *~ tears* deora bréagacha, gol na súl tirim

crocus *n* cróch

cromlech *n* cromleac

crook *n* bacán, crúca; bachall, camóg, *(person)* caimiléir, cneámhaire

crooked *a* cam, lúbach; bachallach, *he is ~ by nature* tá an fiar, an claon, ann

crookedness *n* caime; caimiléireacht, camastail, lúbaireacht

croon *vi* crónán, drantán

crooner *n* crónánaí, duanaire, drantánaí

crop *n* barr; eagán, *(of whip)* cos *vt* bearr, sciot

crop-eared *a* maolchluasach

croquet *n* cróice

croquette *n* cróicéad, millín

cross[1] *n* cros, croch *a* crosta, cantalach, drochmhúinte, mallaithe, oilbhéasach *vt & i* cros, crosáil, trasnaigh, *it ~ ed my mind* rith sé liom

cross[2] *pref* cros-, tras-, trasna

cross-bar *n* trasnán, barra trasna

crossbill *n* camghob

crossed *a* crosach

cross-examine *vt, to ~ a person* ceastóireacht a chur ar dhuine, duine a chroscheistiú

crossing *n* crosaire; trasnáil; pasáiste

cross-piece *n* cros, trasnán

crossroad (s) *n* crosaire, crosbhóthar

crossways, crosswise *adv & a* crosach, trasnánach; fiarthrasna

crossword *n, ~ (puzzle)* crosfhocal

crotch *n* gabhal

crotchet *n* croisín

crotchety *a* coilgneach, teidheach

crouch *n* gúnga *vi, they ~ ed behind the rock* chrom siad i gcúl na carraige

crouched *a* gúngach; *ar do chromada, she was ~ over the fire* bhí cruit uirthi, bhí sí crom, os cionn na tine

croup *n* tochtán

crow *n* préachán, caróg *vi* glaoigh, scairt

crow-bar *n* gró, ringear

crowd *n* slua *vt & i* plódaigh

crowfoot *n* crobh préacháin

crown *n* coróin; mol, *(of head)* baithis, mullach *vt* corónaigh

crow's-foot *n* fáirbre (faoi shúil)

crow's-nest *n* crannóg

crozier *n* bachall

crubeen *n* crúibín (muice)

crucial *a* géibheannach

crucible *n* breogán

crucifix *n* cros chéasta, croch chéasta

crucifixion *n* céasadh, *the C ~* íobairt na Croiche

crucify *vt* céas

crude *a* tútach, garbh, *~ oil* amhola

cruel *a* cruálach, géar, danartha, ainiochtach

cruelty *n* cruálacht

cruet *n* cruibhéad

cruise *n & vi* cúrsáil

cruiser *n* cúrsóir

crumb *n* sprúille, ~ *s* bruar, bruscar, grabhróga (aráin)

crumble *vt & i* mionaigh, sceith

crumpet *n* crompóg

crumple *vt & i, ~ up* leacaigh, crap

crunch *n* brioscarnach, cnag(arnach) *vt & i* cnag

crupper *n* tiarach

crusade *n* crosáid

crush *n* brú, pulcadh *vt* basc, brúigh, meil, *to ~ to bits* bruar, smionagar, a dhéanamh de rud

crushed *a* brúite, meilte

crusher *n* meilteoir

crust *n* crústa; carr, screamh(óg) *vi* scarbháil

crustacean *n & a* crústach

crusty *a, (of person)* meirgeach, *(of bread, etc)* faoi chrústa

crutch *n* croisín, maide croise

crux *n* fadhb, *the ~ of the question* croí na ceiste

cry *n* glao, gáir, éamh; geoin, uaill *vt & i* caoin, goil; gáir, ~ *out* éigh, glaoigh, ~ *off* éirigh as

cry-baby *n* caointeachán (linbh)

crying *n* caoineadh, gol

crypt *n* lusca

cryptic *a* diamhair, rúnda

crystal *n* criostal *a* gloiní

crystal-clear *a* gléghlan, gléigeal

crystallize *vt & i* criostalaigh

cub *n* coileán

cubic *a* ciúbach

cubicle *n* cubhachail

cubism *n* ciúbachas

cubit *n* banlámh

cuckold *n* cocól

cuckoo *n* cuach

cuckoo-pint *n* cluas chaoin

cucumber *n* cúcamar

cud *n* cíor

cuddle *n* croídín, gráin *vt & i* muirnigh, *cuddling* ag gráinneacht

cudgel *n* lorga, cleith, smachtín, smíste

cue[1] *n* leid

cue[2] *n* cleathóg (billéardaí)

cuff *n* cufa

cuff-link *n* lúibín cufa

cul-de-sac *n* caochshráid

culinary *a* cisteanach, ~ *herb* luibh chócaireachta

cull *vt* pioc, togh; bain

culmination n rinn, buaic
culpable a ciontach, lochtach, incháinte
culprit n ciontach
cult n cultas
cultivate vt saothraigh
cultivated a, ~ speech caint oilte, caint chultúrtha, ~ land talamh briste, curaíocht
cultivation n míntíreachas, saothrú
cultural a cultúrtha
culture n cultúr, béascna
cultured a cultúrtha
culvert n lintéar, tóchar
cumbersome a anásta, liopasta, míshásta
cumulative a carnach
cumulus n cumalas, néal carnach
cunning n gliceas, meang a glic, sionn-achúil, lúbach
cup n cupán; corn
cupboard n cupard, prios
cur n maistín
curate n séiplíneach, sagart óg, cóidiútar
curative a íceach, it has ~ powers tá leigheas ann
curator n coimeádaí (iarsmalainne)
curb n & vt srian
curdle vi, the milk ~ d bhris an bainne
curds npl gruth
cure n íoc, leigheas; leasú vt & i íoc, leigheas; leasaigh, saill, buígh
curfew n cuirfiú
curio n deismireán
curiosity n fiosracht; ábhar iontais; rud annamh, rud neamhghnách
curious a fiosrach, fiafraitheach, caidéiseach; aisteach, greannmhar, ait
curl n coirnín, cuar vt, to ~ hair coirníní a chur i ngruaig, he ~ ed (himself) up chuach sé é féin; chuir sé a cheann ina lúb, ina chamas
curled a camarsach, dualach, cuachach
curler n catóir
curlew n crotach, cuirliún
curly a cas, catach, camarsach
curly-haired a catach
currach n curach, naomhóg
currant n cuirín
currency n airgeadra; cúrsaíocht
current n feacht, sruth a i gcúrsaíocht, sa rith; láithreach, ~ account cuntas reatha, to be ~ rith, bheith ag imeacht, bheith san imeacht

curriculum n curaclam
curry[1] n curaí
curry[2] vt, to ~ a horse capall a chíoradh, to ~ favour fabhar a lorg, bheith ag tláithínteacht
curse n eascaine, mallacht, mionn mór, crístín vt & i eascainigh, mallaigh
cursive a reathach
cursory a srac-
curt a gearr, giorraisc
curtail vt ciorraigh
curtain n cuirtín, brat
curtsy n umhlú vi umhlaigh
curvature n cuaire
curve n cuar, cuan vt & i cuar
curved a corr(-), cuar
cushion n cúisín, adhartán
custard n custard
custodian n coimeádaí
custody n coimeád, coinneáil, in ~ faoi choinneáil
custom n gnás, nós; custaiméireacht, ~ s and excise custam agus mál
customary a gnách, gnáth-, iondúil, it was ~ with them bhí sé de nós acu
customer n custaiméir, he's a tricky ~ tá an ealaín ann, is iomaí lúb ann
cut n slisne; gearradh vt & i scor; bearr; gearr, ciorraigh; snoigh, to ~ turf móin a bhaint, ~ off from scartha, scoite, amach ó, ~ the cards bris na cártaí, it ~ him to the quick ghoin sé an beo ann
cute a glic, cleasach
cuticle n cúitineach
cutlery n cuitléireacht, sceanra
cutlet n gearrthóg
cutter n bainteoir; gearrthóir; snoíodóir
cutting n gearradh; caidhséar; gearrthóg; snoí(odóireacht), ~ s sceanairt, scotháin a faobhrach, ~ remark focal géar, goineog
cuttlefish n cudal (sceitheach)
cyanide n cianíd
cycle n timthriall; rothar, life ~ saolró vi rothaigh
cycling n rothaíocht
cyclist n rothaí
cyclone n cioclón
cygnet n éan eala
cylinder n sorcóir

cymbal n ciombal
cynic n cinicí
cynical a ciniciúil
cynicism n cinceas
cynosure n craobh aonaigh, *she is the* ~

of every eye tá sí ina scáthán súl, tá sí
ina lán súl ag gach aon
cypress n cufróg
cyst n cist, úithín
czar n sár

D

dab[1] n daba, smearadh vt, *to* ~ *sth*
boiseog bheag a thabhairt do rud, *to*
~ *sth on sth* smearadh beag de rud a
chur ar rud
dab[2] n & a, *he is a* ~ (*hand*) *at farming*
scoth feirmeora is ea é
dabble vt & i, *to* ~ *sth* uisce a chroitheadh
ar rud; rud a thumadh in uisce, *dab-
bling in water* ag slaparnach, *dabbling
in* (*some pursuit*) ag gliocsáil, ag spall-
aíocht, ag suirí, le (rud)
dabchick n lapairín
dad(dy) n daid, daidí
daddy-longlegs n galán, snáthadán, Pilib
an gheataire
daffodil n lus an chromchinn
daft a néaltraithe, ar mearaí, a ~ *scheme*
plean buile
dagger n miodóg
dahlia n dáilia
daily a laethúil
dainty a cúirialta; beadaí
dairy n déirí
dairying n déiríocht
dais n dás
daisy n nóinín
dally vi, ~*ing* ag moilleadóireacht; ag
spallaíocht, ag suirí
dam n damba vt dambáil, iaigh
damage n damáiste, díobháil, dochar, lot
pl damáistí vt mill, loit, *to* ~ *sth*
dochar, díobháil, a dhéanamh do rud
damaging a damáisteach, loiteach
damask n síoda damasc a damascach
damn n, *I don't care a* ~ is cuma liom sa
tubaiste, sa riach, sa donas, *it isn't
worth a* ~ ní fiú biorán é vt damnaigh,
~ *it*! damnú air! mallacht Dé air!
damnable a damanta, mallaithe
damnation n damnú
damned a damanta
damp n taisleach a tais, sramach vt tais-
righ, *to* ~ *down* maolú
damper n maolaire, clabhar, sathaoide

dampness n taise, fliche
damson n daimsín
dance n damhsa, rince; céilí vt & i damh-
saigh, rinc
dancer n rinceoir, damhsóir
dandelion n caisearbhán
dander n, *he got his* ~ *up* d'éirigh
coilichín, cochall, air
dandle vt, *to* ~ *a child in one's arms* sac
salainn a dhéanamh le leanbh, páiste a
luascadh (ar do ghlúin)
dandruff n sail chnis
dandy n gaige a gleoite, breá
Dane n Danmhargach, (*historical*), *the
Danes* na Danair, na Lochlannaigh
danger n baol, contúirt, dainséar, gábh,
guais
dangerous a baolach, contúirteach,
gáifeach, dainséarach
dangle vt & i luasc, *to* ~ *sth* rud a choinn-
eáil, a chur, ar bogarnach
dank a múscánta, múisciúil
dapper a pioctha, sciobalta, bagánta
dapple vt & i breac
dappled a breac, sliogánach
dare vt & i leomh, *he* ~ *d me to do it* thug
sé mo dhúshlán é a dhéanamh, *how* ~
you nach dána an mhaise duit é, *I
didn't* ~ *do it* ní bhfuair mé ó mo
mhisneach é a dhéanamh
daring n dánacht, dásacht a dána,
dásachtach
dark n dorchadas, diamhair, dubh a dor-
cha, dubh, doilbh, ~ *blue* dúghorm
darken vt & i dorchaigh, dubhaigh,
gruamaigh
darkness n dorchacht, dorchadas; dubh;
duifean
darling n ansacht, searc, leannán,
muirnín, *my* ~ a stór, a rún, a ghrá mo
chroí a muirneach
darn n dearnáil, cliath vt, *to* ~ *a stocking*
cliath a chur ar stoca, stoca a dhear-
náil

dart n dairt, ga, sá, siota; geábh, sciuird vt & i teilg, rop; scinn, sciurd

dartboard n dairtchlár

dash n fogha, sciuird, seáp; taoscán, scaird, steall; dais vt & i buail; scinn, sciurd, he was ~ed to the ground treascraíodh go talamh é, I'd ~ out his brains steallfainn an inchinn as, to ~ off lascadh leat

dashboard n painéal ionstraimí

dashing a scóipiúil, rábach, ~ fellow rábaire

data npl dálaí, ~ processing próiseáil sonraí

date[1] n dáta, to have a ~ with a person coinne a bheith agat le duine, to be up to ~ with one's work bheith bord ar bhord le do chuid oibre vt dátaigh

date[2] n dáta

dative n & a tabharthach

daub n dóib, daba, smearadh vt & i dóibeáil, smear

daughter n iníon

daughter-in-law n banchliamhain, bean mhic

dawdle vi snámh, to ~ bheith ag moill-eadóireacht, ag righneáil

dawdler n moilleadóir, righneálaí, snámhaí

dawn n breacadh an lae, camhaoir, maid-neachan vi bánaigh, láigh, the day is ~ing tá sé ag maidneachan, tá ball bán ar an lá, tá an lá ag gealadh, it ~ed on me that rith sé chugam go

day n lá, New Year's D~ Lá Caille, St Patrick's D~ Lá Fhéile Pádraig

daybreak n camhaoir, breacadh an lae, fáinne an lae

daydream n taibhreamh (na súl oscailte)

daylight n solas an lae

daze n dallachar; néal, speabhraídí vt caoch, dall, to be ~d bheith ar mear-bhall

dazzle vt caoch, dall, dallraigh

dazzling a dallraitheach

deacon n deaganach

dead n, the ~ slua na marbh a marbh, neamhbheo, ~ end ceann caoch, to be in ~ earnest bheith lom dáiríre, the sea is ~ calm tá an fharraige ina báinté, ina clár, ina léinseach

deaden vt bodhraigh, múch, maolaigh

deadlock n sáinn

deadly a marfach

dead-nettle n caochneantóg

deaf a bodhar, ~ person bodhrán

deafen vt bodhraigh

deafening a bodhraitheach

deafness n bodhaire, allaire

deal[1] n, a great ~ an-chuid, an dúrud, lear mór adv, he is a great ~ wiser than you tá i bhfad níos mó céille aige ná mar atá agatsa, is críonna go mór fada é ná thusa

deal[2] n margadh; beart (gnó) vt & i dáil, roinn; déileáil, pléigh le, to ~ in a shop custaiméireacht a dhéanamh i siopa, hard (easy) to ~ with do-ranna (so-ranna), let me ~ with it fág fúmsa é

deal[3] n déil, giúis

dealer n mangaire, déileálaí, ceannaí; fear ranna, cattle ~ grásaeir

dean n déan

dear a ionúin, dil, caomh, dílis; daor, costasach, my ~ man a dhuine chóir, he ran for ~ life rith sé lena anam, i dtánaiste a anama n, my ~ a chuid, a ghrá, a thaisce

dearness n ionúine, ansacht; daoire

death n bás, éag, to put a person to ~ duine a bhású

death-rate n mortlaíocht, ráta báis, bás-mhaireacht

death-trap n sáinn bháis

debar vt coisc, toirmisc

debase vt truailligh, íslígh

debate n díospóireacht vt pléigh, let us ~ it cuirimis faoi chaibidil é

debauchery n drabhlás

debenture n bintiúr

debilitate vt díbligh, lagaigh

debilitated a díblí, éalangach

debility n díblíocht, éineart

debit n dochar vt féichiúnaigh, to ~ an account with a sum of money suim (air-gid) a chur do dhochar cuntais

debris n bruscar, smionagar

debt n fiach

debtor n féichiúnaí, fiachóir

decade n deich mbliana; deichniúr

decadent a meata

decamp vi, he ~ed thug sé do na boinn é

decanter n teisteán

decapitate vt dícheann

decay *n* dreo, feo, lofacht, meath, éagruth *vi* lobh, meath, dreoigh, feoigh, téigh i léig

decayed *a* lofa, dreoite, críon, éagruthach

decease *n* éag, bás

deceased *n* marbh *a, the* ~ *man* an fear nach maireann, an marbhán

deceit *n* bréagadóireacht, calaois, cealg, feall, lúbaireacht

deceitful *a* calaoiseach, cluanach, fealltach, claon, *she is* ~ *at heart* tá lúb ina croí

deceive *vt* meall, cealg, *to* ~ *a person* cluain a chur ar dhuine, *unless I'm* ~*d* mura bhfuil dul amú, breall, orm

deceiver *n* cluanaire, feallaire, mealltóir

December *n* mí na Nollag

decency *n* cuibheas, fiúntas, náire

decent *a* cneasta, cóir, cuibhiúil, fiúntach, dóighiúil, gnaíúil

decentralize *vt* díláraigh

deception *n* cluain, mealladh; dallamullóg

deceptive *a* mealltach, meabhlach

decibel *n* deicibeil

decide *vt & i* beartaigh, socraigh, cinn, *to* ~ *to do sth* cinneadh ar rud a dhéanamh, *we failed to* ~ *the issue* chuaigh an chúis ó réiteach orainn

decided *a* daingean, diongbháilte; cinnte

deciduous *a* duillsilteach

decigram *n* deiceagram

decimal *n* deachúil *a* deachúlach

decimalize *vt* deachúlaigh

decimeter *n* deiciméadar

decipher *vt* imscaoil

decision *n* cinneadh, breith, comhairle

decisive *a* diongbháilte, cinntitheach

deck[1] *n* deic, bord, *top* ~ *of bus* uachtar bus

deck[2] *vt* gléas, cóirigh

deck-chair *n* cathaoir dheice

declaim *vt & i, he is* ~*ing* tá sé ag cur de, ag fógairt, ag reacaireacht, ~*ing a poem* ag gabháil dáin, ag reic dáin

declaration *n* dearbhú, fógairt

declare *vt & i* fógair, dearbhaigh, *I solemnly* ~ *(that)* fágaim le huacht (go), fágaim le Dia (go)

declension *n* díochlaonadh

decline *n* meath, titim, turnamh, dul i léig, isliú *vt & i* tit, tráigh, claon, meathlaigh, téigh ar gcúl, cnaigh, speal; ob, diúltaigh; díochlaon

declivity *n* fána; ísleán

decode *vt* díchódaigh

decompose *vt & i* morg, lobh; dianscaoil

decorate *vt* maisigh, gréasaigh, ornáidigh

decoration *n* maisiúchán; suaitheantas

decorative *a* maisiúil, ornáideach, ~ *work, pattern* gréas

decorator *n* maisitheoir

decorous *a* cuibhiúil

decrease *n* laghdú, maolú *vt & i* laghdaigh, maolaigh

decree *n* acht, forógra *vt* achtaigh, reachtaigh, *unless God has* ~*d otherwise* mura bhfuil ag Dia

decrepit *a* díblí, cranda

dedicate *vt* tiomnaigh, tíolaic, toirbhir; coisric

dedication *n* tiomnú, toirbhirt; coisreacan

deduce *vt* asbheir, tuig as, *to* ~ *sth from sth* tátal a bhaint as rud

deduct *vt* bain de, bain as

deduction *n* tátal; laghdú, asbhaint

deed *n* gníomh, beart; cairt, gníomhas

deep *n* doimhneacht, duibheagán, domhain *a* domhain, duibheagánach; toll, trom, *an inch* ~ orlach ar doimhneacht, ~ *sleep* toirchim suain

deepen *vt & i* doimhnigh; tromaigh

deep-freeze *n* domhainreo *vt* iosreoigh

deer *n* fia

deface *vt* mill

defalcation *n* cúbláil

defamatory *a* aithiseach, clúmhillteach

defame *vt* aithisigh, *to* ~ *a person* droch-chlú, míchlú, a chur ar dhuine; clú duine a mhilleadh, a bhaint de

default *n* loiceadh, faillí *vi, to* ~ *on payment* loiceadh ar íocaíocht

defaulter *n* faillitheoir, loiceach

defeat *n* díomua, briseadh, treascairt, coscairt *vt* bris ar, buaigh ar, buail, cloígh

defeatism *n* díomuachas

defect *n* máchail, éalang, éasc, locht *vi* iompaigh (le dream, etc, eile)

defection *n* tréigean; iompú

defective *a* éalangach, lochtach, uireasach, easpach

defence *n* cosaint, seasamh

defend vt cosain, ~ *yourself* cuir ar do shon féin, to ~ *one's rights* do cheart a sheasamh

defendant n cosantóir

defender n cosantóir

defensive n, to stand on the ~ dul faoi do sciath a cosantach

defer[1] vt & i cuir siar, iarchuir, *deferred payment* iaríocaíocht

defer[2] vi, to ~ *to a person* géilleadh do dhuine

deference n urraim

deferential a urramach

defiance n easumhlaíocht, greannú, *in ~ of me* de m'ainneoin, thar mo chrosadh

defiant a dúshlánach

deficiency n easnamh, uireasa, easpa, *mental ~* éalang mheabhrach

deficient a easnamhach, uireasach, easpach, díothach

deficit n easnamh

defile[1] n scabhat

defile[2] vt salaigh, truailligh, éilligh

define vt sainigh, sainmhínigh, sonraigh

definite a cinnte, dearfa

definition n sainmhíniú, sainiú

definitive a cinnteach, deifnídeach

deflate vt & i díbholg, traoith, ísligh, to ~ *sth* an ghaoth, an t-aer, a ligean as rud

deflation n díbholgadh, ísliú; díbhoilsciú

deflect vt sraon, claon

deform vt díchum

deformed a míchumtha, éagruthach; easpach

deformity n míchuma, éagruth; cithréim

defraud vt, to ~ *a person* calaois a dhéanamh ar dhuine

defray vt, to ~ *the cost of sth* costas ruda a íoc

defrost vt díshioc

deft a deaslámhach, aclaí

defunct a marbh, caillte, as feidhm

defy vt greannaigh, to ~ *a person* dúshlán duine a thabhairt, éirí chuig duine

degenerate[1] n meatachán a meata, trochailte

degenerate[2] vi meathlaigh

degradation n táireadh, easonórú

degrade vt táir, ísligh, to ~ *an official* oifigeach a bhriseadh, a ísliú i gcéim

degrading a tarcaisneach, táireach, maslach

degree n céim, grád, *by ~s* de réir a chéile, diaidh ar ndiaidh, i leaba a chéile

dehydrate vt díhiodráitigh

de-ice vt dí-oighrigh

deign vi, to ~ *to do sth* deonú rud a dhéanamh, *he did not ~ to give me an answer* níorbh fhiú leis mé a fhreagairt

deity n dia

dejected a atuirseach, duaiseach, gruama, meirtneach

dejection n gruaim, atuirse, domheanma, lagmhisneach

delay n moill, fuireach, faillí vt & i moill-igh, righnigh, to ~ *a person* moill, stró, a chur ar dhuine

delegate[1] n toscaire

delegate[2] vt, to ~ *responsibility, authority, to a person* cúram, údarás, a thiomnú do dhuine

delegation n tiomnú; toscaireacht; dealagáideacht

delete vt scrios, bain amach

delf n gréithe; deilf

deliberate a d'aon turas; fadbheartach, righin vi, to ~ *over, on, a question* machnamh, do mharana, a dhéanamh ar rud

deliberately adv d'aon ghnó, d'aon turas

deliberation n machnamh, the ~s of an assembly díospóireachtaí comhdhála

delicacy n fíneáltacht, míne; leiceacht pl sócamais, sólaistí, ollmhaitheasaí

delicate a fíneálta, caoin, mín; leice; cáiréiseach, íogair, ~ *person* leidhce, breoiteachán, padhsán

delicious a caithiseach, so-bhlasta, sóúil

delight n aoibhneas, taitneamh, áineas, gliondar, lúcháir vt & i, to ~ *in sth* aoibhneas a bhaint as rud, *he was ~ed to do it* bhí áthas air é a dhéanamh, *it ~s the eye* churfeadh sé maise ar do shúile

delightful a aoibhinn, gleoite, caithiseach, álainn

delinquency n ciontacht, ciontóireacht

delinquent n ciontóir

delirious a rámhailleach

delirium n speabhraídí, rámhaille

deliver vt fuascail, saor, sábháil, tarrtháil; seachaid; saolaigh, to ~ a speech óráid a thabhairt

deliverance n fuascailt, saoradh, tarrtháil, teasargan

delivery n tabhairt, toirbhirt; seachadadh; saolú, breith

delta n deilt

delude vt meall, to ~ a person púicín, dallamullóg, a chur ar dhuine

deluge n díle, tulca vt báigh

delusion n siabhrán, seachrán, ciméara

demand n éileamh, iarraidh, ~ for sth ráchairt, glaoch, tarraingt, imeacht, ceannach, ar rud, the ~ s of the case riachtanais an cháis vt iarr, éiligh

demarcation n críochadóireacht, críochú

demean vt suaraigh, táir, to ~ oneself a bheag a dhéanamh díot féin, tú féin a ísliú

demented a néaltraithe

demesne n diméin

demobilization n díshlógadh

democracy n daonlathas

democrat n daonlathaí

democratic a daonlathach

demolish vt leag, treascair, díláithrigh

demolition n leagan, treascairt

demon n deamhan

demonstrate vt & i taispeáin, léirigh; léirsigh

demonstration n taispeáint, tabhairt amach; léirsiú

demonstrative a taispeántach

demonstrator n léiritheoir; léirsitheoir

demoralize vt domheanmnaigh

demur n, to make no ~ gan cur i gcoinne rud ar bith vi easaontaigh

demure a bláfar, náireach, modhúil

den n gnáthóg, pluais, prochóg, brocais, scailp

denial n diúltú, éaradh; bréagnú, séanadh

denigrate vt, to ~ a person smál a chur ar chlú duine, clú duine a mhilleadh

denim n deinim

denomination n ainmniú; sainchreideamh

denominational a sainchreidmheach

denote vt comharthaigh

denounce vt cáin

dense a dlúth, tiubh, trom; dúr, ~ mass bró, calc

density n dlús, tiús; dúire

dent n brú, ding vt ding, leacaigh, to ~ sth log a chur i rud

dental a déadach

dentist n fiaclóir

dentistry n fiaclóireacht

denture n déadchíor

denude vt nocht, lom, lomair

denunciation n cáineadh, díbliú

deny vt séan; diúltaigh, éar, éimigh, to ~ a person his right a cheart a cheilt ar dhuine

deodorant n & a díbholaíoch

depart vi imigh, téigh, éalaigh

department n roinn, ~ store siopa ilranna

departmental a rannach

departure n imeacht, dul

depend vi, ~ on seas ar, taobhaigh le, her life ~ s on it tá a beo i ngeall air, ~ ing on charity ag brath ar an déirc, i muinín na déirce, taobh le déirc

dependable a fónta, muiníneach, tairiseach

dependant n cleithiúnaí pl cosmhuintir

dependence n tuilleamaí, spleáchas, cleithiúnas; brath, muinín

dependency n spleáchríoch

dependent a cleithiúnach, spleách, ~ on a person i dtuilleamaí duine; taobh le, i gcleith le, duine

depict vt léirigh, to ~ sth íomhá a dhéanamh de rud; cuntas, cur síos, a thabhairt ar rud

deplete vt ídigh, laghdaigh, folmhaigh

deplorable a cásmhar, truamhéalach, ainnis

deplore vt cásaigh, éagaoin, we ~ the deed is saoth linn an gníomh

deploy vt & i imscar, scaip, leathnaigh amach

depopulate vt dídhaoinigh, bánaigh

deport vt, to ~ a person duine a dhíbhirt thar tír amach

deportment n iompar

depose vt athrígh; bris, cuir as oifig

deposit n taisce; éarlais; sil-leagan, deascán; screamh vt taisc, cuir síos, leag anuas, sil-leag

depositor n taisceoir

depot n príomháras; stór, goods ~ iosta earraí

deprave vt truailligh, saobh, táir

depravity n truaillíocht; saofacht, duáilceas

deprecate vt, to ~ sth cur in aghaidh ruda, rud a cháineadh

depreciate vt & i, the car ~ d thit luach an chairr, to ~ sth luach ruda a ísliú

depreciation n titim luacha, dímheas

depress vt íslígh, maolaigh, to ~ a person domheanma a chur ar dhuine

depressed a lionndubhach, domheanmnach, to be ~ néal a bheith anuas ort

depression n ísliú; ísleán; lagbhrú; dóchma, néal, lionn dubh, domheanma

deprivation n angar; díth, díothacht

deprive vt, to ~ a person of sth rud a bhaint de dhuine, a choinneáil ó dhuine

depth n doimhneacht, grinneall; ~ s of the sea duibheagán, domhain, na farraige, ~ of winter dúluachair, dúlaíocht, an gheimhridh, out of his ~ in the water thar a bhaint, thar a fhoras, san uisce

deputation n toscaireacht

deputize vi, to ~ for a person gníomhú thar ceann duine

deputy n toscaire, ionadaí, fear ionaid, Dáil ~ teachta Dála a leas-

derail vt, the train was ~ ed cuireadh an traein de na ráillí

deranged a seachránach, siabhránach, néaltraithe

derangement n saobhadh céille, seachrán, mearú, siabhrán

derelict a tréigthe, maol

deride vt, to ~ a person fonóid a dhéanamh faoi dhuine

derision n fachnaoid, fonóid, magadh, scige

derisive a fonóideach, magúil, scigiúil

derivation n díorthú, fréamhú, bunús

derivative n díorthach, fréamhaí a díorthach

derive vt & i díorthaigh, to ~ pleasure, information, from sth taitneamh, eolas, a bhaint as rud, that word is ~ d from Latin ón Laidin a tháinig an focal sin

dermatitis n deirmitíteas

derogatory a díobhálach, dímheasúil

descend vt & i tuirling, téigh síos, tar anuas; tit, to be ~ ed from síolrú ó

descendant n, one of his ~ s duine dá shliocht pl sliocht, clann

descent n tuirlingt, turnamh, ísliú; folaíocht, ginealach

describe vt inis, to ~ sth cur síos ar rud, tuarascáil a thabhairt ar rud

description n cur síos, cuntas, tuarascáil; comharthaí sóirt

descriptive a tuairisciúil

desecrate vt, to ~ a church eaglais a thruailliú

desert[1] n tuilleanas, he got his ~ s fuair sé a raibh tuillte aige, an rud ab airí air

desert[2] n gaineamhlach, fásach

desert[3] vt tréig, fág

deserted a tréigthe; bán(aithe), ~ place fásach

deserter n tréigtheoir

desertion n tréigean

deserve vt tuill, tabhaigh, you richly ~ it is maith a shaothraigh tú é; is maith an díol, an airí, an oidhe, ort é

deserving a tuillteanach, to be ~ of pity bheith i do dhíol trua

design n scéim, rún; dearadh, patrún, gréas vt ceap, cum, dear

designate vt ainmnigh

designedly adv d'aon turas, d'aon ghnó

designer n dearthóir

designing a aidhmeannach, beartach, ealaíonta

desirable a inmhianaithe, meallacach

desire n mian, dúil, fonn, toil vt mianaigh, santaigh, to ~ sth bheith ag tnúth le rud, dúil a chur i rud

desirous a fonnmhar, dúilmhear, miangasach

desist vi scoir, staon, lig de, to ~ from work ligean as obair

desk n deasc

desolate a fiánta, dearóil

despair n éadóchas vi, to ~ dul, titim, in éadóchas, to ~ of sth deireadh dúile a bhaint de rud

desperate a dochrach, éadóchasach, doleigh(eas)ta; ainscianta, millteach

desperation n éadóchas, it drove him to ~ chuir sé i mbarr a chéille é

despicable a suarach, táir

despise vt dispeag, to ~ a person drochmheas a bheith agat ar dhuine

despite n & prep d'ainneoin, in ainneoin, in your ~ ar neamhchead duit

despoil vt creach, lomair
despondent a dubhach, lagmhisniúil
despot n aintiarna
despotism n forlámhas, tíorántacht
dessert n milseog
destination n ceann cúrsa, ceann scríbe, ceann sprice
destine vt ceap, cinn, *I was* ~*d to be unlucky* tá de chrann orm bheith mí-ámharach, *he was* ~*d never to see her again* ní raibh sé i ndán dó í a fheiceáil go brách arís
destiny n cinniúint, oidhe
destitute a díothach, dealbh, *to be* ~ bheith ar an anás
destitution n dealús
destroy vt mill, scrios
destroyer n díothóir, loitiméir, (ship) scriostóir
destruction n milleanas, (léir)scrios, díothú, argain, eirleach
destructive a millteach, scriosach
desultory a treallach, taghdach
detach vt scoir, scaoil, dícheangail
detachment n scaradh, dealú; díorma
detail n sonra; ponc, mionphointe vt, to ~ *sth* mionchuntas a thabhairt ar rud, *to* ~ *a person for duty* duine a cheapadh, a shonrú, le haghaidh dualgais
detain vt coinnigh, coimeád, *I won't* ~ *you* ní chuirfidh mé moill ort
detect vt fionn, faigh amach; tabhair faoi deara, braith
detection n bleachtaireacht, lorgaireacht
detective n bleachtaire, lorgaire, ~ *story* scéal bleachtaireachta
détente n éideannas
detention n coimeád, coinneáil
deter vt, *nothing would* ~ *him* ní choiscfeadh an saol é
detergent n glantach, glantóir a glantach
deteriorate vt & i meath, meathlaigh, claochlaigh
deterioration n meathlú, claochlú, trochlú
determinant n cinntitheach
determination n diongbháilteacht, daingne; cinneadh
determine vt & i beartaigh, cinn, socraigh
determined a daingean, storrúil, *he is* ~ *to do it* tá sé tiomanta é a dhéanamh, tá sé leagtha ar é a dhéanamh

deterrent n cosc; iombhagairt
detest vt gráinigh, fuathaigh, *I* ~ *it* is fuath liom é, tá an dearg-ghráin agam air
detestable a fuafar, gráiniúil
detonate vt & i maidhm
detonator n maidhmitheoir
detour n timpeall, cor bealaigh
detract vi, *to* ~ *from a person's credit, reputation* baint ó chreidiúint, ó chlú, duine
detraction n spíd
detriment n aimhleas, dochar
detrimental a aimhleasach, díobhálach
deuce¹ n dó, (tennis) dias
deuce² n diach, *go to the* ~ téigh sa diabhal, ~ *take it* don riach é
devaluation n díluacháil
devalue vt díluacháil
devastation n slad, léirscrios
develop vt & i forbair, saothraigh; caithrigh; réal, *trouble* ~*d* d'éirigh achrann
development n fás, forbairt, forás, saothrú
deviate vi, *to* ~ *from sth* claonadh, dialladh, ó rud
deviation n claonadh, diall
device n gaireas, áis, inleog, inneall, sás; seift
devil n diabhal; an tÁibhirseoir, an tAinspiorad, ~ *a bit!* dheamhan a dhath! (ná) don diabhal é!
devilish a diabhalta, diabhlaí
devilment n diabhlaíocht, drochobair, millteanas
devious a cas, timpeallach, lúbach
devise vt ceap, cum, seiftigh
devoid a, ~ *of sth* in éagmais, ar easpa, ruda, ~ *of sense* easpach i gcéill
devolution n déabhlóid, tiomnú (oibre, cumhachta)
devolve vt & i, *to* ~ *duties* cúraimí a leagan ar dhaoine, *the legacy* ~*d on him* is air a thit an oidhreacht
devote vt toirbhir do, tabhair do, *to* ~ *oneself to sth* do dhúthracht a chaitheamh le rud
devoted a díograiseach, dúthrachtach, ~ *to learning* tugtha don léann, *she is* ~ *to him* tá sí doirte dó, tá a hanam istigh ann

devotion *n* cráifeacht, deabhóid; dúthracht

devour *vt* slog, alp

devout *a* cráifeach, deabhóideach, caoindúthrachtach, urnaitheach

dew *n* drúcht

dewdrop *n* drúcht, drúchtín

dewlap *n* sprochaille

dexterity *n* deaslámhaí, cliseacht

dexterous *a* deaslámhach, deisealach, cliste, oirbheartach

diabetes *n* diaibéiteas

diabetic *n* & *a* diaibéiteach

diabolic *a* diabhlaí

diadem *n* mionn

diagnose *vt* fáthmheas

diagnosis *n* fáthmheas, diagnóis

diagonal *n* trasnán *a* fiar, trasnánach, ~ *ly* fiarthrasna, ar fiarlaoid

diagram *n* léaráid

dial *n* diail, (*of clock*) aghaidh, éadan *vt* & *i* diailigh

dialect *n* canúint

dialogue *n* agallamh beirte

diameter *n* lárlíne, trastomhas

diamond *n* diamant, (*of cards*) muileata

diaphanous *a* trédhearcach, sreabhnach

diaphragm *n* scairt

diarrhoea *n* buinneach, scuaid

diary *n* dialann, cín lae

dibble *n* stibhín

dice *npl*, *to play* ~ dislí a imirt, *to cast* ~ *for sth* rud a chur ar dhíslí

dickens *n*, *let them go to the* ~ bíodh an donas, an diabhal, acu

dictaphone *n* deachtafón

dictate *vt* & *i* deachtaigh

dictation *n* deachtú

dictator *n* deachtóir

dictatorial *a* údarásach

diction *n* urlabhra

dictionary *n* foclóir

didactic *a* teagascach

die[1] *n* dísle, *to cast dice for sth* rud a chur ar dhíslí, *the* ~ *is cast*, tá na díslí caite, tá an crann curtha

die[2] *vi* básaigh, éag, *he* ~*d young* cailleadh go hóg é, *to* ~ *out* dul i léig, díobhadh, *to* ~ *bás a fháil*, *dying to do sth* ar bís chun rud a dhéanamh, (*of sounds, etc*) *to* ~ *away* maolú, dul i léig, *the wind* ~*d down* shíothlaigh an ghaoth, chuaigh an ghaoth in éag

die-hard *n* duine dígeanta *a* dígeanta

diesel *n* díosal

diet *n* aiste bia, *milk* ~ réim bhainne

dietician *n* bia-eolaí

differ *n* difear, difríocht *vi* difrigh, *they* ~ *greatly* is mór eatarthu, *they* ~ *about it* tá easaontas eatarthu ina thaobh

difference *n* difear, difríocht, éagsúlacht

different *a* éagsúil, difriúil, *it is* ~ *with you, in your case* ní hamhlaidh duitse é, *a* ~ *story altogether* scéal eile ar fad

differential *n* & *a* difreálach

differentiate *vt* & *i*, *to* ~ *between things* rudaí a idirdhealú, aithint idir rudaí, dealú idir rudaí

difficult *a* deacair, crua, duaisiúil, doiligh, ~ *situation*, cúngach

difficulty *n* deacracht, dua, duainéis, fadhb, cúngach, *I got into difficulties* rug céim orm; chuaigh mé in abar

diffident *a* cúthail, náireach, seachantach, *I was* ~ *about speaking to him* ba leasc liom labhairt leis

diffuse *a* spréite; lag, (*of style*) fadálach *vt* & *i* réscaip, spréigh, leath

dig *n* tochaltán, *a* ~ *in the ribs* sonc sna heasnacha, *to have a* ~ *at a person* sáiteán, goineog, a thabhairt do dhuine *vt* & *i* tochail, rómhair, bain, *they dug themselves in* thalmhaigh siad, *to* ~ *one's heels in* do chosa a chur i dtaca

digest[1] *n* achoimre

digest[2] *vt* díleáigh

digestion *n* díleá; goile

digestive *a* díleách

digger *n* tochaltóir, bainteoir

digit *n* figiúr; méar

digital *a*, ~ *computer* ríomhaire luibhneach

dignified *a* díniteach, maorga, mómhar

dignify *vt* uaisligh

dignity *n* dínit, gradam, stát, maorgacht, mómhaireacht

digress *vi*, *to* ~ *from sth* dul ar seachmall, i leataobh, ó rud; scéal eile a tharraingt ort

digression *n* iomlaoid chomhrá, scéal thairis

digs *n* lóistín

dike *n* díog; claí

dilapidated *a* ainríochtach, díblí, trochailte

dilation *n* leathadh

dilatory *a* fadálach, leadránach, leisciúil

dilemma *n*, *in a* ~ idir dhá thine Bhealtaine, in adharc gabhair

diligent *a* dícheallach, dúthrachtach, dlúsúil

dilute *vt* caolaigh, tanaigh, lagaigh *a* caol

dim *a* doiléir, ~ *light* lagsholas, geamhsholas *vt & i* maolaigh, lagaigh, *to* ~ *a light* solas a ísliú, *her sight is* ~ *ming* tá an radharc ag leathadh uirthi

dimension *n* toise, buntomhas, trácht

diminish *vt & i* laghdaigh, maolaigh ar, bain ó

diminution *n* laghdú, ísliú, díspeagadh

diminutive *n* díspeagadh *a* mion, bídeach

dimmer *n* maolaitheoir

dimple *n* tobairín, loigín

din *n* fothram, callán, trup, gleo *vt, he was* ~ *ning the story into my ears* bhí mo chluasa bodhraithe aige leis an scéal

dine *vi, to* ~ dinnéar a ithe; béile a chaitheamh

dinge *n* ding, claig *vt* leacaigh

dinghy *n* dionga

dingy *a* modartha, salach, suarach

dining-room *n* proinnseomra, seomra bia

dinner *n* dinnéar

dinosaur *n* dineasár

dint *n* ding, gleann, *by* ~ *of hard work* le teann, le tréan, le neart, oibre *vt* ding

diocese *n* deoise, fairche

dioxide *n* dé-ocsaíd

dip *n* tumadh, snámh; fána, claonadh; dip *vt & i* tum, ísligh, *the road* ~ *s there* tá fána sa bhóthar ansin

diphtheria *n* diftéire

diphthong *n* défhoghar

diploma *n* dioplóma, teastas

diplomacy *n* taidhleoireacht

diplomat *n* taidhleoir

dipsomania *n* díopsamáine

dire *a* tubaisteach, uafásach, *to be in* ~ *straits* bheith i ndoghrainn, sa chúngach, san fhaopach

direct *a* díreach *vt* seol, treoraigh, stiúir, dírigh

direction *n* treoir; seoladh; treo, aird, bealach, *under a person's* ~ faoi stiúir duine, *to ask for* ~ *s to a place* eolas

áite a chur, *to give* ~ *s* eolas an bhealaigh a dhéanamh (do dhuine)

directive *n* treoir *a* treorach

directly *adv* lom díreach, ar an bpointe boise

director *n* stiúrthóir

directory *n* eolaire, eolaí

dirge *n* tuireamh, marbhna

dirt *n* salachar

dirty *a* salach, cáidheach, broghach, ~ *place* brocais *vt & i* salaigh

disability *n* díomua, míchumas; ainimh, cithréim

disable *vt* martraigh, ciorraigh

disabled *a* cróilí, míchumasach, ~ *person* duine míchumasaithe

disadvantage *n* míbhuntáiste, *to take a person at a* ~ éalang, éasc, an lom, a fháil ar dhuine

disagree *vi, to* ~ *with a person* easaontú le duine, gan bheith ag réiteach le duine, *the climate* ~ *d with him* ghoill an aeráid air, chuaigh an aeráid go dona dó

disagreeable *a* míthaitneamhach, gránna; cnádánach

disagreement *n* easaontas, achrann

disappear *vi, to* ~ dul as amharc, dul ar ceal

disappearance *n* dul ar ceal, dul as

disappoint *vt* meall, *to be* ~ *ed* díomá a bheith ort, *to* ~ *a person* díomá a chur ar dhuine, mealladh a bhaint as duine

disappointment *n* díomá, mealladh

disapproval *n* dímheas, míthaitneamh

disapprove *vt & i, to* ~ *of sth* drochbharúil a bheith agat de rud; cur in aghaidh ruda, *to* ~ *a bill* diúltú do bhille

disarm *vt* dí-armáil

disarmament *n* dí-armáil

disarrange *vt* míchóirigh, *to* ~ *things* rudaí a chur as eagar, a chur trí chéile, a chur in aimhréidh

disarray *n* mí-eagar, mí-ordú, scaipeadh

disaster *n* tubaiste, matalang

disastrous *a* tubaisteach

disbelief *n* díchreideamh

disc *n* ceirnín; teasc, diosca

discarded *a* caite i gcártaí, caite i dtraipisí

discern *vt* aithin, *to* ~ *sth clearly* rud a thabhairt i ngrinneas

discerning *a* tuisceanach, géarchúiseach, grinn

discernment *n* géarchúis, grinneas, léargas

discharge *n* folmhú, scaoileadh; urscaoileadh; sceith, sileadh, ~ *of duty* comhall, comhlíonadh, dualgais *vt & i* diluchtaigh, folmhaigh; scaoil; sceith; urscaoil

disciple *n* deisceabal

disciplinarian *n* smachtaí

discipline *n* riailbhéas, smacht, disciplín *vt* smachtaigh

disclose *vt* nocht, foilsigh, taispeáin

disclosure *n* foilsiú, nochtadh

discoloration *n* mílí, tréigean datha, ruaimneacht

discolour *vt & i* ruaimnigh

discomfort *n* míchompord, anacair, anó, deacracht, dócúl

disconcert *vt*, *to ~ a person* duine a bhaint, a chur, dá threoir; cur as do dhuine, stangadh a bhaint as duine

disconnect *vt* scoir, scaoil; díchónaisc

disconnected *a* scoite; scaipeach

disconsolate *a* dólásach, dobrónach

discontent *n* míshásamh, duaméis

discontinue *vt & i* scoir, stop, éirigh as

discord *n* easaontas, imreas

discount *n* lascaine, lacáiste, lamháil *vt* lascainigh, *to ~ sth* neamhshuim a dhéanamh de rud

discourage *vt*, *to ~ a person* drochmhisneach a chur ar dhuine, *to ~ a plan* cur in aghaidh scéime

discouragement *n* drochmhisneach

discourse *n* caint, agallamh, trácht

discourteous *a* míchúirtéiseach, mímhúinte

discover *vt* fionn, faigh amach

discoverer *n* fionnachtaí, aimsitheoir

discovery *n* fionnachtain

discredit *n* míchreidiúint, drochtheist *vt*, *to ~ a person* drochtheist a chur ar dhuine

discreditable *a* náireach, míchlúiteach

discreet *a* discréideach, fothainiúil, rúnmhar

discrepancy *n* neamhréiteach

discretion *n* discréid, fothain, *I leave it to your (own)* ~ fágaim fút féin, faoi do chomhairle féin, é

discriminate *vt & i*, *to ~ between things*
aithint idir rudaí; idirdhealú a dhéanamh idir rudaí, *to ~ in favour of a person* fabhar a dhéanamh do dhuine, *to ~ against a person* leatrom a dhéanamh ar dhuine

discriminating *a* géarchúiseach, grinn; leatromach

discrimination *n* idirdhealú; leithcheal; géarchúis, breithiúnas

discuss *vt* pléigh, trácht, *to ~ a matter* scéal a chur trí chéile, a shuaitheadh, a chaibidil

discussion *n* díospóireacht, iomrá, cur trí chéile, plé, cíoradh

disdain *n* drochmheas, scorn *vt*, *to ~ sth* seanbhlas a bheith agat ar rud, tormas a fháil ar rud

disdainful *a* dímheasúil, díomasach

disease *n* galar, aicíd

diseased *a* aicídeach, galrach

disembark *vt & i*, *to ~* dul i dtír, *to ~ passengers* paisinéirí a chur i dtír

disengage *vt & i* scaoil, *to ~ sth* rud a bhaint as fostú

disentangle *vt* réitigh, scaoil, *to ~ sth* rud a bhaint as fostú

disfavour *n* míshabhar

disfigure *vt* máchailigh

disfigurement *n* ainimh, éagruth, máchail, míghnaoi

disgrace *n* náire, smál, aithis *vt* náirigh, *you ~ d me* thug sibh mo náire

disgraceful *a* náireach

disgruntled *a* míshásta

disguise *n* bréagriocht *vt* ceil

disgust *n* déistin, samhnas, masmas, seanbhlas *vt*, *the place ~ed me* chuir an áit gráin, casadh aigne, múisc, orm

disgusting *a* déistineach, samhnasach

dish *n* mias, *to wash the ~es* na soithí a ní *vt*, *to ~ (up) meat* feoil a riar

dish-cloth *n* éadach soithí

dishearten *vt*, *to ~ a person* beaguchtach, drochmhisneach, a chur ar dhuine; a chroí a bhaint de dhuine

dishevelled *a* aimhréidh, stoithneach, ~ *hair* glib, larcán, mothall

dishonest *a* éigneasta, mí-ionraic, mímhacánta, cam

dishonesty *n* caimiléireacht, mí-ionracas, camastaíl

dishonour *n* easanóir *vt* easanóraigh, maslaigh; sáraigh, *to* ~ *a cheque* seic a obadh

dishonourable *a* easonórach, náireach, suarach

dishwasher *n* miasniteoir

disillusion *n* oscailt súl, ciall cheannaithe *vt, to* ~ *a person* a shúile a dhéanamh do dhuine, an dalladh púicín a bhaint de dhuine

disinfect *vt* díghalraigh, dífhabhtaigh

disinfectant *n* díghalrán, dífhabhtán

disinherit *vt, to* ~ *a person* duine a chur as oidhreacht

disintegrate *vt & i* coscair, mionaigh, díscaoil, sceith

disintegration *n* coscairt, mionú, díscaoileadh

disinterested *a* neamh-fhéinchúiseach

disjointed *a* curtha as alt; scaipthe

dislike *n* col, míthaitneamh, míghnaoi *vt, he* ~ *s you* ní thaitníonn tú leis, ní maith leis thú

dislocate *vt, to* ~ *sth* rud a chur as áit, as alt, as ionad

dislodge *vt* asáitigh, scaoil; ruaig

disloyal *a* mídhílis, mídhlisteanach

dismal *a* dubh, dubhach, duairc, gruama

dismantle *vt* bain anuas, díchóimeáil

dismay *n* anbhá, uafás

dismiss *vt* scoir, dífhostaigh, *to* ~ *a person* duine a bhriseadh (as a phost); (bata is) bóthar a thabhairt do dhuine, *to* ~ *sth from one's thoughts* rud a chaitheamh as do cheann

dismissal *n* briseadh, scor

dismount *vi, to* ~ *from a horse* tuirlingt, turnamh, de chapall

disobedience *n* easumhlaíocht, aimhriar

disobedient *a* easumhal, easurramach

disobey *vt, to* ~ *a person* bheith easumhal do dhuine, míréir duine a dhéanamh

disobliging *a* drocháiseach, beagmhaitheasach, neamaitheach

disorder *n* tranglam; mí-ordú, mí-eagar; ainriail, *in* ~ bunoscionn

disorderly *a* mí-ordúil, mírialta, clamprach

disorganize *vt* cuir trí chéile, cuir as eagar

disown *vt* séan

disparage *vt* tarcaisnigh, rith síos, spídigh

disparagement *n* spídiúchán, cámas

disparity *n* difríocht

dispassionate *a* fuaraigeanta

dispatch *n* seoladh, cur amach; dithneas, *official* ~ *es* tuairiscí oifigiúla *vt* seol, cuir chun siúil

dispel *vt* scaip, scaoil, díchuir

dispensary *n* íoclann

dispensation *n* dispeansáid, diosmaid

dispense *vt* dáil, riar, *to* ~ *a prescription* oideas (dochtúra) a ullmhú, *to* ~ *a person from sth* duine a shaoradh ó rud, *to* ~ *with sth* déanamh in éagmais ruda, teacht gan rud

dispenser *n* roinnteoir, *detergent* ~ rannóir glantaigh

dispersal *n* scaipeadh, bánú

disperse *vt & i* scaip, scaoil, díchuir; spréigh

dispirited *a* marbhintinneach, domheanmnach, meirtneach

displace *vt* díláithrigh, bris, *to* ~ *a person* áit, post, duine a ghlacadh

displaced *a*, ~ *person* díláithreach

display *n* taispeántas, tabhairt amach; seó, mustar, suaitheantas *vt* taispeáin

displease *vt, to* ~ *a person* diomú, míshásamh, a chur ar dhuine

displeasure *n* diomú, míshásamh

disposable *a* indiúscartha

disposal *n* cur de láimh, diúscairt, *(of troops, etc)* srathnú

dispose *vt* srathnaigh, *to* ~ *of a matter* gnó a shocrú, a chur i gcrích, a chur de láimh, *to be favourably* ~ *d towards a person* bheith fabhrach, báúil, le duine

disposition *n* aigne, intinn, méin, meon, cáilíocht, *evil* ~ droch-chroí

dispossess *vt* díshealbhaigh, *to* ~ *a person* duine a chur as a sheilbh

disproportionate *a* díréireach, éaguimseach

disprove *vt* bréagnaigh

dispute *n* conspóid, díospóireacht; caingean *vt & i* pléadáil, pléigh, *to* ~ *with a person about sth* argóint a dhéanamh le duine faoi rud

disqualify *vt* dícháiligh

disquiet *n* callóid, míshuaimhneas *vt* buair

disregard *n* neamhshuim; seanbhlas *vt, to* ~ *sth* neamhshuim, neamhiontas, a dhéanamh de rud

disrepair n, in ~ ó threoir, ar mhíghléas
disreputable a míchlúiteach
disrepute n míchlú, droch-cháil
disrespect n easurraim, dímheas
disrespectful a easurramach, dímheasúil
disrupt vt bris, réab, to ~ a meeting cur isteach ar chruinniú, cíor thuathail a dhéanamh de chruinniú, cruinniú a chur trí chéile
dissatisfaction n míshásamh, diomú
dissatisfied a míshásta, diomúch
dissect vt diosc; mionscrúdaigh
dissection n dioscadh
dissembler n slusaí
disseminate vt craobhscaoil, scaip, síolaigh
dissemination n craobhscaoileadh, scaipeadh
dissension n easaontas; siosma
dissent n easaontas vi easaontaigh
dissenter n easaontóir
dissertation n tráchtas
dissimulation n cluain, slíomadóireacht
dissipate vt & i scaip, leáigh
dissipated a drabhlásach
dissipation n scaipeadh; drabhlás, ragairne
dissociate vt, to ~ oneself from a question tú féin a dhealú, a scaradh, ó cheist
dissolute a ainrianta, réiciúil, scaoilteach
dissolution n leá, scaoileadh; lánscor (parlaiminte)
dissolve vt & i leáigh, tuaslaig; scaoil, díscaoil; lánscoir
dissuade vt, to ~ a person from doing sth áitiú ar dhuine gan rud a dhéanamh
distance n achar, fad, in the ~ i gcéin, i bhfad uait
distant a cianda; coimhthíoch, eascairdiúil, ~ relationship, kinship gaol i bhfad amach, fréamh ghaoil, ~ thunder toirneach bhodhar, it is a mile ~ from here tá sé míle slí as seo
distaste n déistin, drochbhlas, to take a ~ to sth col a ghlacadh le rud
distasteful a déistineach
distemper n leamhaol; conslaod
distend vt & i teann, sín, borr, bolg
distil vt & i driog
distiller n stiléir, driogaire
distillery n drioglann

distinct a leithleach, éagsúil; soiléir, glinn, two ~ cases dhá chás ar leith
distinction n idirdhealú; gradam, céimíocht, oirirceas
distinctive a sainiúil, suntasach, suaithinseach
distinguish vt & i idirdhealaigh, sonraigh, to ~ one thing from another rud a aithint thar rud eile, aithint idir rudaí
distinguished a céimiúil, oirirc, dearscnaitheach
distort vt cam, fiar, díchum, to ~ the truth an fhírinne a chur as a riocht
distortion n díchumadh, fiaradh, saobhadh
distract vt mearaigh, to ~ a person's attention from sth aire, intinn, duine a bhaint de rud
distracted a seachránach, ar mearaí, néaltraithe
distraction n caitheamh aimsire; saobhnós, seachrán
distress n angar, gátar, crá, broid, duais, trioblóid, cruachás vt cráigh, it ~ed me ghoill sé orm
distressing a anróiteach, coscrach, diachrach, doiligh, duaisiúil
distribute vt dáil, riar, roinn
distribution n dáileadh, riar, roinnt
distributive a roinnteach
district n ceantar, dúiche, líomatáiste, limistéar a ceantrach
distrust n drochamhras, drochiontaoibh, mímhuinín vt, to ~ a person drochamhras a bheith agat ar dhuine
distrustful a amhrasach, drochiontaobhach
disturb vt cuir isteach ar, corraigh, suaith
disturbance n suaitheadh, anbhuain, cur isteach; callán, iarög
disuse n, to fall into ~ dul as feidhm, dul ar ceal
ditch n clais, díog, sconsa; claí
dither n, to be in a ~ bheith i ngás idir dhá chomhairle vi, to ~ bheith ann as
ditto n an (rud) céanna
ditty n lúibín, rabhcán
divan n dibheán
dive n onfais, tumadh vi tum
diver n onfaiseoir, tumadóir
diverge vi scar; eisréimnigh; difrigh
diverse a éagsúil, ilghnéitheach, il-

diversion n malairt bealaigh, atreorú (tráchta); siamsa, spórt

diversity n ilíocht, ilghnéitheacht

divert vt claon, to ~ traffic an trácht a chur ar mhalairt slí, to ~ a person's attention aigne duine a bhaint, a tharraingt, de rud, to ~ the listeners siamsa a dhéanamh don lucht éisteachta

divide vt & i roinn, deighil, dealaigh, scar, scoilt; dáil

dividend n díbhinn

divider n roinnteoir

divination n fáistine

divine n diagaire; eaglaiseach a diaga; sárálainn

diviner n, water ~ aimsitheoir uisce, collóir

divinity n dia; diagacht

divisible a inroinnte

division n roinnt, dáileadh; deighilt, dealú; easaontas; rannán

divisive a deighilteach

divorce n colscaradh; idirscaradh

divot n scraithín

divulge vt sceith, foilsigh

dizziness n meadhrán, mearbhall, míobhán

dizzy a mearbhlach, meadhránach, I'm getting ~ tá mo cheann ag éadromú

do vt & i déan, to ~ a problem fadhb a réiteach, a fhuascailt, to have done with bheith réidh le, it won't ~ ní dhéanfaidh sé cúis, an gnó, how do you ~ conas taoi, cén chaoi a bhfuil tú, cad é mar atá tú, to ~ away with it deireadh a chur leis, é a chealú; é a mharú, to ~ up sth rud a dheisiú, a athchóiriú, to ~ without sth teacht gan rud, déanamh d'uireasa ruda, doing shopping ag siopadóireacht aux v, does he come an dtagann sé, did you break it ar bhris tú é

docile a macánta, ceansa, sochomhairleach

dock[1] n copóg

dock[2] n duga vi, the boat ~ed tháinig an bád chun duga, chun cé

dock[3] n, (of court) gabhann (cúirte)

dock[4] vt sciot

docker n dugaire

docket n duillín

dockyard n longlann

doctor n dochtúir

doctorate n dochtúireacht

doctrine n teagasc, foirceadal

document n cáipéis, doiciméad

documentary n clár faisnéise a cáipéiseach, doiciméadach

dodge n ealaín, cleas, cor vt & i seachain, to ~ a person cor a thabhairt do dhuine, dodging about ag coraíocht

dodger n cleasaí, lúbaire

doe n eilit

dog n madra, gadhar vt, he is ~ged by ill-luck tá an mí-ádh ag siúl leis

dog-eared a catach

dog-fish n fíogach

dogged a righin, seasmhach, buan

dogma n dogma

dogmatic a dogmach; ceartaiseach

dogrose n feirdhris, conrós

dole n deol vt, to ~ out sth rud a roinnt (go gortach)

doleful a acaointeach, duairc, gruama

doll n bábóg, áilleagán vt, to ~ oneself up tú féin a ghléasadh go péacach

dollar n dollar

dolour n dólás

dolphin n deilf

domain n fearann(as), tiarnas; réimse

domestic a, ~ animals ainmhithe clóis, ~ life saol an teaghlaigh, ~ economy tíos, eacnamaíocht bhaile, ~ trade tráchtáil intíre

domesticate vt ceansaigh, clóigh

domicile n áitreabh; sainchónaí

dominance n cinseal, treise

dominant a ceannasach

dominate vt & i, to ~ (over) a person smacht a choinneáil ar dhuine, an lámh in uachtar a fháil ar dhuine

domination n forlámhas, ceannas, tiarnas

domineering a máistriúil, mursanta, tiarnúil

Dominican n & a Doiminiceach

dominion n tiarnas pl críocha (stáit)

donate vt bronn

donation n síntiús, tabhartas, deonachán

done a déanta, críochnaithe, réidh; caite, spíonta

donkey n asal

donor n deontóir, bronntóir, tabharthóir

doodling n breacaireacht

doom *n* daorbhreith; oidhe, treascairt *vt* daor, *attempt which is* ~ *ed to failure* iarracht nach bhfuil aon fhorás, rath, i ndán di

doomsday *n* Lá an Bhrátha, Lá an Luain, *till* ~ go brách na breithe

door *n* doras, *at death's* ~ i mbéal(a) báis, in ursain an bháis

door-keeper *n* doirseoir

door-knob *n* murlán

door-man *n* doirseoir

door-post *n* ursain

door-step *n* leac an dorais

dope *n* druga, deoch shuain *vt, to* ~ *a person* druga a thabhairt do dhuine

dormant *a* codlatach, suanach

dormitory *n* suanlios, dórtúr

dormouse *n* dallóg fhéir, luch chodlamáin

dose *n* deoch leighis; dáileog *vt, to* ~ *an animal* deoch leighis, druga, a thabhairt d'ainmhí

dot *n* ponc, pointe *vt* poncaigh, breac

dotage *n* leanbaíocht, an aois leanbaí

dote *n* peata, muirnín *vi, they* ~ *on him* tá siad leáite anuas air

double *n* dúbailt; cosúlacht *a* dúbailte, ~ *chin* sprochaille, preiceall, athsmig *vt & i* dúbail

double-cross *n* feall *vt* feall (ar)

double-dealing *n* lúbaireacht

doubt *n* amhras, dabht *vt & i* bheith in amhras, amhras a bheith ort (faoi rud)

doubtful *a* amhrasach

doubtless *adv* gan amhras, go cinnte

dough *n* taos

doughnut *n* taoschnó

dour *a* dúr, dochma, duasmánta

dove *n* colm, colúr, fearán

dovetail *a*, ~ *joint* déadalt *vt & i*, *the two schemes* ~ luíonn an dá scéim le chéile, *to* ~ *two schemes* dhá scéim a fhí ina chéile, a chur in alt a chéile

dowdy *a* seanfhaiseanta, modartha, leamh

dowel *n* stang, dual *vt* stang

down[1] *n* clúmh

down[2] *adv* síos, thíos, anuas, *to go* ~ dul síos, *to fall* ~ *a cliff* titim le haill, *put it* ~ fág síos é, ~ *below* thíos, *to come* ~ teacht anuas, *my father is* ~ *on me* tá m'athair anuas orm, sa bhuaic orm

vt, *to* ~ *a person* duine a leagan; an ceann is fearr a fháil ar dhuine, *to* ~ *tools* dul ar stailc; scor den obair

downcast *a* dubhach, gruama, *he is* ~ tá ceann faoi air

downfall *n* duartan, díle bháistí; titim; treascairt, turnamh

downhearted *a* dochma, gruama, domheanmnach, tromchroíoch

downpour *n* duartan, bailc, rilleadh, stealladh

downright *a* críochnaithe, cruthanta; díreach; scun scan, neamhbhalbh, ~ *lie* dubhéitheach, deargbhréag, ~ *fool* amadán amach is amach

downstairs *adv* thíos (an) staighre, *to go* ~ dul síos (an) staighre

downstream *adv* le sruth

down-trodden *a* brúite faoi chois, in íochtar

downward *a*, *to go the* ~ *path* imeacht le fána *adv*, ~ *s* síos; (rith, titim) le fána

downy *a* clúmhach

dowry *n* spré, crodh

doze *n* sámhán, támh (chodlata) *vi, I* ~ *d off* thit néal orm, *dozing* ag míogarnach chodlata, ag néalfartach

dozen *n* dosaen

drab *a* gan dath, leamh; lachna, riabhach

draft *n* dréacht *vt* dréachtaigh

drag *n* sracadh, tarraingt *vt* tarraing, srac, streachail, slaod

dragon *n* dragan

dragoon *n* dragún

drain *n* draein, léata, sconsa, lintéar *vt & i* taosc, díscigh, draenáil, sil, síothlaigh; diúg, diurnaigh, siolp

drainage *n* draenáil, taoscadh

drain-pipe *n* gáitéar

drake *n* bardal

dram *n* dram

drama *n* dráma; drámaíocht

dramatic *a* drámata

dramatist *n* drámadóir

dramatize *vt* drámalgh

drape *n* cuirtín *vt* fallaingigh

draper *n* éadaitheoir

drapery *n* éadaitheoireacht; éadaí; cuirtíní

drastic *a* géar, antoisceach, ~ *measures* dianbhearta

draught *n* tarraingt; cor éisc, dol éisc; deoch, slogóg; (*of ship*) snámh; (*of wind*) siorradh, séideadh, *drink it at one* ~ ól dá dhroim é

draughts *npl* táiplis (bheag)

draughtsman *n* líinitheoir

draw *vt & i* tarraing; meall; bain; líinigh, dear, *they are* ~ *ing away from us* tá siad ag druidim, ag breith, uainn, *to* ~ *near to* druidim le, tarraingt ar, teannadh le, *to* ~ *up a document* meamram a dhréachtú *n*, (*sport*) cluiche cothrom

drawback *n* cur siar, díomua, míbhuntáiste

drawbridge *n* droichead tógála

drawer *m* tarraingeoir; líinitheoir; tarraiceán; *pl* drár

drawing *n* líiníocht, tarraingeoireacht; tarraingt

drawing-pin *n* tacóid ordóige

drawl *n* caint neamhaí *vt*, *to* ~ *out a word* tarraingt, fad, a bhaint as focal

dread *n* imeagla, uamhan *vt*, *to* ~ *sth* uamhan, eagla do chroí, a bheith ort roimh rud

dreadful *a* uafar, uamhnach, millteanach, tubaisteach

dream *n* taibhreamh, brionglóid, bruadar, aisling *vt & i* taibhrigh, *I wouldn't* ~ *of such a thing* ní chuimhneoinn ar a leithéid

dreamer *n* aislingeach

dreary *a* duairc, dearóil, leamh

dredge *n* dreidire *vt & i* dreideáil

dredger *n* dreidire

dregs *npl* deasca, moirt, gríodán, dríodar, *to drink sth to the* ~ rud a dhiúgadh, a dhiurnú

drench *n* droinse, purgóid *vt* báigh, folc, *I was* ~ *ed* bhí mé i mo líibín báite, *to* ~ *an animal* droinse a thabhairt d'ainmhí

drenching *n* fliuchadh, folcadh, fothragadh, *she got a* ~ fliuchadh go craiceann í

dress *n* éadach, éide, feisteas; gúna, culaith *vt & i* éidigh, gléas, cóirigh, feistigh; leasaigh, *get* ~ *ed* cuir umat

dresser *n* drisiúr

dressing *n* cóiriú, deasú, *salad* ~ anlann sailéid

dressing-down *n* scalladh teanga, léiriú

dressing-gown *n* fallaing sheomra

dressmaker *n* gúnadóir, maintín

dressmaking *n* gúnadóireacht, maintíneacht

dribble *n* priosla, prislín, ronna

drift *n* síobadh; muc shneachta, ráth; éirim, treo *vi* síob, *to let things* ~ do mhaidí a ligean le sruth, *to* ~ dul le sruth; imeacht gan treoir, *the boat is* ~ *ing on shore* tá an bád ag titim ar an gcladach, ~ *ing north* ag caitheamh ó thuaidh

drifting *n*, ~ *of snow* carnadh, síobadh, sneachta

drill *n* druil, druilire *vt & i* druileáil

drink *n* deoch, ól, ólachán, *strong* ~ biotáille, deoch bhorb *vt & i* ól, *they were* ~ *ing in his words* bhí siad ag slogadh isteach a chuid cainte

drinker *n* óltóir; pótaire

drinking *n* ólachán

drip *n* sileadh, braon *vi* sil

drip-dry *a* siltriomaíoch *vt* siltriomaigh

dripping *n* geir (rósta), ionmhar *a* silteach, braonach, *to be* ~ *wet*, bheith i do líibín báite

drisheen *n* drisín

drive *n* marcaíocht (i gcarr); tiomáint; ruaigeacht; treallús, (*street name*) céide, (*cards*) imchluiche *vt & i* dreasaigh, tiomáin, seol, bagair, *to* ~ *a person out, away* duine a ruaigeadh, a dhíbirt, *it is driving snow* tá sé ag síobadh sneachta

drivel *n* raiméis, seafóid, amaidí chainte

driver *n* tiománaí

drive-in *a* (banc, etc) carrsheirbhíse

drizzle *n* brádán, ceobhrán *vi*, *drizzling* ag brádán, ag ceobhrán

droll *a* barrúil, aisteach, greannmhar

dromedary *n* dromadaire

drone *n*, (*bee*) ladrann; dordán, crónán, geoin *vi*, *droning* ag dordán, ag geonaíl

droop *n* sleabhac, fána *vi* sil, tit, sleabhac

drop *n* braon, deoir, greagán; titim *vt & i* sil, tit, isligh, lig síos, *I dropped it* thit sé uaim, *to* ~ *a stitch* lúb a ligean ar lár, *to* ~ *in* bualadh isteach, beannú isteach, *to* ~ *off to sleep* titim i do chodladh

dropsy *n* íorpais

dross *n* cacamas, sail

drought *n* triomach; spalladh

drover *n* seoltóir

drown *vt & i* báigh

drowning *n* bá

drowsiness *n* codlatacht, míogarnach, múisiam, suanmhaireacht

drowsy *a* codlatach, néalmhar, suanmhar

drubbing *n* clárú, drubáil, greadadh

drudge *n* sclábhaí *vi*, to ~ sclábhaíocht a dhéanamh

drudgery *n* tiaráil, callóid, sclábhaíocht

drug *n* druga *vt* drugáil

drug-addict *n* andúileach drugaí

druggist *n* drugadóir

druid *n* draoi

drum *n* druma

drummer *n* drumadóir

drunk *a* ólta(ch), ar meisce, *blind* ~ caoch, ar na stártha

drunkard *n* meisceoir, pótaire, druncaeir

drunkenness *n* meisce, póit

dry *a* tirim, tur; seasc, *to run, go*, ~ dul i ndísc *vt & i* triomaigh, *the well dried up* thráigh an tobar

dryer *n* triomadóir

dryness *n* triomacht, tuire; dísc, seascacht

dual *a* déach, dúbailte, ~ *number*, uimhir dhéidhe, ~ *carriageway* débhealach

dubious *a* amhrasach; éidearfa

duchess *n* bandiúc

duchy *n* diúcacht

duck *n* lacha *vt & i* tum; seachain, *to* ~ *one's head* do cheann a chromadh go tobann

duckling *n* lachín, éan lachan

duct *n* ducht, feadán

dud *n* (rud, etc) gan mhaith *a* dona, gan mhaith

dudeen *n* dúidín

duds *npl* ceirteacha, balcaisí

due *a* ceart,'cóir; dleacht, *to give him his* ~ lena cheart (féin) a thabhairt dó *pl* dleachtanna, táillí *a* iníoctha, cóir, ~ *east* soir díreach, *what is* ~ *to her* an rud atá dlite di, an rud is dual di

duel *n* comhrac aonair

duet *n* diséad

duffel *n* dufal

duke *n* diúc

dull *a* dúr, marbhánta, dobhránta, spadánta, tur, leamh; balbh, bodhar; gruama, smúitiúil, scamallach *vt & i* maolaigh, múch

dullness *n* daille, dúire, mallachar; bodhaire; bómántacht

dulse *n* duileasc

duly *adv* go cuí, mar ba chóir, in am trátha, go poncúil

dumb *a* balbh, ~ *person* balbhán

dumbfounded *a*, *I was* ~ baineadh an anáil díom; rinneadh stangaire, staic, díom

dumbness *n* bailbhe

dummy *n* balbhán; gobán; riochtán

dump *n* carn fuílligh; taisce lón cogaidh *vt* dumpáil

dumpling *n* domplagán; úllagán

dumps *npl*, *it would put you in the* ~ chuirfeadh sé lionn dubh ort

dun *n* odhar, riabhach, lachna

dunce *n* dallarán, daoi, dunsa

dune *n* dumhach, méile

dung *n* aoileach, bualtrach, cac

dungaree *n* dungairí

dung-beetle *n* priompallán

dungeon *n* doinsiún

dunghill *n* carn aoiligh, otrach

dunlin *n* breacóg, circín trá

dunnock *n* donnóg

duplicate *n* macasamhail, dúblach *a* dúblach *vt* dúbail, *to* ~ *a document* macasamhail, cóip, a dhéanamh de cháipéis

duplication *n* dúbailt

duplicator *n* gléas cóipeála

duplicity *n* caimiléireacht, camastaíl, lúbaireacht, cealg

durability *n* buanfas, caitheamh, teilgean, teacht aniar

durable *a* buanfasach, láidir, dochaite, *it is really* ~ tá seasamh maith ann

duration *n* feadh, fad, achar, *for the* ~ *of the war* i gcaitheamh, i rith, an chogaidh; fad a mhair, a mhairfidh, an cogadh

during *prep*, ~ *the day* ar feadh, i rith, i gcaitheamh, an lae, ~ *that time* lena linn sin, ~ *the war* in aimsir an chogaidh

dusk *n* crónachan, cróntráth, clapsholas

dust *n* deannach, luaithreach, smúit; cré *vt, to* ~ *furniture* an deannach a ghlanadh de throscán

dustbin *n* bosca bruscair

duster n ceirt chuimilte, ceirt deannaigh
dusty a deannachúil, smúrach
dutiable a indleachta
dutiful a umhal
duty n dualgas, ceart; cúram, (tax)
dleacht, on ~ ar diúité, ar dualgas
dwarf n abhac a cranda, abhcach vt
crandaigh
dwell vi cónaigh, he let his thoughts ~ on
it luigh a aigne air
dwelling n cónaí, teach, áitreabh

dwindle vi mionaigh, leáigh, tanaigh,
their numbers ~ d laghdaigh ar a líon
dye n dath vt dathaigh
dyer n dathadóir
dynamic a dinimiciúil; fuinniúil npl din-
imic
dynamite n dinimít
dynamo n dineamó
dynasty n ríshliocht, ríora
dysentery n dinnireacht
dyspepsia n mídhíleá, dispeipse

E

each a gach pron, they got a shilling ~
fuair siad scilling an duine, at a pound
~ ar phunt an ceann, you are like ~
other tá sibh cosúil le chéile, praising
~ other ag moladh a chéile
eager a díocasach, ciocrach, faobhrach,
fonnmhar, ~ for work rite, scafa,
chun oibre
eagerness n cíocras, fonn, díograis, flosc,
scóip
eagle n iolar
ear n cluas; dias, craobh
ear-drum n tiompán
earl n iarla
earldom n iarlacht
early a moch, luath, ~ riser mochóirí,
my earliest recollection an chuimhne is
faide siar i mo cheann
ear-mark n comhartha cluaise; clib
chluaise vt, to ~ funds (for sth)
suim airgid a chur i leataobh, in
áirithe, (do rud)
earn vt tuill, saothraigh, cosain,
gnóthaigh, tabhaigh
earner n saothraí
earnest[1] n éarlais
earnest[2] a dícheallach, dáiríre,
dúthrachtach, to be in ~ about sth
bheith dáiríre faoi rud, to set about
sth in ~ luí isteach ar rud
earnestness n dúthracht, dáiríre(acht)
earnings npl saothrú, tuilleamh; pá,
tuarastal
ear-ring n fáinne cluaise
earshot n raon cluas, within ~ of me i ar,
m'éisteacht, out of ~ as éisteacht

earth n talamh, cré, úir, ithir, créafóg,
the E ~ an Domhan vt, (potatoes)
sluaistrigh, lánaigh, fódaigh, (elec-
tricity) talmhaigh
earthen a, ~ pot pota cré
earthenware n cré-earraí a gréithreach
earthly a saolta, domhanda, talmhaí
earth-nut n cúlarán
earthquake n crith talún
earthworm n péist talún, cuiteog, agaill
earwig n gailseach, ceilpeadóir
ease n suaimhneas, faoiseamh; sáile, só,
sáimhríocht; saoráid; (of movement)
éascaíocht, to be at one's ~ bheith ar
do shuaimhneas, ar do shocracht, ar
do chompord, (military) at ~ ar áis vt
& i maolaigh, bog, to ~ off ligean as,
the rain ~ d off tháinig uaineadh,
sámhnas, beag
easel n tacas
easily adv go furasta, go héasca, go
saoráideach
easiness n fusacht, éascaíocht; saoráidí
east n oirthear, from the ~, anoir, to the
~, soir adv & a, the ~ wind, an
ghaoth anoir, the ~ coast an cósta
thoir, to go ~ dul soir, ~ of taobh
thoir de; soir ó, lastoir de
Easter n Cáisc
easterly a & adv, ~ wind gaoth anoir, in
an ~ direction soir, the ~ part an
taobh thoir
eastern a oirthearach, ~ part oirthear
eastwards adv soir
easy a éasca, furasta, socair, réidh, take it
~ tóg (go) bog é, fóill ort

easy-chair n cathaoir bhog, cathaoir shócúil

easy-going a réchúiseach, sámh, sochma, sómasach

eat vt & i ith, caith

eatable a inite

eatables npl tomhaltas

eaves npl bundlaoi, sceimheal, cleitín, urla tí

eavesdrop vi, to ~ bheith ag cúléisteacht, ag dúdaireacht, ag cluasaíocht

ebb n aife, trá vi tráigh

ebb-tide n aife, taoide thrá

ebony n éabann

eccentric n duine corr, duine ait, éan corr a corr, earráideach

eccentricity n corrmhéin, earráid, iompar ait

ecclesiastic n eaglaiseach

ecclesiastical a eaglasta

echo n macalla, allabhair vt & i aithris, to ~ through the glen macalla a bhaint as an ngleann, to ~ the colour of the carpet freagairt do dhath an bhrait urláir

eclipse n urú vt uraigh

ecology n éiceolaíocht

economic a eacnamaíoch, geilleagrach

economical a tíosach, barainneach

economics npl eacnamaíocht

economist n eacnamaí

economize vi, to ~ on sth tíos a dhéanamh ar rud; rud a choigilt, a spáráil, to ~ bheith spárálach, tíosach

economy n eacnamaíocht, geilleagar; barainneacht, domestic ~ eacnamaíocht bhaile, teaghlachas, tíos

ecstasy n eacstais, néal átháis, sceitimíní

ecstatic a eacstaiseach, I was ~ over it chuir sé eiteoga ar mo chroí, tháinig sciatháin orm leis

ecumenism n éacúiméineachas

eczema n eachma

eddy n guairneáin, cuilithe

Eden n, the Garden of ~, Gairdín Pharthais

edge n faobhar, béal; ciumhais, bruach, imeall, fóir, to keep a person on ~ duine a choinneáil ar binb, ar tinneall vt & i, to ~ sth faobhar a chur ar rud, to ~ one's way in caolú isteach

edging n ciumhais

edible a inchaite, inite

edict n forógra

edifice n foirgneamh

edify vt, to ~ a person dea-shampla a thabhairt do dhuine; duine a mhisniú, a spreagadh

edit vt, to ~ a book leabhar a chur in eagar

edition n eagrán, uimhir

editor n eagarthóir, fear eagair

editorial n eagarfhocal, príomhalt

educate vt oil, to be ~ d oideachas a bheith agat, ort

education n oideachas, scolaíocht, léann

educationalist n oideachasóir

educator n oideoir

eel n eascann

eerie a diamhair, uaigneach, aerachtúil, ~ feeling diamhair, uaigneas, ~ place áit aduain

efface vt cuimil de, glan de; scrios amach, he ~ d himself rinne sé a bheag de féin; sheachnaíodh sé aghaidh an phobail

effect n éifeacht, toradh, to take ~ dul i gcion, oibriú, to use sth to good ~ éifeacht a bhaint as rud, since the order came into ~ ó tháinig an t-ordú i bhfeidhm npl trealamh, airnéis, éifeachtaí, sound ~ s, seachghlórtha, stage ~ s imeartas stáitse vt feidhmigh, to ~ sth rud a chur i gcrích

effective a éifeachtach, cumasach

effectual a éifeachtúil

effeminate a baineanda, baineann; piteogach

effervescent a broidearnúil, coipeach, súilíneach

efficacious a éifeachtach, bríomhar

efficacy n suáilce, éifeacht

efficiency n éifeachtacht, feidhmiúlacht

efficient a éifeachtach, feidhmiúil, cumasach

effigy n samhail

effluent n eisiltreach

effort *n* iarracht, saothar, feidhm, *it cost me an all-out ~* chuir sé chun mo dhíchill mé

effortless *a* gan stró, gan saothar

effortlessly *adv* gan stró, go héasca

effrontery *n* dánacht, éadan

effusion *n* doirteadh

effusive *a* doirteach, pléascánta, *~ thanks* tulcaí buíochais, *~ ly thankful* buíoch beannachtach

egg¹ *n* ubh

egg² *vt, to ~ a person on (to do sth)* duine a ghríosú, a spreagadh (le rud a dhéanamh)

eggbeater *n* buailteoir uibhe

egg-cup *n* ubhchupán

eggshell *n* blaosc uibhe

egoism *n* féinspéiseachas, leithleachas

egoist *n* féinspéisí

egotism *n* féinspéis, leithleachas

eider-down *n* fannchlúmh

eight *n & a* ocht, *~ persons* ochtar

eighteen *n & a* ocht déag, *~ towns* ocht mbaile dhéag

eighteenth *n & a, the ~ day* an t-ochtú lá déag, *one eighteenth* an t-ochtú cuid déag

eighth *n & a* ochtú

eightieth *n & a* ochtódú

eighty *n & a* ochtó

either *a, on ~ side* ar gach aon taobh, ar an dá thaobh *pron* ceachtar, *~ of the two* ceachtar den bheirt, *I don't believe ~ of you* ní chreidim ceachtar agaibh *adv, it is not here ~* níl sé anseo ach oiread, ach chomh beag

eject *vt* díchuir, cuir amach, caith amach

eke *vt, to ~ out* teacht i gcabhair ar; fadú le, cur le, *to ~ out an existence* an snáithe a choinneáil faoin bhfiacail, greim do bhéil a bhaint amach

elaborate *a* casta, (*of work*) greanta, *~ pattern* gréas saothraithe *vt & i* mionsaothraigh, maisigh, *to ~ on sth* rud a fhairsingiú, a mhíniú; cur le rud

elaboration *n* mionsaothrú; fairsingiú

elapse *vi*, (*of time*) imigh

elastic *n* leaistic *a* leaisteach, athscinneamach; sobhogtha, scaoilte

elasticity *n* leaisteachas, athscinneacht; tabhairt

elated *a* scleondrach, stróúil, *she was ~ at the news* tháinig sciathán uirthi leis an scéala; bhí néal áthais uirthi nuair a chuala sí an scéala

elation *n* scóip, scleondar, éirí croí, bród, stró

elbow *n* uillinn *vt & i* soncáil, guailleáil, *to ~ a person* an uillinn a thabhairt do dhuine

elder¹ *n* trom

elder² *n* seanóir, sinsear *a, the ~ son* an mac is sine

elderly *a* scothaosta, cnagaosta, bunaosta

eldest *a, his ~ son* an mac is sine aige

elect *n, the ~* na fíréin *a* tofa *vt & i* togh; togair, roghnaigh, cinn

election *n* toghadh; toghchán

electioneering *n* toghchánaíocht

electorate *n* toghthóireacht; toghthóirí

electric(al) *a* leictreach

electrician *n* leictreoir

electricity *n* leictreachas, aibhléis

electrification *n* leictriú

electrocute *vt* maraigh le leictreachas

electron *n* leictreon

electronic *a* leictreonach

electronics *npl* leictreonaic

elegance *n* galántacht, greantacht

elegant *a* greanta, galánta, ealaíonta, maisiúil, cuanna

elegy *n* caoineadh, marbhna, tuireamh

element *n* gné, dúil, eilimint, *the ~ s* an dúlra; an tsíon, *~ s of learning* uraiceacht an léinn

elemental *a* dúileach, ceathartha, eiliminteach

elementary *a* bunúsach, bun-

elephant *n* eilifint

elevate *vt* ardaigh, tóg, uaisligh

elevation *n* ardú, *~ above sea-level* airde os cionn na farraige

elevator *n* ardaitheoir

eleven *n & a* aon déag, *~ persons* aon duine dhéag

eleventh *n & a, the ~ man* an t-aonú fear déag, *one ~* an t-aonú cuid déag

elf *n* siogaí, síofra, lucharachán

elicit vt, to ~ information from a person eolas a bhaint, a phiocadh, as duine

eligible a, ~ for sth i dteideal ruda, inroghnaithe, incheaptha; inphósta; ~ bachelor dóigh mhaith mná

eliminate vt díbir, díothaigh, díobh

elimination n díothú

elision n, ~ of vowel bá guta

elixir n éilicsir

Elizabethan n & a Eilíseach

elk n fia mór, eilc

elm n leamhán

elocution n deaslabhra

elongate vt & i fadaigh, sín

elope vi éalaigh

elopement n éalú, imeacht

eloquence n solabharthacht

eloquent a deaslabhartha, solabhartha, soilbhir

else a & adv eile, anything ~ aon rud eile, who ~ cé eile, or ~ he fell sin nó thit sé

elsewhere adv i mball eile, in áit eile

elucidate vt léirigh, réitigh, mínigh, soiléirigh

elucidation n léiriú, soiléiriú

elude vt seachain, éalaigh ó, I ~ d him neatly thug mé an cor gearr dó

elusive a éalaitheach, do-aimsithe, seachantach

emaciated a creatach, sclotrach, snoite, trua, ~ person séacla

emaciation n snoiteacht

emanate vi, to ~ from teacht ó, eisileadh ó

emancipate vt fuascail, saor

emancipation n fuascailt, saoirse

embalm vt balsamaigh, cumhraigh

embankment n ráth, port, móta, claí

embargo n longbhac; lánchosc

embark vt & i cuir ar bord, téigh ar bord, to ~ on a scheme tabhairt faoi, tosú ar, scéim

embarkation n dul ar bord, ~ of passengers tógáil paisinéirí ar bord

embarrass vt, to ~ a person cotadh, aiféaltas, náire, a chur ar dhuine

embarrassment n aiféaltas, leisce, scáth, náire

embassy n ambasáid

embed vt leabaigh, the nail is ~ ded in it tá an tairne istigh go domhain ann

embellish vt maisigh, breáthaigh, ornáidigh

embellishment n dathú, maise, maisiúchán

ember n sméaróid, smeachóid, smól, gríosach

ember-days npl cátaoir

embezzle vt & i cúigleáil

embezzlement n cúigleáil

embitter vt searbhaigh

embittered a searbh

emblem n comhartha, suaitheantas

embodiment n ionchollú; pearsantú, the ~ of a gentleman corp an duine uasail

embody vt incholllaigh, cuir isteach, to ~ an idea foirm a thabhairt do smaoineamh

emboss vt cabhair

embossed a cabhraíoch, bocóideach

embrace n barróg vt diurnaigh, cuach, to ~ a person barróg a breith ar dhuine, cion croí a dhéanamh le duine, to ~ a way of life, a religion dul le gairm bheatha, le creideamh

embroider vt & i bróidnigh, gréasaigh, to ~ a story scéal a dhathú

embroidered a gréasta

embroidery n bróidnéireacht, gréas

embryo n suth, gin

embryonic a suthach

emend vt coigeartaigh, leasaigh

emerald n smaragaid

emerge vi nocht, tar amach, ~ from éirigh as, ó

emergency n éigeandáil, géarchéim, práinn

emery n éimear

emetic n purgóid aisig, aiseag

emigrant n imirceach, eisimirceach

emigrate vi, to ~ dul thar lear, dul ag imirce

emigration n imirce, eisimirce

eminence n mullach, ard; ardchéimíocht, oirirceas, his E~ a Shoilse, a Oirirceas

eminent a dearscnaitheach, oirirc, oirní, ~ person saoi

emit vt lig, séid, to ~ fumes múch a dhéanamh, to ~ a shout scairt a chur, a ligean, asat

emotion n mothúchán, tocht

emotional *a* maoithneach; luchtmhar; rachtúil, tochtmhar

emotive *a* corraitheach, iogair

emperor *n* impire

emphasis *n* béim, teann, treise

emphasize *vt* aibhsigh, to ~ *a word* meáchan, béim, a chur ar fhocal

emphatic *a* teann, diongbháilte

empire *n* impireacht

empirical *a* turgnamhach, eimpíreach

employ *vt* fostaigh, to ~ *technical terms* úsáid a bhaint as téarmaí teicniúla

employee *n* fostaí

employer *n* fostóir

employment *n* fostaíocht, obair; úsáid

empower *vt* cumasaigh, cumhachtaigh

empress *n* banimpire

emptiness *n* foilmhe, folús, folúntas

empty *a* folamh; dealbh, ~ *statement* focal gan cur leis *vt & i* folmhaigh, bánaigh; doirt, *the hall emptied* bánaíodh an halla

emulate *vt*, to try to ~ *a person* dul ag dréim le duine, dul in iomaíocht le duine

emulation *n* iomaíocht, formad, éad

emulsion *n* eibleacht

enable *vt* cumasaigh, to ~ *a person to do sth* rud a chur ar chumas duine

enact *vt* achtaigh, reachtaigh, rith

enactment *n* acht, rith (bille)

enamel *n & vt* cruan

enamoured *a*, ~ *of sth* tógtha le rud, geallmhar ar rud

encamp *vt & i* campáil, to ~ dul i gcampa, longfort a dhéanamh

encampment *n* foslongfort, campa

encase *vt* cumhdaigh, clúdaigh, cásáil

enchant *vt*, to ~ *a person* draíocht a chur ar dhuine, duine a chur faoi gheasa

enchanter *n* draíodóir

enchanting *a* aoibhinn, draíochtach, mealltach

encircle *vt* ciorclaigh, timpeallaigh, fáinnigh, to ~ *them* teacht mórthimpeall orthu

enclave *n* iamhchríoch

enclose *vt* iaigh, fálaigh, loc, crioslaigh, ~*d herewith* istigh leis seo, faoi iamh

enclosure *n* iamh; garraí, gabhann, cró, buaile, fail, clós; (*document, etc*) iatán

encompass *vt* iaigh, imdhruid, crioslaigh, timpeallaigh

encore *n* athghairm, ~! arís!

encounter *n* teagmháil; comhrac *vt* teagmhaigh (le), buail le

encourage *vt* misnigh, spreag, to ~ *a person* uchtach a thabhairt do dhuine

encouragement *n* misniú, spreagadh, ugach

encroach *vi*, to ~ *on a person* cúngú ar dhuine, teacht thar teorainn ar dhuine

encroachment *n* cúngú

encrust *vt* coirtigh, screamhaigh; cumhdaigh, ~ *ed with jewels* greagnaithe le seoda

encumber *vt* ualaigh, to be ~ *ed with sth* muirín ruda a bheith ort

encumbrance *n* ualach, muirín, muirear, trillín

encyclical *n* imlitir

encyclopaedia *n* ciclipéid

end *n* deireadh, críoch, bun, earr, foirceann, *in the* ~ faoi dheireadh, faoi dheoidh, *from one* ~ *of the country to the other* ó cheann ceann na tíre, *journey's* ~ ceann cúrsa, ~ *to* ~ as a chéile *vt & i* críochnaigh

endanger *vt*, to ~ *a person* duine a chur i mbaol, i gcontúirt, i nguais

endear *vt*, he ~ *ed himself to me* thuill sé mo ghean; d'éirigh mé ceanúil air

endearment *n* muirnéis; focal ceana

endeavour *n* dícheall, iarracht *vi*, to ~ *to do sth* iarracht a thabhairt ar rud a dhéanamh, bheith ag dréim le rud a dhéanamh

endemic *a* eindéimeach

ending *n* deireadh, críoch

endless *a* éigríochta, síoraí

endorse *vt* droimscriobh, formhuinigh

endow *vt* cumhdaigh, maoinigh, dearlaic, *he was* ~ *ed with great talents* bhronn Dia buanna móra air, bhí sé tréitheach thar na bearta

endowment *n* maoineas; dearlaic, pribhléid

endurable *a* sofhulaingthe

endurance *n* fulaingt, buaine, seasamh, acmhainn

endure vt & i fulaing, foighnigh, iompair; seas, mair, lean

enduring a buan, marthanach; fadfhulangach

enemy n namhaid, eascara

energetic a bríomhar, fuinniúil

energy n fuinneamh, brí, spreacadh, cumhacht, sú

enervate a lagbhríoch, marbhánta, meata vt lagaigh, meirbhligh, cloígh

enervation n lagbhrí, éineart; meirbhliú

enfold vt infhill, gabh

enforce vt feidhmigh, to ~ the law an dlí a chur i bhfeidhm

enforcement n feidhmiú, cur i bhfeidhm

enfranchise vt, to ~ a person guthaíocht, an vóta, a thabhairt do dhuine

engage vt & i geall; fostaigh; greamaigh, to ~ dul i ngreim, to ~ to do sth dul i mbannaí ar rud a dhéanamh, to ~ a room seomra a chur in áirithe, she is ~d to him tá sí geallta dó, luaite leis, to be ~d in sth bheith i mbun ruda, bheith ag plé le rud, rud a bheith idir lámha agat, to ~ in politics dul le polaitíocht, to ~ combat cath a thabhairt

engagement n gealltanas pósta; fostú; (of battle) bualadh, cath, coimheascar

engender vt tuismigh, gin

engine n inneall

engineer n innealtóir vt beartaigh, to ~ a scheme scéim a chur ar bun, a inleadh

engineering n innealtóireacht

English n, (language) Béarla; the ~ na Sasanaigh a Sasanach; gallda

engrave vt grean, rionn, grábháil

engraver n greanadóir

engraving n greanadh; greanadóireacht

engross vt, he is ~ed in the book tá sé sáite, go domhain, sa leabhar, ~ed in work gafa in obair

engulf vt slog, báigh, ~ed in flames ar bharr lasrach

enhance vt, to ~ the appearance of sth gnaoi, barr maise, a chur ar rud

enigma n dubhfhocal, dúthomhas; diamhair

enigmatic(al) a dothuigthe

enjoy vt, to ~ sth pléisiúr, taitneamh, aoibhneas, a bhaint as rud

enjoyable a pléisiúrtha, suáilceach, sultmhar, taitneamhach

enjoyment n taitneamh, pléisiúr, sult, aoibhneas

enlarge vt méadaigh, fairsingigh, aibhsigh

enlargement n méadú; pictiúr (etc) méadaithe

enlighten vt soilsigh, sorchaigh, to ~ a person on sth léargas a thabhairt do dhuine ar rud, duine a chur ar an eolas faoi rud

enlightenment n soilsiú, léargas, tuiscint

enlist vt & i liostáil

enliven vt beoigh, gríosaigh

enmity n naimhdeas, eascairdeas, faltanas, mioscais

enormous a ábhalmhór, millteanach

enough n & a & adv dóthain, sáith, go leor, I have had ~ of it tá mé sách, dóthanach, de, that is ~ is leor sin; ní beag sin, ~ for a week díol, riar, seachtaine, ~ money (for my needs) mo sháith airgid, his suit is good ~ tá a sháith de chulaith air, strong ~ sách láidir, láidir go leor

enrage vt, to ~ a person fearg a chur ar dhuine ; duine a chur ar buile, le cuthach

enrich vt saibhrigh, to ~ the soil leas a dhéanamh don talamh

enrol vt & i cláraigh, rollaigh

enrolment n clárú

enshrine vt cumhdaigh

ensign n meirge; meirgire

enslave vt daor, to ~ a person duine a chur, a choinneáil, i ndaoirse

enslavement n daoradh; daoirse, braighdeanas

ensue vi lean

ensure vt áirithigh, cinntigh

entail vt, it ~s trouble tá trioblóid leis; tá trioblóid ag gabháil, ag roinnt, leis, what would it ~ cad a bheadh i gceist leis

entangle vt cuir in aimhréidh, to get ~d dul in aimhréidh, i bhfostú, in achrann; dul ceangailte, gafa, (i rud)

entanglement *n* achrann, aimhréidh, fostú

enter *vt & i* tar isteach, téigh isteach, iontráil, *to ~ for an examination* dul isteach ar scrúdú, *to ~ a name on a list* ainm a chur ar liosta

enteritis *n* eintríteas

enterprise *n* fiontar; treallús, gustal

enterprising *a* fiontrach, tionscantach, treallúsach, borrúil, gustalach

entertain *vt*, *to ~ a person* sult, spórt, siamsa, a dhéanamh do dhuine, *you ~ed me well* chaith sibh go maith liom

entertainer *n* oirfideach; óstach

entertaining *a* oirfideach; saoithiúil

entertainment *n* oirfide, siamsa, aeraíocht; óstaíocht

enthral *vt*, *to ~ a person* duine a chur faoi dhraíocht; duine a chur faoi dhaoirse

enthusiasm *n* díograis, díocas

enthusiast *n* díograiseoir

enthusiastic *a* díograiseach, díocasach, fonnmhar

entice *vt* bréag, meall

enticement *n* mealladh

entire *a* iomlán, gan roinnt, *his ~ family* a theaghlach go huile, go léir

entirely *adv* go léir, go huile (agus go hiomlán)

entirety *n* iomláine, *in its ~* ina iomlán

entitle *vt*, *that ~ d him to it* thug sin ceart dó air, *to be ~ d to do sth* é a bheith de cheart agat rud a dhéanamh, *I am ~ d to it* tá mé ina theideal, dlitear dom é

entity *n*, *political ~* slánaonad polaitiúil

entomology *n* feithideolaíocht

entrails *npl* ionathar, inní

entrance[1] *n* doras, bealach isteach, béal, *~ fee* táille iontrála

entrance[2] *vt*, *to be ~ d with sth* draíocht a bheith ort le rud, bheith faoi dhraíocht ag rud

entrant *n* iarrthóir; iontrálaí

entreat *vt* impigh, achainigh, agair

entreaty *n* impí, guí, achainí

entrée *n* idirchúrsa; cead isteach

entrench *vt*, *to ~ oneself* talmhú, áit bonn a ghabháil; daingniú

entrepreneur *n* gnó-eagraí

entrust *vt* tiomnaigh, *to ~ a person with sth* cúram ruda a chur ar dhuine; rud a thaobhú le duine

entry *n* dul isteach, iontráil, cead isteach

entwine *vt & i* infhill, snaidhm, figh

enumerate *vt* ríomh, áirigh, liostaigh

enumeration *n* áireamh, ríomh, cuntas

enunciate *vt* fógair; fuaimnigh

enunciation *n* fuaimniú

envelop *vt* imchlúdaigh, fill

envelope *n* clúdach (litreach)

enviable *a* inmhaíte

envious *a* éadmhar, tnúthach, *to be ~ of one another* bheith ag tnúth, ag éad, le chéile

environment *n* timpeallacht; imshaol

environs *npl* purláin, ceantar máguaird

envoy *n* toscaire, teachta; ceangal

envy *n* éad, formad, tnúth *vt* maígh, tnúth, *I don't ~ him the life he leads* ní mhaím a shaol air, níl mé ag tnúth a dhóighe dó

epaulette *n* guailleog

ephemeral *a* gearrshaolach

epic *n* eipic *a* eipiciúil

epicentre *n* airmheán

epicure *n* beadaí

epidemic *n* eipidéim *a* epidéimeach

epigram *n* burdún, nath

epilepsy *n* titeamas, an tinneas beannaithe

epilogue *n* iarfhocal

Epiphany *n* Lá Nollag Beag

episcopal *a* easpagóideach

episode *n* eipeasóid; eachtra

epistle *n* eipistil, litir

epitaph *n* feartlaoi

epithet *n* buafhocal

epitome *n* gearrinsint, achoimre

equable *a* cothrom, *(of temperament)* réchúiseach

equal *n* diongbháil; macasamhail, leithéid, cómhaith *a* comhionann, ionann, cothrom *vt*, *to ~ sth* bheith cothrom, comhionann, le rud

equality *n* ionannas

equalization *n* ionannú, cothromú, comhardú

equalize *vt & i* cothromaigh, ionannaigh

equanimity *n* sáimhe, soineantacht

equate *vt* comhardaigh, ionannaigh

equation 79 Eucharist

equation n cothromóid

equator n meánchiorcal, crios na cruinne

equatorial a meánchriosach, meánchiorclach

equestrian n marcach a eachrach

equilibrium n cothromaíocht, cóimheá

equinox n cónocht

equip vt feistigh, trealmhaigh, gléas, innill, he is ~ ped to work tá gléas oibre air

equipment n trealamh, acmhainn, culaith, airnéis, gléasra, fearas

equitable a cóir, féaráilte, cothrom

equitation n eachaíocht

equity n cóir, cothroime, cothrom

equivalent n cóibhéis, comhard; leithéid a cóibhéiseach, ~ to ar comhbhrí le, cothrom le

equivocal a déchiallach

era n ré; réimeas

eradicate vt díothaigh, to ~ sth rud a bhaint ó fhréamh

erase vt scrios, glan amach

eraser n scriosán

erect a díreach, colgdhíreach vt cuir suas, ardaigh, tóg, fadaigh

erection n cur suas, ardú, crochadh, tógáil

ermine n eirmín

erode vt creim, caith

erosion n creimeadh

erotic a anghrách

err vi, to ~ earráid a dhéanamh, dul amú

errand n teachtaireacht; toisc

errand-boy n teachtaire, timire; péitse

erratic a earráideach, mearbhlach; spadhrúil, guagach

erroneous a earráideach, lochtach, mícheart

error n earráid, dearmad, iomrall, mearbhall, seachrán

erudite a léannta

erupt vi brúcht, maidhm

eruption n maidhm, brúcht(adh), sceith, bruth

erysipelas n ruachtach

escalator n staighre beo

escapade n ráig, eachtra

escape n éalú, téarnamh, teitheadh, he made his ~ rug sé na cosa, na sála, leis vt & i éalaigh, imigh, to ~ pursuit éalú

ón tóir, the word ~ d my lips scinn an focal uaim, he ~ d with his life thug sé a bheo leis, to ~ from danger teacht as contúirt

escapism n éalúchas

eschew vt seachain

escort n coimhdire vt comór, tionlaic

esker n eiscir

especially adv go speisialta, go háirithe, go mór mór

espionage n spiaireacht

esplanade n asplanáid

espousal n pósadh; cleamhnas

espouse vt pós, to ~ a cause taobhú le cúis

essay n iarracht; aiste vt & i tairg, triail, féach

essence n eisint, bunbhrí, bunús; úscra

essential n riachtanas, buntréith a riachtanach, the ~ truth an fhírinne bhunaidh

establish vt bunaigh, tionscain, cuir ar bun, to ~ sth rud a chur ar suíochán

establishment n bunú, fothú, suíomh; tionscnamh, bunaíocht; foras

estate n eastát; dúiche; maoin, seilbh; dínit, céim

esteem n meas, cion, urraim, gradam vt to ~ a person meas a bheith agat ar dhuine, held in ~ faoi ghradam, faoi mheas

estimate n meastachán vt meas, meáigh, tomhais

estimation n breith, meas, in her own ~ dar léi féin

estrangement n eascairdeas, titim amach

estuary n inbhear, gaoth

etch vt eitseáil

etching n eitseáil

eternal a síoraí, suthain, síor-

eternity n síoraíocht

ether n éitear

ethereal a aerga; neamhshaolta; tanaí, éadrom

ethical a eiticiúil

ethics npl eitic

ethnic(al) a eitneach, ciníoch

etiquette n dea-bhéas, béasaíocht

etymology n sanasaíocht

eucalyptus n eoclaip

Eucharist n Eocairist, Corp Chríost

eulogize *vt* adhmhol

eulogy *n* adhmholadh, moladh, dréacht molta

eunuch *n* coillteán

euphemism *n* sofhriotal

euphoria *n* meidhréis, éirí croí

euthanasia *n* eotanáis

evacuate *vt* aslonnaigh; folmhaigh

evacuation *n* aslonnú; folmhú; fearadh

evade *vt* seachain, *to ~ the pursuit* éalú, imeacht, ón tóir, *I ~ d him* thug mé cor na crothóige, an cor gearr, dó

evaluate *vt* luacháil, meas

evangelic(al) *a* soiscéalach

evangelist *n* soiscéalaí

evaporate *vt* & *i* galaigh

evaporation *n* galú

evasion *n* éalú, seachaint, teitheadh; cur ó dhoras

evasive *a* seachantach

eve *n* bigil, *Christmas E~* Oíche Nollag

even *a* cothrom, réidh, *to get ~ with a person* sásamh a bhaint as duine, in comhar a dhíol le duine *adv* (fiú) amháin, *~ though he understands me* i ndiaidh, tar éis, bíodh, go dtuigeann sé mé, *~ at that time* an uair sin féin, *~ so* mar sin féin, dá mba ea féin *vt* cothromaigh

evening *n* tráthnóna

evensong *n* easparta

event *n* eachtra, ócáid, *~ s of the day* imeachtaí an lae, *after the ~* i ndiaidh an ama, *at all ~ s* ar aon slí, ar chaoi ar bith, *in the ~ of* i gcás go

eventful *a* eachtrúil

eventually *adv* faoi dheireadh, i bhfad na haimsire, ar deireadh

ever *adv* riamh, *for ~* choíche, go deo, go brách; de shíor; abú; bith-, síor-, *~ so much better* go mór fada níos fearr

evergreen *n* crann síorghlas *a* síorghlas

everlasting *a* síoraí, suthain, marthanach

evermore *adv* feasta, go brách

every *a* gach, gach uile, *~ other, every second, day* gach re lá

everybody *pron* gach (aon) duine, gach uile dhuine, cách, an saol mór

everyday *a* gnách, coitianta

everyone *pron* gach (aon) duine, gach

uile dhuine, cách

everything *pron* gach (aon) rud, gach uile shórt

everywhere *adv* gach (uile) áit, i ngach treo, i ngach treo baill; ar fud an bhaill

evict *vt* díshealbhaigh

eviction *n* díshealbhú

evidence *n* fianaise, cruthúnas

evident *a* follasach, soiléir

evil *n* olc, urchóid, an drochrud *a* olc, mí-, *~ deed* drochbheart, *~ spirit* ainsprid

evince *vt* taispeáin, léirigh; cruthaigh

evocative *a* dúisitheach, allabhrach

evoke *vt* dúisigh, spreag

evolution *n* éabhlóid

evolve *vt* & *i*, *(of scheme, etc)* ceap, beartaigh; tarlaigh, fabhraigh

ewe *n* caora, fóisc

ex- *pref* ath-, iar-

exacerbate *vt* géaraigh

exact *a* beacht, cruinn, pointeáilte *vt* toibhigh

exacting *a* dian, trom, crua

exactitude *n* beachtaíocht, cruinneas

exactly *adv* go baileach, go beacht, go díreach, cothrom, glan

exactness *n* beachtas, cruinneas, pointeáilteacht

exaggerate *vt* & *i*, *to ~ sth* áibhéil a dhéanamh (ar rud); dathadóireacht a dhéanamh (ar scéal, etc)

exaggerated *a* áibhéalta, áiféiseach, gáifeach

exaggeration *n* áibhéil, áiféis, scailéathan, dathadóireacht

exalt *vt* ardaigh, mór, uaisligh

examination *n* scrúdú, cioradh, breathnú

examine *vt* breathnaigh, ceistigh, iniúch, scrúdaigh, cíor

examinee *n* iarrthóir

examiner *n* iniúchóir, scrúdaitheoir

example *n* sampla, solaoid, eiseamláir, *to take ~ by a person* patrún a thógáil le duine, *take this for ~* a leithéid seo

exasperate *vt* mearaigh, spadhar, *he became ~ d* tháinig cuthach air

exasperation *n* mearú

excavate *vt* tochail

excavation *n* tochailt, tochaltán; mianadóireacht

excavator *n* tochaltóir

exceed *vt* gabh thar, téigh thar, *to* ~ *authority* údarás a shárú

exceedingly *adv* go feillbhinn, as cuimse, ~ *cold* an-fhuar go deo, ~ *good* thar barr, thar a bheith maith, rímhaith, sármhaith

excel *vt* sáraigh, *she* ~ *led them* rug sí barr orthu, bhuail sí amach iad

excellence *n* breáthacht, feabhas

excellency *n*, *his E* ~ a Shoilse

excellent *a* sármhaith, dearscnaitheach, breá, thar cionn, ar fheabhas, thar barr, ~ *ly* go feillbhinn, go seoigh

except *vt* fág amach *prep* ach amháin, cé is moite (de), diomaite de

exception *n* eisceacht

exceptional *a* eisceachtúil; iomadúil, ~ *ly cold* as cuimse fuar

excerpt *n* sliocht

excess *n* iomarca, barraíocht, farasbarr; ceas; ainmheasarthacht

excessive *a* iomarcach, iomadúil, neamh-mheasartha, an-, ró-

exchange *n* malartú, iomlaoid, babhtáil, *stock* ~ stocmhalartán *vt* malartaigh, babhtáil

exchangeable *a* malartach, inmhalartaithe

exchequer *n* státchiste

excise[1] *n* mál

excise[2] *vt* teasc

excitable *a* sochorraithe, sceidealach, drithleach

excitation *n* griogadh, spreagadh; gríosú

excite *vt* spreag; oibrigh, tóg, mearaigh, *to be* ~ *d* (*over sth*) sceitimíní, sciatháin, a bheith ort (le rud)

excitement *n* sceitimíní, lionrith, corraí, scleondar, ardú; éirí croí

exciting *a* corraitheach

exclaim *vi* scread, gáir

exclamation *n* agall, ~ *mark* comhartha uaillbhreasa

exclude *vt* eisiaigh, fág as, *to* ~ *a person from sharing in sth* leithcheal a dhéanamh ar dhuine faoi rud

exclusion *n* eisiamh, leithcheal, ~ *order* ordú eisiata

exclusive *a* eisiach, tofa

excommunication *n* coinnealbhá

excrement *n* cac

excrescence *n* sprochaille, fáisín

excrete *vt* eisfhear; cac

excruciating *a* cráite, céasta

excursion *n* saorthuras

excusable *a* inleithscéil

excuse *n* leithscéal *vt*, ~ *me* gabh mo leithscéal, *to* ~ *a person* leithscéal duine a ghabháil; dul ar leithscéal duine, *I'll* ~ *you that remark* ligfidh mé leat an focal sin

execute *vt* feidhmigh, comhlíon, oibrigh; básaigh, *to* ~ *a piece of music* píosa ceoil a sheinm

execution *n* feidhmiú; bású, cur chun báis

executioner *n* básadóir

executive *n* feidhmeannach; coiste gnó *a* feidhmitheach, ~ *officer* oifigeach feidhmiúcháin

executor *n* seiceadóir

exemplar *n* eiseamláir

exemplary *a* dea-shamplach, eiseamláireach, deismir

exemplify *vt* eiseamláirigh, *to* ~ *sth* rud a léiriú le samplaí, sampla de rud a thabhairt

exempt *vt* saor, *he was* ~ *ed from the obligation* saoradh ar an dualgas é, ~ *them from responsibility* lig as freagracht iad *a* saor (ó, ar), díolúin, slán

exemption *n* saoirse, díolúine

exercise *n* oibriú, feidhmiú; imirt, úsáid; cleachtadh; aclaíocht; iomlua, lúthaíocht; ceacht; cóipleabhar, leabhar cleachta *vt & i* oibrigh, feidhmigh, imir; aclaigh, suaith, *to* ~ *a power* cumhacht a fheidhmiú

exert *vt*, *to* ~ *oneself at sth* saothar, stró, dua, a chur ort féin le rud, *to* ~ *influence on a person* anáil a chur faoi dhuine

exertion *n* saothar, stró, fáscadh, luan

ex-guard *n* iargharda

exhale *vt & i* easanálaigh

exhaust *n*, (*apparatus*) súiteoir; sceithphíopa *vt* folmhaigh, spíon, tnáith, sáraigh, traoch; ídigh

exhausted *a* cloíte, marbh, sáraithe, traochta; ídithe, rite, sportha

exhaustion *n* traochadh, cloíteacht, suaiteacht

exhaustive *a* uileghabhálach, iomlán, cuimsitheach

exhibit *vt* taispeáin, léirigh

exhibition *n* taispeántas

exhilarate *vt* meidhrigh

exhilaration *n* meadhrán, éirí croí

exhort *vt* aitheasc, spreag, gríosaigh

exhume *vt* dí-adhlaic

exigency *n* géarghá, céim, cruóg, práinn

exile *n* deoraí; deoraíocht, ionnarbadh *vt* díbir

exist *vi*, to ~ bheith ann

existence *n* beith, marthain

existentialism *n* eiseachas

exit *n* dul amach; doras amach, bealach amach

exodus *n* imeacht, imirce

exonerate *vt* saor

exoneration *n* saoradh, ~ *from blame* saoradh ó mhilleán

exorbitant *a* iomarcach, as compás, as cuimse

exorcize *vt*, to ~ *a demon* deamhan a dhíbirt

exotic *a* andúchasach, coimhthíoch

expand *vt & i* craobhaigh, leath, forbair, fás

expanse *n* fairsinge, réileán, leathan, leithead

expansion *n* borradh, fairsingiú, leathadh

expansive *a* forleitheadach, fairsing, leathan, (*of person*) pléascánta

expatriate *n* díbeartach, imirceach *vt* díbir

expect *vt* braith, fair, to ~ *that* coinne, súil, a bheith agat (go), to ~ *help* bheith ag dréim le cabhair, *I'd never ~ it of him* ní shamhlóinn leis é, ~ *ing a baby* ag súil le duine clainne

expectancy *n* tnúthán, *life* ~ ionchas saoil

expectant *a* tnúthánach; feifeach, ~ *mother* bean a bheadh le haghaidh clainne

expectation *n* tnúth, dóchas, dóigh, dréim, dúil, súil, brath

expectorate *vi* seilligh, *expectorating* ag sprochaille acht, ag cáithil

expedient *n* seift, oirbheart *a* caoithiúil, oiriúnach

expedition *n* eachtra; sluaíocht; turas; éascaíocht, dlús

expel *vt* díbir, cuir amach, díchuir

expend *vt* caith, idigh

expenditure *n* caiteachas

expense *n* costas, dola

expensive *a* costasach, daor

experience *n* taithí, cleachtadh; eachtra; ciall cheannaithe *vt* foghlaim, taithigh, téigh trí

experienced *a* cleachta, seanchríonna, *he is* ~ *in the business* tá seantaithí aige ar an ngnó

experiment *n* turgnamh, tástáil *vt & i* triail, tástáil

experimental *a* trialach, turgnamhach

expert *n* eolaí, saineolaí, saoi, údar *a* saineolach, oilte

expiate *vt*, to ~ *sth* leorghníomh, cúiteamh, a dhéanamh i rud; sásamh a thabhairt i rud

expiation *n* peannaid, sásamh, leorghníomh

expire *vi* easanálaigh; síothlaigh, éag, stiúg

explain *vt* mínigh, léirigh, ciallaigh

explanation *n* míniú(chán), *to give an* ~ *for sth* fáth a chur le rud; leithscéal a thabhairt faoi rud

explanatory *a* mínitheach

expletive *n* eascaine; focal le cois

explode *vt & i* pléasc, blosc

exploit *n* éacht, oirbheart *vt*, to ~ *a person* teacht i dtír ar dhuine

exploration *n* taiscéalaíocht

explore *vt & i* taiscéal

explorer *n* taiscéalaí

explosion *n* pléasc, maidhm, bloscadh

explosive *n & a* pléascach

export *n* onnmhaire, easportáil *vt* easportáil, onnmhairigh

exporter *n* easportálaí, onnmhaireoir

expose *vt* foilsigh, nocht, *the rocks are* ~*d* tá na carraigeacha leis, ag freagairt

expostulate *vi*, to ~ *with a person about sth* rud a agairt, a iomardú, ar dhuine

exposure *n* nochtadh; aimliú, fuacht

expound *vt* ceartaigh, léirmhínigh

express *n* traein luais *a* suite, cinnte, sainráite *vt* sloinn, *to ~ sth in speech* rud a chur i gcaint, friotal a chur ar rud, *he ~ed his gratitude to us* chuir sé a bhuíochas in iúl dúinn

expression *n* friotal, teilgean cainte, leagan cainte, rá; dreach, *pleasant ~* aoibh

expressive *a* lán de bhrí, tromchiallach

expressly *adv* go cinnte, *to state ~* sainiú

expulsion *n* díbirt, ruaigeadh, ionnarbadh

expurgate *vt* coill, scag, spoch

exquisite *a* fíormhaith, fíorálainn

extant *a* ar marthain, ar fáil, amuigh

extempore *adv* gan ullmhú, de mhaoil do mhainge

extend *vt & i* sín, searr, fadaigh, fairsingigh, leathnaigh

extension *n* fadú, síneadh, méadú; folíne

extensive *a* fairsing, leathan

extent *n* fairsinge, fad, méid, achar, líomatáiste, *~ of vision* feadh do radhairc

extenuate *vt*, *to ~ an offence* maolú ar choir

extenuating *a* maolaitheach

extenuation *n* maolú

exterior *n* an taobh amuigh *a* seachtrach

exterminate *vt* díothaigh, díscigh

extern *n* eachtrach

external *a* seachtrach, eachtrach, for-

extinct *a* díobhaí, rite, *to become ~* dul in éag, díobhadh

extinction *n* díobhadh, dul ar ceal

extinguish *vt* múch, cuir as, díobh

extinguisher *n*, *fire ~* múchtóir dóiteáin

extol *vt* adhmhol, mór

extort *vt* srac, *to ~ money from a person* airgead a bhaint de dhuine

extortion *n* sracadh, cíos dubh

extra *n* breis, tuilleadh *a*, *~ person* duine sa bhreis, *~ cost* costas breise, costas le cois, *to add sth ~ to sth* farasbarr a chur ar rud *adv* thar an gcoitiantacht

extract *n* súram, úscra; (*passage*)

sliocht *vt* bain as, tarraing as, *to ~ a tooth* fiacail a bhaint amach, a stoitheadh

extraction *n* úscadh; stoitheadh, tarraingt

extractor *n*, *dust ~* súire deannaigh

extradite *vt* eiseachaid

extradition *n* eiseachadadh

extramural *a* seachtrach

extraneous *a* coimhthíoch, cuideáin

extraordinary *a* neamhghnách, éachtach, suaithní, *~ meeting* cruinniú urghnách

extravagance *n* anchaitheamh, rabairne, diomailt; stró, taibhseacht; áibhéil

extravagant *a* caifeach, diomailteach, rabairneach; taibhseach; áibhéalach *~ talk* áibhéil, scaothaireacht

extreme *n* foirceann, dígeann *a* antoisceach, millteach, for-, *~ unction* an ola dhéanach

extremely *adv* as cuimse, iontach, diabhalta, an-, fíor-

extremist *n* antoisceach

extremity *n* foirceann, bun, deireadh, ceann, earr

extricate *vt* fuascail, tarraing as

extrovert *n & a* eisdiritheach

exuberant *a* pléascánta, spleodrach, teaspúil

exude *vt & i* úsc, cuir (amach)

exult *vi*, *to ~* lúcháir, gairdeas, a dhéanamh

exultation *n* lúcháir, mórtas

eye *n* súil, *~ of needle* cró snáthaide *vt* féach ar, iniúch, dearc ar

eyeball *n* mogall súile

eyebrow *n* mala, braoi

eyelash *n* fabhra

eyelet *n* súilín

eyelid *n* caipín na súile

eyesight *n* radharc na súl

eyesore *n* rud gránna

eyetooth *n* géarún

eyewash *n*, *that's all ~* níl ansin ach seafóid

eyewitness *n* finné súl

F

fable *n* fabhalscéal, finscéal
fabric *n* fabraic, uige, éadach
fabricate *vt* cum
fabrication *n* cumadóireacht, *it is only a* ~ níl ann ach scéal a cumadh
fabulous *a* fabhlach; dochreidte, iontach
facade *n* aghaidh
face *n* aghaidh, éadan, gnúis, *to pull a wry* ~ gnúis a chur ort féin, *on the* ~ *of the earth* ar dhromchla, ar dhreach, an domhain, ~ *to* ~ aghaidh ar aghaidh *vt & i* tabhair aghaidh ar, *they* ~ *east* tá a n-aghaidh soir
facet *n* grua; taobh, gné
facetious *a* magúil, greannmhar
facial *a*, ~ *nerve* néaróg éadain, ~ *neuralgia* daitheacha cinn
facile *a* réidh, saoráideach, bog
facilitate *vt*, *to* ~ *a person* áis a thabhairt do dhuine, an bealach a réiteach do dhuine
facility *n* áis, deis, saoráid, gléas
facing *n* fásáil, (*of turf clamp*) fóir *prep* ar aghaidh, ~ *the wall* aghaidh le balla, ~ *the sun* ar dheis, ar dheisiúr, na gréine
fact *n* fíric, fíoras, *the* ~ *is* (*that*) is é an chaoi a bhfuil sé (go), is é an cás (go), is é fírinne an scéil (go), is amhlaidh atá sé (go), *as a matter of* ~ déanta na fírinne
faction *n* faicsean, drong, campa
factor *n* toisc; fachtóir
factory *n* monarcha
factual *a* fíor, fírinneach, fíorasach
faculty *n* acmhainn, cumas, bua, (*academic*) ~, dámh, *he is in possession of all his faculties* tá a chiall is a chéadfaí aige
fad *n* toighis, teidhe
fade *vt & i* sleabhac, (*of colour, material*) tréig, teilg, ceiliúir, *he is fading away* tá sé ag dul as, ag leá den saol, (*cinema*) *to* ~ *one scene into another* dhá radharc a mheascadh ina chéile
fag *n* tuirse; toitín *vi*, *to be* ~*ged* bheith traochta, tnáite, cloíte
fail *vt & i* teip, loic; meathlaigh, *don't* ~ *me* ná clis, ná feall, orm, *I* ~*ed to do it*

chinn orm é a dhéanamh, *her courage* ~*ed her* thug an misneach uirthi
failing *n* laige, locht, fágáil *prep*, ~ *sth* in éagmais ruda
failure *n* cliseadh, meath, teip; fealladh, loiceadh
faint *n* fanntais, laige *a* fann, lag, *I haven't the* ~*est idea* dheamhan a fhios agam, níl tuairim faoin spéir agam, ~ *smile* leamhghảire *vi*, *to* ~ titim i laige, titim i bhfanntais
faintness *n* lagar, meirfean, éadroime
fair¹ *n* aonach
fair² *a* breá, caomh; bản, fionn; cothrom, féaráilte; measartha, cuibheasach, réasúnta; soineanta, ~ *play* cothrom (na Féinne), ~ *maid* bruinneall, ainnir, ~ *weather* soineann
fair-green *n* faiche aonaigh
fair-ground *n* páirc aonaigh
fair-haired *a* fionn, bản
fairly *adv* measartha, cuibheasach, measartha, *to act* ~ *towards a person* cothrom na Féinne, an chóir, a dhéanamh le duine
fairness *n* finne; gile; ceart, cóir, cothroime
fairway *n* minleach
fairy *n* sióg, ~ *mound* sí, ~ *fort* lios
fairy-tale *n* siscéal
faith *n* creideamh; muinín
faithful *a* dílis, dlisteanach, leanúnach *npl*, *the* ~ na firéin
faithless *a* mídhílis, fealltach
fake *n* rud bréige *vt* falsaigh
falcon *n* fabhcún, seabhac
fall *n* titim, tuisle, ísliú, leagan; fána, ~ *of rain* duartan báistí *vi* tit, islígh, *they fell out with each other* bhris siad amach le chéile, d'éirigh eatarthu, *she fell sick* buaileadh breoite í, *to* ~ *foul of a person* teacht salach ar dhuine
fallacy *n* fallás
fallible *a* inearráide
fall-out *n* astitim; radachur
fallow *n* branar *a*, ~ *ground* talamh bản; talamh dearg
false *a* bréagach, falsa; mídhílis; saorga, tacair, ~ *name* ainm bréige
falsehood *n* bréag, éitheach, gó

84

falseness *n* bréige, falsacht; mídhílse
falsetto *n* cuachaí; cuach *a* cuachach
falsify *vt* falsaigh
falter *vi* tuisligh, *his voice* ~ *ed* tháinig snag ina ghlór
fame *n* clú, cáil, teist, *their* ~ *spread* chuaigh a ngáir i bhfad
familiar *a* teanntásach; taithíoch, eolach, (ar *with*); aithnidiúil, *to be* ~ *with a subject* eolas maith a bheith agat ar ábhar
familiarity *n* eolas, teanntás, taithíocht
familiarize *vt*, *to* ~ *a person with sth* cleachtadh, taithí, a thabhairt do dhuine ar rud
family *n* clann, muintir, fine, teaghlach; cúram, muirear; líon tí, ~ *name* sloinne, ~ *rosary* paidrín páirteach
famine *n* gorta, *the Great F~* an Droch-Shaol
famished *a*, *to be* ~ bheith leata, stiúgtha, leis an ocras
famous *a* cáiliúil, iomráiteach, clúiteach
fan¹ *n* fean, gaothrán *vt & i* gaothraigh, *to* ~ *a quarrel* séideadh faoi aighneas, *to* ~ *out* spré amach
fan² *n* móidin *pl* lucht leanúna
fanatic *n* fanaiceach
fanatical *a* fanaiceach
fanciful *a* meonúil, samhalta; rámhaill-each
fancy *n* samhlú, nóisean *vt & i* ceap, samhlaigh, *to* ~ *sth* taitneamh a thabhairt do rud, *he fancies himself* tá sé ag éirí aniar as féin
fang *n* starrfhiacail, *(of serpent)* goineog
fanlight *n* feanléas
fantastic *a* fantaiseach; iontach, thar cionn
fantasy *n* samhlaíocht; fantaisíocht
far *adv* i bhfad, ~ *off* i gcéin, *to go too* ~ *with sth* dul rófhada, dul thar fóir, le rud, *as* ~ *as* fad le, a fhad le, go dtí, *as* ~ *as the eye could, can, see* feadh do radhairc, *as* ~ *as I know* go bhfios dom, ~ *to the east* amach thoir, ~ *out to sea* go hard i bhfarraige, *it is* ~ *better than* tá sé i bhfad níos fearr ná, ~ *back*, ~ *behind* i bhfad ar gcúl *a*, *on the* ~ *side* thall, *from the* ~ *side* amach, *to the* ~ *side* anonn, ~ *country* tír i gcéin

farce *n* fronsa
fare *n* táille; cóir (bia) *vi* taistil, triall
farewell *n* slán, beannacht, *to bid* ~ *to a person* slán a chur le duine, slán a fhágáil ag duine; ceiliúradh de dhuine
far-fetched *a* áiféiseach, áibhéalach, dochreidte
farm *n* feirm, fearann *vt*, *to* ~ *land* talamh a shaothrú, *to* ~ *sth out* rud a léasú
farmer *n* feirmeoir, talmhaí
farming *n* feirmeoireacht
farmyard *n* clós feirme; otrann, ~ *manure* aoileach
far-reaching *a* forleathan, scóipiúil, cuimsitheach
farrier *n* crúdóir
far-seeing *a* dearcach, fadbhreath-naitheach, fadcheannach
fart *n* broim, tuthóg *vi* broim
farther *adv* níos faide, níos sia *a*, *the* ~ *end of the room* an taobh thall den seomra
fascinate *vt*, *to* ~ *a person* duine a mhealladh, a chur faoi dhraíocht
fascination *n* mealladh, draíocht
fascism *n* faisisteachas
fascist *n* faisistí *a* faisisteach
fashion *n* déanamh, dóigh, modh; faisean *vt* deilbhigh, múnlaigh, ceap
fashionable *a* faiseanta
fast¹ *n* céalacan, troscadh, carghas *vi* troisc, staon ó
fast² *a* docht, doscaoilte; tapa, gasta, sciobtha, *to be* ~ *asleep* bheith i do chnap codlata, i do thoirchim suain
fasten *vt & i* ceangail, greamaigh, feistigh, naisc, dún
fastener *n* dúntóir, fáiscín
fastening *n* dúnadh, daingniú
fastidious *a* éisealach, meonúil, cáiréiseach, beadaí; nósúil
fasting *n* troscadh *a* troscach, ar céal-acan, i do throscadh
fat *n* blonag, geir, olar, saill, méathras; méith *a* ramhar, méith, olartha, beath-aithe, feolmhar, *getting* ~ ag ramhrú, ag titim chun feola
fatal *a* cinniúnach, marfach
fatalism *n* cinniúnachas
fatality *n* timpiste mharfach, bás, tubaiste

fate n cinniúint, dán, fortún vt, what is ~d for one an rud atá daite, i ndán, geallta, duit, he is ~d to misfortune is dual dó an mí-ádh

fateful a cinniúnach

father n athair

father-in-law n athair céile

fatherland n athartha, tír dhúchais

fatherly a aithriúil

fathom n feá vt, to ~ a mystery dul amach ar rún

fatigue n tuirse, scíth vt tuirsigh, traoch, cloígh

fatness n raimhre, méithe

fatten vt & i ramhraigh

fattening a beathaitheach, potatoes are ~ tá ramhrú sna prátaí

fatty a geireach, sailleach, úscach

fatuous a baothánta, amadánta

fault n locht, cion; éasc, cáim, fabht, it is his own ~ is é a chionta féin é; air féin an locht vt lochtaigh

faultless a gan locht, gan cháim

faulty a fabhtach, lochtach

favour n fabhar, lé; gar, soilíos, comaoin, áis, to be in ~ of sth bheith i leith, ar son, ruda vt fabhraigh do, to ~ a certain opinion taobhú le tuairim áirithe, she didn't ~ me with an answer níor dheonaigh sí mé a fhreagairt

favourable a fabhrach, cóiriúil, ~ wind cóir (ghaoithe)

favourite n peata, leanbh geal; buachaill bán, cailín bán; leannán a, my ~ author an t-údar is fearr liom

favouritism n fabhar, fabhraíocht

fawn[1] n oisín, lao eilite

fawn[2] vi, ~ing on a person ag lútáil ar dhuine, ag lí duine

fawning n lúitéis, lústar a lúitéiseach

fear n eagla, faitíos, scáth, no ~! ní baol! for ~ that ar eagla go, for ~ of angering him leisce fearg a chur air vt & i, to ~ sth eagla, faitíos, a bheith ort roimh rud, I ~ (that) is eagal liom (go)

fearful a scanrúil, uafar; eaglach, faiteach

fearless a neamheaglach

feasibility n féidearthacht

feasible a indéanta, féideartha

feast n féasta, fleá; saoire, féile vt & i, to ~ fleá, féasta, a chaitheamh, to ~ a person fleá a thabhairt do dhuine, to ~

one's eyes on sth lán na súl a bhaint as rud

feat n éacht, gaisce, gníomh, cleas

feather n cleite, eite pl cluimhreach, clúmh, birds of a ~ bráithre aon cheirde vt & i cleitigh; slis, (of hens) ~ing (out) ag cur na cluimhrí, ag dul sa chleiteach

feathery a clúmhach

feature n éagasc, tréith; gné; (newspaper article) sainalt, (film) príomhscannán pl, (of face) ceannaithe vt sonraigh, léirigh, to ~ a piece of news tosaíocht a thabhairt do phíosa nuachta

February n Feabhra

federal a cónascach, feidearálach, ~ state stát cónaidhme

federation n cónaidhm, cónascadh

fee n táille

feeble a fann, tréith, lag, éidreorach

feed n cothú, beathú, sáith vt & i ith; beathaigh, biathaigh, cothaigh, they ~ on fish, maireann siad ar iasc, to be fed up with sth bheith bréan, bailithe, dubh dóite, de rud

feedback n aischothú, (information) aiseolas

feel n mothú vt & i mothaigh, airigh, braith, to ~ a pulse cuisle a fhéachaint, if you ~ like doing it má tá fonn ort é a dhéanamh, I ~ for him tá trua agam dó, tuigim dó, I ~ certain that is dearbh liom go

feeler n adharcán

feeling n mothú(chán), brath, meabhair; arann, I have no ~ in my leg tá mo chos bodhar a goilliúnach, mothálach

feign vt, he ~ed tiredness lig sé tuirse air féin

feint n amas bréige vi, to ~ amas bréige a thabhairt

feline a catúil, féilíneach

fell vt treascair, leag, to ~ a tree béim a bhaint as crann, crann a leagan

fellow n páirtí, comhghleacaí; mac, diúlach; ánra, ~ of university comhalta d'ollscoil

fellowship n páirtíocht, muintearas; cuallacht, cumann; comhaltacht; ánracht

felon n feileon

felony n feileonacht

felt n feilt

female *n* baineannach, bean *a* baineann, ban-

feminine *a* banda, banúil; baininscneach

feminist *n* feimíní

fence *n* pionsa; claí, fál, sconsa *vt & i* fálaigh, *to ~ with a person* pionsóireacht a dhéanamh le duine

fencing *n* pionsóireacht; claíochán; claitheoireacht

fend *vt & i, to ~ off a blow* buille a chosc, tú féin a chosaint ar bhuille, *to ~ for oneself* déanamh as duit féin, bheith ar do chonlán féin

fender *n* fiondar

Fenian *n* Finín *a, ~ lore* fiannaíocht

Fenianism *n* Fíníneachas

ferment *n* gabháil, coipeadh *vt & i* coip, oibrigh

fermentation *n* coipeadh, brachadh, oibriú

fern *n* raithneach

ferocious *a* fíochmhar

ferocity *n* fíochmhaire, dásacht

ferret *n* firéad *vt & i* fiach le firéad, *to ~ out sth* bheith ag póirseáil go bhfaighfeá rud

ferrule *n* bianna

ferry *n* caladh, faradh; bád farantóireachta, peireadh *vt & i, to ~ across the river* dul trasna na habhann (i mbád farantóireachta), *to ~ the car across the river* an carr a chur thar an abhainn

ferryman *n* farantóir

fertile *a* torthúil, méiniúil, méith, síolmhar

fertility *n* torthúlacht, méithe

fertilize *vt* leasaigh; toirchigh

fertilizer *n* leasachán, aoileach

fervent *a* díograiseach, dúthrachtach, *it is my ~ wish (that)* is é mo ghuí (go)

fervour *n* díograis, dúthracht, faghairt

fester *vi, to ~* ábhrú, lobhadh; ábhar, angadh, braon, a dhéanamh; olc a bhailiú

festival *n* féile, saoire, feis, *music ~* fleá cheoil

festive *a* féiltiúil; scléipeach

festivity *n* fleáchas, siamsa, scléip

festoon *n* triopall *vt, to ~ a room* seomra a mhaisiú (le triopaill)

fetch *vt, to go to ~ sth* dul faoi

choinne ruda, *to ~ the priest* dul faoi dhéin an tsagairt

fetid *a* bréan

fetish *n* feitis

fetlock *n* rúitín

fetter *n* laincis, cuibhreach, geimheal, crapall, urchall *vt* cuibhrigh

fettle *n* staid, *to be in fine ~* bheith go buacach

feud *n* fíoch, faltanas

feudal *a* feodach

feudalism *n* feodachas

fever *n* fiabhras

feverish *a* fiabhrasach, teasaí

few *a & n* beag, tearc, *in a ~ words* i mbeagán focal, *a ~ persons* cúpla duine, *~ came* is beag a tháinig, *there are ~ nicer places* is beag áit is deise, *during the past ~ years* le blianta beaga anuas, *getting ~ er every day* ag dul i laghad in aghaidh an lae, *he has ~ er debts* is lú na fiacha atá air

fewness *n* laghad, teirce

fiasco *n* praiseach

fib *n* sceireog, caimseog

Fianna *npl* Fiann

fibre *n* snáithín, *it is in the very ~ of his being* tá sé fite fuaite ann, tá sé de dhlúth is d'inneach ann

fibrous *a* snáithíneach, sreangánach

fickle *a* guagach, luaineach, *~ mind* intinn luath

fiction *n* ficsean, cumadóireacht, finscéalaíocht

fictitious *a* finscéalach, cumtha

fiddle *n* fidil *vi, to ~* seinm ar an bhfidil, *fiddling with sth* ag méaraíocht ar, le, rud

fiddler *n* fidléir

fidelity *n* dílse, fíre

fidget *n, (of person)* fústaire, *to have the ~ s* tinneas na circe a bheith ort *vi, to ~* fútráil; bheith corrthónach, giongach

fidgety *a* giongach, corrthónach

field *n* páirc, gort, cuibhreann, garraí, *the ~ of battle* machaire an chatha, *~ of vision* réim, réimse, radhairc *vt, to ~ a ball* liathróid a cheapadh

fieldfare *n* sacán

fieldwork *n* obair allamuigh

fiend *n* deamhan

fiendish *a* deamhanta, diabhlaí

fierce *a* fíochmhar, fiata, borb, fraochta

fiery *a* lasánta, faghartha, teasaí, ~ *horse* capall bruite

fife *n* fíf

fifteen *n* & *a* cúig déag, ~ *persons* cúig dhuine dhéag

fifteenth *n* & *a*, *the* ~ *day* an cúigiú lá déag, *one* ~ an cúigiú cuid déag

fifth *n* & *a* cúigiú

fiftieth *n* & *a* caogadú

fifty *n* & *a* caoga

fig *n* fíge

fight *n* troid, gleo, bruíon, bualadh, comhrac *vt* & *i* troid, comhraic, bruíon

fighter *n* trodaí

fighting *n* troid, bruíon *a* trodach

fig-tree *n* crann figí

figurative *a* fáthchiallach, fáthach

figure *n* cruth, fíor, deilbh; figiúr, uimhir, *he is a fine* ~ *of a man* is breá an phearsa fir é *vt* & *i* fíoraigh; uimhrigh, *his name* ~ *s on the list* luaitear a ainm ar an liosta, *to* ~ *out the expenses* an costas a áireamh, a dhéanamh amach

filament *n* snáithín, ribe, filiméad

filch *vt* goid

file¹ *n* comhad, trodán *vt* comhdaigh

file² *n* líomhán, raspa *vt* líomh

file³ *n* scuaidrín, sraoillín, *single* ~ treas singil *vi*, *to* ~ *off* imeacht duine i ndiaidh duine

filial *a* macúil

filigree *n* fíolagrán, órghréas

fill *n* sáith, dóthain; lán *vt* & *i* líon, luchtaigh

filler *n* líontóir

fillet *n* filléad, fleasc *vt* filléadaigh, díchnámhaigh

filling *n* líonadh, luchtú; táthán, lánán

filling-station *n* stáisiún peitril

film *n* sceo, scamall, brat, coirt; pictiúr, scannán *vt* scannánaigh

filmstrip *n* stiallscannán

filter *n* scagaire, síothlán *vt* & *i* scag, síothlaigh, snigh

filth *n* bréantas, salachar, fochall; gáirsiúlacht

filthy *a* broghach, cáidheach, bréan; graosta, ~ *place* bréanlach, ~ *talk* gáirsiúlacht chainte

fin *n* eite, colg, eithre

final *n*, (*sport*) cluiche ceannais, craobhchluiche *a* críochnaitheach,

déanach, deireanach, *the* ~ *blow* an buille scoir, ~ *ly* i ndeireadh na dála, i ndeireadh báire, sa deireadh thiar

finance *n* airgeadas *vt* maoinigh

financial *a* airgeadúil, ~ *year* bliain airgeadais

financier *n* airgeadaí

finch *n* glasán

find *n* fionnachtain, éadáil, fríth *vt* faigh, aimsigh, fionn, *it can't be found* níl fáil air, *to* ~ *out about sth* eolas a fháil i dtaobh ruda, *to* ~ *a person out* dul amach ar dhuine, breith amuigh ar dhuine

finding *n* fáil; fríth, *the* ~ *s of a committee* cinneadh coiste

fine¹ *n* fíneáil, cáin *vt* fíneáil, cáin, *I was* ~ *d ten pounds* gearradh deich bpunt orm

fine² *a* mín, caol, fíneálta; breá, uasal

fineness *n* fíneáltacht, míne; breáthacht

finery *n* galántas, breá breá, éadaí breátha

finger *n* méar *vt* méaraigh

fingering *n* méaraíocht, méirínteacht

finger-print *n* méarlorg

finicky *a* beadaí, cáiréiseach

finish *n* críoch, deireadh; slacht, snas *vt* & *i* críochnaigh, *to* ~ *sth* deireadh a chur le rud, *to have* ~ *ed with.the work* bheith réidh leis an obair

finished *a* déanta, réidh, críochnaithe; slachtmhar, snasta

finite *a* teoranta, foirceanta

fiord *n* fiord

fir *n* giúis

fire *n* tine, dóiteán; daighear, lasair; faghairt, spréach, teasaíocht; lámhach, *to go on* ~ dul trí thine *vt* & *i* loisc; caith, scaoil, *to* ~ *sth* tine a thabhairt do rud, a chur le rud; (*pottery*) bácáil

fire-alarm *n* aláram dóiteáin

fire-arm *n* arm tine

fireball *n* caor thine

firebrand *n* aithinne, breo

fire-brigade *n* briogáid dóiteán

fire-fighting *n* múchadh dóiteán

fire-fly *n* lampróg

fire-guard *n* sciath thine

fire-lighter *n* adhantaí

fire-place *n* teallach, tinteán

fire-proof *a* dódhíonach

fire-wood *n* connadh, brosna

firework n tine ealaíne
firm[1] n comhlacht, gnólacht
firm[2] a daingean, seasmhach, teann vt & i cruaigh, daingnigh, teann
firmness n daingne, diongbháilteacht, seasmhacht
first a céad, aonú, the ~ man, woman an chéad fhear, bhean, the ~ people na chéad daoine, ~ aid garchabhair, ~ cousin col ceathrair, James the ~ Séamas a hAon adv, ~, at ~ i dtosach, ar dtús; a chéaduair, the person who spoke~ an té is túisce a labhair n an chéad duine, rud, etc, from ~ to last ó thús deireadh
first-rate a thar barr, ar fheabhas, den chéad scoth
firth n inbhear, caolsáile
fiscal a fioscach
fish n iasc, breac vt & i iasc, ~ing ag iascaireacht, ag iascach
fisherman n iascaire
fishery n iascaireacht, iascach; inbhear éisc
fish-finger n méaróg éisc
fish-hook n duán
fishing n iascaireacht, iascach
fishing-ground n bráite, meá
fishing-line n dorú, ruaim
fishing-rod n slat iascaigh
fishmonger n ceannaí éisc
fishy a iascúil; amhrasach, ~ story scéal gan dath
fission n scoilteadh
fissure n scoilt, gág, méirscre, scailp
fist n dorn, dóid, to make a good ~ of sth lámh mhaith a dhéanamh ar rud
fisticuffs npl, to engage in ~ with a person dul ar na doirne, sna lámha, le duine
fit[1] n racht, ragús, taom, tallann, tritheamh, néal, spadhar
fit[2] n tomhas, feiliúint
fit[3] a feiliúnach, fóirsteanach, oiriúnach, cuí; infheidhme; ábalta; fiteáilte, ~ for inniúil ar, chun, do, they are ~ to kill each other tá siad i riocht a chéile a mharú vt & i oir, oiriúnaigh, feil; toill; feistigh, ~ out trealmhaigh, gléas, to ~ in with sth teacht le, réiteach le, freagairt do, rud
fitful a taomach, tallannach, guagach, míshuaimhneach, ~ sleep codladh corrach

fitness n feiliúnacht, oiriúnacht, cuibheas; infheidhmeacht, physical ~ corpacmhainn
fitter n feisteoir
fittings npl feistiú, feisteas, cóiríocht, fearas, ~ of clothes cumadh éadaigh a cuí, oiriúnach, feiliúnach, fóirsteanach, diongbháilte
five n & a cúig, ~ persons cúigear, ~ of trumps cíoná, na (cúig) méara
fix n sáinn, ponc, teannta, cruachás, in a ~ san fhaopach vt & i cinn, daingnigh, socraigh, greamaigh; deisigh, to ~ sth up rud a réiteach; dóigh a chur ar rud
fixation n grinniú, buanú; fosú
fixative n buanaitheoir
fixedly adv go daingean, go seasta
fixity n, ~ of tenure buanseilbh
fixture n fearas do-aistrithe; (sport) coinne
fizz n sioscadh; seaimpéin vi siosc
fizzle n sioscadh, coipeadh vi spréach, siosc, to ~ out dul ar neamhní, imeacht mar ghal soip, síothlú
flabbergast vt, he was ~ed fágadh ina stangaire é, baineadh stangadh as
flabby a feolmhar, liobarnach, séidte, lodartha, ~ person plobaire
flag[1] n, (plant) feileastram
flag[2] n bratach, meirge
flag[3] n leac vt, to ~ a path ler leaca a chur síos ar chosán etc
flag[4] vi sleabhac, lagaigh, his interest ~ged mhaolaigh ar a spéis
flagon n flagún
flagrant a scannalach, mínáireach
flail n súiste vt & i súisteáil
flair n bua, tallann
flake n, (of snow) lubhóg, calóg; screamhóg, cáithnín vi scealp, scil
flaky a calógach, lubhógach; sceitheach; craiceáilte
flamboyant a gáifeach, taibhseach
flame n bladhm, daighear, lasair, in ~s trí thine, ar aon bharr lasrach
flaming a bladhmach, lasánta
flamingo n lasairéan
flange n feire, sceimheal, buinne
flank n cliathán, taobh, eite, maothán vt, to ~ sth rud a chur taobh le rud eile; bheith taobh le rud; cliathán ruda a chosaint
flannel n báinín, flainín

flap n liopa, plapa; slapar vt & i, to ~ wings sciatháin a ghreadadh, a bhualadh, the sail was ~ ing bhí an seol ag bratail

flare n bladhm, ~ of skirt spré sciorta vi las; spréigh, to ~ up at a person splancadh, spriúchadh, ar dhuine

flash n laom, lasán, scal, ~ of lightning splanc (thintrí), saighneán vt & i scal, splanc, his eyes ~ ed anger tháinig bior ar a shúile

flash-back n iardhearcadh

flash-lamp n laomlampa

flash-point n bladhmphointe

flashy a spiagaí, gáifeach, taibhseach

flask n flaigín, fleasc

flat[1] n árasán

flat[2] n réileán a cothrom, clárach; leamh; rodta, ~ refusal lomdhiúltú, droimdhiúltú

flat-fish n leadhbóg, leathóg

flat-footed a spágach

flatness n cothroime; leimhe, liostacht

flatten vt & i leacaigh, leath, cláraigh; maolaigh, treascair, to ~ a person smíste a dhéanamh de dhuine, duine a shíneadh

flatter vt & i bladair, to ~ a person plámás, béal bán, a dhéanamh le duine

flatterer n cluanaire, lústaire, plámásaí, slíomadóir

flattery n bladar, plámás, milseacht, béal bán, cluanaireacht, láithínteacht

flatulence n gaoth, gaofaireacht

flaunt vt & i, to ~ bratail, bheith ar foluain, to ~ one's wealth gaisce a dhéanamh as do chuid saibhris, to ~ opinions tuairimí a fhógairt os ard

flautist n fliúiteadóir

flavour n blas vt blaistigh, leasaigh, spíosraigh

flavouring n leasú, blastán, spíosra

flaw n éalang, éasc, fabht, locht, lúb ar lár

flawless a gan éalang, gan cháim

flax n líon

flaxen a, (of hair) buíbhán

flax-seed n ros, roisne

flay vt feann, scean, sclamh

flea n dreancaid

flea-bite n greim dreancaide; faic na fríde

fleck n dúradán vt breac

fledged a, fully ~, (of bird) faoi lán cluimhrí, he is a fully ~ doctor tá sé ina dhochtúir déanta

fledgling n gearrcach, scallamán

flee vt & i teith, they fled the country theith siad as an tír

fleece n lomra vt lomair, to ~ a person feannadh a thabhairt do dhuine, duine a chreachadh

fleecy a ollach, lomrach, clúmhach

fleet[1] n cabhlach, flít, loingeas

fleet[2] a luath, mear, gasta, sciobtha

fleeting a neamhbhuan, duthain, ~ visit cuairt reatha, sciuird

flesh n feoil; colainn

fleshy a feolmhar; brúidiúlach

flex[1] n fleisc

flex[2] vt aclaigh

flexible a aclaí, solúbtha

flick n & vt smeach

flicker n preabadh, eitilt, faiteadh vi eitil, geit, léim, preab

flight n eitilt; teitheadh, ~ of stairs dul, rith, staighre, to put the enemy to ~ an ruaig, maidhm chatha, a chur ar an namhaid

flighty a aerach, giodamach, geiteach, scinnideach

flimsy a scagach, éadrom, tanaí; neamhfhuaimintiúil, ~ excuse leithscéal agus a thóin leis, agus a leathbhéal faoi

flinch vi loic, clis; creathnaigh

fling n caitheamh, teilgean, to have one's ~ ceol a bhaint as an saol, do chos a chroitheadh vt & i rad, caith, teilg

flint n breochloch

flip n flíp, smeach vt & i smeach

flippant a éadrom, deiliúsach, soibealta

flipper n lapa

flirt vi cliúsaí vi, ~ing ag súgradh, ag spallaíocht, ag radaireacht

flit vi éalaigh, aistrigh, eitil anseo is ansiúd

float n snámhán, bulla, baoi, éadromán; slaod; (vehicle) flóta vt & i snámh, to ~ a ship long a chur ar snámh, ~ing around ag foluain thart

flock[1] n flocas

flock[2] n tréad, sealbhán, (birds) ealta; scata, scuaine vi tiomsaigh, to ~ together bailiú, cruinniú, le chéile

floe n oighearshlaod, grúm

flog vt lasc, sciúrsáil, léas

flood *n* tuile, díle, rabharta, ~ *s of tears* frasa deor *vt & i* tuil, líon, báigh

flood-light *n* tuilsolas *vt* tuilsoilsigh

floor *n* urlár *vt*, *to* ~ *a house* urlár a chur síos i dteach, *to* ~ *a person* duine a shíneadh, a leagan ar lár; duine a chur ina thost

flop *n* plab, pleist; cliseadh, teip *adv*, *to fall* ~ titim de phlab, de phleist, *it went* ~ theip air *vi*, *he* ~ *ped into the water* chuaigh sé de phleist san uisce, *it* ~ *ed* theip air, ~ *ing about* ag lapadán

flora *n* flóra

floral *a* bláthach

florid *a* lasánta; ornáideach

florist *n* bláthadóir

floss *n* flas

flotilla *n* mionchabhlach

flotsam *n* snámhraic

flounce¹ *n* flúinse, triopall

flounce² *vi* pramsáil

flounder¹ *n* leadhbóg, leith

flounder² *vi* iomlaisc, ~ *ing* ag onfais

flour *n* plúr

flourish *n* ornáidíocht, (*of speech, lettering*) cíúta, geáitse, gotha *vi*, *to* ~ fás go maith; bheith faoi réim, faoi bhláth; teacht i dtreis

flourishing *a* rafar, faoi mhaise

floury *a*, (*of potatoes, etc*) plúrach, gáiriteach

flout *vt*, *to* ~ *authority* bheith beag beann ar údarás

flow *n* sní, rith, feacht, sruth, sreabh *vi* snigh, rith, sruthaigh, tál, (*hair, etc*) slaod

flower *n* bláth, pósae, plúr, scoth *vi* bláthaigh

flower-bed *n* ceapach bláthanna

flowery *a* bláthach; ornáideach

flowing *a* snítheach, sruthach; scuabach, éasca, líofa, silteach, craobhach, géagach

flu *n* fliú

fluctuation *n* iomlaoid, luaineacht

flue *n* múchán, púir

fluency *n* éascaíocht, líofacht

fluent *a* líofa, éasca, solabhartha, *she speaks* ~ *German* tá an Ghearmáinis ar a toil aici

fluff *n* bruth, clúmhach

fluffy *a* clúmhach

fluid *n* sreabhán, lionn *a* silteach, sreabhach; líofa, éasca, faíoch

fluke¹ *n* amhantar, taisme, seans

fluke² *n* leith

fluke(worm) *n* cruimh phucháin

fluorescent *a* fluaraiseach

fluoridation *n* fluairídiú

fluoride *n* fluairíd

flurry *n* cuaifeach, cleitearnach; flústar, driopás *vt* buair, suaith, mearaigh

flush *n* sruthlú; luisne, deargadh *vt & i* sruthlaigh; las, dearg, ruaimnigh

flushed *a* lasánta, círíneach, luisniúil

fluster *n* imní, driopás *vt & i* mearaigh, suaith, *she got* ~ *ed* tháinig corrabhuais uirthi

flute *n* fliúit, feadóg mhór

flute-player *n* fliúiteadóir

flutter *n* eitilt; flústar, foilsceadh *vi* eitil, gaothraigh, ~ *ing around* ag cleitearnach thart

flux *n* flosc

fly *n* cuil(eog), *the* ~ *in the ointment* an breac sa bhainne *vt & i* eitil, *to* ~ *the Atlantic* an tAtlantach a thrasnú ar an aer, ~ *ing about* ag foluain thart, *to* ~ *from danger* teitheadh ó chontúirt, *to* ~ *into a rage* spriúchadh, dul le báiní

fly-blown *a* fíniúch

flyer *n* eitleoir

flying *n* eitilt; eitleoireacht *a* eitleach, foluaineach, ~ *visit* sciuird, geábh

fly-leaf *n* fordhuilleog

flyover *n* uasbhealach

fly-weight *n* cuilmheáchan

foal *n* searrach

foam *n* cúr, uanán, coipeadh, sobal *vi* coip, *he was* ~ *ing at the mouth* bhí cúr lena bhéal

fob *vt*, *to* ~ *sth off on a person* rud a bhualadh, a chur, ar dhuine

focal *a* fócasach; cuimsitheach

focus *n* fócas, *to bring sth into* ~ rud a thabhairt i ngrinneas, chun cruinnis *vt & i* fócasaigh, dírigh, cruinnigh (ar)

fodder *n* fodar, farae

foe *n* namhaid

foetus *n* gin, suth, féatas

fog *n* ceo

foggy *a* ceomhar, ciachmhar

foible *n* laige, éasc

foil¹ *n* scragall

foil² *n* pionsa maol**

foil³ *vt*, to ~ *an attempt* iarracht a chur ar neamhní, a bhacadh, a thoirmeasc

foist *vt*, to ~ *sth on a person* rud a chur, a bhualadh, ar dhuine

fold¹ *n* loca, cró, banrach

fold² *n* filleadh, pléata *vt & i* fill, dúbail, lúb

folder *n* fillteán

folding *a* fillteach, infhillte

foliage *n* duilliúr

folio *n* fóilió, débhileog; uimhir

folk *n* muintir, aos, ~ *music* ceol tíre

folklore *n* béaloideas

folk-school *n* daonscoil

follicle *n* folacail

follow *vt & i* lean, it ~ s *from that* (that) fágann sin (go), to ~ *a trade* dul le ceird

follower *n* leantóir, leanúnaí, dílseánach *pl* lucht leanúna, cosa; clann

following *n* leanúint; lucht leanúna *a*, *on the* ~ *day* lá arna mhárach, an lá dár gcionn, an lá ina dhiaidh sin, *the* ~ *matters* na nithe seo a leanas

folly *n* amaid, baois, díth céille, míchiall

foment *vt*, to ~ *strife* brúion a chothú

Fomorian *n* Fomhórach

fond *a* muirneach; geallmhar, ceanúil (ar), *he is* ~ *of money* tá dúil san airgead aige

fondle *vt* muirnigh, cuimil, to ~ *a child* peataireacht, bánaí, a dhéanamh le leanbh

fondness *n* caithis, dúil, gean

font *n* umar; foinse

food *n* bia, beatha, lón

fool *n* amadán, pleidhce, breall, (*woman*) óinseach, to *make a* ~ *of a person* baileabhair a dhéanamh de dhuine, *vt & i* to ~ *a person* duine a mhealladh, a chur amú, ~ *ing around* ag pleidhcíocht, ag amaidí, *I was only* ~ *ing* ní raibh mé ach ag magadh

foolery *n* amadántacht, pleidhcíocht

foolhardy *a* baothdhána, meargánta

foolish *a* amaideach, baothánta, díchéillí, ~ *woman* amaid, óinseach, ~ *person* amlóir, amadán, ~ *talk* gliogar, brilléis, amaidí chainte

foolishness *n* amadántacht, leibideacht

foolproof *a*, (*of device*) doloicthe

foolscap *n* leathphráitinn

foot *n* cos, troigh; cos-slua, *at the* ~ *of a*

hill cois cnoic, ag bun cnoic *vt & i*, to ~ *the bill* an t-éileamh a íoc, to ~ *turf* móin a ghróigeadh, a chnuchairt

football *n* peil

footballer *n* peileadóir

footbridge *n* ciseach, droichead coisithe

foothills *npl* bunchnoic

foothold *n* greim coise, teannta, bonn

footing *n* bonn, foras; (*of turf*) cnuchairt, gróigeadh, *on equal* ~ ar aon bhonn

footlight *n* bruachsholas

footman *n* bonnaire

footnote *n* fonóta

footpath *n* cosán

footprint *n* lorg, rian (coise)

foot-soldier *n* troitheach *pl* cos

footstep *n* coiscéim

footwear *n* coisbheart

fop *n* gaige

foppish *a* gaigiúil

for *prep* ar, do, chun, i gcomhair, faoi choinne, le haghaidh, to *substitute one thing* ~ *another* rud a chur in ionad ruda, *wait* ~ *a week* fan go ceann seachtaine, *it is heavy* ~ *her* tá sé trom aici, ~ *one hundred pounds* ar chéad punt, *good* ~ *evil* maith thar ceann an oilc, *thank you* ~ *your kindness* go raibh maith agat as ucht do chineáltais, ~ *example* mar shampla, ~ *your own sake* mar mhaithe leat féin, ~ *or against him* ina leith nó ina éadan *conj* mar, óir

forage *n* foráiste *vi* siortaigh, ransaigh, to ~ *for food* bia a sheilg, dul ar thóir bia

forbear *vt & i* srian, staon ó

forbearance *n* fadfhulaingt, foighne

forbid *vt* cros (ar), toirmisc, *God* ~! nár lige Dia! *I am forbidden to do it* tá sé coiscthe, crosta, orm

forbidding *a*, ~ *aspect* dreach diúltach, cuma dhúr

force *n* fórsa, neart, foréigean; brí, éifeacht, fuinneamh, *the* (*defence*) ~ *s* na fórsaí (cosanta) *vt* fórsáil, éignigh, to ~ *a person to do sth* iallach a chur ar dhuine rud a dhéanamh, tabhairt ar dhuine rud a dhéanamh

forceful *a* fórsúil, feidhmiúil, bríomhar, éifeachtach, gonta, teann

forceps *n* teanchair

forcible *a* fórsúil, foréigneach, láidir, ~ *seizure* forghabháil

ford *n* áth *vt*, *to* ~ *a river* abhainn a thrasnú ar áth, an t-áth a ghabháil

fore *n* tosach *a* tosaigh, réamh-

forearm *n* rí, cuisle, bacán láimhe

forebode *vt* tuar

foreboding *a* drochthuar, mana, *I had a ~ of it* bhí sé á thuar, á thaibhsiú, dom

forecast *n* réamhaisnéis *vt* tuar, *to ~ sth* fáistine a dhéanamh faoi rud

forecourt *n* urlíos

forefinger *n* corrmhéar

forefront *n*, *in the ~* ar thús cadhnaíochta

foregoing *a* réamhráite, *the ~ stanza* an rann sin romhainn

foreground *n* tulra

forehead *n* clár éadain, éadan

foreign *a* coimhthíoch, allúrach, gallda, eachtrannach, ~ *country*, tír iasachta

foreigner *n* coimhthíoch, eachtrannach, allúrach, gall

foreland *n* rinn, ceann tíre

foreleg *n* cos tosaigh

forelock *n* glib, urla

foreman *n* maor, saoiste, fear ceannais

foremost *a*, *in the ~ rank* sa rang is airde, sa chéad áit, *head ~* i ndiaidh, ar lorg, do chinn *adv*, *first and ~* i dtosach báire, ar an gcéad dul síos

forenoon *n*, *in the ~* roimh nóin

forensic *a*, ~ *medicine* dlí-eolaíocht mhíochaine

forerunner *n* réamhtheachtaire

foresee *vt* tuar, *to ~ difficulties* coinne a bheith agat le deacrachtaí, teacht roimh dheacrachtaí

foreshadow *vt* tuar

foreshore *n* cladach, urthrá

foreskin *n* forchraiceann

foresight *n* fadbhreathnaitheacht, dearcadh, fadcheann

forest *n* foraois, coill

forestall *vt*, *to ~ a person* tosach a bhaint de dhuine, dul roimh dhuine

forester *n* foraoiseoir

forestry *n* foraoiseacht

foretaste *n* réamhbhlas

foretell *vt & i* réamhaithris, tuar, tairngir, *it has been foretold*, ta sé sa tairngreacht

forever *adv* choíche, i gcónaí, go brách, go deo

forewarn *vt*, *to ~ a person* foláireamh,

rabhadh, forógra, a thabhairt do dhuine

foreword *n* brollach

forfeit *n* éiric, fíneáil, pionós *vt*, *to ~ a right* ceart a chailleadh, a ligean ar ceal

forge¹ *n* ceárta *vt & i* gaibhnigh; falsaigh, *forging metal* ag gaibhneacht, *to ~ money* airgead a bhrionnú

forge² *vt*, *to ~ ahead* treabhadh leat, réabadh chun cinn

forger *n* falsaitheoir

forgery *n* brionnú; scríbhinn (etc.) fhalsa

forget *vt & i* dearmad, *to ~ sth* rud a ligean i ndearmad, dearmad a dhéanamh de rud, *I forgot!* mo dhearmad!

forgetful *a* dearmadach; faillitheach

forgetfulness *n* dearmad, díchuimhne, neamh-mheabhair

forgivable *a* inmhaite

forgive *vt* maith, logh, *to ~ a person sth* rud a mhaitheamh do dhuine, maithiúnas a thabhairt do dhuine i rud

forgiveness *n* maithiúnas

fork *n* forc, gabhlóg, píce; gabhal, ladhar *vt & i* forcáil, píceáil

forked *a* gabhlach, gabhlánach, ladhrach

forlorn *a* dearóil, ainnis, tréigthe

form *n* cuma, fíor, cruth, cumraíocht, riocht, cló; gné; leaba dhearg; (*document*) foirm, (*bench*) forma, ~ *of speech* modh cainte *vt & i* cruthaigh, cruinnigh, déan, deilbhigh, múnlaigh, cum

formal *a* foirmiúil, nósmhar; ardnósach

formality *n* foirmiúlacht, nósmhaireacht; deasghnáth

format *n* formáid, cruth

formation *n* déanmhas, múnlú, cumadh; eagar, fíor, *granite ~* foirmiú eibhir

formative *a* foirmitheach

former *a*, ~ *times* an seansaol, *I prefer the ~ method* is fearr liom an chéad mhodh

formerly *adv* roimhe seo, lá den saol, tráth

formidable *a* scanrúil, treallúsach, diongbháilte

formless *a* éagruthach

formula *n* foirmle

formulate *vt*, *to ~ sth* rud a chur i bhfocail, a fhoirmiú

forsake *vt* tréig, fág

fort n dún, daingean; ráth, caiseal, cathair, *fairy* ~ lios

forth adv, *he stretched* ~ *his hand* shín sé amach a lámh, *from then* ~ ó shin i leith, *from this time* ~ as seo amach, *waving back and* ~ ag croitheadh anonn is anall, *and so* ~ agus mar sin de, agus dá réir sin

forthcoming a, *help is* ~ tá cabhair chugainn

forthright a neamhbhalbh, díreach

fortieth n & a daicheadú

fortification n daingniú *npl* daingean, dúnfort, oibreacha cosanta

fortify vt daingnigh, neartaigh, treisigh

fortitude n buanseasmhacht, misneach, neart

fortnight n coicís

fortnightly n coicíseán a coicísiúil

fortress n daingean, dún

fortuitous a teagmhasach

fortunate a ádhúil, ámharach, rathúil, sona

fortunately adv go tráthúil, ar an deauair, ar ámharaí an tsaoil

fortune n cinniúint, fortún, seans, *good* ~ ádh, sonas; (*money*) saibhreas; spré, *to tell a person his* ~ fios a dhéanamh do dhuine; a fhortún a insint, a léamh, do dhuine

fortune-teller n bean feasa, bean chrosach

forty n & a daichead, ceathracha

forum n fóram

forward vt tosaí a chun tosaigh, (*of movement etc*) chun cinn, ar aghaidh; (*of person*) dána, dalba, teanntásach, urrúsach adv ar aghaidh, *from this day* ~ ón lá seo amach, *to go* ~ dul chun tosaigh vt, *to* ~ *a policy* beartas a chur chun cinn, *to* ~ *sth to a person* rud a sheoladh chuig duine

forwardness n dánacht, dalbacht, teanntás, treallús

fossil n iontaise a iontaiseach

fossilize vt & i iontaisigh

foster vt altramaigh, oil, *to* ~ *friendship* muintearas a chothú

fosterage n altram, daltachas

foster-child n dalta

foster-father n athair altrama; oide

foster-mother n máthair altrama; buime

foul n, (*sport*) calaois a bréan, gráiniúil, salach, ~ *weather* doineann, ~ *play* imirt cháidheach; coir vt salaigh; tacht

found vt bunaigh

foundation n bunú, fothú, fódú, (*of building*) bonn, dúshraith, (*institution*) foras, fondúireacht

foundation-stone n bunchloch

founder[1] n bunaitheoir, fondúir

founder[2] vt & i trochlaigh; teip; tit, *the ship* ~ *ed* chuaigh an long faoi loch, go tóin poill

foundling n leanbh tréigthe

foundry n teilgcheárta

fountain n fuarán, foinse; scairdeán uisce

fountain-pen n peann tobair

four n ceathair a, ~ *persons* ceathrar, ~ *pounds* ceithre phunt

fourteen n ceathair déag a, ~ *towns* ceithre bhaile dhéag

fourteenth n & a, *the* ~ *day* an ceathrú lá déag, *one* ~ an ceathrú cuid déag

fourth n & a ceathrú

fowl n éan; éanlaith, *domestic* ~ éanlaith chlóis

fowler n foghlaeir

fox n sionnach, madra rua

foxglove n lus mór, méaracán dearg

foxy a glic, slim, sionnachúil, (*of hair*) rua

foyer n forhalla

fracas n racán, ropadh, sciúchas

fraction n codán

fractious a crosta, cantalach

fracture n briseadh (cnáimhe); scoilt vt & i bris, scoilt

fragile a sobhriste, leochaileach, lag

fragment n blogh, blúire, ruainne, mír *pl* bruscán, smionagar, bruar, grabhar vt & i roinn, deighil, scoilt, bris

fragmentation n ilroinnt; mionú

fragrance n cumhracht

fragrant a cumhra

frail a leochaileach, lag

frailty n laige

frame n deilbh; cabhail, creatlach, (*of structure*) cás, cliabh, cliathach, creat, crann, *winding* ~ glinne, *picture* ~ fráma pictiúir vt frámaigh, deilbhigh, beartaigh, ceap, *to* ~ *one's thoughts* do smaointe a chur in eagar, *to* ~ *a person* beartú go gciontófaí duine go héagórach

framework n creat, creatlach, fráma; cnámha (scéil); córas

franchise n ceart vótála

Franciscan n & a Proinsiasach

frank[1] a oscailteach, macánta, díreach

frank[2] vt frainceáil

frantic a ar buile, ar mire, fraochta

fraternal a bráithriúil

fraternity n bráithreachas

fraternize vi, to ~ with a person cairdeasaíocht a dhéanamh le duine

fratricide n fionaíl; fionaíolach

fraud n calaois, camastaíl

fraudulent a calaoiseach, cam

fraught a, ~ with luchtaithe le, lán le, it was ~ with danger bhí baol ag roinnt leis

fray[1] n achrann, imreas, treas

fray[2] vt & i scamh, sceith

freak n spreang, nóisean, spadhar, tallann; anchúinse

freakish a taghdach, corr; anchumtha

freckle n bricín (gréine) pl breicneach

freckled a breicneach, bricíneach

free a saor; scaoilte, ar ligean, (style, etc) éasca, réidh; deonach; flaithiúil, ~ ticket ticéad in aisce, he is ~ to go tá a cheann leis, tá cead a chos aige vt saor, scaoil, réitigh

freedom n saoirse; saoráid

freehold n saorsheilbh

freelance n, ~ journalist iriseoir neamhspleách

freemason n máisiún

freeway n saorbhealach

freeze vt & i reoigh, sioc, oighrigh, cuisnigh, téacht, it is freezing tá sé ag cur seaca, ag sioc

freezer n reoiteoir

freight n lasta, lucht vt lastáil, luchtaigh

frenzied a fiánta, néaltraithe, ar buile

frenzy n buile, mire, straidhn, báiní

frequency n minicíocht

frequent a iomadúil, minic vt gnáthaigh, taithigh, cleacht, lonnaigh

frequently adv go minic

fresco n freascó

fresh a úr, friseáilte, nua; cumhra; naíonda, ~ water fionnuisce

freshen vt & i úraigh; cumhraigh; breoigh, géaraigh

freshness n úire; cumhracht; fionnuaire

fret n crá, ciapadh vt & i creim, cnaígh;

cráigh, ciap, buair, don't ~ ná bíodh imní ort

fretful a aingí, cráite, cantalach, imníoch

fretwork n crinnghréas

friar n bráthair

fricassée n pothrais

friction n cuimilt; imreas, easaontas

Friday n Aoine, he will come on ~ tiocfaidh sé Dé hAoine

friend n cara

friendliness n cairdiúlacht, carthanacht, muintearas

friendly a cairdiúil, muinteartha, lách

friendship n cairdeas, muintearas

frieze n bréid; fríos

frigate n frigéad

fright n scanradh, scaoll, eagla, geit, scéin

frighten vt scanraigh

frightful a scanrúil, scáfar, uafásach, creathnach

frigid a fuar, reomhar, (of person) fuaránta, fuarchúiseach

frill n rufa npl froigisí vt, to ~ sth rufaí a chur ar rud

fringe n glib; frainse, scothóga, ciumhais, ~ of city bruach cathrach

frisk vt & i meidhrigh; cuardaigh, siortaigh, ~ing ag damhsa, ag rinceáil

frisky a meidhreach, ceáfrach, macnasach, rancásach

fritter[1] n fríochtóg

fritter[2] vt meil, smiot, caith

frivolous a éadrom, aerach; éaganta

frizz n caisne vt & i caisnigh

frock n gúna

frog n frog, loscann

frogman n frogaire

frog-spawn n sceith fhroig, glóthach fhroig

frolic n súgradh, macnas vi pramsáil, rad, ~ing ag macnas, ag princeam, ag pocléimneach

frolicsome a aerach, meidhreach, macnasach, rancásach

from prep o, as, de

front n aghaidh, éadan, brollach, tosach, in ~ of sth ar aghaidh, os comhair, ar cheann, ruda; roimh rud, a ~ wheel roth tosaigh vt & i, to ~ sth aghaidh a thabhairt ar rud, to ~ a building aghaidh, éadan, a chur ar fhoirgneamh, to ~ a programme clár a chur i láthair

frontage n éadanas, colbha (bóthair); éadan (foirgnimh)

frontal a, ~ *bone* cnámh (an) éadain, ~ *attack* ionsaí i leith an tosaigh

frontier n teorainn, imeallchríoch

frontispiece n tulmhaisiú

frost n sioc(án), reo, cuisne, *black* ~ sioc dubh

frostbite n dó seaca

frosty a reoch, reoiteach, cuisneach, siocúil

froth n cúr, uanán, coipeadh, sobal

frown n grainc, gruig, púic, místá vi, *to* ~ grainc, púic, gnúis, a chur ort féin, *he* ~*ed at me* bhí muc ar gach mala aige chugam

frozen a reoite

frugal a coigilteach, spárálach, tíosach; lom, gann

frugality n cruinneas, spárálacht, tiosaíocht

fruit n toradh, *the forbidden* ~ úll na haithne vi torthaigh

fruiterer n torthóir

fruitful a torthúil, suthach

fruition n, *the scheme is coming to* ~ tá an scéim ag teacht i gcrích

fruitless a éadairbheach, neamaitheach, ~ *efforts* saothar in aisce

frustrate vt sáraigh, bac

frustration n teacht trasna, sárú

fry¹ n gilidín, stuifín

fry² n friochadh vt & i frioch

frying-pan n friochtán

fuchsia n deora Dé, fiúise

fuddle vt & i, *he is* ~*d with drink* tá mearbhall air, *it* ~*d my brain* chuir sé meascán mearaí orm

fuel n connadh, breosla vt breoslaigh

fugitive n teifeach, éalaitheach a éalaitheach; díomuan, duthain

fulcrum n buthal

fulfil vt comhlíon, comhaill; fíoraigh, cuir i gcrích, *to* ~ *a promise* cur te gealltanas

fulfilment n comhall, comhlíonadh; fíorú, cur i gcrích

full n líon, líonadh a lán, iomlán; sách vt, *to* ~ *cloth* éadach a ramhrú

full-back n lánchúlaí

full-blown a spréite; déanta, críochnaithe

full-bred a folúil

full-dress a, ~ *rehearsal* réamhléiriú lánfheistithe

fuller n úcaire, toicneálaí

full-forward n lántosaí

full-length a lánfhada

fullness n iomláine, dlús, flúirse, ~ *of time* ionú

full-time a lánaimseartha

fully-fledged a déanta, críochnaithe

fulsome a úisiúil, samhnasach, déistineach

fumble vi, *to* ~ *with sth* bheith ag útamáil, ag giotáil, le rud, *what are you fumbling at* cad é an driopás atá ort

fumbler n útamálaí

fume n, pl múch vi, *fuming with anger* ar gail, ag coipeadh, le fearg

fun n greann, sult, aiteas, spraoi; cuideachta

function n feidhm, feidhmeannas, (*social occasion*) tabhairt amach, ceiliúradh vi feidhmigh, oibrigh

functional a feidhmiúil

functionary n feidhmeannach

fund n ciste

fundament n bundún

fundamental a bunúsach, fuaimintiúil

funeral n sochraid, tórramh

fungicide n fungaicíd

fungus n fungas

funicular a cáblach

funk n critheagla, faitíos; meatachán vt & i loic

funnel n fóiséad, tonnadóir

funny a greannmhar, barrúil, ait, ~ *story* scéal grinn

fur n fionnadh, clúmh; cóta fionnaidh; coirt, screamh vt & i screamhaigh, *the boiler* ~*red* tháinig coirt ar an gcoire

furbish vt sciomair, sciúr, líomh, *to* ~ (*up*) *sth* snas a chur ar rud

furious a fraochta, fíochmhar, ainscianta, *to be* ~ bheith ar buile, le báiní

furl vt fill, corn

furlong n staid

furnace n foirnéis, sorn; bruithneach

furnish vt soláthair, cuir ar fáil, gléas, trealmhaigh

furnishings npl feisteas, troscán

furniture n troscán, trioc, *article of* ~ ball troscáin

furrier n fionnadóir

furrow n clais, eitre, iomaire vt treabh, eitrigh, riastráil

furry a clúmhach, fionnaitheach

further adv a thuilleadh, níos mó, *don't let the case go any* ~ ná lig an cás níos sia, *he* ~ *states that* deir sé fós go a, ~ *enquiry* tuilleadh fiosrúcháin, *one or two* ~ *points* pointe nó dhó eile vt cuir chun cinn, oibrigh ar mhaithe le

furthermore adv fós, rud eile de

furtive a fáilí, ~ *deed* gníomh folaigh, *to go* ~ *ly* téaltú leat

furtiveness n gliúcaíocht, ganfhiosaíocht

fury n dásacht, síoch, fraoch, fearg, cuthach, binb, straidhn

furze n aiteann

fuse n fiús; aidhnín vt & i comhleáigh,

comhtháthaigh, cumaisc, *the light has* ~ *d* tá cliste ar an bhfiús

fuselage n cabhail

fusion n comhleá, comhtháthú, cumasc

fuss n fústar, fuirseadh, griothalán, *to make a* ~ *of a person* adhnua a dhéanamh de dhuine vi fuirsigh, fuaidrigh

fussy a fuadrach, fústrach; imníoch; cáiréiseach, beadaí

futile a éadairbheach, fánach, gan éifeacht, in aisce

futility n éadairbhe

future n todhchaí, (grammar) fáistineach, *in* ~ as seo amach, feasta, *in the* ~ ar ball, amach anseo a, *at some* ~ *date* lá is faide anonn

fuzz n clúmhach

fuzzy a clúmhach; doiléir

G

gab n geab, cabaireacht

gabardine n gabairdín

gabble n glagaireacht vt & i, gabbling ag cabaireacht, ag glagaireacht, *he* ~ *d off the poem* dúirt sé an dán de rúid

gable n binn, pinniúr

gad vi, ~ *ding about* ag imeacht le haer an tsaoil, ag scódaíocht, *the cows are* ~ *ding* tá fíbín ar na ba, tá na ba ag aoibheall

gadfly n creabhar

gadget n giuirléid, gaireas

Gaelic n Gaeilge a Gaelach

Gaelicize vt Gaelaigh

gaff n ga, geaf, camóg, cleith vt gathaigh, geafáil

gag n gobán, (joke) ciúta vt & i, *to* ~ *a person* béal a chur ar dhuine

gaiety n meidhir, scléip, aeracht

gaily adv go haerach, go péacach

gain n brabach, éadáil, sochar vt & i gnóthaigh, buaigh, beir, *to* ~ *by sth* bheith beirthe, buaiteach, le rud, *you have little to* ~ *by it* is beag an gnóthachan, an éadáil, duit é, *to* ~ *weight* dul i dtroime

gainful a éadálach, tairbheach, sochrach

gainsay vt bréagnaigh, sáraigh, *he can't*

be gainsaid níl dul thar a fhocal, ina choinne

gait n siúl, coisíocht, imeacht

gaiter n loirgneán

gala n mórthaispeántas, ~ *day* lá croídhílis

galaxy n réaltra; Bealach na Bó Finne

gale[1] n gála, anfa, stoirm

gale[2] n, (rent) gála, ~ *day* ceannlá an chíosa

gall n domlas

gallant n gaige; cliúsaí, banaí a curata; galánta

gallantry n curatacht, crógacht; galántacht

gall-bladder n máilín domlais

galleon n gaileon

gallery n áiléar, gailearaí, lochta, art ~ dánlann

galley n rámhlong, long fhada; cistin ar bord loinge; gaille

gallivant vi, ~ *ing* ag pléireacht, ag ceáfráil

gallon n galún

gallop n, *at a* ~ ar cosa in airde vi, *he* ~ *ed away* d'imigh sé leis ar cosa in airde

gallowglass n gallóglach

gallows n croch
galoshes npl galóisí
galvanize vt galbhánaigh, sincigh
gamble n cluiche gill vt & i, to ~ sth rud a chur i ngeall, gambling ag cearrbhachas, ag imirt; ag dul sa seans (le rud)
gambler n gealltóir; cearrbhach
gambolling n aoibheall, princeam
game[1] n cluiche, báire; ealaín; géim, seilg a géimiúil
game[2] a, (of leg) gambach
gamekeeper n maor seilge
gamester n cearrbhach
gaming n cearrbhachas; cluichíocht
gammon n gambún
gamut n scála, réimse
gander n gandal
gang n buíon, baicle; drong; complacht
ganger n saoiste
gangrene n morgadh
gangrenous a morgthach
gangster n amhas, áibhirseoir, bithiúnach
gangway n clord; pasáiste
gannet n gainéad
gansey n geansaí
gaol n príosún
gaoler n séiléir
gap n bearna, mant; séanas, (mountain pass) bearnas, mám, scabhat
gape vi leath, to ~ at a person stánadh (go béaloscailte) ar dhuine
garage n garáiste
garbage n truflais, miodamas, cosamar
garble vt, you ~d the story chuir tú leathbhreall ar an scéal
garden n gairdín, garraí
gardener n garraíodóir
gardening n garraíodóireacht
gargantuan a ábhalmhór
gargle n craosfholcadh vt & i craosfholc
gargoyle n geargáil
garish a gairéadach, scéiniúil, gáifeach
garland n bláthfhleasc
garlic n gairleog
garment n ball éadaigh
garnish n maisiúchán vt maisigh
garret n gairéad
garrison n garastún, barda vt, to ~ a town garastún a chur i mbaile
garrulous a cabach, cainteach, geabanta
garter n gairtéar

gas n gás, bottled ~ gás buidéalaithe vt gásaigh
gash n créacht, vt créachtaigh; clasaigh
gasket n gaiscéad
gasometer n gásaiméadar
gasp n cnead, díogarnach, smeach, at one's last ~ ar an dé deiridh, i ndeireadh na feide, i ndeireadh na péice vi sclog, to ~ cnead a ligean
gastric a gastrach, ~ fever fiabhras goile
gastritis n gaistríteas
gate n geata
gate-crasher n stocaire
gather n cruinniú, clupaid vt & i bailigh, cruinnigh, cnuasaigh, pioc, bain, soláthair, to ~ in the harvest an fómhar a tharlú
gathered a cruinn, (of cloth) clupaideach
gathering n bailiúchán; tionól, cruinniú; cnuasach, baint; díolaim, (of wound) boirbeáil, tolgadh
gaudy a gairéadach, scéiniúil, taibhseach, spiagaí
gauge n tomhas; leithead, (instrument) tomhsaire, méadar vt tomhais; rianaigh
gaunt a lom, tarraingthe, creatach
gauntlet n iarndóid; lámhainn fhada, to throw down the ~ dúshlán a chur (faoi dhuine)
gauze n uige
gawky a amscaí, dúdach, gúngach
gay a aerach, aigeanta, meidhreach, suairc, barrúil, to lead the ~ life imeacht le haer an tsaoil
gaze n dearcadh, féachaint vi, to ~ at stánadh ar
gazelle n gasail
gazeteer n clár áiteanna
gear n culaith, trealamh, fearas, gléasra; giar
gel vi glóthaigh, téacht
gelatine n geilitín
geld vt coill, to ~ a calf gamhain a ghearradh
gelding n gearrán
gelignite n geilignit
gem n seoid, cloch luachmhar
Gemini npl an Cúpla
gender n inscne; cineál
gene n géin
genealogist n sloinnteoir
genealogy n ginealach, ginealas

general *n*, (*person*) ginearál *a* coiteann, ginearálta, forleathan, gnáth, *in ~* i gcoitinne, *~ election* olltoghchán

generality *n* coitinne, coitiantacht, ginearáltacht

generalization *n* ginearálú

generalize *vt & i*, *to ~ from sth* teoiric ghinearálta a bhaint as rud, *its use has been ~d* tá sé in úsáid go forleitheadach anois

generate *vt* gin

generation *n* giniúint; glúin, ginealach, line

generator *n* gineadóir

generic *a* aicmeach, cineálach, géineasach

generosity *n* féile, flaithiúlacht, toirbheartas, fairsinge, fiúntas, mórchroí

generous *a* fial, flaithiúil, fiúntach, dóighiúil, dúthrachtach

Genesis *n* Geiniseas

genetic *a* géiniteach

genetics *n* géineolaíocht

genial *a* caoin, séimh; suáilceach, lách

genitals *npl* baill ghiniúna

genitive *n & a* ginideach

genius *n* ginias; bua, ardéirim, (*person*) saoi; duine sáréirimiúil

genocide *n* díothú cine

genteel *a* galánta, caoinbhéasach

gentile *n & a* gintlí

gentility *n* galántacht, uaisleacht; míne; dea-bhéasa

gentle *a* caoin, caomh, ceansa, mánla, mín, séimh, *~ slope* fána réidh

gentleman *n* duine uasal

gentleness *n* caoine, caoimhe, ceansacht, mánlacht, modhúlacht, tlás

gentry *n*, *the ~* na huaisle, na maithe móra

genuflect *vi* sléacht, umhlaigh

genuflection *n* umhlú, feacadh glúine, sléachtadh

genuine *a* dílis, dleathach, fíréanach, fíor-

genus *n* géineas, cineál, aicme

geographical *a* geografach

geography *n* tíreolaíocht, geografaíocht

geology *n* geolaíocht

geometric *a* céimseatúil, geoiméadrach

geometry *n* céimseata

Georgian *a* Seoirseach

geranium *n* geiréiniam

germ *n* frídin, ginidín, bitheog

germinate *vt & i* gin, péac

gestation *n* iompar (clainne)

gesticulate *vi* gotháil, *gesticulating* ag déanamh geáitsí, ag comharthaíocht

gesture *n* geáitse, gotha

get *vt & i* faigh, bain amach, *to ~ tired*, *hot* éirí tuirseach, te, *~ting cool* ag dul i bhfuaire, *I got thirsty* bhuail tart mé, *it can't be got* níl fáil air, níl sé ar fáil, *to ~ about* dul ó áit go háit, *to ~ across a river* abhainn a thrasnú; abhainn a chur díot, *to ~ sth measured* rud a fháil tomhaiste, rud a chur á thomhas, *to ~ away* imeacht, éalú, *don't let him ~ away with it* ná lig leis é, *to ~ back* dul ar gcúl; filleadh, *to ~ down* tuirlingt, *getting on for three o' clock* ag tarraingt ar a trí a chlog, *getting on well* ag tarraingt go maith (le chéile), *to ~ on* dul in airde ar; dul chun cinn, *to ~ over a sickness* tinneas a chur díot, *to ~ up* éirí, *to ~ the better of a person* duine a shárú, a bharraíocht, *to ~ out of control* imeacht ó smacht

geyser *n* géasar

ghastly *a* urghránna, uafásach, scanrúil

ghetto *n* geiteo

ghost *n* taibhse, scáil, sprid

ghostly *a* taibhsiúil

giant *n* fathach, arracht *a* mór-, ábhalmhór

gibberish *n* brilléis, gliogaireacht, gibiris

gibe *n* focal fónóide, goineog *vt & i*, *to ~ (at) a person* fónóid, magadh, a dhéanamh faoi dhuine

giblets *npl* gipis

giddiness *n* éadroime, meadhrán, mearbhall; éagantacht, giodam

giddy *a* meadhránach, mearbhlach; gogaideach, éaganta, éadrom, aertha, alluaiceach

gift *n* bronntanas, tabhartas, féirín; tíolacadh, bua, tallann

gifted *a* tréitheach, éirimiúil

gigantic *a* ábhalmhór

giggle *n* scige, sciotaíl *vi*, *to ~* sciotaíl, scigireacht, a dhéanamh

gild *vt* óraigh

gill[1] *n* geolbhach; sprochaille

gill[2] *n* ceathrú pionta

gillie *n* giolla

gilt *n* órú *a* órnite

gilt-edged *a* órchiumhsach, ~ **securities** sárurrúis·

gimlet *n* gimléad, ~ **eyes** súile bioracha

gin[1] *n* gaiste; unlas

gin[2] *n* biotáille Ghinéive

ginger *n* sinséar

gingerly *adv* go cáiréiseach

giraffe *n* sioráf

gird *vt* timpeallaigh, fáisc (umat, ort)

girder *n* cearchaill, giarsa

girdle *n* crios, sursaing *vt* crioslaigh

girl *n* cailín, girseach, gearrchaile

girth *n* giorta, tarrghad; coimpléasc; leithead

gist *n* éirim, brí

give *vt & i* tabhair; toirbhir, *to* ~ *a whistle*, *a shout* fead, gáir, a ligean, *to* ~ *a person away* sceitheadh ar dhuine, *to* ~ *in to* géilleadh do, *to* ~ *up to* éirí as, géilleadh, ~ *over that bad habit* tréig an drochnós sin, ~*n to* ligthe ar, tugtha do, *to* ~ *out* tabhairt amach; dáil, roinn

giver *n* tabharthóir, bronntóir

gizzard *n* eagaois

glacial *a* oighreach

glacier *n* oighearshruth

glad *a* áthasach, lúcháireach, gliondrach, subhach, *you'll be* ~ *of it yet* tiocfaidh an lá ort a mbeidh tú buíoch de Dhia as, *I'm* ~ *it is done* is maith liom, tá áthas orm, go bhfuil sé déanta

gladden *vt*, *to* ~ *a person's heart* áthas, ríméad, a chur ar dhuine; croí duine a ghealadh

gladiator *n* gliaire

gladiolus *n* glaidíolas

gladly *adv* go fonnmhar, le fonn

gladness *n* áthas, gliondar, gile, lúcháir, subhachas

glamorous *a* luisiúil, mealltach, péacach

glance *n* sracfhéachaint, buille súl, spléachadh, silleadh, *at a* ~ ar leagan na súl *vi* scinn; sill, *to* ~ *at sth* sracfhéachaint a thabhairt ar rud, súil a chaitheamh ar rud

gland *n* faireog

glare *n* spalpadh (gréine), dallrú; scéin *vi*, *to* ~ *at a person* súil fhiata, súil nimhneach, a thabhairt ar dhuine

glaring *a*, *(of light, colour)* dallraitheach; scéiniúil, spiagaí, *(of fact, etc)* sofheicthe

glass *n* gloine *pl*, *(spectacles)* spéaclaí, gloiní *a*, ~ *case* cás gloine

glassy *a* gloiní

glaze *n* gléas *vt & i* gloinigh, glónraigh

glazier *n* gloineadóir

gleam *n* léas, drithle, gealán, scáil

glean *vt & i* conlaigh, diasraigh, deasc

gleaning *n* conlán, díolaim, tacar *pl* diasra, deascán, cnuasach, piocarsach

glee *n* gliondar, meidhir

glen *n* gleann

glib *a* geabanta, líofa

glide *n* sleamhnú, foluain *vi* snámh, snigh, scinn, sleamhnaigh

glider *n* faoileoir

glimmer *n* díogarnach (sholais), breacsholas, léas *vi* drithligh

glimpse *n* spléachadh

glint *n* drithle, faghairt *vi* glinnigh, drithligh

glistening *n* glioscarnach

glittering *n* glioscarnach *a* drithleach

gloaming *n* cróntráth, clapsholas

gloat *vi*, *to* ~ *over a person* an bhinnbharraíocht a bheith agat ar dhuine

global *a* domhanda

globe *n* cruinneog, meall, *(of lamp)* gloine

globular *a* comhchruinn, cruinneogach

globule *n* cruinnín, súilín

gloom *n* dochma, duairceas, dubhachas, gruaim, smúit

gloomy *a* duairc, doilbhir, gruama, dubhach, néalmhar

glorify *vt* glóirigh, mór

glorious *a* glórmhar, ~ *weather* aoibhneas, aimsir ghléigeal

glory *n* glóir *vi*, *to* ~ *in sth* ollás a dhéanamh as rud, le rud

gloss[1] *n* gléas, snas *vt* snasaigh, *to* ~ *over sth* (an) plána mín a chur ar rud

gloss[2] *n* gluais, sanas

glossary *n* gluais, sanasán

glossy *a* snasta, gléasta

glottis *n* glotas

glove *n* lámhainn, miotóg

glow *n* deirge, luisne, breo, gríos *vi* breoigh, luisnigh

glower *vi*, *to* ~ *at a person* drochfhéachaint, súil fhiata, a thabhairt ar dhuine

glowing *a* dearg, luisniúil, caordhearg, breoch, gríosach

glow-worm n lampróg
glucose n glúcós
glue n gliú, glae vt gliúáil, *his eyes were ~ d to it* bhí a shúile greamaithe ann
glum a gruama, duairc, dodach, púiciúil
glut n brúcht, anlucht vt anluchtaigh, *to ~ oneself with food* brúcht a ithe, ceas a chur ort féin ag ithe
glutton n craosaire, suthaire
gluttonous a craosach
gnarled a cnapánach, dualach, fadharcánach
gnashing n díoscán (fiacla)
gnat n corrmhíol
gnaw vt & i cnaigh, creim
go n imeacht, dul; gó; gus, anam, *to have a ~ at sth* tabhairt faoi rud, triail a bhaint as rud, iarraidh a thabhairt ar rud vi téigh, imigh, gabh, gluais, *~ing on* ar siúl, *to ~ about* dul thart, *it is ~ing to snow* tá sneachta air, *the young ones ~ing nowadays* an t-aos óg atá suas anois
goad n brod, spor vt broid, prioc, *~ing one another* ag sporadh ar a chéile
go-ahead a fiontrach, treallúsach
goal n sprioc, cuspóir, marc; *(sport)* cúl, báire
goalkeeper n cúl báire
goat n gabhar
goatee n meigeall
gobble[1] vt & i alp, slog, plac, *gobbling* ag slaimiceáil
gobble[2] vi, *(of turkey, etc)* gogail
go-between n teagmhálaí, idirghabhálaí
goblet n cuach
goblin n gruagach, bocánach
God n Dia
godchild n leanbh baistí, cara Críost
goddess n bandia
godfather n athair baistí, cara Críost
godless a aindiaga
godliness n diagantacht, cráifeacht
godly a diaga; diaganta, cráifeach
godmother n máthair bhaistí, cara Críost
godsend n éadáil, tíolacadh, cabhair ó Dhia
godspeed n, *I wish you ~* go soirbhí Dia duit
goggle vi, *(of eyes)* bolg, leath, *he ~ d with amazement* sheas an dá shúil ina cheann
goggle-eyed a bolgshúileach

goggles npl gloiní cosanta
going n dul, imeacht, *to get ~ properly* breith ar do ghreamanna
goitre n ainglis
gold n ór
goldcrest n ciorbhuí, dreoilín ceannbhuí
golden a órga, buí
goldfinch n lasair choille
goldsmith n órcheardaí, gabha óir
golf n galf
golf-course n machaire gailf, galfchúrsa
golfer n galfaire
gombeenism n gaimbíneachas
gone adv ar shiúl, imithe
gong n gang
good a maith, maitheas, leas, tairbhe npl earraí, maoin, airnéis, *for the ~ of* ar mhaithe le a maith, fónta, tairbheach, dea-, *G ~ Friday* Aoine an Chéasta
good-bye n & int slán, beannacht (leat, agat), *to bid ~ to a person* slán a chur le duine; slán a fhágáil ag duine; ceiliúradh de dhuine
good-for-nothing n spreasán (de dhuine) a spreasánta, beagmhaitheasach
good-looking a dathúil, dóighiúil
good-morning n & int mora duit (ar maidin); Dia duit
good-natured a nádúrtha, lách, oineachúil
goodness n maith, maitheas int a thiarcais! *for ~ sake!* i gcuntas Dé!
good-night n & int oíche mhaith; slán codlata
goodwill n dea-mhéin, dea-thoil, dúthracht; cáilmheas
goose n gé
gooseberry n spíonán
goose-flesh n cáithníní, driuch, fionnachrith
goose-grass n garbhlus
gore[1] n folracht, cró, fuil
gore[2] vt adharcáil, poll
gorge n craosán, scornach, ailt, *to make a person's ~ rise* cradhscal, masmas, a chur ar dhuine vt & i pulc, *to ~ oneself* craos a dhéanamh, forlíonadh a dhéanamh ort féin
gorgeous a taibhseach, suaithinseach, álainn
gorilla n goraille
gorse n aiteann
gory a crólinnteach, fuilteach

gosling *n* góislín, éan gé
gospel *n* soiscéal
gossamer *n* téada an phúca, bréidíní *a* tanaí, éadrom, sreabhach
gossip *n*, (*person*) cara Críost; cardálaí, cúlchainteoir; (*talk*) béadán, cadráil, luaidreán, míghreann, cúlchaint *vi*, *to* ~ *about a person* bheith ag cúlchaint ar dhuine
gossipy *a* cluinteach
Gothic *a* Gotach
gourmet *n* eolaí bia agus dí, beadaí
gout *n* gúta
govern *vt* rialaigh, stiúir, smachtaigh
government *n* rialtas; rialú
governor *n* gobharnóir
gown *n* gúna, fallaing
grab *n* sciob, glám *vt* & *i* cúbláil, sciob, glám, *to* ~ *at sth* áladh a thabhairt ar rud, glám a thabhairt faoi rud, *to* ~ *at a chance* do dheis a thapú
grabber *n* cúblálaí, grabálaí
grace *n* grásta; spéiriúlacht, *in the state of* ~ ar staid na ngrást, ~ *before meals* altú roimh bhia, *days of* ~ laethanta breise, *a year's* ~ spás, cairde, bliana *vt* maisigh, breáthaigh
graceful *a* mómhar; ealaíonta, seolta, spéiriúil
gracious *a* grástúil, mánla
gradation *n* réimniú, grádú
grade *n* grád, céim, rang; grádán *vt* rangaigh, céimnigh, réimnigh, grádaigh
gradient *n* grádán
gradual *a* céimseach, ~ *ly* de réir a chéile, diaidh ar ndiaidh
graduate *n* céimí *vt* & *i* grádaigh, céimnigh, *to* ~ (*from university*) céim a bhaint amach
graduation *n*, (*of student*) baint amach céime; bronnadh céime; céimniú
graft[1] *n* beangán, nódú *vt* nódaigh
graft[2] *n* cúbláil, breabaireacht
grain *n* gráinne; arbhar, grán; snáithe, *against the* ~ in aghaidh dula, in aghaidh stoith *vt* gráinnigh
graip *n* graeipe
gram *n* gram
grammar *n* gramadach; graiméar
grammatical *a* gramadúil
gramophone *n* gramafón
granary *n* gráinseach
grand *a* mór; breá; galánta, ardnósach

grandad *n* daideo
grandchildren *npl* clann clainne
grand-daughter *n* gariníon
grandeur *n* maorgacht, uaisleacht
grandfather *n* seanathair, athair mór, athair críonna
grandma *n* mamó, móraí
grandmother *n* seanmháthair, máthair mhór, máthair chríonna
grandson *n* garmhac
grandstand *n* (an) seastán mór
granite *n* eibhear
granny *n* mamó, móraí
grant *n* deonú, bronnadh, lámháil, tíolacadh; deontas *vt* deonaigh, tabhair, lamháil, bronn, *to take sth for* ~*ed* talamh slán, dóigh, a dhéanamh de rud, ~*ed you saw her* bíodh is go bhfaca tú í
granulate *vt* & *i* gránaigh
granulated *a* gráinneach
grape *n* fíonchaor, caor finiúna
grapefruit *n* seadóg
graph *n* & *vt* & *i* graf
grapnel *n* graiféad
grapple *vt* & *i*, ~ *with* láimhsigh, greamaigh, *to* ~ *with sth* dul i ngleic, ag coraíocht, le rud
grasp *n* greim, glac; tuiscint *vt* & *i* forghabh, glac, greamaigh, *to* ~ *an opportunity* do dheis a thapú
grasping *a* greamaitheach; docht (faoi airgead), santach
grass *n* féar
grasshopper *n* dreoilín teaspaigh
grasslands *npl* féarthailte
grassy *a* féarmhar
grate[1] *n* gráta
grate[2] *vt* & *i* grátáil; adhain, scríob; díosc
grateful *a* buíoch
grater *n* scríobán, *cheese* ~ grátálaí cáise
gratification *n* sásamh
gratify *vt* sásaigh
grating *n* grátáil, gríl
grating[2] *n* díoscán *a* díoscánach
gratis *a* & *adv* in aisce, saor
gratitude *n* buíochas
gratuitous *a* saor, in aisce, ~ *insult* masla gan tuilleamh
gratuity *n* deolchaire, síneadh láimhe; luach dráir
grave[1] *n* uaigh, feart, leacht, *in the* ~ san úir, ag tabhairt an fhéir, faoin bhfód

grave² a tromchúiseach, tromaí
gravel n gairbhéal, grean
graven a greanta
gravestone n leac uaighe
graveyard n reilig
gravitate vi imtharraing (ar towards, timpeall around), to ~ towards a person druidim i dtreo duine
gravitation n domhantarraingt, imtharraingt; tarraingt
gravity n tromchúis; imtharraingt, domhantarraingt, centre of ~ meáchanlár
gravy n súlach
graze¹ vt & i, to put cattle out to ~ beithigh a chur ar féarach, grazing the fields ag ithe na bpáirceanna
graze² vt & i scríob, gránaigh
grazier n grásaeir
grazing n innilt, iníor; féarach
grease n smearadh, gréisc, bealadh, olar vt smear, bealaigh, gréisc
grease-paint n gréisclí
greaseproof a gréiscdhíonach
greasy a gréisceach, bealaithe, olartha
great a mór, ábhalmhór, éifeachtach, mór-, oll-, a ~ game an-chluiche
great-aunt n seanaintín
greatcoat n cóta mór
great-grandfather n sin-seanathair, garathair
grebe n foitheach, little ~ laipirín
greed n saint, cíocras, ampla, airc
greedy a santach, cíocrach, amplach, ~ eater alpaire, craosaire
green¹ n báinseach, plásóg, faiche, réileán
green² n & a glas, uaine; núíosach
greengage n glasphluma
greengrocer n, ~'s shop siopa glasraí
greenhorn n núíosach
greenhouse n teach gloine
greet vt beannaigh (do)
greeting n beannú, beannacht, ceiliúr
gregarious a tréadúil, caidreamhach
Gregorian a Greagórach, ~ chant cantaireacht eaglasta
grenade n gránáid
grenadier n gránádóir
grey n glas, liath a glas, liath, brocach
greyhound n cú
grid n greille, eangach
griddle n grideall

grief n brón, dobrón, léan, méala, danaid
grievance n ábhar gearáin, casaoid
grieve vt & i buair, goill (ar), cráigh, don't ~ over that ná cuireadh sin buairt, mairg, ort; ná bíodh rud ort faoi
grievous a danaideach, léanmhar; trom
grill n greille; gríl; gríoscadh, gríscín vt & i gríoll, gríosc
grille n grátáil, greille
grillroom n gríosclann
grilse n griolsa, maighreán
grim a dúr, dúranta, duaiseach
grimace n grainc, gramhas, strabhas, scaimh vi, to ~ cár, draid, gramhas, strainc, a chur ort féin
grime n smúr, smúit
grimy a brocach, smúrach, crosach
grin n straois, gramhas, draidgháire, drannadh vi drann, to ~ cár, straois, a chur ort féin; draidgháire a dhéanamh
grind n tiaráil, fuirseadh vt & i líomh; meil, cogain, to ~ one's teeth díoscán a bhaint as do chuid fiacla
grinder n meilteoir
grindstone n cloch fhaobhair, cloch líofa, he has his nose to the ~ tá sé faoi dhaoirse na gcorr
grip n greim; doirnín, in the ~ of a cold gafa ag slaghdán, to come to ~s with a person dul i ngleic le duine, breith isteach ar dhuine vt & i greamaigh, fostaigh
gripes npl coiliceam, treighid vt & i, to gripe a person coiliceam, treighid, a chur ar dhuine, to gripe (at sth) bheith ag síorchasaoid, ag canrán, (faoi rud)
gripping a greamaitheach
grisly a arrachtach, anchúinseach, scanrúil
grist n bleathach, bringing ~ to one's own mill, ag cur abhrais ar do choigeal féin, ag tochras ar do cheirtlín féin
gristle n loingeán
grit n grean, smúdar; gus, sracadh
grizzled a bricliath
groan n cnead, ochlán, osna vi éagnaigh, cnead
grocer n grósaeir
grocery n grósaeireacht
grog n grag
groggy a barrthuisleach, I felt ~ bhí na cosa ag tabhairt fúm, bhí na hioscaidí ag lúbadh fúm

groin *n* bléin

groom *n* eachaire, grúmaeir; grúm, an fear óg

grooming *n* piochtacht; grúmaeireacht

groomsman *n* finné fir, vaidhtéir

groove *n* clais, eang, eitre, feire *vt* clasaigh, eitrigh

grope *vt & i*, *groping* ag smúrthacht, ag útamáil, ag méaraíocht, ag dornásc, *groping one's way along* ag brath (na slí) romhat

gross *n* grósa *a* otair; garbh, brúidiúlach, ~ *profit* ollbhrabús, ~ *ignorance* dubh-ainbhios, ~ *national product* olltáirgeacht náisiúnta

grotesque *n* arracht, torathar *a* anchúinseach, ainspianta, ~ *appearance* cuma shonraíoch

grotto *n* uaimh

ground[1] *n* talamh, lár; foras, *to stand one's* ~ an fód a sheasamh, *there are* ~ *s for supposing that* tá bunús leis an tuairim go *vt & i* fódaigh, suigh, *to be well* ~ *ed in a subject* buneolas maith ar ábhar a bheith agat

ground[2] *a* greanta; líofa, ~ *rice* rís mheilte

groundsel *n* grúnlas

group *n* gasra, dream, drong, grúpa *vt & i* grúpáil, rangaigh, cruinnigh

grouse[1] *n* cearc fhraoigh

grouse[2] *n* cnáimhseáil, canrán *vi* gearán, *to* ~ cnáimhseáil a dhéanamh

grove *n* garrán, doire

grovel *vi* lútáil

grow *vt & i* fás, méadaigh, borr, *to* ~ *big* éirí mór, *when she grew up* nuair a tháinig ann di, nuair a tháinig sí i méadaíocht, *to* ~ *worse, strong* dul i ndonas, i neart

growl *n* dorr, grúscán, drantán *vi* drantaigh

grown-up *n* duine fásta *a* críonna, fásta

growth *n* fás, forás, forbairt, borradh, méadú

grub *n* cruimh

grub-axe *n* grafán

grubby *a* smeartha, brocach

grudge *n* fala, faltanas, olc *vt*, *to* ~ *a person sth* rud a mhaíomh ar dhuine, rud a thnúth do dhuine

grudgingly *adv* go doicheallach

gruel *n* praiseach, brachán lom

gruff *a* gairgeach, giorraisc, dorrga, grusach

grumble *n* clamhsán, cnáimhseáil, ceasacht, casaoid *vi* ceasnaigh, gearán, *to* ~ casaoid, clamhsán, canrán, a dhéanamh

grumbler *n* cnáimhseálaí, clamhsánaí

grumpy *a* cantalach

grunt *n* gnúsacht, griotháil *vi* griotháil, ~ *ing* ag gnúsachtach

guarantee *n* barántas, urra, ráthaíocht, slánaíocht *vt* ráthaigh, *I'll* ~ *you he was there* gabhaim orm go raibh sé ann

guarantor *n* urra

guard *n* garda, cosaint, faire, *to put a person on his* ~ (*against sth*) duine a chur ar a fhaichill (ar rud), *to take a person off* ~ duine a fháil ar faill *vt & i* gardáil, coimhéad, cosain, *to* ~ *oneself against sth* tú féin a sheachaint, a fhaichill, ar rud

guarded *a* faichilleach, cúramach, ~ *answer* freagra seachantach

guardian *n* caomhnóir, coimirceoir

guerilla *n* treallchogaí, guairille *a* guairilleach, ~ *warfare* treallchogaíocht

guess *n* tomhas, *random* ~ buille faoi thuairim, *have a* ~ caith do chrann tomhais *vt & i* tomhais, tuairimigh

guess-work *n* tuairimíocht

guest *n* aoi, *to be someone's invited* ~ bheith ar cuireadh ag duine

guest-house *n* teach aíochta, aíochtlann

guffaw *n* scolgháire, scairt gháire *vi*, *to* ~ scolfairt a dhéanamh, scairt gháire a ligean asat

guidance *n* treoir, stiúradh, giollacht

guide *n* treoraí, ceannaire; treoir; eolaí, *girl* ~ banóglach *vt* treoraigh, dírigh, giollaigh, stiúir

guild *n* cuallacht, gild

guile *n* cealg, mealladh, lúbaireacht, calaois

guileless *a* soineanta; ionraic, macánta

guillemot *n* foracha

guillotine *n* gilitín

guilt *n* ciontacht

guilty *a* ciontach, coireach

guinea *n* gine

guinea-hen *n* cearc ghuine

guinea-pig *n* muc ghuine

guise *n* riocht, gné

guitar *n* giotár

gulf n murascaill
gull n faoileán, *black-backed* ~ droimneach, *black-headed* ~ sléibhin vt, to ~ *a person* bob a bhualadh ar dhuine
gullet n craos, píobán réidh; slogaide
gullible a boigéiseach, saonta, mothaolach
gully n feadán, clais; líntéar
gulp n slog(óg) vt & i slog, *he* ~ed *tháinig tocht air*
gum[1] n drandal, carball
gum[2] guma; sram (i súil) vt & i greamaigh, sram, ramhraigh
gumboil n liag dhrandail
gumption n ciall, meabhraíocht; spriolladh, gus
gun n gunna
gun-fire n lámhach, scaoileadh gunnaí
gunner n gunnadóir
gunwale n gunail, béalbhach, slat bhéil, slat bhoird
gurgle n glothar, glugar vi, *gurgling* ag plobarnach
gush n caise, scaird, steall, sconna vi scaird, scinn, séid
gushing a, *(of water)* caiseach, scaird-

each, *(of person)* scailéathanach, maoithneach
gusset n asclán, eang, guiséad
gust n séideán, síob, siota, *great* ~ s *of wind* réablacha gaoithe
gusto n, *to do sth with* ~ rud a dhéanamh le fonn, le flosc
gut n inne, putóg, stéig vt, *to* ~ *sth an* t-ionathar a bhaint as rud
gutta-percha n guma peirce
gutter n gáitéar, clais, líntéar
guttersnipe n maidrín lathaí
guttural a scornúil
guy[1] n fear bréige, *(of person)* ceann, diúlach vt, *to* ~ *a person* fonóid, magadh, a dhéanamh faoi dhuine
guy[2] n cuibhreach vt cuibhrigh
guzzle vt & i plac, alp, slog, *guzzling* ag suthaireacht
gymnasium n giomnáisiam
gymnast n gleacaí
gymnastics n gleacaíocht
gynaecologist n lia ban
gypsum n gipseam
gypsy n giofóg
gyrate vi cas, rothlaigh

H

haberdashery n mionéadach, mionearraí
habit n béas, cleachtadh, gnás, nós; aibíd
habitable a ináitrithe
habitat n gnáthóg
habitation n teach, áitreabh, áras
habitual a gnách, rialta, *past* ~ *tense* aimsir ghnáthchaite
.habitué n gnáthóir, taithitheoir
hack[1] n, *(of person)* úspaire, tiarálaí
hack[2] vt & i ciorraigh, leadair, ~ *ing* ag spreotáil
hackle n, *his* ~ s *are up* tá cochall, ribe, círín troda, air
hackneyed a seanchaite
hacksaw n sábh miotail
haddock n cadóg
haemophilia n haemaifilia
haemorrhage n rith fola
haemorrhoids npl fíocas
haft n cos, feirc, urla
hag n cailleach

haggard[1] n iothlainn
haggard[2] a snoite, tarraingthe
haggle vi, *haggling over the price of sth* ag margáil, ag ocastóireacht, ag stangaireacht, faoi phraghas ruda
hagiography n naomhsheanchas
hail[1] n cloch shneachta vi, *it's* ~ *ing* tá sé ag cur cloch sneachta
hail[2] n, *the Hail Mary* an tÁivé Máiria vt glaoigh ar, scairt le
hailstone n cloch shneachta
hair n clúmh, fionnadh; folt, gruaig, *(single)* ~ ribe
hairdresser n gruagaire
hairdressing n bearbóireacht, gruagaireacht
hairy a clúmhach, fionnaitheach, gruagach, ribeach
hake n colmóir
halberd n halbard

hale *a* breabhsánta, seamhrach, bagánta, folláin

half *n & a* leath, ~ *day* leathlá, *an hour and a* ~ uair go leith

half-back *n* leathchúlaí

half-forward *n* leath-thosaí

half-one *n*, *(of spirits)* leathcheann

half-wit *n* leathdhuine, leathcheann

halibut *n* haileabó

hall *n* halla

hallmark *n* sainmharc

hallowed *a* beannaithe, naofa

Halloween *n* Oíche Shamhna

hallucination *n* mearú súl, speabhraíd

halo *n* lios, fáinne, luan, *there is a* ~ *round the moon* tá garraí, bogha, ar an ngealach

halt *n & vt & i* stad, stop *a* bacach

halter *n* adhastar, ceanrach

halve *vt, to* ~ *sth* dhá leath a dhéanamh de rud; rud a bhriseadh, a roinnt, ina dhá leath

halyard *n* háilléar

ham *n* liamhás; más

hamburger *n* martbhorgaire

hamlet *n* gráig

hammer *n* casúr, ord, ceapord *vt & i* tuargain, buail, gread

hammock *n* ámóg, leaba luascáin

hamper[1] *n* cis, amparán

hamper[2] *vt* bac

hamstring *vt* speir

hand *n* lámh, crobh, glac, *clapping* ~ *s* ag bualadh bos *vt* seachaid, toirbhir, *to* ~ *sth to a person* rud a shíneadh chuig duine, rud a thabhairt do dhuine

hand-bag *n* mála láimhe

handball *n* liathróid láimhe

handbook *n* lámhleabhar

hand-clasp *n* greim láimhe

handcuffs *npl* dornaisc, glais lámh

handful *n* bos(lach), dornán, glac, mám, crág, slám

handicap *n* cis *vt* cis, cuir cis ar

handicapped *a*, ~ *child* páiste éislinneach

handicraft *n* lámhcheird

handkerchief *n* ciarsúr; naipcín póca

handle *n* cluas, cos, lámh, doirnín, sáfach, hanla *vt* ionramháil, láimhseáil, láimhsigh, ainligh

handler *n* lámhadóir

handling *n* ionramháil; glacaireacht, láimhdeachas

handsome *a* dóighiúil, dathúil, breá, feiceálach, ~ *woman* stuaire (mná)

handwoven *a* lámhfhite

handwriting *n* scríbhneoireacht, *I recognised her* ~ d'aithin mé a lámh

handy *a* acrach, áiseach, áisiúil, sásta, deaslámhach

hang *n, to get the* ~ *of sth* teacht isteach ar rud *vt & i* croch, ~ *ing on the wall* ar crochadh ar an mballa, *he hung his head* chrom sé a cheann, *her hair* ~ *ing down her back* a cuid gruaige siar síos léi, ag sileadh lena droim, ~ *ing around* ag fáinneáil timpeall

hangar *n* haingear

hanger *n* crochadán, croch

hanger-on *n* baoiteálaí, stocaire, *pl* cosmhuintir

hangman *n* crochadóir

hangover *n* póit

hank *n* iorna, giomhán, rothán

hankering *n, a* ~ *after sth* caitheamh i ndiaidh ruda, dúil i rud

haphazard *a* fánach

happen *vi* tarlaigh, teagmhaigh, *what* ~ *ed* cad a thit amach, *what* ~ *ed to him* cad a bhain dó, cad a d'éirigh dó, cad a d'imigh air, *if I* ~ *to be there again* má chastar ann arís mé

happiness *n* séan, sonas, suáilceas

happy *a* séanmhar, sona, sonasach, meidhreach

harass *vt* ciap, cráigh

harassment *n* ciapadh, cluicheadh, crá

harbinger *n* réamhtheachtaire

harbour *n* calafort, caladh, cuan, port *vt* caomhnaigh, *to* ~ *revenge* díoltas a chothú

hard *a* crua, dian, docht, dúr; deacair, doiligh; cadránta, ~ *cash* airgead tirim

harden *vt & i* cruaigh, cranraigh, scarbháil, stalc, stolp, *to* ~ *one's heart* do chroí a chúngú, a dhúnadh

hardly *adv* ar éigean, *he is* ~ *likely to do it* is beag an baol air é a dhéanamh, *I* ~ *believe it* is olc a chreidim é

hardness *n* cruas, déine; doichte

hardship *n* anró, cruatan, deacair, dochma

hardware *n* crua-earraí, iarnra

hard-wearing *a* dochaite, *that cloth is* ~ tá caitheamh maith san éadach sin

hard-working a dícheallach, saothrach
hardy a crua, cróga, miotalach; cuisneach
hare n giorria, míol buí
hare-lip n bearna mhíl, gnás, séanas
hark vi, to ~ back to sth teacht ar ais ar rud
harlot n meirdreach, striapach
harm n damáiste, díobháil, urchóid, dochar, olc, aimhleas, it is no ~ to say ní miste a rá (go) vt máchailigh, to ~ sth díobháil, dochar, a dhéanamh do rud
harmful a díobhálach, dochrach, aimhleasach, olc, urchóideach
harmless a neamhurchóideach
harmonic a armónach
harmonious a oirfideach, siansach; sítheach
harmonium n armóin
harmonize vt & i armónaigh, to ~ with sth teacht, cur, réiteach, le rud
harmony n armóin, comhcheol; teacht le chéile, comhréiteach
harness n táclaí, úim vt gléas, úim
harp n cláirseach, cruit vi seinn ar chláirseach, to ~ on sth seamsán a dhéanamh de rud
harpist n cláirseoir, cruitire
harpoon n muirgha, harpún
harrier n gadhar fiaigh
harrow n bráca, cliath fhuirste vt & i fuirsigh
harrowing a coscrach, léanmhar
harsh a gairgeach, garbh, garg; trom, ~ weather garbhshíon
harvest n fómhar, to do the ~ work an fómhar a dhéanamh vt & i bain, sábháil
hash n, to make a ~ of sth praiseach a dhéanamh de rud
hashish n haisis
hasp n haspa, lúbán
haste n deabhadh, deifir, dithneas, driopás
hasten vt & i brostaigh, deifrigh, luathaigh
hasty a araiciseach, grodfhoclach, luathintinneach, teasaí, tobann, ~ deed gníomh grod
hat n hata
hatch[1] n haiste

hatch[2] vt & i gor, to ~ eggs gor a dhéanamh ar uibheacha, ~ing a plot ag cothú ceilge, ~ing from an egg ag teacht as ubh
hatchery n gorlann
hatchet n tua, let us bury the ~ caithimis an chloch as ár muincille
hate n fuath, gráin vt fuathaigh, gráinigh, tabhair fuath do
hateful a fuafar, gráiniúil
hatred n fuath, gráin, mioscais
haughty a uaibhreach, móiréiseach, toirtéiseach, teidealach
haul n tarraingt, ~ of fish cor éisc vt tarlaigh, tarraing, to ~ in a sail seol a lomadh
haulage n iompar, carraeireacht, tarlú
haunch n ceathrú, gorún, leis
haunt n gnás, gnáthóg vt gnáthaigh, lonnaigh, taithigh
haunted a, ~ house teach siúil
have vt, I ~ it tá sé agam, to ~ a meal béile a chaitheamh, tráth bia a dhéanamh, I don't ~ to work níl orm obair a dhéanamh, he had to go b'éigean dó imeacht aux vb, you ~ arrived tháinig tú, tá tú tagtha, she had gone by the time I arrived bhí sí imithe faoi ar tháinig mise
haversack n mála lóin
havoc n ár, millteanas, eirleach, sléacht, he will wreak ~ déanfaidh sé gríosach
haw n sceachóir
hawk n seabhac
hawker n mangaire
hawthorn n sceach (gheal)
hay n féar (tirim), ~ fever slaghdán teaspaigh
hazard n baol, contúirt, guais
hazardous a baolach, contúirteach, guaiseach
haze n ceo, ceobhrán, heat ~ ceo bruithne, ró samh
hazel n coll
hazelnut n cnó coill, cnó gaelach
hazy a smúranta; doiléir, ~ recollection meathchuimhne, mearchuimhne
he pron sé, seisean; é, eisean, ~ came tháinig sé, ~ was beaten buaileadh é, ~ is a doctor is dochtúir é, ~ who knows an té a bhfuil a fhios aige

head *n* ceann, cloigeann; uachtarán, ~ *of cabbage* tor cabáiste, ~ *of hair* cúl (gruaige), folt (gruaige), *at the ~ of the men* ar cheann na bhfear a, ~ *office* priomhoifig *vt*, *to ~ off a cow* bó a cheapadh, *to ~ the list* bheith ar bharr an liosta, ~ *ing for the fair* ag tarraingt ar an aonach, *to ~ for a place* déanamh, díriú, ar áit

headache *n* tinneas cinn

head-gear *n* ceannbheart

heading *n* ceannteideal

headland *n* ceann tíre, rinn; cinnfhearann

headlight *n* ceannsolas

headline *n* ceannlíne

headlong *adv* ceann ar aghaidh, *he fell* ~ thit sé i ndiaidh a chinn

headmaster *n* ardmháistir

headmistress *n* ardmháistreás

headquarters *npl* ceannáras, ceanncheathrú

headscarf, head-square *n* binneog, caifirín

headstone *n* cloch chinn, liag

headstrong *a* ceanndána, ardintinneach, dalba

heal *vt & i* cneasaigh, íoc, leigheas, slánaigh

health *n* sláinte, folláine

healthy *a* folláin, sláintiúil, slán

heap *n* carn, cnap, cual, cnocán, moll, ~ *s of money* na múrtha airgid *vt* carn, cnap

hear *vt & i* cluin, clois, airigh, mothaigh, *to ~ confession* faoistin a éisteacht, a thabhairt

hearer *n* éisteoir

hearing *n* éisteacht, cloisteáil, cluinstin, clos

hearsay *n* clostrácht, scéal scéil

hearse *n* cóiste na marbh, eileatram

heart *n* croí; hart, *take ~* glac misneach, *off by ~* de ghlanmheabhair

heart-broken *a* croíbhriste

heartburn *n* daigh chroí

hearten *vt* misnigh, *to ~ a person* a chroí a thabhairt do dhuine

hearth *n* teallach, tintéan

heartrending *a* coscrach

heart-scald *n* crá croí, greadadh croí

hearty *a* croíúil; seamhrach, bagánta, breabhsánta, ~ *welcome* fíorchaoin fáilte

heat *n* teas; bruithean, brothall, beirfean, teocht; éastras, dáir, láth,adhall *vt & i* téigh, breoigh, gor

heated *a* téite, ~ *arguments* argóintí teasaí

heater *n* téitheoir

heath *n* fraoch; móin, móinteach

heathen *n* págánach *a* págánta

heather *n* fraoch

heating *n* téamh, *central* ~ téamh lárnach

heat-wave *n* tonn teasa, tonn teaspaigh

heave *n* tarraingt, urróg *vt & i* caith, tarraing, teilg; at, bolg, *to ~ a sigh* osna a ligean

heaven *n* neamh, na flaithis

heavenly *a* neamhaí; aoibhinn, ~ *body* rinn neimhe

heavy *a* trom, ~ *work* obair mhaslach, ~ *with sleep* marbh le codladh

heavyweight *n* trom-mheáchan

heckle *vt & i* trasnaigh

hectare *n* heicteár

hectogram *n* heicteagram

hectometre *n* heictiméadar

hedge *n* fál *vt & i*, *to ~ in a piece of ground* cuibhreann talaimh a fhálú, *to ~ about sth* dul ar chúl scéithe le rud

hedgehog *n* gráinneog

hedge-school *n* scoil ghairid, scoil scairte

hedge-sparrow *n* donnóg

hedonism *n* héadónachas

heed *n* aird, aire *vt*, *don't ~ him* ná tabhair aird air, ná héist leis

heedless *a* neamhairdiúil, neamh-aireach

heel *n* sáil

hefty *a* scafánta, urrúnta

he-goat *n* pocán

heifer *n* bearach, seafaid, bodóg

height *n* airde; ard, *at the ~ of his career* i mbarr a réime

heighten *vt* ardaigh, *to ~ colour* dath a aibhsiú

heinous *a* gráiniúil, uafásach

heir *n* comharba, oidhre

heirloom *n* séad fine

helicopter *n* héileacaptar

hell *n* ifreann, *to ~ with them* bíodh an diabhal acu

hellish *a* ifreanda

helm *n* halmadóir, *to be at the ~* bheith ar an stiúir

helmet *n* cafarr, clogad, ceannbheart

helmsman *n* fear stiúrach
help *n* cabhair, cuidiú, cúnamh, fóirithint
vt cabhraigh le, cuidigh le, fóir ar, *I can't ~ it* níl neart agam air, *God ~ us* go bhfóire Dia orainn, chí Dia sinn
helper *n* cuiditheoir, cúntóir
helpful *a* cabhrach, cuidiúil, cúntach
helpless *a* dímríoch, éidreorach, *~ little creature* créatúr beag fágtha
hem *n* fáithim *vt*, *to ~ cloth* fáithim a chur le héadach, *to ~ a person in* duine a theanntú, a sháinniú
hemisphere *n* leathchruinne, leathsféar
hemline *n* fáithimlíne
hemp *n* cnáib
hen *n* cearc
hence *adv* as seo, *a year ~* bliain ó inniu
henceforth *adv* as seo amach, feasta
hen-harrier *n* cromán na gcearc
heptagon *n* heipteagán
her *poss a*, *~ head* a ceann, *~ father* a hathair, *~ hair* a cuid gruaige, *~ town* an baile seo aicise *pron* i, ise, *with ~* léi, *without ~* gan í, *against ~* ina coinne, *the likes of ~* a leithéid(í) *praising ~* á moladh
herald *n* aralt, bolscaire
heraldry *n* araltas
herb *n* luibh, lus
herbaceous *a* luibheach, lusach
herbage *n* luibhre, lusra
herbalist *n* luibheolaí
herbivorous *a* luibhiteach
herd *n* sealbhán, tréad; cuingir; slua, *common ~* daoscarshlua *vt* aoirigh, *~ ing cows* ag buachailleacht bó
herdsman *n* aoire, tréadaí
here *adv* anseo; abhus, *from ~ to Derry* ó, as, seo go Doire, *~ he comes* seo chugainn é
hereditary *a* dúchasach, oidhreachtúil, *~ right* dúchas, *~ land* dúiche; tír dhúchais
heredity *n* dúchas, oidhreacht
heresy *n* ciriceacht
heretic *n* eiriceach
heretical *a* eiriciúil
heritage *n* oidhreacht; dúchas
hermetic *a* heirméiteach
hermit *n* díthreabhach, aonarán
hermitage *n* díseart, díthreabh
hernia *n* maidhm sheicne
hero *n* curadh, gaiscíoch, laoch

heroic *a* curata, cróga, gaisciúil, laochta
heroin *n* hearóin
heroine *n* banlaoch
heroism *n* crógacht, curatacht, gaisciúlacht, laochas
heron *n* corr éisc
herpes *n* deir
herring *n* scadán
hers *pron*, *it is ~* is léi é, *that one is ~* sin é a ceannsa; is léise an ceann sin, *a friend of ~* cara léi, di, dá cuid, *that son of ~* an mac sin aici
herself *pron* ise; sí, í, féin; bean an tí, *feeding ~* á cothú féin
hesitant *a* éideimhin, stadach
hesitate *vi* moilligh, *to ~* bheith idir dhá chomhairle, bheith i ngalar na gcás
heterogeneous *a* ilchineálach, ilghnéitheach
hew *vt* gearr, snoigh, teasc
hewer *n* tuadóir
hexagon *n* heicseagán
hibernate *vi* geimhrigh
hibernation *n* geimhriú
hiccup *n* fail, snag
hickory *n* hicearaí
hidden *a* folaitheach, faoi cheilt, i bhfolach
hide[1] *n* craiceann, seithe; leathar
hide[2] *vt & i* ceil, folaigh, cuir i bhfolach, téigh i bhfolach
hide-and-seek *n* folach bíog, folach cruach
hide-bound *a* cúng
hideous *a* fuafar, urghránna, míofar
hierarchy *n* cliarlathas
high *a* ard, *a foot ~* troigh ar airde, *~ speed* mórluas, *~ pressure* ardbhrú, *~ colour* dath aibhseach, *~ tide* lán mara, barr taoide, *in ~ spirits* lán d'anam, *it is ~ time for me to go* is mithid dom imeacht, *he has a ~ opinion of himself* tá sé mór as féin
highland *n* ardchríoch, *H~ s of Scotland* Garbhchríocha na hAlban
highlight *n* cuid suntais *vt*, *to ~ sth* suntas a tharraingt ar rud
highness *n*, *his H~* a Mhórgacht
high-pitched *a* callánach, géar, *~ note* scol
high-spirited *a* aigeanta, anamúil, meanmnach, spridiúil

highway n mórbhealach, bóthar mór, ~ *robbery* éirí slí

highwayman n ropaire (bóthair)

hijack vt fuadaigh

hijacker n fuadaitheoir

hiking n fánaíocht, siúl de chois

hilarious a scléipeach, gleoiréiseach

hilarity n scléip, meidhir

hill n cnoc, tulach

hillclimbing n cnocadóireacht

hillock n cnocán, tulán, mullán, ard, maoileann

hilly a cnocánach

hilt n dornchla, feirc

him pron é, eisean, *with* ~ leis, *without* ~ gan é, *against* ~ ina choinne, *the likes of* ~ a leithéid(í), *beating* ~ á bhualadh

himself pron eisean; sé, é, féin; fear an tí, *feeding* ~ á chothú féin

hind[1] a, ~ *legs* cosa deiridh

hind[2] n eilit

hinder vt bac, toirmisc, coisc, *to* ~ *a person from doing sth* rud a bhacadh ar dhuine

hindquarters npl tiarach, tóin

hindrance n bac, cosc, éaradh, moill

hindsight n iarghaois

hinge n inse, lúdrach, tuisle vi, *to* ~ *on sth* bheith ag brath ar rud éigin

hinny n ráineach

hint n leid, nod, leathfhocal, *the slightest* ~ gaoth an fhocail vi, *to* ~ *to a person that* leid a thabhairt do dhuine go

hinterland n cúlchríoch

hip[1] n cromán, corróg

hip[2] n mogóir

hippodrome n hipeadróm

hippopotamus n dobhareach

hire n pá, tuarastal; fostú vt fostaigh, *to* ~ *out sth* rud a ligean ar cíos, ~ *d* (*for a season*) in aimsir, ar aimsir

hire-purchase n fruilcheannach

his poss a, ~ *head* a cheann, ~ *father* a athair, ~ *town* an baile seo aigesean, ~ *hair* a chuid gruaige pron, *it is* ~ is leis é, *that one is* ~ sin é a cheannsan; is leis-sean an ceann sin, *a friend of* ~ cara leis, dó, dá chuid, *that son of* ~ an mac sin aige

hiss n siosarnach vi, ~ *ing* ag siosarnach, ag feadaíl

historian n staraí

historical a stairiúil

history n stair, oireas

histrionic a stáitsiúil; drámata; gáifeach

hit n aimsiú, buille vt aimsigh, buail, smiot, *to* ~ *it off with a person* teacht le duine, réiteach le duine, *to* ~ *on sth* teacht ar rud; rud a aimsiú

hitch n tarraingt, brú tobann; cor; bac, *without a* ~ gan tuisle vt, *to* ~ *up sth* tarraingt bheag aníos a thabhairt do rud, *to* ~ *sth on to sth* rud a cheangal de rud (le lúb, le crúca); rud a nascadh ar rud

hitch-hiker n síobaire

hitch-hiking n síobaireacht

hither adv anall, i leith

hitherto adv go dtí seo, go nuige seo

hive n coirceog

hives npl aodh thochais

hoard n ceallamán, taisce vt taisc

hoarding n clár fógraí(ochta)

hoar-frost n cuisne, glasreo, sioc liath, sioc bán

hoarse a ciachánach, piachánach, slóchtach, píobtha

hoarseness n ciach, piachán, slócht

hoax n bob, mealladh, cleas

hob n bac, iarta

hobble n glaicín, laincis vt & i, *to* ~ *a horse* glaicín, laincis, a chur ar chapall, *hobbling along* ag bacadradh

hobby-horse n capall maide

hobgoblin n púca, bocánach

hockey n haca

hod n adac

hoe n grafán vt, *to* ~ *a garden* gairdín a ghrafadh

hogget n uascán

hogshead n oigiséad

hoist vt ardaigh, *to* ~ *a sail* seol a chrochadh

hold[1] n greim vt & i coimeád, coinnigh, *to* ~ *fast to sth* greamú de rud, *if the weather* ~ *s up* má sheasann an aimsir, *to* ~ *a meeting* cruinniú a thionól

hold[2] n bolg, broinn (loinge)

hold-all n glac a bhfaighir

holder n sealbhóir

holding n gabháltas a, ~ *company* cuideachta shealbhaíochta

hole n & vt & i poll

holiday n lá saoire, *to go on* ~ *s* dul ar (laethanta) saoire

holiness n naofacht

hollow n cabha, log, cuas, *wooded* ~ fothair, ailt a cuasach, toll, cuachach, ~ *land* logán, *he beat me* ~ bhuail sé caoch mé

holly n cuileann

holocaust n uileloscadh

holster n curra

holy a beannaithe, naofa, ~ *water* uisce coisreacain, *H* ~ *Week* an tSeachtain Mhór

homage n ómós, urraim

home n baile, *to go* ~ dul abhaile, *at* ~ sa bhaile

homeland n tír dhúchais

homeless a, ~ *person* díthreabhach

homely a tíriúil

home-made a, ~ *bread* arán baile

homesick a cumhach

homespun n báinín, bréidín, éadach baile, (*grey*) ~ ceanneasna, *undyed* ~ glas caorach a de dhéantús baile; simplí, lom

homestead n áitreabh

homewards adv abhaile

homework n obair thinteáin; obair bhaile

homicide n dúnbhású, dúnmharú; dúnbhásaí

homily n aitheasc, seanmóir

homogeneous a aonchineálach

homosexual n & a homaighnéasach

honest a cóir, ionraic, macánta, cneasta

honesty n ionracas, macántacht, cneastacht

honey n mil

honeycomb n cíor mheala vt criathraigh, ~ *ed with sth* foirgthe le rud

honeymoon n mí na meala

honeysuckle n féithleann, táthfhéithleann

honorary a onórach, ~ *secretary* rúnaí oinigh

honour n clú, oineach, onóir; ómós, urraim; creidiúint vt oirmhinnigh, onóraigh

honourable a ionraic, onórach, uasal

hood n cochall, húda

hoodwink vt, *to* ~ *a person* dallamullóg, púicín, a chur ar dhuine

hoof n crúb

hook n cromóg, crúca, croch, *fishing* ~ duán, *reaping* ~ corrán, ~ *and eye* lúb is corrán vt crúcáil

hooked a corránach, cromógach, crúcach

hooker n húicéir

hooligan n amhas

hoop n cuar; buinne, fonsa; lúbán, roithleán, rollóir

hoot n scréach, ~ *of horn* séideadh adhairce, *to* ~ *a person* faíreach a dhéanamh faoi dhuine

hooter n bonnán

hop[1] n leannlus

hop[2] n abhóg, preab, truslóg, ~ *of ball* léim liathróide vt & i léim, preab

hope n dóchas, dúil, súil, dóigh vi, *to* ~ *for sth* bheith ag súil, ag dúil, le rud

hopeful a dóchasach, misniúil

hopeless a éadóchasach, *to give it up as* ~ deireadh dúile a bhaint de

horizon n bun na spéire, fíor na spéire, imeall na spéire, léaslíne

horizontal a cothrománach

hormone n hormón

horn n adharc, beann; buabhall, corn vt adharcáil

hornpipe n cornphíopa

horny a cranrach, adharcach, rosach

horoscope n tuismeá

horrible a fuafar, uafásach, urghránna, millteanach

horrid a gránna, fuafar

horrify vt, *to* ~ *a person* déistin, uafás, a chur ar dhuine

horror n gráin, uafás

horse n capall, each, beithíoch, gearrán, ~ *and foot* cos agus each

horseback n, *on* ~ ar dhroim capaill

horse-chestnut n cnó capaill

horsefly n creabhar

horse-mackerel n bolmán, gabhar

horseman n marcach *pl* marcra, marcshlua, eachra

horse-power n each-chumhacht

horse-shoe n crú capaill

horticulture n gairneoireacht

hose n osáin, stocaí; píobán

hosiery n góiséireacht, osánacht

hospitable a fial, flaithiúil, tíosach

hospital n ospidéal, otharlann

hospitality n aíocht, féile, oineach

host[1] n slua, sochaí

host[2] n óstach, tíosach

host[3] n abhlann

hostage n brá, giall

hostel n brú, iostas

hostess n banóstach

hostile a eascairdiúil, naimhdeach

hostility n eascairdeas, naimhdeas

hosting n slógadh, teaglaim slua

hot a te, bruithneach, ~ *weather* aimsir bhrothallach, ~ *temper* teasaíocht

hotchpotch n manglam, prácás

hotel n óstlann

hotelier n óstlannaí

hotfoot adv, *to go off* ~ imeacht bog te

hot-headed a teasaí

hough n speir, seir vt speir

hound n cú vt, *to* ~ *a person* bheith sa droimruaig ar dhuine; coinneáil i ndiaidh duine

hour n uair, *this* ~ *of the day* an tráth seo den lá, *at the* ~ *of seven* ar a seacht a chlog

house n teach, áras, *to set up* ~ dul i dtíos

household n líon tí, muintir an tí, teaghlach

householder n fear (an) tí, sealbhóir tí, tíosach

housekeeper n bean tí, tíosach

housekeeping n teaghlachas, tíos

housewife n bean tí, ~ *thread* gúshnáithe

housing n tithíocht

hovel n bráca, cró, prochóg

hover vi ainlíy, ~ing ag foluain, ag guairdeall

hovercraft n árthach foluaineach

how adv cén chaoi, cad é mar, conas, ~ *much money have you* cén méid airgid atá agat, ~ *many* cá mhéad, ~ *long* cá fhad, ~ *sharply she spoke* a ghéire a labhair sí, ~ *tall she is!* chomh hard léi!

however adv áfach, ámh, arae, má tá, ~ *high the mountain* dá airde an sliabh, is cuma cé chomh hard leis an sliabh

howl n glam, uaill, uallfairt vi glam, ~ing ag uallfartach

howsoever adv cibé ar domhan é

hub n mol, imleacán

hubbub n rírá

huckster n mangaire, ocastóir

huddle n gróigeadh, ~ *of houses* moll tithe vt & i gróig, ~d *in the chimney-corner* cuachta sa chlúid

hue n imir, scáil

huff n spuaic, stuaic vt & i, *to* ~ dul chun stainte, *to* ~ *a man* (*in draughts*) fear a fhuadach

huffy a stainceach, stuacach

hug n barróg, cuach vt, *to* ~ *a person* barróg a bhreith ar dhuine

huge a ollmhór, ~ *person, thing* fámaire, piarda

Huguenot n & a Úgónach

hulk n creatlach, conablach

hull n cabhail, colainn (loinge); mogall, crotal vt & i scilig

hum n crónán, dordán, monabhar, geoin, sian vt & i dord, ~ming *to himself* ag crónán dó féin, ~ming *an air* ag drantán ceoil

human a daonna, duineata, ~ *being* daonnaí, duine, ~ *race* an cine daonna, síol Éabha

humane a Críostúil, daonnachtúil, daonna

humanism n daonnachas

humanist n daonnachtaí

humanity n daonnacht, duiniúlacht; nádúr daonna; an cine daonna, *the humanities* an sruithléann

humble a uiríseal, umhal, íochtarach, suarach vt ísligh, uiríslaigh, umhlaigh

humbug n cur i gcéill vt, *to* ~ *a person* dallach dubh a chur ar dhuine

humdrum a liosta, síorghnách

humid a tais

humidity n taise

humiliate vt náirigh, uirisligh, méalaigh

humiliation n céim síos, uirisliú, méalú

humility n uirísle, umhlaíocht

hummock n tortóg, tulán

humorous a greannmhar, saoithiúil, ~ *story* scéal grinn

humour n lionn; greann, *he is in a good* ~ tá aoibh mhaith, giúmar maith, air, *out of* ~ as giúmar, *they are in* ~ *for talking* tá fonn cainte orthu vt, *to* ~ *a person* duine a ionramháil, a ghiúmaráil

hump n cruit, dronn

humpbacked a cruiteach

humus n húmas

hunch n cruit, dronn, dioc, gúnga, *to have a* ~ *that* tuaileas a bheith agat go vt, *to* ~ *one's shoulders* na guaillí a chruinniú; dronn a chur ort féin

hunchback n cruiteachán

hunched *a* dronnach, gúngach; cuachta, sleabhchta, *she was* ~ *over the fire* bhí dronn uirthi os cionn na tine

hundred *n & a* céad

hundreth *n & a* céadú

hundredweight *n* céad (meáchain)

hunger *n* ocras, gorta

hungry *n* ocrach, amplach, gortach, ~ *person* amplóir, *I am* ~ tá ocras orm

hunk *n* canta, dabhaid, stiall, slaimice

hunkers *npl, on one's* ~ ar do chorraghiob, ar do ghogaide, ar do ghlúine beaga

hunt *n* fiach, seilg, tóir *vt & i* fiach, seilg

hunter *n* fiagaí, sealgaire

hurdle *n* cliath

hurdle-race *n* cliathrás

hurl *vt & i* rad, teilg; iomáin

hurler *n* iománaí

hurley *n* camán; iománaíocht

hurling *n* iomáin, iománaíocht, ~ *ball* sliotar

hurrah *int* hura

hurricane *n* hairicín

hurried *a* deifreach, dithneasach, fuadrach

hurry *n* broid, deabhadh, deifir, driopás, práinn *vt & i* déan deifir, brostaigh, deifrigh, ~ *off home* fáisc ort abhaile

hurt *n* díobháil, dochar, gortú, lot *vt* gortaigh, loit, *the blow* ~ *him* ghoill an buille air

hurtful *a* díobhálach, dochrach, iarógach, nimhneach, ~ *remark* focal goilliúnach, focal urchóideach

husband *n* fear (céile)

husbandry *n* fearas, *animal* ~ riar stoic

hush *n* ciúnas, tost

husk *n* crotal, faighneog, mogall *vt & i* scilig, scil

huskiness *n* ciachán, piachán, slócht

husky *a* ciachánach, piachánach, slóchtach

hussy *n* scubaid, toice

hustle *n* brú, driopás, fuadar *vt & i* deifrigh, *to* ~ *a person* duine a bhrú, a thuairteáil

hut *n* bothán, púirín, bráca

hyacinth *n* bú, *wild* ~s coinnle corra

hybrid *n* hibrid *a* hibrideach, crossíolrach

hydrant *n* béal tuile, hiodrant

hydraulic *a* hiodrálach

hydraulics *npl* hiodrálaic

hydro-electric *a* hidrileictreach

hydrogen *n* hidrigin

hyena *n* hiéana

hygiene *n* sláinteachas

hygienic *a* sláinteach

hymn *n* iomann

hyphen *n* fleiscín

hypnosis *n* hiopnóis

hypnotist *n* hiopnóisí

hypnotize *vt* hiopnóisigh

hypocrisy *n* béalchrábhadh, fimíneacht

hypocrite *n* fimíneach

hypocritical *a* fimíneach, fuarchráifeach

hypodermic *a* hipideirmeach

hypothesis *n* hipitéis

hypothetical *a* hipitéiseach

hysteria *n* histéire

hysterical *a* histéireach, taomach

I

I *pron* mé, mise, *vide inflected vb forms*

ice *n* oighear, (*sheet of*) ~ leac oighir *vt & i* oighrigh

iceberg *n* cnoc oighir

icebreaker *n* bristeoir oighir

ice-cream *n* reoiteog; uachtar reoite

icicle *n* bior seaca, coinlín reo, reodóg

icing *n* reoán

iconoclasm *n* íolbhriseadh

icy *a* oighreata

idea *n* barúil, smaoineamh; idé, *it is a good* ~ is maith an cuimhneamh é, *I have no* ~ níl tuairim agam

ideal *n* barrshamhail, idéal *a* idéalach

idealism *n* idéalachas

idealist *n* idéalaí

identical *a* comhionann, ionann, *they are* ~ is mar a chéile iad

identification *n* aitheantas

identify vt sainaithin; ionannaigh (le), *he identified himself with the party* thug sé le fios go raibh dlúthbhaint aige leis an bpáirtí

identity n aithne, ionannas, céannacht

ideology n idé-eolaíocht

idiocy n amaideacht

idiom n cor cainte, teilgean cainte, titim cainte

idiosyncrasy n leithleachas; aisteachas

idiot n amaid, amadán

idle a díomhaoin, falsa, ~ *talk* baothchaint vi, *idling* ag falsadh, ag stangaireacht, *to* ~ díomhaointeas a dhéanamh, *(of engine)* réchasadh

idleness n díomhaointeas, neamh-aistear

idler n leiciméir, leisceoir, ríste

idol n dia bréige, íol

idolatry n ioladhradh

if conj dá, má, ~ *not* mura, murach, ~ *I hadn't fallen* dá mbeinn gan titim

igloo n ioglú

igneous a adhantach, ~ *rock* bruth-charraig

ignite vt & i adhain

ignition n adhaint

ignoble a anuasal, táir

ignominious a aithiseach, náireach

ignominy n aithis, náire

ignoramus n ainbhiosán

ignorance n ainbhios, aineolas

ignorant a ainbhiosach, aineolach; mímhúinte, garbh, ~ *person* ainbhiosán, daoi, *to be* ~ *of sth* bheith dall ar rud

ignore vt, *to* ~ *sth* rud a scaoileadh thart, neamhiontas a dhéanamh de rud, ~ *him* ná tóg ceann ar bith dó

ill n díobháil, dochar, olc a breoite, dona, tinn, ain-, ~ *luck* drochrath, mí-ádh, ~ *humour* mícheádfa, ~ *repute* michlú

ill-disposed a drochaigeanta, *to be* ~ *towards a person* droch-chroí a bheith agat do dhuine

ill-effect n iarsma, deasca

illegal a aindleathach, mídhleathach, neamhdhlithiúil

illegible a doléite

illegitimate a mídhlisteanach, ~ *child* leanbh tabhartha, páiste gréine

ill-fated a mí-ámharach, cinniúnach

ill-gotten a bradach, ~ *gains* drochéadáil

ill-health n easláinte, breoiteacht

illicit a aindleathach

illiteracy n neamhlitearthacht

illiterate a neamhlitearrtha

ill-mannered a drochbhéasach, droch-mhúinte, ~ *fellow* gíománach

ill-natured a droch-chróíoch

illness n breoiteacht, tinneas, galar

illogical a míloighciúil

ill-tempered a droch-araíonach, taghdach

ill-treat vt íospair, *to* ~ *a person* mí-úsáid, drochíde, íospairt, a thabhairt do dhuine

illuminate vt soilsigh, dealraigh; maisigh

illumination n soilsiú; maisiú

ill-usage n drochbhail, drochíde, íospairt, oidhe

illusion n seachmall, dul amú, ~*s* speabhraídí

illusionist n doilfeoir

illusory a meabhlach

illustrate vt léirigh, taispeáin; maisigh

illustration n eiseamláir, léiriú; léaráid, pictiúr; tarraingeoireacht

illustrious a oicirc, dearscnaitheach

ill-will n drochaigne, droch-chroí, olc

image n dealbh, íomhá, samhail, fíor, *he is the very* ~ *of his father* níl aon oidhre ar a athair ach é, is é a athair ina chruth daonna é, shílfeá gur anuas dá athair a gearradh é

imagery n íomháineachas, samhlaoidí

imaginary a samhailteach, taibhriúil

imagination n samhlaíocht

imaginative a samhlaíoch; fileata

imagine vt & i samhlaigh, *he* ~*s things* bíonn rudaí á dtaibhreamh dó

imbecile n amadán, amaid, leathdhuine a amaideach, éigiallta

imitate vt, *to* ~ *a person* aithris a dhéanamh ar dhuine

imitation n aithris, ~ *marble* marmar tacair

imitative a aithriseach

immaculate a gan smál, gan teimheal

immaterial a neamhábhartha, gan substaint, *it's* ~ *to me* is cuma liom faoi

immature a anabaí, neamhaibí, glas

immaturity n anabaíocht, neamhinmhe

immeasurable a domheasta, dothomhaiste, as cuimse, as miosúr

immediate a láithreach

immediately *adv* caol díreach, láithreach bonn, ar an toirt

immemorial *a, from time* ~ riamh anall

immense *a* aibhseach, ollmhór, ábhal

immerse *vt* báigh, tum, *to be* ~ *d in one's work* bheith sáite i do chuid oibre

immersion *n* bá, folcadh, fothragadh, ~ *heater* téitheoir tumtha

immigrant *n & a* inimirceach

immigration *n* inimirce

imminent *a, war was* ~ bhí cogadh ag bagairt; bhí baol cogaidh ann

immobile *a* doghluaiste; gan chorraí

immoderate *a* ainmheasartha, míchuibheasach

immodest *a* mígheanasach, truaillí, mínáireach

immodesty *n* mígheanas, díth náire

immoral *a* mímhorálta, droch-

immorality *n* mímhoráltacht

immortal *a* neamhbhásmhar, do-mharaithe, bithbheo

immortality *n* do-mharaitheacht, neamhbhásmhaireacht

immovable *a* do-ghluaiste, do-bhogtha, dochorraithe

immune *a* imdhíonach, ~ *from* saor ó

immunity *n* díolúine, saoirse; imdhíonacht

immunization *n* imdhíonadh

immunize *vt* imdhíon

immutable *a* do-athraithe

imp *n* crosdiabhal

impact *n* turraing; imbhualadh; éifeacht, tionchar

impair *vt* loit, máchailigh, lagaigh

impalpable *a* domhothaithe, do-bhraite

impart *vt, to* ~ *information to* eolas a thabhairt do

impartial *a* neamhchlaon, cothrom

impartiality *n* neamhchlaontacht, cothroime

impassable *a* doshiúlta, dothrasnaithe

impassive *a* neamh-mhothaitheach, ~ *countenance* gnúis shocair

impatience *n* mífhoighne, beophianadh; bruith laidhre

impatient *a* mífhoighneach, ar bís

impeccable *a* gan locht, gan smál, gan cháim

impecunious *a* dealbh

impede *vt* bac, coisc, toirmisc

impediment *n* bacainn, constaic, ~ *to marriage* col (pósta), ~ *of speech* stad (i gcaint)

impel *vt* tiomáin, gríosaigh, spreag

impending *a,* ~ *war* an cogadh a bhí, atá, ag bagairt

impenetrable *a* dophollta, daingean

impenitent *n & a* neamhaithríoch

imperative *a* práinneach; ordaitheach

imperceptible *a* do-bhraite, formhothaithe

imperfect *a* neamhfhoirfe, ~ *tense* aimsir ghnáthchaite

imperfection *n* neamhfhoirfeacht; locht, máchail

imperial *a* impiriúil

imperialism *n* impiriúlachas

imperialist *n* impiriúlaí

imperious *a* anúdarásach, máistriúil, tiarnúil

impermanent *a* neamhbhuan, duthain

impermeable *a* díonach; neamhscagach

impersonal *a* neamhphearsanta

impersonate *vt* pearsanaigh

impersonation *n* pearsanú

impertinence *n* deiliús, soibealtacht

impertinent *a* deiliúsach, tagrach, ~ *talk* gearrchaint

impervious *a* neamh-thréscaoilteach, *person* ~ *to reason* duine nach n-éistfeadh le réasún

impetuous *a* tobann, spadhrúil, ~ *rush* séirse

impetus *n* fuinneamh, fórsa

impinge *vi, to* ~ *on sth* teagmháil le rud, *to* ~ *on one's mind* dul i bhfeidhm ar d'intinn, *to* ~ *on a person* dul thar teorainn ar dhuine, cúngú ar dhuine

impish *a* rógánta

implacable *a* doshásta

implement *n* acra, gléas, uirlis, giuirléid, *vt, to* ~ *sth* rud a chur i gcrích, i bhfeidhm

implicate *vt, to* ~ *a person in a crime* ainm duine a lua le coir, *without implicating anyone* gan aon duine a tharraingt isteach ann, *to be* ~ *d in sth* bheith, dul, ceangailte i rud

implicit *a* intuigthe, ~ *faith* creideamh iomlán, diongbháilte

implied *a* intuigthe

implore *vt* achainigh, impigh, guigh

imply *vt* ciallaigh, *to* ~ *sth* rud a thabhairt le tuiscint

import *n* allmhaire, iomportáil; brí, ciall *vt* allmhairigh, iomportáil; ciallaigh

importance *n* tábhacht, tromchúis, mórluachacht

important *a* tábhachtach, tromchúiseach, mórluachach

importer *n* allmhaireoir, iomportálaí

importunate *a* éilitheach, achainíoch, iarratach, sirtheach

importune *vt & i* sir, *importuning* ag déircínteacht, ag achainí

impose *vt & i, to ~ a tax on sth* cáin a chur, a leagan, ar rud, *to ~ a penalty on a person* pionós a ghearradh ar dhuine, *she ~d her will on them* chuir sí a toil i bhfeidhm orthu, *he is imposing on you* ag dul, ag gabháil, ort atá sé

imposing *a* maorga

impossible *a* dodhéanta

impotence *n* éagumas

impotent *a* éagumasach

impoverish *vt* bochtaigh, lomair

impracticable *a* dodhéanta, neamhphraiticiúil

imprecation *n* eascaine, mallacht

impregnable *a* do-ghafa

impregnate *vt* toirchigh; líon, cumaisc le, *~ ed with* lán de, ar maos le

impress *vt, to ~ a seal on sth* séala a bhrú ar rud, *to ~ sth on a person* rud a chur ina luí, i gcion, ar dhuine, *to ~ a person* dul i bhfeidhm ar dhuine

impression *n* cló, múnla; lorg, rian, imprisean, *I get the ~ from him (that)* braithim air (go)

impressionable *a* sochomhairleach

impressionism *n* impriseanachas

impressive *a* taibhseach, suntasach

imprest *n* óinchiste

imprint *n* cló, lorg

imprison *vt, to ~ a person* duine a chur i bpríosún

imprisonment *n* príosúnú; príosúnacht, *a year's ~* príosún bliana

improbable *a* andóch, neamhchosúil, neamhdhóchúil, *what would be most ~ of all* an rud ab éadóiche ar fad, *I think it ~* ní dóigh liom é

improper *a* míchuí

impropriety *n* éaguibheas, míbhéasaíocht

improve *vt & i* bisigh, feabhsaigh, leasaigh

improvement *n* biseach, feabhas

improvident *a* éigríonna, míbharainneach, doscaí

improvise *vt & i* seiftigh

imprudence *n* éigríonnacht, mistuaim

imprudent *a* éigríonna, místuama

impudence *n* aisfhreagra; sotal, deiliús

impudent *a* deiliúsach, sotalach, *~ fellow* dailtín

impulse *n* ríog, abhóg, gluaiseacht, spreang, taghd, tallann

impulsive *a* luathintinneach, ríogach, tobann, taghdach, tallannach

impure *a* mígheanmnaí; neamhghlan, salach

impurity *n* mígheanmnaíocht; salachar

impute *vt, to ~ sth to a person* rud a leagan ar dhuine, rud a chur i leith duine

in *prep* i, sa, sna, *~ Cork* i gCorcaigh, *~ heaven* ar neamh, *in honour (of)* in onóir, *in the kitchen* sa chistin, *~ the spring* san earrach, *~ flower* faoi bhláth, *in the guards* sna gardaí, *in Irish* i nGaeilge, as Gaeilge

inability *n* míchumas, neamhacmhainn

inaccessible *a* do-aimsithe, aistreánach, ionadach

inaccuracy *n* míchruinneas, neamhbheaichte

inaccurate *a* míchruinn, neamhbheacht

inactive *a* neamhghníomhach, meathbheo, míthapa, támhach

inactivity *n* neamhghníomhaíocht, támh

inadequate *a* uireasach

inadmissible *a* neamhcheadaithe

inadvertent *a* neamh-aireach

inane *a* leamh, éaganta, folamh

inanimate *a* neamhbheo

inappropriate *a* mí-oiriúnach, neamhfhóirsteanach, míchuí

inarticulate *a* dothuigthe, balbh

inasmuch *conj, ~ as* sa mhéid go

inattentive *a* neamhairdiúil, neamhaireach

inaudible *a* dochloiste

inaugurate *vt* oirnigh, *to ~ a person as king* rí a ghairm de dhuine; duine a oirniú ina rí

inauguration *n* oirniú

inborn *a* inbheirthe, dúchasach

inbreeding *n* insíolrú, ionphórú

in-calf *a* ionlao

incantation *n* ortha, briocht

incapable *a* éagumasach, míchumasach, neamhábalta

incapacitate *vt, to ~ a person* a chumas a bhaint de dhuine, duine a chur ó chumas

incarnation *n* ionchollú

incautious *a* neamhairdeallach, neamhfhaichilleach

incendiary *a* loiscneach

incense[1] *n* túis *vt* túisigh

incense[2] *vt* gríosaigh, *to ~ a person* olc, fearg, a chur ar dhuine

incentive *n* spreagadh, dreasacht

incessant *a* buan, síoraí, *~ly* gan staonadh

incest *n* ciorrú coil

incestuous *a* colach

inch *n* orlach

incident *n* eachtra, teagmhas

incidental *a* teagmhasach, *~ expenses* fochostais

incinerate *vt* dóigh, loisc

incinerator *n* loisceoir

incision *n* gearradh

incisive *a* géar, gonta, *an ~ man* fear a bhfuil gearradh ann

incisor *n* clárfhiacail

incite *vt* dreasaigh, spreag, gríosaigh, saighid; fadaigh (faoi dhuine), séid (faoi dhuine)

incitement *n* gríosú, dreasú, saighdeadh, tathant, *~ to anger* cothú feirge

incivility *n* daoithiúlacht, drochmhúineadh, neamhshibhialtacht

inclement *a* anróiteach, doineanta; garg

inclination *n* toil, claon(adh), éirim, leagan, *~ to laugh* fonn gáire

incline *n* claon, fána, mala *vt & i* claon, luigh, diall, *to ~ one's head* goic, maig, a chur ort féin; do cheann a chlaonadh

inclined *a* claon, *~ to obesity* claonta chun raimhre

include *vt* áirigh, cuimsigh, cuir san áireamh, folaigh, *it ~s the rent* tá an cíos istigh leis

inclusive *a* cuimsitheach

incoherence *n* scaipeacht

incoherent *a* scaipeach, *~ speech* caint scaipthe

income *n* fáltas, ioncam, teacht isteach

incoming *a, ~ letters* litreacha isteach

incomparable *a, he is ~* níl duine ar bith inchomórtais, inchurtha, leis

incompatible *a* neamhfhreagrach (do)

incompetent *a* neamhinniúil, neamhéifeachtach

incomplete *a* bearnach, easnamhach, neamhiomlán

incomprehensible *a* dothuigthe

inconceivable *a* doshamhlaithe, dosmaoinimh

inconclusive *a* éiginntitheach

incongruous *a* mífhreagrach, neamhréireach

inconsiderate *a* antuisceanach

inconsistent *a* neamhfhreagrach, neamhréireach

inconspicuous *a* neamhfheiceálach, neamhshuntasach

inconstant *a* luaineach, neamhsheasmhach, mídhílis

incontrovertible *a* dobhréagnaithe, doshéanta

inconvenience *n* ciotaí, míchóngar *vt, to ~ a person* cur as do dhuine, cur isteach ar dhuine, ciotaí a dhéanamh do dhuine

inconvenient *a* aistreánach, ciotach, míáisiúil

incorporate *vt & i* corpraigh, ionchorpraigh, *to ~ sth in sth* rud a chur isteach i rud eile

incorrect *a* mícheart, earráideach

incorrigible *a* domhúinte, doleasaithe

incorruptible *a* dothruaillithe; dobhreabtha, ionraic

increase *n* ardú, breis, méadú, *~ in a family* bíseach ar theaghlach *vt & i* ardaigh, fás, méadaigh, *to ~ speed* géarú ar luas

incredible *a* dochreidte

incredulous *a* díchreidmheach

increment *n* ardú, breis

incriminate *vt* ionchoirigh, ciontaigh

incubate *vt* gor

incubator *n* goradán

incumbent *a, it is ~ on me* dlitear díom é

incur *vt, to ~ expense over sth* costas a dhéanamh le rud, *to ~ a fine* dul faoi fhíneáil, *to ~ shame* náire a fháil

incurable *a* doleigheasta, ó leigheas

incursion *n* ionradh

indebted *a, to be ~ to a person* éileamh a bheith ag duine ort, bheith faoi chomaoin ag duine

indecent *a* mígheanasach, ~ *assault* drochiarraidh

indecision *n* éiginnteacht

indecisive *a* éiginntitheach

indeed *adv* go dearfa, leoga, go deimhin, ~! ambaiste

indefatigable *a* dochloíte, dothuirsithe

indefensible *a* dochosanta

indefinite *a* éiginnte, neamhchinnte

indelible *a* doscriosta

indelicate *a* míbhéasach, mínáireach, garbh

indemnify *vt* cúitigh, slánaigh

indemnity *n* comha, cúiteamh, slánaíocht

indent *vt* eangaigh

independence *n* neamhspleáchas, saoirse

independent *a* neamhspleách, saor; ar an neamhacra, ar an neamhthuilleamaí

indescribable *a* do-inste, *it was* ~ níl léamh ná scríobh air

indestructible *a* doscriosta

index *n* clár, treoir, innéacs, séan, ~ *finger* corrmhéar *vt & i* innéacsaigh, cláraigh

indicate *vt* léirigh, taispeáin, *he* ~*d* (*that*) thug sé le fios (go)

indication *n* comhartha, leid

indicative *n & a* táscach

indicator *n* táscaire, treoir, ~ *of barometer* snáthaid baraiméadair

indict *vt* díotáil

indictment *n* díotáil

indifference *n* fuarchúis, neamhshuim

indifferent *a* neamhshuimiúil, fuar, neamhspéisiúil, patuar, *to be* ~ *sth* bheith ar nós cuma liom faoi rud; bheith réidh, neamhshuimiúil, i rud

indigenous *a* dúchasach

indigestible *a* dodhíleáite, ceasúil

indigestion *n* mídhíleá, tinneas bhéal an ghoile

indignant *a* feargach, uaibhreach

indignation *n* fearg, seirfean, uabhar

indignity *n* easonóir, masla

indirect *a* indíreach, neamhdhíreach, timpeallach

indiscreet *a* béalscaoilte, mídhiscréideach, ~ *person* béal gan chaomhnú, béal gan scáth

indiscretion *n* earráid; mídhiscréid, sceithireacht

indiscriminate *a* gan idirdhealú; as éadan

indiscriminately *adv* as éadan

indispensable *a* éigeantach, riachtanach, *it is* ~ níl teacht gan é, dá uireasa

indisposed *a* meath-thinn, *to be* ~ *to doing sth* dochma a bheith ort rud a dhéanamh

indisputable *a* dobhréagnaithe, doshéanta

indistinct *a* doiléir, míshoiléir

indistinguishable *a* do-aitheanta, *they are* ~ *from one another* ní féidir aithint eatarthu, ní féidir iad a aithint ó chéile

individual *n* duine aonair, neach *a* leithleach, ~ *skills* scileanna aonair

indivisible *a* dodhealaithe, doroinnte

indoctrination *n* síolt=eagasc

indolent *a* falsa, leisciúil

indomitable *a* dochloíte

indoor *a*, ~ *work* obair istigh

indoors *adv* istigh, laistigh, taobh istigh

induce *vt & i* meall, tarraing; spreag; ionduchtaigh, *he* ~*d me to do it* chuir sé ina luí orm, bhain sé orm, é a dhéanamh

inducement *n* mealladh, tarraingt; spreagadh

induction *n* insealbhú; ionduchtú

indulge *vt & i* sásaigh, *to* ~ *in a practice* bheith tugtha do chleachtadh, *to* ~ *in drink* luí isteach ar an ól, dul le hól

indulgence *n* boige, boigéis; logha

indulgent *a* bog, boigéiseach

industrial *a* tionsclaíoch

industrialist *n* tionsclaí

industrialize *vt* tionsclaigh

industrious *a* dícheallach, dlúsúil, treallúsach, tionsclach, ~ *person* soláthraí maith

industry *n* tionscal; dícheall

inebriated *a* ar meisce

inedible *a* dochaite, do-ite

ineffective *a* neamhéifeachtach, neamhbhríoch

inefficiency *n* neamhinniúlacht, míéifeacht

inefficient *a* neamhinniúil, mí-éifeachtach

inept *a* maolchúiseach

inequality *n* éagothroime, míchothrom, neamhionannas, leatrom

inequitable *a* éagothrom

inequity *n* éagóir, éagothroime

inert *a* marbhánta, spadánta, támhach, ~ *gas* gás támh

inertia n marbhántacht, spadántacht, táimhe

inevitable a dosheachanta

inexact a míchruinn, neamhbheacht

inexcusable a doleithscéil

inexhaustible a do-ídithe, dochaite; dochloíte

inexpensive a neamhchostasach, saor

inexperience n ainchleachtadh, aineolas, easpa taithí, núiosacht

inexperienced a glas, éigríonna, aineolach, neamhchleachtach

inexplicable a domhínithe

inextricable a dofhuascailte, doréitithe, casta

infallible a do-earráide

infamous a míchlúiteach

infancy n naíonacht

infant n babaí, bunóc, naíonán

infanticide n naímharú

infantry n cos-slua

infatuation n mearghrá, saobhnós

infect vt galraigh

infection n galrú, ionfhabhtú

infectious a tógálach, ionfhabhtaíoch

infer vt, to ~ sth from sth rud a thuiscint as rud eile, tátal a bhaint as rud, to ~ (that) cur i gcéill (go)

inference n tátal

inferior n íochtarán, mionduine, fodhuine a íochtarach; lagmheasartha, íos-, ~ stuff dramháil

inferiority n íochtaránacht, ísleacht

infernal a ifreanda

infertile a neamhthorthúil, aimrid, seasc

infested a, ~ with foirgthe le

infidel n ainchreidmheach

infidelity n ainchreideamh; mídhílseacht

infiltrate vt & i insíothlaigh; síl, sleamhnaigh, téaltaigh, (isteach i)

infiltration n insíothlú, síleadh

infinite a éigríochta, infinideach, gan foirceann

infinitive n & a infinideach

infinity n dochuimseacht, cigríoch, infinideacht

infirm a cróilí, easlán, breoite

infirmary n otharlann

infirmity n cróilí,easláinte

inflame vt & i adhain, gríosaigh, las, séid

inflammable a inlasta, so-adhainte

inflammation n dó, gor, lasadh, gríosú, ~ of wound athlasadh, séideadh, cneá

inflate vt séid, teann, líon le haer, to ~ currency airgeadra a bhoilsciú

inflation n séideadh, teannadh; boilsciú

inflect vt infhill

inflexible a dolúbtha, docht

inflexion n athchasadh, infhilleadh

inflict vt, to ~ death on a person an bás a imirt ar dhuine, to ~ a penalty on a person pionós a ghearradh, a chur, ar dhuine

influence n anáil, fabhar, comhairle, tionchar, cumhacht, evil ~s na greamanna dubha vt, to ~ a person d'anáil a chur faoi dhuine, dul i gcion ar dhuine

influential a ceannasach, tábhachtach, éifeachtach

influenza n fliú

influx n sní isteach, ~ of people into a place tarraingt daoine ar áit, plódú isteach in áit

inform vt & i, to ~ on a person scéala a dhéanamh ar dhuine, duine a bhrath, insint ar dhuine, sceitheadh ar dhuine, to ~ a person of sth rud a insint, a chur in iúl, do dhuine

informal a neamhfhoirmiúil

informant n faisnéiseoir

information n eolas, faisnéis

informative a faisnéiseach

informer n brathadóir, spiaire

infrastructure n bonneagar

infringe vt bris, sáraigh

infringement n briseadh, sárú

infuriate vt cuir le buile, mearaigh, to become ~d spréachadh

ingenious a glic, intleachtach

ingenuity n beartaíocht, gliceas, stuaim

ingratiating a plásánta, slítheánta, táithíneach

ingratitude n míbhuíochas

ingredient n comhábhar, táthchuid

ingrown a ionfhásta, i bhfeoil

inhabit vt áitrigh, cónaigh i

inhabitant n áitreabhach, áitritheoir

inhale vt & i ionanálaigh

inherent a dúchasach, nádúrtha

inherit vt, to ~ sth rud a fháil le hoidhreacht, rud a bheith agat ó dhúchas, teacht in oidhreacht ruda

inheritance n oidhreacht

inhibit vt, to ~ a person from doing sth rud a chrosadh ar dhuine, duine a chosc ar rud a dhéanamh inhibition *n* cosc, urchoilleadh

inhospitable *a* doicheallach

inhuman *a* mídhaonna

inhumanity *n* midhaonnacht, danarthacht

iniquity *n* míghníomh, urchóid

initial *n* iniseal, túslitir *a* tionscantach, *the ~ work* an obair thosaigh

initiate *vt* rúnpháirtí *a* rúnpháirteach *vt* tionscain, cuir tús le

initiation *n* tionscnamh

initiative *n* tosú, tionscnamh, *to do sth on one's own ~* rud a dhéanamh ar do chonlán féin, as do stuaim féin

inject *vt* insteall, cuir isteach (i)

injection *n* instealladh

injunction *n* ordú, urghaire

injure *vt* gortaigh, loit, *to ~ a person* dochar, díobháil, a dhéanamh do dhuine

injurious *a* díobhálach, dochrach

injury *n* díobháil, damáiste, dochar, gortú, lot; éagóir

injustice *n* éagóir

ink *n* dúch

inkling *n* leid, gaoth an fhocail

ink-well *n* dúchán

inlaid *a* iontlaise

inland *a* intíre

inlet *n* gaoth, góilín, inbhear; iontlaise; ionraon

inmate *n* áitritheoir, cónaitheoir

inn *n* (teach) ósta

innards *npl* inní

innate *a* dúchasach, inbheirthe, *~ character* nádúr, dúchas

inner *a* inmheánach, *the ~ room* an seomra istigh

innings *npl* deis istigh, dreas istigh

innkeeper *n* óstóir

innocence *n* neamhchiontacht; soineantacht

innocent *n, the Holy I~s* an Naomh-Mhacra *a* neamhchiontach, naíonda, soineanta

innocuous *a* neamhdhochrach, neamhdhíobhálach

innovation *n* nuacht, nuáil

innovator *n* nuálaí

innuendo *n* leath-thagairt, leathfhocal

innumerable *a* dí-áirithe, gan chuntas

inoculate *vt* galraigh, ionaclaigh

inoculation *n* galrú, ionaclú

inoffensive *a* macánta, neamhurchóideach

inoperative *a* neamhoibríoch

inopportune *a* míthráthúil, *~ moment* antráth

inordinate *a* ainmheasartha, iomarcach, as cuimse

input *n* ionchur

inquest *n* ionchoisne, *coroner's ~* coiste cróinéara

inquire *vt & i* fiafraigh, fiosraigh, *to ~ for a person* tuairisc, cuntas, duine a chur; duine a chásamh

inquiry *n* ceist, fiafraí, fiosrúchán

inquisition *n* cúistiúnacht, ionchoisne, fiosrúchán

inquisitive *a* fiosrach, caidéiseach, srónach

inquisitor *n* cúistiúnaí

inroad *n* ionruathar; cúngú, creimeadh

insane *vt & to be ~* bheith as do mheabhair, mearadh a bheith ort

insanitary *a* mífholláin, míshláintiúil

insanity *n* gealtacht, mearadh

insatiable *a* doriartha, doshásta, craosach

inscribe *vt* inscríobh, *to ~ sth on stone* rud a ghreanadh i gcloch

inscription *n* inscríbhinn, scríbhinn

insect *n* feithid, míol

insecticide *n* feithidicíd

insecure *a* éadaingean, neamhdhdhiongbháilte; i gcontúirt

insecurity *n* éadaingne; guais

inseminate *vt* inseamhnaigh

insemination *n* inseamhnú

insensitive *a* dúr; neamh-mhothálach, gan mhothú

inseparable *a* doscaoilte, do-scartha

insert *vt* ionsáigh, *to ~ a notice* fógra a chur isteach

insertion *n* cur isteach, ionsá

inside *n, the ~ of sth* an taobh istigh de rud *a* istigh, laistigh

insidious *a* cleasach, slim, cealgach

insight *n* léargas, léiriúchán

insignia *npl* suaitheantais

insignificant *a* neamhbhríoch, neamhthábhachtach, suarach, gan aird

insincere *a* éigneasta, *~ praise* moladh bréige, bealadh taobh amuigh de ghob

insinuate vt, to ~ sth rud a thabhairt le tuiscint, a chur i dtuiscint, a chur i gcéill, to ~ oneself into office sleamhnú isteach i bpost, post a fháil le lúbaireacht

insinuation n leathfhocal, leid

insipid a leamh, gan bhlas, gan dath

insist vi, to ~ on a point seasamh ar phointe, he ~ed that it was so dhearbhaigh sé gurbh amhlaidh a bhí

insistence n seasamh, ~ on one's rights ceartaiseacht

insistent a seasmhach, teann, ceartaiseach

insole n bonn istigh

insolence n mínós, sotal

insolent a mínósach, sotalach, prapanta

insoluble a doréitithe; dothuaslagtha

insolvent a dócmhainneach, neamhacmhainneach

insomnia n neamhchodladh

inspect vt iniúch, scrúdaigh

inspection n cigireacht, iniúchadh, scrúdú

inspector n cigire

inspiration n inspioráid

inspire vt spreag, dúisigh, múscail

instability n guagacht, míshocracht

install vt insealbhaigh; cuir isteach, to ~ oneself in a place cur fút in áit

installation n insealbhú; cur isteach, feistiú, ~s feistiúchán, fearais

instalment n glasíoc, to pay sth in ~s rud a íoc ina ghálaí

instance n, in the first ~ sa chéad chás, ar an gcéad ásc, ar an gcéad dul síos, for ~ cuir(eam) i gcás, mar shampla

instant n meandar, nóiméad a láithreach, ~ tea tae ar an toirt

instantly adv láithreach bonn, ar an toirt, ar iompú boise

instead adv, ~ of in áit, in ionad, i leaba

instep n bráid (coise), droim (coise), trácht

instigate vt spreag, brostaigh, gríosaigh

instigation n brostú, gríosú, spreagadh, at the ~ of a person ar sheoladh duine

instil vt insil, to ~ love in their hearts grá a chur isteach ina gcroí, to ~ an idea into a person smaoineamh a chur ina luí ar dhuine

instinct n dúchas, instinn

instinctive a dúchasach, instinneach

institute n foras, institiúid vt bunaigh, tionscain

institution n foras; tionscnamh

instruct vt múin, teagasc, foghlaim, deachtaigh

instruction n múineadh, teagasc, foghlaim

instructive a oiliúnach

instructor n teagascóir

instrument n gléas, ionstraim, uirlis vt ionstraimigh

instrumental a ionstraimeach, ~ music ceol uirlise

instrumentalist n ionstraimí

insubordinate a easumhal, neamhghéilliúil

insubordination a easumhlaíocht, neamhghéilleadh

insufferable a dofhulaingthe; peannaideach

insufficient a easnamhach, neamhleor

insular a oileánach; cúng

insularity n oileánachas

insulate vt insligh, teasdíon

insulation n insliú, teasdíonadh

insulator n inslitheoir

insulin n inslin

insult n achasán, masla, tarcaisne vt maslaigh, tarcaisnigh

insulting a maslach, tarcaisneach

insuperable a dosháraithe, dochloíte

insurance n árachas

insure vt árachaigh, cuir árachas ar

insurgent n & a ceannaisceach

insurmountable a dosháraithe

insurrection n ceannairc, éirí amach

intact a iomlán, slán

intangible a do-bhraite, doláimhsithe

integrate vt comhtháthaigh, iomlánaigh, aontaigh

integration n comhtháthú, iomlánú

integrity n ionracas, macántacht; iomláine

intellect n intleacht, meabhair, éirim (aigne)

intellectual a intleachtach

intelligence n eagna (chinn), éirim (aigne), intleacht, meabhair chinn, ~ officer oifigeach faisnéise

intelligent a éirimiúil, intleachtach, meabhrach

intemperate *a* ainmheasartha; meisciúil

intend *vt*, *I ~ to do sth* tá mé ag brath (ar) rud a dhéanamh; tá sé ar aigne, ar intinn, agam rud a dhéanamh, *if you ~ to go away* má tá fút imeacht, más leat imeacht

intense *a* dian, díochra, tréan, géar, ain-, fíor-, *~ hatred* dearg-ghráin, *~ sorrow* dobrón, *working ~ly* ag obair ar dalladh

intensify *vt & i* géaraigh, neartaigh

intensity *n* déine, neart, tréine

intensive *a* tréan, *~ care* dianchúram

intent *n* intinn, rún a, *~ on sth* leagtha amach ar rud, *~ on the book* sáite, go domhain, sa leabhar

intention *n* aigne, intinn, rún

intentional *a* intinneach, toiliúil

intentionally *adv* d'aon ghnó, d'aon turas

intercede *vi, to ~ for a person* idirghuí a dhéanamh ar son duine

intercept *vt, to ~ a person* teacht roimh dhuine, *to ~ a letter* litir a stopadh

intercession *n* idirghuí

interchange *n* cómhalartú *vt* cómhalart-aigh

intercourse *n* caidreamh, teagmháil, *sexual ~* comhriachtain

interdenominational *a* idirchreidmheach

interdict *n* urghaire

interest[1] *n* spéis, suim, *it is in your ~* is é do leas é, *to have a person's ~ s at heart* bheith ar mhaithe le duine *vt*, *it doesn't ~ him* níl spéis, suim, aige ann; ní chuireann sé aon spéis ann

interest[2] *n* ús

interesting *a* inspéise, spéisiúil, suimiúil

interfere *vi, to ~ with a person* baint le duine, cur isteach ar dhuine, *to ~ in a conversation* do ladar, do gheab, a chur isteach (i gcomhrá)

interference *n* cur isteach; trasnaíocht

interim *n, in the ~* idir an dá linn a eatramhach

interior *n* an taobh istigh *a* inmheánach; intíre

interjection *n* intriacht

interlaced *a* dualach

interloper *n* socadán

interlude *n* eadarlúid; idircheol

intermediary *n* idirghabhálaí *a* idirghabhálach

intermediate *a* idirmheánach, meánach, *~ certificate* meánteistiméireacht

interminable *a* gan deireadh, síoraí

intermission *n* idirlinn

intermittent *a* eatramhach, treallach

intermittently *adv* gach re seal

intern *vt* imtheorannaigh

internal *a* inmheánach; intíre

international *a* idirnáisiúnta

internee *n* imtheoireannaí

internment *n* imtheorannú

interpret *vt* ciallaigh, mínigh, léigh ar

interpretation *n* ciall, míniú, léamh

interpreter *n* teangaire, fear teanga, teanga labhartha

interprovincial *a* idirchúigeach

interrogate *vt* ceistigh

interrogation *n* ceastóireacht, ceistiú

interrogative *n & a* ceisteach

interrupt *vt* trasnaigh, *to ~ a person* cur, briseadh, isteach ar dhuine; teacht roimh dhuine

interruption *n* cur isteach, trasnáil

intersect *vt & i* trasnaigh

intersection *n* trasnú; crosbhealach

intertwine *vt & i* dual, figh, *~d* snaidhmthe ina chéile

interval *n* eatramh, idirlinn, aga, sos, spás

intervene *vi, to ~* eadráin, idirghabháil, a dhéanamh; do ladar, focal, a chur isteach

intervention *n* eadráin, idirghabháil, teasargan

interview *n* agallamh *vt*, *to ~ a person* agallamh a chur ar dhuine

intestate *a* díthiomnach

intestine *n* putóg, stéig, *small ~* caolán, stéig bheag, *~s* inní, ionathar, drólanna

intimacy *n* caidreamh, taithíocht

intimate[1] *a* taithíoch, *to be ~ with a person* bheith mór le duine, *~ friends* dlúthchairde

intimate[2] *vt, to ~ sth to a person* rud a chur in iúl do dhuine

intimidate *vt* imeaglaigh, scanraigh, bagair ar

into *prep* i, isteach i, *to divide sth ~ parts* rud a roinnt ina chodanna

intolerable *a* dofhulaingthe

intolerance *n* éadulaingt

intolerant *a* éadulangach, droch-araíonach

intoxicated *a* ar meisce, ólta

intoxicating *a* meisciúil

intoxication *n* meisce

intractable *a* diúnasach, doriartha

intransitive *a* neamh-aistreach

intrepid *a* neamheaglach, gan scáth gan eagla

intricate *a* achrannach, aimhréidh, casta

intrigue *n* plota, cealg, uisce faoi thalamh *vt & i, to ~ against a person* bheith i gcealg duine, *it ~ d me* mhúscail sé spéis ionam

intriguer *n* scéiméir

introduce *vt, to ~ people to each other* daoine a chur in aithne dá chéile, *to ~ a subject* scéal a tharraingt anuas, *to ~ a custom* gnás a thionscnamh, nós a thabhairt isteach

introduction *n* cur in aithne; tabhairt isteach, tionscnamh; réamhrá

introit *n* iontróid

introspection *n* inbhreathnú

introspective *a* inbhreathnaitheach

introvert *n* indiritheoir

intrude *vi, to ~ on a person* brú ar dhuine, cur isteach ar dhuine

intuition *n* iomas

intuitive *a* iomasach

inundate *vt* báigh

invade *vt, to ~ a country* ionradh a dhéanamh ar thír

invader *n* gabhálaí, ionróir

invalid[1] *n* easlán, breoiteachán, othar *a* easlán

invalid[2] *a* neamhbhailí

invalidate *vt* neamhbhailigh, *to ~ sth* rud a chur ó bhailíocht

invaluable *a* fíorluachmhar, *it is ~* níl ceannach air

invariable *a* do-athraithe

invasion *n* gabháltas, ionradh, imruathar

invective *n* sciolladóireacht, spídiúchán

invent *vt* ceap, cum, fionn

invention *n* aireagán, cumadh, fionnachtain; cumadóireacht

inventor *n* ceapadóir, cumadóir

inventory *n* fardal, liosta

inverse *n* inbhéarta *a* inbhéartach

invest *vt* infheistigh, suncáil; cóirigh; insealbhaigh

investigate *vt* scrúdaigh, taighd, fiosraigh

investigation *n* scrúdú, taighde, fiosrú

investment *n* infheistíocht; insealbhú

inveterate *a* seanbhunaithe, daingean

invidious *a* leatromach, cointinneach; éadmhar; fuafar; díobhálach, *~ task* cúram gan bhuíochas

invigorate *vt* beoigh, láidrigh

invincible *a* dochloíte

invisible *a* dofheicthe

invitation *n* cuireadh

invite *vt, to ~ a person* cuireadh a thabhairt do dhuine, cuireadh a chur ar dhuine

invoice *n* sonrasc

invoke *vt* guigh, gair, glaoigh ar, toghair, dúisigh

involuntary *a* ainneonach, éadoilteanach

involve *vt, to be ~d in sth* baint a bheith agat le rud, *it ~ s expense* tá costas ag baint, ag roinnt, ag gabháil, leis

involved *a* aimhréidh, casta

invulnerable *a* doghonta

iodine *n* iaidín

iota *n* dada, pioc

irascible *a* colgach, lasánta

irate *a* confach, feargach

iridescent *a* ildathach, néamhanda

iris *n* feileastram, ireas; imreasc (na súile)

Irish *n* Gaeilge *a* Éireannach, Gaelach

irksome *a* liosta, tuirsiúil, leadránach

iron *n* iarann *a* iarnaí, iarn- *vt* iarnáil, smúdáil, preasáil, *to ~ cloth* an t-iarann a chur ar éadach

ironic(al) *a* íorónta

ironing *n* iarnáil, smúdáil

ironmonger *n* iarnmhangaire, iarnóir

irony *n* íoróin

irradiation *n* ionradaíocht

irrational *a* aingiallta, éigiallta, neamhréasúnach

irreconcilable *a* doréitithe, do-aontaithe

irrefutable *a* dobhréagnaithe, dochloíte, dosháraithe

irregular *a* mírialta, neamhrialta; fánach

irrelevant *a* neamhábhartha, nach mbaineann le hábhar

irreparable *a* doleasaithe

irresistible *a* dochloíte

irrespective *adv, ~ of* gan baint le, gan bacadh le

irresponsible *a* neamhfhreagrach, mear-gánta

irreverence *n* easurraim

irreverent a easurramach, mí-ómósach
irrigate vt uiscigh
irrigation n uisciú
irritable a colgach, meirgeach, gairgeach, lasánta
irritate vt griog, greannaigh, to ~ a person fearg, colg, a chur ar dhuine
irritation n fearg; greadfach; griog
Islam n Ioslamachas
island n oileán, inis, traffic ~ port (coisithe)
islander n oileánach
isolate vt aonraigh, leithlisigh
isolated a aonarach, iargúlta, ionadach, scoite amach, in an ~ place ar an iargúil
isolation n aonrú, iargúltacht, ~ hospital ospidéal leithlise
isosceles a comhchosach
issue n iarmhairt, iarmhar, sliocht; eagrán, eisiúint, ceist, without ~ díobhaí, ~ of blood sileadh fola, at ~ i dtreis, i gceist vt & i cuir amach, eisigh, tabhair amach
isthmus n caol talún, cuing, muineál tíre

it pron sé, sí; seisean, sise; é, i; eisean, ise, ~ happened tharla sé, ~ was discussed pléadh é, is ~ an animal an ainmhí é, ~ is the best cow is í an bhó is fearr í, with ~ leis, léi, without ~ gan é, í, against ~ (m) ina choinne, (f) ina coinne, the likes of ~ a leithéid(í)
italics npl cló iodálach
itch n tochas, to be ~ ing to do sth bheith ar gor, ar bís, le rud a dhéanamh
itchy a tochasach
item n mír, pointe, ponc, ~ of clothing ball éadaigh
itinerant n fear (bean) siúil, siúlóir, the ~ s an lucht siúil
itinerary n cúrsa taistil
its poss a, ~(m) head a cheann, ~(f) head a ceann, ~(m) tail a eireaball, ~(f) tail a heireaball
itself pron eisean, ise; (sé,é) féin, (sí, í) féin, feeding ~ á chothú, á cothú féin, that ~ an méid sin féin; fiú an méid sin
ivory n eabhar a eabhartha
ivy n eidhneán

J

jab n péac, sonc vt & i, ~ it with the knife tabhair péac den scian dó, to ~ at a person péac a thabhairt faoi dhuine
jabber vi, ~ ing away in English ag stealladh, ag spalpadh, Béarla
jack[1] n crann ardaithe, seac vt, to ~ up a car carr a chrochadh le seac
jack[2] n giolla, ~ of-all-trades gobán, ilcheardaí, the ~ of spades an cuireata spéireata
jackal n seacál
jackass n stail asail
jackdaw n cág
jacket n casóg, cásaicéad
jack-stone n méaróg
Jacobite n & a Seacaibíteach
jaded a tnáite
jag n starrán; eang; insteolladh; prioc
jagged a mantach, spiacánach, fiaclach
jaguar n iaguar
jam[1] n brú, traffic ~ plódú tráchta, to be in a ~ bheith i sáinn vt & i brúigh, sac,

pulc, plódaigh, greamaigh, to ~ a radio station stáisiún craolacháin a thachtadh
jam[2] n subh
jamb n giall, ursain
janitor n doirseoir
January n Eanáir
jar[1] n crúsca, próca, searróg vi, to ~ cliotar, díoscán, a dhéanamh; adhaint (on, ar)
jar[2] n suaitheadh, croitheadh
jargon n béarlagair
jarvey n tiománaí
jasmine n seasmain
jaundice n na buíocháin, an galar buí
jaunt n turas
jaunting-car n carr cliathánach
jaunty a giodamach, aerach
javelin n bonsach, sleá, ga
jaw n giall
jay n scréachóg (choille)
jay-walker n coisí fiarlaoideach

jazz 125 judge
```

**jazz** *n* snagcheol

**jealous** *a* éadmhar, *to be ~ of a person* bheith ag éad, in éad, le duine

**jealousy** *n* éad, formad

**jeans** *npl* bríste géine

**jeep** *n* jíp

**jeer** *n* fonóid, magadh, beithé *vt & i*, *to ~ (at) a person* fonóid a dhéanamh faoi dhuine

**jeering** *n* scigmhagadh, fochaid *a* fonóideach, magúil

**jelly** *n* glóthach

**jelly-fish** *n* smugairle róin

**jeopardize** *vt*, *to ~ sth* rud a chur i nguais, i mbaol

**jeopardy** *n* guais, priacal

**jerk** *n* sracadh, urróg *vt* srac

**jerkin** *n* ionar, seircín

**jerky** *a* preabach, snagach

**jersey** *n* geansaí

**jest** *n* ábhacht, greann, *in ~* d'aon turas, *vi*, *to ~* magadh a dhéanamh

**jester** *n* abhlóir, óinmhid

**Jesuit** *n & a* Íosánach

**Jesus** *n* Íosa

**jet¹** *n* scaird, scairdeán, steall, *~ plane* scairdeitleán

**jet²** *n* gaing *a* ciardhubh

**jetsam** *n* muirchuir

**jettison** *vt*, *to ~ a cargo* lasta a chur i bhfarraige

**jetty** *n* caladh cuain, lamairne

**Jew** *n* Giúdach, *~'s harp* trumpa

**jewel** *n* seoid, geam

**jeweller** *n* seodóir

**jewelry** *n* seodra; seodóireacht

**Jewish** *a* Giúdach

**jib¹** *n* seol cinn, jib

**jib²** *vi* loic, ob, *the horse ~bed* chuir an capall stailc suas

**jibe** *n* sáiteán, goineog

**jiffy** *n* leathnóiméad, meandar

**jig** *n* port

**jigsaw** *n*, *~ puzzle* míreanna mearaí

**jingle** *n* gliogar

**jinks** *npl*, *high ~* pléaráca, rancás

**job** *n* jab, obair, post

**jobber** *n* giurnálaí, grásaeir, jabaire

**jockey** *n* eachaí, marcach, jacaí

**jocose** *a* meidhreach, magúil

**jog** *n* croitheadh, sonc; bogshodar *vt & i*,

*to ~* bogshodar a dhéanamh, *to ~ the memory* an chuimhne a spreagadh

**join** *vt & i* ceangail, nasc, snaidhm, *to ~ things together* rudaí a cheangal le chéile, *to ~ the army* dul san arm, *to ~ in the game* páirt a ghlacadh sa chluiche

**joiner** *n* siúinéir

**joint¹** *n* alt, siúnta, uaim, *out of ~* as alt, *~ of meat* spóla feola *vt* alt, siúntaigh

**joint²** *a* comhpháirteach, comh-

**jointly** *adv* i bpáirtíocht

**joist** *n* giarsa

**joke** *n* magadh, *practical ~* cleas, bob, *this work is no ~* ní haon dóithín an obair seo *vi*, *to ~ about a person* magadh a dhéanamh faoi dhuine, *I was only joking* ní raibh mé ach ag magadh; ar son grinn, d'aon ghnó, a bhí mé

**joker** *n* áilteoir, cleasaí, *(cards)* fear na gcrúb

**jolly** *a* gáiriteach, suairc, suáilceach

**jolt** *n* croitheadh, turraing *vt & i* croith, tolg

**jostle** *vt & i* guailleáil, *to ~ a person* an ghualainn a thabhairt do dhuine

**jot¹** *n* dada, pioc

**jot²** *vt*, *to ~ sth down* rud a bhreacadh síos

**journal** *n* iris, nuachtán, dialann

**journalese** *n* nuachtánachas

**journalism** *n* iriseoireacht, nuachtóireacht

**journalist** *n* iriseoir, nuachtóir

**journey** *n* aistear, triall, turas *vi* triall, siúil

**jovial** *a* soilbhir, suairc

**jowl** *n* geolbhach; preiceall, sprochaille

**joy** *n* áthas, gairdeas, lúcháir, gliondar, subhachas

**joyful** *a* áthasach, gairdeach, lúcháireach, aiteasach, suáilceach

**jubilant** *a* lúcháireach, ollghairdeach, *to be ~ about sth* ríméad a bheith ort faoi rud

**jubilation** *n* ollghairdeas, ollás

**jubilee** *n* iubhaile; gairdeas

**Judaism** *n* Giúdachas

**judge** *n* breitheamh, moltóir *vt* meas, *to ~ a case* breith a thabhairt ar chás, *to ~ a competition* moltóireacht a dhéanamh ar chomórtas
```

judgment *n* breith, breithiúnas; meas, moltóireacht, *the Day of J*~ Lá an Bhrátha, Lá an Luain

judicial *a* breithiúnach, dlíthiúil

judiciary *n* giúistísí

judicious *a* breithiúnach, tuisceanach

judo *n* júdó

jug *n* crúsca

juggernaut *n* arracht

juggle *vt & i, to* ~ *(things)* cleasaíocht, cleas na n-úll, a dhéanamh (le rudaí)

juggler *n* lámhchleasaí

juice *n* sú, súlach

juicy *a* súmhar

July *n* Iúil

jumble *n* manglam, meascán *vt* measc, cuir trí chéile

jumble-sale *n* ceantáil mhanglaim

jump *n* léim, preab, abhóg *vt & i* léim, preab, clis, biog

jumper *n* léimneoir; geansaí

jumping *n* léimneach, preabarnach *a* léimneach, preabach

jumpy *a* cliseach, biogúil, geiteach, preabach

junction *n* acomhal, gabhal, pointe teagmhála

June *n* Meitheamh

jungle *n* dufair, mothar

junior *n* sóisear *a* sóisearach, beag, *John O'Brien* ~ Séan Óg Ó Briain, ~ *class* bunrang

juniper *n* aiteal

junk *n* mangarae

Jupiter *n* lúpatar

juridical *a* dlíthiúil

jurisdiction *n* dlínse, urlámhas

jurisprudence *n* dlí-eolaíocht

juror *n* coisteoir, giúróir

jury *n* coiste cúirte, giúiré

just *a* ceart, cóir, fíréanta; dleathach *n*, *the* ~ na fíréin *adv*, ~ *now* anois beag, ~ *then* díreach ansin, *you had only* ~ *left* ní baileach a bhí tu imithe

justice *n* ceart, cóir; giúistís, *district* ~, breitheamh dúiche

justifiable *a* inleathscéil

justification *n* fírinniú; réasún, cosaint

justify *vt* fírinnigh, *to* ~ *an action* cúis a thabhairt le gníomh, gníomh a chosaint

jut *n* gob, rinn *vi* gob amach

jute *n* siúit

juvenile *n* aosánach *a* óg, ~ *delinquent* ógchiontóir

juxtaposition *n, in* ~ le hais a chéile

K

kale *n* cál; praiseach

kaleidoscope *n* cailéideascóp

kangaroo *n* cangarú

keel *n* cíle

keeler *n* cíleár, peic

keen[1] *n* caoineadh *vt & i* caoin

keen[2] *a* géar; díocasach, ~ *edge* faobhar, ~ *wind* gaoth ghéar, ~ *eye* súil aibí, súil ghrinn, *to be* ~ *on sth* bheith líofa, geallmhar, ar rud

keenness *n* faobhar, géire; díocas, flosc; géarchúis

keen-witted *a* géarchúiseach

keep[1] *n* daingean

keep[2] *n* coinneáil, cothú *vt & i* coimeád, coinnigh; cumhdaigh; seas, *to* ~ *rules* rialacha a chomhlíonadh, *to* ~ *one's word* cur le d'fhocal, ~ *still* fan socair,

God ~ *him* slán beo leis, ~ *going!* lean ort! *I kept on working* d'oibrigh mé liom

keeper *n* coimeádaí; maor

keeping *n, to be in* ~ *with* bheith ag cur, ag teacht, le, *to be in safe* ~ bheith ar lámh shábhála

keepsake *n* cuimhneachán, féirín

keg *n* ceaig

kelp *n* ceilp

kennel *n* conchró

kerb *n* colbha

kerchief *n* ciarsúr

kern *n* ceithearnach

kernel *n* eithne, *the* ~ *of the matter* croí an scéil

kerosene *n* ceirisín

kettle n citeal, túlán

kettledrum n tiompán

key n eochair; gléas a, ~ position eochaíríonad vt, to be ~ ed up díbhirce a bheith ort

keyboard n méarchlár

keynote n gléasnóta; bunsmaoineamh

kick n cic, radadh, speach vt & i ciceáil, rad, spriúch, lasc

kid n meannán; meannleathar

kidnap vt fuadaigh

kidnapper n fuadaitheoir

kidney n ára, duán

kill vt maraigh, to ~ time an aimsir a mheilt, I'll ~ you! beidh d'anam agam!

killer n marfóir

kiln n áith, tornóg

kilogramme n cileagram

kilolitre n cililítear

kilometre n ciliméadar

kilowatt n cileavata

kilt n filleadh beag, féileadh beag

kin n cine, muintir, gaolta; gaol, coibhneas

kind n gné, cine, cineál, saghas, sórt, pay him back in ~ tabhair comaoin a láimhe féin dó, to revert to ~ filleadh ar do dhúchas a carthanach, cineálta, by ~ permission le caoinchead

kindergarten n ciondargairdín, naíscoil

kind-hearted a dea-chroíoch

kindle vt & i adhain, fadaigh, las, spreag

kindling n brosna

kindly a cineálta, daonna, muinteartha, nádúrtha

kindness n cineáltas, nádúr

kindred n gaolta, my ~ mo bhunadh (féin), mo mhuintir (féin) a, to have a ~ feeling for a person do ghaol, do dháimh, a bheith le duine

king n rí

kingdom n ríocht, flaitheas

kingfisher n cruidín

kingly a ríúil, ríoga, rí-

kink n caisírin, castainn

kinsfolk n gaolta, muintir, bráithre

kinship n gaol, cóngas, close ~ gaol na gcnámh

kiosk n both

kipper n scadán leasaithe

kiss n & vt póg, ~ of life análú tarrthála

kit n trealamh

kit-bag n trucaid

kitchen n cistin; anlann

kite n eitleog; préachán na gcearc

kitten n piscín, puisín

kittiwake n saidhbhéar

kitty n carnán, leac, the ~ is exhausted tá an leac buailte

kleptomania n cleipteamáine

knack n ciúta, there is a ~ in it tá cleas, dóigh, dul, air, to have the ~ of doing sth bheith deas ar rud a dhéanamh

knapsack n cnapsac

knave n cladhaire, rógaire, (cards) cuireata

knead vt fuin, suaith

kneading-trough n losaid

knee n glúin, up to the ~s in water, go glúine, go hioscaidí, san uisce

knee-cap n capán glúine, pláitín glúine vt, to ~ a person duine a lámhach sa ghlúin

knee-deep a, ~ in water go hioscaidí, go glúine, san uisce

kneel vi, to ~ sléachtadh, do ghlúine a fheacadh, dul ar do ghlúine

knell n creill

knickers npl bristín

knick-knacks npl giuirléidí, gréibhlí

knife n scian vt scean, sáigh

knight n ridire

knit vt & i cniotáil, to ~ things together rudaí a fhuineadh le chéile, to ~ one's brows na malaí a chruinniú, the bone is ~ting tá an chnámh ag táthú, ag teacht ina chéile, ag snaidmeadh

knitting n cniotáil

knitting-needle n biorán cniotála, dealgán

knob n cnapóg, cnoba; murlán

knobby a cnapach

knock n cnag vt & i buail, cnag, to ~ a person down duine a leagan, a threascairt, to ~ off work scor den obair

knock-down a, to get sth at a ~ price rud a fháil ar leath-threascairt

knocker n, (door ~) boschrann; cnagaire

knot¹ n snaidhm, cnota, (in timber) alt, cranra, dual, fadhb, ~ of people dol daoine vt snaidhm

knotty *a* snaidhmeach; cranrach, fadhbach, altach, ~ *question* ceist chasta
know *vt & i* aithin, *I ~ him* tá aithne agam air, *I ~ the place* is eol dom an áit; tá eolas agam ar an áit, *I ~ he's there* tá a fhios agam go bhfuil sé ann, *I ~ nothing about the subject* níl aon chur amach agam air; ní fheadar faic faoi, *as far as I ~* ar feadh m'eolais, go

bhfios dom, *to let her ~ sth* rud a chur in iúl di
knowing *a* feasach, eolach
knowledge *n* eolas, fios
knowledgeable *a* eolach, feasach
knuckle *n* alt *vi*, *to ~ under to a person* géilleadh do dhuine, *to ~ down to sth* luí isteach ar rud

L

label *n* lipéad
laboratory *n* saotharlann
laborious *a* sclábhúil, trom, saothrach; duaisiúil
labour *n* obair, saothar; dua, duainéis; tinneas clainne, luí seoil; *L~ Court* Cúirt Oibreachais *vt & i* oibrigh, saothraigh, *to ~ under a delusion* rud a bheith á shamhlú duit
labourer *n* saothraí; sclábhaí
labour-saving *a* duasheachanta
laburnum *n* beallaí francach
labyrinth *n* cathair ghríobháin
lace *n* (barr)iall; lása *vt*, *he ~d* (*up*) *his shoes* cheangail sé a bhróga
lacerate *vt* stiall, stoll, leadair, sclár
laceration *n* stialladh, stolladh, leadradh, scláradh
lack *n* ceal, díth, uireasa, easpa *vt*, *he ~s* (*for*) *money* tá easpa airgid air
lackadaisical *a* ar nós cuma liom, réagánta
lackey *n* gíománach
lacquer *n* laicear
laconic *a* grusach, beagfhoclach
lacrosse *n* crosógaíocht
lactation *n* lachtadh, tál
lad *n* garsún, buachaill, leaid
ladder *n* dréimire
lade *vt* ládáil
laden *a*, *~ with fish* faoi ualach éisc
ladle *n* ladar, liach
lady *n* bean uasal; bantiarna
ladybird *n* bóín Dé
lady-killer *n* banaí
ladylike *a* banúil
lag¹ *n* moill, aga moille *vi* moilligh, stang
lag² *vt* fálaigh, cumhdaigh
lager *n* lágar

lagoon *n* murlach
laicize *vt* tuathaigh
lair *n* gnáthóg, leaba dhearg, brocais, uachais, fáir
laity *n* tuath, pobal
lake *n* loch, linn
lama *n* láma
lamb *n* uan; uaineoil
lame *a* bacach, ~ *person* bacach
lameness *n* bacaí, céim bhacaí
lament *n* éagaoineadh; caoineadh, marbhna *vt & i* éagaoin, caígh, cásaigh, ~*ing* ag mairgneach, *to ~* (*for*) *someone* duine a chaoineadh
lamentable *a* cásmhar, diachrach, tubaisteach
laminated *a* bileogach; lannach
lamp *n* lampa; lóchrann; solas
lampoon *n* aoir *vt* aor
lampshade *n* scáthlán lampa
lance *n* lansa, sleá *vt* lansaigh
lancet *n* lansa
land *n* tír; talamh; fearann *vt & i*, *to ~* teacht, dul, i dtír, *to ~ sth* rud a chur i dtír, *the aeroplane ~ed* thuirling an t-eitleán
landing¹ *n* tuirlingt
landing² *n* léibheann ceann staighre
landlady *n* bantábhairneoir; bean lóistín
landlocked *a* talamhiata, ~ *harbour* glaschuan
landlord *n* óstóir, tábhairneoir; tiarna talún
landmark *n* sprioc, sainchomhartha tíre
landmine *n* mianach talún
landscape *n* radharc tíre, tírdhreach; tírphictiúr

landslide n maidhm thalún, sciorradh talún

lane n bóithrín; lána, *ocean* ~ bealach loingseoireachta

language n teanga; urlabhra, *bad* ~ gáirsiúlacht chainte

languid a fann, faon, meirbh, marbhánta, mairbhiteach

languish vi sleabhac, cnaígh, *to* ~ *after a person* bheith ag caitheamh i ndiaidh duine, *he is* ~ *ing* tá sé imithe i léig, ag imeacht den saol

languor n leisce, mairbhití, táimhe

lanolin n lanailin

lantern n laindéar, lóchrann, ~ *jaw* giall corránach

lanyard n láinnéar

lap[1] n binn (éadaigh); ucht; filleadh; timpeall, cuairt, *he is in the* ~ *of luxury* tá saol na bhfuíoll aige vt, *to* ~ *sth around sth* rud a fhilleadh, a chasadh, thart ar rud

lap[2] vt & i, *to* ~ (*up*) *milk* bainne a ól suas, a leadhbadh siar, *waves* ~ *ping* tonnta ag lapadail, ag slaparnach

lapel n lipéad, bóna

lapse n earráid; dearmad, faillí, ~ *of time* imeacht aimsire vi sleamhnaigh, tit, *to* ~ *into apostasy* an creideamh a thréigean, *the policy* ~ *d* chuaigh, ligeadh, an polasaí as feidhm

lapsed a siar; imithe i léig, tite; ó fheidhm, as dáta

lapwing n pilibín míog

larceny n gadaíocht, goid

larch n learóg

lard n blonag

larder n lardrús

large a fairsing, mór, toirtiúil, fia-, ~ *crowd* slua líonmhar, ~ *amount* moll, lear, *as* ~ *as life* in steilbheatha n, *to set a prisoner at* ~, príosúnach a scaoileadh saor

lark n fuiseog

larva n larbha

laryngitis n laraingíteas

larynx n laraing

lascivious a drúisiúil

lash n lasc; leadhb, stiall vt & i stiall, gread, ~ *ing rain* ag greadadh báistí, ~ *out* spréach, spriúch, rad

lashings npl, ~ *of food* greadadh bia, dalladh bia

lassitude n leisce, marbhántacht, lagbhrí

lasso n téad ruthaig

last[1] n ceap gréasaí

last[2] n deireadh, *at* ~ faoi dheireadh a déanach, deireanach, ~ *Tuesday* Dé Máirt seo caite, Dé Máirt seo a chuaigh thart, ~ *night* aréir, ~ *year* anuraidh vt & i lean, mair, seas adv ar deireadh, ~ *ly* ar deireadh (thiar); mar fhocal scoir

lasting a buan, marthanach

latch n laiste vt, *to* ~ *the door* laiste a chur ar an doras

late a & adv déanach, deireanach, mall, antráthach, *of* ~ le déanaí, le gairid, ~ *in the day* anonn sa lá, *the* ~ *st one* an ceann is deireanaí, ~ *r on* amach anseo, ar ball, tráth is faide anonn; ina dhiaidh seo, ina dhiaidh sin, *my* ~ *husband* m'fhear céile tráth, nach maireann

lately adv ar na mallaibh, le deireanas, le déanaí

latent a folaithe, i bhfolach, ~ *heat* teas folaigh

lateral a cliathánach, sleasach, taobhach

lath n lata, slis

lathe n deil

lather n coipeadh, sobal, ~ *of sweat* brat allais

Latin n, (*language*) Laidin a Laidineach, ~ *America* Meiriceá Laidineach

latitude n domhanleithead, leithead, *to allow him* ~ cead a chinn a thabhairt dó

latter a déanach, deireanach

lattice n laitís; fuinneog laitíse

lattice-work n crannaíl, laitís

laud vt mol

laudable a inmholta

laudanum n ládanam

laudatory a moltach

lauds npl moltaí

laugh n gáire vi gáir, déan gáire, ~ *ing at me* ag gáire fúm

laughable a áiféiseach, amaideach

laughing n gáire a gáireach, gáiriteach, *it is no* ~ *matter* ní cúrsa magaidh é, ní ábhar gáire ar bith é

laughing-stock n ceap magaidh, ealaí mhagaidh, staicín áiféise, paor

laughter n gáire

launch¹ *n* lainse

launch² *vt & i* caith, scaoil, teilg; lainseáil, seol, sáigh amach, cuir chun farraige, *to* ~ *out on an enterprise* aghaidh a thabhairt ar ghnó, dul i mbun gnó, *to* ~ *into an invective* cromadh, tosú, ar an sciolladóireacht

launder *vt* nigh, glan

launderette *n* neachtlainnín

laundry *n* neachtlann; níochán

laurel *n* labhras; daifne, ~*s an* chraobh

lava *n* laibhe

lavatory *n* leithreas

lavender *n* labhandar

lavish *a* fial, flaithiúil, raidhsiúil, doscaí *vt, to* ~ *money* airgead a chaitheamh go flúirseach, *to* ~ *praise on a person* duine a mholadh go spéir

law *n* dlí, reacht

lawful *a* dleathach, dlíthiúil, dlisteanach, dílis, ~ *right* dleacht, dliteanas

lawless *a* aindlíthiúil, fiáin

lawlessness *n* aindlí

lawn *n* léana, faiche, plásóg

lawn-mower *n* lomaire faiche

lawsuit *n* cúis dlí, caingean

lawyer *n* dlíodóir

lax *a* bog, faillitheach, scaoilte

laxative *n* purgóid *a* scaoilteach

lay¹ *n* laoi

lay² *a* tuata, saolta

lay³ *vt & i* leag, cláraigh, ~ *low* cnag, treascair, cloigh, *to* ~ *eyes on sth* do shúil a luí ar rud, *to* ~ *into the food* luí isteach ar an mbia, *to* ~ *a bet* geall a chur, *to* ~ *the table* an bord a leagan, *the hens are* ~*ing* tá na cearca ag breith, *to* ~ *a ghost* taibhse a dhíbirt, ~ *aside* cuir i leataobh, cuir i dtaisce, *to* ~ *off workers* oibrithe a leagan as obair, a scaoileadh chun bóthair, (*of corpse*) *laid out* os cionn cláir, *laid up with flu* i do luí le fliú

lay-by *n* leataobh

layer *n* brat, sraith; ciseal, sraith; béaróg

layman *n* tuata

layout *n* leagan amach

laze *vi, to* ~ *about* bheith ag leisceoireacht, ag imeacht díomhaoin

laziness *n* falsacht, leisce, leisciúlacht, drogall

lazy *a* leisciúil, falsa, leasc; támáilte;

díomhaoin, ~ *person* falsóir, leisceoir

lea *n* bán, talamh bán

lead¹ *n* luaidhe

lead² *n* ceannas; treoir; (*for dog*) iall, *to take the* ~ dul i gceannas; dul chun tosaigh *vt & i* treoraigh, giollaigh, *it will* ~ *to contention* tiocfaidh an chointinn as, de, *that road* ~*s to Cork* téann an bóthar sin go Corcaigh, tabharfaidh an bóthar sin go Corcaigh thú

leaden *a* luaidhiúil; trom, spadánta

leader *n* ceannaire, ceannfort; treoraí, ceannródaí; príomhalt

leadership *n* ceannasaíocht; ceannródaíocht

leading *a, a* ~ *man* fear mór le rá, ~ *article* príomhalt

leaf *n* duille(og), bileog, *leaves* duilliúr

leaflet *n* duilleachán; bileog eolais

leafy *a* duilleach, bileogach; craobhach

league *n* conradh, léig; sraithchomórtas

leak *n* braon anuas, braon isteach; poll *vt & i, the tank is* ~*ing* tá an t-umar ag ligean tríd, uaidh, *the news was* ~*ed* sceitheadh an scéal

lean¹ *a* caol, lom, tanaí, seang, ~ *meat* feoil thrua, *the* ~ *years* na blianta ocracha

lean² *vt & i* claon, ~ *out* luigh amach, *to* ~ *on sth for support* taca a bhaint as rud, *he was* ~*ing against a wall* bhí a thaca, a dhroim, le balla aige

leaning *n* claonadh, luí, lé, leagan *a* claonta

leap *n & vt & i* léim

leap-frog *n* caitheamh cliobóg

leaping *n & a* léimneach

leap-year *n* bliain bhisigh

learn *vt & i* foghlaim, *I have* ~*ed it* tá sé ar eolas agam

learned *a* foghlamtha, léannta, ~ *person* saoi, éigeas, scoláire

learner *n* foghlaimeoir

learning *n* foghlaim, léann, éigse, saoithiúlacht, scoláireacht

lease *n* léas *vt* léasaigh, *to* ~ *something* rud a thógáil, a ligean, ar léas

leasehold *n* léas-seilbh, léasacht *a* léasach

leash *n* iall

least n & a, the ~ an ceann is lú, the ~
doubt amhras dá laghad, at ~ ar a
laghad, it is the ~ you might do is é is lú
is gann duit é; is beag an dualgas ort é,
the ~ little bit oiread na fríde, she
wasn't in the ~ afraid ní raibh eagla ná
eagla uirthi
leather n leathar a, ~ bag mála leathair
leathery a leathrach; rosach, righin
leave n cead, saoire, to take one's ~ of a
person slán a fhágáil ag duine, ceil-
iúradh de dhuine, by your ~ i gcead
duit vt & i fág, imigh, ~ off! stad!
éirigh as! ~ out fág amuigh, fág ar lár,
I was left out rinneadh leithcheal orm;
fágadh as an áireamh mé, ~ me alone
lig dom, éirigh díom, ~ it to me fág
fúmsa é, fág ar mo láimhse é
leaven n laibhín, deasca, gabháil
lecherous a drúisiúil
lectern n léachtán
lecture n léacht; seanmóir vt & i, lecturing
on history ag léachtóireacht, ag tabh-
airt léachtaí, ar an stair, to ~ a person
spraic a chur ar dhuine, liodán a léamh
do dhuine
lecturer n léachtóir
lectureship n léachtóireacht
ledge n fargán, laftán, dreapa, frapa,
window ~ leac fuinneoige
ledger n mórleabhar (cuntas)
lee n, in the ~ of the island faoi fhothain
an oileáin
leech n súmaire; diúgaire
leek n cainneann
leer n claonfhéachaint; féachaint dhrúis-
iúil vi, to ~ at a person súil mhac-
nasach a thabhairt ar dhuine
lees npl deascadh, dríodar, moirt
leeward n & a & adv taobh na fothana
leeway n ródadh; slí
left n & a & adv clé, ~ hand lámh chlé,
ciotóg, on the ~ ar clé, to turn ~
casadh faoi chlé
left-handed a ciotach, ciotógach
left-hander n ciotóg; buille ciotóige
leg n cos; osán (bríste)
legacy n leagáid; oidhreacht
legal a dlíthiúil
legalize vt, to ~ sth dlí a dhéanamh de
rud, rud a fhágáil dleathach
legate n leagáid
legation n leagáideacht; toscaireacht

legend n finscéal, Ossianic ~ scéal
fiannaíochta
legendary a finscéalach
legible a inléite, soléite
legion n léigiún
legionary n & a léigiúnach
legislate vi reachtaigh
legislation n reachtaíocht
legislative n oireachtas, tionól reachtais a
achtúil, reachtach
legislator n reachtóir
legislature n, the L~ an tOireachtas
legitimate a dlisteanach
legitimize vt dlisteanaigh
Leinster n Laighin, Cúige Laighean a
Laighneach
leisure n fóillíocht, at one's ~ ar do
bhogstróc
leisurely a réaganta, sámh, at a ~ pace ar
do bhogstróc
lemon n líomóid
lemonade n líomanáid
lend vt & i, to ~ sth rud a thabhairt ar
iasacht, to ~ a hand lámh chúnta a
thabhairt
lender n iasachtóir
length n fad, faide, at ~ he gave his con-
sent faoi dheireadh thoilig sé
lengthen vt & i fadaigh, to ~ sth fad a
chur le rud
lengthwise adv ar a fhad
lengthy a fada; leadránach
leniency n boige, trócaire
lenient a bog, trócaireach
lenite vt séimhigh
lenition n séimhiú
lens n lionsa
Lent n Carghas
lentil n lintile, ~s piseánach
Leo n an Leon
leopard n liopard
leper n lobhar
leprechaun n leipreachán, lucharachán
leprosy n lobhra
lesbian n & a leispiach
lesion n lot
less n & a & adv, there is ~ to do here tá
níos lú le déanamh anseo, in ~ than an
hour faoi bhun uair an chloig, he does
~ work is lú an obair a dhéanann sé, I
love him none the ~ for that ní lúide sin
mo chion air, I couldn't care ~ is
róchuma liom prep, ~ 10% lúide 10%

-less a neamh-, mí, a(i)n-
lessen vt & i laghdaigh, maolaigh
lesser a beag, mion, fo-
lesson n ceacht
lest conj ar eagla (go), ar fhaitíos (go); sula, sa dóigh is nach
let vt ceadaigh, lig, scaoil, to ~ a house teach a chur, a shuí, ar cíos, to ~ a person know about sth rud a chur in iúl do dhuine, ~ her go free lig a ceann léi, to ~ go of sth rud a scaoileadh uait, do ghreim a scaoileadh de rud (as virtual aux), ~ us go imímis, ~ no-one speak ná labhraíodh aon duine
lethal a marfach
lethargic a marbhánta, spadánta, támhach, suanach
letter n litir
lettering n litreoireacht
lettuce n leitís
leukaemia n leoicéime
level n cothrom, leibhéal; airde a cothrom, bord ar bhord (le), leibhéalta, réidh; ar comhscór, ~ crossing crosaire comhréidh, one's ~ best do chroídhícheall, ~ place lantán, mínleog, léibheann, plás vt cothromaigh, leag, mínigh, réitigh
level-headed a staidéarach, stuama, he is ~ tá cloigeann cothrom air
lever n luamhán
leveret n patachán (giorria)
levity n éadroime, éagantacht, aeracht
levy n cáin; tobhach vt toibhigh, gearr, to ~ war cogadh a fhearadh
lewd a gáirsiúil, graosta
lewdness n gáirsiúlacht, graostacht
lexicographer n foclóirí
lexicography n foclóireacht
lexicon n foclóir; stór focal, réimse focal
liability n dliteanas; fiachas; freagracht
liable a, he is ~ for what he said tá sé freagrach as an rud a dúirt sé, it is ~ to explode tá baol ann go bpléascfaidh sé, it is ~ to tax dlitear cáin air
liaison n ceangal; caidreamh
liar n bréagadóir, éitheoir, you're a ~ thug tú d'éitheach
libel n leabhal vt leabhlaigh
libellous a leabhlach
liberal a liobrálaí a liobrálach; fairsing, ~ arts saorealaíona
liberalism n liobrálachas

liberality n féile, fairsinge
liberate vt saor, fuascail
liberation n fuascailt, saoradh
liberator n fuascailteoir
liberty n saoirse
Libra n an Mheá
librarian n leabharlannaí
library n leabharlann
libretto n leabhróg
lice npl míolta
licence n cead, ceadúnas; díolúine
license vt ceadúnaigh
licensee n ceadúnaí
licentious a ainrianta, drúisiúil, drabhlásach
lichen n léicean, crotal
lick n lí vt & i ligh, leadhb; buail, léas, to ~ sth into shape cuma agus cruth a chur ar rud
lid n claibín, clár, clúdach
lie¹ n bréag, éitheach, white ~ caimseog, sceireog vi, to ~ bréag a insint, éitheach a thabhairt
lie² n luí, suíomh vi luigh, sín, it lies to the west of us tá sé siar uainn
lieu n, in ~ of in áit, in ionad
lieutenant n leifteanant
life n beatha; anam, beo; saol; beocht; beathaisnéis
lifeboat n bád tarrthála
lifeguard n garda coirp; maor snámha
lifeless a díbheo, marbhánta, gan anam, leamh
lifelike a cruthanta, a ~ portrait-portráid dhealraitheach
lifetime n saol, in his ~ lena linn, lena ré, lena lá, lena sholas
lift n ardú, tógáil; ardaitheoir; marcaíocht, síob vt & i ardaigh, tóg, the fog ~ed scaip an ceo, chroch an ceo
ligament n ballnasc, lúitheach
light¹ n solas, léas, loinnir, the Northern Lights na Saighneáin a, ~ blue bánghorm, gorm éadrom vt & i las, adhain, fadaigh. to ~ a pipe píopa a dheargadh
light² a éadrom, to make ~ of sth a bheag, spíor spear, neamhshuim, a dhéanamh de rud, he is ~ on his foot tá sé éasca ar a chos
light³ vi, ~ on tuirling, tar anuas (ar), to ~ on sth tarlú ar rud, teacht ar rud gan choinne

lighten vt & i éadromaigh, laghdaigh, my heart ~ed d'éirigh mo chroí, the rain ~ed mhaolaigh an bháisteach

lighter n lastóir; lictéar

light-headed a aertha, éaganta

light-hearted a aerach, aigeanta, suairc, éadromchroíoch

lighthouse n teach solais

lighting n soilsiú, lasadh

lightning n tintreach, flash of ~ splanc, saighneán, gealán

like¹ n leithéid, macasamhail a cosúil, in ~ manner mar an gcéanna, ar an gcuma chéanna adv, as ~ as not chomh dócha lena athrach prep amhail, mar, ~ other people fearacht, ar nós, cosúil le, daoine eile, ~ myself mo dhála féin, it was ~ a feast to them ba gheall le féasta acu é conj (= as), the snow is falling ~ in January tá sé ag cur sneachta faoi mar a bheadh mí Eanáir ann, it is ~ summer tá sé ina shamhradh

like² vt, I ~ her is maith liom í, taitníonn sí liom, I don't ~ it is beag orm é, to ~ a person cion, gnaoi, a bheith agat ar dhuine, anything you ~ do rogha rud

likeable a geanúil; taitneamhach

likelihood n dóchúlacht, there is little ~ of her coming ní dócha go dtiocfaidh sí, is beag an seans go dtiocfaidh sí

likely a dealraitheach, dóchúil, it is ~ to happen is dócha go dtarlóidh sé, not ~! beag an baol! adv de réir dealraimh, as ~ as not chomh dócha lena athrach

liken vt, to ~ sth to sth else rud a chur i gcomórtas, a shamhlú, le rud eile

likeness n dealramh, cosúlacht, samhail, íomhá

likewise adv freisin; mar an gcéanna

liking n gnaoi; dúil, taitneamh, I have a ~ for him tá cion agam air, tá gean agam dó

lilac n siringe, liológ a liathchorcra

lilt n port béil, portaireacht vi, ~ing ag portaireacht

lily n lile

limb n géag, brainse

limber a aclaí vt & i aclaigh

limbo n liombó

lime¹ n & vt aol

lime² n lioma, ~ tree crann liomaí

lime³ n, ~ tree (tilia) crann teile

limekiln n tiníl, áith aoil, tornóg

limelight n, he likes the ~ is maith leis an solas a bheith air, a bheith os comhair an phobail

limestone n aolchloch

limit n críoch, fóir, foirceann, líomatáiste, he's the ~ níl aon teorainn leis vt, to ~ sth rud a theorannú, a shrianadh, a chumadh, he didn't ~ himself to that níor fhan sé air sin, taobh leis sin

limitation n teorannú, cinnteacht

limited a teoranta

limp¹ n céim bhacaí vi, to ~ céim bhacaí a bheith ionat, ~ing ag bacadaíl

limp² a faon, leabh-bhchtha, ~ thing leidhce, liobar, pleist

limpet n bairneach

limpid a glé(igeal), gléineach

linchpin n pionna rotha

linden n teile

line n líne; sreang; ríora, ríshliocht; ruaim, dorú vt linigh; líneáil

lineage n líne, ginealach; folaíocht

linear a líneach

linen n líon; línéadach

liner n línéar

linesman n fear líne; taobhmhaor

ling¹ n langa

ling² n fraoch (mór)

linger vi moilligh, seadaigh

lingering n máinneáil, moilleadóireacht, leadrán, righneáil a fadálach, leadránach, righin, ~ eye mallrosc

linguistics npl teangeolaíocht

lining n líneáil

link n lúb, drol; cónasc, nasc vt & i cónaisc, cúpláil; ceangail

links n muirbheach, dumhcha; galfchúrsa

linnet n gleoiseach

linoleum n lionóil

linseed n ros (lín), ~ oil ola rois

lint n líon; líonolann

lintel n fardoras⁻

lion n leon

lip n liopa, cab, bruas, béal pl beola

lip-service n béalchrábhadh, béalghrá

lipstick n béaltadh

liquefy vt & i leachtaigh

liqueur n licéar

liquid n leacht a leachtach, it became ~ d'imigh, d'athraigh, sé ina leacht

liquidate vt leachtaigh, scaoil; díothaigh
liquidation n leachtú, scaoileadh; díothú
liquidator n leachtaitheoir
liquidize vt & i leachtaigh
liquidizer n leachtaitheoir
liquor n líocáir; deoch (mheisciúil), biotáille
liquorice n líocras
lisp n snas vi, to ~ labhairt go briotach, ~ing ag briotaireacht
list[1] n liosta, clár vt cláraigh, liostaigh
list[2] n liosta vi, the boat ~ed thóg an bád liosta
listen vi éist
listener n éisteoir
listless a díbheo, dímríoch, marbhánta, fuaránta
litany n liodán
literacy n litearthacht
literal a litriúil, liteartha
literary a liteartha
literate a liteartha, a ~ man fear a bhfuil foghlaim air
literature n litríocht
lithe a ligthe, scolbánta, leabhair
lithograph n & vt liteagraf
lithography n liteagrafaíocht
litigant n dlíthí
litmus n litmeas
litre n lítear
litter n árach, eileatram; easair, cosair; bruscar; ál, cuain vt & i easraigh, to ~ a floor with rushes easair úrluachra a chur ar urlár, to ~ a room seomra a chur trí chéile, (of animals), to ~ ál, cuain, a bhreith
little n beag, beagán, a ~ older beagán níos sine, ábhairín níos sine, to make ~ of sth neamhní, a bheag, a dhéanamh de rud, ~ by ~ diaidh ar ndiaidh a beag, mion-, ~ finger, ~ toe, lúidín adv, a ~ too soon pas beag róluath, I ~ thought that is beag a shíl mé go
liturgical a liotúirgeach
liturgy n liotúirge
live[1] a beo
live[2] vi mair, cónaigh, if I ~ más beo dom, as long as I ~ le mo bheo, le mo ré, le mo sholas, where do you ~ cá gcónaíonn tú, cá bhfuil tú i do chónaí
livelihood n slí bheatha, beo, maireachtáil

lively a anamúil, beo, beoga, bíogúil, preabúil, aerach, ~ voice glór brisc
liven vt, to ~ sth up spionnadh, anam, spleodar, a chur i rud
liver n ae, crua-ae
livery n libhré, éide
livestock n beostoc, eallach
livid a glasghnéitheach, he became ~ dhubhaigh agus ghormaigh air
living n beatha, maireachtáil, to earn one's ~ do chuid a shaothrú, do bheatha a thabhairt i dtír a beo, ~ room seomra teaghlaigh, in ~ memory le cuimhne na ndaoine
lizard n earc, laghairt
llama n láma
load n lód, ualach; lasta, lucht, ~s of money an dúrud, na múrtha, airgid vt & i lódáil, ualaigh, (of ship) luchtaigh, lastáil, to ~ a gun gunna a stangadh
loaf[1] n bollóg, builín, bairín
loaf[2] vi, ~ ing about ag fálróid thart, ag crochadóireacht (thart)
loafer n liúdramán, scraiste, ríste, crochadóir
loan n iasacht
loath a, I am ~ to go there is leasc liom, tá drogall orm, dul ann
loathe vt, I ~ it is fuath, gráin, liom é
loathing n déistin, gráin, fuath
loathsome a déistineach, gráiniúil, fuafar
lobe n maothán, bog na cluaise; cluaisín
lobby n forsheomra, pasáiste, póirse; brúghrúpa, division ~ pasáiste vótála vt, to ~ a person tacaíocht duine a lorg
lobster n gliomach
lobsterhole n ábhach gliomach, aice gliomach
local a áitiúil, logánta, ~ people muintir na háite
locality n ceantar, dúiche
locate vt aimsigh, suigh
location n láthair, loc, suíomh; aimsiú
locative a, ~ case tuiseal áitreabhach
lock[1] n loca, slám, ~ of hair dlaoi ghruaige, dual gruaige
lock[2] n glas, canal ~ loc canála vt & i, to ~ sth rud a ghlasáil, a chur faoi ghlas, to become ~ed dul i ngreim, greamú, dul i bhfostú
locker n taisceadán
locket n loicéad
lockjaw n glas fiacla, teiteanas

lock-out n frithdhúnadh

locksmith n glasadóir

locomotive n inneall gluaiste, gluaisteoir

locust n lócaiste

lode n lód; síog

lodestone n adhmaint

lodge n lóiste, *gate* ~ teach geata *vt & i* lóisteáil, stop, *the corn* ~ d shleabhac an t-arbhar, *to* ~ *in a place* bheith ar lóistín in áit, *the water* ~ d *there* lonnaigh an t-uisce ann, *to* ~ *a complaint against a person* gearán a chur isteach ar dhuine

lodgement n lóisteáil, taisceadh

lodger n aoi, lóistéir

lodging n iostas, ~ s lóistín, aíocht, óstaíocht, ~ *house* teach iostais

loft n lochta; áiléar

loftiness n airde, buacacht; uaisle, mórgacht; ardnósacht

lofty a ard, buacach; ardnósach, ceann-asach; mórga, uasal

log n ceap, cearchaill, sail, lomán, maide; luasmheá

loganberry n lóganchaor

logarithm n logartam

log-book n turasleabhar, leabhar loinge

loggerheads npl, *at* ~ in adharca a chéile

logic n loighic

logical a loighciúil

logistics npl loighistic; lóistíocht

loin n luan, ~ s leasrach, na háranna

loiter vi, ~ *ing about* ag máinneáil thart

loll vi, ~ *ing about* ag sínteoireacht, ag rístíocht

lollipop n líreacán

lone a aonarach, a ~ *person* duine aon-air; cadhan aonair, caonaí

loneliness n cumha, uaigneas

lonely a uaigneach, aonaránach

loner n éan cuideáin, cadhan aonair, aon-arán

lonesome a cumhach, éagmaiseach, uaigneach

long a fada, cian, *six feet* ~ sé troithe ar fad, *a* ~ *time ago* fadó, i bhfad ó shin, *this* ~ *time* le cian d'aimsir, le fada anuas, *at* ~ *last* faoi dheireadh thiar *adv*, *it won't be* ~ (*until*) is gearr (go), *have you been here* ~ an bhfuil tú i bhfad anseo, *how* ~ cá fhad, *as* ~ *as*, a fhad is, *as* ~ *as I live* le mo lá vi, ~ *ing for s:h* ag tnúth le rud

long-eared a cluasach, ~ *owl* ceann cait

longevity n buaine, fadsaolaí, fad saoil

long-haired a fadfholtach, ciabhach, mongach

longing n tnúth, dúil a tnúthánach; dúilmhear (i *for*)

longitude n domhanfhad

long-lived a saolach, fadsaolach, cian-aosta

longnecked a muineálach, dúdach, scrog-allach

long-suffering a fadfhulangach, foigh-neach

longwinded a fadchainteach, leadránach

look n amharc, féachaint; cló, dealramh, *good* ~ s dathúlacht vi amharc, breath-naigh, dearc, féach, *you are* ~ *ing well* tá tú ag breathnú go maith, *he* ~ s *young* tá cuma na hóige air, *to* ~ *after sth* féachaint i ndiaidh ruda, chuig rud, ~ *out*! aire duit! fainic! seachain! coimhéad! *to* ~ *for work* obair a lorg, *to* ~ *forward to sth* bheith ag súil, ag tnúth, le rud

looking-glass n scáthán

look-out n crannóg; fear faire

loom[1] n seol

loom[2] vi taibhsigh, *to* ~ *large* bheith mórthaibhseach, *danger is* ~ *ing* tá contúirt ag bagairt, ar do thí

loon n lóma

loop n lúb, dol, drol vt & i lúb

loop-hole n, *to find a* ~ poll éalaithe, éasc, a aimsiú

loose a bog, ar bogadh, scaoilte, liobar-nach vt bog, scaoil

loosen vt & i bog, scaoil

loosestrife n, *purple* ~ créachtach

loot n & vt creach, slad

lop vt gearr, scoith, teasc, sciot

lope n truslóg vi, *to* ~ *along* imeacht de thruslóga

loppings npl craobhach, barraíl, scotháin

lopsided a leataobhach, *it is* ~ tá leatrom air, tá sé ar sceabha

loquacious a geabach, béalach, cainteach

lord n tiarna, ~ *mayor* ardmhéara

lordly a tiarnúil, uasal, maorga

lore n seanchas, *Ossianic, Fenian,* ~ Fiannaíocht

lorry n leoraí

lose *vt & i* caill, *I lost patience* bhris ar an bhfoighne agam, *to ~ one's way* dul amú, dul ar strae

loser *n* cailliúnaí, fear caillte na himeartha

loss *n* bris; díobháil, easpa, caill(iúint), creach, *to go to ~* dul amú, dul ar díth, dul ó rath

lost *a* caillte

lot *n* lota, *a ~ of people* a lán daoine, mórchuid daoine, *the ~* an t-iomlán, *~s of money* an t-uafás, an dúrud, airgid, *to cast ~s for sth* crainn a chaitheamh ar rud, rud a chur ar chrainn, *he's a bad ~* is olc an t-earra é

lotion *n* lóis, ionlach

lottery *n* crannchur

loud *a* ard, glórach; gáifeach

loud-speaker *n* callaire

lough *n* loch

lounge *n* tolglann; seomra suí, seomra caidrimh

louse *n* míol cnis

lousy *a* míolach; suarach

lout *n* bastún, bodach, gamal, búr

lovable *a* geanúil, grámhar

love *n* grá, searc; cion, gean, *my ~!* a ghrá! a ansacht! *in ~ with a person* i ngrá le duine *vt & i* gráigh, *I ~ apples* is breá liom úlla

loveliness *n* áilleacht, scéimh, gleoiteacht

lovely *a* álainn, sciamhach, gnaíúil, gleoite, caomh; aoibhinn

lover *n* leannán

loving *a* geanúil, grámhar, carthanach, *in ~ memory of* i ndílchuimhne ar

low[1] *a* íseal, comónta, lábánta, *~ tide* lag trá, *~ pressure* lagbhrú, *~ spirits* lagmhisneach, domheanma, *in a ~ voice* os íseal, de ghuth íseal, *to be laid ~* bheith ar lár

low[2] *n & vi* géim, búir

lower[1] *a* íochtarach, *the ~ classes* an chosmhuintir, *~ part* íochtar *vt* leag, ísligh, laghdaigh, maolaigh, lig anuas, stríoc

lower[2] *vi*, *~ing sky* spéir iata, *to ~ at a person* gruaim a chur i do mhala le duine

lowliness *n* uirísleacht, íochtaránacht, bochtaineacht

lowly *a* uiríseal, íochtarach

lowlying *a* logánach, íochtarach, íseal, *~ place* ísleán, logán

loy *n* lái

loyal *a* dílis, tairiseach

loyalist *n* dílseoir

loyalty *n* dílse, tairise

lozenge *n* losainn; muileata

lubricant *n* bealadh

lubricate *vt* bealaigh

lubrication *n* bealú

lucid *a* glé, gléineach; meabhrach, *she is perfectly ~* tá a ciall is a céadfaí aici

luck *n* ádh, seans, séan, *as ~ would have it* ar ámharaí an tsaoil, ar an dea-uair

lucky *a* ádhúil, ámharach, séanmhar, *he was ~* bhí an t-ádh leis, air

lucrative *a* brabúsach, éadálach, gnóthachúil

ludicrous *a* áiféiseach, cluichiúil

lug *n* cluas

luggage *n* bagáiste

lugger *n* liúir

lug-worm *n* lugach

lukewarm *a* bog, bogthe, alabhog; patuar; fuarchráifeach

lull *n* eatramh, uaineadh, sámhnas; tost *vt & i* ciúnaigh, *to ~ a child to sleep* leanbh a chealgadh (a chodladh), *the wind has ~ed* tá staonadh ar an ngaoth

lullaby *n* suantraí, seoithín seothó

lumbago *n* lumbágó

lumber *vt* trangláil; crainn leagtha, lomáin

luminous *a* lonrach, solasmhar

lump *n* ailp, canta; fadhb, cnap(án); meascán, meall, *~ sum* cnapshuim *vt*, *to ~ things together* rudaí a chaitheamh ar mhuin mhairc a chéile; rudaí a lua (etc) le chéile amhail is dá mb'ionann iad

lumpy *a* cnap(án)ach, fadharcánach

lunacy *n* gealtachas

lunar *a*, *~ month* mí ghealaí

lunatic *n* gealt *a*, *~ behaviour* gealtachas, iompar gan chiall, *~ asylum* teach na ngealt, gealtlann

lunch *n* lón *vi*, *to ~* lón a chaitheamh

lung *n* scamhóg

lunge *n* áladh, fogha, sá *vt & i* sáigh, *he ~ed at me* thug sé áladh orm

lupin *n* lúipín

lurch n turraing, *in the* ~ san abar, san fhaopach *vi* guailleáil, ~*ing* ag long-adán

lure n mealladh, tarraingt, cluain *vt, to* ~ *a person* duine a bhréagadh, a mheall-adh, a tharfaingt

lurid a míltheach, glasghnéitheach; fua-far, scéiniúil, gáifeach; crónbhuí

lurk *vi,* ~*ing in the corner* i bhfolach sa chúinne, ~*ing in the woods* ag déanamh oirchille, luíocháin, sna coillte

luscious a súmhar; sáil, ~ *grass* féar borb, féar uaibhreach

lush a méith, sóúil, borb, uaibhreach

lust n ainmhian, drúis *vi, to* ~ *after a woman* bean a shantú

lustful a ainmhianach, drúisiúil

lustre n loinnir, lí, niamh, snas

lustrous a lonrach, niamhrach

lusty a bríomhar, fuinniúil, láidir

lute n liúit

Lutheran n & a Liútarach

luxuriant a uaibhreach; bláfar, buacach, ~ *growth* sáile, fás borb, fásach

luxurious a sóch, sóúil, sáil, macnasach

luxury n ollmhaitheas, só, sáile

lying a bréagach

lymph n limfe

lynx n lincse

lyre n lir

lyric n liric

lyrical a fileata, liriceach

M

macadam n macadam

macaroni n macarón

mace[1] n más

mace[2] n, (*spice*) maicis

machine n inneall, meaisín *vt, to* ~ *cloth* éadach a fhuáil le hinneall fuála

machine-gun n meaisínghunna

machinery n innealra, sáslach

machinist n meaisíneoir

mackerel n maicréal, ronnach, murlas

mackintosh n cóta báistí

mad a dásachtach, ~ *dog* madra dúchais, madra oilc, *he is* ~ tá sé ar buile, as a mheabhair, ar mire, *to go* ~ imeacht le craobhacha, le báiní

madam n, (*voc*) a bhean uasal

madman n fear buile, gealt

madness n buile, mire; dásacht, neamh-mheabhair

magazine n armlann; piléarlann; iris, irisleabhar

maggot n cruimh

maggoty a cruimheach, fíniúch

magic n draíocht, *black* ~ an ealaín dhubh

magician n draíodóir, draoi

magistrate n giúistís

magnanimity n móraigeantacht

magnanimous a móraigeanta

magnate n gróintín, toicí

magnesia n maignéis

magnesium n maignéisiam

magnet n adhmaint, maighnéad

magnetic a maighnéadach, adhmaint-each

magnetism n maighnéadas, adhmainteas

magnetize *vt* maighnéadaigh

magnification n formhéadú, móradh

magnificence n ollás

magnificent a ollásach, taibhseach

magnify *vt* formhéadaigh; mór

magnifying glass n gloine formhéad-úcháin

magnitude n méid, ollmhéid, fairsinge

magpie n meaig, snag breac

mahogany n mahagaine

maid n cailín; cailín aimsire

maiden n iníon, maighdean; ainnir, bruinneall, bé, cúileann

maidenhair n dúchosach

mail[1] n máille

mail[2] n post, litreacha *vt* postáil

maim *vt* martraigh, ciorraigh, *he is* ~*ed* tá cithréim air, tá sé ina chláirineach

main n príomhphíopa (uisce, séarachais), *the* ~*s* príomhlíonra, *in the* ~ den chuid is mó, tríd is tríd *a* mór, príomh-, ceann-

mainland n mintír, mórthír, tír mór

mainly adv go háirithe, go mór mór, den chuid is mó (de)

maintain vt coimeád, cothaigh, coinnigh, I ~ (that) seasaim air (go)

maintenance n coimeád, cothú, cothabháil

maize n grán buí, arbhar indiach

majestic a mórga, státúil

majesty n mórgacht, dínit, ríogacht, His M ~ a Mhórgacht

major n maor (airm) a mór-, príomh-, ~ road príomhbhóthar

majority n móramh, tromlach, bunáite, formhór, mórchuid

make n déanamh, déantús vt & i déan, ~ certain cinntigh, to ~ a bed leaba a chóiriú, to ~ the tea an tae a fhliuchadh, to ~ trouble callóid a chothú, to ~ two hundred pounds a week dhá chéad punt sa tseachtain a shaothrú, he won't ~ it ní éireoidh leis, to ~ harbour cuan a bhualadh, a ghabháil, to ~ a person happy áthas a chur ar dhuine, to ~ sth known rud a chur in iúl, to ~ a person do sth tabhairt ar dhuine rud a dhéanamh, two and two ~ four a dó agus a dó sin a ceathair, to ~ for Derry aghaidh a thabhairt ar Dhoire, déanamh ar Dhoire, to ~ away with sth rud a ghoid, to ~ off breith as, cur sna cosa, to ~ sth out meabhair a bhaint as rud, to ~ up one's losses do bhris a thabhairt isteach, to ~ up to a person for sth cúiteamh a dhéanamh le duine i rud, making up to a person ag fosaíocht, ag tláithínteacht, le duine, he made a rush at me thug sé rúid orm

make-believe n cur i gcéill

maker n déantóir, cumadóir, our M ~ an Cruthaitheoir

makeshift a, a ~ pen leithscéal pinn, ainm pinn

make-up n smideadh

making n déanamh, the ~s of a leader ábhar ceannaire

maladministration n míriar

malady n galar, aicíd

malaria n maláire

male n fireannach a fearga, fireann, ~ child páiste fir

malediction n drochghuí, mallacht

malefactor n coirpeach, meirleach

malevolence n drochaigne, naimhdeas, olc

malevolent a drochaigeanta, naimhdeach

malformation n anchuma

malice n mailís, mioscais, mírún, drochintinn

malicious a mailíseach, mioscaiseach

malign a dochrach, olc vt, to ~ a person béadán a dhéanamh ar dhuine, drochchlú a chur ar dhuine

malignant a aincíseach, mailíseach, urchóideach, ~ tumour cnoc ailse

malinger vi, to ~ tinneas (bréige) a ligean ort féin

mallard n mallard

mallet n máilléad

malnutrition n míchothú

malodorous a bréan, tufar

malpractice n míchleachtas

malt n & vt & i braich

maltreatment n aníde, drochíde, splíontaíocht

mammal n mamach, sineach

mammary a mamach

mammy n mamaí, mam

man n fear; duine, every ~ cách, the ~ in the moon Dónall na gealaí vt, to ~ a boat foireann a chur ar bhád

manage vt & i ionramháil, láimhseáil, riar, stiúir, rith, she ~d to do it d'éirigh léi, chuaigh aici, ráinigh léi, é a dhéanamh

manageable a soláimhsithe, sásta

management n bainistíocht, riar, ionramháil, láimhseáil

manager n bainisteoir

manageress n bainistreás

mandarin n mandairín

mandate n sainordú

mandatory a sainordaitheach

mandolin n maindilín

mane n moing

mange n clamh, gearb

mangel n meaingeal

manger n mainséar

mangle[1] vt coscair, leadair, loit

mangle[2] n fáisceadán vt fáisc

mangy a clamhach, carrach

manhandle vt, to ~ a person duine a láimhsiú, a chrágáil

man-hole n dúnpholl

manhood n feargacht, oirbheart, inmhe, *to grow to* ~ teacht i méadaíocht, *since he reached* ~ ó tháinig ann dó
mania n máine
maniac n & a máineach
manicure n lámh-mhaisiú
manifest n lastliosta a follasach, sofheicthe vt foilsigh, soiléirigh, réal, nocht
manifesto n fógra
manifold n, *to type a report in* ~ ilchóipeanna de thuarascáil a dhéanamh a iomadúil, il-
manipulate vt láimhsigh, ionramháil
manipulation n láimhsiú, ionramháil, cúbláil
mankind n an duine, an cine daonna
manliness n fearúlacht; sponc, miotal
manly a fearúil, mascalach; misniúil, sponcúil
manmade a saorga, de dhéantús duine
mannequin n mainicín
manner n modh, dóigh, nós, slí pl béasa, *it is not* ~s ní den eolas, den mhúineadh, é
mannerism n gothaíocht, faisean, dóigh, nósúlacht
mannerly a béasach, múinte, modhúil, mómhar
manoeuvre n inlíocht; beart, ionramháil vt & i innill; beartaigh, ionramháil, ainligh
manor n mainéar
manpower n daonchumhacht; líon fear
mansion n teach mór, caisleán, halla, cúirt, mainteach, *the M*~ *House* Teach an Ard-Mhéara
manslaughter n dúnorgain
mantelpiece n matal, clabhar, clár tine
mantle n brat, fallaing, cochall
manual n lámhleabhar a, ~ *labour* obair láimhe
manufacture n déantús, déanamh vt monaraigh, déan, táirg
manufacturer n déantóir, *arms* ~ armadóir
manufacturing n déantúsaíocht a, ~ *industry* tionscal déantúsaíochta
manure n aoileach, leasú
manuscript n lámhscríbhinn
many n mórán, go leor, a lán, il-, *there aren't so* ~ *of them* níl a oiread sin acu ann a, *I was there* ~ *times* is iomaí uair, is minic, a bhí mé ann, ~ *people* a

lán daoine, *how* ~ *times* cé mhéad uair, *too* ~ barraíocht, (an) iomarca
map n léarscáil, mapa vt mapáil, léarscáiligh, *to* ~ *out a route* bealach a leagan amach
maple n mailp
mar vt mill, loit, máchailigh
marathon n maratón
marauder n foghlaí, creachadóir
marble n marmar, (toy) mirlín
march[1] n & vi máirseáil
March[2] n Márta
mare n láir, capall
mare's-tail n, (plant) colgrach, ~s, (clouds) cluimhreach ghabhair
margarine n margairín
margin n ciumhais, imeall; imeallbhord; lamháil
marginal a imeallach
marigold n ór Muire
marijuana n marachuan
marine a muirí
mariner n mairnéalach, maraí
marionette n máireoigín
marital a, ~ *guidance* treoir phósta
maritime a muirí
mark[1] n marc, sprioc; comhartha; ionad, lorg, rian, *high-water* ~ barr láin (mhara) vt marcáil, comharthaigh, ~ *out* rianaigh, sprioc
mark[2] n marg
marker n marcálaí; leabhar scóir; rianaire, marcóir; (tag) fígín
market n margadh vt margaigh, *to* ~ *sth* rud a chur ar an margadh
marketing n margú; margaíocht
marksman n aimsitheoir
marl n marla
marmalade n marmaláid
maroon[1] n & a marún
maroon[2] vt, *to* ~ *a person* duine a chur ar oileán uaigneach, *they were* ~*ed by the floods* sháinnigh na tuilte iad
marquee n ollphuball
marquis n marcas
marriage n pósadh; lánúnas
marriageable a inphósta
married a pósta
marrow n smior, smúsach; *vegetable* ~ mearóg
marry vt & i pós
Mars n Mars
marsh n riasc, seascann, eanach

marshal[1] n marascal

marshal[2] vt, to ~ facts, soldiers fíricí, saighdiúirí, a chur in eagar

marshmallow n, (plant) leamhach, (sweet) leamhachán

marshy a riascach, mongach

marsupial n & a marsúipiach

mart n marglann

marten n, pine ~ cat crainn

martial a míleata

martin n gabhlán

martyr n mairtíreach vt martraigh

martyrdom n mairtíreacht

marvel n iontas vi, to ~ at sth iontas a dhéanamh de rud

marvellous a iontach, éachtach

Marxism n Marxachas

Marxist n & a Marxach

marzipan n prásóg

mascara n mascára

mascot n sonóg

masculine a fireann, (grammar) firinscneach

mash n maistreán; brúitín vt brúigh

mask n masc, aghaidh fidil, púic vt masc, folaigh

mason n saor; máisiún

masonry n saoirseacht chloiche; máisiúnachas

masquerade n damhsa masc; cur i gcéill vi, to ~ as someone else dul i riocht duine eile

Mass[1] n Aifreann

mass[2] n toirt, meall, dlúimh, mothar, ~ of people slua daoine, the ~es an pobal, an choitiantacht a oll- vt & i dlúthaigh, cruinnigh, le chéile

massacre n sléacht, ár vt, to ~ people ár a dhéanamh ar dhaoine

massage n suathaireacht, lámhchuimilt, masáiste vt suaith, cuimil

massive a tromábhal, oll-

mass-produce vt olltáirg

mast n crann, seolchrann; cuaille

master n máistir, ~ of ceremonies reachtaire; fear an tí vt smachtaigh, máistrigh, to ~ a language máistreacht a fháil ar theanga

masterful a máistriúil, ceannasach, tiarnúil

masterly a máistriúil

masterpiece n sárshaothar

mastery n máistreacht, tiarnas, ceannsmacht

masticate vt cogain

mastiff n maistín

mastitis n maistíteas

mastoid n & a mastóideach

mat[1] n mata

mat[2] a neamhlonrach

mat[3] vt & i, to ~, become ~ted éirí stothach

match[1] n lasán, cipín solais

match[2] n macasamhail, leathbhreac, comrádaí; cluiche; céile (imeartha, comhraic); cleamhnas, he met his ~ casadh fear a dhiongbhála air vt & i meaitseáil, they don't ~ níl siad ag freagairt dá chéile, ní théann siad le chéile, they are well ~ed tá siad inchurtha le chéile, in ann ag a chéile

matchmaker n basadóir

mate n comrádai; céile; leathbhádóir, máta, (of bird) leathéan vt & i pós; céiligh; cúpláil

material[1] n ábhar, damhna; mianach; adhmad; éadach, stuif, building ~ ábhar tógála

material[2] a ábhartha; saolta; tábhachtach, riachtanach

materialism n ábharachas

materialize vt & i cruthaigh, taibhsigh, the scheme ~d tháinig bun ar an scéim, a ship ~d out of the fog nocht an long tríd an gceo

maternal n máthartha, on the ~ side ó thaobh na máthar

maternity n máithreachas

mathematician n matamaiticeoir

mathematics n matamaitic

matinée n nóinléiriú

mating n cúpláil; céiliú; lánúnas

matins npl iarmhéirí

matriarch n matrarc

matriarchal a matrarcach

matriculation n & a máithreánach

matrimony n pósadh, lánúnas

matron n mátrún; bean phósta

matted a clíbíneach, stothach, ~ hair, wool céas

matter *n* ábhar, damhna; gnó, cúrsa, rud, cúis; angadh, anagal, *what is the ~* céard tá cearr, *for that ~* i dtaca leis sin de, ach oiread leis sin, *no ~* is cuma, *what ~ but* cén bhrí ach *let the ~ rest* fág marbh é mar scéal, *a ~ for wonder* cuid iontais, *laughing ~* cúis gháire *vi*, *it ~s (to)* is miste (do), *it doesn't ~* where he got it is cuma cá bhfuair sé é, *it ~s little* is beag an ní é, *the thing that ~s most* an rud is tábhachtaí

matter-of-fact *a* dáiríre; neafaiseach, *a ~ description* cuntas lom

mattress *n* tocht, cuilce

mature *a* aibí, oirbheartach, sean, in inmhe *vt & i* aibigh, aosaigh

maturity *n* aibíocht, inmhe, crionnacht, foirfeacht, oirbheart, méadaíocht

maudlin *a* bogúrach

maul *vt* crágáil, basc

Maundy *n*, *~ Thursday* Déardaoin Mandála

mausoleum *n* másailéam

maw *n* craos

maxim *n* oideam, riail, mana, nath

maximum *n* uasmhéid *a* uas-, uasta

May[1] *n* Bealtaine, (*bush*) sceach gheal

may[2] *aux v*, *it ~ be true* b'fhéidir gur fíor é, *d'fhéadfadh* sé a bheith fíor, *~ God help them* go bhfóire Dia orthu, *~ we never see him again* nár fheicimid arís é, *that might be* b'fhéidir é; thiocfadh dó; go bhféadfadh!

maybe *adv* b'fhéidir, *~ it is so* b'fhéidir é

mayonnaise *n* maonáis

mayor *n* méara, *lord ~* ardmhéara

maze *n* lúbra, cathair ghríobháin

me *pron* mé, mise, *with ~* liom, *without ~* gan mé, *against ~* i mo choinne, *the likes of ~* mo leithéid(í), *beating ~* do mo bhualadh

meadow *n* móinéar, cluain, léana, inse

meagre *a* gann, caol, seang, singil

meal[1] *n* béile, tráth bia, proinn, séire

meal[2] *n* min

mean[1] *n* meán *pl* acmhainn, caoi, dóigh, slí, *~s test* maointástáil, *by all~s!* cinnte! *by ~s of sth* trí bhíthin ruda, *~s of transport* cóir iompair, *~s of livelihood* slí bheatha, gléas beo a mheánach, meán-

mean[2] *a* ainnis; íseal, suarach; sprionlaithe, cúng, ceacharthach, gortach, *~ person* cníopaire

mean[3] *vt* ciallaigh, *I ~ to do it* tá fúm é a dhéanamh, tá rún agam é a dhéanamh, *I don't ~ you* ní chugatsa atá mé, ní tú atá mé a rá, *it is not what I ~* ní hé atá i gceist agam, *I ~ it* dáiríre a bhí mé, *what does that word ~* cad is brí don fhocal sin

meander *n* lúb, casadh *vi*, *to ~* caismirneach a dhéanamh, *he was ~ing along* bhí sé ag fánaíocht leis, *the lecturer ~ed* on lean an léachtóir ar aghaidh agus ar aghaidh

meaning *n* ciall, brí, meabhair

meaningful *a*, *~ speech* caint a bhfuil éifeacht, fuaimint, léi

meanness *n* ainnise, táire, suarachas; cloíteacht, cneámhaireacht; sprionlaitheacht, ceacharthacht, cníopaireacht

meantime *adv* idir an dá linn, san idirlinn

measles *n* bruitíneach, *German ~* bruitíneach dhearg

measure *n* tomhas, meá, miosúr, líon *vt* tomhais, meáigh

measurement *n* miosúr, toise; caighdeán

meat *n* feoil

mechanic *n* meicneoir

mechanical *a* meicniúil

mechanics *n* meicnic

mechanism *n* meicníocht; sáslach

mechanize *vt* meicnigh

medal *n* bonn

medallion *n* meadáille, mórbhonn

meddle *vi*, *to ~ with sth* drannadh le rud, baint le rud, do ladar a chur isteach i rud

media *npl*, *communications ~* meáin chumarsáide

mediate *vi*, *to ~* eadráin a dhéanamh

mediation *n* eadráin, idirghabháil

mediator *n* eadránaí, idirghabhálaí

medical *a*, *~ school, course* scoil, cúrsa, leighis

medicinal *a* leigheasach

medicine *n* leigheas, míochaine, cógas

medieval *a* meánaoiseach, *the ~ period* an Mheánaois

mediocre *a* lagmheasartha

meditate *vt & i* machnaigh, meabhraigh

meditation n machnamh, meabhrú, rinnfheitheamh

Mediterranean a Meánmhuiri, *the ~ Sea* an Mheánmhuir

medium n meán, *the media* na meáin (chumarsáide), *happy ~* cothrom cirt a meánach, measartha, meán-

medley n meascra; prácás

meek a ceansa

meet vt & i, *to ~ a person* bualadh le duine, casadh ar dhuine, *to go to ~ a person* dul in airicis duine, *it will ~ the case* déanfaidh sé cúis, *to ~ expenses* an costas a sheasamh, *he met with' an accident* bhain, tharla, taisme dó

meeting n teagmháil; cruinniú, comhdháil

megaphone n stoc fógartha

melancholy n lionn dubh, cian, doilíos a dubhach, cianach, doilbh, duairc, maoithneach

melée n coimheascar

mellow a méith, *(of taste, sound)* séimh, bog, *(of person)* suairc vt & i séimhigh, aosaigh, bog

melodeon n bosca ceoil, mileoidean

melodious a ceolmhar, binn, siansach

melodrama n méaldráma

melodramatic a méaldrámata

melody n fonn, séis, siansa

melon n mealbhacán

melt vt & i leáigh

member n ball, comhalta, *~ of parliament* feisire, teachta

membership n ballraíocht, comhaltas; baill, comhaltaí

membrane n scannán, sreabhann, seicin

memento n cuimhneachán, seoid chuimhne

memoirs npl cuimhní cinn

memo(randum) n meabhrán, meamram

memorial n leacht (cuimhneacháin); meabhrachán; dileagra a cuimhnitheach

memorize vt meabhraigh, cuir de ghlanmheabhair

memory n cuimhne, meabhair

menace n bagairt, *that boy's a ~* is mór an crá croí é an gasúr sin

mend vt, *on the ~* ag bisiú vt & i deisigh, cóirigh

mendicant n & a déirceach

menial n giolla, maidrín lathaí a uíriseal, táir

meningitis n meiningiteas

menstruate vi míostraigh

menstruation n fuil mhiosta, míostrú

mental a, *~ strain* tuirse intinne, *~ illness* meabhairghalar

mentality n aigne, dearcadh

mention n trácht (ar), iomlua, tagairt (do) vt luaigh, trácht ar, tagair do, *don't ~ it* ná lig thar do bhéal é; ní faic é ! níl a bhuíochas ort

menu n biachlár

mercenary n amhas a santach

merchandise n earra(í)

merchant n ceannaí

merciful a trócaireach, grástúil

merciless a éadruach, éadrócaireach, *~ blow* buille gan ghrásta

mercury n mearcair; Mearcair

mercy n trócaire, *O God of ~* a Dhia na nGrást

mere a lom, glan, *by ~ chance* le barr áidh

merely adv, *~ by thinking about it* gan ach smaoineamh air, *he ~ smiled* ní dhearna sé ach meangadh gáire a chur air féin

merge vt & i báigh, cumaisc

merger n cumasc

meridian n fadlíne; buaic

meringue n meireang

merit n luaíocht, tuillteanas; fiúntas, bua, gnóthachan vt tuill, gnóthaigh

merlin n meirliún

mermaid n murúch, maighdean mhara

merriment n meidhir, soilbhreas, scléip

merry a meidhreach, greadhnach, intinneach, soilbhir; súgach

merry-go-round n áilleagán intreach

mesh n mogall, lúb vt & i mogallaigh, *to ~* dul in eang a chéile, dul i ngreim

mesmerize vt, *to ~ a person* allthacta a chur ar dhuine, draíocht a imirt ar dhuine

mess n praiseach, prácás; cuibhreann, *to make a ~ of sth* ciseach a dhéanamh de rud, *the place is in a ~* tá an áit ina cosair easair, tá an áit trína chéile vt & i smeadráil, *~ing about with things* ag slaimiceáil, le rudaí, *to ~ up sth* ciseach, praiseach, a dhéanamh de rud, *(of army, etc) to ~* ithe i gcuibhreann

message n teachtaireacht, scéala

messenger n teachtaire, timire

messer n méiseálaí, útamálaí

Messiah n Meisias

metabolism n meitibileacht

metal n miotal

metallic a miotalach

metalwork n miotalóireacht, gaibhneacht

metamorphosis n claochlú, meiteamorfóis

metaphor n meafar

metaphorical a meafarach

metaphysics npl meitifisic

meteor n dreige, meitéar

meteorite n dreigit, réalta reatha

meteorology n meitéareolaíocht

meter n méadar

methane n meatán

method n modh, slí, dóigh, *there is a ~ in it* tá dul, cleas, air

methodical a críochnúil, slachtmhar, rianúil

Methodist n & a Modhach, Meitidisteach

methylated a meitileach

meticulous a mion(chúiseach), léirsteanach

metre n meadaracht; méadar

metric a méadrach, ~ *ton* tona

metropolis n ardchathair, ceanncathair

metropolitan a ceannchathartha, ~ *gallery* dánlann na cathrach

mettle n faghairt, mianach, miotal, *man of* ~ fear a bhfuil fuil ann, *to put a person on his* ~ duine a chur chun a dhíchill

mettlesome a faghartha, miotalach

mewing n meamhlach

mews n stáblaí

Michaelmas n Lá Fhéile Michíl, ~ *daisy* nóinín Michíl

microbe n bitheog, miocrób

micro-chip n micreachaisne

microphone n micreafón

microscope n micreascóp

mid- *pref* idir-, meán-,

midday n meán lae

middle n lár, meán, inne a meánach, lárnach, meán-, *the M~ Ages* an Mheánaois, *the* ~ *class* an mheánaicme

middle-aged a meánaosta

middle-class a meánaicmeach

middling a & adv cuibheasach, measartha, réasúnta, ~ *weather* aimsir bhreac

midge n míoltóg

midget n draoidín

midlands npl lár na tíre

midnight n meán oíche

midst prep, *in the* ~ *of* i measc, i lár

midsummer a, ~ *Day* Féile Eoin, ~ *Eve* Oíche Sin Seáin

midwife n cnáimhseach, bean chabhrach, bean ghlúine

midwifery n cnáimhseachas

midwinter n dúluachair na bliana, dúlaíocht an gheimhridh

might[1] n cumhacht, neart, fórsa

might[2] : **may**

mighty a neartmhar, láidir, tréan, mórchumhachtach

migraine n migréin

migrant n & a imirceach

migrate vi, *to* ~ imirce a dhéanamh

migration n imirce

migratory a imirceach, ~ *bird* éan imirce, ~ *labourer* spailpín (fánach)

milch a, ~ *cow* loilíoch, bó bhainne

mild a séimh, bog, moiglí, cineálta, cneasta, míonla

mildew n coincleach, caonach liath, clúmh liath, snas liath

mildness n séimhe, míne, boige, cneastacht

mile n míle

mileage n míleáiste

milestone n cloch mhíle

militant a míleata

military n, *the* ~ na saighdiúirí, an t-arm a mileata

militate vi, *to* ~ *against sth* dul, oibriú, i gcoinne ruda

militia n míliste

milk n bainne, bleacht, leamhnacht vt crúigh, bligh

milking n crú, bleán

milk-tooth n diúlfhiacail

milky a bainniúil, lachtach, *the M~ Way* Bealach na Bó Finne

mill n muileann vt & i meil, *a crowd was* ~ *ing around* bhí slua ag ruatharach thart, bhí brú bocht ann

millenium n an míle bliain; ceann míle bliain

miller n muilleoir

millet *n* muiléad

milligram *n* milleagram

millimetre *n* milliméadar

million *n* milliún

millionaire *n* milliúnaí

mill-race *n* sruth muilinn, tarae

millstone *n* bró (mhuilinn)

milometer *n* mílemhéadar

milt *n* lábán

mime *n & vt & i* mím

mimic *n* aithriseoir *vt* aithris, ~*king a person's speech* ag athléamh ar dhuine

mimicry *n* aithris, aithriseoireacht, athmhagadh

minaret *n* miontúr

mince *n* feoil mhionaithe *vt* mionaigh, *he didn't* ~ *his words* níor chuir sé fiacail ann

mincemeat *n* mionra; feoil mhionaithe

mincer *n* miontóir

mind *n* cuimhne, aigne, intinn, meon, meabhair, *to change one's* ~ teacht ar athchomhairle, ar athsmaoineamh *vt & i, to* ~ *your business* aire a thabhairt do do ghnóthaí, do ghnó a choimhéad, *don't* ~ *them* ná bac iad, *do you* ~ an miste leat, *I don't* ~ *is* cuma liom, ~ *your head* fainic, seachain, do cheann, ~*ing the house* i bhfeighil an tí

mine[1] *n* mianach *vt & i, to* ~ *coal* gual a bhaint, *to* ~ *under the earth* tochailt faoi thalamh

mine[2] *pron, it is* ~ *is* liomsa é, *that one is* ~ sin é mo cheannsa; is liomsa an ceann sin, *a friend of* ~ cara liom, dom, de mo chuid, *that son of* ~ an mac sin agam

miner *n* mianadóir

mineral *n* mianra, ~ *waters* uisci mianraí *a* mianrach

mingle *vt & i* measc, cumaisc, *to* ~ *with the people* dul i measc na ndaoine

mini- *pref* mion-

miniature *n* mionphictiúr, mionsamhail, miondealbh *a* mion-

minimal *a* íosta, íos-

minimize *vt* íoslaghdaigh, *to* ~ *sth* a bheag a dhéanamh de rud

minimum *a* íosta, íos-

mining *n* mianadóireacht

minister *n* aire; ministir *vi* friotháil, freastail (*to* ar)

ministerial *a*, ~ *order* ordú rialtais

ministry *n* aireacht; ministreacht; friotháil, freastal

mink *n* minc

minnow *n* pincín

minor *n* mionúr *a* fo-, mion-; óg

minority *n* mionlach; mionaois

minstrel *n* oirfideach

mint[1] *n* miontas, mismín

mint[2] *n* mionta *vt* múnlaigh, *to* ~ *money* airgead a bhualadh

minus *prep* lúide *n, (sign)* míneas

minute[1] *n* nóiméad, ~*s of meeting* miontuairiscí cruinnithe

minute[2] *a* mion, mionchruinn

miracle *n* míorúilt, feart

miraculous *a* míorúilteach

mirage *n* ciméara, mearú súl

mire *n* láib, puiteach, greallach

mirror *n* scáthán *vt, the trees were* ~*ed in the water* bhí scáil na gcrann san uisce

mirth *n* greann, meidhir, scléip

mis- *pref* mí-, an-, ain-, droch-

misanthropy *n* michaidreamhacht

misapprehension *n* míthuiscint

misappropriate *vt* mídhílsigh

misbehave *vi, to* ~ bheith dána, dalba, iomlatach

miscalculation *n* mí-áireamh

miscall *vt, to* ~ *a person* duine a ghlaoch, a chur, as a ainm

miscarriage *n* mairfeacht, breith anabaí, *to have a* ~ scaradh le duine clainne, ~ *of justice* iomrall ceartais

miscellaneous *a* ilchineálach, éagsúil

miscellany *n* meascra, bolg soláthair

mischance *n* anachain, mísheans, míthapa

mischief *n* drochobair, urchóid, misc; diabhlaíocht, ábhaillí, millteanas, *creating* ~ ag cothú ceilge, ag imreas

mischievous *a* ábhailleach, diabhalta, iomlatach; mísciúil

misconception *n* míthuairim, barúil iomrallach

misconduct *n* mí-iompar

misconstrue *vt, to* ~ *sth* michiall, ciall chontráilte, a bhaint as rud

misdemeanour *n* míghníomh, míbheart

miser *n* sprionlóir, cníopaire

miserable *a* ainnis, anóiteach, ceachartha, suarach, ~ *person* ainniseoir, cráiteachán; sprionlóir, ~ *life* saol céasta

miserly *a* sprionlaithe, cúng, ceachartha,
~ *person* sprionlóir, cníopaire
misery *n* aimléis, ainnise, anró
misfire *vi*, (*of gun, engine*) loic, *the plan*
~ *d* chuaigh an plean amú
misfit *n*, (*of person*) éan corr, *the shoes*
were a ~ bhí na bróga mí-oiriúnach
misfortune *n* tubaiste, mí-ádh, droch-
rath, mífhortún, donas, smál
misgiving *n* drochamhras
misguided *a* aimhleasach, ar míthreoir,
míchomhairleach
mishap *n* míthapa, timpiste, taisme,
óspairt
misinterpret *vt*, it was ~ed baineadh
míchiall, an chiall chontráilte, as
misjudge *vt*, to ~ *a person* bheith san
éagóir ar dhuine, *to* ~ *a distance* achar
a mheas mícheart
mislaid *a* ar bóiléagar, imithe amú
mislay *vt*, to ~ *sth* rud a ligean amú, rud
a ligean ar bóiléagar
mislead *vt*, to ~ *a person* duine a chur
amú, ar strae; míchomhairle a chur ar
dhuine
misleading *a* míthreorach, mearbhlach
mismanagement *n* míriar
misprint *n* dearmad cló
miss[1] *n*, M ~ O'Brien Iníon Uí Bhriain
miss[2] *vt* caill, *he* ~*ed the boat* d'imigh an
bád air, *don't* ~ *your chance* ná faill-
igh do dheis, *I* ~ *them* cronaím iad,
airím uaim iad, *they won't be* ~*ed* is
cuma ann nó as iad, *his shot* ~*ed*
d'fheall an t-urchar air
missal *n* leabhar Aifrinn
missile *n* diúracán; dairt
missing *a* ar iarraidh, ar lár
mission *n* misean; gnó, cúram, cuspóir,
tasc
missionary *n* misinéir
missioner *n* misinéir
mist *n* ceo
mistake *n* dearmad, botún, meancóg,
míthuiscint *vt & i*, *unless I am* ~*n*
mura bhfuil dul amú, breall, orm, *to be*
~*n about sth* míthuiscint, dearmad, a
bheith ort faoi rud, *he mistook its*
meaning bhain sé an chiall chontráilte
as, *I would* ~ *him for yourself* thóg-
fainn i d'amhlachas féin é
mistaken *a* earráideach, mearbhlach, ~
identity iomrall aithne

mister : Mr
mistletoe *n* drualus
mistress *n* máistreás; leannán (luí)
mistrust *n* drochiontaoibh *vt*, to ~ *a*
person drochiontaoibh a bheith agat
as duine, drochamhras a bheith agat
ar dhuine
misty *a* ceobhránach, braonach,
smúitiúil
misunderstand *vt*, to ~ *sth* míthuiscint,
barúil chontráilte, a bhaint as rud
misunderstanding *n* míthuiscint
mitch *vi*, ~ *ing from school* ag múitseáil
ón scoil
mite *n* cianóg; frid, fineog
mitigate *vt* maolaigh
mitre *n* bairrín, mítéar
mitten *n* dornóg, miotóg, mitín
mix *n* cumasc; suaitheadh *vt & i* measc,
suaith, ~ *together* cumaisc, ~ *it with*
oil cuir ola tríd, to ~ *with people* dul i
lúb chuideachta, comhluadar a
dhéanamh le daoine, *to be* ~ *ed up*
bheith trí chéile, *he was* ~*ed up in it*
bhí lámh aige ann ar dhóigh éigin
mixed *a* measctha, suaite; ilchineálach
mixer *n* measctóir, suaiteoir, *he is a*
good ~ caidreamhach maith é
mixture *n* cumasc, meascán
moan *n* éagaoin, cnead *vi* éagaoin, *to* ~
cnead a ligean asat
moat *n* móta
mob *n* cóip na sráide, gráscar, gramaisc
mobile *a* soghluaiste
mobility *n* soghluaisteacht, luaineacht
mobilization *n* slógadh
mobilize *vt & i* slóg
mock *a* bréag-, bréige *vt & i*, ~*ing* ag
athmhagadh, *to* ~ *sth* magadh,
fonóid, a dhéanamh faoi rud
mockery *n* magadh, scige, *to make a* ~ *of*
sth eala mhagaidh, ceap magaidh, a
dhéanamh de rud
mocking *n* magadh *a* magúil, aithriseach,
scigiúil
mode *n* modh
model *n* samhail; eiseamláir; mainicín,
cuspa *vt & i* múnlaigh, ~*ing* (*clothes*)
ag mainicíneacht
moderate *a* measartha, cuibheasach,
réasúnta, gearr-, méanach
moderation *n* measarthacht, meánaíocht

modern *a* nua-aimseartha, nua-aoiseach, ~ *Irish* Nua-Ghaeilge

modernization *n* nuachóiriú

modernize *vt* nuachóirigh

modest *a* banúil, modhúil; cúthail, náireach; geanasach; measartha

modesty *n* banúlacht, modhúlacht; geanas; náire; measarthacht

modification *n* mionathrú, modhnú

modify *vt* maolaigh, modhnaigh

modulate *vt* & *i* modhnaigh

module *n* modúl

mohair *n* móihéar

Mohammedan *n* & *a* Mahamadach

Mohammedanism *n* Mahamadachas, Ioslamachas

moist *a* maoth, tais

moisten *vt* & *i* maothaigh, taisrigh

moisture *n* fliuchán, taisleach

molasses *n* molás

mole[1] *n* caochán

mole[2] *n*, (*on skin*) ball dobhráin

molecule *n* móilín

molest *vt*, *to* ~ *a person* díobháil a dhéanamh do dhuine; cur isteach ar dhuine

mollify *vt* suaimhnigh, maolaigh, ceansaigh

mollusc *n* moileasc

molten *a*, (*of metal, lava*) leáite

moment *n* móimint, nóiméad; tábhacht

momentary *a* móimintiúil, gearrshaolach, ~ *pause* moill soicind

momentous *a* tábhachtach

momentum *n* móiminteam

monarch *n* monarc

monarchy *n* monarcacht

monastery *n* mainistir

monastic *a* manachúil

Monday *n* Luan, *he will come on* ~ tiocfaidh sé Dé Luain

monetary *a* airgeadúil, *European M~ System* Córas Airgeadaíochta Eorpach

money *n* airgead; mona

money-lender *n* fear gaimbín

monger *n* mangaire

mongrel *n* bastard madra, bodmhadra

monitor *n* monatóir *vt*, ~ *ing sth* ag déanamh monatóireachta ar rud, ag faireachán ruda

monk *n* manach

monkey *n* moncaí

monkey-puzzle *n* arócar

monkfish *n* bráthair

mono- *pref* aon-, mona(i)-

monogamy *n* aonchéileachas, monagamas

monolith *n* monailit

monologue *n* monalóg

monopolize *vt* monaplaigh, *he* ~ *d the conversation* ghlac sé an comhrá chuige féin

monopoly *n* monaplacht

monosyllable *n* aonsiolla

monotonous *a*, (*of speech*) neamhaí, (*of style*) liosta, (*of view*) leamh

monotony *n* liostacht, ró-ionannas

monsignor *n* moinsíneoir

monsoon *n* monsún

monster *n* arracht, torathar; ollphéist *a* ollmhór

monstrance *n* oisteansóir

monstrous *a* anchúinseach, arrachtach, uafásach

month *n* mí

monthly *a* míosúil, ~ *magazine* míosachán

monument *n* leacht (cuimhneacháin), *national* ~ séadchomhartha náisiúnta

mood *n* giúmar, tiúin, (*grammar*) modh, *if you are in a* ~ *for walking* má tá fonn siúil ort

moody *a* taomach, spadhrúil

moon *n* gealach, ré, *the man in the* ~ Dónall na gealaí *vi*, ~ *ing about* ag staróagacht

moonless *a*, ~ *night* oíche ré dorcha, oíche dhuibhré

moonlight *n* solas na gealaí *a*, ~ *night* oíche ré gealaí, oíche ghealaí

moor[1] *n* móinteán, riasc, sliabh, caorán, fraoch

moor[2] *vt* feistigh, múráil

Moor[3] *n* Múrach

mooring *n* múráil, ~(*s*) feistiú

moorland *n* móinteach, talamh sléibhe

mop *n* mapa, ~ (*of hair*) stoth, mothall (gruaige) *vt* mapáil, ~ *ping up* ag glanadh suas, *he* ~ *ped his brow* chuimil sé an t-allas dá éadan

mope *vi*, *to* ~ bheith i ndroim dubhach; bheith faoi chumha, faoi bhuairt

moped *n* móipéid

moral *n*, ~ *s* moráltacht, *the* ~ *of a story* múineadh scéil *a* morálta

morale *n* meanma, sprid, misneach

morality *n* moráltacht

morbid *a* easlán, galrach; duairc, duaiseach

more *a & n & adv* breis, níos mó, tuilleadh, *one ~* ceann amháin eile, *as many ~* a oiread eile, *~ than a year* corradh agus bliain, *~ than a hundred* os cionn céad, *~ than anything else* thar rud ar bith eile, *what is ~* rud eile de, *it is getting ~ and ~ difficult* tá sé ag dul i ndeacracht in aghaidh an lae, *I respect him all the ~ for it* is móide mo mheas air, *~ or less* a bheag nó a mhór, *once ~* uair amháin eile, *you will not see them any ~* ní fheicfidh tú feasta iad, *don't do that any ~* ná déan sin níos mó, *any ~ than you* ach oiread leat féin, *~ often* níos minice

moreover *adv* thairis sin, *and ~* agus fós, agus rud eile de

morgue *n* marbhlann

moribund *a* díbheo, ag dul in éag

Mormon *n & a* Mormannach

morning *n* maidin

morose *a* duairc, gruama, dochma, duasmánta, modartha

morphia *n* moirfín

morphine *n* moirfín

morphology *n* moirfeolaíocht

Morse, *a,* the *M ~ code* an aibítir Mhorsach

morsel *n* giob, goblach, mír, *~ of food* greim bia

mortal *a* básmhar; marfach, *~ sin* peaca marfach *n* daonnaí

mortality *n* básmhaireacht, mortlaíocht

mortar¹ *n* moirtéal

mortar² *n* moirtéar, *~ and pestle* moirtéar agus tuairgnín

mortgage *n* morgáiste *vt* morgáistigh

mortification *n* claonmharú; náire croí

mortify *vt & i* claonmharaigh; morg, *I was mortified* bhí náire croí, spalladh náire, orm

mortise *n* moirtís

mortuary *n* marbhlann

mosaic *n* mósáic

Moslem *n & a* Moslamach

mosque *n* mosc

mosquito *n* muiscít

moss *n* caonach, *dyer's ~* duileascar (cloch)

moss-stitch *n* piocadh na circe, *double ~* lúb na cruithneachta

most *a & n & adv,* *~ people* formhór na ndaoine, *~ of the time* bunús an ama, *to make the ~ of sth* a mhór, an chuid is fearr, a dhéanamh de rud, *at (the) ~* ar a mhéad, ar an taobh amuigh de, *the ~ spacious room* an seomra is mó spás, *it is ~ likely that* is é is dóichí (de) go, *M ~ Reverend* Sár-Oirmhinneach

mostly *adv* go hiondúil; den chuid is mó de

mote *n* dúramán, cáithnín

motel *n* carróstlann

moth *n* féileacán oíche, *(clothes-) ~* leamhan

mothballs *npl* millíní leamhan

mother *n* máthair, *~ tongue* teanga dhúchais, *~ of pearl* néamhann

motherhood *n* máithreachas

mother-in-law *n* máthair chéile

motherly *a* máithriúil

motif *n* móitíf

motion *n* gluaiseacht, luail, *to set sth in ~* siúl a chur faoi rud, rud a chur sa siúl, *to propose a ~* rún a mholadh *vt & i,* *to ~ (to) a person to do sth* comhartha a thabhairt do dhuine rud a dhéanamh, sméideadh ar dhuine rud a dhéanamh

motionless *a* gan chorraí, i do mharbhstad

motivate *vt* spreag

motivation *n* spreagadh

motive *n* réasún

motor *n* mótar; inneall *vi, ~ ing* ag gluaisteánaíocht; ag imeacht faoi luas

motor-bike *n* gluaisrothar

motor-boat *n* mótarbhád

motor-car *n* gluaisteán, mótar, carr

motor-cycle *n* gluaisrothar

motoring *n* gluaisteánaíocht

motorist *n* gluaisteánaí

motorize *vt* mótaraigh

motorway *n* mótarbhealach

mottled *a* sliogánach

motto *n* mana

mould¹ *n* cló, múnla *vt* fuin, múnlaigh, *that environment ~ed his character* as an saol sin a fáisceadh é

mould² *n* múirín, cré, *turf ~* smúdar, spruadar, móna *vt, (of potatoes)* clasaigh, lánaigh

mould³ n, (blue) ~ coincleach, caonach liath

moulder vi, to ~ smúdar a dhéanamh, ~ing in the grave ag dreo san uaigh

moulding n múnla, múnlú; múnláil

mouldy a, ~ smell boladh dreoite, it went ~ tháinig coincleach air

moult n cleiteach vi, to ~ an chluimhreach a chur, bheith sa chleiteach

mound n dumha, leacht, feart; meall, carnán, tulach; dromainn, múr

mount¹ n sliabh, cnoc, ard

mount² n taca, seastán; capall vt & i, to ~ a horse dul sa diallait, the costs ~ed mhéadaigh na costais

mountain n sliabh

mountaineer n sléibhteoir

mountaineering n sléibhteoireacht

mountainous a sléibhtiúil, ~ wave cnoc farraige

mourn vt & i caoin

mourner n caointeoir; sochraideach

mournful a caointeach, léanmhar

mourning n brón, dobrón; éide bróin

mouse n luch(óg)

moustache n croiméal

mouth n béal, cab; pus, cár, draid, clab, ~ of river béal, bun, abhann; inbhear, (opening) súil

mouthful n bolgam, plaic, goblach

mouthpiece n béalóg; teanga labhartha

movable a aistritheach, inaistrithe

move n, (in game) beart; on the ~ sa siúl vt & i gluais, téigh; bog, corraigh, ~ back cúlaigh, ~ close to druid le; ~ (house) aistrigh

movement n gluaiseacht, siúl; luadar, luain, oibriú, corraí; cúis

moving a faoi shiúl, siúlach; corraitheach

mow vt bain, (of lawn) lom, ~ down slaod, treascair

mower n buainteoir, inneall bainte; lomaire (faiche); spealadóir

Mr n, Mr O'Mahony an tUasal Ó Mathúna, Mac Uí Mhathúna

Mrs n, Mrs O'Neill Bean Uí Néill

much a & adv & pron mór, mórán, a lán, how ~ cá mhead, cé mhéad, ~ better i bhfad níos fearr, thanks ever so ~ go raibh míle maith agat, so ~ water an méid sin uisce, that ~ is done tá an méid sin déanta, they made ~ of me

rinne siad cúram, a mhór, díom, it is not up to ~ is furasta (é) a mholadh, too ~ (an) iomarca, barraíocht, it was too ~ for him chinn sé air, so ~ an oiread seo, twice as ~ a dhá oiread, as ~ again a oiread eile, as ~ as you wish an méid is mian leat, as ~ as to say (that) ionann is a rá (go), ~ as they may agree dá mhéad a aontaíonn siad, he hasn't ~ sense níl puinn céille aige

muck n aoileach; salachar vt & i, to ~ up a job praiseach a dhéanamh d'obair, to ~ about bheith ag méiseáil thart

mucky a salach, glárach

mucous a múcasach, smugach

mucus n múcas, smuga, ronna

mud n clábar, draoib, lathach, puiteach

muddle n meascán, trí chéile, prácás vt & i, to ~ a person meascán mearaí, mearbhall, a chur ar dhuine, to ~ along bheith ag streachailt leat

muddy a clábarach, draoibeach, lábach, modartha

mudguard n pludgharda

muff n mufa

muffin n bocaire, muifín

muffle vt, (of sound) múch, báigh, maolaigh, to ~ oneself up in heavy clothing tú féin a mhúchadh le héadach trom

muffler n muifléad

mug n muga

mulberry n maoildearg

mule n miúil

mullet n lannach, milléad

multi- pref il-

multicoloured a dathannach, ildathach

multidenominational a ilchreidmheach

multiple n iolraí a il-, iolrach

multiplication n iolrú, méadú

multiplicity n iolracht; iliomad

multiply vt & i iolraigh, méadaigh

multi-storeyed a ilstórach

multitude n drong, slua; iliomad

mumble n mugailt vt & i mungail, ~ing the words ag ithe na bhfocal

mummer n cleamaire, geocach

mummy n, (body) mumaí, seargán

mumps n leicneach, plucamas

munch vt mungail, ith, cogain

munching n mungailt

mundane a domhanda, saolta; leamh

municipal a cathrach, bardasach, ~ authority bardas

munitions *npl* lón cogaidh

Munster *n* Mumhain, Cúige Mumhan *a* Muimhneach

murder *n* dúnmharú, murdar *vt* dúnmharaigh

murderer *n* dúnmharfóir, murdaróir

murderous *a* marfach; scriosach; uafásach, ~ *attempt* iarraidh mharfa

murky *a* modartha, smúitiúil, salach

murmur *n* crónán, durdam, monabhar; ceasacht *vt & i*, ~*ing* ag monabhar; ag ceasacht

murmuring *n* monabhar; canrán *a* crónánach, dordánach

muscle *n* féith(eog), matán

muscular *a* féitheogach, matánach, lúithneach; láidir

muse[1] *n, the nine* ~*s* na naoi mBéithe

muse[2] *vi, to* ~ *on, about, sth* machnamh ar rud

museum *n* iarsmalann, músaem

mush *n* liothrach, práib

mushroom *n* beacán, muisiriún, ~ *growth* fás aon oíche

mushy *a* práibeach; maoithneach, bogúrach

music *n* ceol, oirfide

musical *a* ceolmhar, oirfideach, binn

musician *n* ceoltóir, oirfideach

musket *n* muscaed

musketeer *n* muscaedóir

muslin *n* muislín

mussel *n* diúilicín, iascán

must[1] *n* coincleach, caonach; dreo

must[2] *n* úrfhíon

must[3] *aux v, I* ~ *go* caithfidh mé imeacht, *do it if you* ~ déan é más éigean duit, *you* ~ *be tired* tá ceart agat a bheith tuirseach,*ní failíor nó tá tuirse ort, one* ~ *have sense* ní mór do dhuine ciall a bheith aige a riachtanas

mustard *n* mustard

muster *n* mustar, tóstal, éirí slua *vt & i* tionóil

musty *a*, ~ *smell* seanbholadh, boladh dreoite

mute *n* balbhán *a* balbh

muted *a* maolaithe, bogtha

mutilate *vt* ciorraigh, martraigh, loit

mutilation *n* ciorrú, milleadh

mutineer *n* ceannairceach

mutinous *a* ceannairceach

mutiny *n* ceannairc

mutter *n* canrán; mungailt *vt & i, to* ~ *caint a chogaint; rud a rá faoi d'fhiacla, faoi d'anáil,* ~*ing* ag cnáfairt; ag clamhsán

muttering *n* mungailt; canrán, clamhsán

mutton *n* caoireoil

mutual *a* comh-, cómhalartach, ~ *assistance* comhar

muzzle *n, (of animal)* pus, soc, *(for animal)* féasrach, puslach; béal *(gunna)* *vt, to* ~ *a person* gobán a chur i mbéal duine

my *poss a,* ~ *mouth* mo bhéal, ~ *father* m'athair, ~ *hair* mo chuid gruaige, ~ *town* an baile seo agamsa, *one* ~ *dear sir* a dhuine chóir

myriad *a* do-áirithe

myrrh *n* miorr

myself *pron* mise; (mé) féin, *feeding* ~ *do mo chothú féin*

mysterious *a* mistéireach, rúnda, (rún)diamhair

mystery *n* mistéir, (rún)diamhair, rún, *it's a complete* ~ *to me* ní thuigim ó thalamh an domhain é

mystic *n* misteach *a* misteach

mystical *a* rúndiamhair

mystify *vt* mearaigh

myth *n* miotas

mythical *a* miotasach

mythology *n* déscéalaíocht, miotaseolaíocht

myxomatosis *n* miocsómatóis

N

nab *vt* gabh, *to* ~ *a person* breith ar dhuine, na greamanna a chur ar dhuine

nacre *n* néamhann

nag[1] *n* gearrán, clibistín

nag[2] *vt & i, don't* ~ *at me like that* ná bí ag caitheamh, ag sá, chugam mar sin, *she is always nagging* bíonn sí i gcónaí ag ithe agus ag gearradh

nagging *a* cráiteach, sáiteach, ~ *person* báirseoir

nail n ionga; tairne vt & i tairneáil

naive a soineanta, saonta

naked a nocht, lom, the ~ truth lom na fírinne

nakedness n loime, lomnochtacht

name n ainm, christian ~ ainm baiste, good ~ clú vt ainmnigh, baist

namely adv is é sin, mar atá, eadhon

namesake n comhainmneach, your ~ fear (bean) d'ainm

nap[1] n néal, sámhán, támh vi, to ~ dreas codlata a dhéanamh, néal a ligean as do cheann, to catch a person ~ping teacht gan fhios ar dhuine, breith san fhaill ar dhuine

nap[2] n, (of cloth) bruth, caitín

nape n baic an mhuinil, cuing an mhuinil

napkin n naipcín

narcissus n nairciseas

narcotic n & a támhshuanach

narrate vt & i aithris, inis, eachtraigh

narration n aithris, cuntas, insint, ríomh

narrative n scéal, insint a, ~ style stíl scéalaíochta

narrator n scéalaí, aithriseoir

narrow a cúng; caolas, caoluisce a caol, cúng vt & i caolaigh, cúngaigh

narrow-minded a caolaigeanta, cúng-aigeanta

narrowness n caoile, cúinge

nasal a srónach

nasalization n srónail

nasturtium n gleorán

nation n náisiún, cine

national a náisiúnach, náisiúnta

nationalism n náisiúnachas

nationality n náisiúntacht

nationalize vt náisiúnaigh

native n dúchasach a dúchasach, ~ land tír dhúchais, ~ place fód dúchais

nativity n saolú, the Nativity breith Chríost

natural a nádúrtha, it is ~ for her is é is dú, dual, di

naturalist n nádúraí

naturalize vt eadóirsigh

naturally adv ~! gan amhras!

naturalness n nádúrthacht

nature n nádúr, dúchas; dúlra, it is in her ~ to be kind is dual di a bheith cineálta, it is against ~ tá sé in aghaidh dula

naughty a dalba, ábhailleach, iomlatach

nausea n masmas, samhnas, déistin, múisc

nauseate vt & i, it would ~ you chuir-feadh sé samhnas, casadh aigne, ort; thiontódh sé do ghoile, she ~d at it tháinig samhnas, múisc, uirthi leis

nauseating a déistineach, masmasach, samhnasach, múisciúil

nautical a, ~ term focal farraige, ~ mile muirmhíle

naval a, ~ forces (an) slua muirí, fórsaí farraige, ~ engineer innealtóir loingis

nave[1] n corp eaglaise, meánlann

nave[2] n mol, ceap

navel n imleacán

navigable a inseolta

navigation n loingseoireacht

navigator n loingseoir

navvy n náibhí

navy n cabhlach

navy-blue a dúghorm

Nazi n Naitsí a Naitsíoch

Nazism n Naitseachas

neap-tide n mallmhuir

near a & adv & prep cóngarach (do); gar, gairid, i ngar (do), i ngiorracht (do), in aice (le), far and ~ i gcéin is i gcóngar vt tarraing ar, druid le, téigh i ngar do

nearby adv in aice láimhe, in aice láithreach

nearly adv beagnach, nach mór, nach beag, ~ done (de) chóir a bheith, i ndáil le bheith, déanta, I ~ fell is beag nár thit mé, dóbair dom titim, she is not ~ as tall as you níl sí baol ar chomh hard leatsa

nearness n cóngar, aice, foisceacht; sprionlaitheacht, ceacharthacht

neat a néata, comair, deismir, innealta, slachtmhar, críochnúil, gasta, to drink whiskey ~ fuisce a ól craorag, ar a aghaidh

nebulous a néalmhar, ceoch, mishoiléir

necessary a riachtanach, it is not ~ níl gá, feidhm, leis npl riachtanais

necessitate vt éiligh, it ~s careful consid-eration caithfear, ní mór, smaoineamh go maith air

necessity n riachtanas, gá, éigean

neck n muineál, píobán, scrogall, bráid, (of land) cuing

necklace n muince (bráid)

neckline n muineál

necktie n carbhat

nectar n neachtar

nectarine n neachtairín

need n riachtanas, díth, gá; cruóg, gátar vt & i, to ~ sth bheith i ngá ruda, I ~ it tá sé de dhíth, de dhíobháil, orm; teastaíonn sé uaim, I ~ hardly say that ní gá dom, níl feidhm dom, a rá go

needle n snáthaid, knitting ~ biorán, dealgán (cniotála) vt, to ~ a person séideadh faoi dhuine, bheith ag sá chuig duine

needless a neamhriachtanach, gan ghá, ~ to say that ní gá a rá go

needlework n obair shnáthaide, fuáil

needy a easpach, gátarach, dearóil, in ~ circumstances ar an gcaolchuid

negation n séanadh, diúltú

negative n & a diúltach

neglect n neamhchúram, neamhspéis; failli, neamart, siléig vt & i faillígh, to ~ sth failli, neamart, a dhéanamh i rud; rud a ligean i léig, ar ceal

negligence n failli, dearmad, neamart, siléig, sleamhchúis

negligent a neamhchúramach, faillitheach, neamartach

negligible a suarach, fánach, a ~ amount méid nach fiú trácht air, nach fiú a chur i suim, nach fiú a bheith leis

negotiable a intráchta, inaistrithe, inphléite; sothriallta, insiúil, inseolta

negotiate vt & i pléigh, socraigh, (of bill) aistrigh, to ~ a difficulty constaic a shárú, to ~ for peace síocháin a phlé

negro n gormach, fear gorm

neigh n seitreach vi, to ~ seitreach a ligean, a dhéanamh

neighbour n comharsa

neighbourhood n comharsanacht

neighbourly a comharsanúil, to act in a ~ fashion (towards) comharsanacht mhaith a dhéanamh (le)

neither pron, ~ of us spoke níor labhair ceachtar againn conj, ~ you nor I know níl a fhios agatsa ná agamsa, if you don't go ~ will I mura rachaidh tusa ní rachaidh mise ach oiread, ach chomh beag

Neolithic a Neoiliteach

neon n neon

nephew n nia, mac dearthár, mac deirféar

Neptune n Neiptiún

nerve n néaróg; misneach, dánacht vt, to ~ oneself to do it do mhisneach a chruinniú chun a dhéanta

nervous a scinnideach, geiteach; neirbhíseach, ~ system néarchóras, ~ breakdown cliseadh

nervousness n neirbhís, cearthaí; scinnide

nest n nead, bees' ~ cuasnóg, mare's ~ nead codlamáin airde vi neadaigh

nest-egg n ubh fáire; cillín, taisce

nestle vi neadaigh, to ~ down tú féin a shoipriú, to ~ up to a person deasú isteach le duine

nestling n scalltán, scallamán, gearrcach

net[1] n líon, eangach; éadach mogallach vt ceap, dol, lúb, to ~ a ball an liathróid a chur sa líontán

net[2] a, (of weight, price) glan vt, to ~ one hundred pounds (on transaction), brabach céad punt a dhéanamh

netting n fíodóireacht; líontán, mogalra

nettle n neantóg vt clip, to ~ a person duine a chorraí (chun feirge)

network n gréasán, líonra, mogalra, eangach

neuralgia n néarailge

neuritis n néiríteas

neurology n néareolaíocht

neurosis n néaróis

neurotic n & a néaróiseach

neuter n neodar; seascachán a neodrach; seasc vt neodraigh, coill

neutral a neodrach

neutrality n neodracht

neutralize vt maraigh, cealaigh, neodraigh

neutron n neodrón

never adv, he ~ spoke of it níor labhair sé riamh air, he will ~ come ní thiocfaidh sé choíche, ~ again go deo arís, go brách arís

nevermore adv feasta, go brách, go deo deo

nevertheless adv ina dhiaidh sin (is uile), ar a shon sin, fós, san am céanna

new a nua, úr

newly-wed n nuaphósta

newness n úire, núíosacht, nua

news n nuacht, scéala

newsagency n nuachtghníomhaireacht; siopa nuachtán

newsagent n nuachtánaí

newsmonger n reacaire, burdúnaí

newspaper *n* nuachtán, páipéar nuachta

newt *n* earc luachra

next *a, the ~ thing* an chéad rud eile, *the ~ day* an lá ina dhiaidh sin, an lá dár gcionn, lá arna mhárach, *~ year* an bhliain seo chugainn, (s)an athbhliain *adv, when I ~ saw him* nuair a chonaic mé arís é, *when ~ he comes* an dara huair a thiocfaidh sé *prep* in aice, le taobh, *~ to the skin* le cneas, *~ to me in age* i dtánaiste dom in aois

next-door *a, ~ neighbours* comharsana béal dorais

nib *n* gob (pinn)

nibble *n* greim, miota *vt & i* creim, miotaigh, pioc, *nibbling at it* ag blaistínteacht air

nice *a* deas, lách, breá; cáiréiseach, beacht

nicety *n* cáiréis, deismíneacht; beaichte; mionphointe

niche *n* almóir, nideog

nick *n* eang, scolb, *in the ~ of time* díreach in am *vt* gearr; gabh; goid, *to ~ a stick* eang a chur i maide

nickel *n* nicil

nickname *n* leasainm *vt, to ~ a person* leasainm a thabhairt ar dhuine

nicotine *n* nicitín

niece *n* neacht, iníon dearthár, iníon deirféar

niggardly *a* gortach, ceachartha, sprionlaithe, cúng

niggle *vi* creim, *niggling* ag mínineacht, ag beachtaíocht

niggling *a* creimneach; mion, fánach; beachtaíoch, mionchúiseach

night *n* oíche, *last ~* aréir, *at ~* istoíche

night-dress *n* léine oíche

nightfall *n* crónachan, titim na hoíche, *by ~* roimh oíche

nightingale *n* filiméala

nightmare *n* tromluí *a* uafásach

night-watchman *n* fairtheoir oíche

nihilism *n* nihileachas

nil *n* neamhní, náid

nimble *a* éasca, lúfar, luaineach

nincompoop *n* gamal, amadán

nine *n & a* naoi, *~ persons* naonúr

ninepins *npl* pionnaí, cibleacháin

nineteen *n & a* naoi déag, *~ persons* naoi nduine dhéag

nineteenth *n & a, the ~ day* an naoú lá déag, *one ~* an naoú cuid déag

ninetieth *n & a* nóchadú

ninety *n & a* nócha

ninth *n & a* naoú

nip[1] *n* liomóg, scealpóg, sclamh; goimh *vt & i, to ~ a person* miotóg a bhaint as duine, *to ~ off sth* rud a theascadh, a scoitheadh, *to ~ round to the shop* sciurdadh anonn chun an tsiopa

nip[2] *n, (of spirits)* smeachán, deoir

nipple *n* síne

nippy *a* éasca, gasta; goimhiúil, bioranta

nit *n* sníodh, treaghdán

nitrate *n* níotráit

nitrogen *n* nítrigin

no *a, he has ~ sense* níl ciall ar bith aige, *~ matter* is cuma, *I had ~ money* ní raibh aon airgead agam *adv, whether you want it or ~* bíodh sé uait nó ná bíodh, *say ~ more* ná habair a thuilleadh *n, say yes or ~* abair sea nó ní hea, *don't take ~ for an answer from him* ná glac diúltú, eiteach, uaidh

nobility *n* uaisleacht, *the ~* na huaisle

noble *n & a* uasal

nobody *pron, ~ spoke* níor labhair aon duine, *duine ar bith n* neamhdhuine

nocturnal *a* oíchí, *~ bird* éan oíche

nocturne *n, (music)* nochtraí

nod *n* sméideadh *vt & i, to ~ one's head at a person* do cheann a sméideadh le dhuine, *he was ~ding asleep* bhí néal ag titim air

node *n* nód

nodule *n* nóidín

noggin *n* naigín, gogán

noise *n* fothram, callán, torann, tormán, trup *vt, to ~ sth abroad* scéal a reic

noiseless *a* ciúin, balbh, éaglórach

noisy *a* glórach, callánach, torannach, greadhnach

nomad *n* fánaí

nomenclature *n* ainmníocht

nominal *a* ainmniúil

nominally *adv* in ainm a bheith; go hainmniúil

nominate *vt* ainmnigh

nomination *n* ainmniúchán

nominative *n & a* ainmneach

nominator *n* moltóir

nominee *n* ainmnitheach

non- *pref* neamh-, mí-, an-, ainnonchalance *n* neamhchúis

nonconformist *n* & *a* neamhaontach

noncommissioned *a* neamhchoimisiúnta

noncommittal *a* neamhcheangailteach

non-denominational *a* neamh-shain-chreidmheach

nondescript *a* neamhshuntasach

none *pron* aon duine; aon rud, aon cheann *adv*, he is ~ the better for his wealth níl sé a dhath, píoc, níos fearr de bharr a chuid saibhris

nonentity *n* neamhdhuine

non-intoxicating *a* neamh-mheisciúil

nonplus *vt*, to ~ a person staic a dhéanamh de dhuine; stad, stangadh, a bhaint as duine

nonsense *n* raiméis, seafóid, amaidí, áiféis, fastaím

nonsensical *a* seafóideach, raiméiseach, amaideach

nook *n* clúid, cúil, cúinne, lúb

noon *n* nóin; eadra

noose *n* sealán, lúb, dol, gaiste

nor *conj* ná

normal *a* normálta, nádúrtha

Norman *n* & *a* Normannach

north *n* tuaisceart, in the ~ of Ireland in íochtar Éireann, from the ~ aduaidh, to the ~ ó thuaidh *adv* & *a*, the ~ wind an ghaoth aduaidh, the ~ coast an cósta tuaisceartach, to go ~ dul ó thuaidh, ~ of taobh thuaidh de; ó thuaidh ó, lastuaidh de

northeast *n* oirthuaisceart *adv* soir ó thuaidh a thoir thuaidh, the ~ wind an ghaoth anoir aduaidh

northerly *a* & *adv*, ~ wind gaoth aduaidh, in a ~ direction (san aird) ó thuaidh, the ~ part an taobh ó thuaidh

northern *a* tuaisceartach, the ~ towns na bailte thuaidh

northwards *adv* ó thuaidh

northwest *n* iarthuaisceart *adv* siar ó thuaidh *a* thiar thuaidh, the ~ wind an ghaoth aniar aduaidh

nose *n* srón, gaosán, soc *vt* & *i*, to ~ (out) *sth* boladh ruda a chur, nosing around ag bolaíocht, ag smúrthacht, thart

nosebag *n* mála cinn

nosedive *n* socthumadh; tobthitim; titim ar do phus

nostalgia *n* cumha

nostalgic *a* cumhach, ~ visit cuairt an lao ar an athbhuaile

nostril *n* polláire, poll sróine

nosy *a* caidéiseach, fiosrach, srónach

not *adv* ní, cha, did you ~ buy it nár cheannaigh tú é, do ~ stir ná corraigh, are you ill? ~ at all an bhfuil tú tinn? níl ar chor ar bith, why ~ cad chuige nach (ndéanfá etc), you had better ~ wait b'fhearr duit gan fanacht

notable *a* suntasach; iomráiteach, nótáilte, ~ person duine fiú le rá, mór le rá

notably *adv* go sonrach

notary *n* nótaire

notation *n* nodaireacht

notch *n* eang, fáirbre, scór, béim *vt* bearnaigh, eangaigh, to ~ a tally eang a chur i mbata scóir

note *n* nóta; guth, faí, man of ~ fear iomráiteach, pound ~ páipéar puint, nóta puint, it is worthy of ~ is cuid suntais é, to make a ~ of sth rud a bhreacadh síos *vt* tabhair faoi deara, nótáil

noted *a* aitheanta, ainmniúil, nótáilte

notepaper *n* páipéar litreacha

noteworthy *a* fiú le rá, suntasach

nothing *n* & *adv* neamhní, faic, dada, rud ar bith, aon cheo; náid, ~ happened níor tharla aon ní, he is ~ the worse for it níl sé thíos leis dada, for ~ in aisce

nothingness *n* neamhní

notice *n* foláireamh, fógra; aird, aire, suntas, take no ~ of her ná tóg ceann, comhartha, ar bith di *vt* tabhair faoi deara, sonraigh

noticeable *a* suntasach, feiceálach

notification *n* fógra

notify *vt* fógair, cuir in iúl

notion *n* smaoineamh, tuairim, teidhe, nóisean, high ~ s tógaíocht, I haven't a ~ ní fheadar ó thalamh an domhain, níl a fhios agam faoin spéir

notoriety *n* gáir, droch-chlú

notorious *a* míchlúiteach, he became ~ chuaigh a gháir i bhfad

notwithstanding *prep*, ~ that ina dhiaidh sin is uile, ina ainneoin sin, ar a shon sin (is uile) *adv* ina dhiaidh sin, mar sin féin

nought *n* náid, neamhní, nialas, to bring sth to ~ rud a chur ar neamhní, ar ceal

noun *n* ainm, ainmfhocal, *collective* ~ cnuasainm
nourish *vt* beathaigh, cothaigh
nourishing *a* beathaitheach, cothaitheach, scamhardach
nourishment *n* beathú, cothú, scamhard
novel *n* úrscéal *a* úr, nua
novelist *n* úrscéalaí
novelty *n* nuacht, úire, úrnuacht
November *n* Samhain
novena *n* nóibhéine
novice *n* nóibhíseach, núíosach
now *adv* anois, *between* ~ *and Christmas* idir seo agus Nollaig
nowadays *adv* ar na saolta seo
nowhere *adv* áit ar bith, in aon áit, *they are* ~ *to be seen* níl siad le feiceáil thíos ná thuas, *you are* ~ *near it* níl tú in aon ghiorracht dó
noxious *a* dochrach, díobhálach
nozzle *n* soc
nuance *n* miondifríocht, caolchúis, imir
nuclear *a* núicléach, eithneach
nucleus *n* eithne, núicléas
nude *n* nocht *a* lomnocht
nudge *n* broideadh, sonc *vt* broid, *to* ~ *a person* broideadh, sonc, sá, a thabhairt do dhuine
nudism *n* nochtachas
nudity *n* nochtacht
nugget *n* cnap (óir)
nuisance *n* núis, *they are a terrible* ~ is mór an crá (croí) iad
null *a* nialasach, neamhbhríoch, folamh, ~ *and void* gan éifeacht, ar neamhní
nullify *vt* neamhnigh, *to* ~ *sth* rud a chur ar neamhní
numb *a* mairbhiteach, mairbhleach, gan mhothú, bodhar

number *n* uimhir, figiúr; suim, líon, oiread; eagrán, *one of their* ~ duine díobh, *a* ~ *of them* roinnt acu, *great* ~ iomad, lear mór *vt* cuntais, áirigh; uimhrigh
numbness *n* eanglach, fuarnimh, mairbhití
numeracy *n* uimhearthacht
numeral *n* uimhir, figiúr
numeration *n* uimhriú
numerical *a* uimhriúil
numerous *a* líonmhar, iomadúil
numismatics *npl* moneolaíocht
nun *n* bean rialta
nuncio *n* nuinteas
nurse *n* banaltra; buime *vt* oil, *to* ~ *a child* an chíoch a thabhairt do leanbh, *to* ~. *a sick person* banaltracht, freastal, a dhéanamh ar dhuine tinn, *he is nursing a grudge against us* tá an t-olc istigh aige dúinn
nursery *n* naíolann
nursing *n* altranas; banaltracht
nurture *n* oiliúint, beathú, cothú *vt* cothaigh, beathaigh, oil
nut *n* cnó
nut-cracker *n* cnóire
nutmeg *n* noitmig
nutrient *n & a* cothaitheach
nutrition *n* cothú
nutritious *a* scamhardach, cothaitheach
nutshell *n* blaosc cnó, crotal cnó, *in a* ~ i mbeagán focal
nuzzle *vt & i*, *to* ~ *against* bheith ag srónáil, ag smúrthacht, ar
nylon *n* níolón
nymph *n* nimfeach

O

oak *n* dair
oar *n* rámh, maide rámha
oarsman *n* rámhaí, iomróir
oasis *n* ósais
oath *n* mionn, eascaine
oatmeal *n* min choirce
oats *n* coirce
obdurate *a* dúr, dígeanta

obedience *n* umhlaíocht
obedient *a* umhal, géilliúil, *to be* ~ *to a person* bheith faoi réir duine
obeisance *n* umhlú
obelisk *n* oibilisc
obese *a* otair
obesity *n* otracht

obey vt géill do, umhlaigh do, *to ~ a person's wishes* rud a dhéanamh ar dhuine, bheith umhal do dhuine, réir duine a dhéanamh

obituary n liosta na marbh; moladh mairbh a, ~ *column* colún na marbh

object[1] n rud, ábhar, cuspóir; cuspa, ~ *of pity* díol trua, *money no* ~ ná bac an t-airgead

object[2] vi, *to ~ to sth* cur i gcoinne ruda, *to ~ to doing sth* diúltú rud a dhéanamh

objection n agó, agóid, *he made no ~ to it* níor chuir sé ina choinne

objective n cuspóir, cuspa, sprioc a oibiachtúil, réadach; cuspóireach

objectivity n oibiachtúlacht

Oblate n Oblátach

obligation n oibleagáid, ceangal, cuing, dualgas, *under an ~ to a person* faoi chomaoin ag duine

obligatory a éigeantach, oibleagáideach

oblige vt, *I am ~d to speak to him* tá iallach orm, tá sé d'fhiacha orm, labhairt leis, *to ~ a person* oibleagáid, gar, a dhéanamh do dhuine, *I am ~d to you* tá mé faoi chomaoin agat

obliging a garúil, oibleagáideach, comaoineach, soiliosach

oblique a fiar, sceabhach, claon-

obliterate vt díobh, díothaigh, múch, cealaigh

oblivion n éaguimhne, díchuimhne, dearmad

oblivious a díchuimhneach, ~ *to sth* dall ar rud, gan beann ar rud

oblong a leathfhada

obnoxious a gráiniúil, fuafar

oboe n óbó

obscene a gáirsiúil, graosta, salach; scannalach, déisteanach

obscenity n gáirsiúlacht, graostacht, salachar; focal (etc) gáirsiúil

obscure a doiléir, dorcha, diamhair, dothuigthe, ~ *person* duine gan iomrá, ~ *village* baile i bhfad siar, baile cúlráideach vt dorchaigh, doiléirigh, dall, folaigh

obscurity n dorcha, doiléire, diamhracht; cúlráid

obsequies npl tórramh, sochraid

obsequious a lúitéiseach, lústrach, spleách, ~ *person* lútálaí

observance n coimeád; coinneáil, comhlíonadh, *religious ~s* deasghnátha creidimh

observant a comhlíontach; grinn, géarshúileach; braiteach

observation n coimhéad, breathnú; focal tagartha, tuairim; nóta, sonrú, *to make an ~ about a person* caidéis a fháil ar dhuine, *under ~* faoi scrúdú

observatory n réadlann

observe vt & i coinnigh, comhlíon, comhaill; breathnaigh, coimhéad, sonraigh; braith

observer n breathnóir, féachadóir, coimhéadaí

obsess vt, *to be ~ed by sth* gnáthsheilbh a bheith ag rud ort, bheith i ngreim ag rud

obsolescence n dul as feidhm

obsolete a as feidhm, seanchaite, *to become ~* titim i léig, dul as úsáid

obstacle n constaic, bac

obstetrician n cnáimhseoir

obstetrics npl cnáimhseachas

obstinacy n ceanndánacht, stuacacht, diúnas

obstinate a ceanntréan, dúr, stuacach, ládasach

obstreperous a callóideach, círéibeach; mallaithe

obstruct vt coisc, toirmisc, bac

obstruction n bacainn, stopainn, dris chosáin

obtain vt & i faigh, gnóthaigh, bain amach, *practice that ~s among the rich* nós a chleachtann lucht an tsaibhris, *the rules which ~ here* na rialacha atá i bhfeidhm anseo

obtainable a infhaighte, le fáil

obtrude vt, *to ~ oneself* tú féin a bhrú chun tosaigh

obtrusive a buannúil, treallúsach

obtuse a maolintinneach, dobhránta, ~ *angle* maoluillinn

obvious a follasach, soiléir, sofheicthe

occasion n ócáid, faill; trúig, siocair, *on the first ~* an chéad uair, *on this ~* an babhta, iarraidh, turas, seo; den dul seo vt, *to ~ sth* bheith i do chionsiocair le rud

occasional a corr-, fo-, breac-, fánach, ócáideach

occasionally *adv* corruair, ar uairibh, anois is arís

occident *n* an t-iarthar, an Domhan Thiar

occult *a* diamhair

occupancy *n* gabháltas, seilbh

occupant *n* sealbhóir, áititheoir

occupation *n* áitiú, lonnú, gabháil; slí bheatha, gairm (bheatha), ceird, *to be in ~ of a house* bheith i do chónaí i dteach, bheith i seilbh tí

occupier *n* áititheoir

occupy *vt* áitigh, gabh, *to ~ a house* dul i seilbh tí, *to ~ a person's place* suí in áit duine, *to keep a person occupied* duine a choinneáil gnóthach

occur *vi* tarlaigh, tit amach, *it ~red to me that* rith sé liom (go)

occurrence *n* tarlú, teagmhas

ocean *n* aigéan, bóchna, farraige mhór

oceanic *n* aigéanach

oceanography *n* muireolaíocht

ochre *n* ócar

octagon *n* ochtagán

octave *n* ochtach

October *n* Deireadh Fómhair

octopus *n* ochtapas

oculist *n* lia súl, súil-lia

odd *a* corr, fo-; greannmhar, ait, aisteach, *~ man out* éan corr, stocaire

oddity *n* aiteacht; duine corr; rud aisteach

oddments *npl* earraí fuíll

oddness *n* aiteacht, greannmhaireacht, coirre

odds *npl* difríocht; buntáiste, corrlach, *against the ~* in aghaidh an tsrutha, *~ and ends* giuirléidí, *what ~!* nach cuma!

ode *n* óid

odious *a* fuafar, gráiniúil

odorous *a* boltanach

odour *n* boladh

oestrus *n* éastras

of *prep* de, as, *it was good ~ you* ba mhaith uait é, *one ~ us* duine againn, *fond ~* ceanúil ar

off *adv*, *he went ~* d'imigh sé leis, *be ~* cuir díot, gread leat, *~ they went* siúd chun siúil iad, *to be well, badly, ~* bheith go maith, go holc, as a, *the ~ side* an taobh deas, an taobh amuigh,

the match is ~ tá an cluiche curtha ar ceal *prep* de

offal *n* miodamas, cosamar; scairteach

offence *n* oilbhéim, masla; cion, coir, *he took ~ at what I said* chuir mo chuid cainte olc air

offend *vt & i* ciontaigh, peacaigh, *she was ~ed* tháinig uabhar, olc, uirthi

offender *n* ciontóir, coireach

offensive *n*, *to take the ~* dul ar an ionsaí *a* ionsaitheach; maslach, tarcaisneach, gránna

offer *n* tairiscint *vt & i* tairg; ofráil

offering *n* ofráil, toirbhirt, síntiús, *Mass ~* comaoin Aifrinn

offertory *n* ofráil

offhand *a* gan ullmhú, neamhchúiseach

office *n* feidhm, cúram, oifig, *to put a person out of ~* duine a chur as feidhmeannas

officer *n* oifigeach, feidhmeannach

official *n* feidhmeannach *a* oifigiúil

officious *a* déanfasach, postúil, gnóthach

off-licence *n* eischeadúnas

offset *vt* cúitigh

offshoot *n* géag, taobh-bhuinneán

offshore *a*, *~ fishing* fadiascaireacht, *~ wind* gaoth ón talamh

offspring *n* clann, sliocht, gin, pór

often *adv* go minic

ogham *n* ogham, *~ stone* cloch ogaim

ogle *n* catsúil *vt*, *to ~ a person* catsúil a chaitheamh le duine

ogre *n* gruagach, torathar

oil *n* ola, íle *vt* olaigh, íligh, bealaigh

oil-cloth *n* ola-éadach

oilfield *n* olacheantar

oiliness *n* olaíocht, ungthacht

oilskins *npl* aidhleanna

oily *a* olach, olúil, úscach; *(of person)* sleamhain, tláithíneach

ointment *n* ungadh

old *a* aosta, sean, críonna, seanaimseartha, *~ age* críonnacht, seanaois, *~ woman* cailleach, seanbhean, *~ person* seanóir, seanduine

old-fashioned *a* seanfhaiseanta, seanaimseartha

old-timer *n* seanfhondúir

olfactory *a* boltanach

oligarchy *n* olagarcacht

olive *n* ológ *a*, *~ green* glas olóige

Olympic a Oilimpeach, ~ *games* cluichí Oilimpeacha
omelette n uibheagán
omen n comhartha, tuar, séan, mana
ominous a tuarúil; bagrach, uafásach
omission n easnamh, lúb ar lár, failí, dearmad
omit vt fág amach, fág ar lár, dearmad
omnipotent a uilechumachtach
omnipresent a uileláithreach
omniscient a uilefheasach
omnivore n uiliteoir
omnivorous a uiliteach
on prep ar adv, *is there anything* ~ an bhfuil aon cheo ar siúl, *to put* ~ *one's clothes* do chuid éadaigh a chur ort, *go* ~ lean leat, *and so* ~ agus mar sin de, ~ *and off* anois agus arís, ann as
once adv uair amháin, tráth, at ~ láithreach, ar an toirt; in éineacht
one a aon, ~ *person*, ~ *thing* duine, rud, amháin pron duine, ceann, ~ *of them*, duine acu, ceann acu, ~ *of the girls* bean de na cailíní, *she is* ~ *of the most beautiful women in Ireland* tá sí ar mhná áille na hÉireann, *to do* ~'s *share of the work* do scair den obair a dhéanamh, ~ *by* ~ ina gceann is ina gceann
one-armed a leathlámhach, ar leathláimh
onerous a trom, tromaí, dochraideach
oneself pron an duine féin, tú (thú) féin, *feeding* ~, do do chothú féin
one-sided a leataobhach, leatromach
onion n oiniún
onlooker n féachadóir pl lucht féachana
only a amháin, aon adv féin, amháin, *you are* ~ *fooling* níl tú ach ag amaidí conj ach, murach, ~ *for you* ach ab é tusa
onomatopoeia n onamataipé
onrush n ruathar, sitheadh
onset n ruathar, ionsaí, at the (first) ~ i dtús báire
onslaught n imruathar, turraing
onus n dualgas, freagracht, trom, ualach
onwards adv chun cinn, ar aghaidh, *from this date* ~ i ndiaidh an dáta seo, ón dáta seo amach, *from the tenth century* ~ ón deichiú céad i leith, anall
ooze n púscán, múscán, slaba vi úsc, sil
opal n ópal
opaque a teimhneach
open n, *in the* ~ amuigh faoin spéir; os

ard a oscailte, ar oscailt, follas; macánta, *the* ~ *sea* an fharraige mhór vt & i oscail
opening n oscailt, leathadh; doras, béal; tionscnamh, tús
opener n oscloir
openly adv os ard, go follasach, go poiblí
openness n oscailteacht; lom; macántacht
opera n ceoldráma
operate vt & i oibrigh, *to* ~ *on a person* duine a chur faoi scian, obráid a dhéanamh ar dhuine; dul i gcion ar dhuine
operation n feidhmiú, oibriú; obráid, sceanairt, *in* ~ i bhfeidhm, *to undergo an* ~ dul faoi scian (dochtúra)
operational a oibríoch
operative n oibrí a feidhmiúil, oibríoch
operator n oibreoir
opiate n & a codlaidineach
opinion n tuairim, barúil, *in his own* ~ dar leis féin
opinionated a teanntásach, barúlach
opium n codlaidín
opponent n céile comhraic, céile imeartha, teagmhálaí
opportune a caoithiúil, tráthúil, ócáideach, iontúch
opportunist n brabúsaí
opportunity n deis, caoi, faill, seans, áiméar, iontú
oppose vt, *to* ~ *a person* cur i gcoinne, in éadan, in aghaidh, duine
opposed a, ~ *to* in éadan, i gcoinne, in aghaidh, ~ *to reason* bunoscionn le réasún
opposite n contrárthacht, malairt, *the* ~ *of that* a ghlanmhalairt sin, a chontráil sin, a mhilleadh sin a codarsnach, contrártha; urchomhaireach prep os comhair, os coinne
opposition n codarsnacht; freasúra; cur in aghaidh (ruda)
oppress vt dubhaigh, *to* ~ *a person* duine a chur i ndaoirse; cos ar bolg, leatrom, a imirt ar dhuine, *the heat* ~ed me luigh an teas orm
oppression n ansmacht, daoirse, dochraide, leatrom, cos ar bolg
oppressive a leatromach, tíoránta, marbhánta, trom, múisciúil
oppressor n tíoránach

opt *vi*, to ~ *for* sth rud a thoghadh, taobhú, le rud, to ~ *out of* sth tarraingt siar as rud
optic *a* optach
optician *n* radharceolaí
optics *npl* optaic
optimism *n* soirbhíochas
optimist *n* soirbhíoch
optimistic *a* dóchasach
option *n* rogha
optional *a* roghnach
opulent *a* saibhir, taibhseach, ollásach
opus *n* saothar
or *conj* nó, (*with neg*) ná, *without food* ~ *drink* gan bhia gan deoch, ~ *else stay at home* nó neachtar acu fan sa bhaile
oracle *n* oracal, aitheascal
oral *a*, ~ *account* béalaithris, ~ *examination* scrúdú béil, scrúdú cainte
orange *n* oráiste *a* flannbhuí
Orangeman *n* Oráisteach, Fear Buí
orang-utan *n* órang-útan
oration *n* óráid
orator *n* óráidí
oratorio *n* oratóir
oratory *n* aireagal; óráidíocht
orb *n* cruinne(og)
orbit *n* fithis, diathair *vt & i* fithisigh
orchard *n* úllord
orchestra *n* ceolfhoireann
orchestrate *vt* ionstraimigh; eagraigh
orchid *n* magairlín
ordain *vt* oirnigh; ceap, *what God* ~ *ed for us* an rud a gheall, a d'ordaigh, Dia dúinn
ordeal *n* oirdéal, féachaint; splíontaíocht, *they went through a terrible* ~ fuair siad sceimhle
order *n* ord, eagar, rang; ordú, *holy* ~ *s* ord beannaithe, *religious* ~ ord crábhaidh, ord rialta, *out of* ~ as cor, as compás, ar mighléas; as bealach, *in working* ~ ar deil, i dtreoir oibre, *in* ~ *to do* sth chun, d'fhonn, le, rud a dhéanamh *vt* ordaigh
orderly *a* slachtmhar, ordúil, rianúil; dea-iomprach
ordinal *n* orduimhir
ordinary *a* coitianta, comónta, gnách, gnáth-, *out of the* ~ as an gcoitiantacht, as an ngnáth, neamhghnách, éagoitianta
ordination *n* oirniú; cur in ord

ordnance *n* ordanás, léarscáilíocht
ordure *n* cac, salachar
ore *n* mianach, *iron* ~ amhiarann
organ *n* orgán; ball
organic *a* orgánach
organism *n* orgánach
organist *n* orgánaí
organization *n* eagraíocht, eagras; eagrú
organize *vt* eagraigh
organizer *n* eagraí
orgy *n* scléip
orient *n* an t-oirthear, an Domhan Thoir
oriental *n & a* oirthearach
orientation *n* treoshuíomh
orienteering *n* treodóireacht
orifice *n* béal, poll
origin *n* bunús, fréamh, foinse, údar, tús
original *n*, (*of book, etc*) bunchóip *a* bunúsach, bunaidh, nua, bun-, ~ *sin* peaca an tsinsir, ~ *ly* ar dtús, ó thús; ó cheart, ó bhunús
originality *n* bunúsacht, éagoitinne, úrnuacht
originate *vt & i* údaraigh, gin, tionscain, tuismigh, tosaigh, to ~ *from* teacht as, ó
originator *n* údar, tionscnóir
Orion *n* Oiríon, ~'s *Belt* Slat an Rí
ornament *n* ornáid, gréas; maisiú *pl* gréithe *vt* ornáidigh, gréasaigh, maisigh
ornamental *a* ornáideach, maisiúil, ~ *work* gréas
ornate *a* ornáideach, gréasta
ornithology *n* éaneolaíocht
orphan *n* dílleachta
orphanage *n* dílleachtlann
orthodox *a* ceartchreidmheach
orthodoxy *n* ceartchreideamh
orthography *n* litriú
orthopaedic *a* ortaipéideach
oscillate *vi* luasc
osier *n* saileach; slat sailí
osprey *n* coirneach
Ossianic *a*, ~ *lay* laoi Fiannaíochta
ossify *vt & i* cnámhaigh; cruaigh, stolp
ostensible *a*, ~ *business* gnó súil
ostentation *n* gairéad, stró, maingléis, scléip
ostentatious *a* gáifeach, taibhseach, mustrach, stróúil
osteopath *n* oistéapat
ostracize *vt* eascoiteannaigh; seachain

ostrich n ostrais

other a eile, the ~ day arú inné; an lá cheana, an lá faoi dheireadh, a book ~ than this one leabhar seachas an ceann seo pron, one after the ~ duine i ndiaidh duine, one way or the ~ mar seo nó mar siúd pl daoine eile, above all ~s thar chách

otherwise adv ar chuma eile, it is little good ~ is beag an mhaith thairis sin é, work, ~ you will fail oibrigh nó teipfidh ort

otter n dobharchú, madra uisce

ought aux v, what ~ to be done an rud is cóir, ceart, a dhéanamh, you ~ to read that book ba cheart duit an leabhar sin a léamh, you ~ to have taken my advice d'fhéad tú, ba é do cheart, mo chomhairle a ghlacadh

ounce n unsa, uinge, he hasn't an ~ of sense níl splanc (chéille) aige

our poss a, ~ car ár ngluaisteán, ~ father ár n-athair, ~ town an baile seo againne, for, from, ~ people dár muintir

ours pron, it is ~ is linn é, that one is ~ sin é ár gceann-na; is linne an ceann sin, a friend of ~ cara linn, dúinn, dár gcuid, that son of ~ an mac sin againn

ourselves pron muidne, sinne; (muid, sinn) féin, feeding ~ dár gcothú féin

oust vt cuir amach, díchuir, to ~ a person dul taobh istigh de dhuine

out adv & prep amach, amuigh, ~ of as, way ~ slí amach, the tide is ~ tá sé ina thrá

out-and-out a & adv corpanta, críochnaithe; amach is amach

outbid vt, ~ding each other ag ceantáil ar a chéile

outbreak n briseadh amach, ráig, plá; éirí amach

outburst n briseadh amach, brúchtadh, pléascadh, racht

outcast n díbeartach

outcome n toradh, iarmhairt, éifeacht

outcry n gáir, gleo; agóid

outdo vt sáraigh, buaigh ar

outdoor a lasmuigh adv, ~s lasmuigh, amuigh faoin aer

outer a lasmuigh, amuigh, seachtrach

outfit n trealamh, fearas, feisteas

outfitter n feisteoir

outgoing n dul amach, fágáil pl caiteachas, eisíocaíochtaí a, (of person) oscailte, ~ mail na litreacha amach, ~ chairman cathaoirleach atá ag dul as oifig

outing n éirí amach

outlandish a coimhthíoch; aisteach, (of place) iargúlta, aistreánach

outlaw n eisreachtaí; meirleach, ceithearnach coille vt eisreachtaigh

outlay n caiteachas

outlet n béal, poll éalaithe, ~ pipe píobán amach, sales ~ cóir dhíolacháin

outline n imlíne, imchruth, fíor; creatlach; cnámha (scéil) vt fíoraigh, imlínigh

outlook n dearcadh, mana

outlying a forimeallach, iargúlta, aistreánach

outnumber vt, to ~ another group bheith níos líonmhaire ná dream eile

out-patient n othar seachtrach

outpost n urphost; teorainn, imeall

outpouring n stealladh, spalpadh, doirteadh

output n táirgeacht, aschur

outrage n éigean, feillbheart, masla, scannal

outrageous a éigneach; scéineach, ainspianta; tréasúil, náireach, maslach, scannalach

outright adv thar barr amach, d'aon iarraidh, scun scan a, ~ lie bréag chruthanta

outset n tús, tosach, at the ~ i dtosach báire

outshine vt, to ~ a person an chraobh, an barr, a bhaint de dhuine

outside n an taobh amuigh, from ~ ón iasacht a amuigh, seachtrach adv amuigh, lasmuigh prep taobh amuigh de, lasmuigh de

outsider n coimhthíoch, éan corr

outsize a fia-, oll-, ábhal-

outskirts n, on the ~ of the city ar imeall, ar bhord, na cathrach

outspoken a neamhbhalbh, díreach, macánta

outstanding a suntasach, tofa, thar cionn, ar fheabhas, sár-, (of debt) le híoc

outstretched a sínte

outstrip vt scoith, sáraigh

outward a amach adv, ~ s amach

outwit vt, to ~ a person an ceann is fearr a fháil ar dhuine, bob a bhualadh ar dhuine

outworn a seanchaite

oval a ubhchruthach, ubhach

ovary n síollann, ubhagán

ovation n gártha molta

oven n oigheann

over prep thar, os cionn adv thall; thart, ~ to America sall, anonn, go Meiriceá, ~ from England anall as Sasana, to fight ~ sth troid faoi rud, do it all ~ again déan as úire é

over- a ain-, for-, os-, ró-,

overall n rabhlaer; forbhríste a iomlán; ginearálta adv ar an iomlán

overawe vt, to ~ a person uamhan a chur ar dhuine

overbalance vt & i, to ~ do chothrom a chailleadh, to ~ sth rud a chur ó chothrom, leataobh a chur ar rud

overbearing a tiarnúil, stróinéiseach

overboard adv thar bord

overcast a gruama, smúitiúil, dúnta, iata, the sky is ~ tá duifean ar an spéir

overcharge n praghas ró-ard, costas breise vt, to ~ a person an iomarca a bhaint de dhuine, barraíocht a ghearradh ar dhuine, duine a shaileadh

overcoat n cóta mór

overcome vt buaigh ar, sáraigh, traoch, cloígh a chloíte, traochta, ~ by the heat marbh ag an teas, lag ón teas

overdo vt, to ~ sth dul thar fóir le rud

overdose n ródháileog

overdraft n rótharraingt

overdraw vt, to ~ a bank account rótharraingt a dhéanamh ar chuntas bainc, to ~ (a description, etc) craiceann rómhaith a chur ar scéal

overdue a, (of account) thar téarma; mall

overestimate vt, to ~ meastachán iomarcach a dhéanamh, to ~ a person rómheas a bheith agat ar dhuine, to ~ a danger áibhéil a dhéanamh faoi chontúirt

overflow n tuile, sceitheadh; píobán sceite; farasbarr vt & i sceith, tuil, cuir thar maoil, báigh

overflowing a taoscach, tuilteach; lán go bruach, lán go béal, ag cur thar maoil

overgrown a fásta, mothrach, ~ swamp

moing, ~ stream cuisleán, ~ spider damhán alla a chuaigh in ainmhéid

overhang n scéimh vt & i, the cliff is ~ing tá an aill ag caitheamh amach, tá scéimh amach ar an aill, ~ing the sea crochta os cionn na farraige

overhaul n mionscrúdú, deisiú vt deisigh, cóirigh

overhead a & adv lastuas, thuas, lasnairde, ~ projector osteilgeoir npl costais riartha

overhear vt, to ~ sth rud a chloisteáil ag dul tharat

overheat vt & i, to ~ téamh an iomarca

overjoyed a, to be ~ lúcháir an tsaoil, riméad, cluaisíní croí, a bheith ort

overland a & adv thar tír, de thalamh

overlap n forluí, rádal vt & i forluigh, fill thar a chéile, the tiles ~ tá scair ag na leacain ar a chéile

overlay n forleagan vt forleag

overleaf adv lastall, thall

overload vt anluchtaigh, forualaigh, to ~ a boat bád a chur thar a breith

overlook vt féach síos ar; logh, maith; dearmad; ciorraigh, ~ing the lake os cionn an locha

overmuch n breis, farasbarr a & adv breise, an iomarca, thar fóir

overnight adv thar oíche

overpopulation n ródhaonra

overpower vt cloígh, treascair

overpowering a treascrach, cloíteach

overrate vt, to ~ sth luach rómhór a chur ar rud, tábhacht rómhór a thabhairt do rud

overreach vt sáraigh, scoith, he ~ed himself chuir sé é féin ar a chorr, thar a acmhainn

overrule vt, to ~ a person rialú in aghaidh duine, to ~ an order ordú a chur ar neamhní

overrun vt treascair, to ~ a country tír a ghabháil ó cheann ceann, a chreachadh, the place was ~ by rats bhí plá fhrancach san áit, ~ by weeds faoi fhiaile, to ~ the time dul thar am

overseas a & adv thar lear, thar sáile, thar toinn

oversee vt, to ~ men, work fir, obair, a fheighil; maoirseacht a dhéanamh ar fhir, ar obair

overseer n maor, saoiste, feitheoir, feighlí

overshadow vt dubhaigh, scáthaigh, to ~ sth scáil a chaitheamh ar rud, to ~ a person an solas, barr, a bhaint de dhuine, ~ed faoi scáth

overshoot vt, to ~ the mark dul thar cailc, thar sprioc, thar fóir; dul rófhada

oversight n dearmad, neamart, faillí

oversleep vi, he overslept chodail sé amach é

overspill n sceitheadh

overspread vt sceith thar, leath thar

overstatement n áibhéil

overstep vt, to ~ the mark dul thar cailc, dul thar fóir

overt a oscailte, follas, os ard

overtake vt tar suas le, beir ar; téigh thar, scoith, darkness overtook them rug an oíche orthu

overtax vt maslaigh, to ~ oneself with sth dul thar do dhícheall, thar d'acmhainn, le rud

overthrow n treascairt, turnamh vt treascair, coscair, cloígh, leag

overtime n ragobair

overtone n forthon; seachbhrí, leid

overture n oscailt, tús (margaíochta); réamhcheol

overturn vt & i iompaigh

overweight a, to become ~ titim chun meáchain

overwhelm vt traoch, cloígh, treascair, báigh, slog

overwhelming a coscrach, millteanach, ~ wave tonn bháite

overwork n iomarca oibre, strus vt & i tiomáin, maslaigh, to ~ a phrase abairt a úsáid rómhinic

ovulation n ubhsceitheadh

ovum n ubhán

owe vt, to ~ money to a person airgead a bheith ag duine ort, I ~ it dlitear díom é

owing a, ~ to de bharr, mar gheall ar

owl n ulchabhán, ceann cait, barn ~ scréachóg reilige

own a féin, dílis, to be on one's ~ bheith ar d'ábhar féin, ar do chonlán féin, to hold one's ~ against others ceart a bhaint de dhaoine eile vt & i, I ~ it is liom é, to ~ to a mistake earráid a admháil

owner n úinéir, the ~ of the dog an té ar leis an madra

ownership n úinéireacht, dílseacht

ox n damh

oxide n ocsaíd

oxidize vt ocsaídigh

oxygen n ocsaigin

oyster n oisre

oyster-bed n beirtreach

oyster-catcher n roilleach

ozone n ózón

P

pace n coiscéim, coisíocht, luas vt & i siúl (de choiscéim thomhaiste)

pace-maker n, (sport) séadaire

pacific a síochánta, P~ Ocean an tAigéan Ciúin

pacifist n síochánaí

pacify vt ceansaigh, ciúnaigh, síothaigh, suaimhnigh, bain faoi

pack n paca, burla, (of hounds) conairt, (of persons) scata vt & i pacáil, sac, ding, stuáil, líon, plódaigh, ~ in éirigh as, stop, clis

package n pacáiste

packer n pacálaí

packet n paicéad

packing n pacáil, stuáil

pact n socrú, comhaontú

pad[1] n pardóg, pillín vt stuáil, to ~ out a report, etc tuairisc etc a chur i bhfadscéal

pad[2] vi, to ~ about bheith ag siúl thart go coséadrom

padding n stuáil, líonadh

paddle[1] n céasla vt & i céaslaigh

paddle[2] vi, paddling ag lapadáil (in uisce)

paddling n céaslóireacht; lapadaíl, ~ pool linn lapadaíola

paddock n banrach

padlock n glas fraincín vt, to ~ sth glas fraincín a chur ar rud

paediatrics *npl* péidiatraic

pagan *n* págánach *a* págánta

page[1] *n* péitse, giolla

page[2] *n* leathanach

pageant *n* glóir-réim, tóstal

pail *n* feadhnach, gogán, pigín, buicéad

pain *n* pian, diachair, dócúl, greim, daigh, *to take* ~s *with sth* saothar, dua, a chaitheamh le rud *vt* pian, goill ar

painful *a* pianmhar, nimhneach, daigheartha, tinn, goilliúnach

pain-killer *n* pianmhúchán

painstaking *a* saothrach, dícheallach, *to be* ~ *with sth* dua a fháil ó rud

paint *n* péint, dath *vt & i* péinteáil, dathaigh

painter *n* péintéir, dathadóir

pair *n* cúpla, péire; beirt, dís; lánúin *vt & i* péireáil, *they* ~*ed off* chuaigh siad ina mbeirteanna

pal *n* comrádaí, compánach

palace *n* pálás

palatable *a* dea-bhlasta, (*of doctrine, etc*) taitneamhach, so-ghlactha

palate *n* carball, coguas

pale[1] *n* cuaille, stacán, *the P* ~ an Pháil

pale[2] *a* mílítheach, meata, bán; báiteach, éadrom *vi* bánaigh, *she* ~*d* d'iompaigh an lí bhán uirthi

palette *n* pailéad

paling *n* páil, sonnach

palisade *n* pailis, sonnach

pall *n* brat, ~ *of smoke* dlúimh dheataigh

palliative *n & a* maolaitheach

pallid *a* glas, bánlíoch, báiteach

palm[1] *n*, (*tree*) pailm, *P* ~ *Sunday* Domhnach na Pailme, Domhnach na hInrime, *he was awarded the* ~ tugadh an chraobh dó; rug sé an mhír leis

palm[2] *n* bos, dearna *vt, to* ~ *a card* cárta a fholú i do lámh, *to* ~ *off* (*sth on a person*) rud a bhualadh, a chur, ar dhuine

palmist *n* bean chrosach, dearnadóir

palmistry *n* dearnadóireacht

palpable *a* inbhraite

palpitate *vi, my heart was palpitating* bhí mo chroí ag preabadh, bhí fuadach ar mo chroí

palsy *n* pairilis; creathach

paltry *a* suarach, beag, dearóil

pamper *vt, to* ~ *a person* peataireacht a dhéanamh ar dhuine

pamphlet *n* paimfléad

pampootie *n* pampúta

pan *n* panna

panacea *n* uile-íoc

pancake *n* pancóg

pancreas *n* briseán, paincréas

panda *n* panda

pandemonium *n* racán, rírá, scaoll

pander *vi, to* ~ gníomhú ar son lucht drúise, *to* ~ *to vice* na droch-chlaonta a shásamh

pane *n* pána, gloine fuinneoige

panegyric *n* adhmholadh; duan molta *a* adhmholtach

panel *n* painéal; liosta *vt* painéal

pang *n* daigh, deann, arraing *pl* íona

panic *n* scaoll, líonrith, anbhá, gealtachas *a*, ~ *buying* scaollcheannach *vi*, *they* ~*ked* chuaigh siad i scaoll

pannier *n* pardóg, cliabh, feadhnach, painnéar

panorama *n* lánléargas

pansy *n* goirmín; piteog

pant *n* cnead, séideán *vi* cnead, séid, *he was* ~*ing* bhí saothar air, bhí ga seá ann

pantaloon *n* pantalún

panther *n* pantar

panties *n* brístín

pantomime *n* geamaireacht; pantaimím

pantry *n* pantrach, landair

pants *n* bríste

papacy *n* pápacht

papal *a* pápach

paper *n* páipéar; nuachtán *pl* cáipéisí *vt, to* ~ *a room* páipéar a chur ar bhallaí seomra

paperback *n* bogchlúdach; leabhar faoi chlúdach bog

paper-hanger *n* páipéaróir

paper-weight *n* tromán páipéir

papist *n* pápaire

par *n, on a* ~ *with* i gcothrom le, ar aon chéim le, *at* ~ *ar* cothrom

parable *n* fáthscéal, parabal

parachute *n* paraisiút

parade *n* taispeántas, mustar; paráid, máirseáil, mórshiúl *vt & i* cuir ar taispeáint; cuir ar paráid; máirseáil

paradise *n* parthas

paradox *n* frithchosúlacht, paradacsa

paraffin *n* pairifín, ola mhór, gás

paragon *n* eiseamláir, patrún

paragraph *n* alt, paragraf

parallel *n* pairiléal, line chomh-threomhar; line dhomhanleithid, (*of comparison*) comórtas *a* comhthreomhar, pairiléalach *vt, to ~ two things* dhá rud a chur i bparailéal le chéile; dhá rud a chur i gcomórtas le chéile

parallelogram *n* comhthreomharán

paralyse *vt* éagumasaigh, *to ~* pairilis a chur ar, *~d with cold* stromptha le fuacht

paralysis *n* pairilis; leitís mharfach

parameter *n* paraiméadar

paramount *a, of ~ importance* fíorthábhachtach

paranoia *n* paranóia

parapet *n* uchtbhalla, forbhalla, slatbhalla

paraphernalia *npl* giurléidí, trealamh, ciútraimintí

paraphrase *n* athinsint, athleagan

parasite *n* seadán, paraisít; (*of person*) súmaire

parasol *n* parasól

paratrooper *n* paratrúipéir

parboil *vt* cnagbheirigh; faoisc

parcel *n* giota; beart; *~ of land* dáileacht (talún) *vt, to ~ out sth* rud a roinnt ina chodanna

parch *vt & i* tíor, spall, triomaigh, *~ed with thirst*, calctha, spalptha, leis an tart

parchment *n* pár, meamram; cairt

pardon *n* pardún, maithiúnas, *I beg your ~* gabhaim pardún agat *vt* maith, *~ me* gabh mo leithscéal

pardonable *a* inleithscéil, inmhaite, solathach

pare *vt* bearr, smiot, scamh, páráil, *to ~ a pencil* peann luaidhe a bhiorú

parent *n* tuismitheoir

parenthesis *n* idiraisnéis

parer *n, pencil ~* bioróir

parish *n* paróiste; pobal

parishioner *n* paróisteach

parity *n* cothroime

park *n* páirc; loca *vt & i* páirceáil, loc

parking *n* páirceáil, locadh, *~ meter* méadar páirceála

parliament *n* parlaimint, dáil

parlour *n* parlús, *milking ~* bleánlann

parochial *a* paróisteach; cúng

parody *n* scigaithris *vt, to ~ sth* scigaithris a dhéanamh ar rud

parole *n* parúl, *prisoner on ~* príosúnach ar a onóir

paroxysm *n* taom, racht, néal

parquet *n, ~ floor* urlár iontlaise

parricide *n* fíonail; fíonaíolach

parrot *n* pearóid

parse *vt* miondealaigh, parsáil

parsimonious *a* ceachartha, sprionlaithe; barainneach

parsley *n* peirsil

parsnip *n* meacan bán

parson *n* ministir

part *n* cuid, páirt, píosa, roinn, *to play a man's ~* cion fir a dhéanamh; páirt fir a dhéanamh, *for my ~* ó mo thaobhsa de, *in these ~s* sna bólaí, sna himeachtaí, seo, *southern ~* deisceart *vt & i* scar, scoilt, deighil, dealaigh

partake *vi, to ~ of sth* bheith rannpháirteach i rud, *to ~ of a meal* béile a chaitheamh, a dhéanamh

partial *a* neamhiomlán, páirteach, leath-; ceanúil; fabhrach, claonta, taobhach, *~ board* páirtchothú

partiality *n* claon, lé; claontacht

participate *vi, to ~ in sth* bheith páirteach i rud, páirt a ghlacadh i rud

participation *n* páirteachas, rannpháirt

participle *n* rangabháil

particle *n* cáithnín, gráinnín, crithir; mír, páirteagal

particular *n, ~s* sonraí, *in ~* ar leithligh; go mór mór; go sonrach *a* áirithe, ar leith, sonraí; mionchúiseach, cáiréiseach, nósúil

parting *n* scoilt; scaradh

partisan *n* páirtíneach, páirtiséan *a* claonpháirteach, leataobhach

partition *n* deighilt, críochdheighilt; (*wall*) landair *vt* deighil, idir-roinn

partly *adv* breac-, páirt-, leath-,

partner *n* páirtí *vt, to ~ a person* bheith i bpáirt, i gcomhar, le duine; bheith mar pháirtí ag duine

partnership *n* páirtíocht; comhar, páirt

partridge *n* patraisc

part-time *a* páirtaimseartha

party *n* páirtí, buíon, meitheal, muintir; cóisir

paschal *a* cáscúil, ~ *fire* tine chásca

pass[1] *n* bearnas, bealach, mám

pass[2] *n* pas, cead, *it came to* ~ tháinig sé i gcrích; fíoraíodh é *vt & i* téigh thar, gabh thar, scoith, *(of time)* imigh, *the years are* ~*ing* tá na blianta á gcaitheamh, *if they* ~ *the examination* má éiríonn leo sa scrúdú, *he has* ~*ed forty* tá an daichead glanta, sáraithe, aige, ~ *me the sugar* sin, cuir, chugam an siúcra, *to* ~ *an act* acht a rith, *he* ~*ed away* shíothlaigh sé, ~*ing by* ag dul thar bráid, *I was* ~*ed over* rinneadh leithcheal orm; rinneadh neamhshuim díom, *to* ~ *out* titim i laige, i meirfean, *to let sth* ~ rud a scaoileadh tharat, *to* ~ *the ball* an liathróid a sheachadadh

passable *a* measartha, cuibheasach

passage *n* pasáiste; paisinéireacht; bealach, *(extract)* sliocht, ceacht, *with the* ~ *of time* le himeacht aimsire

passenger *n* paisinéir

passion *n* paisean, ainmhian, racht, teasaíocht, *the P* ~ *of Christ* Páis Chríost

passionate *a* paiseanta, ainmhianach, rachtúil, teasaí

Passionist *n* Páiseadóir

passive *a* fulangach; támh, ~ *voice* faí chéasta

passivity *n* fulangacht

Passover *n* Cáisc (na nGiúdach)

passport *n* pas

past *n, in the* ~ san am atá caite *a* caite, thart, ~ *pupil* iarscoláire, *the* ~ *week* an tseachtain seo a ghabh tharainn *prep & adv* thar, thart, lastall de, *half* ~ *one* leath i ndiaidh a haon

paste *n* leafaos, taois; smeadar *vt* taosaigh; spréigh, smear, *to* ~ *up a notice* fógra a chur suas, a ghreamú in airde

pasteboard *n* clár taois

pastel *n* peastal *a* báiteach

pasteurize *vt* paistéar

pastille *n* paistil

pastime *n* caitheamh aimsire, fastaím

pastor *n* aoire, tréadaí

pastoral *a* tréadlitir *a* tréadach

pastry *n* taosrán; pastae; borróg

pasture *n* féarach *vt & i, to* ~ *cattle* beithigh a chur ar féarach, *the cattle are pasturing* tá na beithigh ag innilt, ag iníor

pasty *n* pastae *a* taosach, práibeach, ~ *face* aghaidh thuartha

pat *n* boiseog, paiteog, ~ *of butter* cnapán, millín, ime *adv* go paiteanta, *she gave it out* ~ tháinig sé go pras léi *vt, to* ~ *sth* boiseog a thabhairt do rud, rud a shliocadh

patch *n* paiste, preabán; geadán, treall; ceapóg; giota, *level, green* ~ lántán, mínleog, plásóg *vt* paisteáil, píosáil

patchwork *n* obair phaistí, obair phíosála, *(of fields, etc)* breacachan, ~ *quilt* cuilt bhreac

patchy *a* sceadach, plaiteach, treallach

paten *n* paiteana

patent *n* paitinn *a* paiteanta, ~ *leather* snasleathar *vt* paitinnigh

paternal *n* athartha, aithriúil

paternity *n* atharthacht

paternoster *n* paidir; an Phaidir, Ár nAthair

path *n* cosán, raon, conair, cabhsa

pathetic *a* truamhéalach

pathology *n* paiteolaíocht

patience *n* foighne, *to have* ~ *with a person* foighneamh, foighne a dhéanamh, le duine

patient *n* othar *a* foighneach, fulangach, fadaraíonach

patriarch *n* patrarc, uasalathair

patriarchal *a* patrarcach, uasalathartha

patriot *n* tírghráthóir

patriotic *a* tírghrách

patriotism *n* tírghrá

patrol *n* patról *vt, to* ~ *an area* patról a dhéanamh ar líomatáiste

patron *n* pátrún, éarlamh; caomhnóir, ~ *s of the theatre* gnáthóirí drámaí

patronage *n* pátrúnacht; coimirce

patronize *vt, to* ~ *a person* duine a ghlacadh faoi do choimirce, pátrúnacht a dhéanamh ar dhuine; uasal le híseal a dhéanamh ar dhuine, *to* ~ *a shop* siopa a thaithiú, a ghnáthú

patronizing *a* coimirceach; smuilceach, tiarnúil

patter[1] *n* titim coiscéimeanna, ~ *of rain* clagarnach, rince, báistí

patter[2] *n* clabaireacht, gliogaireacht, deilín *vi, to* ~ *bheith ag clabaireacht*

pattern *n* patrún, eiseamláir, *(of design)* gréas; pátrún

paucity *n* gainne, teirce, laghad

paunch n méadail, máróg

paunchy a méadlach, marógach

pauper n bochtán

pause n stad, sos, moill, idirlinn vi stad, moilligh

pave vt pábháil, greagnaigh, ~d floor urlár leac

pavement n pábháil; cosán sráide

pavilion n pailliún

paw n lapa, crág, crobh vt & i crúbáil, crágáil, ~ing glacaireacht

pawn n ceithearnach, fichillín vt pánáil, geallearb, to ~ sth rud a chur i ngeall

pawnbroker n geallbhróicéir

pawnshop n teach gill, pán

pay n pá vt & i íoc, díol, to ~ a visit cuairt a thabhairt, ~ him back in kind tabhair tomhas a láimhe féin dó

payable a iníoctha

payee n íocaí

payer n íocóir

payment n íocaíocht, íoc, díolaíocht

pay-related a páchoibhneasta

pay-sheet n pádhuille

pea(s) n pis, piseánach

peace n síocháin, suaimhneas

peaceful a síochánta, sítheach, suaimhneach, sámh

peach n péitseog

peacock n péacóg

peak n, (of cap) píce, speic, feirc, (of mountain, etc) binn, stuaic, at the ~ of his career in ard a réime

peal n cling, clogarnach, ~ of thunder blosc toirní, ~ of laughter racht gáire vt & i buail, cling

peanut n pis talún

pear n piorra

pearl n péarla

pearly a néamhanda, péarlach

peasant n tuathánach, fear (bean) tíre

peat n móin

peat-moss n fionnmhóin, súsán, caonach móna

pebble n púróg, póirín, méaróg

pebbly a cloichíneach, púrógach, ~ beach duirling

peck[1] n piocadh, priocadh vt & i pioc, prioc, giob

peck[2] n, (measure) peic

peckish a, to feel ~ ré-ocras a bheith ort

pectin n peictin

peculiar a leithleach, sonraíoch; aisteach, saoithiúil, ait

peculiarity n aiste, aiteacht; saintréith; sonraíocht, leithleachas

pedagogy n oideolaíocht

pedal n troitheán

pedant n saoithín

peddle vt & i reic, peddling ag mangaireacht, ag peidléireacht

pedestal n cos, bonn, to put a person on a ~ dia beag a dhéanamh de dhuine

pedestrian n coisí, troitheach, ~ crossing trasrian coisithe a liosta, leamh, coitianta

pedigree n ginealach, craobh ghinealaigh, (certificate) pórtheastas a, ~ herd tréad ginealaigh

pedlar n mangaire, peidléir

peek vi píceáil, ~ing ag gliúcaíocht

peel n craiceann (úill, práta, etc) vt & i scamh, sceith

peep n gíog; gliúc, ~ of day, fáinne an lae vi, to ~ at sth spléachadh a thabhairt ar rud, the sun was ~ing up bhí an ghrian ag gobadh aníos

peer[1] n comhghleacaí; tiarna, piara

peer[2] vi, ~ing at sth ag glinniúint, ag amharcaíl, ag gliúcaíocht, ar rud

peevish a cantalach, mícheádfach, ceasnúil, cianach

peg n bacán, stang, pionna, cnoga, to take a person down a ~ an giodam a bhaint as duine vt & i stang, to ~ sth rud a cheangal le pionnaí, to ~ away at sth greadadh leat, oibriú leat, ar rud

pelican n peileacán

pellet n grán, millín

pelmet n téastar (fuinneoige)

pelt[1] n craiceann, leadhb, seithe

pelt[2] vt & i gleadhair, rad, rúisc, crústaigh, ~ing rain clagarnach bháistí; ag gleadhradh báistí

pelvis n peilbheas

pen[1] n peann vt scríobh, breac

pen[2] n cró, gabhann, loca vt loc

penal a peannaideach, pianúil, the P~ Laws na Péindlíthe, ~ servitude pianseirbhís

penalize vt pionósaigh, to ~ a person pionós a chur ar dhuine

penalty n pionós, cáin; cic éirice

penance n aithrí, breithiúnas aithrí, peannaid

pencil *n* peann luaidhe, pionsail, ~ *of light* spíce solais, ~ *sharpener* bioróir

pendant *n* siogairlín

pendent *a* crochta, siogairlíneach, ~ *object* siogairlín, silín

pending *a* ar feitheamh *prep*, ~ *his return* go dtí go bhfillfidh, go bhfillfeadh, sé

pendulum *n* luascadán

penetrate *vt* & *i* gabh trí, poll, treáigh, *it* ~ *d to the bone* chuaigh sé isteach go cnámh

penetration *n* polladh, treá; géire (intinne)

penguin *n* piongain

penholder *n* peannghlac

penicillin *n* peinicillin

peninsula *n* leithinis

penis *n* bod, slat, péineas

penitent *a* & *a* aithríoch

penknife *n* scian phóca

penmanship *n* peannaireacht, scríbhneoireacht

pen-name *n* ainm cleite

penniless *a* gan phingin, dealúsach

penny *n* pingin

pension *n* pinsean, *old-age* ~ seanphinsean *vt*, *to* ~ *a person off* duine a chur amach ar pinsean

pensioner *n* pinsinéir

pensive *a* smaointeach

pent *a* druidte, loctha, *pent-up emotion* racht, tocht, nach ligfí amach

pentagon *n* peinteagán

Pentecost *n* Cincís

Pentecostal *a* Cincíseach

penthouse *n* díonteach; cleiteán

penury *n* gannchuid, gannchúis, dealús, lom-angar

people *n* pobal, muintir, bunadh; daoine, *the* ~ *who make poteen* lucht déanta poitín *vt* áitrigh

pepper *n* piobar

peppermint *n* lus an phiobair; milseán miontais

perambulator *n* naíchóiste, pram

perceive *vt* airigh, braith, mothaigh, sonraigh

percentage *n* céatadán

perceptible *a* inbhraite

perception *n* aireachtáil, mothú, ciall, brath; céadfa

perceptive *a* braiteach; grinn, léirsteanach

perch[1] *n*, (*fish*) péirse

perch[2] *n* stáitse, fara, suíochán, (*measure*) péirse *vt* & *i*, ~ *on* tuirling ar, suigh ar, ~ *ed precariously* ar forbhás, ~ *ed on the cliff edge* suite ar bhruach na haille

percolate *vt* & *i* snigh, síothlaigh, scag, úsc

percussion *n* forbhualadh, greadadh, ~ *instrument* cnaguirlis

peremptory *a* dofhreagartha; absalóideach; diongbháilte, tiarnúil, údarásach

perennial *n* ilbhliantóg, trébhliantóg *a* síoraí, buan, síor-; ilbhliantúil, trébhliantúil

perfect *a* foirfe, slán, ar fheabhas, gan cháim, ~ *stranger* dústrainséir, ~ *fool* amadán cruthanta *vt* cuir i gcrích, foirfigh, tabhair chun foirfeachta

perfection *n* foirfeacht

perfectly *adv* go foirfe, gan cháim, go feillbhinn, go paiteanta

perforate *vt* poll, toll

perforation *n* bréifin; polladh

perform *vt* & *i* déan; gníomhaigh; comhaill, comhlíon, *to* ~ *in a play* páirt a thógáil, a dhéanamh, i ndráma

performance *n* comhall, comhlíonadh; feidhmiú, gníomhaíocht, (*of play*) léiriú

performer *n* gníomhaí; aisteoir, seinnteoir, oirfideach

perfume *n* cumhracht; cumhrán, mos *vt* cumhraigh

perhaps *adv* b'fhéidir

perigee *n* peirigí

peril *n* gábh, priacal, guais

perilous *a* priaclach, baolach, guaiseach, ~ *seas* na tonnta báite

perimeter *n* imlíne

period *n* achar, aga, seal, tráth; tréimhse; lánstad, (*menses*) cúrsaí, daonnacht

periodical *n* tréimhseachán *a* tréimhsiúil, féiltiúil

peripheral *a* forimeallach

periscope *n* peireascóp

perish *vt* & *i* éag; feoigh, searg; stiúg, *we were* ~ *ed with cold* bhíomar préachta, leata, caillte, leis an bhfuacht

perishable *a* meatach, díomuan

peritonitis *n* peireatoiníteas

periwig *n* peiriúic

periwinkle n faocha, miongán

perjure vt, to ~ oneself mionn, leabhar, éithigh a thabhairt

perjury n mionnú éithigh

perk vi, to ~ up bíogadh, misneach a ghlacadh

perkiness n giodal

perky a goiciúil, prapanta, bíogúil

permanence n buaine, síoraíocht

permanent a buan, seasta

permeable a tréscaoilteach

permeate vt & i, to ~ sth dul faoi rud, leathadh ar fud ruda, sileadh trí, sú trí

permissible a ceadaithe, ceadmhach

permission n cead, ceadú

permissive a ceadaitheach

permit n ceadúnas, cead vt ceadaigh, lamháil, lig

permutation n iomalartú

pernicious a díobhálach, dochrach, millteach, ~ anaemia anaemacht mharfach

pernickety a éisealach, léirsteanach, mionchúiseach, cáiréiseach, íogair

peroxide n sárocsaíd

perpendicular n ingear a ingearach, díreach

perpetrate vt, to ~ a blunder botún a dhéanamh, to ~ an injustice on a person éagóir a imirt, a dhéanamh, ar dhuine

perpetual a síoraí, suthain, buan-, síor-

perpetuate vt buanaigh

perplex vt mearaigh, to ~ a person duine a chur i bponc

persecute vt cloígh le, lean de; cráigh, céas, to ~ people géarleanúint a chur, a dhéanamh, ar dhaoine

perseverance n buanseasmhacht, síoraíocht

persevere vi righnigh, coinnigh ort, to ~ with one's work bheith buanseasmhach i gceann do chuid oibre

persist vi lean ar, mair

persistence n buanseasmhacht, marthanacht; stalcacht, ceanndánacht

persistent a seasmhach, tuineanta, buan, síoraí

person n duine, pearsa, neach, the ~ who said it an té a dúirt é

personable a pearsanta, gnaíúil, dóighiúil

personal a pearsanta, to take sth as ~ rud a thógáil chugat féin

personality n pearsantacht

personate vt pearsanaigh

personification n pearsantú

personify vt pearsantaigh

personnel n foireann, pearsanra a, ~ section rannóg phearsanra

perspective n peirspictíocht, to see a matter in its true ~ rud a fheiceáil ina cheart, léargas ceart a fháil ar rud

perspex n peirspéacs

perspicacious a grinn, géarchúiseach

perspiration n allas

perspire vi, to ~ allas a chur

persuade vt, to ~ a person of sth rud a áitiú, a chur ina luí, ar dhuine

persuasion n áitiú

persuasive a áititheach, mealltach

pert a clóchasach, ladúsach, prapanta

pertain vi, and all that ~s to it agus a leanann é, agus a mbaineann leis, it ~s to the ceremony is den searmanas é

pertinacious a dígeanta

pertinent a ag baint le hábhar, oiriúnach, cuí

perturb vt buair, suaith

perusal n léamh, grinniú, scrúdú

pervasive a forleathan

perverse a fiar, saobh, claon; doranna, he was always ~ bhí an earráid, an fiar, riamh ann

perversion n claon(adh), saobhadh

perversity n saofacht; contráilteacht, stuacacht, codarsnacht

pervert n séantóir (creidimh), saofóir vt claon, saobh, fiar

pessimism n duairceas, éadóchas

pest n plá, claimhe, crá; lotnaid

pester vt ciap, pláigh

pesticide n lotnaidicíd

pestilence n aicíd, plá, galar

pestle n tuairgnín, smiste

pet n peata; maicín vt, to ~ a child peataireacht, bánaí, a dhéanamh le leanbh; peataireacht a dhéanamh ar leanbh

petal n peiteal

peter vi, to ~ out teacht chun deiridh, dul i ndísc, dul in éag, síothú

petition n achainí, iarratas, impí vt achainigh (ar), guigh

petitioner n achainíoch, impíoch, iarrthóir

petrel n guairdeall, *storm* ~ peadairín na stoirme

petrify vt & i clochraigh, *I was petrified* rinneadh staic díom

petrol n peitreal, artola

petroleum n peitriliam

petticoat n cóitín, cóta beag; fo-ghúna

pettiness n suarachas

pettish a leanbaí, maicíneach, míchéadfach

petty a mion; suarach, ~ *cash* mionairgead, ~ *session* cúirt ghairid

petulant a stainceach, míchéadfach, cantalach

pew n suíochán, binse teampaill

pewter n péatar

phantom n samhail, scáil, fuath

Pharisee n Fairisíneach

pharmacist n cógaiseoir, poitigéir

pharmacology n cógaseolaíocht

pharmacy n cógaisíocht, *(shop)* cógaslann

pharynx n faraing

phase n céim vt, *to* ~ *out sth* rud a chur ar ceal, a dhíothú, de réir a chéile

pheasant n piasún

phenomenon n feiniméan

philanderer n cliúsaí

philanthropist n daonchara

philanthropy n daonchairdeas, daonnachtúlacht

philatelist n bailitheoir stampaí

philately n bailiú stampaí

Philistine n & a Filistíneach

philology n focleolaíocht

philosopher n fealsamh

philosophical a fealsúnach

philosophy n fealsúnacht

philtre n upa

phlegm n réama, crochaille; fuarchúis

phlegmatic a réamach; fuarchúiseach

phobia n fóibe

phone n fón, guthán vt & i, *to* ~ *a person* glaoch ar dhuine (ar an bhfón), glao gutháin a chur ar dhuine

phonetics n foghraíocht

phoney a bréagach

phosphate n fosfáit

phosphorescence n méarnáil

phosphorus n fosfar

photocopy n fótachóip

photogenic a fótaigineach

photograph n grianghraf, fótagraf

photographer n grianghrafadóir

photography n grianghrafadóireacht, fótagrafaíocht

photostat n fótastat, fótachóip

phrase n frása, abairt, focal, leagan cainte; mír vt, *that's how he* ~ *d it* sin mar a chuir sé (i gcaint) é

physical a colanda, fisiceach, ~ *education* corpoideachas

physician n lia, dochtúir

physicist n fisiceoir

physics npl fisic

physiognomy n gné-eolaíocht

physiology n corpeolaíocht, fiseolaíocht

physiotherapist n fisiteiripeach

physiotherapy n fisiteiripe

physique n déanamh (coirp), cruthaíocht

pianist n pianódóir

piano n pianó

pick¹ n piocóid

pick² n ruainne, giob; togha, rogha, scoth, sméar mhullaigh vt pioc, giob, bain, cnuasaigh; roghnaigh, *to* ~ *a bone* cnámh a chreimeadh, *you would* ~ *him out in a crowd* shonrófá i gcruinniú é

pick-axe n piocóid

picket n picéad vt picéadaigh

picking n piocadh pl piocarsach; fuílleach; solamar, éadáil

pickle n & vt picil

pickpocket n piocaire póca, peasghadaí

pick-up n glacaire

picnic n picnic

pictorial a pictiúrtha

picture n pictiúr, *he is the* ~ *of health* tá dreach, bláth, na sláinte air vt samhlaigh

picturesque a pictiúrtha

pie n píóg, pastae

piebald a alabhreac, ballach

piece n píosa, mír, giota; dréacht, *tenpenny* ~ píosa deich bpingine vt píosáil, paisteáil; cuir le chéile

piecework n tasc (obair), tascóireacht

pied a breac, alabhreac

pier n cé, piara

pierce vt poll, toll, treáigh

piercing a polltach, tolltach, treáiteach, ~ *cry* uaill chroscrach

piety n cráifeacht, naofacht

pig n muc

pigeon n colúr

piggery n muclach, cró muice

pigheaded a ceanndána, stuacach

piglet n arcán, banbh

pigment n lí

pigmentation n lí

pigmy n lucharachán, pigmí

pig-nut n cúlarán

pig-sty n fail muice, cró muice, mucais

pike¹ n píce, (fish) liús, gailliasc vt píceáil

pike² n paidhc

pilchard n seirdín

pile¹ n carn, cruach, cual, moll vt & i cruach, carn; plódaigh (isteach)

pile² n, (stake) píle

pile³ n clúmh, (of cloth) caitín, bruth

piles npl daorghalar, fíocas

pilfer vt & i bradaigh, ~ing ag mionghadaíocht

pilferer n bradaí

pilgrim n oilithreach

pilgrimage n oilithreacht, turas

pill n piollaire

pillage n slad, creach vt & i slad, creach

pillar n colún, piléar, polla

pillar-stone n gallán, stollaire, coirthe

pillion n cúlóg, pillín, riding ~ ar cúlóg, ar cúla

pillion-rider n cúlóg

pillory n píolóid

pillow n adhairt, piliúr

pillow-case n clúdach piliúir

pilot n píolóta a píolótach vt píolótaigh, to ~ a person to a place duine a stiúradh chun áite

pimple n goirín

pin n biorán, pionna, dealg, ~s and needles codladh grifín, eanglach, it will put me to the ~ of my collar rachaidh sé géar orm, rachaidh sé go beilt an chláimh orm vt pionnáil, he was ~ned down under a tree bhí sé i ngreim, i bhfostú, faoi chrann, to ~ down a person duine a theanntú

pinafore n pilirín

pincers npl pionsúr, greamaire, teanchair; ordóga (portáin)

pinch n liomóg, scealpóg; gráinnín, pinse, deannóg vt, to ~ a person liomóg, miotóg, a bhaint as duine, to ~ sth rud a bhradú, a ghoid

pincushion n pioncás

pine¹ n péine; giúis; giúsach

pine² vi, pining away ag meath, ag cnaí, she was pining for the child bhí sí ag caitheamh i ndiaidh an linbh

pineapple n anann

pine-needles npl spíonlach giúise

ping-pong n leadóg bhoird

pinion n eite, pinniún vt, they ~ed his arms to his sides cheangail siad a lámha dá thaobhanna

pink n, (flower) caoróg léana; pinc, in the ~ of health chomh folláin le breac, i mbláth na sláinte a pinc, bándearg

pinnacle n buaic, spuaic, starraic, stolla

pin-point vt, to ~ sth rud a thaispeáint go cruinn, do mhéar a leagan ar rud

pint n píonta

pioneer n ceannródaí, téisclimí, (abstainer) staonaire

pious a cráifeach, diaganta, beannaithe

pip¹ n, (in fowl) cíb, dioc, píobloach, they would give you the ~ chuirfidís déistin, samhnas, breoiteacht, ort

pip² n, (of fruit) síol

pip³ n, (of radio) gíog, buille

pip⁴ n, (on cards, etc) spota

pip⁵ vt, to ~ a person duine a shárú, an bhearna a bhaint de dhuine

pipe n píopa, píobán, uillean ~s píb uilleann

pipeline n píbline

piper n píobaire

piping n píobaireacht, séideadh píob, (dressmaking) cuisliú

pipit n riabhóg

piquant a goinbhlasta; inspéise

pique n múisiam, stainc vt, to ~ a person múisiam, stainc, a chur ar dhuine; spéis a mhúscailt i nduine

pirate n foghlaí mara, píoráid

pirouette n fiodrince vi, to ~ fiodrince a dhéanamh

Pisces npl na hÉisc

piss n & vi mún

pistil n pistil

pistol n piostal

piston n loine

pit n clais, log, sloc, poll, ~ of stomach log an ghoile vt & i, to ~ potatoes prátaí a chur i bpoll, to ~ oneself against a person dul i gcoimhlint le duine

pitch¹ n pic

pitch² *n* teilgean, caitheamh, crochadh, *(of sound)* airde, *(playing-field)* páirc imeartha *vt & i* pitseáil, caith, teilg, *to ~ camp* campa a shuí

pitch-and-toss *n* caitheamh pinginí

pitch-dark *a*, ~ *night* oíche dhuibhré

pitcher¹ *n* pitséar

pitcher² *n* teilgeoir

pitchfork *n* pice *vt* píceáil

piteous *a* truamhéalach, truacánta

pith *n* laíon, smúsach, smior; brí, tathag

pithy *a*, *(of speech)* aicearrach, gonta; éifeachtach

pitiful *a* trua, cásmhar, truacánta; suarach, náireach

pitiless *a* míthrócaireach, gan trua

pittance *n*, *a mere ~* cuid an bheagáin

pitted *a* logánach, slocach, criathrach; brocach, crosach

pity *n* trua, truamhéala, *what a ~* nach mór an trua, an peaca, é; chí Dia sin; is é an mhairg, an scrupall, é *vt*, *to ~ a person* trua a bheith agat, a dhéanamh, a ghlacadh, do dhuine

pivot *n* lúdrach, maighdeog, mol *vt & i*, *to ~ casadh* ar maighdeog

placard *n* fógra

placate *vt* sásaigh, suaimhnigh, bain faoi

place *n* áit, ball, ionad, láthair *vt* leag, cuir, suigh

place-name *n* logainm

placenta *n* placaint, slánú

placid *a* séimh, mín, sámh, moigli, sochma, ciúin

plague *n* plá, grathain *vt* ciap, pláigh, *plaguing me with questions* do mo chéasadh le ceisteanna

plaice *n* leathóg bhallach, plás

plaid *n* breacán

plain *n* má, machaire, clár *a* soiléir, follasach; pléineáilte, *the ~ truth* clár, glan, na fírinne

plaintiff *n* éilitheoir, gearánaí

plaintive *a* caointeach, cásmhar, truacánta, faíoch

plait *n* dual, trilseán; fí *vt* trilsigh, figh

plan *n* plean, beart, scéim *vt & i* beartaigh, pleanáil

plane *n* clár, plána, locar *vt* plánáil, locair *to ~ down a board* clár a scamhadh

planet *n* pláinéad

plank *n* planc *vt*, *to ~ sth down* rud a phlancadh síos

plankton *n* planctón

planner *n* pleanálaí

planning *n* pleanáil

plant *n* planda, luibh, lus, *(machinery, etc)* gléasra, fearas *vt* plandaigh, plandáil, cuir, *(of colony)* plandáil, *to ~ a stake in the ground* cuaille a shá sa talamh

plantain *n*, *(ribwort)* slánlus, *(round-leaved)* cuach Phádraig

plantation *n* plandáil, *(grove)* fáschoill, garrán

planter *n* plandóir

planxty *n* plancstaí

plaque *n* plaic

plasma *n* plasma

plaster *n* plástar, *adhesive ~* greimlín *vt & i* plástráil; dóibeáil

plasterer *n* pláistéir

plastic *n* plaisteach *a* plaisteach; somhúnlaithe

plasticine *n* marla, plastaicín

plate *n* lann; pláta, *silver ~* soithí airgid *vt* plátáil

plateau *n* ardchlár

plate-glass *n* plátghloine

platform *n* ardán, léibheann, stáitse, ~ *of bus* tairseach bus

platinum *n* platanam

platitude *n* léireasc

platonic *a* platónach

platter *n* mias

plausible *a* dealraitheach, *(of person)* plásánta, slíoctha, *a ~ story* scéal a bhfuil dath, dealramh na fírinne, air; scéal craicneach

play *n* imirt, spraoi, imeartas; ligean; dráma, ~ *centre* ionad súgartha *vt & i* imir, *(music)* seinn, cas, *(of light)* cigil, imir, ~*ing* ag súgradh, ag spraoi

play-acting *n* geáitsíocht, aisteoireacht

playboy *n* buachaill báire

player *n* imreoir; seinnteoir

playful *a* súgrach, spraíúil, cleasach, ábhailleach

playground *n* faiche imeartha; clós scoile

playroom *n* seomra súgartha

plaything *n* bréagán, áilleagán

playwright *n* drámadóir

plea *n* caingean, pléadáil; achainí, *on the ~ of* ar leithscéal go

plead *vt & i* pléadáil, pléigh, agair, *to ~ guilty* pléadáil ciontach

pleasant *a* taitneamhach, pléisiúrtha, sámh, fáilí, suairc, suáilceach, lách, ~ *appearance* aoibh, cuntanós, ~ *laugh* gealgháire

pleasantry *n* greannmhaireacht; focal grinn

please *vt & i* sásaigh, taitin le, *to be graciously* ~*ed to do sth* deonú rud a dhéanamh, *I'd be* ~*d to do it* dhéanfainn é agus fáilte, *have what you* ~ bíodh do phléisiúr, do rogha, agat, ~ *God* le cúnamh Dé, (*if you*) ~ le do thoil, *más é do thoil é, to do as one* ~*s* do chomhairle féin a dhéanamh

pleasure *n* pléisiúr, sásamh, sult, taitneamh, aoibhneas

pleat *n* pléata *vt* pléatáil

pleated *a* pléatach

plebiscite *n* pobalbhreith

pledge *n* geall, éarlais; coinníoll, focal, gealltanas *vt* dílsigh, geall, *to* ~ *sth* rud a chur i ngeall

Pleiades *npl* an Tréidín

plenary *a* iomlán

plenipotentiary *n* lánchumhachtóir *a* lánchumhachtach

plentiful *a* fairsing, flúirseach, líonmhar

plenty *n* cuimse, flúirse, fairsinge, ~ *of milk* neart bainne, ~ *of people* go leor daoine, ~ *of time* fuilleach ama, ~ *of money* greadadh airgid, tréan airgid

pleurisy *n* pliúraisí

pliable *a* solúbtha, lúbach, umhal

pliers *npl* teanchair, greamaire

plight *n* cor, eagar, riocht, íde, *in a sorry* ~ in anchaoi, in ainníocht

plod *vi* fuirsigh, *I keep plodding along* bím ag treabhadh, ag sracadh, ag sraonadh, liom

plop *n* plab, glug *vi* plab

plot *n* ceapach, garraí; plota, scéim, rún ceilge *vt & i* innill; rianaigh, marcáil, *to* ~ *against a person* bheith i gcealg, ag cealg, duine

plough *n* céachta, seisreach, *the P*~ an Camchéachta, an tSeisreach *vt & i* treabh

ploughland *n* seisreach

ploughman *n* treabhdhóir

ploughshare *n* soc

plover *n* feadóg, pilibín

pluck *n* tarraingt, sracadh, misneach, gus *vt* pioc, tarraing, stoith, cluimhrigh,

to ~ *up one's courage* do mhisneach a ghlacadh

plucky *a* misniúil, gusmhar, *a* ~ *lad* gasúr a bhfuil sracadh ann

plug *n* stopallán, dallán; plocóid, pluga *vt & i*, *to* ~ *a hole* stopallán a chur i bpoll, poll a chalcadh, ~ *in* ionsuigh, *to* ~ *a person* píléar a chur i nduine, *to* ~ *a policy* polasaí a bholscaireacht, *to* ~ *away* leanúint ort, coinneáil ort

plum *n* pluma

plumage *n* cluimhreach

plumb¹ *n* pluma, *to put sth out of* ~ rud a chur as a dhíreach *a* ingearach, díreach, ~ *crazy* glan as do mheabhair

plumb² *vt & i*, *to* ~ *the sea* doimhneacht na farraige a thomhas, *to* ~ *the depths of sth* dul go grinneall le rud, dul go bun an scéil le rud, *to* ~ *a wall* riail ingir a chur ar bhalla; balla a fhágáil ingearach, *to* ~ pluiméireacht a dhéanamh

plumber *n* pluiméir

plumbing *n* feadóireacht; pluiméireacht; píopaí, píopra

plumb-line *n* líne ingir

plume *n* cleite

plummet *n* luaidhe (feadóireachta), pluma *vi*, *to* ~ titim go tobann, go tapa

plump¹ *a* páinteach, beathaithe, ~ *creature* pánaí, paiteog

plump² *n* plimp *vt & i*, *to* ~ *down* ligean anuas de phlimp, titim de phlimp, *to* ~ *for a candidate* gan vótáil ach d'aon iarrthóir amháin; taobhú le hiarrthóir, cur ar son iarrthóra

plunder *n* creach, foghail, argain, slad *vt & i* creach, slad

plunderer *n* creachadóir, foghlaí

plunge *n* dúléim, tumadh *vt & i* tum, fothraig, *to* ~ (*into water, into difficulty*) dúléim a thabhairt

plunger *n* loine; tumaire

plural *n & a* iolra

pluralism *n* iolrachas; ilfheidhmeannas

plus *n* plus *prep* móide, agus

plush *n* pluis *a* sóúil, taibhseach

Pluto *n* Plútón

plutocracy *n* maoinlathas, plútacratachas

plutonium *n* plútóiniam

ply¹ *n* dual

ply² vt & i·oibrigh, imir, to ~ one's trade do cheird a chleachtadh, he was ~ing them with drink bhí sé ag teannadh dí leo, ~ing across the sea ag iomlachtadh thar an bhfarraige

plywood n sraithadhmad

pneumatic a aeroibrithe; aer(a)(i)-

pneumonia n niúmóine

poach¹ vt scall

poach² vt & i póitseáil, to ~ a river póitseáil a dhéanamh ar abhainn

poacher n póitseálai

pocket n póca vt, to ~ sth rud a chur i do phóca, rud a bhradú leat

pod n faighneog, mogall, cochall

poem n dán, duan, laoi

poet n file, éigeas

poetic a fileata

poetry n filíocht, éigse

poignant a géar, tréan, cráite

point n pointe, ponc; rinn, gob, bior; brí, ciall; mír, (in games) cúilín, pointe, (of compass) aird, on the ~ of going ar tí imeacht vt & i bioraigh; comharthaigh, dírigh ar, (of building) pointeáil, ~ out taispeáin, to ~ out sth to a person rud a chur ar a shúile do dhuine

point-blank, a, at ~ range urchar as béal gunna, to refuse ~ diúltú glan

pointed a biorach, gobach, stuacach, rinneach, géar; follas, soiléir, díreach

pointer n snáthaid, maide; leid; madra dúiseachta

pointless a gan bhrí; éadairbheach, it is ~ níl bun ná barr air; níl maith a bheith leis

poise n cothromaíocht; neamhchorrabhuais, dínit, féinmhuinín, iompar (cinn, coirp) vt & i beartaigh, ~d above us ar foluain, crochta, os ár gcionn, ~d to fight ar tinneall chun troda

poison n nimh vt nimhigh

poisoning n, food ~ nimhiú bia

poisonous a nimhiúil

poke¹ n poit, sonc vt poit, soncáil, prioc, to ~ embers gríosach a rúscadh, to ~ fun at a person greann a dhéanamh de dhuine

poke² n tomhaisin

poker¹ n priocaire

poker² n pócar

poky a, ~ place póicéad

polar a molach, polach, ~ bear béar bán

polarize vt & i polaraigh

polaroid n & a polaróideach

pole¹ n cuaille, cleith, crann, liúr

pole² n mol, pol, the North ~ an Mol Thuaidh

polemics npl conspóideacht; argóintí

police npl péas, póilíní vt póilínigh

policeman n garda, póilín, péas, pilear

policewoman n bangharda, banphóilín

policy n polasaí, beartas; dúnghaois

poliomyelitis n polaimiailíteas

polish n snas, gléas; snasán, smearadh; líofacht; craiceann, slacht vt & i snasaigh, líomh, locair, slíom

polished a snasta, greanta, líofa, ealaíonta

polite a béasach, múinte, nósmhar, sibhialta

politeness n dea-bhéas, múineadh, nósmhaireacht

political a polaitiúil

politician n polaiteoir

politics npl polaitíocht

polka n polca

poll n cloigeann; vótáil vt & i vótáil

pollard n bran beag

pollen n pailin

pollinate vt pailnigh

pollock n mangach, pollóg

pollute vt truailligh, éillígh

pollution n truailliú, éilliú

polo n póló

poly- pref il-

polyanthus n ilbhláthach

polygamy n polagamas, ilphósadh

polyglot n & a ilteangach

polygon n polagán

polytechnic n coláiste polaiteicnice; polaiteicnic

polythene n polaitéin

pomegranate n gránúll, pomagránait

pomp n poimp, ollás

pompon n bobailín, mabóg

pompous a mustrach, mórchúiseach, poimpéiseach

pond n linn, lochán

ponder vt & i smaoinigh, meabhraigh, meáigh

pontiff n pontaif

pontoon n pontún

pony n capaillín, pónaí

poodle *n* púdal
pooh-pooh *vt, to* ~ *sth* spior spear a dhéanamh de rud
pooka *n* púca
pool¹ *n* linn, lochán, poll
pool² *n* comhchiste, *money in the* ~ airgead ar clár *vt, to* ~ *money* airgead a chur i gcomhchiste
poor *a* bocht, daibhir; droch-, dearóil, dona *npl, the* ~ na boicht, na bochtáin, an chosmhuintir, ~ *thing*! an créatúr! ~ *fellow* an duine gránna
pop *vt & i* pléasc, cnag, preab, ~ *it into your mouth* rop isteach i do bhéal é, *to* ~ *in* bualadh isteach, *to* ~ *up out of the water* preabadh aníos as an uisce
pope *n* pápa
poplar *n* poibleog
poplin *n* poiplín
pop-music *n* popcheol
poppy *n* poipín
popular *a* coitianta, *he is very* ~ tá anghnaoi ag na daoine air
population *n* daonra, líon daoine, pobal
populous *a* daoineach
porcelain *n* poirceallán
porch *n* póirse
porcupine *n* torcán craobhach
pore¹ *n* piochán, póir
pore² *vi, to* ~ *over a book* bheith sáite i leabhar, *to* ~ *over a subject* dianmhachnamh a dhéanamh ar ábhar
pork *n* muiceoil
pornography *n* pornagrafaíocht
porous *a* póiriúil, scagach
porpoise *n* muc mhara, toirpín
porridge *n* leite, brachán
porringer *n* porainséar
port¹ *n* caladh, calafort, cuan, port
port² *n* clébhord
port³ *n* pórt(fhíon)
port⁴ *vt, to* ~ *arms* airm a thaispeáint
portable *a* iniompartha, so-iompair
portentous *a* tuarúil
porter¹ *n* doirseoir
porter² *n* póirtéir, (*beer*) pórtar, leann dubh
portfolio *n* mála cáipéisí, *minister's* ~ cúram aire
porthole *n* sliospholl
portion *n* cuid, píosa, páirt, roinn, cuibhreann, giota, mír *vt* roinn, dáil
portly *a* stáidiúil, toirtiúil

portrait *n* portráid
portray *vt* dreach, léirigh
pose *n* staidiúir; geáitse *vt & i* deasaigh, *to* ~ *bheith ag ligean geáitsí ort féin, *to* ~ *a question* ceist a chur, *he* ~ *d as a Frenchman* lig sé air féin gur Francach a bhí ann, chuaigh sé i riocht Francaigh
posh *a* galánta, nósmhar
position *n* áit, ionad, suíomh *vt* suigh
positive *a* dearbhchló *a* dearfach, deimhneach
possess *vt* sealbhaigh, *to* ~ *sth* rud a bheith agat, i do sheilbh, *she is* ~ *ed by the devil* tá an diabhal inti
possession *n* sealbhaíocht, seilbh; (*pl*) sealúchas, maoin, airnéis
possessive *n & a* sealbhach
possibility *n* féidearthacht, *they had no* ~ *of returning* ní raibh fáil ar chasadh acu
possible *a* féidearthá, *it is* ~ (*that*) is féidir (go), *that is* ~ thiocfadh dó, *if* ~ más féidir
possibly *adv* seans, b'fhéidir, *I couldn't* ~ (*do it*) ní bhfaighinn ó mo chroí é a dhéanamh
post¹ *n* cuaille, bacán, stáca *vt, to* ~ *a notice* fógra a chur suas
post² *n* post, jab, ionad, *the last* ~ an ghairm dheiridh *vt* postaigh, *to* ~ *a sentry* fairtheoir a chur ar post
post³ *n* post, *to open one's* ~ do chuid litreacha a oscailt *vt* postáil, *to* ~ *a letter* litir a chur sa phost
post-⁴ *pref* iar-
postage *n* postas
postcard *n* cárta poist
poster *n* póstaer
posterior *n* tóin, tiarpa
posterity *n* sliocht; na glúine atá le teacht
post-graduate *n* iarchéimí *a* iarchéime
posthumous *a* iarbháis
postman *n* fear poist
postmark *n* postmharc
post-mortem *n* scrúdú iarbháis
post-office *n* oifig an phoist
postpone *vt, to* ~ *sth* rud a chur ar gcúl, siar, ar athlá, ar atráth
postscript *n* aguisín, iarscríbhinn
postulant *n* nuasachán
posture *n* stiúir, staidiúir; dearcadh, aigne

posy *n* pósae

pot *n* pota, corcán

potash *n* potais

potassium *n* potaisiam

potato *n* práta

pot-belly *n* urbholg, maróg

poteen *n* poitín

potent *a* briomhar, láidir, cumhachtach

potential *n* cumas *a*, ~ *danger* contúirt fholaigh, ~ *resources* acmhainní inoibrithe

pot-hole *n* coirín, linntreog; poll slogaide, uaimh

pot-holing *n* uaimheadóireacht

pot-hook *n* lúb pota

potion *n* deoch, díneach, upa

potter[1] *n* potaire, criadóir

potter[2] *vi*, ~*ing about* ag útamáil, ag giotáil, thart

pottery *n* potaireacht

pouch *n* púitse, mealbhóg, spaga

pouf *n* saoisteog

poultice *n* ceirín

poultry *n* éanlaith chlóis

pounce *n* léim, áladh *vi* léim, to ~ *on sth* áladh a thabhairt ar rud

pound[1] *n* punt, ~ *note* nóta puint

pound[2] *n* gabhann, póna

pound[3] *vt & i* brúigh, tuairteáil, tuargain, smíst, *they were* ~*ing along* bhí siad ag satailt rompu

pour *vt & i* doirt, steall, scaird, ~ *out* cuir amach, líon amach, dáil, ~*ing rain* ag doirteadh, ag stealladh, fearthainne, ~*ing in* ag plódú, ag líonadh, isteach

pout *n* pus *vi*, *to ~* pus a chur ort féin, gob a chur ort féin

poverty *n* bochtaineacht, anás, daibhreas, deilbhíocht, loime

poverty-stricken *a* dealbh, ocrach

powder *n* púdar *vt* púdráil; mionaigh

powdered *a* púdrach

power *n* cumhacht, cumas, brí, neart, *to be in* ~ bheith i réim, *returned to* ~ istigh arís, *more* ~ *to you!* nár lagaí Dia thú! treise leat!

powerful *a* cumhachtach, éachtach, láidir, tréan, cumasach, neartmhar

powerless *a* éagumasach, neamhchumhachtach, gan bhrí

practicable *a* indéanta, inoibrithe, praiticiúil

practical *a* praiticiúil, fóinteach, ~ *joking* áilteoireacht, bobaireacht, cleasaíocht

practically *adv*, it is ~ *finished* tá sé ionann is (a bheith) críochnaithe, tá sé geall le bheith déanta

practice *n* cleachtadh, taithí; cleachtas, nós

practise *vt & i* cleacht, déan, gnáthaigh, taithigh, ~*d rogue* rógaire áitithe

practitioner *n* cleachtóir, *general* ~ gnáthdhochtúir

pragmatic(al) *a* pragmatach

prairies *npl* féarthailte

praise *n* moladh *vt* mol

praiseworthy *a* inmholta

pram *n* pram, naíchóiste

prance *vi* pramsa *vi* pramsáil

prank *n* bob, cleas, tréith

prate *vt & i* scil, *prating* ag clabaireacht, ag salmaireacht

prattle *n* gliogarnach, scilligeadh *vi* scillig, *prattling* ag clabaireacht, ag gliogarnach

prawn *n* cloicheán

pray *vt & i* guigh, impigh, ~*ing* ag guíodóireacht, ag paidreoireacht, ag urnaí

prayer *n* paidir, urnaí, guí

preach *vt & i* craobhscaoil, teagasc, ~*ing* ag seanmóireacht

preacher *n* seanmóirí, soiscéalaí

preamble *n* réamhrá

precarious *a* neamhbhuan, guagach, seansúil

precaution *n* réamhchúram, réamh-aire, *he takes no* ~ *s* níl faichill ar bith ann

precede *vt* tar roimh, téigh roimh

precedence *n* tosaíocht, tús; oireachas

precedent *n* réamhshampla, fasach

preceding *a*, *the* ~ *day* an lá roimhe sin

precept *n* aithne, teagasc

precincts *npl* purláin, líomatáiste

precious *a* luachmhar; maoineach, ~ *object* seoid

precipice *n* aill, binn

precipitate[1] *a* driopásach, mear, tobann *vt* teilg, rad; brostaigh, *to ~ matters* dlús a chur le rudaí

precipitate[2] *vi* comhdhlúthaigh, frasaigh

precipitous *a* géarchrochta, rite; tobann, mear, grod

précis *n* achoimre

precise a beacht, cruinn

precision n beachtas, cruinneas

preclude vt coinnigh amach, coisc

precocious a seanchríonna, ~ child síofra

preconceive vt réamhcheap, ~d idea réamhthuairim

precursor n réamhtheachtaí

predatory a creachach

predecessor n réamhtheachtaí

predestination n réamhchinneadh, réamhordú

predestine vt réamhchinn, réamhordaigh

predicament n cruachás, to be in a ~ bheith san fhaopach, i dteannta, i sáinn, i bponc

predicate n faisnéis

predict vt tairngir, tuar, réamhaithris

prediction n tairngreacht, tuar, réamhaithris

predilection n claonadh (chun), luí (le)

predominate vi, to ~ over smacht, ceannas, a bheith agat ar, women ~ in the association is iad na mná is iomadúla sa chumann, mná is mó atá sa chumann

pre-eminent a gradamach, suntasach, dearscnaitheach

preen vt cluimhrigh, prioc, pointeáil, to ~ oneself on sth bheith mórtasach as rud

prefabricated a réamhdhéanta

preface n réamhrá, brollach; preáfáid vt, to ~ sth réamhrá a chur le rud

prefect n maor

prefer vt, I ~ it that way is fearr liom mar sin é, whom do you ~ cé is measa leat, cé acu is fearr leat, to ~ a charge against a person cúiseamh a dhéanamh ar dhuine

preference n tosaíocht, roghnachas, in ~ to de rogha ar, to give sth ~ tosach, tús áite, a thabhairt do rud

preferential a fabhrach

prefix n, (of title) réamhthoideal, (grammar) réimír

pregnancy n iompar clainne, toircheas

pregnant a torrach, toircheasach, to be ~ bheith ag iompar clainne

prehistoric a réamhstairiúil

prejudice n claontacht, réamhchlaonadh vt, to ~ one's case dochar a dhéanamh do do chás

prejudiced a claonta

prelate n prealáid

preliminary a tosaigh, ~ work réamhobair, ~ examination réamhscrúdú npl réamhimeachtaí

prelude n réamhdhréacht

premarital a réamhphósta

premature a anabaí, roimh am, he died ~ly cailleadh roimh a aois é

premeditate vt réamhbheartaigh, réamhcheap

premeditation n réamhbheartú, réamhcheapadh

premier n príomh-aire, taoiseach a príomha

premise n, ~ s áitreabh; réamhleagan; réamhráiteas

premium n préimh, ~ bonds bannaí bisigh, to sell sth at a ~ rud a dhíol ar biseach

premonition n fíor, mana, meanma

preoccupied a gafa, go domhain (sa mhachnamh), sáite (sa ghnó)

preparation n réiteach, ullmhúchán, oirchill, gléasadh; ullmhóid pl stócáil, téisclim

preparatory a, ~ college coláiste ullmhúcháin

prepare vt & i ullmhaigh, gléas, cóirigh, déan réidh

prepay vt réamhíoc

preposition n réamhfhocal

preposterous a míréasúnta, áiféiseach

prerogative n pribhléid; sainchumas

Presbyterian n & a Preispitéireach

presbytery n cléirtheach

prescribe vt mol, ordaigh, leag amach

prescription n oideas

presence n láithreacht, in the ~ of a person i láthair, i bhfianaise, os comhair, duine

present¹ n, the ~ an t-am i láthair, at ~ faoi láthair a i láthair, láithreach, the ~ day an lá atá inniu ann

present² n bronntanas, féirín vt tabhair, tairg, toirbhir, to ~ a play dráma a léiriú, to ~ oneself láithriú, nochtadh

presentable a, (of person) insúl, pearsanta, (of clothes) inchaite, fiúntach

presentation n toirbhirt; toirbheartas

presentiment n réamhchiall, meanma, I have a ~ (that) taibhsítear dom (go)

presently adv ar ball (beag)

preservation n coimeád, caomhnú; leasú, úrchaomhnú

preservative n leasaitheach, ábhar leasaithe a caomhnaitheach, leasaitheach

preserve n subh; talamh cosanta; tearmann; líomatáiste vt coimeád, caomhnaigh, cumhdaigh; sábháil, leasaigh, God ~ you go mbuanaí Dia thú

preside vi, to ~ (at meeting) dul sa chathaoir (ag cruinniú), bheith i gceannas (cruinnithe)

president n uachtarán

press n brú, fáscadh; fáisceán; preas; cófra, caibhéad, prios, ~ conference preasagallamh vt & i brúigh, tathantaigh, fáisc, teann; preasáil, iarnáil, to ~ for sth rud a éileamh (go láidir)

pressed a brúite, fáiscthe, hard ~ i dteannta, i sáinn, ~ for time cruógach, práinneach

press-gang n buíon phreasála

pressing a géibheannach, práinneach, cruógach; tuineanta

press-stud n smeachstoda

pressure n brú; broid, fáscadh, teannadh, ~ cooker bruthaire brú

pressurize vt, to ~ a person brú, crua, a chur ar dhuine

prestige n gradam

presume vt & i leomh, toimhdigh, I ~ that tá mé ag déanamh go, to ~ on a person buannaíocht, dánacht, a dhéanamh ar dhuine

presumption n andóchas; dánacht, buannaíocht, neamh-mheontaíocht; toimhdear

presumptuous a andóchasach, buannúil, dána, neamh-mheontach

pretence n cur i gcéill

pretend vt & i, to ~ that ligean ort go, cur in iúl go, ~ing to glory ag tnúth le glóir

pretension n móiréis

pretentious a móiréiseach, taibhseach

pretext n leithscéal, on ~ of speaking to me ar scáth labhairt liom

pretty a gleoite, deas, deismir adv cuibheasach, réasúnta, measartha, ~ rough garbh go maith

prevail vi, to ~ over a person an ceann is fearr a fháil ar dhuine, buachan ar dhuine, to ~ on a person to do sth

tabhairt, baint, ar dhuine rud a dhéanamh, a custom that ~s nós atá faoi réim, a mhaireann go fóill, atá fós ag imeacht

prevailing a, ~ wind gnáthghaoth

prevalent a ceannasach, leitheadach, faoi réim, gnáth-

prevaricate vi, to ~ an fhírinne a fhiaradh, an fhírinne a sheachaint

prevent vt bac, coisc, toirmisc, stop

prevention n cosc, toirmeasc

preview n réamhthaispeántas

previous a roimh ré

previously adv roimhe sin

prey n creach, seilg vi, to ~ upon sth rud a sheilg, sth is ~ing on his mind tá rud éigin ar a intinn, tá rud éigin imithe faoin intinn aige

price n praghas, luach, fiacha vt, to ~ sth luach, praghas, a chur ar rud; rud a chostáil

prick n priocadh, goineog vt & i prioc, clip, goin, to ~ up one's ears cluas a chur ort féin, do chluasa a bhiorú

prickle n colgán, dealg vt & i prioc

prickly a coilgneach, deilgneach, driseogach

pride n uabhar, díomas, leithead; mórtas, bród, ríméad, ~ of place tús áite vt, to ~ oneself on sth bheith mórálach as rud

priest n sagart

priesthood n sagartacht

prig n saoithín

priggish a saoithíneach, ceartaiseach

prim a deismíneach, cúiseach

primary a príomha, bunata, príomhúil, bun-

primate n príomháidh, (zoological) príomhach

prime¹ n r, in the ~ of his life i mbláth a shaoil, i mbarr a mhaitheasa, ina neart a príomha; den chéad scoth, ~ minister taoiseach, príomh-aire, ~ rogue rógaire críochnaithe

prime² vt príméail

primer n bunleabhar, priméar

primeval a cianaosta

primitive a bunaíoch; céadrata; seanársa

primrose n sabhaircín

prince n prionsa, flaith

princess n banphrionsa

principal n ceannasaí, uachtarán; príomhoide, (finance) bun, bunairgead a príomh-

principality n prionsacht

principle n prionsabal, foras

print n lorg, rian; cló, prionta vt priontáil, clóbhuail, clóigh

printer n clódóir, printéir

printing n clódóireacht, printéireacht; clóbhualadh

prior[1] a príóir

prior[2] a roimh ré adv, ~ to my going roimh imeacht dom, sular imigh mé

priority n tosaíocht, tús

priory n prióireacht

prism n priosma

prison n príosún

prisoner n príosúnach, cime, braighdeanach

privacy n príobháid

private n gnáthshaighdiúir, saighdiúir singil a príobháideach

privation n ganntanas, dochma, angar

privet n pribhéad

privilege n pribhléid

privileged a pribhléideach

privy n leithreas a, to be ~ to sth rún ruda a bheith agat

prize[1] n duais; geall vt, to ~ sth rud a bheith luachmhar agat, she ~ s that book is mór aici an leabhar sin

prize[2] vt, to ~ a lid open clár a thógáil le luamhán

prize-bond n duaisbhanna

prizewinner n duaiseoir

probability n dóchúlacht

probable a dóchúil, dealraitheach, it is ~ that is dócha go, probably not ní móide é; ní móide go

probate n probháid

probation n promhadh, tástáil

probe n bior, tóireadóir vt & i tóraigh, taighd

problem n fadhb, ceist

problematical a fadhbach

pro-cathedral n leas-ardeaglais

procedure n modh, gnáthamh, nós imeachta

proceed vi téigh, imigh, gabh, gluais; lean leat, ~ ing towards ag tarraingt ar, ag déanamh ar, to ~ against a person dlí a chur ar dhuine

proceeding n imeacht, dul; beart, obair pl imeachtaí

proceeds npl fáltais

process n oibriú, próiseas, (of law) próis vt próiseáil

procession n mórshiúl

processor n próiseálaí

proclaim vt craol, fógair, reic, he was ~ ed the O'Neill gaireadh Ó Néill de

proclamation n forógra, fógairt

procrastination n siléig, moilleadóireacht

procreate vt gin, tuismigh

procreation n giniúint

procure vt soláthair, to ~ sth for a person rud a chur ar fáil do dhuine

prod n broideadh, sonc, péac vt príoc, broid, péac

prodigal a caifeachán, a caifeach, doscaí, rabairneach, the ~ son an mac drabhlásach, an mac díobhlásach

prodigy n mana; feart, iontas

produce n sochar, toradh vt taispeáin, cuir ar fáil; tuismigh, gin, tarraing; táirg, déan, (of play) léirigh, (drawing) to ~ a line líne a leanúint

producer n táirgeoir, (of play, film) léiritheoir

product n toradh, táirge

production n cur amach, táirgeadh

productive a torthúil, táirgiúil; bisiúil

productivity n táirgiúlacht

profane a naomhaithiseach; saolta vt sáraigh, truailligh

profanity n naomhaithis; mionn, eascaine

profess vt maígh, éiligh, to ~ our faith ár gcreideamh a admháil, to ~ oneself interested in Irish a thabhairt le fios, a chur in iúl, go bhfuil spéis sa Ghaeilge agat, to ~ a postulant duine a ghlacadh isteach in ord, to ~ vows na móideanna a ghlacadh

profession n dearbhú, admháil; cur in iúl, cur i gcéill, gairm, slí bheatha, proifisiún; móidghealladh

professional n gairmiúil, proifisiúnta

professor n ollamh

proffer vt sín, tairg

proficient a, to be ~ in sth bheith oilte ar rud

profile n pictiúr imlíne; cló leicinn, leathaghaidh, próifíl

profit n brabach, sochar, gnóthachan, éadáil vt & i, it ~ed me nothing níor ghnóthaigh mé dada air; níor thairbhigh mé pioc de, to ~ by sth tairbhe a bhaint as rud; bheith buaiteach le rud

profitable a tairbheach, brabúsach, sochrach, éadálach

profligate a caifeachán, drabhlásaí a drabhlásach, caifeach, doscaí

profound a domhain, duibheagánach

profuse a fairsing, raidhsiúil, flúirseach

progeny n sliocht, iarmhar, maicne, síolrach

programme n clár, computer ~ tasc-chlár ríomhaire vt réamheagraigh

programmer n, computer ~ cláraitheoir ríomhaireachta

progress n dul ar aghaidh, dul chun cinn, forás, in ~ ar siúl, ar bun, to make ~ treoir, talamh, a dhéanamh vi téigh ar aghaidh

progression n dul chun cinn, forchéimniú

progressive a forásach, forchéimnitheach

prohibit vt cros, coisc, toirmisc, it is strictly ~ed tá dianchosc air

prohibition n cosc, cros, toirmeasc; col, geis

project[1] n tionscadal, scéim

project[2] vt & i leag amach, beartaigh; caith, diúraic, teilg; gob amach, to ~ a picture on the screen pictiúr a chaitheamh ar scáileán

projectile n diúracán

projecting a starrach

projection n teilgean, caitheamh; beartú; starr, starragán

projector n teilgeoir

proletarian n & a prólatáireach

proletariat n prólatáireacht, na híochtaráin, an chosmhuintir

proliferate vi iomadaigh

prolific a breisiúil, sliochtmhar; rafar

prologue n brollach

prolong vt fadaigh, to ~ sth fad a bhaint as rud, fadú le rud

promenade n promanád, áit spaisteoireachta

prominent a starrach, corránach; suntasach, feiceálach, oirirc, mór le rá, ~ tooth starrfhiacail

promiscuous a measctha; ilchaidreamhach

promise vt gealltanas, geall vt & i geall

promising a dóchúil, tréitheach, ~ appearance cruthaíocht, gealladh

promontory n ros, rinn, ceann tíre, ~ fort dún

promote vt cothaigh, cuir ar aghaidh, cuir chun cinn, to ~ a person ardú céime a thabhairt do dhuine

promoter n tionscnóir

promotion n ardú céime; cothú, cur chun cinn

prompt[1] n leid vt spreag, gríosaigh, to ~ a person leid a thabhairt do dhuine

prompt[2] a ullamh, grod, sciobtha, pras, féichiúnta

prompter n leideoir; spreagthóir

prone a béal faoi, droim in airde, ~ to tugtha do, claonta chun

prong n beangán, beann, ladhar

pronoun n forainm

pronounce vt & i fógair, dearbhaigh; fuaimnigh, to ~ on a subject do thuairim a thabhairt ar ábhar

pronunciation n fuaimniú, foghraíocht

proof[1] n cruthú, cruthúnas, dearbhú, promhadh; profa vt díon

proof[2] a, ~ against weather, water díonach ar aimsir, ar uisce

prop n taca, frapa vt teanntaigh, frapáil, tacaigh le

propaganda n bolscaireacht, síolchur

propagandist n bolscaire

propagate vt & i póraigh, síolraigh; craobhscaoil, scaip

propane n própán

propel vt tiomáin, cuir, séid; spreag

propeller n lián

propensity n, to have a ~ for sth claon, luí, lé, a bheith agat le rud

proper a dílis; dlisteanach, ceart, cóir, cuí, cuibhiúil, at the ~ time in am trátha, ~ fool amadán críochnaithe, what is ~ for a person an rud is dual do dhuine

property n maoin, sealúchas, substaint; airí, tréith

prophecy n tairngreacht, fáistine, fáidheadóireacht

prophesy vt & i tairngir, tuar, to ~ tairngreacht, fáistine, a dhéanamh, prophesying ag fáidheadóireacht

prophet n fáidh, tairngire, fáistineach

prophetic a fáidhiúil, fáistineach, tairngeartach

proportion n páirt, cionmhaireacht; coibhneas, comhréir

proportional a, ~ representation ionadaíocht chionmhar

proposal n moladh, ~ of marriage ceiliúr pósta

propose vt mol; beartaigh, to ~ a toast sláinte a fhógairt, to ~ to a girl ceiliúr pósta a chur ar chailín

proposer n moltóir

proprietor n úinéir, dílseánach

propriety n oiriúnacht, cuibheas; modhúlacht, béascna, to observe the proprieties na gnásanna a leanúint

propulsion n tiomáint; spreagadh

prosaic a prósach; leamh

proscribe vt eisreachtaigh

prose n prós

prosecute vt cúisigh, to ~ a claim éileamh a chur ar aghaidh

prosecution n ionchúiseamh

prosecutor n cúisitheoir

proselyte n iompaitheach

prosody n prosóid

prospect[1] n radharc; ionchas, to ruin a person's ~ s duine a chur ó chríoch

prospect[2] vi, to ~ taiscealadh, sirtheoireacht, a dhéanamh

prospective a atá le teacht

prospector n sirtheoir, taiscéalaí

prospectus n réamheolaire

prosper vt & i rathaigh; bisigh, God ~ you rath Dé ort, go soirbhí Dia duit

prosperity n rath, séan

prosperous a rathúil, rafar, séanmhar, éiritheach, toiciúil

prostate a próstatach

prostitute n striapach, meirdreach vt meirdrigh

prostitution n striapachas, meirdreachas

prostrate a faonlag, cloíte vt treascair, léirigh, to ~ oneself umhlú, sléachtadh

prostration n umhlú, sléachtadh; léiriú

protect vt cosain, cumhdaigh, díon

protection n cosaint, coimirce, dídean, scáth, cumhdach

protective a cosantach, coimirceach, díonmhar, dídeanach

protector n cosantóir, coimirceoir, caomhnóir

protectorate n coimirceas

protein n próitéin

protest n agóid vt & i dearbhaigh, to ~ against sth agóid, gearán, a dhéanamh in aghaidh ruda

Protestant n & a Protastúnach

protester n, ~ s lucht agóide

protocol n comhghnás

prototype n fréamhshamhail

protract vt fadaigh, to ~ sth moill a bhaint as rud

protracted a fada, sínte, leanúnach; de réir scála

protractor n, (instrument) uillinntomhas

protrude vt & i sáigh amach, gob amach

proud a uaibhreach, díomasach, bródúil, mórálach ~ flesh ainfheoil

prove vt & i promh, tástáil, cruthaigh, dearbhaigh, the story ~ d false fuarthas amach nach raibh aon fhírinne sa scéal

proverb n seanfhocal

provide vt & i soláthair, cuir ar fáil, seiftigh, to ~ for a family riar ar mhuirín, she ~ s well for them tá sí ina ceann maith dóibh, to ~ against sth ullmhú ar cheann, in aghaidh, ruda

provided conj, ~ that ar choinníoll go, ar chuntar go; má, dá, ~ that fellow doesn't come ach gan an diúlach sin a theacht

providence n barainn, tíos, by the ~ of God trí oirchill Dé

providential a ádhúil, ~ ly trí dheonú Dé

provider n soláthraí, seifteoir, he is a good ~ for us tá sé ina cheann maith dúinn

province n cúige; proibhinse

provincial n cúigeach, (of religious) proibhinseal a cúigeach

provision n soláthar, stór, riar, lón; cuntar, foráil

provisional n & a sealadach

proviso n cuntar

provocation n saighdeadh, gríosú, spreagadh

provocative a gríosaitheach; cointinneach

provoke vt spreag, saighid, tarraing, adhain, to ~ a person to anger séideadh faoi dhuine, duine a chur le cuthach

provost n propast

prow n gob, srón (báid)

prowess n gaisce, oirbheart, tréitheachas

prowl *n*, to be on the ∼ for sth bheith sa tseilg ar rud *vi*, to ∼ about bheith ag sirtheoireacht, ag smúrthacht, thart

proximity *n* foisceacht, gaire, cóngar, aice

proxy *n* ionadaí; seachvótálaí; cumhacht ionadaíochta, to vote by ∼ seachvótáil a dhéanamh

prude *n* duine róchúisiúil, duine ceartaiseach

prudence *n* stuaim, críonnacht

prudent *a* stuama, discréideach, críonna

prune¹ *n* prúna

prune² *vt* bearr, sciot, scoith

pry *vi*, ∼ ing ag srónail, ag físeoireacht

psalm *n* salm

psalter *n* saltair

pseudonym *n* ainm cleite

psychedelic *a* sícideileach; dallraitheach

psychiatrist *n* siciatraí

psychiatry *n* siciatracht

psychic(al) *a* síceach

psychoanalysis *n* síocanailís

psychologist *n* síceolaí

psychology *n* síceolaíocht, aigneolaíocht

psychopath *n* síceapatach

psychopathic *a* síceapatach

psychosomatic *a* síceasómatach

pub *n* teach tábhairne, teach (an) óil

puberty *n* oirbheart, caithreachas, to reach ∼ caithriú

pubic *a* púbasach

public *n*, the ∼ an pobal *a* poiblí, in ∼ os ard, go poiblí, os comhair an tsaoil, ∼ house teach tábhairne, teach (an) óil

publican *n* tábhairneoir, óstóir

publication *n* poibliú, foilsiú; foilsitheoireacht; foilseachán

publicist *n* poiblitheoir, bolscaire

publicity *n* poiblíocht, bolscaireacht

publish *vt & i* poibligh, foilsigh, cuir amach

publisher *n* foilsitheoir

puck *n* poc *vt & i* pocáil

pucker *n* clupaid, roc, filltín *vt & i*, to ∼ sth roic a chur i rud, to ∼ up rocadh, roic a dhéanamh, he ∼ ed his brows chruinnigh sé na malaí, chuir sé roic ina mhalaí, chrap sé na malaí

pudding *n* maróg; putóg

puddle *n* lochán uisce

puerile *a* leanbaí

puff *n* gal, puth, dé, séideog *vt & i* séid,

pluc, (of pipe) smailc, ∼ ed up with importance i mborr le mórtas

puff-ball *n* bolgán béice

puffin *n* puifín

puffy *a* mórtasach; borrúil, ata; séideogach; saothrach

pugnacious *a* trodach, bruíonach, buailteach

pull *n* tarraingt, sracadh *vt & i* tarraing, srac, sraon, stoith, to ∼ oneself together misneach a ghlacadh, to ∼ a face straois, gnúis, a chur ort féin, to ∼ down a house teach a leagan

pullet *n* eireog

pulley *n* ulóg, roithleán, puilín

pullover *n* geansaí

pulp *n* laíon; brúitín, prabhait *vt*, to ∼ sth laíon, smúsach, a dhéanamh de rud

pulpit *n* crannóg, puilpid

pulsate *vi* frithbhuail, fuadaigh

pulse *n* cuisle; bíog, bualadh, rithim *vi* frithbhuail, preab, léim, bíog

pulverize *vt & i* mionaigh, púdraigh

puma *n* púma

pumice-stone *n* sliogart

pump¹ *n* caidéal, pumpa, (of tyres) teannaire *vt* caidéalaigh, taosc, pumpáil

pump² *n* buimpéis

pumpkin *n* puimcín

pun *n* imeartas focal

punch¹ *n* puins *vt* puinseáil

punch² *n* dorn *vt*, to ∼ a person dorn a thabhairt do dhuine

punch³ *n* puins; scailtín

punctilious *a* pointeáilte, prionsabálta

punctual *a* pointeáilte, poncúil, féiltiúil, tráthrialta

punctuality *n* pointeáilteacht, poncúlacht, spriocúlacht

punctuate *vt* poncaigh

punctuation *n* poncaíocht

puncture *n & vt & i* poll

pundit *n* scolardach

pungent *a* géar, gonta; borb

punish *vt* pian, to ∼ a person pionós a chur ar dhuine

punishment *n* pionós; pianadh, peannaid

punitive *a* pianúil, pionósach

punt *n* punta

puny *a* beag, suarach, dearóil, ∼ person marla, suarachán

pup *n* coileán

pupa *n* pupa

pupil n dalta; mac imrisc
puppet n puipéad
purblind a caoch, geamhchaoch
purchase n ceannach; greim vt ceannaigh
pure a glan, geal, íon, geanmnaí, cumhra
purgative n purgóid a purgóideach
purgatory n purgadóir; purgadóireacht
purge vt purgaigh, folmhaigh
purification n íonú, feast of the P~ Lá Fhéile Muire na gCoinneal
purifier n íontóir
purify vt glan, íonaigh; cumhraigh
puritan n & a piúratánach
purity n glaine, íonacht, geanmnaíocht, cumhracht
purl n lúb ar tuathal vt & i, to ~ lúb ar tuathal a dhéanamh
purple a corcra
purpose n aidhm, cuspóir, rún, on ~ d'aon turas, d'aon ghnó, d'aon toisc vt, to ~ to do sth beartú ar rud a dhéanamh
purposeful a fuarintinneach, diongbháilte, daingean
purr n crónán, cnúdán vi, to ~ crónán a dhéanamh
purse n sparán, spaga vt, to ~ one's lips do liopaí a chrapadh
pursue vt lean, tóraigh, to ~ sth dul sa tóir ar rud; coinneáil le rud, leanúint ar rud
pursuit n tóir, leanúint, in ~ of sth ar lorg ruda, ag tóraíocht ruda, i ndiaidh ruda

purulent a angaíoch
pus n ábhar, angadh, braon, brach, sileadh
push n brú, sá, sonc; treallús vt brúigh, sáigh
pushing a stróinéiseach, treallúsach
pussy n puisín
pussy-willow n sailchearnach
pustule n goirín, puchóid
put vt & i cuir, leag, to ~ off sth rud a chur ar cairde, siar, ar athlá, to ~ to sea dul, cur, chun farraige, to ~ up with sth foighneamh le rud, to ~ a person up for the night lóistín na hoíche a thabhairt do dhuine, to ~ down one's foot do chos a chur i dtaca
putrefy vt & i morg, bréan, lobh
putrid a bréan
putt n amas vi, to ~ amas a dhéanamh
putty n puití
puzzle n dúcheist, fadhb, to be in a ~ bheith i gcruachás, i dteannta vt & i mearaigh, it ~d me chuaigh sé sa mhuileann orm, to ~ over sth rud a chur trí chéile i d'intinn
pyjamas npl pitseámaí
pylon n piolón
pyramid n pirimid
pyrex n píréis
python n píotón
pyx n píoscas

Q

quack[1] n vác vi, ~ing ag vácarnach
quack[2] n potrálaí
quadrangle n ceathairuilleog; cearnóg (na) scoile
quadrant n ceathrmhán
quadratic a cearnach
quadrilateral a ceathairshleasach
quadruped n & a ceathairchosach
quadruple n ceathrairín a ceathairchodach vt & i méadaigh faoi cheathair
quadruplet n ceathrairín
quagmire n scraith ghlugair, criathar
quail n gearg
quaint a aisteach, barrúil

quake n crith vt creathnaigh, I was quaking with fear bhí crítheagla orm
Quaker n Caecar, ball de Chumann na gCarad
qualification n agús, maolú; cáilíocht
qualify vt & i cáiligh; maolaigh, he has qualified as a doctor tá sé amuigh ina dhochtúir
quality n mianach; cáilíocht, cáil, tréith
qualm n scrupall
quandary n, in a ~ i dteannta, i ngalar na gcás
quantify vt cainníochtaigh
quantity n méid, cainníocht, large ~ mórán, lear mór, lab, small ~ beagán

quarantine n coraintín

quarrel n troid, bruíon vi, **quarrelling** ag achrann, ag bruíon, to ~ **with sth** easaontú le rud

quarrelsome a trodach, achrannach, clamprach

quarry[1] n seilg, creach

quarry[2] n cairéal vt cairéalaigh

quart n cárt

quarter n ceathrú; ceathrú anama, anacal; ceantar, (of year) ráithe, from all ~s as gach aird, as gach cearn, at close ~s bonn le bonn vt, to ~ sth rud a roinnt ina cheathrúna, to ~ soldiers saighdiúirí a chur ar ceathrúin

quarterly n ráitheachán a ceathrúnach, ráithiúil

quartermaster n ceathrúnach

quarter-sessions n seisiún ceathrúnach

quartet n ceathairéad

quartz n grianchloch

quash vt neamhnigh, cealaigh, cuir faoi chois

quasi- pref gar-

quaternary a ceathartha

quatrain n rann

quaver n creathán, (music) camán vi crith

quay n cé

queasy a míshocair; ceasúil, samh-nasach, to feel ~ masmas a bheith ort, ~ feeling casadh aigne

queen n banríon, ~ bee cráinbheach

queer n piteog a ait, aisteach, corr, barrúil, greannmhar

queerness n aiteas

quell vt ciúnaigh, maolaigh, múch, cuir faoi chois

quench vt múch, báigh

quern n bró

querulous a cantalach, clamhsánach, ceasnúil

query n ceist; amhras vt ceistigh

quest n tóraíocht, cuardach, in ~ of sth ar lorg ruda

question n ceist, fiafraí vt ceistigh

questionable a amhrasach

question-mark n comhartha ceiste; amhras

questionnaire n ceistiúchán; foirm cheist-iúcháin

queue n scuaine, líne, ciú vi ciúáil

quibble n imeartas focal; mionchúis vi, **quibbling** ag cnádánacht, ag argóint

quick[1] n beo

quick[2] a tapa, mear, gasta, sciobtha; abartha, aibí; beo

quicken vt & i luathaigh, tapaigh, grod, to ~ one's pace géarú ar do choiscéim

quicklime n aol beo

quickness n tapúlacht, gastacht; aibéil, aibíocht

quicksand n gaineamh beo, gaineamh súraic

quicksilver n airgead beo

quick-tempered a tobann, taghdach

quid[1] n punt

quid[2] n, ~ of tobacco ionga tobac

quiet n suaimhneas, ciúnas, on the ~ faoi choim, os íseal a suaimhneach, ciúin, mín vt & i suaimhnigh, ciúnaigh, síothlaigh

quietness n suaimhneas, ciúnas, míne

quill n cleite; dealg

quilt n cuilt, cuilce vt & i cuilteáil

quince n cainche

quinine n quinín

quintessence n eithne, croí, smior; buaic, barr, eiseamláir

quintet n cúigréad

quintuplet n cúigrín

quip n ciúta, goineog vi, ~ping ag eagnaíocht

quirk n imeartas focal; fiar, cor, casadh; aiste, aiteacht, leithleachas

quit vt & i éirigh as, fág, tréig, notice to ~ fógra imeachta

quite adv ar fad, i gceart, amach is amach, ~ interesting spéisiúil go maith

quits a cothrom (le chéile); cúiteach (le chéile)

quiver[1] n creathán vi crith, creathnaigh

quiver[2] n bolg saighead

quivering a creathach, creathánach, crithir; luaineach

quiz n ceistiúchán vt diancheistigh

quoit n caidhte

quorum n córam

quota n cuóta

quotation n athfhriotal; praghas luaite, luachan

quotation-marks npl comharthaí ath-fhriotail

quote n slíocht, ionad, athfhriotal vt luaigh, aithris

quotient n, intelligence ~ sainuimhir intleachta

R

rabbi n raibí
rabbit n coinín
rabble n gramaisc, daoscarshlua, grathain, scroblach
Rabelaisian a Raibiléiseach
rabid a fíochmhar, confach
rabies n confadh
race[1] n sruth; tarae; rás, rith, cúrsa vt & i rith; rásáil
race[2] n cine; clann, stoc
racecourse n ráschúrsa
racehorse n capall rása
racial a ciníoch
racialism n ciníochas
racing n rásaíocht
rack[1] n raca, croch
rack[2] n, to go to ~ and ruin imeacht chun raice
racket[1] n, (sport) raicéad
racket[2] n racán, (illegal scheme) camastail
racketeer n cneámhaire
raconteur n eachtraí
racoon n racún
racy a anamúil; tíriúil, graosta
radar n radar
raddle n breasal
radial a gathach, radúil
radiance n loinnir, dealramh, soilse
radiant a lonrach, dealraitheach, ~ smile gealgháire
radiate vt & i gathaigh, radaigh, scaip, leath
radiation n radaíocht, gathú
radiator n radaitheoir
radical n & a radacach
radically adv ó bhonn (aníos)
radio n raidió vt & i craol
radioactivity n radaighníomhaíocht
radiogram n radagram
radiography n radagrafaíocht
radiology n raideolaíocht
radish n raidis
radium n raidiam
radius n cnámh radúil, (of circle) ga
raffle n raifil vt raifleáil
raft n rafta, cliath (iompair)
rafter n rachta pl fraitheacha, creataí
rag n ceirt, giobal, bratóg
rage n cuthach, fraoch vi, to ~ bheith ar deargbhuile, bheith le ceangal

ragged a gioblach, bratógach, sraoilleach; bearnach, spiacánach
raging a feargach, fraochta, to be ~ bheith le buile, ar mire, ~ drunk ar steallaí meisce
ragweed n buachalán (buí)
raid n creach, ruathar vt & i creach, slad, to ~ a place ruathar a dhéanamh ar áit, we were ~ed rinneadh slad orainn
raider n creachadóir
rail n ráille, slat; bóthar iarainn vt, to ~ sth off ráille a chur thart ar rud
railroad n bóthar iarainn
railway n iarnród, bóthar iarainn
rain n báisteach, fearthainn vt & i, it is ~ing tá sé ag cur (fearthainne, báistí), tá sé ag báisteach, to ~ blows on a person duine a chrústáil, a liúradh
rainbow n tuar ceatha, bogha báistí
rainfall n fliuchras; báisteach
rainy a báistiúil, for the ~ day le haghaidh na coise tinne
raise n ardú (pá) vt tóg, croch, ardaigh
raisin n rísín
rake[1] n ráca vt & i rácáil, to ~ the fire an tine a choigilt, to ~ up the past seanchairteacha a tharraingt ort
rake[2] n réice, ragairneálaí
rakish a réiciúil, ragairneach
rally n slógadh; iompú bisigh, bloscadh, téarnamh vt & i athchruinnigh, cruinnigh; téarnaigh, to ~ from an illness teacht chugat féin as breoiteacht
ram[1] n reithe, (tool) seimide
ram[2] vt pulc, sac, ding, to ~ a car carr a sháinniú
ramble n camchuairt vi, rambling ag fánaíocht, ag fámaireacht; ag rámhaille
ramification n craobhú
ramp n fánán
rampage n, on the ~ ag imeacht le dásacht
rampant a forleathan; neamhshrianta, dásachtach, ~ growth fás borb
rampart n múr, rampar, sonnach
ramshackle a, ~ house raingléis tí
ranch n rainse
rancher n rainseoir
rancid a camhraithe, bréan
rancour n domlas, mioscais, faltanas

183

random *n, at* ~ go fánach, gan aird *a* fánach, iomrallach, ~ *guess* buille faoi thuairim

range *n* lé, réim, réimse, fairsinge; sliabhraon; sornóg, ~ *of vision* raon, fad, radhairc, *firing* ~ léibheann lámhaigh *vt & i* réimnigh, sín, rith, *to* ~ *over the country* imeacht tríd an tír, rith na tíre a bheith agat, *prices ranging from £5 to £10* praghsanna ag réimse £5 go dtí £10

rank[1] *n* rang, sraith; cipe, cliath (catha); céimíocht, gradam, oireachas *vt & i* rangaigh, *to* ~ *among the great writers* bheith áirithe ar na scríbhneoirí móra

rank[2] *a* rábach, uaibhreach, borb; bréan; glan-, dearg-

rankle *vi, to* ~ *in a person's mind* goilleadh ar intinn duine, bheith ag déanamh angaidh do dhuine

ransack *vt* ransaigh, piardáil, siortaigh

ransom *n* fuascailt, *to hold a person to* ~ duine a chur ar fuascailt *vt* fuascail, ceannaigh

rant *n* bladhmann, callaireacht *vi*, ~*ing* ag callaireacht, ag radaireacht

rap *n* smitín, cniog, cnag *vt & i* cnag, cniog, rapáil, ~ *out* spalp

rapacious *a* amplach, cíocrach, santach; creachach

rape *n* éigean; fuadach *vt* éignigh, sáraigh; fuadaigh

rapid *a* sciobtha, gasta, mear

rapier *n* ráipéar

rapture *n* néal (áthais) *pl* sceitimíní, *I went into* ~*s* tháinig sciatháin, eiteoga, ar mo chroí

rare[1] *a* tanaí, éadlúth; annamh

rare[2] *a*, *(of meat)* scothbhruite

rascal *n* cladhaire, rógaire, cuilceach, bithiúnach

rash[1] *n* gríos, bruth

rash[2] *a* mear, grod, tobann, spadhrúil

rasher *n* slisín

rasp *n*, *(tool)* raspa *vt & i* raspáil

raspberry *n* sú craobh

rasping *a* díoscánach, scríobach

rat *n* francach, luch mhór *vi* sceith, ~ *on* loic ar, séan, téigh siar ar, *to* ~ *on a person* fealladh ar dhuine; duine a bhrath

rate *n* ráta, táille; gearradh, sraith, *at any* ~ ar aon nós, ar aon chuma; ach go

háirithe, cibé ar bith, *at a fierce* ~ ar nós an diabhail, ar luas nimhe *vt* meas, rátáil

rath *n* ráth

rather *adv*, ~ *than be idle* seachas, de leisce, a bheith díomhaoin, ~ *cold* sách fuar, fuar go maith, *I'd* ~ *sit than stand* b'fhearr liom suí ná seasamh

ratify *vt* daingnigh

rating *n* grádú

ratio *n* cóimheas, coibhneas

ration *n & vt* ciondáil

rational *a* céillí, réasúnach

rationalize *vt* réasúnaigh

rationing *n* ciondáil; cumadh (bia, etc)

rattle *n* gliogar, gliogram, glothar; crothal *vt & i*, *rattling* ag gliogarnach, *to* ~ *sth* gliogarnach a bhaint as rud, *he is rattling on* tá rilleadh faoi, tá sé ag roiseadh leis, *rattling away in English* ag spalpadh Béarla

raucous *a* grágach

ravage *vt*, *to* ~ *sth* foghail, slad, a dhéanamh ar rud

rave *vi*, *he is raving* tá sé ag rámhaille; tá sé as a mheabhair

ravel *vt & i* rois, sceith, *don't* ~ *it* ná cuir in aimhréidh é

raven *n* fiach (dubh)

ravenous *a* craosach, amplach, *I was* ~ bhí confadh ocrais orm

ravine *n* altán, ailt, céim, cumar

raving *n* rámhaille *a* rámhailleach, ~ *mad* glan as do mheabhair

ravish *vt* éignigh, sáraigh, creach

ravishing *a* draíochtach, fíorálainn, sciamhach

raw *a* amh; dearg; neamhoilte, ~ *weather* glasaimsir, ~ *material* bunábhar

ray[1] *n* ga, léas

ray[2] *n*, *(fish)* roc

rayon *n* réon

raze *vt* leag go talamh

razor *n* rásúr

razorbill *n* crosán

re *prep* i dtaobh, maidir le

re- *pref* ath-

reach *n*, *within one's* ~ in aice láimhe, faoi fhad láimhe díot, *out of his* ~ as a aice *vt & i* sín, sroich, bain amach, ráinigh

react *vi* freagair, frithghníomhaigh (ar, in aghaidh), freasaigh

reaction *n* freagairt, frithghníomh; imoibriú

reactionary *n* frithghníomhaí *a* frithghníomhach

read *vt & i* léigh

readable *a* soléite

reader *n* léitheoir

readiness *n* oirchill; réidhe; éascaíocht; toilteanas

reading *n* léitheoireacht; léamh

readjust *vt* athchóirigh

ready *a* ullamh, réidh, éasca; toilteanach, ~ *to fall* ar tí titim

readymade *a* réamhdhéanta

real *a* nithiúil, réadúil, dearbh-, fíor-, *a* ~ *rogue* rógaire ar na hailt, rógaire ceart

realism *n* réalachas

realist *n* réalaí

realistic *a* réadúil

reality *n* réaltacht, nithiúlacht, *in* ~ dáiríre

realize *vt* tuig, aithin, réadaigh, *it* ~ *d a good price* chuaigh sé luach maith

really *adv* dáiríre, go fírinneach, ~! ná habair! *I don't* ~ *know* níl a fhios agam i gceart, *she was* ~ *angry* bhí fearg cheart uirthi, ~ *and truly* dáiríre píre

realm *n* ríocht

ream *n* réam

reap *vt* bain, buain

reaper *n* buanaí; inneall bainte

rear[1] *n* cúl, deireadh, *from the* ~ aniar

rear[2] *vt & i* tóg, oil; beathaigh, *the horse* ~*ed up* d'éirigh an capall ar a chosa deiridh

rearguard *n* cúlgharda

reason *n* ábhar, réasún, cúis, fáth; ciall, meabhair *vt & i* réasúnaigh

reasonable *a* réasúnta, ciallmhar

reasoning *n* réasúnaíocht *a* réasúnach

reassure *vt, to* ~ *a person* duine a chur ar a shuaimhneas

rebate *n* lacáiste

rebel[1] *n & a* ceannairceach

rebel[2] *vi, to* ~ ceannairc a dhéanamh, éirí amach

rebellion *n* ceannairc, éirí amach, reibiliún

rebellious *a* ceannairceach, easumhal, reibiliúnach

rebound *n* athphreab, athléim *vi* athphreab, scinn, fill

rebuff *n* aithis, gonc *vt* diúltaigh; tiontaigh siar, *to* ~ *a person* gonc, aithis, a thabhairt do dhuine

rebuild *vt* atóg

rebuke *n* achasán, aifirt *vt* ceartaigh, aifir

recall *vt & i* athghair, athghlaoigh; cuimhnigh, meabhraigh

recant *vt & i* séan, téigh siar ar

recapitulate *vt & i* achoimrigh, *to* ~ achoimre a thabhairt

recede *vi* cúlaigh, tráigh, téigh ar gcúl

receipt *n* fáltas; admháil

receive *vt* faigh, glac, gabh, *to* ~ *a person* fáiltiú roimh dhuine

receiver *n* glacadóir

recent *a* deireanach, nua, *of* ~ *years* le na blianta deireanacha seo

recently *adv* le deireanas, le déanaí, le gairid

receptacle *n* gabhdán, soitheach

reception *n* glacadh, (*of radio*) glacadóireacht; fáiltiú

receptionist *n* fáilteoir

recess *n* sos; cúil, diamhair, ascaill; cuas, caibhéad

recession *n* meathlú, cúlú

recipe *n* oideas

recipient *n* faighteoir

reciprocal *a* cómhalartach

reciprocate *vt & i* cómhalartaigh

recital *n* aithris; ceadal

recitation *n* aithriseoireacht, gabháil (véarsaí); dán

recite *vt* aithris, gabh, reic

reckless *a* rábach, meargánta, dúshlánach

reckon *vt & i* áirigh, cuntais; meas

reckoning *n* cuntas, áireamh; scot

reclaim *vt* athghabh; tarrtháil; mínigh, *to* ~ *land* talamh a thabhairt chun míntíreachais

reclamation *n*, (*of land*) míntiríúchán

recline *vt & i, to* ~ *on one's side* luí, síneadh, ar do thaobh, *to* ~ *sth* rud a leagan ar a thaobh; rud a chasadh siar

recluse *n* dithreabhach

recognition *n* aitheantas, aithne

recognizable *a* inaitheanta

recognize *vt* aithin; admhaigh

recoil n, (of gun) speach, frithbhualadh, (of spring) athscinneadh, aisléim vi frithbhuail, speach; aisléim, athscinn; cúb (ó), cúlaigh siar (ó)

recollect vt meabhraigh, cuimhnigh, smaoinigh

recollection n cuimhneamh pl cuimhní cinn

recommend vt mol

recompense n cúiteamh, díol vt cúitigh

reconcile vt, to ~ athmhuintearas, réiteach, a dhéanamh, to ~ two opinions dhá thuairim a thabhairt le chéile

reconciliation n athchairdeas, athmhuintearas; réiteach

reconnaissance n taiscéalaíocht

reconstruct vt athchum, atóg

record n cuntas, taifead; ceirnín; teist, (sport) curiarracht vt cláraigh; taifead

recorder n cláraitheoir; flíuit Shasanach; gléas taifeadta, taifeadán

recording n taifeadadh

record-player n seinnteoir ceirníní

recount vt inis, ríomh, aithris

re-count vt athchomhair, athchuntais

recoup vt aisíoc, cúitigh, faigh ar ais

recourse n, to have ~ to sth dul i muinín ruda

recover vt & i athghabh, faigh ar ais, to ~ téarnamh, teacht chugat féin, bisiú

recovery n athghabháil; biseach, téarnamh

recreation n caitheamh aimsire

recruit n earcach vt earcaigh

recruitment n earcaíocht

rectangle n dronuilleog

rectify vt coigeartaigh, ceartaigh

rector n reachtaire

rectory n reachtaireacht

recumbent a sínte (siar)

recuperate vt & i slánaigh, bisigh; faigh ar ais

recur vi athfhill, atarlaigh, iompaigh, to ~ (to the memory) teacht ar ais chun cuimhne

recurring a athfhillteach

recycle vt athchúrsáil

red a dearg; rua

redden vt & i dearg, ruaigh

redeem vt fuascail, saor, slánaigh, ~ ing us from death dár gceannach ón mbás

redeemer n fuascailteoir, slánaitheoir

redemption n fuascailt, slánú

Redemptorist n & a Slánaitheorach

redress n leigheas, leasú vt ceartaigh

reduce vt laghdaigh, maolaigh, caolaigh (ar), to ~ sth to ashes rud a fhágáil ina luaithreach, luaithreach a dhéanamh de rud, to ~ a person to silence duine a chur ina thost

reduction n laghdú, maolú

redundancy n iomarcaíocht

redundant a iomarcach

reed n gáinne, giolc, ~(s) giolcach

reef n sceir, branra, scairbh, boilg; cúrsa vt & i cúrsáil, to ~ a sail cúrsaí a chur i seol; dul i gcúrsaí

reek n géarbholadh, blas vt & i, to ~ of smoke bheith ag plúchadh deataigh, the place ~ed poverty bhí boladh, blas, na bochtaineachta ar fud na háite, ~ing with bréan le, lofa le

reel[1] n spól; roithleán, crann tochrais vt & i tochrais, glinneáil

reel[2] n cor, ríl

reel[3] vi, my head ~ed tháinig meadhrán, roithleán, i mo cheann, ~ing about ag tuisliú, ag starragánacht, thart

refectory n proinnteach

refer vt & i cuir síos do, tarchuir, tagair do, to ~ a matter to a person scéal a chur faoi bhráid duine, I am not ~ring to you ní tú atá mé a rá, ní chugatsa atá mé

referee n réiteoir; moltóir

reference n tarchur, tagairt; teastas, cáilíocht, teistiméireacht

referendum n reifreann

refill n athlán, athlíonadh vt athlíon

refine vt & i scag, athléigh; snoigh; foirfigh; uaislagh

refined a deismíneach, deismir, caoin

refinement n deismíneacht, míneadas; snoiteacht

refinery n scaglann

reflect vt & i frithchaith; léirigh; machnaigh, smaoinigh, the trees were ~ed in the water bhí scáil na gcrann le feiceáil san uisce, to ~ (badly) on a person drochmheas a chaitheamh ar dhuine, to ~ credit on a person deachlú a thabhú do dhuine, meas a tharraingt ar dhuine

reflection n frithchaitheamh, scáth, scáil; machnamh

reflector n frithchaiteoir

reflex n athfhilleadh, ~ **action** frithluail a frithluaileach, athfhillteach

reflexive n & a frithfhillteach

reform n leasú vt & i leasaigh, ceartaigh, feabhsaigh

Reformation n Reifirméisean, Athrú Creidimh

reformatory n scoil cheartúcháin

reformer n leasaitheoir

refract vt athraon, cam

refrain[1] n loinneog, curfá

refrain[2] vi, to ~ **from** coinneáil ó, fanacht ó, staonadh ó, to ~ **from** smoking gan tobac a chaitheamh

refresh vt úraigh, fionnuaraigh, athnuaigh

refreshing a fionnuar, íocshláinteach, ~ **drink** deoch athbheochta

refreshment n fionnuarú, úrú, to take some ~ bia agus deoch a chaitheamh

refrigerator n cuisneoir

refuel vt & i, to ~ athbhreoslú

refuge n dídean, tearmann, port

refugee n dídeanaí

refund n & vt aisíoc

refusal n diúltú, loiceadh, obadh, eiteach

refuse[1] n dramháil, gráscar, bruscar, brocamas

refuse[2] vt diúltaigh, eitigh, éar

refute vt bréagnaigh

regain vt faigh ar ais, bain amach arís, she ~d consciousness tháinig a meabhair ar ais chuici

regal a ríoga, ríúil, maorga

regard[1] n beann, aird, suim; meas, cion, ómós, in that ~ maidir leis sin, as ~ s i dtaca le, dála, with kind ~ s le deamhéin

regard[2] vt féa h, dearc; breathnaigh ar, they ~ him as a gentleman tá sé ina dhuine uasal acu

regardless adv, ~ of beag beann ar, ar neamhchead do, ~ of expense is cuma cad a chosnódh sé

regatta n gcallta bád

regent n leasrí

régime n réim, córas

regiment n reisimint

region n réigiún, dúiche, ceantar, críoch

regional a réigiúnach

register n clár, rolla vt cláraigh

registrar n cláraitheoir

registration n clárú

registry n clárlann

regressive a cúlaitheach, aischéimnitheach

regret n aiféala, aithreachas, to send one's ~ s do leithscéal a ghabháil vt, to ~ sth cathú a bheith ort faoi rud, I ~ to say (that) is oth liom a rá (go)

regrettable a cásmhar, brónach

regular a rialta; gnáth-, seasta

regularity n rialtacht

regularize vt, to ~ sth rud a thabhairt chun rialtachta

regularly adv go rialta, go féiltiúil, coitianta; de ghnáth

regulate vt rialaigh

regulation n riail; rialú; rialachán

rehabilitate vt athshlánaigh

rehearsal n cleachtadh; réamhléiriú

rehearse vt cleacht

reign n réimeas vi, to ~ bheith i réim, i gcoróin

reimburse vt aisíoc

rein n & vt srian

reindeer n réinfhia

reinforce vt neartaigh (le), treisigh

reinstate vt cuir ar ais

reissue n atheisiúint, atheagrán vt atheisigh

reiterate vt athluaigh, to ~ sth rud a athrá

reject n colfairt vt diúltaigh (do), cuileáil, cuir suas de

rejoice vt & i gairdigh, geal, to ~ gliondar a bheith ort, gairdeas a dhéanamh

rejoin vt athcheangail, athnaisc, to ~ a person casadh arís ar dhuine

rejoinder n athfhreagra, aisfhreagra

rejuvenate vt athnuaigh

relapse n athbhuille, atitim, I had a ~ of the cold d'iompaigh an slaghdán orm vi atit, athiompaigh

relate vt & i inis, aithris, eachtraigh, relating to ~ ag baint le, to be ~d to a person gaol a bheith agat le duine, all ~d to you gach duine de do mhuintir, we are ~d by marriage táimid i gcleamhnas (le chéile), we are in no way ~d ní gaol ná páirt againn le chéile, to ~ to a person tuiscint a bheith agat do dhuine

relation n insint; coibhneas; gaol, duine muinteartha, public ~ s caidreamh poiblí, in ~ to maidir le

relationship n gaol, muintearas; coibhneas; baint

relative n duine muinteartha, gaol a coibhneasta, gaolmhar

relatively adv, ~ happy sách sona, réasúnta sona, sona go leor

relativity n gaolmhaireacht, coibhneasacht

relax vt & i bog, maolaigh, scaoil, to ~ do shuaimhneas a ghlacadh

relaxation n bogadh, scaoileadh, maolú; scíth, faoiseamh

relay n sealaíocht; leaschraoladh vt leaschraol

release n fuascailt, saoradh, scaoileadh vt fuascail, lig amach, scaoil

relent vi bog, maolaigh

relentless a neamhthrócaireach; buan, gan staonadh

relevance n baint

relevant a ábhartha, it is ~ to the subject baineann sé le hábhar

reliability n iontaofacht, tairise

reliable a iontaofa, muiníneach, tairiseach

reliance n iontaoibh, muinín

relic n taise pl iarsmaí

relief[1] n faoiseamh, fóirithint; sealaíocht, uainíocht, sos

relief[2] n rilíf, to bring sth into ~ rud a thabhairt chun léire

relieve vt fóir ar, maolaigh, to ~ a person (from pain, distress) faoiseamh a thabhairt do dhuine, to ~ a person (at work, etc) uainíocht a dhéanamh ar dhuine

religion n reiligiún, creideamh

religious a cráifeach, diaganta; reiligiúnach, ~ order ord rialta, ord crábhaidh

relinquish vt, to ~ sth rud a ligean uait, scaradh le rud, éirí as rud

relish n blas; séasúr, anlann; díograis, to have a ~ for sth dúil a bheith agat i rud vt, to ~ sth blas a fháil ar rud; sásamh a bhaint as rud; tuiscint a bheith agat do rud, I don't ~ the idea ní thaitníonn an smaoineamh liom in aon chor

reluctance n dochma, drogall, doicheall, leisce

reluctant a leisciúil, drogallach, I was ~ to speak to her ba leasc liom labhairt léi

rely vi, to ~ on sth seasamh ar rud, do

bhrath a bheith ar rud, to ~ on a person bheith ag brath ar dhuine; iontaoibh a bheith agat as duine

remain vi fan; mair

remainder n fuílleach, iarsma

remains npl fuílleach, iarsmaí, conablach; taisí; corp

remand n athchur vt athchuir

remark n focal, tagairt vt & i sonraigh, tabhair faoi deara, to ~ on sth tagairt do rud, rud a lua

remarkable a suaithinseach, suntasach, she is a ~ woman bean ar leith í

remedial a, ~ teaching teagasc feabhais, teagasc leasúcháin

remedy n leigheas, legal ~ cúiteamh dlí vt leigheas

remember vt & i cuimhnigh, meabhraigh, I ~ it is cuimhin liom é, ~ me to them beir mo bheannacht chucu

remembrance n cuimhneamh, cuimhne

remind vt, to ~ a person of sth rud a mheabhrú, a chur i gcuimhne, do dhuine

reminder n cuimhneachán; litir mheabhrúcháin

reminiscence n athchuimhne, pl cuimhní cinn

remiss a sleamchúiseach, neamartach, faillitheach

remission n maitheamh, lamháil, loghadh

remit vt maith, logh, lamháil; seol, to ~ a sum of money suim airgid a íoc

remittance n seoltán

remnant(s) n iarsma, fuílleach, dramhail, conablach, (of cloth) luideog

remonstrate vi, to ~ with a person aitheasc a thabhairt do dhuine

remorse n aiféala, doilíos

remote a iargúlta, aistreánach, coimhthíoch, i bhfad i gcéin, in ~ ages na cianta cairbreacha ó shin

removal n aistriú

remove vt bain as, bain de; tóg de; aistrigh

remover n aistritheoir, stain ~ smálghlantóir

remunerate vt íoc, to ~ a person luach a shaothair a thabhairt do dhuine, a shaothar a chúiteamh le duine

remuneration n luach saothair, pá

Renaissance n An Athbheochan

rend vt réab, stoll, stróic, coscair

render vt, to ~ fat saill a ghléea, to ~ good for evil an mhaith (a dhéanamh) in aghaidh an oilc, to ~ a service to a person gar a dhéanamh do dhuine, to ~ an account of sth cuntas a thabhairt i rud, to ~ sth useless rud a chur ó mhaith, rud a fhágáil gan mhaith

rendezvous n ionad coinne; coinne

renegade n séantóir

renege vt & i, to ~ on a promise dul siar ar ghealltanas, to ~ a card cárta a cheilt

renew vt & i athnuaigh

renewal n athnuachan

rennet n binid

renounce vt tréig, séan, diúltaigh do

renovate vt athchóirigh

renown n clú, cáil

renowned a clúiteach

rent[1] n cíos vt cíosaigh, to ~ land talamh a ligean ar cíos; talamh a thógáil ar cíos

rent[2] n stróic(eadh), réabadh, scoilt

renunciation n tréigean, diúltú, séanadh

repair n deisiú, deisiúchán, cóiriú vt deisigh, cóirigh, to ~ sth caoi, dóigh, a chur ar rud

reparation n díol, éiric, cúiteamh, leorghníomh

repartee n eagnaíocht, dea-chaint, abarthacht

repast n séire, lón, proinn, béile

repatriate vt aisdúichigh, to ~ a person duine a chur ar ais chun a thíre féin

repay vt aisíoc, díol, cúitigh

repayment n aisíoc(aíocht), díol, cúiteamh

repeal n aisghairm, Repéil vt aisghair

repeat a, ~ broadcast athchraoladh vt aithris, abair arís; athdhéan, don't ~ this story ná bog do bhéal air mar scéal, to ~ one's folly filleadh, iompú, ar an mbaois

repeatedly adv go mion minic, arís agus arís eile, I've told you ~ dúirt mé leat fiche uair

repel vt ruaig, fill, iompaigh siar, to ~ a person duine a choinneáil amach uait; gráin a chur ar dhuine, to be repelled by sth col a bheith ort le rud

repellent a ruaigtheach; obach; déistineach

repent vt & i, to ~ aithreachas a dhéanamh, to ~ one's sins aithrí a dhéanamh i do pheacaí

repentance n aithreachas, aithrí

repercussion n frithbhualadh, toradh, iarmhairt

repertoire n stór

repetition n athrá, aithris

replace vt cuir ar ais; ionadaigh, to ~ a person dul in áit duine; duine eile a chur in áit duine

replenish vt athlíon, athsholáthair

replica n macasamhail

reply n freagra vi freagair, to ~ to sth freagra a thabhairt ar rud

report n tuairisc, tuarascáil; faisnéis, scéala; luaidreán, ráfla vt & i tuairiscigh, to ~ on sth cuntas, tuairisc, a thabhairt ar rud, I'll ~ you to the teacher déarfaidh mé leis an múinteoir thú, he is ~ed to be rich tá sé amuigh air go bhfuil sé saibhir, tá ainm an tsaibhris air

reporter n nuachtóir, tuairisceoir

repose n ciúnas, suaimhneas, scíth, sos vi, to ~ do scíth a ligean, to ~ on luí (siar) ar

represent vt léirigh; ionadaigh, seas do, ~ing the president thar ceann an uachtaráin

representation n íomhá, samhail, léiriú, proportional ~ ionadaíocht chionmhar

representational a léiritheach

representative n ionadaí, teachta a, ~ government rialtas ionadaíochta

repress vt cloígh, smachtaigh, cuir faoi chois

repression n cosc, smachtú; géarleanúint, cos ar bolg

repressive a smachtúil

reprieve n spás, faoiseamh

reprimand n iomardú, spraic vt ceartaigh, to ~ a person spraic a chur ar dhuine

reprint n athchló vt athchlóigh

reprisal n díoltas

reproach n achasán, aithis, milleán vt, to ~ a person with sth rud a chasadh le duine

reproachful a achasánach, iomardach, milleánach

reproduce vt & i atáirg, síolraigh

reproduction *n* macasamhail; atáirgeadh; síolrú

reproof *n* lochtú, ceartú

reprove *vt* lochtaigh, ceartaigh, cáin

reptile *n* péist, reiptíl

republic *n* poblacht

republican *n* & *a* poblachtach

repudiate *vt* diúltaigh (do), séan

repugnant *a* aimhréireach (*to* le); colach; masmasach

repulsive *a* gránna, déistineach, samhnasach

reputable *a* creidiúnach

reputation *n* cáil, clú, *he has a ~ for learning* tá ainm an léinn air

request *n* iarraidh, iarratas, achainí *vt* iarr

requiem *n* éagnairc, *~ Mass* aifreann na marbh

require *vt*, *to ~ sth of a person* rud a iarraidh, a éileamh, ar dhuine, *that work ~s patience* teastaíonn foighne chun na hoibre sin, *all that is ~d* an méid atá de dhíth

requirement *n* gá, riachtanas, coinníoll

requisite *n* riachtanas *pl* fearais, acraí *a* riachtanach, oiriúnach

requisition *n* foréileamh *vt* foréiligh

requital *n* cúiteamh, díol, éiric

requite *vt* díol, cúitigh

rescind *vt* cealaigh

rescue *n* & *vt* tarrtháil, sábháil

research *n* taighde *vt* & *i* taighd

resemblance *n* cosúlacht, dealramh

resemble *vt* gabh le, téigh le, *to ~ a person* dealramh a bheith agat le duine

resent *vt*, *to ~ sth* olc a ghlacadh le rud

resentment *n* fala, faltanas, olc

reservation *n* cur in áirithe; acht, agús; forchoimeád; tearmann

reserve *n* cúl, cúltaca; taisce, stór, stoc; discréid, dúnáras, strainséarthacht *vt* taisc, coinnigh, *to ~ judgment* breithiúnas a fhorchoimeád, *to ~ seats* suíocháin a chur in áirithe

reserved *a* discréideach, dúnárasach; coimhthíoch, cotúil

reservoir *n* taiscumar

reside *vi* cónaigh

residence *n* cónaí, teach cónaithe

resident *n* cónaitheoir *a* cónaitheach

residue *n* fuílleach, farasbarr, iarmhar

resign *vt* & *i*, *to ~ from a post* éirí as post,

to ~ oneself to sth géilleadh do rud, tabhairt isteach do rud, *to ~ oneself to the will of God* do thoil a chur le toil Dé

resignation *n* éirí as; géilliúlacht, umhlaíocht

resilient *a* acmhainneach, *to be ~* teacht aniar a bheith ionat

resin *n* roisín

resist *vt*, *to ~ sth* cur in aghaidh ruda, diúltú do rud

resistance *n* cur in aghaidh, frithbheart; friotaíocht

resolute *a* diongbháilte, rúndaingean

resolution *n* fuascailt, scaoileadh; rún; seasmhacht, diongbháilteacht, daingne

resolve *n* diongbháilteacht *vt* scaoil, réitigh, *to ~ to do sth* é a bheith de rún agat rud a dhéanamh, cinneadh ar rud a dhéanamh

resonance *n* athshondas, fuaimneacht

resort *n* seift; muinín; taithí, gnás, *holiday ~* ionad saoire, *to have ~ to lies* dul ar na bréaga *vi*, *to ~ to sth* dul i muinín, i leith, ruda, *to ~ to a place* áit a thaithí, a lonnú; triall ar áit

resound *vt* & *i* athshon, athfhuaimnigh, *to ~ a person's praises* duine a mholadh go spéir, *it ~ed through the land* ba chomhchlos ar fud na tíre é, *his fame ~ed far and near* chuaigh a gháir i gcéin is i gcóngar, *the hills ~ed* baineadh macalla as na cnoic

resounding *a* foghrach, athshondach; iomráiteach

resource *n* seift, gus *pl* acmhainn, gustal

resourceful *a* seiftiúil, *she is ~* tá déanamh gnó inti

respect *n* meas, urraim, ómós, *in that ~* maidir leis sin, *with due ~ to you* i gcead duit

respectable *a* measúil, creidiúnach, fiúntach

respectful *a* ómósach, measúil, urramach

respectively *adv* faoi seach

respiration *n* análú, riospráid

respirator *n* análaitheoir

respite *n* cairde, sos, spás

resplendent *a* dealraitheach, lonrach, niamhrach; taibhseach

respond *vi* freagair

response *n* freagairt, freagra

responsibility n freagracht, cúram, muirear

responsible a freagrach (as), ciontach (i), *he himself was ~ for it* bhí sé féin ina chiontaí leis, eisean faoi deara é, eisean ba chionsiocair leis

responsive a freagrach, soghluaiste, mothálach

rest[1] n scíth, sos, socracht, suaimhneas; taca, branra vt & i, *to ~* scíth, do shuaimhneas, a ghlacadh, *~ it against the wall* cuir ina luí, ina sheasamh, leis an mballa é, *my eyes ~ed on it* lonnaigh mo shúile air, *God ~ her beannacht Dé lena hanam, let the matter ~* fág marbh é, fág ina chodladh é mar scéal

rest[2] n, *the ~* an chuid eile, an fuílleach

restaurant n teach itheacháin, bialann, proinnteach

restful a suaimhneach, sáil, sámh

restitution n aiseag, aisíoc, leorghníomh, cúiteamh

restive a giongach, dodach, corrthónach

restless a mishuaimhneach, corrach, giodamach, corrthónach, guairneánach

restoration n athbhunú; deisiú; athghairm

restore vt cuir ar ais; aisig; athchóirigh, deisigh

restrain vt srian, ceansaigh, coisc

restraint n srian, guaim, cosc, ríochan

restrict vt cúngaigh, teorannaigh, srian

restricted a teoranta, srianta

restriction n cúngú, teorannú, srian; crapall

restrictive a sriantach, ~ *clause* clásal cuimsitheach

result n toradh, iarmhairt, *as a ~ of that*, dá bharr, dá bhrí, sin vi, *it ~ed in a large profit* bhí brabach mór air, tháinig brabach mór as, *it will ~ in argument* tiocfaidh conspóid de

resume vt, *to ~ power* cumhacht a fháil ar ais, *to ~ work* dul ag obair arís

resumé n achoimre

resurgence n aiséirí, athbheochan

resurrection n aiséirí

retail n & vt miondíol

retailer n miondíoltóir, ceannaí gearr

retain vt coimeád, coinnigh

retaliate vt, *to ~ on a person* tomhas a

láimhe féin a thabhairt do dhuine, sásamh a bhaint as duine

retaliation n díoltas, íoc, cúiteamh

retard vt moilligh

retarded a mallintinneach

retch vi brúcht, *the child is ~ing* tá tarraingt orla ar an leanbh

retention n coinneáil, coimeád siar

retentive a coimeádach, coinneálach

reticent a dúnárasach, tostach, beagfhoclach

retina n reitine

retinue n lucht coimhdeachta, tionlacan, buíon

retire vt & i tarraing siar, *to ~ (to a place)* dul ar leithligh, i leataobh, *to ~ from work* éirí as obair, *to ~ a person from his post* duine a scor as a phost

retirement n scor; cúlú

retiring a cúthail, cúlráideach

retort n aisfhreagra, aibéil chainte vt & i aisfhreagair, *to ~* aibéil chainte, freagra grod, a thabhairt do dhuine

retrace vt, *to ~ one's steps* filleadh ar do choiscéim

retreat n cúlú, teitheadh; díseart; cúrsa spioradálta vi cúlaigh, teith

retribution n cúiteamh, éiric

retrieval n aisghabháil, aisfháil

retrieve vt faigh ar ais

retrograde a aisiompaitheach, aischéimnitheach, ~ *step* céim siar

retrogression n céim siar

retrogressive a cúlaitheach, aisiompaitheach

retrospect n cúlamharc, *in ~* ag féachaint siar

retrospective a cúlghabhálach, aisbhreathnaitheach

return n filleadh, casadh; tuairisc; fáltas, *in ~ for sth* i ndíol, in aghaidh, thar ceann, ruda vt & i fill, cas, tiontaigh, iompaigh, ~ *the book* cuir ar ais an leabhar

reunion n athaontú; teacht le chéile

reunite vt & i athaontaigh, athshnaidhm, tar le chéile arís

reveal vt foilsigh, nocht, taispeáin

revel n scléip, pléaráca vi, *to ~* scléip a dhéanamh, *to ~ in sth* pléisiúr, sásamh, a bhaint as rud

revelation n taispeánadh, foilsiú, nochtadh

reveller n ragaireálaí, pléaráca, scléipire

revelry n pléaráca, radaireacht, scléip

revenge n díoltas

revenue n ioncam, teacht isteach

reverberate vt & i frithchaith, ais-fhuaimnigh, to ~ macalla a dhéanamh, the walls ~d to the sound bhain an torann macallaí as na ballaí

revere vt urramaigh, to ~ a person ómós, urraim, a bheith agat do dhuine

reverence n ómós, urraim, your ~ a oirmhinnigh vt oirmhinnigh, to ~ sth urraim a bheith agat do rud

reverend a, the R~ George Burke an tUrramach, an tOirmhinneach, Seoirse de Búrca

reverent a ómósach

reverie n bruadar, brionglóid

revers n lipéad

reversal n cúlú, dul siar, cur siar

reverse n malairt; aisiompú; díomua; cúl vt & i iompaigh, cúlaigh, ~d droim ar ais; taobh tuathail amach

revert vi iompaigh, to ~ to type filleadh ar an dúchas

review n athbhreithniú; léirbhreithniú; léirmheas vt athbhreithnigh; léir-bhreithnigh, to ~ a book leabhar a léirmheas

reviewer n léirmheastóir

revile vt líomhain, spídigh, to ~ a person duine a dhíbliú

revise vt athbhreithnigh, leasaigh

revision n athbhreithniú, leasú

revival n athbheochan

revive vt & i athbheoigh, to ~ teacht chugat féin, teacht thart, to ~ a person's spirits athmhisneach a thabhairt do dhuine

revoke vt tarraing siar, cealaigh, aisghair

revolt n éirí amach, ceannairc vi éirigh amach, it ~s me cuireann sé samhnas, déistin, orm

revolution n imrothlú; réabhlóid

revolutionary n réabhlóidí a réabhlóid-each

revolve vt & i imrothlaigh, cas, tiontaigh, revolving ag roithleagadh

revolver n gunnán

revue n ilsiamsa

revulsion n tobathrú, iompú; casadh aigne, masmas

reward n luach (saothair), duais vt, to ~ a person duais, luach saothair, a thabhairt do dhuine

rhapsody n rapsóid, rosc (ceoil); néal (áthais)

rhetoric n reitric

rhetorical a reitriciúil, roscach

rheum n sram, brach, réama

rheumatism n daitheacha, scoilteacha

rhinoceros n srónbheannach

rhododendron n ródaidéandrón

rhubarb n biabhóg, rúbarb

rhyme n rím; rann, there's neither ~ nor reason to it níl binneas ná cruinneas ann vt & i, to ~ rainn a chumadh; (of words) rím a dhéanamh le chéile

rhythm n rithim, gluaiseacht

rhythmic(al) a rithimeach

rib n easna; rígín

ribald a gáirsiúil, graosta

ribbed a cliathach, easnach; rigineach

ribbing n, (knitting) rígín

ribbon n ribín

rice n rís

rich a saibhir; méith; borb, uaibhreach

riches npl saibhreas, stóras, ollmhaitheas

rick n cruach, stáca

rickets n raicíteas

rickety a corraiceach

rid vt, to ~ a person of a disease duine a shaoradh ó ghalar, to ~ oneself of sth rud a chur díot, fáil réidh le rud, to get ~ of a cold scaradh le slaghdán

riddance n cur ó dhoras, they are a good ~ bliain mhaith ina ndiaidh

riddle[1] n tomhas

riddle[2] n criathar, rilleán vt rill, criathraigh

ride n marcaíocht; síob vt & i marcaigh, to ~ a horse capall a mharcaíocht

rider n marcach, (addendum) aguisín

ridge n droim; iomaire; buaic (tí)

ridicule n magadh vt, ridiculing a person ag fochaid, ag magadh, ar dhuine

ridiculous a áiféiseach, that's ~ níl aon dealramh leis sin; cúis gháire chugainn!

rife a forleathan, flúirseach

riff-raff n scroblach, gramaisc

rifle[1] n raidhfil

rifle[2] vt ransaigh, siortaigh, creach

rift n scoilt; brúcht

rig n rigín; feisteas, oil ~ rige ola vt rigeáil, ~ out feistigh

rigging n rigín, tácla

right n ceart, cóir; dliteanas, ceartas, teideal, *on the* ~ ar deis, *to turn* ~ casadh faoi dheis, ~ *of way* ceart slí a ceart, cóir, cruinn; deas, ~ *hand* lámh dheas, deasóg, deis, ~ *angle* dronuillinn, *not in one's* ~ *mind* gan a bheith i gceart (sa cheann), gan a bheith ceart *vt* ceartaigh, *to* ~ *sth* rud a chur i gceart, ina cheart

righteous a fíréanta, prionsabálta

rightful a dlisteanach, ceart

righthand a, *on the* ~ *side* ar thaobh na láimhe deise, ar deis

righthanded a deisealach, deasach, deaslámhach

rigid a dolúbtha, docht

rigmarole n deilín, raiméis, rangalam

rigorous a dian, crua

rigour n déine, cruatan

rig-out n cóir éadaigh, feisteas

rile vt, griog, *to* ~ *a person* bheith ag séideadh faoi dhuine

rim n fonsa, fóir, imeall, feire

rind n craiceann, crotal

ring[1] n fáinne, drol; ciorcal; cró vt ciorclaigh, fáinnigh, timpeallaigh

ring[2] n cling vt & vi cling, *to* ~ *a bell* clog a bhaint, a bhualadh, *to* ~ *a person on the telephone* glaoch (ar an teileafón) ar dhuine, *it* ~*s true* tá blas, craiceann, na fírinne air, *to make the heavens* ~ macalla a bhaint as na spéartha

ring-fort n lios, ráth

ringleader n ceann feadhna, ceannaire

ringlet n bachall, drol, búcla, lúb

ringworm n borrphéist

rink n rinc

rinse n sruthlú, rinseáil vt sruthlaigh, rinseáil

riot n círéib, racán

rip n roiseadh, réabadh vt & i réab, rois, sceith

ripe a aibí

ripen vt & i aibigh, buigh

ripple n cuilithín, boiseog, lonnach vi, *rippling* ag tonnail

rise n éirí; méadú; ard vi éirigh, ardaigh, *the fish are rising* tá aiste ar an iasc, *the sun has* ~n tá an ghrian ina suí

rising n éirí, (*rebellion*) éirí amach, *early* ~ mochóirí

risk n fiontar, priacal, baol vt, *to* ~ *sth* dul i bhfiontar ruda, dul sa seans le rud

risky a priaclach, seansúil

rissole n riosól

rite n deasghnáth

ritual n deasghnáth, searmanas a deasghnách

rival n iomaitheoir, coimhlinteoir; céile comhraic

rivalry n coimhlint; iomaíocht

river n abhainn, sruth

river-basin n abhantrach

river-bed n leaba abhann

rivet n seam vt seamaigh

rivulet n sruthán

roach n róiste

road n bóthar, slí, bealach; ród

roadblock n bacainn bhóthair

roadworthy a inaistir

roam vt & i, *to* ~ bheith ag fánaíocht, ag siúl romhat, *to* ~ *the world* an domhan a shiúl

roan a griséadach

roar n & vi búir, géim

roaring n búireach, béicíl a, ~ *fire* craos tine, tine chraosach

roast n rósta vt & i róst

rob vt & i robáil, goid, *to* ~ *a nest* nead a choilleadh

robber n robálaí, ladrann

robbery n robáil

robe n róba, *judge's* ~ gúna breithimh

robin n spideog

robot n robat

robust a urrúnta

rock[1] n carraig, carracán, creig

rock[2] vt & i luasc, bog, ~*ing* ag bogadh, ag longadán

rock-climbing n ailleadóireacht

rocker n luascán

rocket n roicéad, *off like a* ~ imithe mar a bheadh caor thine ann

rocky a creagach, carrach, carraigeach, ~ *patch*, *place* creagán

rod n slat, fleasc

rodent n creimire

roe n eochraí, pis, *soft* ~ lábán

roebuck n ruaphoc

rogue n cladhaire, rógaire, cneámhaire

roguery n rógaireacht, claidhreacht, cneámhaireacht

roguish a rógánta

roistering a ragairneach

role a páirt (aisteora), ról; gnó, cion feidhme

roll n rolla, burla, *sausage* ~, rollóg ispíní *vt & i* roll, iomlaisc, burláil, *to ~ up sleeves* muinchillí a chornadh, a thrusáil, ~*ing* ag roithleagadh, ag longadán

roller n rollóir; rollán; roithleán; saoiste

roller-skates npl scátaí rothacha

rolling-pin n crann fuinte

Roman n & a Rómhánach

romance n finscéal; scéal ridireachta; scéal grá, R~ *languages* na teangacha Rómánsacha *vi, romancing* ag rómánsaíocht

romantic a rómánsach

romanticism n rómánsaíocht; rómánsachas

romp n pléaráca, rancás *vi*, ~*ing* ag rancás, ag pramsáil

roof n díon, *thatched* ~ ceann tuí *vt* díon

rook n préachán

room n slí, fairsinge, spás, áit; seomra

roost n fara *vi* fáir

root[1] n fréamh, bun, rúta *vt & i* fréamhaigh

root[2] *vt & i* tochail, tóch, taighd

rope n rópa, téad *vt*, *to ~ sth* rud a cheangal le rópa; rud a ghabháil (i lúb)

rosary n paidrín, Coróin Mhuire

rose n rós

rosebud n cocán róis

rose-hip n mogóir

rosemary n rós Mhuire, marós

rose-tree n rósóg

roster n uainchlár

rostrum n rostram, ardán, crannóg

rosy a rósach, ar dhath an róis; dealraitheach

rot n lobhadh *vt & i* lobh, dreoigh, morg

rota n uainchlár, róta

rotary a rothlach

rotate *vt & i* rothlaigh, téigh thart, cuir thart

rotation n rothlú; uainíocht

rote n, *to learn sth by ~* rud a chur de ghlanmheabhair

rotovator n rótachartaire

rotten a lofa

rotund a cruinn, ciorclach; corpanta

rouble n rúbal

rouge n dearg, breasal

rough n garbh, corraiceach, garg, anfach; carrach, ~ *handling* cíorláil, ~ *weather* garbhshíon

roughage n gairbhseach

roughen *vt & i* garbhaigh

roughly adv go garbh ~ *speaking* tríd is tríd, ar an iomlán, ~ *a mile* tuairim is míle

roulette n rúiléid

round[1] n ciorcal; timpeall, cuairt, cur, cúrsa; dreas, babhta a cruinn, rabhnáilte

round[2] *vt & i, to ~ sth* rud a dhéanamh cruinn, *to ~ a headland* ceann tíre a scoitheadh, *she ~ed on him* dhearg sí, phléasc sí, air, *to ~ up sheep* caoirigh a locadh, a chluicheadh

roundabout n timpeallán a timpeallach, *to take a ~ way* timpeall, cor bealaigh, a chur ort féin

rounders npl cluiche corr

rouse *vt* dúisigh, múscail, spreag

rousing a spreagúil

rout n ruaig, maidhm, raon maidhme *vt* ruaig, maidhm

route n bealach, slí, raon

routine n gnáthamh

rove *vt & i, roving about* ag fánaíocht thart, *roving the country* ag taisteal, ag siúl, na tíre

rover n fánaí, réice

row[1] n sraith, rang, treas

row[2] n gleo, racán, iaróg

row[3] *vt & i* iomair, rámhaigh, ~*ing* ag rámhaíocht

rowan n caorthann

rowdy n racánaí a racánach, callánach

rowdyism n racánaíocht

rower n iomróir

rowlock n roillic, leaba iomartha

royal a ríoga

royalist n ríogaí

royalty n ríochas; ríora, ríshliocht, rítheaghlach, (*payment*) dleacht

rub n cuimilt, *there's the* ~ sin é an buille *vt & i* cuimil, slíoc, slíob

rubber n cuimleoir, scriosán; rubar, cúitiúc

rubbish n bruscar, truflais, cunús, cáith

rubble n brablach

rubella n bruitíneach dhearg

rubric n rúibric

ruby n rúibín

rucksack n mála droma

ruction n raic, callán

rudd n ruán

rudder n stiúir

ruddy n luisniúil, dearg

rude a garbh, tútach, drochbhéasach, mímhúinte, borb

rudiment n buntús, ~s of learning uraiceacht, aibítir, léinn

rue vt & i, you will ~ it beidh a aithreachas ort; beidh daor ort, to ~ doilíos a dhéanamh

ruff n rufa

ruffian n ruifíneach

ruffle n rufa; lonnach; corraí vt & i, the sea is ~d tá an fharraige bainte, to ~ sth rud a chur in aimhréidh, to ~ a person corraí, corrabhuais, a chur ar dhuine

rug n ruga, súsa

rugby n rugbaí

rugged a garbh, cairbreach, cnapánach, aistreánach

ruin n creach, scrios; ballóg, fothrach, pl cabhlacha, taisí vt creach, scrios, mill, loit

ruinous a scriosach, cailltreach, the castle is in a ~ state tá an caisleán ina fhothrach

rule n riail, smacht, ceannas, tiarnas; rialóir, as a ~ de ghnáth vt rialaigh; líníigh

ruler n rialtóir; (implement) rialóir, riail

rum n rum

rumble n tormáil, torann vi, rumbling ag tormáil, ag torann

ruminant n & a athchogantach

ruminate vt & i athchogain; machnaigh (ar)

rummage vt & i ransaigh, siortaigh, piardáil

rumour n ráfla, luaidreán vi, it was ~ed

that chuaigh iomrá amach go

rump n prompa, ~ steak stéig gheadáin

rumple vt, to ~ sth roic, filltíní, a chur i rud

rumpus n sciúchas

run n rith, ruthag, geábh, a ~ on tickets ráchairt ar thicéid, on the ~ ar do theitheadh, ar do sheachaint, ar do choimeád vt & i rith, teith, to ~ a shop siopa a reáchtáil, he was ~ down by a car leag carr é

runaway n teifeach

rundale n rondáil

rung n runga

runner n reathaí, (plant) reathaire; fáinne reatha

runway n rúidbhealach

rupee n rúipí

rupture n scoilt; maidhm sheicne vt & i scoilt, bris, maidhm

rural a tuathúil, tuaithe, ~ science tuatheolaíocht

rush[1] n brobh (luachra), feag pl luachair

rush[2] n rúid, ruathar, siota, sciuird; práinn, deifir vt & i brostaigh, deifrigh, sciurd, to ~ off imeacht sna gáinní, sna fáscaí (reatha)

rusk n rosca

russet a (donn)rua, ruaimneach

rust n meirg; smúr, smoirt

rustic n tuathánach, fear tíre, bean tíre a tuathúil

rustle n seordán, siosarnach vi, to ~ siosarnach a dhéanamh

rusty a meirgeach

rut[1] n clais, sclaig, sloc

rut[2] n láth

ruthless a neamhthrócaireach, díbheirgeach

rye n seagal

ryegrass n seagalach

S

sabbath n sabóid, saoire an Domhnaigh

sabbatical a sabóideach

sable n sáible a dubh, ciardhubh

sabotage n sabaitéireacht

saboteur n sabaitéir

sabre n marc-chlaíomh

saccharin n siúicrin

sachet n saicín

sack n sac vt sac, to ~ a person duine a shacáil, duine a chur chun bealaigh, bata is bóthar a thabhairt do dhuine

sackcloth n sacéadach

sacrament n sacraimint

sacramental a sacraimintiúil

sacred *a* naofa, beannaithe, diaga, ~ *promise* geall dobhriste
sacrifice *n* íobairt *vt & i* íobair
sacrificial *a* íobartach
sacrilege *n* sacrailéid
sacrilegious *a* sacrailéideach
sacristan *n* sacraisteoir
sacristy *n* eardhamh, sacraistí
sad *a* brónach, gruama, danaideach, truamhéalach
sadden *vt & i* dubhaigh, *to* ~ brón a chur ar; éirí gruama
saddle *n* diallait *vt, to* ~ *a horse* diallait a chur ar chapall
saddler *n* saidléir, diallaiteoir
sadist *n* sádach
sadistic *a* sádach
sadness *n* brón, buairt, gruaim, cian
safe[1] *n* taisceadán
safe[2] *a* slán, sábháilte, *to be on the* ~ *side* ar eagla na heagla
safe-conduct *n* pas coimirce
safeguard *n* coimirce taistil, cosaint (ar bhaol, etc), *to* ~ *sth* rud a choinneáil slán
safety *n* sábháilteacht
saffron *n* cróch
sag *n* tabhairt (uaidh), stangadh *vi* stang
saga *n* sága
sagacious *a* críonna, gaoiseach, eagnaí
sagacity *n* críonnacht, gliceas
sage[1] *n, (herb)* sáiste
sage[2] *n* eagnaí, éigeas, fáidh, saoi *a* eagnaí, críonna
Sagittarius *n* an Saighdeoir
sago *n* ság
sail *n* seol, *under full* ~ faoi iomlán éadaigh, faoi lánseol *vt & i* seol
sailcloth *n* anairt (bheag)
sailing *n* mairnéalacht, seoltóireacht
sailor *n* mairnéalach, seoltóir
saint *n* naomh, ~ *Peter* Naomh Peadar, ~ *Catherine* San Caitríona
sake *n, for the* ~ *of* ar mhaithe le, ar son, thar ceann, *for peace* ~ de ghrá an réitigh
salad *n* sailéad
salary *n* tuarastal
sale *n* díol, díolachán, reic, ceantáil
saleable *n* sodhíolta
Salesian *n & a* Sailéiseach
salesman *n* díoltóir
salient *a* starrach; follasach, suntasach

saline *a* goirt, salanda
saliva *n* seile
sallow *a* buí, liathbhuí
sally[1] *n* saileach
sally[2] *n* rúid *vi, to* ~ *forth* éirí amach
salmon *n* bradán
salon *n* salón
saloon *n* halla, salún
salt *n* salann *a* salanda, goirt, ~ *water* sáile *vt* saill, leasaigh
salt-cellar *n* sáiltéar
saltpetre *n* sailpitear
salutary *a* sochrach, tairbheach
salute *n* cúirtéis, beannú *vt* beannaigh
salvage *n* tarrtháil, éadáil *vt* tarrtháil
salvation *n* slánú
salve *n* céirín, ungadh, íocshláinte *vt* suaimhnigh, leigheas, *to* ~ *one's conscience* ceirín a chur le do choinsias
same *pron & a* céanna, *at the* ~ *time* san am céanna; in éineacht, *all the* ~ mar sin féin, *it's all the* ~ *to me* is cuma liom, is é an dá mhar a chéile domsa é, *it is the* ~ *with me, in my case* is é an dála céanna agamsa é, ní taise domsa é
sample *n* sampla *vt* tástáil, blais
sanatorium *n* sanatóir
sanctify *vt* naomhaigh, beannaigh
sanctimonious *a* béalchráifeach
sanction *n* smachtbhanna, pionós; ceadú *vt, the grant was* ~*ed* ceadaíodh an deontas
sanctity *n* naofacht
sanctuary *n* sanctóir; tearmann
sand *n* gaineamh
sandal *n* cuarán
sandbank *n* oitir (ghainimh), muc ghainimh
sand-eel *n* corr (ghainimh), spéirlint
sandhill *n* dumhach, méile, muc ghainimh
sandpaper *n* páirín
sandpiper *n* gobadán
sandstone *n* gaineamhchloch
sandwich *n* ceapaire
sandy *a* gainmheach, *(of hair)* fionnrua
sane *a* réasúnta, céillí
sanguine *a, (of complexion)* lasta, *(of temperament)* dóchasach
sanitation *n* sláintíocht
sanity *n* ciall
Santa Claus *n* San Nioclás, Daidí na Nollag

sap n sú, súlach
sapling n buinneán, fás, meathán
sapphire n saifír
sappy a cumhra, glas, súmhar
sarcasm n searbhas, géarchaint
sarcastic a searbhasach, géar, ~ smile leamhgháire
sardine n sairdín
sardonic a searbh, fonóideach
sash n sais
Satan n an diabhal, an tAibhirseoir
satchel n mála scoile, tiachóg
sated a dóthanach, sách
satellite n satailít a, ~ planet pláinéad coimhdeachta, ~ state fostát
satin n sról
satire n aoir
satirical a aorach, seanbhlastúil
satirist n aorthóir
satirize vt aor
satisfaction n sásamh, cúiteamh; sástacht; sult
satisfactory a sásúil
satisfied a sásta
satisfy vt comhlíon; sásaigh
saturate vt maothaigh, cuir ar maos; sáithigh
saturation n maos; sáithiú
Saturday n Satharn, he will come on ~ tiocfaidh sé Dé Sathairn
Saturn n Satarn
satyr n satair
sauce n anlann; soibealtacht, sotal
saucepan n sáspan
saucer n sásar, fochupán
saucy a ladúsach, soibealta, deiliúsach, giodalach
saunter n fálróid, spaisteoireacht; guailleáil vi, ~ing ag fálróid, ag spaisteoireacht; ag guailleáil thart
sausage n ispín
savage n duine fiáin, duine barbartha a fiáin, brúidiúil
save¹ vt & i sábháil, saor, slánaigh, tarrtháil; coigil, God ~ you Dia duit
save² prep ach (amháin)
savings npl airgead taisce, coigilteas
saviour n slánaitheoir
savoury n blastóg a blasta, séasúrach, neamh-mhilis
saw n & vt & i sábh
sawdust n min sáibh
sawmill n muileann sábhadóireachta

Saxon n & a Sacsanach
saxophone n sacsafón
say vt abair, 'very well' said Brian 'tá go maith' arsa Brian, to ~ nothing of gan trácht ar, to ~ Mass Aifreann a léamh, a rá
saying n rá, nath, seanfhocal; ráiteachas
scab n gearb
scabbard n truaill
scabby a carrach, gearbach
scaffold n scafall; croch
scaffolding n scafall, scafláil, stáitse
scald n scalladh vt scall, scól
scald-crow n feannóg
scalding n scóladh a scalltach
scale¹ n gainne, lann; screamh, coirt vt & i gainnigh, lannaigh; coirtigh; scamh; sceith
scale² n scála pl meá
scale³ n scála; scóip, on a large ~ ar an mórchóir vt dreap; grádaigh, scálaigh
scallion n scailliún
scallop n muirín; scolb, cléithín
scalp n craiceann an chinn, plait
scalpel n lansa
scamp n raimsce, cuilceach
scamper n scodal, ruaig vi rith, sciurd, scinn
scan vt & i scan; breathnaigh, grinnigh
scandal n scannal, náire, oilbhéim
scandalize vt scannalaigh, to ~ a person scannal, ábhar oilbhéime, a thabhairt do dhuine
scandalous a scannalach, náireach
scanner n scanóir
scansion n scanadh
scant a giortach, gann, tearc, I have ~ regard for them is beag mo mheas orthu
scanty a gortach, tearc, scáinte
scapegoat n sceilpín gabhair
scapular n scaball
scar n colm, méirscre vt, to ~ skin colm a fhágáil i gcraiceann
scarce a tearc, gann, gannchúiseach
scarcely adv ar éigean
scarcity n ganntanas, gannchúis, gorta, teirce
scare n scanradh; scaoll vt scanraigh
scarecrow n fear bréige, babhdán
scarf n scaif, carbhat
scarlet n scarlóid a scarlóideach, ~ fever fiabhras dearg

scathing *a* géar, feanntach, ~ *remarks* bearradh teanga

scatter *vt & i* scaip, croith, leath, scáin

scatter-brained *a* éaganta, scaipthe

scavenger *n* scroblachóir

scene *n* suíomh, ionad; radharc, *behind the* ~*s* ar chúl stáitse; ar an gcúlráid

scenery *n* radharcra; radharc tíre

scenic *a* taibhseach, sciamhach, ~ *route* bóthar álainn

scent *n* boladh, boltanas, cumhracht; cumhrán, mos *vt* bolaigh; cumhraigh, *to* ~ *sth* boladh ruda a chur

sceptic *n* sceipteach

sceptical *a* sceiptiúil, díchreidmheach, amhrasach

sceptre *n* rishlat

schedule *n* sceideal, clár

scheme *n* scéim *vt & i* pleanáil, beartaigh

schism *n* siosma

schizophrenia *n* scitsifréine

scholar *n* scoláire, fear léinn

scholarly *a* scolártha

scholarship *n* scoláireacht; léann

scholastic *n* scolaí *a* scolaíoch

school *n* scoil *vt* teagasc; traenáil

schooner *n* scúnar

sciatica *n* sciaitice

science *a* eolaíocht; ealaín, ~ *fiction* ficsean eolaíochta

scientific *n* eolaíoch

scientist *n* eolaí

scintillate *vi* drithligh

scion *n* buinne, géag, fleasc

scissors *npl* siosúr

sclerosis *n* scléaróis

scoff *n* fonóid, magadh *vi*, *to* ~ *at a person* fonóid, magadh, a dhéanamh faoi dhuine

scold *n* báirseach *vt & i* ith, liobair, scioll, *to* ~ *a person* gearradh teanga, léasadh teanga, a thabhairt do dhuine

scone *n* bonnóg

scoop *n* scaob, scúp *vt* scaob, sluaisteáil

scooter *n* scútar

scope *n* raon, éirim, scód, scóip, cuimsiú; ligean, saoirse

scorch *vt* loisc, dóigh, gread, ruadhóigh

score *n* scríob, scór, stríoc *vt* riastáil, scóráil, scrabh, *to* ~ *a goal* báire, cúl, a chur

scorn *n* tarcaisne, scorn *vt* tarcaisnigh, dispeag

scornful *a* tarcaisneach, drochmheasúil

Scorpio *n* an Scairp

scorpion *n* scairp

Scotch *n* fuisce na hAlban; canúint na hAlban *pl*, *the* ~ na hAlbanaigh *a* Albanach

scot-free *a* gan cháin, *he went* ~ thug sé a cháibín saor leis

scoundrel *n* bithiúnach, ropaire, cladhaire

scour *vt* buinneach, sciodarnach; sciúradh *vt & i* sciúr, sciomair; úraigh

scour *vt & i* sciurd, ransaigh, criathraigh, *to* ~ *the country* an dúiche a shiúl ina horlaí beaga

scourge *n* sciúirse, *they are a real* ~ is mór an phlá i dtír iad *vt* sciúrsáil, lasc, céas, cúr, scól

scout *n* scabhta; taiscéalaí, *boy* ~*s* gasóga *vi* ~*ing* ag scabhtáil, ag taiscéaladh

scowl *n* grus, púic, duifean *vi*, *he* ~*ed* chuir sé gruig air féin, tháinig muc ar gach mala aige

scraggy *a* scáinte, reangach, scroigeach

scramble *n* crúbadach, streachailt, coimhlint; sciob sceab, sciútam *vt & i* streachail, *he* ~*d up the hill* aníos leis an cnoc ar a cheithre boinn, *to* ~ *for sth* coimhlint a dhéanamh faoi rud, *to* ~ *eggs* uibheacha a scrobhadh

scrap *n* blúire, ruainne; giob, gearróg *pl* bruscar, dramhaíl, conamar

scrap *n* brúion, scléip, racán

scrap *vt*, *to* ~ *sth* rud a chaitheamh i dtraipisí, faoi thóin cártaí

scrape *n* scríob, scráib *vt & i* scríob, scrabh; scamh, cart, *to* ~ *together a sum of money* dornán airgid a chonlú, *scraping on a fiddle* ag streancánacht, ag scríobáil, ar fhidil

scratch *n* scríob, marc, scrabha, scráib, *at* ~ ar an scríobhlíne *vt & i* scríob, scrabáil; tochais

scraw *n* scraith

scrawl *n* scrábáil

scream *n & vt & i* scread, scréach

scree *n* screathan

screech *n* scréach *vi* scréach, *to* ~ scréach a chur, a ligean, asat

screen *n* scáthlán, scáth, scáileán; scagaire *vt* scáthaigh, fothainigh; criathraigh, scag

screw n scriú, bís vt scriúáil
screwdriver n scriúire
scribble n & vt & i scrábáil
scribe n scríobhaí
scrimmage n conabhrú, coimheascar, scrimisc, clibirt
script n script
scripture n scriptúr
scroll n scrolla
scrotum n cadairne
scrounge vt & i, to ~ around bheith ag diúgaireacht, ag súmaireacht, thart
scrounger n súmaire, stocaire
scrub¹ n muine, casarnach, scrobarnach
scrub² n sciomradh, sciúradh vt & i sciomair, sciúr
scrum(mage) n clibirt
scruple n scrupall vi, to ~ to do sth bheith scrupallach i dtaobh rud a dhéanamh, he didn't ~ to do it níor scorn leis é (a dhéanamh)
scrupulous a scrupallach, mionchúiseach, pointeáilte
scrutineer n iniúchóir
scrutinize vt scrúdaigh, grinnigh, glinnigh, iniúch
scrutiny n mionscrúdú, iniúchadh
scuffle n gráscar vi, scuffling (with) i ngráscar (le)
scullery n cúlchistin
sculptor n dealbhóir, snoídóir
sculpture n dealbhóireacht vt dealbhaigh, snoigh
scum n screamh, coirt; gramaisc
scurf n screamh, gainne; sail chnis
scurrilous a madrúil, salach, suarach, náireach
scurry n sciuird vi sciurd, scinn
scurvy n galar carrach, claimhe a suarach, truaillí
scut n sciot
scythe n & vt speal
sea n farraige, muir
sea-anemone n bundún leice
seabed n grinneall na farraige
seaboard n imeallbhord
sea-bream n deargán, garbhánach
seafaring n maraíocht, loingseoireacht
seagull n faoileán
seal¹ n rón
seal² n séala vt séalaigh, to ~ sth séala a chur ar rud
seam n uaim; siúnta; féith, síog

seaman n mairnéalach, loingseoir, maraí
seance n séans
sear vt loisc, breoigh, dóigh
search n cuardach, ransú, tóraíocht vt & i cuardaigh, tóraigh, siortaigh, ransaigh, ~ for lorg
searcher n cuardaitheoir, lorgaire, ransaitheoir
searchlight n tóirsholas
seascape n muirdhreach
seashore n cladach
seasickness n tinneas farraige
seaside n, at the ~ cois farraige, ~ resort baile saoire cois trá
season n séasúr, ráithe, ionú, uair, tréimhse vt & i tuar, (of wood) stálaigh, (of food) blaistigh, leasaigh
seasonable a séasúrach, ionúch
seasonal a séasúrach
seasoning n blastán, leasú
seat n suíochán, cathaoir, binse vt suigh
seaweed n feamainn
seaworthy a inseolta, acmhainneach
secede vi scar (le), dealaigh (ó)
secluded a cúlráideach, uaigneach, cúlánta, ~ place diamhair, cúlráid
seclusion n cúlráid, uaigneas; leithleachas
second¹ n soicind, meandar, ala
second² n tacaí, fear taca, the ~ an dara ceann, James the S~ Séamas a Dó a dara, dóú; ath-, a ~ time athuair
second³ vt tacaigh le, cuidigh le
secondary a tánaisteach, ~ school meánscoil, ~ meaning fochiall
seconder n cuiditheoir
second-hand a, ~ car carr athláimhe, to buy sth ~ rud a cheannach ar athláimh
secrecy n discréid, rúndacht, ganfhiosaíocht, dorchadas
secret n rún, in ~ faoi choim, os íseal a rúnda, discréideach, ganfhiosach, folaitheach
secretariat n rúnaíocht
secretary n rúnaí
secrete vt & i ceil, folaigh; tál, sil
secretion n folach, ceilt; tál
secretive a rúnmhar, ganfhiosach, ceilteach, béaliata, foscúil
sect n seict
sectarian a aicmeach; seicteach
sectarianism n seicteachas

section *n* gearradh, teascán; gasra; rannóg; mír

sector *n* teascóg; rannóg, *public* ~ earnáil phoiblí

secular *a* ciantréimhseach; saolta, tuata, ~ *clergy* gnáthchléir

secure *a* daingean, diongbháilte, teann *vt* daingnigh, dún, feistigh, greamaigh; caomhnaigh; urraigh, dílsigh

security *n* sábháil, slándáil; daingne; dílse, urra; urrús, *to go* ~ *for a person* dul i ngeall, in urraíocht, ar dhuine

sedate *a* maorga, forasta

sedative *n* suaimhneasán *a* suaimhneasach

sedentary *a* suite, suiteach

sedge *n* cíb

sediment *n* moirt, deasca, dríodar

sedimentary *a*, ~ *rock* carraig dhríodair

sedition *n* ceannairc

seduce *vt* meall, claon, meabhlaigh, *to* ~ *a girl* cailín a chur ó chrích, ó chion

seduction *n* meabhlú, mealladh

seductive *a* meabhlach, meallacach

see[1]

see[2] *vt & i* feic, amharc, féach, *I know her to* ~ tá súilaithne agam uirthi

seed *n* síol, pór *vt & i* síolaigh

seedling *n* síolphlanda

seedy *a* éidreorach; *(of clothes, etc)* smolchaite

seek *vt* lorg, cuardaigh, iarr

seeker *n* cuardaitheoir, lorgaire, sirtheoir

seem *vi*, *he* ~ *s tired* tá cuma thuirseach air, *you* ~ *like a prince to me* dealraím le prionsa thú, *they* ~ *to be satisfied* is cosúil go bhfuil siad sásta, *I* ~ *to have heard that name* samhlaítear dom gur chuala mé an t-ainm sin, *it* ~ *s that is* cosúil go, dealraíonn sé go, *you have enough, it* ~ *s to me*, tá do dhóthain agat, dar liom; feictear dom go bhfuil do dhóthain agat

seeming *a* dealraitheach, ~ *ly* de réir cosúlachta

seemliness *n* cuibheas, cneastacht, geanúlacht

seemly *a* fiúntach, cuibhiúil, geanúil

seep *vi* úsc, sil, tar faoi

seer *n* fear feasa, fáidh

see-saw *n* maide corrach, crandaí bogadaí *vi*, *to* ~ bogadh suas agus anuas

seethe *vi* coip, *seething* ag oibriú, *seething with anger* ag fiuchadh le fearg

segment *n* teascán, mír *vt & i* deighil, scar, *to* ~ *sth* rud a roinnt ina theascáin

segregate *vt & i* leithscar, deighil, dealaigh (ó)

seine *n* saighean

seismic *a* seismeach

seize *vt* gabh, glac, tóg, greamaigh, beir ar, *to* ~ *the opportunity* an deis a thapú

seizure *n* gabháil, forghabháil, fuadach, glacadh; *(fit)* taom; breith

seldom *adv* go hannamh

select[1] *a* tofa, scothúil

select[2] *vt* roghnaigh, togh, pioc

selection *n* rogha; roghnú, toghadh

selective *a* roghnach

self *n* an duine féin, *she is her old* ~ *again* tá sí chuici féin arís, tá sí ar a seanléim arís

self-assured *a* diongbháilte, teann, treallúsach

self-centred *a* leithleach

self-confident *a*, *to be* ~ bheith muiníneach, dóchasach, asat féin

self-conscious *a* comhfhiosach; cotúil, náireach

self-contained *a* neamhspleách, *(of flat)* glanscartha

self-control *n* féinsmacht, stuaim, guaim

self-denial *n* féindiúltú

self-government *n* féinrialtas

self-important *a* tromchúiseach, postúil

self-indulgence *n* sácráilteacht, sáile, macnas

selfish *a* leithleach

self-possessed *a* stuama

self-raising *a*, *(of flour)* éiritheach

self-righteous *a* ceartaiseach

selfsame *a* ceannann céanna

selfservice *n* féinseirbhís

self-willed *a* ládasach, stuacach, diúnasach

sell *vt & i* díol, reic, *cattle were* ~ *ing well* bhí an-imeacht ar eallach

seller *n* díoltóir, reacaire

semantics *npl* séimeantaic

semblance *n* cosúlacht, samhail

semen *n* seamhan

semi- *n & a* leath-, breac-, scoth-

semicolon *n* leathstad

semi-conscious *a*, *to be* ~ bheith ar leathaithne

semi-detached *a* leathscoite
semi-final *n*, (*game*) cluiche leathcheannais
seminar *n* seimineár
seminary *n* coláiste sagartachta
semi-skilled *a* breacoilte
semolina *n* seimilín
senate *n* seanad
senator *n* seanadóir
send *vt* cuir, seol, *to ~ for a person* fios a chur ar dhuine, *to ~ word to a person* scéala a ligean, a chur, chuig duine
sender *n* seoltóir
send-off *n*, *he had a great ~* bhí comóradh mór leis
seneschal *n* seanascal
senile *a* críon, díblí
senility *n* seanaois, críonnacht; leanbaíocht (na seanaoise)
senior *n* seanóir, sinsearach *a* sinsearach, sean-, *John O'Brien ~*, Seán Mór Ó Briain
seniority *n* sinsearacht
senna *n* séinne
sensation *n* mothú, meabhair; scailéathan, gáifeacht
sensational *a* gáifeach, scailéathanach
sense *n* céadfa; mothú; ciall, stuaim, réasún, *have ~*! bíodh ciall agat! *vt* airigh, braith, mothaigh, meabhraigh
senseless *a* gan aithne, gan mheabhair; éaganta, éigiallta, míchéillí, díchéillí
sensibility *n* céadfacht
sensible *a* inbhraite, céadfach; ciallmhar, stuama, staidéarach, fódúil, réasúnta
sensitive *a* goilliúnach, íogair, mothálach
sensitivity *n* mothálacht, íogaireacht
sensory *a* céadfach
sensual *a* collaí, *~ pleasures* pléisiúir na colainne
sensuous *a* sóúil; collaí
sentence *n* breithiúnas, daorbhreith; (*grammar*) abairt, *~ of death* breith bháis *vt*, *he was ~d to imprisonment* gearradh príosún air
sententious *a* nathach
sentiment *n* mothúchán; tuairim, aigne; maoithneachas
sentimental *a* maoithneach, maoth
sentry *n* fairtheoir
separate *a* ar leith; scartha, scoite *vt* & *i* scar, dealaigh, deighil
separation *n* scaradh, dealú, deighilt

separator *n* deighilteoir
September *n* Meán Fómhair
septic *a* seipteach
sepulchre *n* ula, tuama
sequel *n* iarsma, fuíoll, iarmhairt
sequence *n* ord, sraith; seicheamh
sequin *n* seacain
serenade *n* saranáid
serene *a* sámh, suaimhneach; fionnuar, ciúin, soineanta
serenity *n* suaimhneas, ciúnas, soineann
serf *n* seirfeach, daoirseach
serge *n* saraiste
sergeant *n* sáirsint
serial *n* sraithscéal *a* srathach
serialize *vt* srathaigh
series *n* sraith, *~ of calamities* tubaiste ar dhroim tubaiste
serious *a* dáiríre, tromaí, tromchúiseach
sermon *n* seanmóir
serpent *n* ollphéist, nathair
serrated *a* fiaclach
serum *n* séiream
servant *n* seirbhíseach, searbhónta
servant-boy *n* buachaill aimsire
servant-girl *n* cailín aimsire
serve *vt* & *i* friotháil (ar), fóin do, freastail, seirbheáil, riar, *to ~ the purpose* an gnó a dhéanamh, *to ~ a master* bheith i do sheirbhíseach ag máistir, *it ~ s you right* is maith an airí ort é; a chonách sin ort, *if my memory ~ s me right* más buan mo chuimhne
server *n* friothálaí, dáileamh; dáileoir
service *n* seirbhís, freastal, fónamh; feidhmeannas; garaíocht, *civil ~* státseirbhís, *dinner ~* foireann dinnéir, *the cow lost the ~* chaill an bhó an dáir, *in ~* (*with*) ar aimsir (ag)
serviceable *a* fónta, infheidhme
serviette *n* naipcín boird
servile *a* daor-, sclábhánta, táir, uiríseal
serving *n*, (*portion*) cuid, (*distribution*) riar, dáileadh
Servite *n* Seirbhíteach
servitude *n* braighdeanas, daoirse, *penal ~* pianseirbhís
session *n* seisiún; suíochán
set¹ *n* foireann, cur, sraith; dream, (*dance*) seit, (*stage*) láithreán, *~ of teeth* cíor, draid, cár (fiacla), (*burrow*) brocach

set² *a* daingean, sioctha, cruaite, socraithe, ar tinneall

set³ *vt & i* cuir, suigh, leag; socraigh, deisigh; téacht, cruaigh, sioc, stalc, táthaigh, *to ~ hair* gruaig a fheistiú, *to ~ the table* an bord a ghléasadh, a leagan, *to ~ a fire* tine a fhadú, *the sun is ~ting* tá an ghrian ag dul faoi, ag luí, *he ~ about me with a stick* ghabh sé de bhata orm, *to ~ about sth* scaoileadh faoi rud, cur chun ruda, díriú ar rud, *to ~ to work* dul i gceann oibre, *to ~ down a load* ualach a scaoileadh anuas, *one ~* an seachtú cuid déag, *to ~ forth* cur chun bealaigh; leag amach, *to ~ a prisoner free* príosúnach a ligean saor, *to ~ a dog on a person* gadhar a dhreasú i nduine, a scaoileadh le duine

set-back *n* céim siar, cur siar, dul ar gcúl, *that was a ~ to him* chuir sin cúl air

settee *n* tolg

setter *n*, *(dog)* sotar

setting *n* cur, suíomh; leagan; leaba, *~ of sun* dul faoi na gréine

settle *vt & i* socraigh, réitigh; lonnaigh; plandáil; deasc, síothlaigh, *to ~ a person in life* críoch a chur ar dhuine, *to ~ down in a place* cur fút in áit, *the weather is ~d* tá bun ar an aimsir

settle-bed *n* leaba shuíocháin; leaba raca

settlement *n* socrú, réiteach; lonnaíocht, *marriage ~* socraíocht chleamhnais

settler *n* lonnaitheoir, seadaitheoir; coilíneach

seven *n & a* seacht, *~ persons* seachtar, mórsheiser

seventeen *n & a* seacht déag, *~ towns* seacht mbaile dhéag

seventeenth *n & a, the ~ day* an seachtú lá déag, *one ~* an seachtú cuid déag

seventh *n & a* seachtú

seventieth *n & a* seachtódú

seventy *n & a* seachtó

sever *vt* scoith, teasc, *to ~ one's connection with an organization* scaradh le heagraíocht

several *a* ar leith, leithleach; éagsúil, *~ people* roinnt, go leor, a lán, daoine

severe *a* dian, anróiteach, crua, trom, géar, deannachtach, feanntach, *(of style, etc)* lom

severity *n* déine, cruas; loime

sew *vt & i* fuaigh

sewage *n* camras

sewer *n* séarach, camra

sewerage *n* séarachas

sewing *n* obair fhuála; fuáil

sex *n* gnéas, cineál

sextant *n* seiseamhán

sexton *n* cléireach; reiligire

sexual *a* gnéasach, collaí, *~ intercourse* comhriachtain

sexuality *n* collaíocht

shabby *a* leadhbach, smolchaite; suarach; sprionlaithe

shack *n* seantán

shackle *n* geimheal, cuibhreach *vt* cuibhrigh, *to ~ a person* iarainn, crapall, laincis, a chur ar dhuine

shade *n* scáth, scáil, foscadh; scáthlán, *a ~ better* claon beag níos fearr *vt* scáthaigh, fothainigh; scáthlínigh

shadow *n* scáth, scáil *vt, to ~ a person* leanúint go dlúth de dhuine

shady *a* scáthach, foscúil; amhrasach

shaft *n* crann, cros, sáfach; saighead; lorga; fearsaid, *(of cart, etc)* seafta, leathlaí; poll, sloc, *~ of sunlight* maide gréine, ga gréine

shag *n* seaga

shaggy *a* mothallach, mosach, giobach, gruagach

shake *n* croitheadh, suaitheadh *vt & i* croith, crith; bagair, *he was shaking all over* bhí sé ar ballchrith

shake-down *n* sráideog

shaky *a* corrach, creathach, éagobhsaí

shallot *n* seallóid

shallow *n* tanalacht; scairbh *a* tanaí, éadomhain, neamhfhuaimintiúil

sham *n* cur i gcéill *a*, *~ fight* troid mar mhagadh, *~ sickness* tinneas bréige, *vt & i, he shammed sickness* lig sé air gur tinn a bhí sé, *he is only shamming* níl sé ach ag ligean air

shamble *vi* spágáil

shambles *n* seamlas, *the place was a ~* bhí an áit ina chosair easair

shame *n* náire, aiféaltas *vt* náirigh, imdhearg, *you ~d me* thug sibh mo náire

shamefaced *a* aiféalach, maolchluasach

shameful *n* náireach, scannalach, aithiseach

shameless *a* gan náire, mínáireach, téisiúil

shampoo *n* foltfholcadh, seampú

shamrock n seamróg
shank n lorga, spanla; cos, luiseag
shanty¹ n seantán, bothán
shanty² n rabhcán maraí
shape n cruth, cló, cuma, cumraíocht,
déanamh; sonra, toirt; múnla vt & i
cum, deilbhigh, múnlaigh, ceap,
cruthaigh, snoigh
shapeless a éagruthach
shapely a córach, cruthach, cuanna,
greanta
shard n slige
share¹ n cuid, páirt, roinn, cion, sciar;
scair vt roinn
share² n soc (céachta)
shark n siorc, (person) lomaire, basking
~ liamhán gréine
sharp a géar, biorach, nimhneach,
faobhrach, binbeach, ~ incline mala
rite, ~ practice camastaíl, caimil-
éireacht
sharpen vt & i géaraigh, faobhraigh,
líomh, bioraigh, to ~ sth faobhar a
chur ar rud
sharpener n líofóir, bióróir
sharpening-stone n cloch fhaobhair
sharpness n géire, líofacht, gontacht;
riteacht
shatter vt & i bris, pléasc, mionaigh, réab,
scrios, coscair, to ~ sth smionagar,
smidiríní, a dhéanamh de rud
shave n bearradh, he had a narrow ~ is
maith a scar sé leis, dóbair dó vt & i
bearr, to ~ wood adhmad a scamhadh
shaving n slis pl scamhadh, slisneach
shawl n seál
she pron sí, sise; í, ise, ~ came tháinig sí,
~ was beaten buaileadh í, ~ is a doc-
tor is dochtúir í, ~ who knows an té, an
bhean, a bhfuil a fhios aici
sheaf n punann, scuab
shear vt lom, lomair, scoith, bearr
shears n deimheas
sheath n truaill, faighin
sheathe vt, to ~ a sword claíomh a chur i
dtruaill, to ~ a cable cábla a chumh-
dach
shebeen n síbín
shed¹ n scáthlán, bothán, bráca
shed² vt caith, scoith, teilg; doirt, fear, sil,
dáil
sheen n loinnir, dealramh, niamh, lí, snas

sheep n caora
sheep-dog n madra caorach, sípéir
sheepish a uascánta, maolchluasach
sheepskin n craiceann caorach
sheer a cruthanta; géar, rite, glaningear-
ach; mín, sreabhnach, trédhearcach,
out of ~ spite le teann, le tréan, oilc for
~ joy le neart , le barr, áthais
sheet n braillín; bileog, leathanach,
leathán; scód, (of water) réimse, bal-
ance ~ clár comhardaithe, ~ of ice
leac oighir
she-goat n minseach
sheik n sic
shelf n seilf; scairbh
shell n sliogán, mogall, blaosc; faigh-
neog; creatlach vt scil, rúisc, speal, to
~ a town pléascáin a scaoileadh le
baile
shellfish n sliogán; iasc sliogáin
shelter n scáthlán; díon, foscadh,
fothain, scáth, dídean vt & i fothain-
igh, díon, to ~ from a shower dul ar
foscadh ó chith
shelterbelt n crios foscaidh
sheltered a foscúil, fothainiúil, cluthar,
~ from the wind ar chúl na gaoithe, the
~ side taobh an fhoscaidh
shelve vt, to ~ books leabhair a chur ar
sheilfeanna, to ~ a question ceist a
chur siar, a chur i leataobh
shepherd n aoire, tréadaí vt aoirigh
sheriff n sirriam
sherry n seiris
shield n sciath, armas vt cumhdaigh,
díon, scáthaigh
shift n aistriú, bogadh; seal; oirbheart,
seift, to work in ~s sealaíocht, uain-
íocht, a dhéanamh vt & i aistrigh,
athraigh; seiftigh, to ~ for oneself
déanamh as duit féin, ~ing population
daonra aistreach
shiftless a éidreorach
shift-work n obair shealaíochta
shifty a corrach, cleasach, lúbach
shilling n scilling
shilly-shally vi, don't ~ about it ná bí siar
is aniar leis
shimmer n crithloinnir vi crithlonraigh,
damhsaigh
shin n lorga, speir
shindy n racán

shine *n* taitneamh, loinnir, snas *vt & i* lonraigh, soilsigh, taitin, dealraigh; snasaigh, líomh

shingle¹ *n* scláta, slinn *vt*, *to ~ a roof* slinnte adhmaid a chur ar cheann tí, *to ~ hair* gruaig a lombhearradh

shingle² *n* mionduirling, scaineagán

shingles *n* deir

shin-guard *n* loirgneán

shining *a* lonrach, dealraitheach, taitneamhach

ship *n* long, árthach, soitheach *vt*, *to ~ a cargo* lasta a thógáil ar bord, *to ~ goods to another country* earraí a sheoladh go tír eile

shipload *n* lasta, lucht, ládáil

shipmate *n* leathbhádóir

shipment *n* lastas

shipping *n* loingeas; loingseoireacht

shipwreck *n* longbhriseadh *vt*, *they were ~ed* tharla longbhriseadh dóibh

shipwright *n* saor loinge, saor báid

shipyard *n* longchlós, longcheárta

shirk *vt & i* cúlaigh ó, loic, ob, *~ing ag* stangaireacht

shirker *n* leiciméir, loiceach

shirt *n* léine

shiver *n & vi* crith

shoal¹ *n* oitir, scairbh

shoal² *n* scoil, cluiche, ráth (éisc) *vi* ráthaigh, cluich

shock¹ *n* coscairt, preab, *electric ~* turraing leictreach *vt* coscair, *to ~ a person* scannal a thabhairt do dhuine; duine a shuaitheadh; duine a chur trí chéile

shock² *n*, *~ of hair* stoth, suasán, larcán (gruaige)

shocking *a* coscrach, uafásach, náireach

shoddy *a* sramach, suarach

shoe *n* bróg, (*of horse*) crú, *if I were in your ~s* dá mbeinn i d'áitse *vt*, *to ~ a horse* capall a chrú, crú(ite) a chur faoi chapall

shoe-lace *n* (barr)iall

shoemaker *n* gréasaí

shoneen *n* seoinín

shoot *n* beangán, buinneán, péacán; sleamhnán; búion seilge; comórtas lámhaigh *vt & i* caith, scaoil, lámhach, diúraic, (*of bud, etc*) eascair, *he shot off* as go brách leis, d'imigh sé d'urchar

shooting *n* lámhach, caitheamh; foghlaeireacht *a*, *~ star* réalta reatha

shop *n* siopa

shopkeeper *n* siopadóir

shoplifter *n* gadaí siopa

shopping *n* siopadóireacht, *~ centre* ionad siopadóireachta

shore¹ *n* cladach, cósta

shore² *n* taca *vt*, *to ~ up sth* taca a chur faoi rud

short *a* gearr, gairid, beag; giorraisc, aicearrach, *to be ~ of sth* bheith gann i rud, *we are three ~* táimid triúr easpach, *~ of breath* gearranálach, *~ answer* gearróg, *~ story* gearrscéal

shortage *n* easnamh, ganntanas, gátar, *~ of breath* giorra anála

shortbread *n* arán briosc

shortcake *n* brioscóid

short-circuit *n & vt* gearrchiorcad

shortcoming *n* easpa, locht

short-cut *n* aicearra, cóngar

shorten *vt & i* giorraigh, gearr, ciorraigh, *the days are ~ing* tá an lá ag dul i ngiorracht

shorthand *n* gearrscríobh, *~ typist* gearr-chlóscríobhaí

short-lived *a* díomuan, gearrshaolach, duthain

shortly *adv* gan mhoill, ar ball beag

shortness *n* giorracht; gannchúis; giorraisce, *~ of breath* giorra anála

shorts *npl* briste gearrógach

shortsighted *a* gearr-radharcach, dall-radharcach, gearr sa radharc

short-tempered *a* tobann, teasaí, taghdach

shot *n* urchar; grán, (*of person*) lámhachóir, *like a ~* de phléasc, de phlimp, d'urchar, *I'll have a ~ at it* féachfaidh mé mo lámh air, féachfaidh mé leis

shot-gun *n* gunna gráin

should *aux v*, *what ~ be done* an rud ba chóir, ba cheart, a dhéanamh, *they ~ have sat down* bhí sé ceart acu suí, *you ~ have seen her!* dá bhfeicfeá í! *I ~ n't think so* ní dóigh liom é, ní déarfainn é

shoulder *n* gualainn *vt & i* guailleáil, *to ~ a load* ualach a chur ar do ghualainn, dul faoi ualach

shoulder-blade *n* slinneán

shoulder-strap *n* guailleán

shout *n* béic, scairt, gáir, glaoch, liú *vt & i* béic, gáir, glaoigh, scairt, liúigh
shove *n* brú, sonc, sá *vt & i* brúigh, sac
shovel *n* sluasaid *vt & i* sluaisteáil, ~ *ling clay* ag taoscadh créafóige
show *n* taispeáint, straibhéis; taispeántas, suaitheantas, seó; feic; *don't make a ~ of yourself* ná déan ceann ar clár diot féin *vt & i* taispeáin, léirigh, *to ~ a person* duine a sheoladh, a threorú, isteach, *to ~ off* gothaí a chur ort féin, *that is all I have to ~ for it* sin a bhfuil ar a shon agam
show-case *n* cás taispeántais
shower *n* cith, múr, fras; cithfholcadh *vt & i* doirt, caith, *to ~ blows on a person* luí na mbuillí a chur ar dhuine, *to ~* cithfholcadh a ghlacadh
showery *a* ceathach
showman *n* fear seó
showy *a* péacach, taibhseach, feiceálach, gáifeach; taispeántach
shred *n* ruainne, luid, leadhbóg *vn* mionstiall, scillig
shrew *n* dallóg fhraoigh; báirseach
shrewd *a* críonna, gaoiseach, géarchúiseach, glic, fadcheannach
shriek *n & vi* scréach
shrill *a* géar, ard, caol, gluair
shrimp *n* ribe róibéis, séacla
shrine *n* scrín; cumhdach
shrink *vt & i* laghdaigh, crap, *the material shrank* chuaigh san éadach, *to ~ back from sth* cúbadh siar ó rud, loiceadh roimh rud; rud a ghráiniú
shrivel *vt & i* searg, spall
shrivelled *a* feosaí, seargtha
shroud *n* taiséadach, taisléine *vt* folaigh, *to ~ a corpse* taiséadach a chur ar chorp
Shrove *n* Inid, ~ *Tuesday* Máirt Inide
shrub *n* tom, tor
shrug *n* croitheadh guaillí *vt & i*, *to ~ do* ghuaillí a chroitheadh, croitheadh a bhaint as do ghuaillí
shudder *n* creathán, crith *vi*, *to make a person ~* crith a bhaint as duine, *he ~ed* ghabh creathán trid
shuffle *n* scuabáil; suaitheadh *vt & i*, *to ~* bheith ag scuabáil, ag tarraingt na gcos, *to ~ cards* cártaí a shuaitheadh
shun *vt* seachain, ob, diúltaigh (do)
shunt *n & vt & i* siúnt

shut *vt & i* dún, druid, iaigh, ~ *up!* éist do bhéal! bí i do thost! *a* dúnta, druidte, iata
shutter *n* comhla
shuttle *n* spól, eitean, ~ *service* seirbhís tointeála *vt & i*, *we were being ~d back and forth* bhíomar ár dtointeáil anonn is anall
shuttlecock *n* cearc cholgach; eitean
shy[1] *a* cúthail, cotúil, scáfar, coimhthíoch, cúlánta
shy[2] *vi* scinn, clis
sibilant *n & a* siosach
sick *n, the ~* na heasláin, lucht easláinte *a* breoite, tinn, *I'm ~ of it* tá mé bréan, dubh dóite, de
sick-call *n* glaoch tinnis; glaoch ola
sicken *vt & i* breoigh, meathlaigh, *it would ~ you* chuirfeadh sé múisc, samhnas, breoiteacht, ort
sickening *a* múisciúil, samhnasach, déistineach
sickle *n* corrán
sickly *a* galrach, leice, meata, míintheach
sickness *n* breoiteacht, galar, tinneas
side *n* taobh, cliathán; leath; leaca, slios; colbha (leapa), ~ *by ~ with* bord ar bhord le, bonn ar bhonn le, *to be on a person's ~* bheith i leith duine, *on this ~* abhus, *on the far, other, ~* thall, *there are two ~s to the story*, tá dhá cheann ar an scéal *vi*, ~ *with* taobhaigh le, claon le
sideboard *n* cornchlár
side-car *n* carr cliathánach
side-effect *n* seachthoradh
sidelong *a*, ~ *glance* claonamharc, leacam, catsúil, *to give a ~ glance at a person*, féachaint i ndiaidh do leicinn ar dhuine
sideroad *n* taobh-bhóthar
sideways *a & adv* cliathánach, i leataobh, ar sceabha
siding *n* taobhlach
sidle *vi*, *to ~ in* caolú isteach, téaltú isteach
siege *n* imshuí, léigear
sieve *n* criathar, rilleán *vt* criathraigh
sift *vt* criathraigh; scag
sifter *n* criathar
sigh *n* ochlán, osna *vi*, *to ~ osna a ligean*, ~ *ing* ag osnaíl
sighing *n* osnaíl *a* osnaíoch

sight *n* amharc, radharc; iontas, *in ~* le feiceáil, *I know him by ~* tá súilaithne agam air, *(sorry) ~* feic *vt*, *to ~ a ship* long a fheiceáil

sightless *a* dall

sightseer *n* fámaire, turasóir

sign *n* comhartha, tuar, *the ~ of the Cross* comhartha, fíor, na Croise, *shop ~* fógra siopa, *~s on it* tá a rian air *vt* sínigh, saighneáil, *to ~ a paper* do lámh a chur le páipéar

signal *n* comhartha *vt & i* sméid, comharthaigh

signatory *n* sínitheoir

signature *n* síniú, lorg láimhe

signet-ring *n* fáinne séala

significance *n* brí, éifeacht

significant *a* éifeachtach, tábhachtach

signify *vt & i* ciallaigh; comharthaigh, *it doesn't ~* níl aon tábhacht leis

signpost *n* craobh eolais

silage *n* sadhlas

silence *n* ciúnas, tost *vt*, *to ~ a person* duine a chur ina thost, ina éisteacht

silencer *n* tostóir

silent *a* ciúin, tostach, *be ~* éist, bí i do thost, *to fall ~* tost

silhouette *n* scáthchruth

silk *n* síoda

silky *a* síodúil

sill *n* tairseach (fuinneoige)

silly *a* seafóideach, amaideach, baoth, breallach, óinsiúil, éaganta

silo *n* sadhlann

silt *n* glár, láib abhann, síolta

silver *n* airgead, *a* geal, airgeadúil

silvery *a* airgeadúil

similar *a* comhchosúil (*to* le)

similarity *n* comhchosúlacht

similarly *adv* ar an gcuma chéanna, mar an gcéanna

simile *n* samhail

simmer *n & vt & vi* suanbhruith

simony *n* síomóntacht

simper *n* streill *vi*, *to ~* streill a chur ort féin, leamh-mheangadh a dhéanamh

simple *a* simplí; sothuigthe

simple-minded *a* simplí, uascánta, *how ~ you are!*nach leamh atá do cheann ort!

simpleton *n* pleidhce, simpleoir, leathdhuine, duine le Dia

simplicity *n* simplíocht

simplify *vt* simpligh

simply *adv* go simplí, gan stró, *~ lovely* go hálainn ar fad, *~ by thinking about it* gan ach smaoineamh air

simulate *vt*, *to ~ illness* tinneas a ligean ort

simultaneous *a* comhuaineach, *~ly* in aon am (le), in éineacht (le)

sin *n* peaca *vi* peacaigh, ciontaigh

since *adv & conj & prep* ó shin, nuair, *ever ~* riamh ó shin, ó shin i leith, *~ the seed was sown* ó cuireadh an síol, *~ it happens that* ós rud é go, *~ he is not here* nuair, ó tharla, ó, nach bhfuil sé anseo, *~ morning* ó mhaidin

sincere *a* cneasta, fíréanta, ion

sincerity *n* cneastacht, fíréantacht

sinecure *n* oifig gan chúram

sinew *n* féith(eog), *~s* lúitheach

sinful *a* peacúil, coireach

sing *vt* can, ceiliúir, *~ a song* abair, cas, amhrán, *to be able to ~* guth a bheith agat, *~ up* croch suas é, *~ing (a song)* ag gabháil fhoinn, ag gabháil cheoil, *a kettle ~ing* citeal ag crónán, ag dúdaireacht, ag seinm

singe *vt* barrdhóigh, tíor

singer *n* amhránaí, ceoltóir

singing *n* amhránaíocht, cantaireacht, *~ of birds* ceol éan

single *a* singil; aonarach, *married and ~* pósta agus aonta, *every ~ one of you* gach aon duine riamh agaibh *vt*, *to ~ out a person* duine a phiocadh amach, díriú ar dhuine

single-handed *a & adv* dólámhach, i d'aonar

singlet *n* singléad

singly *adv* ceann ar cheann, duine ar dhuine

sing-song *n* deilín; cóisir amhránaíochta

singular *a* uatha; suntasach, as an gcoitiantacht

sinister *a* clé, tuathalach; dubh, tuath-, *~ purpose* rún urchóide

sink *n* líntéar, umar, *kitchen ~* doirteal *vt & i* báigh, suncáil, cuir go tóin poill, téigh faoi

sinker *n* tromán (dorú)

sinner *n* peacach

sip *n* bolgam, súimín, súmóg *vt* bain súimín as, *sipping it* ag súimíneacht as

siphon *n & vt & i* siofón

sir *n* a dhuine uasail, (*title*) an Ridire, *dear* ~ a chara

sire *n* athair

siren *n* bonnán; síréana, cluanaire mná

sirloin *n* caoldroim

sisal *n* siseal

sissy *n* piteog

sister *n* deirfiúr; siúr, *S*~ *Mary* an tSiúr Máire

sister-in-law *n* deirfiúr céile, bean dearthár

sit *vt & i* suigh, *he sat up in bed* d'éirigh sé, *shuigh sé aniar sa leaba

site *n* láthair, suíomh, ionad, *building* ~ láithreán tógála, *camping* ~ láithreán campála *vt* suigh

sitting-room *n* parlús, seomra suí

situated *a* suite, *it is nicely* ~ tá suíomh breá air, *this is how I am* ~ seo mar atá agam

situation *n* suíomh, suí, áit; post; cás, staid

six *n & a* sé, ~ *persons* seisear

sixpence *n* réal

sixteen *n & a* sé déag, ~ *persons* sé dhuine dhéag

sixteenth *n & a*, *the* ~ *day* an séú lá déag, *one* ~ an séú cuid déag

sixth *n & a* séú

sixtieth *n & a* seascadú

sixty *n & a* seasca

size *n* méid, toirt, ~ *nine* uimhir a naoi

sizzle *n* sioscadh *vi* siosc

skate[1] *n* scáta *vi* scátáil

skate[2] *n*, (*fish*) sciata

skater *n* scátálaí

skating-rink *n* rinc scátála

skein *n* scáinne, íorna; iall (éan)

skeleton *n* cnámharlach, creatlach, ~ *key* ileochair

skelp *n* sceilp

sketch *n* léaráid, sceitse *vt & i* sceitseáil

sketchy *a* maolscríobach, srac-

skew *n* sceabha *a* sceabhach

skewer *n* briogún, scibhéar

ski *n* scí *vi* sciáil

skid *n* sciorradh *vi* sciorr

skilful *a* ealaíonta, stuama, oilte, oirbheartach

skill *n* ealaín, eolas, scil, oilteacht

skilled *a* innealta, eolach, oilte

skillet *n* sciléad

skim *a*, ~ *milk* bainne bearrtha, sceidín

vt & i scimeáil, *to* ~ *milk* bainne a bhearradh, ~*ming over the water* ag scinneadh thar an uisce

skimp *vt & i* scimpeáil, spáráil

skimpy *a* giortach, sciotach, gann

skin *n* cneas, craiceann, seithe, leathar *vt* feann, lom, *to* ~ *an orange* oráiste a scamadh, an craiceann a bhaint d'oráiste

skinflint *n* sprionlóir, cníopaire

skinny *a* creatlom, scáinte, tanaí

skintight *a* cneasluiteach

skip *n* foléim *vt & i* damhsaigh, scipeáil, *you* ~*ped a page* léim tú leathanach

skipper *n* scipéir, captaen

skipping *n* scipeáil, téadléimneach

skipping-rope *n* téad léimní

skirmish *n* scirmis

skirt *n* sciorta

skirting-board *n* clár sciorta

skittish *a* geiteach, giongach

skittle *n* scidil

skulking *n* sculcaireacht, téaltú *a* slítheánta, fáilí

skull *n* cloigeann, blaosc an chinn

skunk *n* scúnc

sky *n* spéir, aer, neamh

skylark *n* fuiseog

skylight *n* forléas, spéirléas

skyscraper *n* ilstórach, teach spéire

slab *n* leac, scláta

slack[1] *n* smúdar guail

slack[2] *n, to take up the* ~ an ligean a thabhairt isteach, ~*s* treabhsar *a* neamhghnóthach, díomhaoin; marbh; siléigeach, neamartach *vi, to* ~ *at work* buille marbh a ligean in obair

slacken *vt & i* lagaigh, maolaigh; scaoil, imigh as, lig as, *to* ~ *one's pace* do shiúl a mhoilliú, a lagú, *to* ~ *a rope* téad a bhogadh

slag *n* slaig

slake *vt & vi* múch, coisc, *to* ~ *lime* aol a theilgean

slam *n & vt & i* plab

slander *n* clúmhilleadh, athiomrá, béadán *vt* clúmhill, spídigh

slanderous *a* clúmhillteach

slane *n* sleán

slang *n* béarlagair

slant *n* claon, fiar, leataobh, maig, sleabhac *vt & i* claon, fiar

slanting *a* claon, fiar, ar leathcheann, ar sceabha

slap *n* boiseog, bos, leidhce, leiceadar *vt*, to ~ *a person* boiseog, bos, a thabhairt do dhuine

slapdash *a* leibideach, maolscríobach

slash *n* scoradh *vt* scor

slat *n* slis, lata

slate *n* scláta, slinn *vt*, to ~ *a house* sclátaí a chur ar theach, *slating each other* ag feannadh a chéile

slattern *n* sraoill

slaughter *n* ár, eirleach, sléacht; marú *vt* maraigh, to ~ *people* ár, sléacht, a dhéanamh ar dhaoine

slaughter-house *n* seamlas

slave *n* daor, sclábhaí, tráill *vi*, to ~ sclábhaíocht a dhéanamh

slaver *n & vt & i* sram

slavery *n* braighdeanas, daoirse; sclábhaíocht

slavish *a* sclábhánta, lúitéiseach

slay *vt* maraigh

slaying *n* marú

sledge¹ *n* carr sleamhnáin

sledge-hammer *n* ord, ceapord

sleek *a* sleamhain, mín, slim, *vt* slíoc

sleep *n* codladh, suan *vt & i* codail

sleeper *n* codaltán; leaba traenach

sleeping-bag *n* mála codlata

sleeping-car *n* cóiste codlata

sleeping-draught *n* deoch chodlata

sleep-walking *n* suansiúl

sleepy *a* codlatach, suanmhar, ~ *little town* baile beag marbhánta

sleepy-head *n* codlatán

sleet *n* flichshneachta

sleeve *n* muinchille

sleigh *n* carr sleamhnáin

sleight-of-hand *n* beartaíocht láimhe

slender *a* caol, seang, singil

slice *n* slis, stiall; sliseog, *a* ~ *of luck* scíorta den ádh *vt* scor, scillig

slicer *n* slisneoir

slick¹ *n, oil* ~ leo ola, plás ola

slick² *a* ábalta; sleamhain, éasca, pras

slide *n* sciorradh, sleamhnán *vt & i* sciorr, sleamhnaigh

sliding-door *n* comhla shleamhnáin

slight¹ *n* tarcaisne, dispeagadh *vt*, to ~ *a person* duine a dhíspeagadh, a bheag a dhéanamh de dhuine

slight² *a* slim, srac-, ~ *change* athrú

beag, ~ *cough* iarracht de chasacht, *without the* ~ *est doubt* gan amhras dá laghad

slightly *adv*, ~ *older* beagán níos sine, ~ *better* rud beag, beagáinín, níos fearr, *I know him* ~ tá breacaithne, mearaithne, spallaíocht aithne, agam air

slim *a* seang, slim, tanaí, caol *vt & i* seangaigh, tanaigh, *she is slimming* tá sí á tanú féin

slime *n* lathach, ramallae, sláthach, *animal* ~ glóthach

slimy *a* ramallach, sramach, réamach

sling *n* crann tabhaill; iris, guailleán *vt* teilg, caith, to ~ *sth over one's shoulder* rud a chrochadh thar do leathghualainn

slink *vi* téaltaigh, *he slunk away* shlíoc sé leis

slip¹ *n* sciorradh; meancóg; fo-ghúna; fánán, ~ *of the tongue* rith focal, sciorradh focail, *to give a person the* ~ cor a chur ar dhuine *vt & i* sciorr, sleamhnaigh, ~ *away* éalaigh, *don't let the chance* ~ ná lig an deis uait, he ~ *ped up* bhain meancóg dó

slip² *n* céis (mhuice), *(of plant)* slapar; slip, ~ *of a girl* slat de chailín

slip-jig *n* port luascach

slipper *n* slipéar

slippery *a* sciorrach, sleamhain

slipshod *a* maolscríobach

slip-stream *n* cúlsruth

slit *n* scoilt; gearradh *vt* scoilt, gearr

slither *n* sciorradh *vi* sciorr

sliver *n* slis

slob *n* slaba

slobber *n* priosla *vi*, ~*ing* ag prioslaíl

sloe *n* airne

slog *n* smíste *vt*, to ~ *a person* smíste a bhualadh ar dhuine, *he is* ~*ging away* tá sé ag greadadh, ag fadhbáil, ag tiaráil, leis

slogan *n* mana

sloop *n* slúpa

slop *n*, ~*s* díodar, maothlach *vi*, to ~ *over* cur thar maoil; slaparnach a dhéanamh

slope *n* claon, fána, titim, mala, ~ *of hill* slios, leiceann, learg, cnoic *vt & i* claon, *it* ~*s down* tá fána leis

sloping *a* claon

sloppy *a* slapach, leibideach

slot n sliotán

sloth n leisce

slothful a leiscíúil

slouch n sleabhac, dronn vi, to ~ along siúl go sraoilleach

slouching a sleabhcánta, ~ gait siúl sraoilleach

slough[1] n lodar, súmaire

slough[2] vt & i, to ~ (skin) an craiceann a chur, a chaitheamh

slovenly a líobarnach, maolscríobach, leibideach, slapach

slow a mall, righin; leasc; fadálach, mall-triallach, ~ of speech doilbhir, the clock is ~ tá an clog déanach vt & i, ~ down, up moilligh

slowcoach n malltriallach, snámhaí

slow-moving a malltriallach

slow-witted a bómánta, mallintinneach

slug[1] n drúchtín, seilide (drúchta)

slug[2] n, (bullet) sluga

sluggish a malltriallach, spadánta, leasc, torpánta

sluice-gate n loc-chomhla

slum n sluma, plódteach; plódcheantar

slumber n tromchodladh, suan, támh, néal vi codail, to ~ bheith i do shuan

slump n, (in trade) meathlú, tobthitim vi, he ~ed down thit sé ina chnap, ina phleist, prices ~ed thit praghsanna

slur n aithis, smál, teimheal vt & i aithisigh, díspeag; cogain, mungail

slurry n sciodar

slush n lathach, pluda; bogoighear

slushy a lodartha, pludach

slut n sraoill, leadhbóg; toice, stiúsaí; bean choiteann

sly a glic, sleamhain, slítheánta, on the ~ faoi choim, gan fhios, ~ person slíbhín, slíodóir

smack[1] n buille boise, greadóg; flaspóg, smailleac, smeach vt smeach, to ~ a child bos a thabhairt do leanbh

smack[2] n, (fishing) ~ púcán

smack[3] vi, it ~s of favouritism tá blas an fhabhair air

small n, ~ of back caoldroim a beag, gearr-, mion-, ~ talk mionchaint, great and ~ idir uasal agus íseal, mór beag

smallness n laghad

smallpox n bolgach (Dé)

smart a cliste, gasta; innealta, sciobalta, pointeáilte; géar vi, my hands are ~ing tá mo lámha greadta

smarten vt & i, ~ (yourself) up cuir cuma (éigin) ort féin; cuir fuinneamh éigin ionat féin

smash n smiste vt & i bris, smiot, to ~ sth to pieces smidiríní a dhéanamh de rud

smattering n breaceolas, smearadh, ~ of English gráscar Béarla

smear n smearadh; smál, aithis vt smear, to ~ a person's name ainm duine a shalú, droch-cháil a chur ar dhuine

smell n boladh, boltanas vt & i bolaigh, it ~s tá boladh as, ~ ing around ag bolaíocht thart

smelling-salts npl cumharshalann

smelt vt bruithnigh

smelter n bruithneoir

smile n aoibh, miongháire, meangadh (gáire) vi, he was smiling bhí fáthadh an gháire air, she ~d at me rinne sí gáire liom

smiling a aoibhiúil, gáiriteach; aoibhinn

smirch n smearadh vt smear, salaigh

smirk n straois, streill vi, ~ing ag déanamh streille

smite vt buail, leadair, cloígh, treascair, to be smitten with a girl bheith splanc-tha i ndiaidh cailín, smitten with anxiety faoi imní

smith n gabha

smithereens npl smidiríní

smithy n ceárta

smock n forléine vt & i smocáil

smog n toitcheo

smoke n deatach, toit; gal tobac vt & i toitrigh, do you ~ an gcaitheann tú, to ~ a pipe píopa a chaitheamh, a ól, (of chimney, fire) to ~ deatach a dhéanamh, to ~ fish iasc a dheatú

smokeless a, ~ fuel breosla éadoite

smoker n caiteoir tobac

smoky a deatúil, smúitiúil, toiteach

smooth a mín, ré-, réidh; caoin; sleamhain, (of person) plásánta, ~ talk bladar, béal bán, ~ tract léin-seach vt & i líomh, mínigh, sleamh-naigh, réitigh; iarnáil, smúdáil; locair

smother vt múch, plúch

smothering n múchadh, plúchadh a múchtach, plúchtach

smouldering a smolchaite, ~ fire cnáfairt tine

smudge n smál, smearadh vt smear
smug a bogásach
smuggle vt & i smuigleáil
smuggler n smuigléir
smuggling n smuigléireacht
smugness n bogás
smut n smúiteán, teimheal; graostacht
smutty a brocach; graosta
snack n raisín, sneaic, scroid
snack-bar n scroidchuntar
snag n fadhb, snaidhm; roiseadh
snail n seilide
snake n nathair (nimhe)
snap n sclamh, snap, (of fingers) smeach,
vt & i snap, to ~ at sth áladh a thabh-
airt ar rud, she ~ped at me thug sí
sclamh, glafadh, orm
snapdragon n srubh lao
snap-fastner n smeachdhúntóir
snapshot n grianghraf (mear)
snare n dol, lúb, gaiste, inleog, paintéar;
súil ribe vt dol, rib, to ~ an animal
ainmhí a ghabháil i ndol
snarl¹ n drannadh, dorr vi drann, dran-
taigh
snarl² n caisirnín vi, thread ~ ing snáithe
ag dul in aimhréidh
snatch n sciobadh, fuadach, ~ of song
cuach (cheoil) vt & i sciob, fuadaigh
sneak n sliodóir, snámhaí vi, ~ away
slíoc, téaltaigh, he ~ed over to us
shnámh sé anall chugainn go
formhothaithe, to ~ on a person in-
sint ar dhuine, duine a bhrath
sneaking n sliodóireacht a slítheánta,
bradach
sneaky a snámhach, bradach, slítheánta
sneer n cár; seitgháire; fonóid vi, to ~ (at
a person) fonóid a dhéanamh (faoi
dhuine)
sneeze n sraoth vi, to ~ sraoth a ligean
sneezing n sraothartach
sniff n seitgháire; boladh vt & i smúr, to ~
at sth bolú de rud, ~ ing around ag
bolaíocht, ag smúrthacht, thart
snigger n seitgháire, smiota gáire, gáire
múchta vi, ~ ing ag seitgháire, ag
seitril
sniggering n seitril
snip vt sciot
snipe n naoscach, (male) ~ gabhairín reo
vi, sniping ag naoscaireacht
sniper n naoscaire

snippet n gearrthóg, sciot, ~ of informa-
tion mír eolais
snivelling n smaoisil, smugail a smaois-
each, smugach; caoineach
snobbery n baothghalántacht
snobbish a baothghalánta
snood n snúda
snooker n snúcar
snoop vi, ~ ing around ag
brathadóireacht, ag smúrthacht, thart
snooty a smuilceach
snooze n néal, sámhán (codlata)
snore n & vi srann
snort n seitreach, séideog, sraoth, srann
vi srann
snot n smuga
snout n smuilc, smut, pus
snow n sneachta vi, ~ ing ag cur sneachta
snowball n liathróid sneachta, meall
sneachta
snow-drift n muc shneachta, ráth
sneachta
snowdrop n plúirín sneachta
snowflake n calóg shneachta, bratóg
shneachta, lubhóg shneachta
snowy a sneachtúil; geal, ar ghile an
tsneachta
snub¹ n gonc vt, to ~ a person gonc a
thabhairt do dhuine
snub² a, ~ nose caincín, geanc
snuff n snaois(in) vt & i, to ~ out a candle
an snab a bhaint de choinneal, coinn-
eal a mhúchadh, he ~ed it d'imigh an
dé as, stiúg sé
snuffle vi, to ~ labhairt go srónach; smu-
gail a dhéanamh
snug a seascair, teolaí
snuggle vi, to ~ down neadú síos, tú féin
a shoipriú, to ~ up to a person luí
isteach le duine
so adv & conj amhlaidh; chomh, ~ dear
chomh daor sin, ~ it seems de réir
cosúlachta, I think ~ is dóigh liom é, I
suppose ~ is dócha é, ~ that chun go,
ionas go, ~ far go dtí seo, go fóill, ~
be it tá go maith, a mile or ~ míle nó
mar sin, even ~ mar sin féin, and ~ on
agus mar sin de, if that be ~ más mar
sin dó, you don't own it ~ don't keep it
ní leat é agus mar sin ná coinnigh é
soak vt & i maothaigh, cuir ar maos, to put
sth to ~ rud a chur ar maos

soaked *a* ar maos; leathbháite, *I was ~ through* bhí mé i mo líbín

so-and-so *n* a leithéid seo, *he is a right ~* suarachán ceart é, is é an duine gan chuntanós é *a, that ~ dog* an madra mallaithe sin

soap *n* gallúnach

soar *vi, to ~* éirí ar an aer, dul in airde, *prices ~ed* chuaigh na luachanna as compás

sob *n* smeach, cnead, snag *vi, sobbing* ag osnaíl ghoil, ag snagaireacht

sobbing *n* osnaíl ghoil, snagaireacht *a* snagach

sober *a* sóbráilte; stuama; neamhthaibhseach

sobriety *n* neamh-mheisce; measarthacht

so-called *a, ~ scholar* scoláire mar dhea, *the ~ restructuring plan* an plean athstruchtúraithe mar a thugtar air, *the maple properly ~* an fhíormhailp, an mhailp cheart

soccer *n* sacar

sociable *a* caidreamhach, cuideachtúil, sochaideartha

social *a* sóisialta; caidreamhach, *~ evening* céilí, oíche chaidrimh, scoraíocht, *~ welfare* leas sóisialta

socialism *n* sóisialachas

socialist *n* sóisialaí *a* sóisialach

society *n* sochaí; an saol; cumann

sociology *n* socheolaíocht

sock *n* stoca gearr

socket *n* cró, slocán, soicéad, *(of eye, etc)* logall

sod *n* fód; dairt, scraith

soda *n* sóid, *baking ~* sóid aráin

sodality *n* cuallacht

sodden *a* báite, aimlithe, *~ substance* spadalach

sodium *n* sóidiam

sodomy *n* sodamacht

sofa *n* tolg

soft *n* bog, maoth; sochma; leibideach, *~ drink* deoch neamh-mheisciúil

soften *vt & i* bog, maothaigh; maolaigh

soft-hearted *a* boigéiseach, bog

softly *adv* go ciúin, go fáilí

softy *n* leibide; boigéisí

soggy *a* maoth, uisciúil, *~ turf* spadalach móna

soil[1] *n* ithir, talamh, cré

soil[2] *vt & i* salaigh

soiled *a* salach

sojourn *n* lonnú *vi* lonnaigh

solace *n* sólás

solar *a* grianán *a* grian-

solder *n* sádar *vt & i* sádráil, táthaigh, *to ~ sth* goradh a chur ar rud

soldier *n* saighdiúir

sole[1] *n* sól

sole[2] *n* bonn, íochtar (bróige), tráth

sole[3] *a* aon-

solemn *a* sollúnta

solemnity *n* sollúntacht

solemnize *vt* sollúnaigh

solicit *vt* iarr, *to ~ a person for sth* rud a achainí ar dhuine, *~ing votes* ag tóraíocht vótaí

solicitor *n* aturnae

solicitous *a* imníoch, cúramach; fiafraitheach

solid *n* solad *a* crua, teann, daingean, fothúil, stóinsithe, tathagach, substainteach; dílis, tacúil, *as ~ as a rock* chomh buan le carraig

solidarity *n* dlúthpháirtíocht

solidify *vt & i* reoigh, téacht, cruaigh

solidity *n* teinne; tathag, fuaimint; daingne

solitary *a* aonarach; aonraic; diamhair, uaigneach, *~ confinement* gaibhniú aonair

solitude *n* aonaracht; uaigneas

solo *n* aonréad *a* aonréadach, aonair

soloist *n* aonréadaí

solstice *n* grianstad

soluble *a* intuaslagtha; infhuascailte

solution *n* tuaslagán; fuascailt, réiteach

solve *vt* tuaslaig; fuascail, réitigh, scaoil

solvency *n* sócmhainneacht

solvent *n* tuaslagóir *a* tuaslagach; sócmhainneach

sombre *a* dubhach, gruama, dorcha

some *pron & a & adv, ~ money* roinnt airgid, *~ other story* scéal éigin eile, *~ think (that)* ceapann daoine (go), *~ of us* cuid againn, *~ twenty pounds* fiche éigin punt

somebody *pron* duine éigin, *you must think you're ~* nách tú atá mórluachach

somehow *adv* ar chaoi éigin, ar chuma éigin, ar dhóigh éigin

someone *pron* duine éigin

somersault *n*, he turned ~ chuaigh sé de léim thar a chorp

something *pron* ní, rud éigin

sometime *adv*, ~ or other luath nó mall, ~ last year am éigin anuraidh, ~ professor of history ollamh le stair tráth

sometimes *adv* corruair, uaireanta

somewhat *adv*, ~excitable ábhar teasaí, ~ cold cineál fuar, rud beag fuar

somewhere *adv* áit éigin

somnolent *a* suanmhar, marbhánta

son *n* mac

sonata *n* sonáid

song *n* amhrán, duan; ceol

song-thrush *n* smólach (ceoil)

sonic *a* sonach

son-in-law *n* cliamhain

sonnet *n* soinéad

sonorous *a* sonda

soon *adv* go luath, gan mhoill, in aicearracht, *too* ~ róluath, *as* ~ *as* chomh luath agus, ~ or later luath nó mall, *the* ~er *the better* dá luaithe is ea is fearr, *they are no* ~er *here than there* ní túisce thoir ná thiar iad

soot *n* súiche, smúr

soothe *vt* sáimhrigh, ciúnaigh, suaimhnigh

soother *n*, baby's ~ gobán súraic

soothing *a* suaimhneasach

soothsayer *n* fáistineach

sooty *a* smúrach, súicheach

sophisticated *a* sofaisticiúil

soporific *n* suanchógas *a* suanlaíoch; leadránach, marbhánta

soppy *a* maoth, maoithneach

soprano *n* soprán

sorcerer *n* asarlaí, draoi

sorcery *n* asarlaíocht, gintlíocht, draíocht

sordid *a* caillte, salach, táir

sordidness *n* salachar, táire, suarachas

sore *n* cneá *a* nimhneach, frithir, tinn, diachrach, *to be* ~ *at a person* goimh, olc, a bheith ort le duine

sorrel[1] *n* samhadh

sorrel[2] *a* deargrua

sorrow *n* brón, buairt, gruaim, doilíos, crá, mairg, aithreachas *vi*, *to* ~ *bheith faoi bhrón

sorrowful *a* faoi bhrón, brónach, gruama, doilíosach, dubhach

sorry *a* buartha, díomách, I'm ~ *about that* tá aiféala, brón, cathú, orm faoi sin, *to be* ~ *for a person* trua a bheith agat do dhuine, I'm ~ *to say* (that) is oth liom a rá (go), I'm ~ *about your trouble* is trua liom do chás, *it is a* ~ *case* is caillte an cás é, *he is a* ~ *sight* is bocht an feic é, *better sure than* ~ is fearr glas ná amhras, is fearr deimhin ná díomá

sort *n* cineál, saghas, sórt, *out of* ~s meath-thinn *vt & i* sórtáil

soufflé *n* cúróg

sough *n* seoithín, seabhrán, srann *vi* srann, ~ing ag seordán

soul *n* anam, *the* ~ *of generosity* croí na féile, *there wasn't a* ~ *there* ní raibh duine ná deoraí, mac an aoin, ann

soulful *a* maoithneach; corraitheach

sound[1] *n* caolas, sunda

sound[2] *n* fuaim, glór; foghar; fuaimíocht, ~ *of voices* glóraíl, *there is not a* ~ *out of him* níl smid, cniog, giog, húm ná hám, as, ~ *effects* seachghlórtha *a* slán, fuaimintiúil; follán, ~ *sleep* codladh sámh, ~ *qualities* tréithe fónta, *he gave it a* ~ *thrashing* buaileadh go feillbhinn é *vt & i* fuaimnigh, ~ *the horn* séid an bonnán, *to* ~ *a person's heart* éisteacht le croí duine, *to* ~ *sweetly* fuaimniú go binn, *it* ~s *like the truth* tá craiceann, dealramh, na fírinne air

sound[3] *vt* grúntáil

sound-barrier *n* fuaimbhacainn

sounding *n* grúnta *a* fuaimneach

sound-proof *a* fuaimdhíonach

sound-track *n* fuaimlorg, fuaimrian

soup *n* anraith, súp

sour *a* géar, searbh

source *n* foinse, fréamh, tobar, *back to* ~ siar go bun, *reliable* ~ urra maith, údar maith

soutane *n* sútán

south *n* deisceart, *from the* ~ aneas, *to the* ~ ó dheas *adv & a*, *the* ~ *wind* an ghaoth aneas, *the* ~ *coast*, an cósta theas, *to go* ~ dul ó dheas, ~ *of* taobh theas de; ó dheas ó, laisteas de

south-east *n* oirdheisceart

south-easterly *a*, ~(*wind*) (gaoth) anoir aneas

southerly *a & adv*, ~ **wind** gaoth aneas, *in a ~ direction* (san aird) ó dheas, *the ~ part* an taobh ó dheas

southern *a* deisceartach, ~ *part* deisceart

southwards *adv* ó dheas

south-west *n* iardheisceart

south-westerly *a*, ~(*wind*) (gaoth) aniar aneas

souvenir *n* cuimhneachán

sovereign *n* flaith, rí, (*money*) sabhran *a* ceannasach

sovereignty *n* ceannas, flaitheas

soviet *a* sóivéadach

sow[1] *n* cráin (mhuice)

sow[2] *vt & i*, *to ~ seed* síol a chur

sower *n* síoladóir, curadóir; gineadóir

sowing *n* cur, curadóireacht

sow-thistle *n* bleachtán, slóchtán

soya *n* soighe

spa *n* spá

space *n* spás, slí, fairsinge, ~ *of time*, sealad, tamall, *short ~ of time* giorracht aimsire *vt* spásáil

spacecraft *n* spásárthach

spaceman *n* spásaire

spacing *n* spásáil

spacious *a* fairsing, scóipiúil, áirgiúil

spade *n* lái, rámhainn, spád, (*cards*) spéireata

spaghetti *n* spaigití

span *n* réise, ~ *of life* ré, uain, réimeas *vt* trasnaigh

spancel *n* buarach, laincis, urchall *vt*, *to ~ an animal* buarach a chur ar ainmhí

spaniel *n* spáinnéar

spank *vt*, *to ~ a person* na mása a ghreadadh ag duine

spanking *n* greidimín *a*, *at a ~ pace* de luas nimhe, sna firmimintí

spanner *n* castaire

spar[1] *n* sparra

spar[2] *n* speár *vi*, *sparring at me* ag caitheamh speár liom

spare *a* spártha; lom, ~ *tyre* bonn breise *vt* coigil, spáráil, *may God ~ me to do it* go bhfana Dia mé lena dhéanamh, *if I am ~d* faoina bheith slán dom

sparing *n* coigilt, spáráil *a* coigilteach, spárálach, tíosach

sparingly *adv*, *to use sth ~* tarraingt (go) caol ar rud

spark *n* aithinne, drithle, crithir, spré, ~ *of sense* sméaróid, splanc, chéille, *gay*

~ **boicín** *vt & i* drithligh, spréach; gríosaigh, spreag

sparking-plug *n* spréachphlocóid

sparkle *n* drithle, spréacharnach *vi* drithligh, glinnigh

sparkling *n* spréacharnach, glioscarnach *a* drithleach

sparrow *n* gealbhan

sparrow-hawk *n* ruán aille, spioróg

sparse *a* gann, scáinte, tearc; **i bhfad ó chéile**

spasm *n* freanga, spaspas, ríog, ~ *of coughing* rabhán, racht, casachtaí

spasmodic *a* riogach, taomach; fánach

spastic *n & a* spasmach

spate *n* buinne; roiseadh, *the river is in ~* tá an abhainn ina tulca

spatter *n* scuaid, steallóg *vt & i* scaird, láib, spréigh, ~*ing us with mud* ag stealladh clábair orainn

spawn *n* sceathrach, sceith *vt & i* sceith

spawning *n* sceathrach, sceith *a* sceitheach

spawning-ground *n* beirtreach

speak *vt & i* labhair, caintigh, can, *he ~s well* tá deis a labhartha aige, ~ *the truth* abair an fhírinne, *give him leave to ~* tabhair cead cainte dó, *it ~s badly for him (that)* is olc an comhartha air (go), *so to ~* mar a déarfá, (*of falling out*), *they don't ~* ní bheannaíonn siad dá chéile

speak-easy *n* síbín

speaker *n* cainteoir; Ceann Comhairle, *English ~* Béarlóir, *Irish ~* Gaeilgeoir

spear *n* ga, sleá *vt* sleáigh

special *n*, ~ (*constable*) speisialach *a* sain-, sainiúil, speisialta, ar leith

specialist *n* saineolaí, speisialtóir

speciality *n* speisialtacht

specialize *vi* speisialaigh, *to ~* dul le saineolaíocht, *to ~ in sth* speisialtóireacht a dhéanamh ar rud

specialized *a* sainfheidhmeach, speisialaithe

species *n* cineál, gné, speiceas

specific *a* sain-, sainiúil, sonrach

specification *n* sonraíocht, sonrú

specify *vt* ainmnigh, sonraigh

specimen *n* eiseamal, ~ *copy of book* sampla de leabhar, ~ *page* leathanach samplach

specious a cosúil, dealraitheach

speck n dúradán, spota, ~ *of dust* cáithnín deannaigh

speckle n brícín, dúradán vt & i breac

speckled a breac, ballach

spectacle n seó, suaitheantas; feic, ~s spéaclaí, gloiní

spectacular a mórthaibhseach

spectator n breathnóir, pl lucht féachana

spectral a taibhsiúil, (*of colours*) speictreach

spectre n arracht, taibhse, samhail

spectrum n speictream

speculate vi, *to ~ about sth* tuairimíocht a dhéanamh faoi rud, *to ~ on the stock exchange* amhantraíocht a dhéanamh ar an stocmhalartán

speculation n tuairimíocht; amhantraíocht, spéacláireacht

speculative a tuairimeach; amhantraíoch

speculator n amhantraí

speech n caint, canúint, labhairt, urlabhra; óráid, aitheasc

speechless a, *I was left* ~ níor fágadh focal agam, rinneadh stangaire díom

speed n luas, siúl, éascaíocht, *at great* ~ sna fáscaí, faoi ghearradh, ar greadadh vt & i, *to ~ up sth* luas, *to ~ up sth* dlús a chur le rud, luas a dhéanamh le rud, *God ~ you* go soirbhí Dia duit, beannacht Dé leat

speedometer n luasmhéadar

speedwriting n luathscríbhneoireacht

speedy a luath, gasta, tapúil, líofa

speleology n uaimheolaíocht

spell[1] n geis, ortha, geasróg, *under a ~* faoi dhraíocht

spell[2] n dreas; laom, taom; seal, tamall scaitheamh, *bright ~* gealán, aiteall, uaineadh

spell[3] vt litrigh

spellbound a faoi gheasa, faoi dhraíocht

spelling n litriú

spend vt caith; spíon

spender n caiteoir

spending n caitheamh

spendthrift n cailliúnaí, caifeachán, duine silteach

spent a caite; tugtha

sperm n speirm

spew n & vt & i sceith

sphagnum n súsán, sfagnam

sphere n sféar; réimse, ~ *of authority* limistéar údaráis

spherical a sféarúil, cruinn

sphinx n sfioncs

spice n spíosra

spick and span a pioctha péacach

spicy a spíosrach

spider n damhán alla

spigot n spiogóid

spike n bior, spíce

spiky a spíceach, spiacánach

spill vt & i doirt

spillage n doirteadh

spin n casadh, guairne, rothlú vt & i rothlaigh; sníomh, ~*ning yarns* ag eachtraíocht, ag scéalaíocht

spinach n spionáiste

spinal a, ~ *column* dromlach, ~ *cord* corda an dromlaigh, snáithe an droma

spindle n fearsaid, eiteán, mol

spin-dryer n castriomadóir

spine n dromlach, cnámh droma; spíon, colg, dealg

spineless a cladhartha, ~ *person* cladhaire, meatachán

spinner n abhraiseach, sníomhaí; spinéar

spinning n sníomh; guairneáil; spinéireacht a guairneach, rothlach

spinning-top n caiseal

spinning-wheel n tuirne

spinster n bean shingil

spiny a coilgneach, deilgneach, spíonach

spiral n bís, caisirnín, *smoke ~* dual deataigh, rollóg dheataigh a bíseach, ~ *staircase* staighre bíse

spire n spuaic, stuaic

spirit n spiorad, sprid; taibhse, neach; anam, fuinneamh, meanma, intinn; faghairt; biotáille, *high ~s* teaspach, éirí in airde, *in high ~s* lán d'anam, *good ~s* somheanma, *to be in low ~s* lagmhisneach a bheith ort vt, *he was ~ed away (as by the fairies)* tugadh as é

spirited a aigeanta, anamúil, miotalach, meanmnach, spioradúil, cróga

spiritism n spioradachas

spiritless a gan sracadh, marbhánta, *poor ~ lot* dream bocht silte

spiritual a spioradálta, ~ *advisor* anamchara

spiritualism n spioradachas

spirituality n spioradáltacht

spit¹ *n*, ~ bior (rósta), sand ~ gob gainimh

spit² *n* seile *vt & i* seiligh, to ~ seile a chaitheamh

spite *n* naimhdeas, mioscais, olc, *he is full of* ~ tá an íorpais ina chroí, *in* ~ *of him* dá bhuíochas, dá ainneoin, ar neamhchead dó *vt*, *to do sth to* ~ *a person* rud a dhéanamh le holc ar dhuine

spiteful *a* nimheanta, mioscaiseach, dúchroíoch, ~ *man* fear fala

spittle *n* seile, smugairle

spittoon *n* seileadán

splash *n* plab; sconnóg, steall, steanc *vt & i* steall, steanc, ~*ing* ag slaparnach

splay *n* spré a gathach *vt & i* spréigh

spleen *n* liathán; cancar, *he vented his* ~ *on me* lig sé amach a racht orm

splendid *a* calma, dealraitheach, taibhseach, ríúil; go diail!

splendour *n* dealramh, soilse, lonracht, ríúlacht

splice *n* spladhas *vt* spladhsáil

splint *n* cléithín

splinter *n & vt & i* scealp

split *n & vt & i* scoilt

splutter *vt & i* spréach

spoil *n* éadáil, ~s creach, foghail *vt & i* loit, mill, lobh

spoke *n* spóca (rotha)

spoken *a*, *the* ~ *language* an teanga bheo, an béal beo, ~ *word* caint, *that is not the* ~ *version* ní mar sin atá sé sa chaint

spokesman *n* urlabhraí, teanga labhartha

spoliation *n* creachadh; milleadh

sponge *n* múscán; spúinse *vt & i* spúinseáil, ~ *on* diúg

sponge-cake *n* císte spúinse

sponger *n* diúgaire, súmaire

spongy *a* múscánta, spúinsiúil

sponsor *n* cara Críost; coimirceoir, urra, *to be* ~ *to* seasamh le vt, ~*ed by* faoi choimirce

sponsored *a* urraithe

sponsorship *n* urraíocht

spontaneous *a* spontáineach, uathspool *n* spól, eiteán

spoon *n* spúnóg

spoonful *n* spúnóg, lán spúnóige

sporadic *a* treallach, taodach, fánach

spore *n* spór

sport *n* lúthchleasaíocht; spórt, áineas, scléip, spraoi *vt & i* ~*ing* ag déanamh spóirt, spraoi, ~*ing her new hat* ag déanamh stró as a hata nua

sporting *n* cluichíocht, súgradh *a* súgrach, ~ *chance* cothrom, ~ *gent* cearrbhach; buachaill báire

sportive *a* géimiúil, macnasach, scléipeach, spórtúil

sportsman *n* fear spóirt

spot *n* ball, spota; smál; láthair, *accident black* ~ ball báis, *on the* ~ ar an bhfód; láithreach bonn, *in a* ~ i bponc, i dtrioblóid *vt* braith

spot-check *n* spotseiceáil, corrphromhadh *vt* spotseiceáil

spotless *a* gan smál, gan teimheal, ~*ly clean* gléghlan

spotlight *n* spotsolas

spotted *a* ballach, breac; brocach

spouse *n* céile, nuachar

spout *n* sconna; buinne *vt & i* steall, ~*ing lies* ag roiseadh bréag

sprain *n* leonadh, spreangadh *vt* leon

sprat *n* salán, stuifín

sprawl *vi*, *to* ~ do ghéaga a leathadh, tú féin a scaradh, ~*ed on the bed* spréite sa leaba *n*, (*urban*) ~ sraoilleáil (uirbeach)

spray *n* cáitheadh; craobhóg, gas; sprae *vt & i* cáith; spraeáil, spréigh; scaird

sprayer *n* spraeire

spread *vt & i* leath, scar, spréigh; scaip, síolaigh, ~ *them out* scar amach iad *n* leathadh; sraith; spré; féasta

spreading *a* craobhach

spree *n* spraoi; ragús óil

sprig *n* craobhóg, gas

sprightly *a* bíogúil, anamúil, breabhsánta, bagánta

spring *n* earrach; fuarán, tobar; preab, tapaigean; lingeán, sprionga, ~ *tide* rabharta, ~ *water* fíoruisce *vt & i* preab, scinn; gob, eascair, gin, ~ *from* fréamhaigh ó, *he sprang up* d'éirigh sé de phreab, *he sprang a question on me* rop sé ceist chugam

springer *n* bó ionlao, bó thórmaigh

springy *a* lingeach

sprinkle *n* croitheadh *vt* croith, spréigh

sprinkler *n* croiteoir, spréire

sprinkling *n* crothán, sceo

sprint *n* ráib, rúid *vi*, ~*ing* ag rábáil

sprinter n rábálaí

sprite n síofra, ginid

sprout n bachlóg, péacán vt & i eascair, péac, gob (aníos)

spruce[1] n sprús

spruce[2] a breabhsánta, slachtmhar, sprúisiúil, sciobalta, pioctha vt, to ~ oneself up tú féin a phointeáil

spry a beoga, anamúil, breabhsánta

spunk n sponc, spriolladh

spunky a sponcúil

spur n spor, brod,(of bird) sáilín, ~ of mountain speir, sáil, sléibhe, on the ~ of the moment ar ala na huaire vt & i spor, broid, spreag

spurge n spuirse, bainne caoin

spurious a bréagach

spurn vt cic, rad; tarcaisnigh, to ~ sth diúltú do rud, droim láimhe a thabhairt do rud

spurt n steanc; rúid vt & i steanc, steall

sputter n spréachadh vt & i spréach, spriúch

spy n brathadóir, spiaire, S~ Wednesday Céadaoin an Bhraith vt & i, ~ out braith, ~ing on ag spiaireacht ar

spying n spiaireacht, brath

squabble n cnádánacht, aighneas, achrann vi, squabbling ag stealladh, ag aighneas

squad n scuad

squadron n scuadrún

squalid a broghach; suarach

squall[1] n cóch, gailbh

squall[2] n & vi sceamh; béic

squally a gailbheach, soinneánach

squalor n bréantas, ainnise; suarachas

squander vt diomail, meil, scaip

square n cearnóg, try ~ bacart a cearnach vt cearnaigh

squash n brú; brúitín, liothrach, lemon ~ líomanáid vt & i basc, brúigh, fáisc, leacaigh; cuir ar ceal, cuir faoi chois

squash (-rackets) n scuais

squat a, ~ person gróigeán vi, to ~ (down) suí ar do ghogaide, to ~ on a person's land suí ar thalamh duine

squatter n lonnaitheoir, suiteoir

squawk n grág, vi, to ~ grág a chur asat

squeak n díoscán, gíog, there wasn't a ~ out of him ní raibh hob ná hé as vi gíog, ~ing ag píopaireacht

squeaky a díoscánach

squeal n & vi sceamh

squeamish a éisealach, cáiréiseach, scrupallach; samhnasach

squeeze n fáscadh; scíoba vt fáisc, teann

squeezer n fáiscire

squelch n pleist vt, to ~ sth pleist a dhéanamh de rud

squelching a, ~ sound glugar(nach)

squib n pléascáinín

squid n máthair shúigh

squiggle n camán, duailín; scriobláil

squint n, ~ in the eye fiar sa tsúil, ~ (eye) fiarshúil; claonfhéachaint, claonamharc vi, ~ing ag splinceáil

squint-eyed a fiarshúileach

squire n scuibhéir; tiarna talún

squireen n gearrbhodach

squirm vi, ~ing ag tabhairt na gcor, ag lúbarnaíl

squirrel n iora (rua), grey ~ iora glas

squirt n & vt & i scaird, steanc

stab n goin(eog), rop(adh), sá vt & i goin, rop, sáigh

stabbing n ropaireacht, sá a sáiteach; daigheartha, ~ pain daigh, arraing

stability n cobhsaíocht, foras, seasmhacht

stabilize vt cobhsaigh

stabilizer n cobhsaitheoir,daingnitheoir

stable[1] n stábla vt, to ~ a horse capall a chur ar stábla

stable[2] a cobhsaí, diongbháilte, fódúil, seasmhach

staccato a stadach, (of style) snagach

stack n & vt cruach

stadium n staid

staff n bachall, lorga; cliath (ceoil); foireann

stag n carria

stage n ardán, stáitse; pointe, ~ of growth céim fáis, in easy ~s ina gheábhanna beaga vt stáitsigh, to ~ a play dráma a chur ar stáitse

stagger vt & i tuisligh; eangaigh, ~ing ag gúngáil, ~ed junction acomhal fiartha, to ~ along the road dhá thaobh an bhóthair a thabhairt leat

staging n scafall; stáitsiú

stagnant a marbhánta, bodhar, marbh

stagnate vi stolp, to ~ éirí marbhánta, bodhar, marbh

stagnation n marbhántacht

stag-party n cóisir fear

staid *a* stuama

stain *n* smál, spota, teimheal; céir *vt* teimhligh, smear, salaigh; dathaigh, ruaimnigh

stained *a* salach, teimhleach, ~ *glass* gloine dhaite

stainless *a* dosmálta, gan teimheal

stair(s) *n* staighre

staircase *n* staighre

stake *n* cleith, sáiteán; cuaille, stáca; taca; duais, (*in gambling*) geall, *they have no* ~ *in the country* níl bun ar bith sa tír acu, *at* ~ i mbaol *vt*, *to* ~ *out land* talamh a spriocadh, a spágadh, *to* ~ *a pound* punt a chur, *he* ~ *d his reputation on it* chuir sé a chlú i ngeall air

stalactite *n* aolchuisne

stalagmite *n* aolchoinneal

stale *a* stálaithe, (*of drink*) rodta, ~ *smell* boladh dreoite, domoladh, ~ *taste* seanbhlas *vt* & *i* stálaigh

stalemate *n* leamhsháinn *vt* leamhsháinnigh

stalk[1] *n* gas, cos, dlaíóg

stalk[2] *vi*, *to* ~ (*along*) céimniú (romhat) go huaibhreach, *to* ~ *a deer* stalcaireacht a dhéanamh ar fhia

stall *n* carcair, stalla; both, stainnín; buadán, mútóg *vt* & *i*, *the engine* ~ *ed* loic an t-inneall

stallion *n* stail

stalwart *a* calma, diongbháilte

stamen *n* staimín

stamina *n* teacht aniar

stammer *n*, *he has a* ~ tá stad ann *vt* & *i he was* ~ *ing* bhí sé ag stadaireacht, ag snagaireacht, *to* ~ *out sth* rud a rá go stadach

stamp *n* stampa; buille coise *vt* & *i* buail, stampáil, ~ *ing his feet* ag greadadh a chos, *to* ~ *out a disease* aicíd a chur faoi chois

stampede *n* táinrith; scoiteach; rabharta, flosc, *vi*, *they* ~ *d* d'imigh siad ina dtáinrith; chuaigh siad i scaoll

stance *n* seasamh, gotha; dearcadh, *to take a firm* ~ do chos a chur i dteannta

stand *n* seasamh; ardán, seastán, (*hat-, coat-, hall-*) ~ crochadán; stainnín *vt* & *i* seas, *to* ~ *a person a drink* deoch a sheasamh do dhuine, *to* ~ *one's ground* an fód a sheasamh, *it* ~ *s to*

reason tá sé ag luí le réasún, (*of army*) ~ *ing by* ar fuireachas, ~ *by* ar aire; bí ullamh, *to* ~ *by a person, by one's promise*, seasamh le duine, le do ghealltanas

standard *n* caighdeán; meirge, suaitheantas *a* caighdeánach, gnáth-

standard-bearer *n* meirgire

standardize *vt* caighdeánaigh

standing *n* seasamh *a* seasta, ~ *committee* buanchoiste

standing-stone *n* coirthe, gallán, stollaire, lia

stand-offish *a* leithleach

standstill *n*, *at a* ~ ina stop, ina stad

stanza *n* rann, véarsa

staple[1] *n* stápla *vt* stápláil

staple[2] *n* príomhtháirge *a* príomh-

star *n* réalta; cíoná, (*small*) ~ réaltóg, réiltín

starboard *n* deasbhord

starch *n* stailc, stáirse *vt* stáirseáil

stare *n* stánadh *vi* stán

starfish *n* crosóg mhara, crosán

stark *a* lom *adv*, ~ *naked* lomnocht, i do chraiceann dearg

starling *n* druid

starlit *a*, ~ *night* oíche spéirghealaí

starry *a* réaltach, réaltógach

start *n* bíog, geit, preab, cliseadh; tosú, tús, *to give a person a* ~ tosach a thabhairt do dhuine; geit a bhaint as duine, *in fits and* ~ *s* i spailpeanna, i dtreallanna *vt* & *i* bíog, geit, clis; tosaigh, tionscain, bunaigh, *she* ~ *ed to cry* chrom sí ar chaoineadh, *to* ~ *an engine* inneall a dhúiseacht

starter *n*, (*of engine*) dúisire; scaoilteoir; céadchúrsa

starting-point *n* pointe imeachta

startle *vt* & *i* geit, clis, *to* ~ *a person* bíogadh, geit, a bhaint as duine

startling *a* geiteach; scanrúil

starvation *n* ocras, gorta

starve *vt* & *i*, *to* ~ *to death* bás a fháil den ocras, *to* ~ *a person* bás duine a thabhairt leis an ocras, *I am starving* tá mé stiúgtha leis an ocras

state *n* bail, dóigh, riocht, cruth, staid; toisc; céim, dínit, maorgacht, mustar; stát, tír, *lying in* ~ luí faoi ghradam *vt*, abair, maígh

stately *a* maorga, státúil, ~ *woman* stáidbhean

statement *n* ráiteas; cuntas

statesman *n* státaire

statesmanlike *a, in a ~ manner* mar a dhéanfadh státaire maith

statesmanship *n* státaireacht

state-sponsored *a* státurraithe

static *a* statach

station *n* stáisiún, *naval ~ port* cabhlaigh, *bus ~* busáras, *his ~ in life* a chéim, a ionad, sa saol, *the Stations of the Cross* Turas na Croise *vt, to ~ troops* trúpaí a chur ar stáisiún

stationary *a* ar stad, i do sheasamh

stationer *n* páipéaraí, ~'s *shop* siopa páipéar

stationery *n* páipéarachas

statistic(s) *n* staitistic; staidreamh

statistical *a* staitistiúil

statue *n* dealbh, íomhá

statuesque *a* dealbhach, maorga, státúil

stature *n* airde; clú, tábhacht

status *n* oireachas, stádas, céim

statute *n* reacht *a* reachtúil

statutory *a* reachtúil

staunch *a* diongbháilte, seasmhach *vt, to ~ blood* fuil a chosc

stave *n* clár, taobhán, *(of music)* cliath; rann, véarsa *vt, ~ off* coisc, cuir ar gcúl

stay[1] *n* cónaí, fanacht, lonnú, oiriseamh *vt & i* stad, stop, fan, lonnaigh, mair; coisc, *where are you ~ing?* cá bhfuil tú ag cur fút?

stay[2] *n* (téad) taca

stay-at-home *n* cos ina cónaí

staying-power *n* teacht abhaile, buaine

stead *n, it stood me in good ~* bhí sé an-fhóinteach dom, sheas sé dom, *in a person's ~* in ionad duine

steadfast *a* daingean, diongbháilte, seasmhach, tairiseach, dílis

steady *a* neamhchorrach; socair; seasta; staidéarach, stuama *vt* stuamaigh, socraigh, *to ~ a table* bord a dhaingniú

steak *n* stéig

steal *vt & i* goid, *to ~ away* éalú, téaltú, *to ~ up on a person* teacht go fáilí ar dhuine, goid isteach ar dhuine

stealing *n* gadaíocht, goid

stealth *n* fáilíocht, *by ~* go fáilí, go formhothaithe

stealthy *a* fáilí, *stealthily* go formhothaithe

steam *n* gal, deatach *vt & i* galaigh

steam-engine *n* galinneall

steamer *n* galtán, *(cooker)* galchorcán

steam-roller *n* galrollóir

steed *n* each

steel *n* cruach *vt, to ~ oneself to do sth* do mhisneach a chruinniú chun rud a dhéanamh

steep[1] *a* rite, crochta, géar

steep[2] *a* maothaigh, *to ~ sth in water* rud a chur ar maos, ar bogadh, in uisce, *to ~ flax* líon a fholcadh, a phortú, a bhá

steeple *n* spuaic

steeplechase *n* léimrás

steer *vt & i* stiúir, *to ~ clear of sth* fanacht amach ó rud, rud a sheachaint

steering-wheel *n* roth stiúrtha

stem[1] *n* gas; cos; lorga, ~ *of boat* tosach báid, stuimine

stem[2] *vt* coisc, stop

stench *n* bréantas

stencil *n* stionsal *vt, to ~ sth* rud a chló le stionsal

stenographer *n* gearrscríobhaí

step *n* céim, coiscéim, troigh *vt & i* siúil, céimnigh

step- *a* leas-

stepmother *n* leasmháthair

steppe *n* steip

stepping-stone(s) *n* clocha cora, clochán

stepson *n* leasmhac

stereo *n* steiréafón *a* steiréafónach

stereotype *n* steiréaphláta *vt* plátáil

stereotyped *a* buanchruthach, nósúil

sterile *a* aimrid; steiriúil

sterility *n* aimride; steiriúlacht

sterilize *vt* aimridigh, steiriligh

sterling *a* fíor-, *pound ~* punt Sasanach

stern[1] *n* deireadh (báid, loinge)

stern[2] *a* dian, crua; fiata

stethoscope *n* steiteascóp

stevedore *n* stíbhéadóir

stew *n* stobhach *vt* stobh

steward *n* maor, stíobhard, reachtaire; (aer)óstach

stewardess *n* banmhaor; (aer)óstach

stick[1] *n* bata, maide; cipín

stick² *vt & i* sáigh, rop, sac; greamaigh, ceangail, ~ *ing out* ag gobadh amach, *to* ~ *to the work* cloí leis an obair, *to* ~ *it out* an cúrsa a sheasamh

stickleback *n* garmachán

sticky *a* greamaitheach, ceangailteach; righin, achrannach; doiligh, deacair

stiff *a* righin, dolúbtha, docht, stalcach, stromptha, (*of examination, etc*) dian, crua, deacair

stiffen *vt & i* righnigh, cruaigh, stalc, stolp, stromp, cancraigh

stifle *vt & i* múch, plúch, tacht, coisc

stifling *a* plúchtach, tachtach, coisctheach

stigma *n* smál, spota; stiogma

stile *n* dreapa, céim

still¹ *n* stil

still² *n* grianghraf, stádán, *in the ~ of the night* i gciúnas na hoíche *a* ciúin, socair, ~ *life* ábhar neamhbheo *adv* go fóill, i gcónaí, fós, ar fad, *nicer* ~ níos deise fós *vt & i* ciúnaigh, suaimhnigh, socraigh

still-born *a*, ~ *child* marbhghin

stillness *n* ciúnas

stilted *a* craptha

stilts *npl* cosa croise

stimulant *n* spreagthóir, gríosaitheach

stimulate *vt* gríosaigh, spreag

stimulus *n* spreagadh

sting *n* cealg, ga; goimh, deann; goineog, *to take the* ~ *out of* it an iaróg a bhaint as *vt & i* cealg, goin, loisc, gathaigh

stingy *a* ceachartha, sprionlaithe, gortach, cruálach

stink *n* bréantas *vt & i*, *to* ~ bheith bréan, *it* ~ *s* tá boladh bréan as, *to* ~ *a person out* duine a ruaigeadh le drochbholadh

stint *n* ceangal, bac; dreas oibre, *the daily* ~ tasc an lae *vt* coigil, cum, cúngaigh ar

stipend *n* tuarastal

stipulate *vt & i* cíligh, *to* ~ *for sth* coinníoll a dhéanamh de rud

stipulation *n* coinníoll, agó

stir *n* bogadh, cor, corraíl *vt & i* bog, corraigh, measc, ~ *up* oibrigh

stirabout *n* brachán

stirring *a* corraitheach, gríosaitheach, storrúil

stirrup *n* stíoróip

stitch *n* greim, lúb (chniotála); arraing; tointe, ruainne *vt & i* fuaigh, *to* ~ *sth* greim (fuála) a chur i rud

stoat *n* easóg

stock *n* stoc, bun, ceap; bunadh, maicne, sliocht; (*penal*) ~ *s* branraí, ceapa; (*goods*) stór, ~ *exchange* stocmhalartán *vt*, *to* ~ *goods* earraí a choimeád, *to* ~ *a farm* eallach, stoc, a chur ar fheirm

stockbroker *n* stocbhróicéir

stocking *n* stoca

stockpiling *n* stocthiomsú

stocktaking *n* stocáireamh

stocky *a* blocánta, suite, ~ *person* dalcaire

stodge *n* stolp *vt & i* pulc; srac, spágáil

stodgy *a* stolpach, stalcach; trom, leamh

stoical *a* stóchúil; fealsúnach, fadaraíonach

stoicism *n* stóchas

stoke *vt & i* stócáil

stoker *n* stócálaí

stole *n* stoil

stolid *a* dochorraithe, fuaraigeanta, ~ *man* stollaire fir

stomach *n* goile, bolg, méadail *vt* fulaing, cuir suas le

stone *n* cloch, lia; doirneog, méaróg, *flat* ~ leac, *standing-* ~, *pillar -* ~ gallán, stollaire *vt*, *to* ~ *a person* clocha a chaitheamh le duine, *to* ~ *fruit* na clocha a bhaint as torthaí *a*, ~ *dead* chomh marbh le hart

stonechat *n* caislín cloch

stony *a* clochach, creagach, leacach; crua, ~ *place* clochar, creagán

stook *n* stuca *vt* stuc

stool *n* stól, *to fall between two* ~ *s* léim an dá bhruach a chailleadh

stoop *n* cromadh, sleabhac, dioc *vi* crom, umhlaigh, íslígh

stop *n* stad, stop, moill, cónaí; cosc; ponc, *full* ~ lánstad *vt & i* coisc, dún; stop, stad, seas; lonnaigh, staon, scoir; fan, ~! cuir uait! *to* ~ *drinking* ligean den ól, éirí as an ól

stopgap *n* sceach i mbéal bearna

stoppage *n* bac, cosc; stopainn

stopper *n* stopallán, dallán, piollaire

storage *n* stóráil, cóir stórála, ~ *heater* taiscthéitheoir

store n stór, taisce, cnuasach, stóras pl lón, department ~ siopa ilranna, what was in ~ for her an rud a bhí i ndán di vt stóráil, stuáil, coinnigh, taisc, cnuasaigh

storey n stór; staighre, two ~ house teach dhá stór, teach dhá urlár

stork n corr bhán

storm n stoirm, anfa, doineann; racán, callán, gleo, to take a place by ~ áit a ghabháil (le lámh láidir) vt & i éignigh, ionsaigh, gabh, (of wind, rain, etc) gread, steall

stormy a stoirmeach, doineanta; callánach

story n scéal; stair

story-teller n scéalaí, seanchaí, staraí

stout[1] n leann dubh

stout[2] a calma, cróga; téagartha, ramhar

stove n sornóg

stow vt & i stuáil, taisc, to ~ away fanacht i bhfolach (ar bhád, etc); dul ar bord (loinge, etc) gan fhios

stowaway n folachánaí (ar bhád)

straddle n srathair vt & i, to ~ bheith, dul, ar scaradh gabhail, to ~ a horse tú féin a scaradh ar chapall

straggler n seachránaí, straighléir, strambánaí, malluaireach

straggling a streachlánach, sraoilleach

straight n & a díreach adv, ~ away lom díreach, caol díreach, glan díreach

straighten vt & i dírigh

straightforward a díreach, ionraic; simplí

strain n teannas, tarraingt, straidhn, strus; dua, (of music) streancán, séis, cuach, siansa; féith; cineál, pór vt & i teann; sníomh, stang, scag, síothlaigh, don't ~ yourself ná cuir masla ort féin, ná cuir thú féin thar d'acmhainn

strainer n síothlán, stráinín

strait n caolas, sunda; teannta, éigean a cúng, caol

straitened a, in ~ circumstances ar an ngannchuid

strand[1] n trá vt, the ship was ~ed on the sandbank thriomaigh an long ar an oitir, to be ~ed bheith tréigthe, bheith fágtha ar an trá fholamh

strand[2] n dual, dlaoi, tointe

strange a iasachta, coimhthíoch, strainséartha; iontach; greannmhar; deoranta, aduain, aisteach, ~ land coigríoch

stranger n strainséir, coimhthíoch, eachtrannach

strangle vt tacht

strap n iall, strapa, iris vt strapáil, to ~ sth up rud a fháscadh le strapaí

strapping a scafánta, scolbánta, ~ fellow scafaire, stollaire, strapaire

stratagem n cleas, beartaíocht

strategic a straitéiseach

strategy n straitéis

stratosphere n strataisféar

stratum n ciseal, sraith

straw n cochán, tuí; coinlín, sop, sifín, the last ~ buile na tubaiste, it's not worth a ~ ní fiú tráithnín, brobh, é

strawberry n sú talún

strawboy n cleamaire

straw-rope n súgán

stray n ainmhí seachráin, (of person) fánaí, straeire, seachránaí a fánach, iomrallach ví fuaidrigh, to ~ dul ar fán, dul amú, dul ar strae

streak n stríoc, riabh, síog, treall; féith vt síog

streaky a stríocach, síogach, treallach

stream n sruth(án), sreabh, glaise, ~ of smoke púir dheataigh ví sruthaigh, sreabh, sil, (of hair, etc) síob

streamer n sraoilleán

streamlet n sruthán, altán

streamlined a leabhairchruthach, sruth-líneach

street n sráid, man in the ~ gnáthdhuine

strength n neart, láidreacht, cumhacht, treise, urrúntacht, on the ~ of i ngeall ar, mar gheall ar

strengthen vt & i neartaigh, treisigh, daingnigh

strenuous a crua, dian, teann

stress n teann, dua, strus, stró, saothar; béim ghutha, aiceann vt, to ~ sth béim a chur, a leagan, ar rud

stretch n tarraingt, síneadh; réimse, stáir, ~ of mountainside learg sléibhe, by a long ~ go mór fada vt sín, searr, tarraing, righ, to ~ oneself searradh a bhaint asat féin, the cloth ~ed tháinig as an éadach

stretcher n sínteán; cnaiste (leaba)

strew vt leath, scaip, scar, greagnaigh, easraigh

strict *a* docht, dian, diongbháilte

stricture *n* cosc, srian, *to pass* ~*s on a person* duine a cháineadh, locht a fháil ar dhuine

stride *n* céim (fhada), truslóg; siúl, imeacht, *to get into one's* ~ breith ar do ghreamanna *vi*, *he was striding along* bhí sé ag céimniú roimhe

strife *n* achrann, bruíon, deabhaidh, imreas

strike *n* stailc; buille, (*of oil etc*) aimsiú, *lucky* ~ sciorta den ádh *vt & i* buail, gread, bain, smiot, cnag, cniog, *to* ~ *against sth* bualadh faoi rud, *to* ~ *a rate* sraith a ghearradh, *what struck me most* an rud is mó ar chuir mé sonrú ann, (*of workers*), *to* ~ dul ar stailc, *to* ~ *up a song* amhrán a chrochadh suas, *to* ~ *a fighting attitude* goic throda a chur ort féin, *to* ~ *oil* teacht ar ola

striker *n* stailceoir; buailteoir, cnagaire, buailteán

striking *n* bualadh *a* béimneach; suaithinseach, feiceálach

string *n* sreang, corda, téad, ~ *of pearls* trilsín péarlaí, *vt to* ~ *a parcel* beart a cheangal le sreangán, *to* ~ *things together* rudaí a chur ar sreang

stringent *a* géar, dian

stringy *a* snáithíneach, sreangach

strip[1] *n* stiall, leadhb, stráice, ciumhais

strip[2] *vt & i* nocht, lom, lomair, scamh, struipeáil, *to* ~ baint díot, *to* ~ *a salmon* bradán a bhleán, *to* ~ *a cow* bó a shniogadh

stripe *n* stríoc, riabh, síog

striped *a* riabhach, stríocach

strive *vi* troid, streachail, srac, sníomh (le), *striving for promotion* ag dréim le hardú céime

stroke[1] *n* buille, béim, stríoc, stróc, *by a* ~ *of luck* ar ámharaí an tsaoil, ~ *of work* stróic oibre, scaob oibre *vt*, *to* ~ *sth out* rud a chealú, a shíogadh

stroke[2] *vt* slíoc, cuimil

stroll *n* slúlóid, spaisteoireacht *vt*, ~ *ing* ag spaisteoireacht, ag fálróid, ag válcaeireacht; ag siúl ar do bhogstróc

strong *a* láidir, neartmhar, tréan, dian, groí, teann; acmhainneach, urrúnta, ~ *drink* biotáille

stronghold *n* daingean, dún, dúnfort

strongminded *a* rúndaingean, intinneach

structural *a* struchtúrach

structure *n* foirgneamh; comhdhéanamh, déanmhas, struchtúr *vt* céimnigh, struchtúraigh

struggle *n* gleic, spairn, coimhlint, coimheascar *vi* spairn, srac, sraon, streachail, *to* ~ *along* bheith ag strácáil leat

strum *n* streancán *vt & i* méaraigh, *strumming on a guitar* ag streancánacht ar ghiotár

strut[1] *n* teanntóg *vt*, *to* ~ *sth* teanntóga a chur le rud

strut[2] *n* siúl giodalach *vi*, *to* ~ siúl go gaigiúil, go móiréiseach

strychnine *n* stricnín

stub *n* bun, smut, snab *vt*, *to* ~ *one's toe against sth* do ladhar a smiotadh ar rud, *to* ~ *out a cigarette* toitín a mhúchadh

stubble *n* coinleach

stubborn *a* stuacach, stalcach, stóinsithe, cadránta

stubbornness *n* stuacacht, stalcacht, ceanndánacht, dúire

stuck-up *a*, *to be* ~ uabhar a bheith ort

stud[1] *n* stoda; bocóid *vt* greannaigh, *to* ~ *sth with jewels* rud a bhreacadh le seoda

stud[2] *n* graí, ~ *horse* graíre

student *n* mac léinn, dalta, *clerical* ~, ábhar sagairt

studio *n* stiúideo

studious *a* staidéarach

study *n* staidéar, léann; seomra staidéir, *he is in a brown* ~ tá sé ar a mharana *vt & i* foghlaim, ~*ing* ag staidéar, ag déanamh léinn *to* ~ *a subject* staidéar a dhéanamh ar ábhar

stuff *n* ábhar, stuif, mianach; éadach; dramhaíl *vt & i* ding, pulc, stuáil, sac, líon

stuffing *n* búiste

stuffy *a* plúchtach; tur, cúisiúil

stumble *n* tuisle *vi* tuisligh, *to* ~ *on the answer* teacht de thaisme ar an bhfreagra

stumbling-block *n* ceap tuisle

stump *n* stumpa, nuta, sciotán, bun, smut, *pine* ~ cailleach ghiúise *vt* stumpáil

stumpy *a* dúdach, giortach, smutach

stun vt, to ~ a person néal a chur ar dhuine, *the news stunned me* bhain an scéala an anáil díom

stunning a treascrach, millteanach

stunt¹ n cleas

stunt² vt crandaigh

stunted a cranda, giortach

stupefy vt dall, maolaigh, to ~ a person stangaire a dhéanamh de dhuine

stupendous a iontach, áibhéalta

stupid a dúr, dobhránta, bómánta, ainbhiosach, ~ person dúramán, pleota

stupidity n dúire, daille, bómántacht

stupor n néal, támh, toirchim

sturdy a tacúil, urrúnta

stutter n stad, snagaireacht vi, to ~ labhairt go stadach

sty¹ n fail muice, cró muice

sty² sleamhnán, craobhabhar

style n stíl, nós, déanamh, faisean

stylish a faiseanta, galánta, stíleach

suave a síodúil, plásánta

subconscious n fo-chomhfhios a fochomhfhiosach

subcontractor n fochonraitheoir

subdue vt cloígh, smachtaigh, ceansaigh; maolaigh

subdued a ceansaithe, cloíte; maolchluasach

subject n géillsineach; (*grammar*) ainmní; ábhar a umhal (do), to be ~ to a person's authority bheith faoi lámh, réir, duine vt ceansaigh, cuir faoi smacht; cuir ar

subjection n smachtú, géilleadh, géillsine

subjective a suibiachtúil

subjunctive n & a foshuiteach

sublime a oirirc, uasal

submarine n fomhuireán a fomhuirí

submerge vt & i báigh, tum, folc, téigh faoi uisce

submission n géilleadh; umhlóid, umhlaíocht, stríocadh; aighneacht

submissive a géilliúil, umhal

submit vt & i géill, stríoc, umhlaigh; cuir isteach, to ~ work to one's superior obair a chur faoi bhráid d'uachtaráin

subnormal a fonormálta

subordinate n íochtarán a íochtaránach vt fo-ordaigh, ísligh

subscribe vt & i foscríobh, to ~ to an opinion taobhú le tuairim, moladh le

tuairim, to ~ ten pounds síntiús deich bpunt a thabhairt

subscriber n foscríobhaí; síntiúsóir

subscription n síniú; aontú; lámhaíocht, síntiús

subsequent a iartheachtach, at a ~ meeting ag cruinniú ina dhiaidh sin

subsequently adv ina dhiaidh sin

subservient a spleách; sclábhánta, not to be ~ to a person gan a bheith faoi shotal do dhuine

subside vi socraigh, síothlaigh, maolaigh, traoith, íslígh

subsidence n tabhairt faoi, trá, síothlú

subsidiary a cúnta, tánaisteach, seach-, ~ company fochomhlacht

subsidize vt, to ~ sth fóirdheontas a thabhairt do rud

subsidy n fóirdheontas

subsist vi mair

subsistence n maireachtáil, ~ wage pá cothabhála

subsoil n gaíon, fo-ithir

substance n substaint, brí, fuaimint, bunús, téagar; ábhar, damhna

substandard a, ~ housing tithe faoi bhun an ghnáthchaighdeáin

substantial a substaintiúil, bunúsach, fuaimintiúil, tathagach, acmhainneach

substantiate vt, to ~ sth bunús a thabhairt le rud

substantive n ainmfhocal

substitute n ionadaí, fear ionaid, as a ~ for tea in ionad tae, rubber ~ rubar tacair a ionadach vt ionadaigh, to ~ one thing for another rud a chur in ionad ruda eile

substitution n ionadú; ionadaíocht

substratum n foshraith, bunsraith

subtle a fíneálta, caol, caolchúiseach, glic

subtlety n fíneáltacht, caolchúis; miondifríocht

subtract vt & i dealaigh

subtraction n dealú

suburb n fo-bhaile, bruachbhaile

suburban a fo-bhaileach

subvention n teanntaíocht

subversion n treascairt; suaitheadh

subversive a treascrach, suaiteach

subvert vt treascair, to ~ a person duine a chur de dhroim seoil; duine a shaobhadh

subway n fobhealach

succeed vt & i lean, to ~ a person teacht in áit duine, teacht i ndiaidh duine, to ~ to an estate eastát a fháil mar oidhreacht, if you ~ má éiríonn leat, má ritheann leat, I have ~ed tá liom

success n rath, it was a great ~ d'éirigh go hiontach leis

successful a rathúil

succession n sraith; comharbas, in ~ i ndiaidh a chéile

successive a leanúnach, two ~ days dhá lá i ndiaidh a chéile, as a chéile

successor n comharba, oidhre

succour n fóirithint, fortacht vt fóir ar

succulent a súmhar

succumb vi, to ~ to géilleadh do

such a, ~ a thing, a person a leithéid de rud, de dhuine, we were in ~ a hurry bhí a oiread sin deifre orainn, on ~ and ~ a day a leithéid seo de lá, lá mar seo, ~ is life sin é an saol, ~ is not my intention ní hé sin atá i gceist agam, in ~ a way (that) sa dóigh (is) go, i slí (go), ionas (go) pron, note-books and ~ leabhair nótaí agus a leithéidí, history as ~ an stair ina cáilíocht féin

suchlike a, ~ people daoine den chineál sin, a leithéidí sin de dhaoine pron, dresses and ~ gúnaí agus a leithéidí, gúnaí agus mar sin de

suck vt & i diúl, súigh, súraic, tarraing, to ~ up to a person lúitéis, tláithíníteacht, a dhéanamh le duine

sucker n diúlaí; súmaire; amadán; meathán

suckle vt tál ar; oil; diúl

suckling n siolpaire a, ~ calf lao diúil

suction n sú, súiteán, súrac, tarraingt

sudden a tobann, grod, prap

suddenly adv go tobann, de gheit, de hap, de phreab

suddenness n tobainne

suds n sobal

sue vt agair, to ~ a person an dlí a chur ar dhuine

suede n svaeid

suet n geir

suffer vt & i fulaing, céas; broic le, cuir suas le, he ~s from asthma bíonn an múchadh ag cur air

sufferance n, on ~ le caolchead

suffering n fulaingt, pian, páis a fulangach, céasta

suffice vi, that will ~ me déanfaidh sin gnó, cúis, dom; tá mo dhóthain ansin, ~ it to say (that) is leor a rá (go)

sufficient a, that is ~ to feed him is leor sin lena chothú, a hundred pounds will be ~ déanfaidh céad punt an gnó

suffix n iarmhír

suffocate vt & i múch, plúch, tacht

suffocation n múchadh, plúchadh, tachtadh

suffrage n vóta, guth; ceart vótála

suffragette n sufraigéid

sugar n siúcra vt siúcraigh

sugary a siúcrúil

suggest vt spreag; mol

suggestion n moladh; leid, gaoth an fhocail, leathfhocal

suggestive a dúisitheach; gáirsiúil

suicidal a féinmharfach

suicide n féinmharú; féinmharfóir

suit n ceiliúr pósta; achainí, iarratas; culaith; (cards) dath, (legal) cúis dlí vt & i oiriúnaigh, oir (do), feil (do), it ~s you well gabhann sé go breá duit, to ~ cards cártaí a chúpláil, ~ yourself déan do rogha rud, pé rud is maith leat

suitability n oiriúnacht

suitable a feiliúnach, oiriúnach, fóirsteanach; cóiriúil

suit-case n mála taistil

suite n cóisir, foireann

suitor n suiríoch

sulk n stuaic, stailc, tormas vi, to ~ stailc a chur suas, dul chun stuaice

sulky a stuacach, stalcach, pusach, smuilceach, ~ expression pus, smut

sullen a dúr(anta); confach, dodach, púiciúil, ~ expression stuaic, stainc

sulphide n suilfíd

sulphur n ruibh, sulfar

sulphuric a ruibheach

sultan n sabhdán

sultana n bansabhdán, (raisin) sabhdánach

sultry a brothallach, meirbh, trom, marbhánta

sum n suim, to do ~s suimeanna a dhéanamh vt, to ~ up sth rud a choimriú

summarize vt coimrigh, achoimrigh

summary n coimriú, achoimre; suim

summer *n* samhradh
summerhouse *n* grianán
summery *a* samhrata
summit *n* barr, mullach, buaic, ~ *conference* cruinniú mullaigh
summon *vt* toghair, scairt ar, glaoigh ar, *to* ~ *up one's courage* do mhisneach a chruinniú
summons *n* toghairm; gairm, cuireadh, fógra *vt* seirbheáil
sump *n* umar (ola)
sumptuous *a* costasach, ollásach
sun *n* grian *vt, to* ~ *oneself* tú féin a ghrianadh
sunbathe *ví, to* ~ bolg le gréin a dhéanamh
sunburn *n* dó gréine
Sunday *n* Domhnach, *on* ~ Dé Domhnaigh
sundial *n* grianchlog
sundry *a* difriúil, éagsúil, ~ *expenses* ilchostais *npl* ilnithe
sunflower *n* nóinín na gréine, lus na gréine
sunglasses *npl* gloiní gréine, spéaclaí gréine
sunlight *n* solas na gréine, grian
sunny *a* grianmhar, grianach; gealgháireach, ~ *day* lá gréine
sunrise *n* éirí (na) gréine
sunset *n* luí gréine, dul faoi na gréine, fuineadh gréine
sunshine *n* taitneamh na gréine, grian
sunstroke *n* goin ghréine
suntan *n* buí
sunwise *adv* deiseal
sup *n* bolgam, súmóg, sciobas *vt & i, to* ~ *sth* súimín a bhaint as rud, *to* ~ suipéar a chaitheamh
super *a* ar fheabhas, thar barr, for-, os-, sár-,
superannuation *n* pinsean
superb *a* ar fheabhas, thar barr, sár-
superficial *a* éadrom, *a* ~ *knowledge* crothán eolais, eolas fánach, breaceolas
superfluous *a* iomarcach
superhuman *a* fordhaonna
superimpose *vt* forshuigh
superintend *vt* stiúir, feighil
superintendent *n* maoirseoir, feitheoir; ceannfort
superior *n* uachtarán *a* uachtarach, for-;

ardnósach, *I have one* ~ *to that* tá a shárú sin agam, ~ *in numbers* níos líonmhaire, ~ *strength* forneart
superiority *n* barr, barr feabhais; lámh in uachtar, binnbharraíocht
superlative *n, (grammar)* sárchéim *a* sármhaith, tofa, *(grammar)* sárchéimeach
supermarket *n* ollmhargadh
supernatural *a* osnádúrtha
supersede *vt, to* ~ *a person* duine a chur in ionad duine eile; dul in áit duine, *that method is now* ~*d* tá an modh sin imithe as feidhm anois
supersonic *a* forshonach
superstition *n* piseog, geasróg
superstitious *a* piseogach
supervise *vt, to* ~ *work* maoirseacht, feitheoireacht, a dhéanamh ar obair
supervision *n* feitheoireacht, maoirseacht, stiúradh
supervisor *n* maor, feitheoir, maoirseoir
supine *n* faonán *a & adv* faon; droim faoi
supper *n* suipéar
supple *a* aclaí, ligthe, lúfar, umhal
supplement *n* forábhar, forlíonadh *vt* forlíon, *to* ~ *one's income* cur le do theacht isteach
suppliant *n & a* impíoch, achainíoch
supplier *n* soláthraí; lónadóir
supply *n* soláthar, lón; riar, *a month's* ~ dóthain míosa, díol míosa *vt* soláthair, riar
support *n* tacaíocht, taca, cúl, neartú *vt* iompair, tacaigh, fulaing, taobhaigh le, *to* ~ *a person* neartú le duine, seasamh le duine
supporter *n, (of person)* taobhaí, tacaí, cuiditheoir; taca
suppose *vt & i* cuir(eam) i gcás; abair; creid, *it is, I* ~ tá, is dócha, ~*d to be in* ainm a bheith
supposition *n* barúil, cur i gcás, *on the* ~ *(that)* i gcleithiúnas go
suppress *vt* coisc, múch, ceil, brúigh fút, cuir faoi chois
suppression *n* cur faoi chois; ceilt
suppurate *ví, to* ~ braon, ábhar, angadh, a dhéanamh; líonadh
supremacy *n* ceannas, forlámhas, lámh in uachtar
supreme *a* ardcheannasach, sár-, ard-

surcharge *n* formhuirear, breischáin *vt*, *to* ~ *sth* breischáin a ghearradh ar rud

sure *a* cinnte, dearfa, deimhin, *I'm* ~ *(that)* bíodh geall air (go), gabhaim orm (go)

sureness *n* cruinneas, deimhneacht, cinnteacht

surety *n* urra; áirithe, *to go* ~ *for a person* dul i mbannaí, in urraíocht, ar dhuine

surf *n* bruth farraige

surface *n* dromchla, uachtar, barr, craiceann *vt & i*, *to* ~ *sth* dreach a chur ar rud, *to* ~ *a road* craiceann a chur ar bhóthar, *to* ~ *(in water)* teacht ar barr uisce

surf-board *n* clár toinne

surfeit *n* ceas *vt*, *to* ~ *oneself* masmas, ceas, a chur ort féin

surge *n* réablach, borradh farraige, ~ *of anger* rabharta feirge *vi* barr, tonn, brúcht

surgeon *n* máinlia

surgery *n* máinliacht; seomra freastail dochtúra

surly *a* gairgeach, duasmánta, dorrga, ~ *expression* smuilc, gramhas

surmise *n* buille faoi thuairim, barúil *vt* síl, ceap, *to* ~ *(that)* barúil a bheith agat (go)

surmount *vt* sáraigh, cloígh, cinn ar

surname *n* sloinne

surpass *vt* sáraigh, buail, *to* ~ *a person* barr a bhreith ar dhuine, duine a bhualadh amach, cinneadh ar dhuine

surplice *n* suirplís

surplus *n* fuíoll, farasbarr, barrachas

surprise *n* ionadh, iontas, ~ *visit* cuairt gan choinne *vt*, *to* ~ *a person* teacht aniar aduaidh, go fáilí, ar dhuine; ionadh a chur ar dhuine, *to be* ~*d at* sth iontas a bheith ort faoi rud, *that* ~*s me* is aisteach, ionadh, liom sin

surprising *a* iontach, aisteach

surrealism *n* osréalachas

surrender *n* géilleadh, tabhairt suas *vt & i* géill, tabhair isteach

surreptitious *a* ganfhiosach, faoi choim, fáilí

surround *vt* timpeallaigh

surrounding *a & adv & prep* timpeall, *the* ~ *country* an tír máguaird *npl* timpeallacht

surtax *n* breischáin, forcháin

surveillance *n* airdeall, faire

survey *n* léiriú, iniúchadh; suirbhé *vt* scrúdaigh, iniúch, *to* ~ *a district* suirbhéireacht a dhéanamh ar cheantar

surveyor *n* suirbhéir

survival *n* marthanas, teacht slán; iarsma

survive *vt & i*, *to* ~ maireachtáil, teacht slán, téarnamh, *he* ~*d* thug sé a cheann leis, *he will not* ~ *the night* ní sháróidh sé an oíche, *to* ~ *a person* maireachtáil i ndiaidh duine

survivor *n* marthanóir, éalaitheach, iarmharán, fear inste scéil

susceptible *a* leochaileach, sobhogtha, freagrach (do), ~ *to subsidence* i mbaol turnaimh, ~ *to colds* tugtha don slaghdán

suspect *n* díol amhrais a amhrasach *vt*, *to* ~ *a person* drochamhras a bheith agat ar dhuine, amhras a chaitheamh ar dhuine, *I* ~*ed as much* sin é a bhí mé a cheapadh, níor mheath mo bharúil orm

suspend *vt* croch, *to* ~ *judgment* breith a chur ar fionraí, ~*ed in a liquid* ar fuaidreamh i leacht

suspender *n* crochóg *pl* gealas

suspense *n* beophianadh, fionraí, *in* ~ ar bis

suspension *n* crochadh; fionraí; fuaidreamh, ~ *of business* scor gnó

suspicion *n* amhras

suspicious *a* amhrasach

sustain *vt* iompair, cothaigh, fulaing; lean de

sustenance *n* beatha, cothú, cothabháil

swab *n* ceirt, maipín; táithín cadáis *vt*, *to* ~ *sth* rud a ghlanadh le ceirt

swaddling-clothes *npl* bindealáin

swagger *n* guailleáil; gaisce *vi*, *to* ~ goic a chur ort féin, mustar a dhéanamh

swallow[1] *n* fáinleog

swallow[2] *n* slog *vt* slog, lig siar, alp

swallow-hole *n* slogaide, súmaire, poll súraic

swamp *n* eanach, seascann, criathar *vt & i* báigh, folc, slog

swan *n* eala

swank *n* gaisce, galántacht; gaige *vi*, *to* ~ gaisce, stró, a dhéanamh

swap *n* iomlaoid, malairt *vt* babhtáil, malartaigh

swarm n saithe, scaoth, grathain, púir vi, to ~, (of bees) saithe a chaitheamh, ~ing with them dubh, druidte, foirgthe, leo

swarthy a crón, ciar, dóisceanta

swat vt smiot

swath n sraith, slaod

swathe vt fáisc

sway n luascadh; réim, riail, svae vt & i luasc, ~ing ag máinneáil, ag longadán, ag gúngáil; ar luascadh, to ~ a person's opinion dul i bhfeidhm ar dhuine

swear vt & i eascainigh, mionnaigh, leabhraigh, I ~ to God idir mé is Dia; dar Dia, I could have sworn (that) thabharfainn an leabhar (go)

swear-word n eascaine, mionn

sweat n allas vt & i, to ~ allas a chur, (of wall, etc) taisrigh

sweater n geansaí

sweaty a allasach

swede n, (turnip) svaeid

sweep n scuabadh, buille scuaibe; réimse; glantóir siméar, ~ of river lúb abhann vt & i scuab; sciurd

sweeper n, carpet ~ scuabadóir cairpéad

sweeping a scuabach, scóipiúil, fairsing, faoileanda

sweepstake n crannchur, scuabgheall

sweet n milseán, (dessert) milseog a milis; binn; cumhra

sweetbread n briseán (milis)

sweeten vt & i milsigh, úraigh, cumhraigh

sweetheart n leannán, muirnín, céadsearc

sweetness n milseacht; cumhracht; binneas

swell n, (of sea) suaill, borradh (farraige), fág vt & i at, borr, séid, bolg

swelling n at, meall, borradh, forlíonadh

sweltering a beirithe, brothallach, bruithneach, ~ heat beirfean teasa

swerve n fiaradh, scinneadh ar fiar vi, to ~ fiaradh go tobann, scinneadh ar fiar

swift[1] n gabhlán gaoithe

swift[2] a mear, luath, éasca

swig n slog, gáilleog vt slog

swill n grúdarlach; sruthlú vt & i sruthlaigh, taosc, slog, ~ing drink ag déanamh craos di

swim n & vt & i snámh

swimmer n snámhóir

swimsuit n culaith shnámha

swindle n caimiléireacht, calaois vt & i plucáil, to ~ a person calaois a dhéanamh ar dhuine

swindler n caimiléir, cneámhaire

swine n muc, mucra; cneámhaire, cladhaire

swing n luascadh, aistriú, athrú tobann; luascán, in full ~ faoi lánseol vt & i luasc

swing-boat n bád luascáin

swing-door n luascdhoras

swinging a luascach

swipe n flip, glám vt & i, to ~ at the ball tarraingt ar an liathróid (de fhlip), to ~ sth rud a sciobadh

swirl n cuaifeach, guairneán

swish n seabhrán, siosarnach vt & i, to ~ a rod seabhrán a bhaint as slat

switch n slat, lasc, fleasc vt lasc; aistrigh, to ~ on the light, the radio an solas, an raidió, a chur ar siúl, to ~ off the light solas a mhúchadh

switchboard n lasc-chlár; malartán

swivel n sclóin vi, to ~ casadh ar sclóin

swivel-chair n cathaoir sclóine

swollen a borrach, ata

swoon n fanntais, laige, néal vi, to ~ titim i bhfanntais, i laige

swoop n ruathar, ráib, sitheadh, scríob vi, to ~ on sth teacht anuas de ruathar ar rud

sword n claíomh

swordfish n colgán

swordsmanship n claimhteoireacht

sworn a, ~ statement dearbhú faoi mhionn, ~ enemies deargnaimhde

swot n tiaráil (os cionn leabhar); tiarálaí vt & i, to ~ (a subject) tiaráil a dhéanamh (ar ábhar)

sycamore n seiceamar

syllable n siolla, smid

syllabus n siollabas

sylvan a coillteach

symbol n siombail, samhailchomhartha, samhaltán

symbolic a siombalach, fáthach, samhaltach

symbolize vt siombalaigh, fíoraigh, samhailchomharthaigh

symmetrical a siméadrach

symmetry n siméadracht

sympathetic a báúil, páirteach, cásmhar

sympathize *vi, to ~ with a person on sth* comhbhrón a dhéanamh le duine faoi rud, rud a chásamh le duine

sympathy *n* trua, comhbhrón, bá

symphony *n, ~ orchestra* ceolfhoireann shiansach

symposium *n* siompóisiam

symptom *n* airí

synagogue *n* sionagóg

synchronize *vt* sioncrónaigh

syncopate *vt* coimrigh

syndicate *n* sindeacáit *vt* sindeacáitigh

syndrome *n* siondróm

synod *n* sionad

synonym *n* comhchiallach

synonymous *a* comhchiallach, ar comhchiall

synopsis *n* achoimre

syntax *n* comhréir

synthesis *n* sintéis

synthetic *a* sintéiseach, tacair

syphilis *n* sifilis, bolgach fhrancach

syringe *n* steallaire *vt, to ~ sth* rud a spré, a ní, le steallaire

syrup *n* síoróip, *golden ~* órshúlach

system *n* córas

systematic *a* córasach, rianúil

T

tab *n* cluaisin

tabernacle *n* taibearnacal

table *n* bord, clár, tábla; cuibhreann

tableau *n* tabló

table-cloth *n* éadach boird, scaraoid

tablet *n* leac chuimhneacháin; táibléad; tabhall

taboo *n* geis

tabular *a* táblach

tabulate *vt* táblaigh

tacit *a* tostach, faoi thost

taciturn *a* dúnárasach, tostach

tack[1] *n* tacóid; greim gúshnáithe *vt* creimneáil, *to ~ sth* gúshnáithe a chur faoi rud; tacóidí a chur i rud

tack[2] *vi* bordáil, *to ~ bord* a chaitheamh, a thógáil

tackle *n* gléasra, tácla, uim; greamú *vt* tácláil; greamaigh, tabhair faoi

tact *n* cáiréis, tuiscint

tactful *a* cáiréiseach, tuisceanach

tactics *npl* oirbheartaíocht

tadpole *n* torbán, loscann, súmadóir

taffeta *n* tafata

tag *n* cluaisin, liopa, clib; nathán

tail *n* eireaball; eithre

tailor *n* táilliúir

taint *n* smál *vt* & *i* truailligh, camhraigh, *~ed* truaillithe; cortha, camhraithe

take *vt* beir, gabh, glac, tóg, *I took sick* ghabh, bhuail, tinneas mé, *she took after her mother* chuaigh sí lena máthair, *when did it ~ place* cathain a

tharla sé, *to ~ off one's clothes* do chuid éadaigh a bhaint díot, *~ it away with you* ardaigh leat é, *to ~ a jump* léim a chaitheamh, *the boat is taking water* tá an bád ag déanamh uisce, *to ~ up a trade* gabháil le ceird, *to ~ a rest* do scith a ligean, *to ~ an oath* mionn a thabhairt, *he took to the mountains* thug sé na sléibhte air féin

take-away *n* béilín amach

takeover *n* táthcheangal

takings *npl* fáltas

talcum *n* talcam

tale *n* eachtra, scéal, finscéal

talent *n* bua, éirim, tallann

talented *a* éirimiúil, tallannach, tréitheach

talk *n* caint; cabaireacht *vi* caintigh, labhair

talkative *a* cainteach, scéalach

talker *n* cainteoir

tall *a* ard

tallow *n* geir

tally *n* scór, cuntas

talon *n* crúb, ionga, crobh

tambourine *n* tambóirín, tiompán

tame *a* ceansa, cineálta *vt* ceansaigh, clóigh, mínigh, smachtaigh

tamper *vi, ~ with* cuir isteach ar, *~ing with sth* ag tincéireacht, ag spallaíocht, le rud, *to ~ with a witness* anáil a chur faoi fhinné

tan n coirt; dath na gréine a buí, crón vt coirtigh, cart, ~ned by the sun buí ón ngrian

tangent n tadhlaí, tangant

tangerine n táinséirín

tangible a inbhraite

tangle n achrann, aimhréidh, tranglam, ~ of thread gréasán snáithe

tanist n tánaiste

tank n tanc; umar

tankard n tancard

tanker n tancaer

tanner n súdaire

tannery n tonnús

tannin n tainnin

tantalize vt griog

tantrum n taghd, spadhar, racht feirge

tap[1] n buacaire, sconna, fóiséad

tap[2] n smitín, cnag, cniog vt cniog; bearnaigh, tarraing (as)

tape n ribín, téip, ~ measure ribín tomhais, miosúr

taper n fáideog, coinneal; caolú vt & i caolaigh

tape-recorder n téipthaifeadán

tapestry n taipéis

tapioca n taipíóca

tap-root n meacan

tar n tarra vt tarráil

tardy a fadálach, malltriallach, righin

target n cuspóir, sprioc; marc; targaid;

tariff n cáin, táille, taraif

tarmacadam n tarramhacadam

tarnish n smál, teimheal vt & i smálaigh, teimhligh

tarpaulin n tarpól

tarry vi seadaigh, moilligh

tart[1] n toirtín

tart[2] a géar

tartan n breacán

tartar n, cream of ~ gealltartar

task n cúram, obair, tasc; laisín

tassel n bobailín, scothóg, mabóg

taste n blas, tástáil, to have a ~ for sth dúil a bheith agat i rud vt & i blais, tástáil, it ~s of fish tá blas an éisc air

tasteless a leamh

tasty a blasta

tatter n cifle, giobal, leadhbóg, bratóg, slaimice

tattered a cifleogach, leadhbach, liobarnach, gioblach, sraoilleach

tattoo n tatú

taunt n creill, greannú, tarcaisne vt greannaigh, tarcaisnigh

Taurus n an Tarbh

taut a rite, teann

tavern n (teach) tábhairne

tawdry a suarach, táir

tawny a ciarbhuí, crón

tax n cáin

taxation n cánachas

taxi n tacsaí

taxidermist n seitheadóir

tea n tae

teach vt & i múin, teagasc, foghlaim

teacher n múinteoir, oide, máistir (scoile), máistreás (scoile)

teaching n múinteoireacht; teagasc

teak n téac

teal n praslacha, crannlacha

tea-leaves npl cnámhóga tae; duilleoga tae

team n foireann

teapot n taephota

tear[1] n deoir, she burst into ~s bhris a gol uirthi

tear[2] n réabadh, stolladh, stróiceadh vt & i réab, rois, stróic, srac

tearful a deorach, taidhiúir

tease vt clip, griog; spíon, to ~ a person dul ag cleithmhagadh ar dhuine, ag spochadh as duine, to ~ wool olann a shlámadh

teasel n leadán, cnádán

teat n ballán, sine

technical a teicniúil, ~ school ceardscoil

technicality n teicniúlacht, pointe teicniúil

technician n teicneoir

technique n teicníocht, teicnic

technology n teicneolaíocht

tedious a fadálach, liosta

tedium n fadálacht

tee n tí vt & i tíáil

teenager n déagóir

teens npl déaga

teetotaller n lánstaonaire, staonaire

telegram n sreangscéal, teileagram

telegraph n teileagraf

telepathy n teileapaite

telephone n guthán, teileafón

telephonist n teileafónaí

telescope n teileascóp

televise vt teilifísigh

television n teilifís, ~ set teilifíseán

telex n teiléacs

tell vt & i abair, aithris, inis, to ~ the truth déanta na fírinne, to ~ on a person scéala a dhéanamh ar dhuine

teller n, (in bank) airgeadóir

telltale n sceithire

temerity n dánacht, meargántacht

temper n colg, taghd, tintríocht, faghairt, mild, fiery, ~ meon séimh, tintrí vt faghair; maolaigh

temperament n cáilíocht, meon

temperamental a taghdach, spadrúil

temperance n measarthacht, meánaíocht

temperate a meánúil, measartha

temperature n teocht

tempered a faghartha; maolaithe

tempest n anfa, stoirm

tempestuous a stoirmeach, anfach; fiáin

templar n teamplóir

temple[1] n ara, uisinn

temple[2] n teampall

tempo n luas, am

temporal a aimseartha; saolta; teamparálta

temporary a sealadach, neamhbhuan, duthain

tempt vt meall, to ~ a person cathú a chur ar dhuine

temptation n cathú

tempting a cathaitheach, meallacach

ten n & a deich, ~ persons deichniúr

tenacious a coinneálach, righin, docht, buan

tenacity n righneas, diongbháilteacht

tenancy n tionóntacht

tenant n tionónta

tend vt & i giollaigh, déan freastal ar, ~ing the sick ag tabhairt aire do na heasláin, it ~s to break tá claonadh chun briseadh ann, he ~s towards socialism tá luí aige leis an sóisialachas, ~ing to greyness i leith na léithe

tendency n claonadh (chun), luí (le)

tender[1] a bog, leochaileach, frithir; caoin, maoth, tláith, cúramach

tender[2] n tairiscint, legal ~ dlíthairiscint vt tairg

tender[3] n bád freastail; feighlí

tenderness n boige, grámhaireacht, taise, tláithe

tendon n lúitheach, teannán

tendril n teannóg

tenement n tionóntán

tennis n leadóg

tennis-court n cúirt leadóige

tenon n tionúr

tenor n teanór; éirim

tense[1] n aimsir

tense[2] a rite, teannasach, ar tinneall

tension n teannas

tent n puball

tentacle n adharcán, braiteog

tentative a trialach

tenterhooks npl, on ~ ar cipíní

tenth n & a deichiú

tenuous a caolchúiseach, singil, tanaí

tenure n sealbhaíocht, tionacht

tepid a alabhog, leamh, patuar

term n téarma; tréimhse; pl comha, coinníollacha, on friendly ~s with her mór léi, they are not on speaking ~s níl siad ag caint le chéile, tá siad amuigh le chéile

terminal n téarminéal; críochfort; foirceann, air ~ aerstáisiún a, ~ building críochfort, ~ illness galar báis

terminate vt & i scaoil, scoir, críochnaigh

terminology n téarmaíocht

terminus n ceann cúrsa, ceann scríbe; áras cinn aistir, críochfort

tern n geabhróg

terrace n ardán; léibheann; laftán

terrain n tír-raon

terrestrial a domhanda, talmhaí

terrible a imeaglach, millteanach, uafásach, gráiniúil, he looked ~ bhí cuma an diabhail, cuma iargúlta, air

terrier n brocaire; rolla tionóntaí

terrific a iontach, éachtach; uafásach, ~! go diail!

terrified a critheaglach, scanraithe

terrify vt sceimhligh, scanraigh

terrifying a scanrúil, uamhnach, eaglach

territory n críoch, dúiche, limistéar, fearann, tír

terror n imeagla, sceimhle, scanradh, scéin, uamhan, uafás

terrorism n sceimhlitheoireacht

terrorist n sceimhlitheoir

terrorize vt sceimhligh

terse a cóngarach, gonta, ~ remark(s) gearrchaint

terylene n teiriléin

test n promhadh, scrúdú, tástáil, triail, féachaint vt tástáil, triail, féach, seiceáil

testament *n* tiomna, uacht

testator *n* tiomnóir, uachtóir

testicle *n* magairle

testify *vt & i* dearbhaigh, *to ~ against a person* cruthú, dearbhú, ar dhuine

testimonial *n* teastas, teistiméireacht

testimony *n* fianaise, cruthú, teistiméireacht

test-tube *n* triaileadán, promhadán

tetanus *n* teiteanas

tether *n* nasc, téad, teaghrán, *he is at the end of his ~* tá sé i ndeireadh na péice *vt* naisc, ceangail

text *n* téacs

textile *n* teicstíl

textual *a* téacsach

texture *n* fíochán, fabraic; uigeacht; mothú; tréith

than *conj & prep* ná, *he is older ~ I am* is sine é ná mé, *later ~ I thought* níos déanaí ná a shíl mé, *more ~ twenty* breis agus fiche, *any person other ~ himself* duine ar bith ach, seachas, é féin

thank *vt*, *~ you* go raibh maith agat, *he ~ed me* ghabh sé buíochas liom

thankful *a* buíoch

thankless *a*, *~ task* cúram gan bhuíochas

thanks *n* buíochas, *~!* go raibh maith agat! *~ be to God* a bhuí le Dia, buíochas le Dia

thanksgiving *n* altú

that *pron & a & adv* sin, siúd, úd, *~ man* an fear sin, *what is ~* cad é sin, *don't believe ~* ná creid siúd, *~ is my opinion* sin é mo bharúil, *~ house down below* an teach úd thíos, *with ~ he came in* leis sin tháinig sé isteach, *after ~* ina dhiaidh sin, *the parcel ~ he left here* an beart a d'fhág sé anseo *conj* go, gur, *I said ~ I knew* dúirt mé go raibh a fhios agam

thatch *n* tuí *vt*, *to ~ a house* díon tuí a chur ar theach

thatched *a*, *~ roof* ceann tuí, díon tuí

thatcher *n* tuíodóir

thaw *n* coscairt *vt* coscair, leáigh; bog

the *def art* an, na, *James ~ Second* Séamas a Dó

theatre *n* amharclann, *operating ~* obrádlann

theft *n* gadaíocht, goid, bradaíl

their *poss a*, *~ car* a ngluaisteán, *~ fa-*

ther a n-athair, *~ hair* a gcuid gruaige, *~ town* an baile seo acusan

theirs *pron*, *it is ~* is leo é, *that one is ~* sin é a gceannsan; is leosan an ceann sin, *a friend of ~* cara leo, dóibh, dá gcuid, *that son of ~* an mac sin acu

theism *n* diachas

them *pron* iad, iadsan, *with ~* leo, *without ~* gan iad, *against ~* ina gcoinne, *the likes of ~* a leithéid(í), *beating ~* á mbualadh

theme *n* ábhar, cuspóir, téama

themselves *pron* iadsan; (siad, iad) féin, *feeding ~*, á gcothú féin

then *adv* ansin, *until ~* go dtí sin, *now and ~* ó am go ham, anois is arís, *since ~* riamh ó shin, ó shin i leith

theologian *n* diagaire

theological *a* diaga

theology *n* diagacht

theorem *n* teoirim

theoretical *a* teoiriciúil

theory *n* teoiric

therapeutic *a* teiripeach

therapy *n* teiripe

there *adv* ann, ansin, *put it ~* cuir ansin é, *~ and then* lom láithreach, ar an bpointe boise

thereabouts *adv*, *or ~* nó timpeall air, nó faoin tuairim sin

thereby *adv* ar an gcaoi sin, dá bharr sin

therefore *adv* dá bhrí sin, dá bharr sin, mar sin de

thermal *a* teirmeach

thermometer *n* teirmiméadar

thermostat *n* teirmeastat

these *pron & a* iad seo, *~ days* na laethanta seo; ar na saolta seo

thesis *n* téis; tráchtas

they *pron* siad, siadsan; iad, iadsan, *~ came* tháinig siad, *~ were beaten* buaileadh iad, *~ are doctors* is dochtúirí iad, *~ say* deirtear (*vide inflected vb forms*)

thick *a* dlúth, ramhar, tiubh, *blood is ~er than water* aithníonn an fhuil a chéile

thicken *vt & i* ramhraigh, tiubhaigh

thicket *n* mothar, muine

thickness *n* raimhre, tiús

thief *n* gadaí, bradaí, meirleach

thieving *n* bradaíl, gadaíocht *a* bradach

thigh *n* ceathrú, láirig, leis, sliasaid

thimble *n* méaracán

thin *a* caol, lom, tanaí; gann, scáinte *vt* & *i* caolaigh, scáin, tanaigh, deasc

thing *n* ní, rud

think *vt* & *i* cuimhnigh, smaoinigh; ceap, meas, síl, *I ~ he is right* tá an ceart aige, dar liom

third *n* trian, tríú *a* tríú, treas

thirst *n* íota, tart, *~ for learning* cíocras léinn

thirsty *a* tartmhar, tirim, *I got ~* bhuail tart mé

thirteen *n* & *a* trí déag, *~ persons* trí dhuine dhéag

thirteenth *n* & *a*, *the ~ day* an tríú lá déag, *one ~* an tríú cuid déag

thirtieth *n* & *a* tríochadú

thirty *n* & *a* tríocha

this *pron* & *a*, *drink ~* ól seo, *~ man* an fear seo, *~ evening* tráthnóna inniu, *~ year* i mbliana, *it was like ~* seo mar a bhí

thistle *n* feochadán

thole(-pin) *n* cnoga, dola

thong *n* iall

thorax *n* tórac

thorn *n* dealg, spíon; sceach *pl* spíonlach, deilgne

thorny *a* deilgneach, spíonach, colgach

thorough *a* críochnúil; cruthanta, corpanta, *~ly* go feillbhinn

thoroughbred *a* folúil, *~ horse* capall folaíochta

thoroughfare *n* bealach

those *pron* & *a* iad sin, *~ who say so* an dream a deir é, *~ books* na leabhair sin

though *conj* bíodh (is) go, cé go, i ndiaidh go, *~ he is only a child yet* agus gan ann ach leanbh fós *adv* mar sin féin

thought *n* cuimhneamh, machnamh, smaoineamh, *my ~s were elsewhere* ní air a bhí m'intinn

thoughtful *a* machnamhach, meabhrach, cuimhneach, smaointeach; tuisceanach

thoughtfulness *n* smaointeacht, tuiscint

thoughtless *a* neamhaireach, místuama, neamhthuisceanach

thoughtlessness *n* neamh-aistear, neamhmheontaíocht, místaidéar, místuaim

thousand *n* & *a* míle

thousandth *n* & *a* míliú

thrall *n* tráill

thrash *vt* & *i* leadhb, léas, liúr, *the whale was ~ing about* bhí an míol mór á oibriú féin, á únfairt féin

thrashing *n* léasadh, liúradh; oibriú, únfairt

thread *n* snáth, *(single) ~* snáithe; ruainne

threadbare *a* barrchaite, scáinte, smolchaite

threat *n* bagairt

threaten *vt* bagair

threatening *a* bagrach; confach

three *n* & *a* trí, *~ persons* triúr

thresh *vt* buail, súisteáil

threshold *n* tairseach

thrift *n* coigilteas, tíos, barainneacht; rabhán

thrifty *a* coigilteach, tíosach, sábhálach

thrill *n* deann, drithlín *vt* & *i* crith, preab, *it ~ed me* chuir sé drithlíní (áthais) tríom

thrilling *a* corraitheach

thrive *vi* bisigh, rathaigh, bláthaigh

thriving *a* rafar

throat *n* scornach, sceadamán, bráid

throb *n* frithbhualadh, preabadh, cuisle *vi* frithbhuail, preab

throbbing *n* broidearnach, preabarnach *a* broidearnúil, preabach

throes *npl*, *in (one's) death ~* in arraingeacha an bháis, ag saothrú an bháis; ag tabhairt na gcor

thrombosis *n* trombóis

throne *n* ríchathaoir

throng *n* plód, slua, pulcadh *vt* & *i* plódaigh, plúch

throttle *n* scóig *vt* sciúch, tacht

through *prep* trí, de bharr *adv*, *~ and ~* amach is amach, tríd is tríd

throughout *prep* ar fud, ar feadh, i rith *adv* ó thús deireadh

throw *n* caitheamh, teilgean, urchar *vt* caith, teilg, rad

thrush[1] *n* smólach

thrush[2] *n* craosghalar, béal salach

thrust *n* péac, ropadh, sá, turraing, fórsa *vt* rop, sáigh, brúigh

thud *n* trostal, tuairt

thumb *n* ordóg

thump *n* paltóg; tailm *vt* buail, tuargain

thunder *n* toirneach

thunderbolt *n* caor thine

thurible *n* túiseán

Thursday n Déardaoin, on ~ morning maidin Déardaoin

thus adv amhlaidh, mar sin

thwart[1] n seas, tochta

thwart[2] vt sáraigh, bac

thyme n tím

thyroid n & a tióróideach

tiara n tiara

tick[1] n sceartán, sor

tick[2] n tic vt & i ticeáil, (of engine), to ~ over réchasadh

tick[3] n tocht

ticket n ticéad

tickle n cigilt, dinglis vt cigil

tidal a taoidmhear, ~ wave tonn taoide, brúcht farraige

tide n taoide, ebbing ~ (taoide) aife, flowing ~ líonadh (taoide), spring ~ rabharta

tidiness n deismireacht, gastacht, néatacht, slacht, ordúlacht

tidings npl scéala, tuairisc, tásc

tidy a deismir, néata, pointeáilte, slachtmhar, triopallach vt feistigh, cuir slacht ar

tie n ceangal, cuing, nasc; carbhat vt ceangail, naisc, to ~ a knot snaidhm a chur

tier n sraith

tiger n tíogar

tight a daingean, docht, crua, teann, fáiscthe, ~ spot cúngach, gábh

tighten vt & i dlúthaigh, fáisc, teann, righ

tights npl riteoga

tile n leacán, tíl, scláta

till[1] n scipéad

till[2] vt saothraigh

till[3] prep & conj go, go dtí (go)

tillage n cur, curaíocht

tiller[1] n curadóir

tiller[2] n halmadóir, maide stiúrach

tilt n goic, feirc, fiar,leataobh, maig vt & i claon, fiar, it is ~ed tá sceabha faoi, tá leataobh air

timber n adhmad

time n aimsir, am, tráth, cuairt, for the first ~ den chéad uair, a long ~ ago fadó, in a month's ~ faoi cheann míosa, for some ~ past le tamall anuas, it is (high) ~ is mithid, in olden ~s anallód, three ~s as much a fhad oiread, at this ~ of year an taca seo den bhliain

timely a caoithiúil, tráthúil

timetable n clár ama, amchlár, tráthchlár

timid a eaglach, faiteach, scáfar, scinnideach

tin n stán vt stánaigh

tincture a tintiúr; lí, imir

tinder n spončán

tinfoil n scragall stáin

tinge n imir

tingle n drithlín, griofadach vi, my fingers are tingling tá drithlíní i mo mhéara

tingling n & a griofadach

tinker n tincéir vi, ~ing with sth ag útamáil, ag tincéireacht, le rud

tinkle n cling, cloigíneacht, gligín vi, to ~ cling a dhéanamh

tinkling n cling, ceolán a clingeach, cloigíneach

tinned a stánaithe

tinsel n tinsil

tinsmith n gabha geal

tint n fordhath, imir vt dathaigh

tiny a bídeach, mion, the tiniest little bit oiread na fríde

tip[1] n barr, gob, pointe, rinn, stuaic

tip[2] n síneadh láimhe, seachadadh

tip[3] n leid, nod

tipsy a súgach, maith go leor

tiptoe n, on ~ ar barraicíní vi siúil ar do bharraicíní

tire vt & i tuirsigh, clip, traoch, suaith, to ~ éirí tuirseach

tired a tuirseach, he is ~ tá tuirse air

tiredness n scíth, tuirse

tireless a dothuirsithe

tiresome a fadálach, tuirsiúil, liosta

tiring a tuirsiúil

tissue n fíochán, uige; ciarsúr páipéir, ~ of lies gréasán bréag

tissue-paper n páipéar síoda

tit[1] n meántán

tit[2] n ballán, sine

titbit n goblach

tithe n deachú

titillate vt griog, cigil

titivate vt pointeáil

title n teideal

titter n scige, maolgháire vi, ~ing ag scige, ag sciotaíl (gháire)

tittle n dada

tittle-tattle n giob geab, mionchaint

titular a teidealach

to *prep & adv* chuig, chun, go, go dtí, *give it ~ me* tabhair dom é, *what I have ~ say* an rud atá le rá agam, *they are ~ be married* tá siad le pósadh, *go ~ sleep* téigh a chodladh, *~ and fro* anonn is anall

toad *n* buaf

toadstool *n* beacán bearaigh, púca peill

toady *n* lútálaí, slusaí, seoinín *vi*, *~ ing* ag lútáil, ag tláithínteacht

toast[1] *n* tósta *vt* tóstáil

toast[2] *n* sláinte; cuspa sláinte *vt*, *to ~ a person* sláinte duine a ól

toaster *n* tóstaer

tobacco *n* tobac

tobacconist *n* tobacadóir

today *n & a & adv* inniu

toddler *n* lapadán, tachrán

toe *n* ladhar, méar coise, *big ~* ordóg (coise), *little ~* lúidín (coise)

toe-cap *n* barraicín

toffee *n* taifí

tog *vt*, *to ~ oneself out* gléas a chur ort féin

together *adv* le chéile, in éineacht, i dteannta a chéile, i gceann a chéile

toggle *n* scorán, buaircín

toil[1] *n* dua, saothar, anró *vi* saothraigh, *~ ing* ag tiaráil, ag luain

toil[2] *n* líon, lúb, gaiste, dol

toilet *n* ionlann, leithreas; ionladh; maisiúchán

token *n* comhartha

tolerance *n* caoinfhulaingt, fulaingt

tolerant *a* caoinfhulangach, fulangach

tolerate *vt* broic le, fulaing, cuir suas le

toll[1] *n* cáin, dola; cuntas; caillteanas, dochar

toll[2] *vt & i* bain, buail (clog), *to ~ the knell* an chreill a bhualadh

tomato *n* tráta

tomb *n* tuama, feart

tomboy *n* cailín báire, Muireann i mbríste

tombstone *n* leac uaighe

tomorrow *n & a & adv* amárach, *the day after ~* anóirthear, amanathar, arú amárach

ton *n* tonna

tone *n* ton; tuin

tongs *npl* tlú, maide briste, ursal

tongue *n* teanga

tongue-twister *n* casfhocal, rabhlóg

tonic *n* athbhríoch *a* athbhríoch; tonach

tonight *n & adv* anocht

tonnage *n* tonnáiste

tonne *n* tona

tonsil *n* céislín

tonsilitis *n* céislínteas

tonsure *n* corann

too[1] *adv* ró- *~ many*, *~ much* barraíocht, (an) iomarca

too[2] *adv* fosta, freisin, leis

tool *n* ball acra, gléas, uirlis

tooth *n* fiacail, *in the teeth of the storm* i mbéal na doininne

toothache *n* déideadh, tinneas fiacaile, daitheacha fiacaile

toothless *a* mantach

toothpaste *n* taos fiacla

tooth-pick *n* bior fiacla

top[1] *n* barr, maoil, rinn, mullach, uachtar, *on ~ of that* anuas air sin, ar a dhroim sin *a* uachtarach

top[2] *n*, *(spinning-) ~* caiseal

top-boot *n* buatais

topaz *n* tópás

topic *n* ábhar, téama

topography *n* dinnseanchas, topagrafaíocht

topple *vt & i* tit (le fána, i ndiaidh do mhullaigh); leag, treascair, *the statue is toppling* tá an dealbh ar forbhás, i mbaol titim

topsoil *n* barrithir

topsy-turvy *adv & a* bunoscionn, droim thar droim

torch *n* lóchrann, tóirse, trilseán

toreador *n* tarbhadóir

torment *n* céasadh, ciapadh, crá, piolóid *vt* céas, ciap, scól, cráigh

tormented *a* céasta, cráite, *~ with hunger* scrúdta leis an ocras

torn *a* stiallach, leadhbach, stróicthe, stollta

tornado *n* tornádó

torpedo *n* toirpéad

torpid *a* mairbhiteach, támhach

torpor *n* mairbhití, támh, toirchim

torque *n* torc

torrent *n* buinne, díle, tulca, rabharta, *~ of speech* flosc cainte, rois chainte

torrential *a* tulcach, *~ rain* díle bháistí

torrid *a* bruithneach, loiscneach, *~ zone* teochrios

torsion *n* caismirneach; toirsiún

torso *n* cabhail

tortoise *n* toirtís

torture *n* céasadh, pianadh *vt* céas, pian, ciap

toss *n* caitheamh suas, treascairt, *she took a ~* baineadh leagan aisti *vt & i* caith suas; leag; suaith, *~ing about* ag únfairt

tot[1] *n* lucharachán (linbh)

tot[2] *n* deoir, súimín

tot[3] *vt* suimigh

total *n* iomlán, suim *a* iomlán, lán-, *~ destruction* léirscrios

totalitarian *a* ollsmachtach

totter *vi* tuisligh, luasc

tottering *a* longadánach, tuisleach

touch *n* tadhall, teagmháil, mothú, *~ of humour* iarracht den ghreann, *~ of anger* mothú feirge, *finishing ~(es)* bailchríoch *vt & i* tadhaill, teagmhaigh, *don't ~ them* ná bain dóibh, *~ing on* bainteach le; buailte ar, *~ down,* (in rugby) talmhaigh, (of aircraft) tuirling

touching *a* tadhlach; truamhéalach, corraitheach

touch-line *n* taobhlíne

touchy *a* colgach, driseogach, tógálach, goilliúnach, íogair

tough *a* crua, doscúch, deacair, righin, stálaithe

toughen *vt & i* cruaigh, righnigh, stálaigh

toughness *n* cruas, righneas, stóinsitheacht

tour *n* camchuairt, turas

tourism *n* turasóireacht, cuartaíocht

tourist *n* turasóir, cuairteoir

tournament *n* ilchomórtas; turnaimint

tourniquet *n* tuirnicéad

tousle *vt* mothallaigh, cuir in aimhréidh

tousled *a* gliobach, aimhréidh, stoithneach, *~ hair* grágán, glib

tow *vt* tarraing (i do dhiaidh), tarlaigh

toward(s) *prep* chuig, go dtí, chun, i dtreo, *~ me* faoi mo dhéin, ionsorm

towel *n* tuáille

tower *n* túr, *round ~* cloigtheach

town *n* baile (mór)

townland *n* baile fearainn

toxic *a* tocsaineach

toy *n* bréagán, áilleagán *vi, ~ing (with)* ag méiríneacht (le), ag blaisínteacht le (bia)

trace *n* iarsma, lorg, rian *vt* lorg; línigh, rianaigh, *to ~ sth* lorg ruda, bonn ruda, a chur, *tracing pedigrees* ag déanamh ginealais, ag cur isteach gaoil

tracery *n* fíochán

tracing-paper *n* rianpháipéar

track *n* lorg, eang, raon, rian; bonn; cosán, slí *vt* lorg, *to ~ sth* lorg ruda a chur

tracker-dog *n* cú lorgaireachta

track-suit *n* raonchulaith

tract[1] *n* sliocht, trácht

tract[2] *n* limistéar, líomatáiste, réimse (talún), *alimentary ~* conair an bhia

tractor *n* tarracóir

trade *n* ceird, tráchtáil, trádáil, *~ union* ceardchumann *vt* reic, trádáil; babhtáil

trade-mark *n* trádmharc

trader *n* tráchtálaí, trádálaí

tradesman *n* ceardaí

trade-unionist *n* ceardchumannaí

tradition *n* traidisiún, seanchas, *oral ~* béaloideas

traditional *a* traidisiúnta

traffic *n* trácht

tragedy *n* cinniúint, tragóid, tubaiste; traigéide

tragic *a* cinniúnach, tragóideach, tubaisteach, taismeach

tragi-comedy *n* greanntraigéide

trail *n* bonn, lorg, *nature ~* cosán dúlra, *~ of smoke* sraoill deataigh *vt & i* sraoill, síl *a*, *~ing* sraoilleach

trailer *n* leantóir

train[1] *n* traein

train[2] *vt* traenáil

trainer *n* traenálaí

training *n* oiliúint, traenáil; oilteacht

trait *n* tréith

traitor *n* fealltóir, tréatúir

traitorous *a* fealltach, tréatúrtha

tram *n* tram

trammel *n* cuibhreach; traimil *vt* cuibhrigh

tramp[1] *n* bacach (bóthair), fear siúil

tramp[2] *n* trostal, trup, toirm *vt & i*, satail (ar), siúil

trample *vt & i* pasáil; satail (ar)

trance *n* támh, támhnéal, toirchim

tranquil *a* sámh, suaimhneach, ciúin

tranquillity *n* sáimhe, suaimhneas, ciúnas

tranquillize *vt* sámhaigh, suaimhnigh

tranquillizer *n* suaimhneasán

trans- *pref* tar-, tras-

transaction *n* idirbheart, ~ *of business* déanamh gnó

transcribe *vt* athscríobh

transfer *n* aistriú *vt* aistrigh

transferable *a* inaistrithe

transform *vt & i* claochlaigh

transformation *n* athchuma, claochlú

transformer *n* claochladán

transfusion *n, blood* ~ fuilaistriú

transgress *vt & i* ciontaigh; sáraigh

transgression *n* cion

transient *a* díomuan, neamhbhuan, duthain

transistor *n* trasraitheoir

transit *n* idirthuras, *in* ~ faoi bhealach

transition *n* athrú, aistriú, ~ *year* idirbhliain

transitive *a* aistreach

transitory *a* díomuan, gearrshaolach, neamhbhuan, ~ *thing* gal soip

translate *vt* aistrigh, tiontaigh

translation *n* aistriú(chán), tiontú

translator *n* aistritheoir

transmigration *n* imaistriú

transmission *n* iompar, tarchur, craoladh

translucent *a* tréshoilseach

transmit *vt* iompair, tarchuir, seachaid

transmitter *n* tarchuradóir

transparent *a* gléineach, trédhearcach

transpire *vt & i* trasghalaigh; easanálaigh; tar chun solais; tarlaigh, tit amach

transplant *vt* aistrigh, athphlandaigh

transport *n* iompar *vt* iompair, *I was* ~*ed with joy* tháinig sciathán, néal áthais, orm

transpose *vt* aistrigh, malartaigh

transverse *a* trasna

trap *n* dol, gaiste, inleog, sás; trap *vt* gabh, gaistigh

trapeze *n* maide luascáin

trappings *npl* feisteas, táclaí, ciútraiminti, froigisí

Trappist *n & a* Trapach

trash *n* cosamar, dramhaíl, truflais

trauma *n* tráma, sceimhle

traumatic *a* trámach

travail *n* callshaoth, dua

travel *n* siúl, taisteal *vt & i* taistil, triall, siúil, imigh

traveller *n* taistealaí *pl* (an) lucht siúil

traverse *vt* trasnaigh, siúil

travesty *n* scigaithris

trawl *n* trál *vt & i*, ~*ing* ag trálaeireacht; ag spiléireacht

trawler *n* trálaer

tray *n* tráidire, trae

treacherous *a* cealgach, meabhlach, fealltach, fabhtach, feilltach

treachery *n* cealg, feall, meabhal, oirchill

treacle *n* triacla

tread *n* satailt; céimniú; cluas (spáide); trácht (boinn), ~ *of feet* torann cos *vt & i* satail, siúil

treadle *n* troitheán

treason *n* tréas

treasonable *a* tréasach

treasure *n* ciste, maoin, stór, taisce

treasurer *n* cisteoir, sparánaí

treasury *n* ciste (an) stáit; órchiste

treat *n* féasta, pléisiúr, *to give a person a* ~ cineál a dhéanamh ar dhuine *vt*, (*of ailment*) cóireáil, *they* ~*ed me well* chaith siad go maith liom, ~ *them gently* láimhsigh go socair iad

treatise *n* tráchtas

treatment *n* bail, úsáid; ionramh; cóireáil, *medical* ~ cóir leighis

treaty *n* conradh

treble[1] *n* tribil

treble[2] *a* faoi thrí *vt* méadaigh faoi thrí

tree *n* crann, *genealogical, family,* ~ craobh ghinealaigh, géaga ginealaigh

trek *n* aistear, turas

trekking *n, pony* ~ fálróid ar chapaillíní

trellis *n* crannaíl

tremble *n* creathán, crith *vi* crith, creathnaigh, *to* ~ bheith ar crith

tremendous *a* ábhalmhór, ollmhór, iontach, uafásach

tremor *n* creathán, crith

trench *n* clais, díog, trinse *vt* clasaigh

trend *n* claonadh, lé, treo, ~ *of thoughts* seol, snáithe, smaointe

trespass *n* foghail, treaspás; bradail, *forgive us our* ~*es* maith dúinn ár bhfiacha

trespasser *n* foghlaí, treaspásóir

tress *n* cuach, dlaoi, dual, trilis, trilseán

trews *n* triús

tri- *pref* trí-

trial *n* féachaint, promhadh, tástáil, triail *a* trialach

triangle *n* triantán
triangular *a* triantánach
tribal *a* treibheach
tribe *n* aicme; treibh, treabhchas
tribulation *n* crá, dólás, léan
tribunal *n* binse breithimh
tributary *n* craobh-abhainn
tribute *n* cíos; bronntanas, *to pay* ∼ *to a person* duine a mholadh
trice *n*, *in a* ∼ ar iompú boise
trick *n* bob, cleas, ciúta, tréith, *playing* ∼*s* ag cleasaíocht, ag bobaireacht *vt*, *to* ∼ *a person* bob a bhualadh ar dhuine, cleas a imirt ar dhuine
trickery *n* bobaireacht, cleasaíocht, lúbaireacht, imeartas
trickle *n* silín, sreabh *vi* sil
trickling *a* silteach
trickster *n* áilteoir, cleasaí
tricky *a* cleasach, lúbach, ∼ *person* ealaíontóir
tricolour *n* & *a* trídhathach
tricycle *n* trírothach
trident *n* trírinn
trifle[1] *n* beagní, mionrud
trifle[2] *n* traidhfil
trifling *a* fánach, *it is no* ∼ *matter* ní haon dóithín é
trigger *n* truicear
trigonometry *n* triantánacht
trilogy *n* trilóg
trim *a* comair, deismir, fáiscthe, triopallach *vt* bearr; cóirigh, maisigh
Trinity *n* Tríonóid
trinket *n* áilleagán
trio *n* tríréad; triúr
trip[1] *n* cor coise, tuisle *vt* & *i* tuisligh, *to* ∼ *a person* barrthuisle a bhaint as duine
trip[2] *n* turas, truip, geábh
tripe *n* ruipleog, tríopas; raiméis, seafóid
triple *a* triarach
triplet *n* trírín
triplicate *a* triarach
tripod *n* trípéad
triptych *n* triptic
trite *a* seanchaite, súchaite, neafaiseach
triumph *n* bua, caithréim *vi* buaigh
triumphant *a* caithréimeach
trivial *a* fánach, mionchúiseach, éadrom, neafaiseach, fo-
trolley *n* tralaí, trucail

trollop *n* sraoill; striapach
trombone *n* trombón
troop *n* buíon, díorma; ∼*s* trúpaí, fórsaí
trooper *n* trúipéir
trophy *n* craobh, trófaí
tropic *n* trópaic, ∼*s* teochrios
tropical *a* teochreasach, trópaiceach
trot *n* sodar, bogshodar *vi*, ∼ *ting* ag sodar
trotter *n* crúibín
trouble *n* trioblóid, buairt, dua, stró, *she has* ∼ *with her heart* tá an croí ag cur uirthi *vt* buair, cráigh, cuir as (do), *that is not what* ∼*s me* ní hé atá ag déanamh buartha, tinnis, dom
troubled *a* buartha, imníoch; suaite, corrach
troublesome *a* crosta, callóideach, duaisiúil, caingneach, trioblóideach
trough *n* umar
trounce *vt* gread, liúr, rúisc, smíst
trouncing *n* greadadh, greasáil, leadradh, léasadh, sciúradh
troupe *n* compántas; cóisir
trousers *npl* bríste, treabhsar, triús
trout *n* breac
trowel *n* lián
truant *n* múitseálaí, *to play* ∼ múitseáil *a* fánach, seachránach
truce *n* sos cogaidh
truck *n* trucail
truculent *a* bruíonach, colgach, trodach
trudge *vi* slaod, sraoill, spágáil
true *a* fíor, ceart, dílis, dearbh-
trump *n* mámh
trumpet *n* troimpéad, stoc, trumpa; bonnán; géim
trumpeter *n* stocaire, trumpadóir
truncheon *n* smachtín
trunk *n* trunc; cabhail, colainn; tamhan, stoc
trunk-call *n* cianghlaoch (gutháin)
trunk-road *n* príomhbhóthar
truss *n* burla, ceangaltán; trus *vt* trusáil
trust *n* iontaoibh, muinín, dóchas; iontaobhas
trustee *n* iontaobhaí
trustworthy *a* iontaofa, muiníneach, tairiseach
truth *n* fírinne; fíor
truthful *a* fírinneach

try n iarracht, (*rugby*) úd *vt* & *i* tástáil, féach, scrúd, to ~ a (*court*) case cás a thriail, ~ on those shoes triail na bróga sin ort, ~ing to do sth ag iarraidh rud a dhéanamh

trying a duaisiúil

tryst n dáil, coinne

tub n dabhach, umar, leastar, tobán; folcadán

tube n feadán, píobán, tiúb

tuber n tiúbar

tuberculosis n eitinn

tubular a feadánach

tuck n clupaid, filltín *vt*, to ~ sth up a chrapadh, ~ed up in bed soiprithe sa leaba, to ~ cloth éadach a úcadh

Tudor n & a Túdarach

Tuesday n Máirt, ~ evening tráthnóna Dé Máirt

tuft n curca, dos, scoth, dlaoi, dual, tortóg, stoth

tufted a cuircíneach; dosach, tortógach, dlaoitheach

tug n sracadh, tarraingt *vt* & *i* srac, tarraing

tug(-boat) n tuga

tug-of-war n tarraingt na téide

tuition n múineadh, teagasc

tulip n tiúilip

tumble n leagan, titim *vt* & *i* leag, tit, iomlaisc

tumbler n timbléar

tumour n meall, siad, malignant ~ cnoc ailse

tumult n callán, clampar, fothram, gleo, ruaille buaille

tumultuous a callánach, gleadhrach, racánach

tumulus n leacht, tuaim, feart, dumha

tune n aer, fonn, port, in ~ i dtiúin *vt* & *i* tiúin

tuneful a ceolmhar, binn

tunic n ionar, tuineach

tuning-fork n gabhlóg thiúnta

tunnel n tollán

turban n turban

turbary n, right of ~ móincheart

turbine n tuirbín

turbot n turbard

turbulence n callóid, racán; sruthlam; suaitheadh

turbulent a callóideach, racánach

tureen n túirín

turf n móin; fód, scraith

turf-cutter n sleádóir

turf-mould n grabhar móna, smúdar móna

turf-spade n sleán

turkey n turcaí

turmoil n clampar, círéib, suaitheadh

turn n casadh, cor, iompú; coradh; dreas, uain, seal; taom, ~ of phrase deismireacht chainte; dul cainte, to take ~ s at sth sealaíocht a dhéanamh ar rud, in ~ faoi seach, it is your ~ is leatsa anois, ~ about gach re seal, wait your ~ fan le d'am, le do sheal, le d'iarraidh, to do a person a good ~ gar a dhéanamh do dhuine *vt* & *i* cas, cor; athraigh, iompaigh, tiontaigh, to ~ a hare cor, cluicheadh, a bhaint as giorria, to ~ against sth fuath a thabhairt do rud, ~ back fill, he ~ed down the offer dhiúltaigh sé don tairiscint, the milk ~ed sour ghéaraigh an bainne, to ~ sth off rud a mhúchadh, a stopadh, to ~ sth on rud a chur ar siúl, as it ~ed out faoi mar a tharla, to ~ out well cruthú go maith

turner n deileadóir; castóir

turnip n tornapa

turnover n láimhdeachas (airgid), ~ tax cáin láimhdeachais

turnstile n geata casta

turntable n caschlár

turpentine n tuirpintín

turquoise n turcaid

turret n túirín

turtle n turtar

tusk n starrfhiacail

tussle n fuirseadh, iomrascáil *vi* fuirsigh

tussock n tortóg

tutor n oide, teagascóir

tweed n bréidín

tweezers npl pionsúirín

twelfth n & a, the ~ day, an dóú, dara, lá déag, one ~ an dóú, dara, cuid déag

twelve n & a dó dhéag, ~ persons dháréag, ~ days dhá lá dhéag

twentieth n & a fichiú

twenty n & a fiche, scór

twice adv dhá uair, faoi dhó

twig n cipín, craobhóg, spreasán

twilight n clapsholas, coineascar

twin n leathchúpla, ~s cúpla a cúplach

twine *n* sreangán, ruóg *vt & i* dual, sníomh, snaidhm, cas
twinge *n* daigh, deann, ríog
twinkle *n* drithliú *vi* drithligh, rinc
twinkling *n, in the* ~ *of an eye* i bhfaiteadh, ar leagan, na súl
twirl *n* fiodrince, rothlú *vt & i* cas, rothlaigh
twist *n* caisirnín, casadh, castainn, cor, lúb *vt & i* cas, fiar, lúb, sníomh
twisted *a* caisirníneach, cas, casta; fiar, cam, saobh
twister *n* lúbaire
twitch *n* drithlín, freanga, preab *vi* bíog, preab
twitter(ing) *n* giolcadh, bíogarnach
two¹ *n & a* dó, dhá, ~ *persons* beirt, dís, ~ *big ones* dhá cheann mhóra
two-² *pref* dé-
tycoon *n* toicí

type¹ *n* cineál, saghas, sórt
type² *n* cló *vt & i* clóscríobh
typesetter *n* clóchuradóir
typesetting *n* clóchuradóireacht
typewriter *n* clóscríobhán
typhoid *n & a* tíofóideach
typhoon *n* tiofún
typhus *n* tífeas
typical *a* samplach, tipiciúil, *as is* ~ *of their kind* mar is dual dá leithéidí
typify *vt* samhailchomharthaigh
typing *n* clóscríbhneoireacht
typist *n* clóscríobhaí
typography *n* clóghrafaíocht
tyrannical *a* mursanta, tíoránta
tyranny *n* aintiarnas, ansmacht, tíorántacht
tyrant *n* aintiarna, tíoránach
tyre *n* bonn

U

ubiquitous *a* uileláithreach
udder *n* úth
ugliness *n* gránnacht, gráin, míofaireacht
ugly *a* gránna, míofar, droch-araíonach
ulcer *n* othras
ulcerous *a* othrasach
Ulster *n* Ulaidh, Cúige Uladh *a* Ultach, *the* ~ *cycle* an Rúraíocht
ulterior *a* níos faide anonn, ~ *motive* aidhm fholaigh
ultimate *a* déanach, deireanach
ultra- *pref* sár-, ultra(i)-, rí-
ultra-violet *a* ultraivialait
umbrella *n* scáth fearthainne, parasól
umpire *n* moltóir
un- *a* ain-, an-, mí-, droch-, neamh-
unable *a* neamhábalta, neamhinniúil, *I am* ~ *to do it* ní féidir liom, nílim in ann, é a dhéanamh
unacceptable *a* do-ghlacta
unaccompanied *a* gan tionlacan, neamhthionlactha
unaccustomed *a* neamhchleachtach (ar), núíosach (ag)
unadulterated *a* gan mheascadh, neamhthruaillithe
unaffected *a* nádúrtha, ~ *by sth* neamhspleách ar rud, gan beann ar rud

unanimous *a*, ~ *decision* moladh d'aon ghuth, ~ *ly* d'aon ghuth
unanswerable *a* dofhreagartha
unappetizing *a* neamhbhlasta
unapproachable *a* doshroichte; doicheallach
unarmed *a* gan arm, neamharmtha
unassuming *a* neamhphostúil
unattractive *a* míthaitneamhach
unauthenticated *a* gan údar
unauthorized *a* neamhúdaraithe
unavoidable *a* dosheachanta, *it is* ~ níl neart air; níl imeacht uaidh
unaware *a*, ~ *of sth* aineolach ar rud
unawares *adv* gan fhios, *he was caught* ~ rugadh gairid, thall, air; thángthas aniar aduaidh air
unbalanced *a* míchothrom, éagothrom, neamhchothrom; mire, spadhrúil
unbearable *a* dofhulaingthe
unbeatable *a* dochloíte
unbecoming *a* neamhdheas, míchuibhiúil
unbelief *n* ainchreideamh, neamhchreideamh
unbeliever *n* ainchreidmheach, neamhchreidmheach, díchreidmheach
unbending *a* righin, docht, stóinsithe

unbiased *a* neamhchlaon, neamh-leatromach

unblemished *a* gan smál

unbounded *a* éaguimseach

unbreakable *a* dobhriste

unbridled *a* ainrianta, neamhshrianta

unbusinesslike *a* mí-éifeachtach

uncanny *a* diamhair

uncertain *a* éiginnte

uncertainty *n* éiginnteacht

unchangeable *a* do-athraithe

uncharitable *a* mícharthanach, neamh-charthanach

unchristian *a* míchríostúil

uncivil *a* míshibhialta

uncivilized *a* barbartha

uncle *n* uncail

uncomfortable *a* míchompordach, mí-shócúlach, dochma

uncommon *a* neamhchoitianta, as an ngnáth

unconcerned *a* réchúiseach, neamh-chúiseach

unconfirmed *a* éidearfa

unconscious *a* neamh-chomhfhiosach; gan mheabhair, gan aithne gan urlabhra

unconstitutional *a* míbhunreachtúil

uncontrollable *a* docheansaithe, do-smachtaithe

unconventional *a* neamhchoinbhinsiúnach

uncouple *vt* scoir

uncouth *a* cábógach, starrach

uncover *vt* nocht, foilsigh

unction *n* ola, ungadh, *extreme* ~ an ola dhéanach

unctuous *a* bealaithe, bladrach, olartha, ungthach

uncultivated *a* gan saothrú, bán, fiáin

undecided *a* éiginnte

undeniable *a* dobhréagnaithe, doshéanta

under¹ *prep* faoi, faoi bhun

under-² *pref* fo-

underclothes *npl* fo-éadach

underdeveloped *a* tearcfhorbartha

underdog *n* íochtarán

underdone *a* tearcbhruite

undergo *vt* téigh faoi, fulaing, gabh trí, *house ~ ing repairs* teach á dheisiú

undergrowth *n* casarnach, scrobarnach, fáschoill

underhand *a* calaoiseach

underline *vt, to ~ sth* líne a chur faoi rud; béim a chur ar rud

undermine *vt* bain faoi (rud), toll faoi (rud), *to ~ a person's authority* an bonn a bhaint ó údarás duine

underneath *prep & adv* faoi bhun, in íochtar, faoi

undernourishment *n* gannchothú

underpants *npl* fobhriste

underpass *n* íosbhealach

underprivileged *a*, ~ *groups* grúpaí beagdheise

underrate *vt, to ~ sth* rud a mheas faoina luach

undersigned *a* thíos-sínithe

undersized *a* giortach, scrobanta

understand *vt* tuig, aithin

understandable *a* intuigthe

understanding *n* eagna, eolas, meabhair chinn, tuiscint *a* tuisceanach

undertake *vt, to ~ a duty* dualgas a ghlacadh, a ghabháil ort féin, *to ~ a journey* tabhairt faoi thuras

undertaker *n* adhlacóir

undertaking *n* gabháil; gnóthas, fiontar; gealltanas

underwriter *n* frithgheallaí

undeveloped *a* neamhfhorbartha

undiplomatic *a* místuama, tútach

undisciplined *a* ainrialta

undo *vt* scaoil; mill, *to ~ harm* díobháil a leasú

undoing *n, it led to his ~* is leis a fágadh, a cailleadh, é

undoubtedly *adv* gan amhras, gan aon agó

undress *vt & i, to ~* do chuid éadaigh a bhaint díot

undue *a* míchuí

undulate *vi* tonn

undulating *a* droimneach; altach; tonnúil

unearth *vt* nocht, tochail (as an talamh)

unearthly *a* neamhshaolta, diamhair

uneasiness *n* corrabhuais, míshuaimh-neas, neamhshocracht

uneasy *a* corrach, corrabhuaiseach, guairneánach, míshuaimhneach, míshocair

unemployed *a* dífhostaithe, díomhaoin

unemployment *n* dífhostaíocht, díomhaointeas

unequal *a* éagotrom, míchothrom, neamhionann

uneven a aimhréidh, éagothrom, míchothrom, cnocánach

unexpected a neamhthuairimeach, tobann, gan choinne

unfair a éagothrom, leatromach, míchothrom

unfaithful a mídhílis

unfamiliar a aduain, deoranta, coimhthíoch

unfasten vt scaoil, scoir

unfavourable a mífhabhrach, ~ weather aimsir chontráilte, ~ report drochtheist

unfeeling a cadránta, dúr, fuarchroíoch, mínádúrtha

unfitting a míchuibhiúil

unforgettable a dodhearmadta

unforgiveable a do-mhaite

unforgiving a neamaiteach

unfortunate a mí-ámharach, mífhortúnach, ~ ly ar an drochuair

unfree a daor

unfriendliness n eascairdeas, mímhuintearas, doicheall, fuaire

unfriendly a eascairdiúil, mímhuinteartha

unfurl vt scaoil (le gaoth)

unfurnished a gan troscán

ungainly a liopasta, gúngach, amscaí

ungrateful a díomaíoch, míbhuíoch

unguent n ungadh

unhappiness n míshonas, buairt

unhappy a duairc, míshona, iarghnóch

unhealthy a easlán, mífhollán, míshláintiúil

unhygienic a neamhshláinteach, neamhghlan

uni- pref aon-

uniform n culaith, éide a aonghnéitheach, comhionann

uniformity n ionannas

unify vt (comh)aontaigh

unilateral a aontaobhach

unimaginable a doshamhlaithe

uninhabited a neamháitrithe, ~ place díthreabh, áit gan chónaí

uninteresting a leamh, tur, neamhspéisiúil

union n aontacht, aontas, trade ~ ceardchumann

Unionist n Aontachtaí

unique a sainiúil, uathúil

unit n aonad

unite vt & i aontaigh, ceangail, cúpláil, táthaigh, snaidhm

unity n aontacht, cur le chéile

universal a uilíoch

universe n cruinne, domhan

university n ollscoil

unjust a éagórach, neamhchóir

unkempt a giobach, stothach

unkind a míchineálta, neamhcharthanach

unknown a anaithnid, aineoil adv, ~ to me gan fhios dom

unlawful a mídhleathach, neamhdhlisteanach

unless conj mura, murar

unlike a éagsúil, neamhchosúil, ~ some others ní hionann, murab ionann, agus daoine eile

unlikely a mídhealraitheach, neamhchosúil, neamhdhóchúil, it is ~ that ní móide go, ~ person, place andóigh, ~ story scéal gan dath, gan chraiceann

unload vt dílódáil, díluchtaigh, folmhaigh

unlock vt, to ~ sth an glas a bhaint de rud

unloose vt díscaoil, scoir

unlucky a mí-ámharach, mísheánmhar, dona, this place is ~ tá iomard ar an áit seo

unmanageable a docheansaithe, doláimhsithe

unmannerly a dímhúinte, drochbhéasach, mímhúinte, madrúil

unnatural a mínádúrtha; ain-, an-

unnecessary a neamhriachtanach, gan ghá

unobtainable a dofhaighte, gan fháil, it is ~ níl fáil air, níl sé ar fáil

unofficial a neamhoifigiúil

unpack vt díphacáil, folmhaigh

unpleasant a doilbhir, míthaitneamhach

unprofitable a éadairbheach, ~ journey turas in aisce

unqualified a neamhcháilithe

unravel vt réitigh, rois, sceith

unreal a samhalta

unreasonable a míréasúnta

unrecognisable a as aithne, ó aithne, doaitheanta

unreliable a neamhiontaofa, guagach

unrest n anbhuain, neamhshocracht

unripe a anabaí, glas

unruly a ainrianta, míorialta, oilbhéasach

unsafe a contúirteach, baolach

unsatisfactory a mishásúil

unscrupulous a neamhscrupallach

unselfish a neamhleithleach

unsettled a claochlaitheach, bristeach; corrach, míshocair

unsightly a gránna, mímhaiseach

unskilled a neamhoilte

unsociable a dochaideartha, neamhchuideachtúil, danartha

unsound a fabhtach

unstable a éagobhsaí, éadaingean, míshocair, neamhsheasmhach

unsteady a corrach, corraiceach, gogaideach, guagach, míshocair

unsuccessful a mírathúil, he was ~ níor éirigh leis

unsuitable a mí-oiriúnach, mífheiliúnach, mífhóirsteanach

untidiness n amscaíocht, míshlacht

untidy a amscaí, giobach, míshlachtmhar

untie vt dícheangail, scaoil

until prep & conj go dtí, (nó) go, go nuige

untimely a antráthach, míthráthúil

untrue a bréagach

untruthful a bréagach, neamhfhírinneach

unused a díomhaoin, gan úsáid

unusual a neamhchoitianta, neamhghnách

unwanted a gan iarraidh, nach dteastaíonn, iomarcach

unwavering a seasmhach

unwell a, to be ~ bheith tinn, gan bheith ar fónamh

unwholesome a mífhollán, míshláintiúil

unwieldy a anásta

unwilling a doicheallach, neamhthoilteanach, ~ly in éadan do thola, de d'ainneoin

unwise a éigríonna

unworkable a doshaothraithe; dochurtha i bhfeidhm

unworthy a neamhfhiúntach; suarach

unyoke vt & i scoir

up adv & prep thuas, in airde, suas, coming ~ ag teacht aníos, ~ to the knees in water go glúine san uisce, they are ~ early tá siad ina suí go luath, ~ in the sky thuas sa spéir, time is ~ tá an t-am istigh, ~ to now go dtí anois, it is all ~ with him tá a phort seinnte, his blood was ~ bhí a chuid fola tógtha

upbringing n oiliúint, tabhairt suas

upheaval n ciréib, clampar

uphold vt, to ~ sth seasamh, tacú, le rud, to ~ the law an dlí a chumhdach

upholstery n cumhdach

upland n talamh uachtarach, ardtalamh

upon prep ar, anuas ar, winter is ~ us tá an geimhreadh sa mhullach orainn

upper a uachtarach, ~ part of mountain uachtar sléibhe, ~ class uasaicme, the ~ way an bealach uachtair, to get the ~ hand of a person an ceann is fearr, an lámh in uachtar, a fháil ar dhuine

uppermost a in uachtar; is airde

uppishness n éirí in airde, prapaireacht

upright a díreach, ingearach; i do sheasamh; ionraic, onórach

uproar n ciréib, racán, gleo, raic, rírá, hurlamaboc

uproot vt stoith, to ~ sth rud a bhaint ó fhréamh

upset n mithreoir, suaitheadh, stomach ~ iompú goile vt leag, iompaigh, corraigh, suaith, that ~ him completely chuir sin dá dhroim ar fad é, it didn't ~ her a bit níor chuir sé lá múisiam uirthi

upsidedown adv & a bunoscionn, droim in airde, trí chéile, the house is ~ tá an teach ina chíor thuathail

upstairs adv thuas (an) staighre, to go ~ dul suas (an) staighre

upstart n fáslach; boicín

upstream a & adv in aghaidh srutha

upward a, ~ movement gluaiseacht suas adv, ~s suas, in airde

uranium n úráiniam

Uranus n Úránas

urban a uirbeach

urbane a síodúil, sibhialta

urchin n garlach, sea ~ cuán mara

urge n fonn, ragús vt brostaigh, gríosaigh, spreag, grod

urgency n dithneas, práinn, téirim

urgent a dithneasach, práinneach, cruógach, ~ need géarghá, it is ~ tá deifir, práinn, leis

uric a úrach

urine n mún, fual

urn n próca

Ursuline n & a Ursalach

us pron muid, muidne; sinn, sinne, with ~ linn, without ~ gan muid, sinn, against ~ inár gcoinne, the likes of ~ ár leithéid(í), beating ~ dár mbualadh

usage n nós, gnás, gnáthamh; úsáid

use n feidhm, úsáid, *it is no* ~ níl aon mhaith ann; níl gar ann, *to be of* ~ fónamh *vt, to* ~ *sth* feidhm, úsáid, a bhaint as rud, *they* ~ d *knives on them* d'oibrigh, d'imir, siad sceana orthu

useful a fónta, áisiúil, úsáideach, ~ *article* áirge, acra

useless a éadairbheach, neamaitheach, gan mhaith; ó mhaith, ~ *person* cunús; duine gan feidhm, duine leáite

user n úsáideoir

usher n uiséir

usual a coitianta, gnách, iondúil, gnáth-, *as* ~ mar is gnách

usurer n fear gaimbín, úsaire

usurp vt forghabh

usurper n forghabhálaí

usury n gaimbíneachas, úsaireacht

utensil n acra, *household* ~s gréithe tí

uterus n útaras

utility n áisiúlacht, fóint

utmost n, *to do one's* ~ do chroídhícheall a dhéanamh a, *with the* ~ *speed* a luaithe is féidir

utopian a útóipeach

utter a iomlán, fíor-, dearg-, ~ *fool* amadán críochnaithe, ~ *loathing* gráin shaolta vt abair, inis, labhair, *to* ~ *a cry* scairt a chur asat, gáir a ligean

utterance n friotal; ráiteachas; glór, urlabhra

uvula n úbhal, sine siain

V

vacancy n folúntas

vacant a folamh, ~ *look* cuma bhómánta

vacate vt éirigh as, fág, scar le

vacation n saoire

vaccinate vt vacsaínigh, *to* ~ *a person against smallpox* an bholgach a ghearradh ar dhuine

vaccination n vacsaíniú, ~ *against smallpox* gearradh na bolgaí

vaccine n vacsaín

vacillating a guagach, luaineach

vacuum n folús, ~ *cleaner* folúsghlantóir, ~ *flask* folúsfhlaigín

vagina n faighin

vagrancy n bóithreoireacht, fánaíocht, fuaidreamh

vagrant n bodach bóthair, fánaí, geocach a fánach, geocúil

vague a doiléir, éiginnte, neamhchinnte

vain a baoth, díomhaoin; péacógach; leitheadach, mórtasach, uallach, *in* ~ in aisce, in aistear

vale n gleann

valentine n vailintín

valiant a gaisciúil, curata, oirbheartach

valid a bailí, dleathach

validity n bailíocht, fónamh

valley n gleann, ~ *(in roof)* log dín

valorous a laochta, gaisciúil

valour n gaisce, laochas, oirbheart

valuable n, *pl* ionnús, maoin a luachmhar

valuation n luacháil, meastóireacht

value n luach vt luacháil, meas

valuer n luachálaí, meastóir

valve n comhla

vampire n vaimpír, deamhan fola; súmaire

van n tús; veain

vandal n loitiméir, creachadóir

vandalism n loitiméireacht, creachadóireacht

vanguard n urgharda, *in the* ~ ar thús cadhnaíochta

vanilla n fanaile

vanish vi, *to* ~ dul as radharc, ceiliúradh

vanity n leithead, móráil; díomhaointeas, ~ *bag* máilín maise

vaporize vt & i galaigh

vapour n gal, smúit, toit, ceo; múch

variable n athróg a athraitheach, malartach, luaineach

variation n athrú; éagsúlacht

varicose a, ~ *vein* féith bhorrtha

varied a iolartha, il-, ilchineálach

variegated a breac, ildathach

variety n cineál, sórt; éagsúlacht, ilíocht, ilghnéitheacht, ~ *show* ilsiamsa

various a difriúil, éagsúil, ilghnéitheach

varnish n vearnais

vary vt & i éagsúlaigh, luainigh, athraigh, it varies from ní hionann é agus

vase n bláthchuach, vása

vaseline n veasailín

vassal n vasáilleach

vast a áibhéalta, ollmhór, ~ amount of sth an domhan de rud

vat[1] n dabhach, umar

vat[2] (Value Added Tax), n cáin bhreisluacha

vaudeville n ilsiamsa

vault[1] n boghta; lusca, uaimh

vault[2] n léim láimhe, pole ~ léim chuaille vt, to ~ (over) a gate geata a chaitheamh de léim láimhe

veal n laofheoil

veer vi fiar, to ~ left claonadh, aistriú, ar clé

vegetable n glasra a plandúil

vegetarian n feoilséantóir, veigeatóir a feoilséantach, veigeatórach

vegetation n fásra, glasra

vehemence n déine, fórsa

vehement a tréan, rachtúil

vehicle n feithicil

veil n fial vt fialaigh, clúdaigh

vein n cuisle, féith; síog

vellum n párpháipéar

velocity n luas; treoluas

velour n veiliúr

velvet n veilbhit

vendor n díoltóir, reacaire

veneer n athchraiceann, snaschraiceann

venerable a cásach, urramach

venerate vt onóraigh, to ~ sth ómós, urraim, a thabhairt do rud

vengeance n díoltas; díbheirg

vengeful a díoltasach; díbheirgeach

venial a solathach

venison n fiafheoil, oiseoil

venom n nimh, binb, goimh

venomous a binbeach, gangaideach, nimheanta

vent n gaothaire, poll, oscailt, craos, to give ~ to one's feelings do racht a ligean amach vt, to ~ one's anger on a person d'fhearg a ligean amach ar dhuine

ventilate vt aeráil

ventilation n aeráil

ventilator n gaothaire

ventriloquist n bolgchainteoir

venture n amhantar, fiontar vt & i, to ~ to do sth tabhairt faoi rud a dhéanamh; é a bheith de dhánacht ionat rud a dhéanamh, they ~d out into the storm chuaigh siad i bhfiontar na stoirme

venue n ionad, láthair

Venus n Véineas

verandah n vearanda

verb n briathar

verbal a briathartha, ~ account cuntas béil

verbose a briathrach, gaofach, mórfhoclach, fadscéalach

verdict n breithiúnas

verge n bruach, ciumhais, grua, imeall vi, verging on ag bordáil ar

verify vt deimhnigh, fioraigh

vermin n míolra

vernacular n canúint a, ~ language teanga choiteann

versatile a ildánach, iltréitheach

verse n ceathrú, rann, véarsa; véarsaíocht

version n insint, leagan, dul

versus prep in aghaidh, i gcoinne, in éadan

vertebrate n & a veirteabrach

vertical n ingear a (ceart)ingearach

vertigo n meadhrán

very a & adv an-, fíor-, rí-, ró-, adh-, the ~ same man an fear ceannann céanna, ~ hot iontach te, he is the ~ one to do it is é sás a dhéanta é

vespers npl easparta

vessel n árthach, soitheach

vest n ionar, veist vt dílsigh; éidigh

vestibule n eardhamh; póirse

vestige n rian, lorg, iarsma

vestments npl éide (sagairt), Mass ~ culaith Aifrinn

vet n tréidlia

veteran n seanfhondúir, seansaighdiúir a ársa

veterinary a, ~ surgeon tréidlia

veto n & vt cros

vex vt buair, cráigh, corraigh, that ~ed me ghoill sin orm

vexation n buairt, crá; olc

vexed a iarghnóch

viability n inmharthanacht

viable a inmharthana

viaduct n tarbhealach

vibrant a tonnchreathach, ~ colour dath láidir, dath glé

vibrate *vi* tonnchrith

vibration *n* creathadh, tonnchrith

vicar *n* biocáire

vicarious *a* ionadach

vice[1] *n* ainbhéas, drochbhéas, duáilce

vice[2] *n* bis

vice-[3] *pref* leas-

viceroy *n* fear ionaid (an rí), leasrí

vice-versa *adv* (agus) a mhalairt go cruinn

vicinity *n* comharsanacht, cóngar, timpeallacht, *in the* ~ ar na gaobhair

vicious *n* duáilceach; mailíseach, gangaideach; olc, mallaithe, drochmhúinte, oilbhéasach

vicissitude *n*, *the* ~*s of life* cora (crua) an tsaoil

victim *n* íobartach

victor *n* buaiteoir

Victorian *n & a* Victeoiriach

victorious *a* buach, coscrach, caithréimeach

victory *n* bua, buachan, caithréim, svae

victualler *n* biatach

victuals *npl* lón

video-tape *n* fístéip

vie *vi*, *vying with a person* i ndréim, in iomaíocht, le duine; *ag formad le duine*

view *n* amharc, radharc; aigne, dearcadh, *in* ~ ar amharc, faoi do lé *vt* breathnaigh, féach, amharc

vigil *n* bigil, faire

vigilance *n* airdeall, aireachas

vigilant *a* airdeallach, aireach, coimhéadach

vigorous *a* bríomhar, fuinniúil, feilmeanta, groí

vigour *n* brí, gus, fuinneamh, éitir, luadar, lúth

Viking *n & a* Uigingeach, Lochlannach

vile *a* díblí, táir, truaillí, ~ *remark* focal gránna

village *n* baile beag, sráidbhaile, gráig

villain *n* cladhaire, meirleach, bithiúnach

villainous *a* cladhartha, bithiúnta

villainy *n* claidhreacht, bithiúntas, mí-bheart

Vincentian *n & a* Uinseannach

vindictive *a* díoltasach, faltanasach, nimhneach

vine *n* fíniúin

vinegar *n* fínéagar

vineyard *n* fíonghort, fíniúin

vinyl *n* vinil

viola *n* vióla

violate *vt* sáraigh, éignigh

violation *n* sárú, éigniú

violence *n* foréigean, forneart

violent *a* foréigneach; garg, borb; tréan, dian, turraingeach

violet *n* sailchuach *a* corcairghorm, sailchuachach

violin *n* veidhlín

violinist *n* veidhleadóir

virago *n* báirseach; ainscian mná, ropaire mná, maistín mná

virgin *n* maighdean, ógh

virginal *a* maighdeanúil

virginity *n* maighdeanas, ócht

Virgo *n* an Mhaighdean

virile *a* fearga, fireann

virility *n* feargacht, fireanntacht

virtual *a* fíorúil, dáiríre, ~ *ly over* geall le bheith thart

virtue *n* bua; suáilce, *by* ~ *of* de thairbhe

virtuous *a* suáilceach, dea-bheathach

virulent *a* nimhiúil, gangaideach, goimhiúil

virus *n* vireas

visa *n* víosa

viscount *n* bíocunta

viscous *a* glóthach, righin

visibility *n* infheictheacht; léargas

visible *a* infheicthe, sofheicthe, le feiceáil

vision *n* aisling, fís, taibhreamh; léargas, radharc

visionary *n* aislingeach *a* aislingeach, samhalta

visit *n* cuairt *vt*, *to* ~ *a person*, *a place* cuairt a thabhairt ar dhuine, ar áit

visitor *n* cuairteoir, strainséir

vista *n* sraithradharc

visual *a* radharcach, ~ *aids* áiseanna amhairc

visualize *vt* samhlaigh

vital *a* beath-; bunúsach, riachtanach

vitality *n* beogacht, brí, spionnadh

vitals *npl* áranna, baill bheatha

vitamin *n* vitimín

vitriol *n* vitrial

vituperative *a* spídiúil

vivacious *a* aigeanta, spleodrach, anamúil

vivacity *n* aigeantacht, spleodar

vivid *a* glé, glinn

viviparous *a* beobhreitheach
vivisection *n* beoghearradh
vocabulary *n* foclóir(in); stór focal, réimse focal
vocal guthach; cainteach, glórach
vocation *n* gairm
vocational *a* gairmiúil, ~ *school* gairmscoil
vocative *n & a* gairmeach
vociferous *a* glórach, labharthach, callánach
voice *n* glór, guth, *passive* ~ faí chéasta
void *n* folúntas, folús *a* folamh *vt* folmhaigh; eisfhear
voile *n* voil
volatile *a* luaineach; so-ghalaithe
volcano *n* bolcán
volition *n* toiliú, *of her own* ~ dá toil dheona féin
volley *n* rois, rúisc
volleyball *n* eitpheil
volt *n* volta
voltage *n* voltas
voluble *a* cainteach, glórach
volume *n* imleabhar; toirt; lánú

voluntary *a* deonach, toilteanach
volunteer *n* óglach; saorálaí *vt, to* ~ *one's services* seirbhís a thairiscint
voluptuous *a* macnasach, sáil
vomit *n* aiseag, múisc, sceith, orla, urlacan *vt & i* urlaic, aisig, sceith
voracious *a* alpach, craosach, ~ *person* alpaire
vortex *n* cuilithe, poll guairneáin
vote *n* guth, vóta, ~ *of thanks* rún buíochais *vt & i* vótáil
voter *n* vótálaí
votive *a* móideach
voucher *n* dearbhán
vow *n* móid *vt & i* móidigh, geall, dearbhaigh
vowel *n* guta
voyage *n* aistear farraige
vulcanize *vt* bolcáinigh
vulgar *a* gráisciúil, lodartha, lábúrtha, otair; gnáth-, ~ *talk* brocamas cainte
vulgarity *n* gráisciúlacht, lábúrthacht
vulnerable *a* éislinneach, soghonta
vulture *n* badhbh, bultúr

W

wad *n* loca; burla
wadding *n* flocas
waddle *n* lapadán, siúl na lachan *vi, to* ~ siúl ar nós na lachan, *waddling* ag lapadán
wade *vi, wading* ag lapadáil, *to* ~ *through water* siúl trí uisce
wag *n* croitheadh, luascadh; eagnaí *vt & i* croith, luasc
wage *n* pá, tuarastal *vt, to* ~ *war* cogadh a fhearadh, a chur
wager *n* geall, geallchur *vt & i, to* ~ geall a chur, *I'll* ~ *you (that)* bíodh geall air (go); gabhaim orm (go)
waggon *n* vaigín
wagtail *n* glaség
waif *n* dithreabhach, tachrán
wail *n* olagón, uaill, ~ *ing* ag mairgneach, ag caí, ag gol
wainscot *n* vuinsciú
waist *n* coim, básta
waistband *n* banda coime

waistcoat *n* bástcóta, veist, vástchóta
wait *n* fanacht, feitheamh, fuireach, *to lie in* ~ *for them* luíochán a dhéanamh rompu *vi* fan, fuirigh (*for* le), freastail (*on* ar), ~ *ing for an opportunity* ag faire na faille
waiter *n* freastalaí
waiting-room *n* feithealann, seomra feithimh
waitress *n* banfhreastalaí
waive *vt, to* ~ *sth* rud a ligean tharat
wake *n* faire, tórramh *vt & i* dúisigh, múscail, *to* ~ *a corpse* corp a fhaire, a thórramh
wakeful *a* múscailteach, neamhchodlatach
waken *vt & i* múscail, dúisigh
walk *n* siúl, siúlóid, spaisteoireacht; cosán *vt & i* siúil
walker *n* coisí, siúlóir
walking *n* siúl, coisíocht
walk-out *n* stailc oibrithe

walk-over *n* bua gan dua, bua gan choimhlint

wall *n* balla, múr, clai, fál, fraigh, *within the four* ~ *s of the house* faoi iamh, faoi chreatai, an tí *vt*, ~ *in*, múr

wallaby *n* valbai

wallet *n* tiachóg, vallait

wall-eyed *a* glórshúileach

wallflower *n* lus an bhalla; caochóg ar cóisir

wallop *n* paltóg, hap *vt* liúr, gread, smiot

wallow *vi* iomlaisc, ~ *ing about* ag únfairt

walnut *n* gallchnó

walrus *n* rosualt

waltz *n* válsa *vi* válsáil

wan *a* báiteach, liathbhán, leáiteach, tláith

wand *n* slat draíochta

wander *vi* fuaidrigh, ~ *ing* ag fálróid, ag fánaíocht; ag dul ar seachrán

wanderer *n* fánaí, seachránaí, siúlóir, straeaire

wandering *a* fánach, seachránach; seach-mallach; ar fiarlaoid

wane *vi* cúlaigh

want *n* ceal, díth, easpa; angar, cruatan, *for* ~ *of help* d'uireasa cúnaimh *vt & i*, *they* ~ *for nothing* níl aon easnamh orthu, *I* ~ *it* tá sé ag teastáil uaim, tá sé de dhíobháil orm

wanting *a* díothach, easpach, díobhálach

wanton *a* macnasach, mínáireach, teas-púil, ~ *destruction* léirscrios ainrianta

war *n* cogadh *vi*, *to* ~ *against a person* cogadh a chur ar dhuine

warble[1] *n* ceiliúr *vi* ceiliúir, seinn

warble[2] *n* péarsla

warbler *n* ceolaire

war-cry *n* rosc catha

ward *n* barda (cathrach, ospidéil); coimircí *vt*, *to* ~ *off a blow* buille a chosaint

warden *n* bardach, seiceadóir, maor

warder *n* bairdéir

wardrobe *n* vardrús

ware *n* earra, gréithe

warehouse *n* trádstóras

warfare *n* cogaíocht

wariness *n* faichill

warlike *a* cogúil, gaisciúil, cathach

warm *a* te, cluthar, teolaí; croíúil *vt & i* téigh, gor

warmth *n* teas, teocht, cluthaireacht

warn *vt*, *to* ~ *a person* rabhadh a thabhairt do dhuine; fainic a chur ar dhuine

warning *n* fainic, fógairt, rabhadh, foláireamh

warp *n* deilbh, dlúth; fiar, stangadh *vt & i* deilbhigh; fiar, stang, scól

warped *a* fiar, ~ *mind* intinn shaofa

warrant *n* banna, barántas *vt*, *to* ~ *a person* dul i mbannaí, in urrús, ar dhuine, *I'll* ~ *you* (*that*) mise faoi duit (go), gabhaim orm (go)

warranty *n* barántas; urra

warren *n* coinicéar

warrior *n* gaiscíoch, laoch, curadh

warship *n* long chogaidh

wart *n* faithne

wary *a* airdeallach, braiteach, faichilleach

wash *n* folcadh, níochán; ionlach, deoch; cúlsruth *vt & i* folc, nigh, ionnail

washable *a* sonite

washer *n* leicneán, seálán

washing *n* níochán, ionladh

wasp *n* foiche

waste[1] *n* diomailt, cur amú, vásta; dramhail, ~ *of money* caitheamh airgid *a*, ~ *paper* dramhpháipéar *vt & i* diomail, ídigh, meath, searg, *wasting away* ag snoí, ag cnaí, *wasting time* ag meilt ama

waste[2] *n* díthreabh, fásach

wasteful *a* caifeach, diomailteach, drabhlásach

wasting *n* cnaí, seargadh, snoí; meilt, diomailt

wastrel *n* ragairneálaí, drabhlásaí

watch[1] *n* uaireadóir

watch[2] *n* coimhéad, faire, *to keep a* ~ *on a person* faire ar dhuine *vt & i* breathnaigh, fair, féach, ~ *out!* fainic! seachain! aire duit!

watcher *n* coimhéadaí, fairtheoir

watchful *a* airdeallach, coimhéadach, aireach

watchman *n* fear faire, seiceadóir

water *n* uisce, *fresh* ~ fionnuisce, *spring* ~ fíoruisce, *salt* ~ sáile *vt* uiscigh

water-bailiff *n* báirseoir

water-colour *n* uiscedhath

watercress *n* biolar

waterfall *n* eas

watering-can *n* fraschanna

water-lily *n* bual-lile, duilleog bháite

waterlogged *a* leathbháite, idir dhá uisce
waterproof *a* uiscedhíonach
watershed *n* dobhardhroim
water-skiing *n* uisce-sciáil
watertight *a* díonmhar (ar uisce)
waterway *n* uiscebhealach
watery *a* báiteach, uisciúil
watt *n* vata
wattage *n* vatacht
wattle *n* cleathóg, cleith; sprochaille
wattling *n* caoladóireacht; cliath
wave[1] *n* tonn, tonnadh, saoiste
wave[2] *n* croitheadh *vt & i* croith (ar, le)
wave-length *n* tonnfhad
wavering *a* guagach, luaineach; creathánach
wavy *a* crothach, tonnúil, (*of hair*) droimníneach, camarsach, dréimreach
wax *n* céir, *ear* ~ sail chluaise *vt* ciar
waxen *a* ciarach
way *n* bealach, slí, ród; caoi, dóigh, *give* ~ géill (slí), *the bridge gave* ~ d'imigh, thug, an droichead, ~ *in* (bealach) isteach, ~ *out* (bealach) amach, *in a bad* ~ in anchaoi, *to go out of one's* ~ cor bealaigh, aistear, a chur ort féin; dua a chur ort féin, *in such a* ~ *that* sa dóigh (is) go, i slí go, *by the* ~ dála an scéil; mo dhearmad!
waylay *vt, to* ~ *a person* luíochán a dhéanamh roimh dhuine, éirí slí a dhéanamh ar dhuine
wayward *a* míchomhairleach, spadhrúil
we *pron* muid, muidne; sinn, sinne (*vide* inflected vb forms)
weak *a* fann, lag, meirbh, lagbhríoch, ~ *spot* éasc, *they were* ~ *laughing* bhí siad i lagracha ag gáire, ~ *drink* uiscealach
weaken *vt & i* lagaigh, meathlaigh
weakling *n* fágálach, meatachán
weakness *n* lagar, laige, meirfean, cloíteacht; éasc, locht
wealth *n* saibhreas, maoin, rachmas, ollmhaitheas
wealthy *a* saibhir, gustalach, rachmasach, ~ *person* toicí (mór)
wean *vt* scoith, *to* ~ *a child* leanbh a chosc, a bhaint den chíoch
weapon *n* arm

wear *n* caitheamh, idiú, *ladies* ~ éadaí ban *vt & i* caith, ídigh; clip, *it* ~ *s well* tá caitheamh maith ann, ~ *down* cloígh, snoigh, tnáith, creim
wearable *a* inchaite
wearer *n* caiteoir
weariness *n* tuirse, suaitheadh, meirtne
wearisome *a* tuirsiúil, liosta
weary *a* tuirseach, cloíte, tnáite *vt & i* tuirsigh
weather *n* aimsir, uain, síon, *good* ~ dea-aimsir, *bad* ~ doineann, drochaimsir
weather-beaten *a* síonchaite, síondaite
weather-proof *a* díonmhar
weave *n* fi, fíochán *vt & i* figh
weaver *n* fíodóir
web *n* gréasán, fíochán, uige; scamall, *spider's* ~ líon, gréasán, damháin alla
webbed *a*, ~ *foot* lapa scamallach
wed *vt & i* pós
wedding *n* bainis, pósadh
wedge *n & vt* ding
Wednesday *n* Céadaoin, *next* ~ Dé Céadaoin seo chugainn, *Ash* ~ Céadaoin an Luaithrigh
weed *n*, ~ *s* fiaile, luifearnach, lustan *vt & i, to* ~ fiaile a bhaint, gortghlanadh a dhéanamh
weed-killer *n* fiailicíd
week *n* seachtain
week-end *n* deireadh seachtaine
weekly *n* seachtanán *a* seachtainiúil
weep *vt & i* caoin, goil
weft *n* inneach
weigh *vt & i* meáigh, tomhais, *it* ~ *s a stone* tá cloch mheáchain ann, *it* ~ *ed heavily on my heart* bhí sé ina ualach ar mo chroí
weight *n* meáchan; trom; tromán
weighty *a* tromaí, trom, tromchúiseach
weir *n* cora
weird *a* diamhair, síúil, uaigneach
welcome *n* fáilte *a, you are* ~ tá fáilte romhat *vt, to* ~ *a person* fáilte a chur roimh dhuine, fáiltiú roimh dhuine
welcoming *n* fáiltiú *a* fáilteach
weld *vt & i* táthaigh
welfare *n* leas, sochar
well[1] *n* tobar, foinse, ~ *of stairs* log staighre

well² *a & adv* maith, *to be* ~ bheith ar fónamh, bheith go maith, *I got on* ~ d'éirigh liom go breá, *it's* ~ *for you* is méanar, aoibhinn, duit, *I was there as* ~ bhí mise ann freisin, chomh maith ~! bhuel!

well-behaved *a* dea-bhéasach, múinte
well-dressed *a* feistiúil, gléasta
well-fed *a* beathaithe
well-informed *a* eolach, feasach
well-kept *a* feistithe, pointeáilte
well-known *a* aithnidiúil, iomráiteach
well-meaning *a* dea-mhéineach
well-off *a* go maith as, deisiúil, *he is* ~ tá dóigh mhaith air, tá sé ina shuí go te
well-spoken *a* deisbhéalach, soilbhir
well-to-do *a* acmhainneach, gustalach, deisiúil, substainteach
welt *n* bálta, buinne; fearb, riast, léas *vt* riastáil
west *n* iarthar, *from the* ~ aniar, *to the* ~ siar *adv & a, the* ~ *wind* an ghaoth aniar, *the* ~ *coast* an cósta thiar, *to go* ~ dul siar, ~ *of* taobh thiar de; siar ó; laistiar de
westerly *a & adv,* ~ *wind* gaoth aniar, *in a* ~ *direction* siar, *the* ~ *part* an taobh thiar, an t-iarthar
western *a* iartharach, iar-
westwards *adv* siar
wet *a & vt & i* fliuch
wether *n* molt
wetness *n* fliche, fliuchras, taise
wetting *n* fliuchán, fliuchadh
wharf *n* caladh cuain
what *pron* céard, cad, cén rud, ~ *is that* cad é sin, ~ *is your name* cad is ainm duit, ~ *I have to say* an rud atá le rá agam, ~ *are you talking about* céard faoi a bhfuil tú ag caint *a* cá, cé, ~ *age is he* cá haois é, cén aois é, ~ *time is it* cén t-am é, ~ *a day!* a leithéid de lá!
whatever, whatsoever *pron & a* cibé (ar bith), pé, *nothing* ~ faic na ngrást
wheat *n* cruithneacht
wheedle *vt & i* bréag, meall, *wheedling* ag tláithínteacht
wheel *n* roth, roithleán *vt & i* faoileáil, cas
wheel-barrow *n* bara rotha
wheeze *n* cársán, seordán, feadán, píobarnach
whelk *n* cuachma, faocha chapaill
when *adv* cathain, cén uair, cá huair, ~

did it happen cathain a tharla sé, *he didn't say* ~ *he would come* ní dúirt sé cathain a thiocfadh sé *conj,* ~ *I entered the room* nuair a chuaigh mé isteach sa seomra
where *adv* cá, cén áit, cá háit, ~ *are you from* cad as duit, *I shall stay* ~ *I am* fanfaidh mé san áit a bhfuil mé, mar a bhfuil mé, *the house* ~ *I was born* an teach ar rugadh ann mé
whereabouts *adv & n* ~ *are you* cá bhfuil tú, *no one knows his* ~ níl a fhios ag aon duine cén taobh a bhfuil sé
wherever *adv & conj* cibé áit, pé áit
whet *vt* faobhraigh, *to* ~ *one's appetite* faobhar a chur ar do ghoile
whether *conj* cé acu, cibé acu, pé, *ask her* ~ *she can come* fiafraigh di an mbeidh sí in ann teacht, ~ *you like it or not* más olc maith leat é, pé olc maith leat é
whey *n* meadhg
which *pron & a* cé acu, cé a, ~ *of you said it* cé agaibh a dúirt é, ~ *is dearer, meat or fish* cé acu is daoire, feoil nó iasc, *the cat* ~ *drank the milk* an cat a d'ól an bainne, *a secret* ~ *I would not reveal* rún nach sceithfinn, ~ *book do you want* cé acu leabhar a theastaíonn uait, *the tree from* ~ *it was lopped* an crann dár scoitheadh é
whichever *pron & a* cibé, pé
whiff *n* gal, puth
while *n* scaitheamh, seal, tamall, *a* ~ *ago* ó chianaibh, *wait a* ~ fan go fóill, *it is worth your* ~ is fiú duit é *vt* bréag, meil *conj* ~ *I was there* fad is a bhí mé ann
whim *n* daol, teidhe
whimper *n* geoin, meacan *vi,* ~*ing* ag diúgaireacht, ag geonaíl
whimsical *a* meonúil, teidheach
whin *n* aiteann
whinchat *n* caislín aitinn
whine *n* faí, sian, cuach *vi, whining* ag fuarchaoineadh, ag geonaíl, ag sianaíl
whinge *vi, whinging* ag faí
whinny *n* cuach, seitreach
whip *n* fuip, lasc *vt* fuipeáil, lasc, ~*ped cream* uachtar coipthe
whipping *n* greadadh, lascadh
whirl *n* guairneán, rothlú *vt & i* rothlaigh, ~*ing* ag guairneáil
whirling *a* guairneánach, roithleánach

whirlpool *n* coire (guairneáin), cuilithe ghuairneáin, poll súraic

whirlwind *n* cuaifeach, iomghaoth, sí gaoithe

whirr *n* seabhrán

whisk *n* flíp, leadhb; greadtóir *vt & i* scinn, sciurd; gread

whiskers *npl* féasóg leicinn; guairí cait

whiskey *n* fuisce, uisce beatha

whisper *n* cogar, sioscadh *vt & i*, to ~ to a person cogar a thabhairt do dhuine, *it is* ~ed *that* tá sé ina luaidreán go, ~ing ag cogarnach, ag siosarnach

whist *n* fuist

whistle *n* fead, sian; feadán; feadóg *vi, to* ~ fead a dhéanamh, a ligean, *whistling* ag feadaíl

Whit¹ *n*, ~ *Sunday* Domhnach Cincíse

whit² *n* dada, pioc, a dhath

white *a* bán, fionn, geal

whiten *vt & i* bánaigh, fionn, geal, tuar

whiteness *n* báine, finne, gile

whitethorn *n* sceach gheal

whitewash *n* aoldath *vt* aol, *to* ~ *sth* aol a chur ar rud

whiting *n* faoitín

whitlow *n* rosaid

Whitsun(tide) *n* Cincís

whittle *vt* scamh, smiot, miotaigh

whizz *n* seabhrán *vi, the motor cycle* ~ed *past us* chuaigh an gluaisrothar tharainn ar nós na gaoithe

who *pron* cé, a, ~ *is that* cé (hé) sin, ~ *did it* cé a rinne é, ~ *has it* cé aige a bhfuil sé, *the person* ~ *answered me* an té a d'fhreagair mé, *he* ~ *has not got sense* an té nach bhfuil ciall aige

whoever *pron & conj* cibé, pé (duine)

whole *n* iomlán, *on the* ~ tríd is trí d a uile, iomlán, ~ *number* slánuimhir, *the* ~ *day* an lá go léir, an lá ar fad, *the* ~ *lot of them* an t-iomlán (dearg) acu, *the* ~ *world* an domhan cláir; an saol mór

wholemeal *a*, ~ *bread* caiscín, arán caiscín

wholesale *n* mórdhíol *a* coiteann; *ar an* mórchóir

wholesome *a* folláin

wholly *adv* go léir, ar fad

whom *pron* cé, a, ~ *do you see there* cé a fheiceann tú ansin, *to* ~ *did you give it*

cé dó ar thug tú é, *the man* ~ *you see* an fear a fheiceann tú, *a man* ~ *I don't recognize* fear nach n-aithním, *those* ~ *he served* an dream dár fhóin sé

whoop *n* cuach, liú *vi, to* ~ liú a ligean

whooping-cough *n* triuch

whore *n* striapach

whortleberry *n* fraochán

whose *pron* cé, a, ~ *is the book* cé leis an leabhar, *the man* ~ *son is going away*, an fear a bhfuil a mhac ag imeacht, *a man* ~ *speech I did not understand* fear nár thuig mé a chuid cainte, *a woman* ~ *name was Deirdre* bean darbh ainm Deirdre

why *adv* cad ina thaobh, cén fáth, cad chuige, *that is* ~ *I did not come* sin é an fáth nár tháinig mé, ~ *don't you sit down* cumá nach suíonn tú

wick *n* buaiceas

wicked *a* olc, duáilceach, mallaithe, urchóideach, droch-

wickerwork *n* caoladóireacht, caolach

wicket *n* geaitín

wide *a* fairsing, leathan, leitheadach, scóipiúil; iomrallach, ar foraoil, *the* ~ *world* an domhan cláir, an domhan braonach, ~ *open* ar dianleathadh

widen *vt & i* fairsingigh, leathnaigh

widespread *a* forleathan, leitheadach

widow *n* baintreach

widower *n* baintreach fir

width *n* fairsinge, leithead

wield *vt* beartaigh, imir

wife *n* bean (chéile), banchéile

wig *n* bréagfholt, peiriúic

wigwam *n* wigwam

wild *n* fiáin, fiata, allta, círéibeach, ~ *talk* caint san aer, *to go* ~ dul le báiní, dul ar buile, imeacht le craobhacha; imeacht fiáin

wildcat *n* fia-chat *a*, ~ *scheme* scéim áiféiseach

wilderness *n* fásach, fiántas

wildlife *n* fiabheatha, fiadhúlra

wildness *n* fiántas, alltacht

wile *n* meang, *he is full of* ~ is iomaí cúinse, lúb, bóthar, ann

wilful *a* ceanndána, stóinsithe, toiliúil

will¹ *n* tiomna, uacht *vt* uachtaigh, fág le huacht

will² *n* toil, togradh; réir, *of one's own free* ~ de do dheoin féin, *to work with a* ~ oibriú le fonn *vt & i* toiligh, *do as you* ~ déan do chomhairle féin, *as aux v,* ~ *he be there* an mbeidh sé ann, *I* ~ *will not be caught again* ní bhéarfar arís orm

willing *a* deonach, fonnmhar, sásta, toilteanach, ullamh, ~ *horse* capall umhal, ~*ly* de dheoin

willow *n* saileach

wilt *vi* feoigh, sleabhac

wily *a* cúinseach, glic, *he's a* ~ *one* is iomaí cor is lúb ann

win *vt & i* buaigh, gnóthaigh, *to* ~ *a game, the war* cluiche, an cogadh, a bhaint

winch *n* unlas

wind¹ *n* gaoth

wind² *vt & i* tochrais, cas, lúb, *to* ~ *up a thread* snáithe a ghlinneáil

windbreak *n* fál fothana

windfall *n* toradh leagtha; amhantar

winding *a* casta, lúbach

winding-sheet *n* taiséadach

windlass *n* unlas, castainn

windmill *n* muileann gaoithe

window *n* fuinneog

windpipe *n* sciúch, píobán (garbh)

windrow *n* láithreán féir

windscreen *n* gaothscáth

windswept *a* sceirdiúil

windy *a* gaofar

wine *n* fíon

wing *n* eite, eiteog, sciathán

wink *n* caochadh, sméideadh; néal (codlata) *vt & i* caoch, sméid

winner *n* buaiteoir, *he was declared the* ~ tugadh an chraobh dó

winter *n* geimhreadh *vi* geimhrigh

wintry *a* geimhriúil

wipe *n* cuimilt *vt & i* cuimil

wiper *n* cuimleoir, *windscreen* ~ cuimleoir gaothscátha

wire *n* sreang *vt* sreangaigh, *to* ~ *(a message) to a person* sreangscéal, teileagram, a chur chuig duine

wireless *n* raidió, craolachán

wireworm *n* során

wiry *a* miotalach, scolbánta

wisdom *n* críonnacht, eagna, gaois

wise *a* críonna, eagnaí, gaoiseach, ~ *man*

wiseacre *n* saoithín

wisecrack *n* ciúta *vi, to* ~ nathaíocht a dhéanamh

wish *n* fonn, guí, toil, *to get one's* ~ d'iarraidh a fháil, *I send you my best* ~*es* beir bua agus beannacht *vt & i* togair, *as you* ~ mar is áil leat, *if you* ~ más mian leat é, *I* ~ *I had stayed at home* is mairg nár fhan sa bhaile

wishful *a* fonnmhar

wishy-washy *a* leamh

wisp *n* brobh, dlaíóg, ~ *of fog* cifle ceo, slám ceo, ~ *of grass* sop féir, ~ *of smoke* dual deataigh, caisirnín deataigh

wistful *a* cumhach

wit *n* éirim, meabhair; deisbhéalaí, léaspairt, *to be at one's* ~'*s end* bheith i mbarr do chéille

witch *n* cailleach, draíodóir mná

witchcraft *n* draíocht, an ealaín dhubh

with *prep* le, maille le, *(along)* ~ *a person* in éineacht le, i bhfochair, duine

withdraw *vt & i* cúlaigh, tarraing siar, *to* ~ *a sum of money* suim airgid a aistarraingt

withdrawal *n* cúlú; aistarraingt

withe *n* gad

wither *vt & i* críon, dreoigh, searg, feoigh; mill

withered *a* cranda, dreoite, feoite, críon

withhold *vt* ceil, coiméad

within *adv* istigh, laistigh *prep*, ~ *a mile of it* faoi mhíle de, i bhfoisceacht míle de, ~ *a month* faoi cheann míosa

without *adv* amuigh, lasmuigh *prep* gan, ~ *sth* in éagmais ruda

withstand *vt, to* ~ *an attack* ionsaí a sheasamh

witness *n* finné; fianaise

wittiness *n* abarthacht, tráthúlacht

witty *n* abartha, deisbhéalach, nathach, tráthúil, ~ *speech* deaschaint

wizard *n* draíodóir (fir), draoi

wizened *a* feosaí, ~ *face* aghaidh chasta

wobble *n* longadán *vi, wobbling* ag luascadh, ag longadán

woe *n* léan, mairg, ~ *is me* monuar, mo léan géar

woe-begone *a* léanmhar, dobrónach

woeful *a* léanmhar, mairgiúil

wolf *n* mac tíre, faolchú *vt, to ~ one's food* do chuid bia a alpadh

woman *n* bean *a* ban-, *a ~ dancer* rinceoir mná

womanhood *n* banúlacht

womanly *a* banda, banúil

womb *n* broinn

wonder *n* ionadh, iontas, *it's a ~ he wasn't killed* ba mhór an obair nár maraíodh é *vt & i, to ~ at sth* iontas a dhéanamh de rud, *I ~ where he is* ní fheadar cá bhfuil sé, *and no ~* ní nach ionadh

wonderful *a* éachtach, iontach, ~! go seoigh!

wonky *a* creathach

wood *n* adhmad; coill, doire

woodbine *n* féithleann

woodcock *n* creabhar

wood-cut *n* greanadh adhmaid; fiodh-ghreanadh

wooded *a* coillteach, faoi chrann

wooden *a* clárach, ~ *box* bosca adhmaid, bosca cláir, ~ *leg* cos mhaide

woodlouse *n* cláirseach, míol críon

woodpecker *n* cnagaire, snag (darach)

woodwind *n* craobh cheoil

woodwork *n* adhmadóireacht, saoirseacht adhmaid

woodworm *n* réadán

wooing *n* suirí

wool *n* olann; snáth

woollen *a*, ~ *cloth* éadach olla

woolly *a* lomrach, olanda, ollach

word *n* focal, briathar, *don't say a ~* ná habair smid

work *n* obair, saothar, *public ~s* oibreacha poiblí *vt & i* oibrigh, saothraigh, ~*ing* ag obair; ar obair

workable *a* inoibrithe

worker *n* oibrí, saothraí

working *n* obair *a*, ~ *party* meitheal, ~ *class* lucht oibre, *in ~ order* i bhfearas, i ngléas

workmanlike *a* ceardúil, slachtmhar

workmanship *n* ceardaíocht, ealaín

workshop *n* ceardlann, ceárta

world *n* domhan, saol, cruinne, *they think the ~ of him* síleann siad an dúrud de, tá meas an domhain acu air *a*, ~ *war* cogadh domhanda

worldly *a* talmhaí, saolta, ~ *matters*, *outlook* saoltacht

world-wide *a* ar fud an domhain, domhanda

worm *n* péist, cuiteog, cruimh; cam stíle

worn *a* caite, ~ *out* athchaite; spíonta, tnáite

worried *a* buartha, imníoch

worry *n* buairt, crá, imní *vt & i* buair, ciap, ~*ing the sheep* ag sárú na gcaorach, *it is ~ing me* tá sé ag déanamh buartha dom

worse *a*, *he is ~ than John* is measa é ná Seán, *to get ~* dul i ndonas, in olcas

worsen *vt & i, to ~* éirí níos measa, dul in olcas, *to ~ sth* rud a dhéanamh níos measa

worship *n* adhradh, onórú *vt* adhair, onóraigh

worshipper *n* adhraitheoir

worst *n, the ~ díogha, the ~ of it is (that)* is é donas an scéil (go) *a* is measa, *his ~ mistake* an dearmad is measa aige

worsted *n* mustairt

worth *n* luach, fiúntas, *it is ~ a pound* is fiú punt é, *it is not ~ mentioning* is beag le rá é, ní fiú trácht air

worthless *a* beagmhaitheasach, suarach; díomhaoin, spreasánta, *it is ~* ní fiú biorán, tráithnín, é; níl ann ach cacamas

worthy *a* fiúntach, diongbháilte, oiriúnach

wound *n* créacht, cneá, goin, lot *vt* créachtaigh, cneáigh, goin, loit

wrack *n* feamainn bhoilgíneach; bruth faoi thír

wraith *n* taise

wrangle *n* clampar, callóid, siosma, iomarbhá *vi, wrangling about land* ag pléadáil faoi thalamh

wrap *n* clúdach, fillteog *vt* clúdaigh, cuach, fill

wrapper *n* fillteán, ~ *of book* forchlúdach leabhair

wrath *n* díbheirg, fraoch

wrathful *a* díbheirgeach, fraochta

wreak *vt, to ~ vengeance on a person* díoltas a imirt, a agairt, ar dhuine

wreath *n* bláthfhleasc, fleasc

wreathe *vt & i* figh, cas, sníomh

wreck *n* raic, raiceáil, scrios, longbhriseadh *vt* scrios, bris, raiceáil

wreckage *n* raic

wren *n* dreoilín

wren-boys n lucht an dreoilín

wrench n freanga, spreagadh, stangadh, (tool) rinse vt stróic, freang, stang

wrestle vt & i sníomh, to ~ with a person bheith ag coraíocht, ag iomrascáil, le duine

wrestler n gleacaí, iomrascálaí

wrestling n coraíocht, iomrascáil, gleacaíocht

wretch n ainniseoir, cráiteachán, donán, truán

wretched a suarach, ainnis, dearóil, ~ condition anró; ainríocht, drochchaoi, dóigh bhocht

wriggle n lúbarnaíl vt & i, wriggling ag lúbarnaíl, to ~ one's way in sleamhnú, caolú, isteach

wring vt fáisc, to ~ one's hands do bhosa a shníomh

wrinkle n fáirbre, roc vt & i roc

wrinkled a fáirbreach, grugach, rocach

wrist n caol na láimhe, rosta, bunrí

wrist-watch n uaireadóir láimhe

writ n eascaire, Holy ~ an Scríbhinn Dhiaga

write vt & i scríobh

writer n scríbhneoir, údar

writhe vi, to ~ with pain bheith ag lúbarnaíl le pian, to make a person ~ freanga a bhaint as duine

writing n scríbhneoireacht; scríbhinn; scríobh, I'd know her ~ d'aithneoinn a lámh, lorg a láimhe

writing-paper n páipéar scríbhneoireachta

wrong n olc, éagóir, to be in the ~ bheith san éagóir a cearr, contráilte; mícheart, cam, éagórach, you are ~ níl an ceart agat, what's ~ with you cad tá ort, cad tá cearr leat, to do sth ~ rud a dhéanamh as an tslí vt, to ~ a person éagóir, leatrom, a imirt ar dhuine

wry a casta, cam, ~ smile draothadh gáire, to pull a ~ face strainc a chur ort féin

wryneck n cam-mhuin

X

X-ray x-gha, x-ghathú vt x-ghathaigh

xylophone n xileafón

Y

yacht n luamh

yachtsman n luamhaire

yank vt srac, stoith

Yankee n Poncán a Poncánach

yap vi, to ~ sceamh a ligean, (of person) clabaireacht a dhéanamh

yard[1] n slat

yard[2] n clós

yarn[1] n abhras, snáth

yarn[2] n eachtra, scéal, staróg vi eachtraigh

yawn n méanfach vi, to ~ méanfach a dhéanamh

year n bliain, last ~ anuraidh, this ~ i mbliana, next ~ an bhliain seo chugainn, in the New Y~ san athbhliain, leap ~ bliain bhisigh

year-book n bliainiris

yearling n colpach; fóisc a, ~ calf gamhain bliana

yearly a bliantúil, ~ salary tuarastal bliana

yearn vi tnúth (le)

yearning n tnúthán a tnúthánach

yeast n gabháil, giosta

yell n béic, liú, scread vi béic, liúigh, scread

yellow n & a buí vt & i buígh

yellowhammer n buíóg

yelp n & vi sceamh

yeoman n scológ; giománach

yesterday n & adv inné, the day before ~ arú inné

yet adv go fóill, fós

yew *n* iúr

yield *n* táirgeacht, barr, toradh, (*of milk*) crú, bleán, lacht, tál *vt & i* géill, claon; tabhair, táirg, tál

yoghourt *n* iógart

yoke *n* cuing, cuingir, (*of dress*) cuing-leán, bráid *vt* cuingrigh

yolk *n* buíocán

yonder *a & adv* siúd, úd, ansiúd, lastall, *over ~* thall úd, *~ it is* b'iúd, siúd, é (é)

yore *n, of ~* anallód, fadó

you *pron* tú, tusa; thú, thusa, *pl* sibh, sibhse, *~ came* tháinig tú, sibh, *~ were beaten* buaileadh thú, sibh, *are ~ a doctor* an dochtúir thú, *with ~* leat, libh, *without ~* gan tú, gan sibh, *against ~* i do choinne, in bhur gcoinne, *the likes of ~* do, bhur, leithéid(í), *beating ~* do do bhualadh, do bhur mbualadh

young *a* óg; lag, *~ man* ógánach, óg-fhear, *~ woman* ógbhean

youngster *n* aosánach, garsún, malrach

your *poss a, ~ car, sg* do ghluaisteán *pl* bhur ngluaisteán, *~ father, sg* d'athair *pl* bhur n-athair, *~ hair, sg* do chuid gruaige *pl* bhur gcuid gruaige, *~ town* an baile seo *sg* agatsa *pl* agaibhse, *~ man* mo dhuine

yours *pron, it is ~* is leat, *pl* libh, é, *that one is ~* sin é do cheannsa *pl* bhur gceannsa; is leatsa, *pl* libhse, an ceann sin, *a friend of ~* cara leat, *pl* libh; cara duit, *pl* daoibh; cara de do chuid, *pl* de bhur gcuid, *that son of ~* an mac sin agat, *pl* agaibh

yourself *pron* tusa, thusa; (tú, thú) féin, *feeding ~* do do chothú féin

yourselves *pron* sibhse, (sibh) féin, *feeding ~* do bhur gcothú féin

youth *n* óige; aosánach, buachaill, macaomh, ógánach, giolla, *the ~ of the country* ógra, aos óg, na tíre

youthful *a* óigeanta

yowl *n* uaill, uallfairt, glam

yo-yo *n* yó-yó

Z

zeal *n* díbhirce, díograis, dúthracht

zealous *a* díbhirceach, díograiseach, dúthrachtach

zebra *n* séabra

zenith *n* buaic

zephyr *n* leoithne (aniar)

zero *n* nialas

zest *n* faobhar, fonn

zig-zag *n* fiarlán *vi, to ~* dul (ar) fiarlán, fiarlán a dhéanamh

zinc *n* sinc

zip *n* sip

zip-fastener *n* sipdhúntóir

zodiac *n* stoidiaca

zone *n* crios

zoo *n* zú

zoology *n* míoleolaíocht, zó-eolaíocht

a¹ ə⁺ *voc part, a dhuine uasail* Sir

a² ə⁺ *part used with non-adj numerals, a haon, a dó* one, two, *Eoin Fiche a Trí* John the Twenty-Third

a³ ə⁺ *prep used with vn, síol a chur* to sow seed, *téigh a chodladh* go to sleep

a⁴ ə *poss* à his, her, its, their, *a athair, a hathair, a n-athair* his, her, their, father, *a bhaile, a baile, a mbaile,* his, her, their, home

a⁵ ə⁺ *rel vb part & pron, an té a chuireann síol* he who sows seed, *an lá a baisteadh é* the day he was baptised, *an cat a d'ól an bainne* the cat which drank the milk, *a bhfuil ann* all that is there

a⁶ ə *part used with abstract n denoting degree, a ghéire a labhair sí* how sharply she spoke

á¹ a: *poss a 3sg m & 3pl as object of vn, bhí mé á dhíol* I was selling it, *bhí sí á crá acu* she was being tormented by them, *tá siad á gceannach* they are being bought

á² a: *int* ah

ab ab *m3,* abbot

abair abər⁺ *vt & i, vn* **rá** say, ~ *an fhírinne* speak the truth, ~ *amhrán* sing a song, ~ *leis fanacht* tell him to wait, *ní tú atá mé a rá* I am not referring to you, *mar a déarfá* so to speak

abairt abər⁺ *f2* sentence, phrase

ábalta ə:bəltə *a3* able, able-bodied

ábaltacht ə:bəltəxt *f3* ability

abar abər *m1* boggy ground, *in* ~ bogged down; in a difficulty

abartha əbərhə *a3* given to repartee, witty

abarthacht əbərhəxt *f3* wittiness

abhac auk *m1* dwarf

ábhach ə:vəx *m1,* ~ *gliomach* lobsterhole

ábhacht ə:vəxt *f3* jocosity, drollery

abhaile ə'val'ə *adv* home(wards), *chuir sé* ~ *orm é* he persuaded me of it

ábhailleach ə:val'əx *a1* playful, mischievous

ábhaillí ə:val'i: *f4* playfulness, mischief

abhainn aun⁺ *f, gs* **abhann** *pl* **aibhneacha** river

ábhal ə:vəl *a1, gsf & comp* **áibhle** great, immense

ábhalmhór 'a:vəl,vo:r *a1* colossal

abhantrach auntrəx *f2* river-basin

ábhar a:vər *m1* matter, material; cause; subject; fair amount or number; pus, ~ *tógála* building material, ~ *sagairt* clerical student, ~ *trua* object of pity, *ag déanamh ábhair* festering, *tá sé ar a* ~ *féin* he is on his own, *ar an* ~ *sin* for that reason, *baineann sé le h*~ it is relevant

ábharachas a:vərəxəs *m1* materialism

ábhartha a:vərhə *a3* material; relevant

abhcach aukəx *a1* dwarf, dwarfish

abhcóide auko:d'ə *m4* advocate, counsel, barrister

** abhlann** aulən *f2* wafer, host

abhlóir aulo:r' *m3* buffoon

abhóg avo:g *f2* bound; bad impulse

ábhraigh a:vri: *vi* fester

abhraiseach aurəs'əx *f2* spinner

abhras aurəs *m1* yarn; handiwork

abhus ə'vus *adv & a* here, *taobh* ~ *den loch* on this side of the lake

ablach abləx *m1* carcass, carrion

abláil abla:l' *f3* botching

absalóideach absəlo:d'əx *a1* absolute

abú ə'bu: *int* for ever

acadamh akədəv *m1* academy

acadúil akədu:l' *a2* academic

acalaí akəli: *m4* acolyte

acaoineadh 'a,ki:n'ə *m, gs* **-nte** plaintive crying

acaointeach 'a,ki:n't'əx *a1* plaintive, doleful

acarsóid akərso:d' *f2* anchorage

acastóir akəsto:r' *m3* axle

ach ax *conj & prep* but, *níl agam* ~ *é* it is all I have, *níl tú* ~ *ag amaidí* you are only fooling, *níl ann* ~ *go bhfeicim iad* I can barely see them, *gheobhaidh tú é* ~ *íoc as* you will get it if you pay for it, ~ *grásta Dé* but for the grace of God

achadh axə *m1* field

achainí axən'i: *f4, pl* ~ **ocha** request, entreaty, petition

achainigh axən'i: *vt & i* entreat, petition

achainíoch axən'i:(ə)x *m1* petitioner *a1, gsm* ~ **sigh**

achair axər' *vt & i, pres* **achrann** *vn* ~**t** beseech

achar axər *m*1 area; distance; extent; period

achasán axəsa:n *m*1 reproach, insult

achoimre 'a,xom'r'ə *f*4 summary

achoimrigh 'a,xom'r'i: *vt* summarize, recapitulate

achomair 'a,xomər' *a*1, *gsf*, *npl* & *comp* **-oimre** concise, brief

achomaireacht 'a,xomər'əxt *f*3 conciseness, brevity,

achomharc 'a,xo:rk *m*1 appeal

achomharcóir 'a,xo:rko:r' *m*3 appellant

achrann axrən *m*1 tangle, entanglement; quarrelling, strife, *in* ~ *sna driseacha* caught in the briars

achrannach axrənəx *a*1 entangled, intricate; quarrelsome

acht axt *m*3, *pl* ~**anna** enactment; condition, ~ *parlaiminte* act of parliament

achtaigh axti: *vt* enact

achtúire axtu:r'ə *m*4 actuary

aclaí akli: *a*3 supple, agile; flexible; adroit

aclaigh akli: *vt* & *i* limber; exercise; flex

aclaíocht akli:(ə)xt *f*3 agility; limbering, exercise; adroitness

acmhainn akvən' *f*2 capacity, endurance; means, resources; equipment

acmhainneach akvən'əx *a*1 strong, able to endure; well-to-do; seaworthy

acomhal 'a,ko:l *m*1 junction

acra¹ akrə *m*4 acre

acra² akrə *m*4 implement, tool; convenience ·

acrach akrəx *a*1 handy; convenient

acraíocht akri:(ə)xt *f*3 acreage

acu aku : **a**

adac adək *m*1 hod

adamh adəv *m*1 atom

adamhach adəvəx *a*1 atomic

adamhaigh adəvi: *vt* atomize

adanóidí adəno:d'i *spl* adenoids

adh- *a pref* very

ádh a: *m*1 luck

adhain ain' *vt* & *i*, *pres* **adhnann** kindle; inflame; ignite; grate

adhaint ain't' *f*2 inflammation; ignition

adhair air' *vt*, *pres* **adhrann** *vn* **adhradh** adore, worship

adhairt airt' *f*2, *pl* ~**eanna** bolster, pillow

adhall ail *m*1 heat (in bitch)

adhaltrach ailtrəx *m*1 adulterer *a*1 adulterous

adhaltranas ailtrənəs *m*1 adultery

adhantach aintəx *a*1 igneous, inflammable

adhantaí ainti: *m*4 fire-lighter

adharc airk *f*2 horn, *in* ~ *gabhair* in a dilemma, ~ *diallaite* peak of saddle, *in* ~ *a a chéile* at loggerheads

adharcach airkəx *a*1 horned, horny

adharcáil airka:l' *vt* horn, gore

adharcán airka:n *m*1 feeler, tentacle, antenna

adhartán airta:n *m*1 cushion; compress

adhascaid aiskəd' *f*2 nausea, morning sickness

adhastar aistər *m*1 halter

adhfhuafar 'a,uəfər *a*1 abominable

adhlacadh ailəkə *m*, *gs* **-ctha** *pl* **-cthaí** burial

adhlacóir ailəko:r' *m*3 undertaker

adhlaic ailək *vt*, *pres* **-acann** bury

adhmad aiməd *m*1 wood, timber; material

adhmadóireacht aimədo:r'əxt *f*3 woodwork, carpentry

adhmaint aimən't' *f*2 lodestone, magnet

adhmainteach aimən't'əx *a*1 magnetic

adhmainteas aimən't'əs *m*1 magnetism

adhmhol 'a,vol *vt* extol, eulogize

adhmholadh 'a,volə *m*, *gs* **-lta** eulogy, panegyric

adhnua 'a,nuə *m*4, ~ *a dhéanamh de* to make a fuss of him

adhradh airə *m*, *gs* **adhartha** adoration, worship

adhraitheoir airiho:r' *m*3 adorer, worshipper

ádhúil a:u:l' *a*2 lucky, fortunate

admhaigh advi: *vt* & *i* acknowledge, admit, confess

admháil adva:l' *f*3 acknowledgement, admission; receipt

adóib ado:b' *f*2 adobe

aduaidh ə'duəy' *adv* & *prep* & *a* from the north, *an ghaoth* ~ the north wind

aduain aduən' *a*1 strange, unfamiliar; apart

ae e: *m*4, *pl* ~**nna** liver

aeistéitic e:s't'e:t'ək' *f*2 aesthetics

aeistéitiúil e:s't'e:t'u:l' *a*2 aesthetic

aer¹ e:r *m*1 air; gaiety, ~ *beag gaoithe* little breath of wind, *tá an garian ar an* ~ the sun is up, ~ *an tsaoil* the pleasures of the world, *chaith sé in* ~ *é* he threw it up, abandoned it

aer² e:r *m*l air, tune

aer(a)(i)- e:r(ə) *pref* air-, aero-, aerial; pneumatic

aerach e:rəx *a*l airy; gay, lively; flighty

aeracht e:rəxt *f*3 airiness; gaiety; flightiness

aerachtúil e:rəxtu:l′ *a*2 eerie

aeradróm 'e:rə,dro:m *m*l aerodrome

aeráid e:ra:d′ *f*2 climate

aeráideach e:ra:d′əx *a*l climatic

aeraidinimic 'erə,d′i′n′im′ək′ *f*2 aerodynamics

aeraigh e:ri: *vt* aerate

aeráil e:ra:l′ *f*3 ventilation *vt* ventilate, air

aeraíocht e:ri:(ə)xt *f*3 open-air entertainment, *ag ~* taking the air

aerálaí e:ra:li: *m*4 ventilator

aerárthach 'e:r,a:rhəx *m*l, *pl* **-aí** aircraft

aerasól 'e:rə,so:l *m*l aerosol

aerbhac 'e:r,vak *m*l air-lock

aerbhrat 'e:r,vrat *m*l atmosphere

aerdhíonach 'e:r,γ′i:nəx *a*l air-tight

aerfhórsa 'e:r,o:rsə *m*4 air-force

aerfort 'e:r,fort *m*l airport

aerga e:rgə *a*3 aerial, ethereal

aerloingseoireacht 'e:r,loŋ′s′o:r′əxt *f*3 aeronautics

aeróg e:ro:g *f*2 aerial

aeroibrithe e:r,ob′r′ihə *a*3 pneumatic

aeroiriúnaigh 'e:r,or′u:ni: *vt* air-conditioning

aeróstach 'e:r,o:stəx *m*l air-hostess

aertha e:rhə *a*3 light-headed, giddy

aerthormán 'e:r,horəma:n *m*l atmospherics

áfach a:fəx *adv* however

ag eg′⁺ *prep, pron forms* **agam** agəm, **agat** agət, *m* **aige** eg′ə, *f* **aici** ek′i, **againn** agən′, **agaibh** agəv′, **acu** aku, at, *ag an scoil* at the school, *sin agat é* there it is for you, *is mór acu Seán* they have a great regard for Seán, *an teach seo againne* our house, *theip ar an misneach aige* he lost courage, *tá beirt mhac aige* he has two sons, *bíodh ciall agat* have sense, *tá snámh aige* he can swim, *tá dúil agam ann* I desire it, *bíodh aige* let him be, *duine acu* one of them, *caite ag an aois* worn out with age, *tá sé trom aige* it is heavy for him, *tá sé ag caint* he is speaking

aga agə *m*4 period, interval; distance

agaibh agəv′: **ag**

agaill agəl′ *f*2 earthworm, lobworm

againn agən′: **ag**

agair agər′ *vt, pres* **agraíonn** plead, entreat; avenge, *d'agair sé a dhíoltas orthu* he wreaked vengeance on them

agairt agərt′ *f*3, *gs* **-artha** plea; vengeance

agáit aga:t′ *f*2 agate

agall agəl *f*2 exclamation, cry; talk, argument

agallamh agələv *m*l address, discourse; interview, *~ beirte* dialogue

agam agəm: **ag**

agat agət: **ag**

aghaidh aiγ′ *f*2, *pl* **-eanna** face; front, aspect, *~ fidil* mask, *~ ar ~* face to face, *ar ~* facing; forward, *ag dul ar ~* progressing, *ar ~ leat* go ahead, *ceann ar ~* headlong, *in ~* against, in return for, *le h ~* for

agnóisí agno:s′i: *m*4 agnostic

agnóisíoch agno:s′i:(ə)x *a*l, *gsm ~* agnostic

agó ə'go: *m*4 objection, stipulation, *gan aon ~* undoubtedly

agóid ago:d′ *f*2 objection, protest, *lucht ~e* protesters *vi* object, protest

agóideach ago:d′əx *a*l protesting; cantankerous

aguisín agəs′i:n′ *m*4 addition, addendum

agus agəs⁺ *conj* and, *breis ~ bliain* more than a year, *tuairim ~ céad* about one hundred, *níor ith sé ~ níor ól sé* he neither ate nor drank, *fainic ~ ná tit* be careful not to fall, *d'imigh sé ~ fearg air* he went away in anger, *láidir ~ mar atá sé* strong as he is, *chomh maith ~ is féidir liom* as well as I can, *bíodh ~ go bhfaca tú é* granted that you saw him

agús agu:s *m*l addition, qualification; clause, reservation

aibéil ab′e:l′ *f*2, *~ chainte* back-chat *a*l quick

áibhéalach a:v′e:ləx *a*l exaggerating

áibhéalta a:v′e:ltə *a*3 exaggerated; huge, vast

áibhéil a:v′e:l′ *f*2 exaggeration

aibhéis av′e:s′ *f*2 abyss

aibhinne av′ən′ə *m*4 avenue

áibhirseoir a:v´ərs´o:r´ *m3* adversary, (the) Devil

áibhle a:v´l´ə : **ábhal**

aibhléis av´l´e:s´ *f2* electricity

aibhleog av´l´o:g *f2* coal (of fire), ~ *dhóite* cinder

aibhneacha av´n´əxə : **abhainn**

aibhseach av´s´əx *a1* great, immense, *dath* ~ high colour

aibhsigh av´s´i: *vt & i* enlarge (*ar*, on); emphasize; heighten (colour)

aibí ab´i: *a3* ripe, mature; quick, clever, *súil* ~ keen eye

aibid ab´i:d´ *f2*, *pl* ~**eacha** habit, religious dress

aibigh ab´i: *vt & i* ripen, mature

aibíocht ab´i:(ə)xt *f3* ripeness, maturity; quickness, cleverness

aibítir ab´i:t´ər´ *f2*, *gs* -**tre** *pl* -**trí** alphabet; rudiments

aibítreach ab´i:t´r´əx *a1* alphabetical

Aibreán ab´r´a:n *m1* April

aibreog ab´r´o:g *f2* apricot

aice¹ ak´ə *f4* nearness, proximity, *in* ~ *na farraige* near the sea, *ina* ~ *sin* along with that

aice² ak´ə *f4*, ~ *gliomach* lobsterhole

aiceann ak´ən *m1* accent, stress (mark)

aicearra ak´ərə *m4* short-cut; abridgement

aicearrach ak´ərəx *a1* short; curt, *caint* ~ pithy speech

aicearracht ak´ərəxt *f3*, *in* ~ soon, without delay

aicéitiléin a´k´e:t´ə,l´e:n´ *f2* acetylene

aici ek´i : **ag**

aicid ak´i:d´ *f2* disease

aicme ak´m´ə *f4* genus, class; tribe; clique

aicmeach ak´m´əx *a1* generic; class

aicmigh ak´m´i: *vt* classify

aicmiúil ak´m´u:l´ *a2* sectarian; cliquish

aicsean ak´s´ən *m1* action, feat

aicsím ak´s´i:m´ *f2* axiom

Aidbhint ad´v´ən´t´ *f2* Advent

aidhleanna ail´ənə *npl* oilskins

aidhm aim´ *f2*, *pl* ~**eanna** aim, purpose, *d'aon* ~ on purpose

aidhmeannach aim´ənəx *a1* designing, ambitious

aidhnín ain´i:n´ *m4* fuse (of explosive)

aidiacht ad´iəxt *f3* adjective

aidiúnach ad´u:nəx *m1* adjutant

aidréanailín ə´d´r´e:nə,l´i:n´ *m4* adrenalin

aife af´ə *f4* ebb, *taoide* ~ ebbing tide

aiféala af´e:lə *m4* regret, remorse; shame, embarrassment

aiféalach af´e:ləx *a1* regretful, sorrowful; shamefaced, embarrassed

aiféaltas af´e:ltəs *m1* shame, embarrassment; regret

aiféis a:f´e:s´ *f2* exaggeration; nonsense

aiféiseach a:f´e:s´əx *a1* exaggerated; ridiculous

aifid af´əd´ *f2* aphid

aifir af´ər´ *vt*, *pres* **aifríonn** rebuke

aifirt af´ərt´ *f3*, *gs* **aifeartha** rebuke, reproach

Aifreann af´r´ən *m1* Mass

aige eg´ə : **ag**

aigéad ag´e:d *m1* acid

aigéadach ag´e:dəx *a1* acid

aigéan ag´e:n *m1* ocean

aigéanach ag´e:nəx *a1* oceanic

aigeanta ag´əntə *a3* spirited, cheerful

aighneach ain´əxt *f3* submission

aighneas ain´əs *m1* argument, discussion

aighneasach ain´əsəx *a1* argumentative

aigne ag´n´ə *f4* mind, disposition; cheerfulness; intention

aigneolaíocht 'ag´n´,o:li:(ə)xt *f3* psychology

áil a:l´ *s* (with *is*) desire, wish, *mar is* ~ *leat* as you wish

ailb al´əb´ *f2*, *pl* ~**eanna** alb

ailbíneach al´əb´i:n´əx *m1 & a1* albino

ailceimic 'al´,k´em´ək´ *f2* alchemy

áiléar a:l´e:r *m1* loft, attic; gallery

ailgéabar al´(ə)g´e:bər *m1* algebra

ailibí al´əb´i: *m4*, *pl* ~**onna** alibi

ailigéadar al´əg´e:dər *m1* alligator

ailím al´i:m´ *f4* alum

ailínigh 'a,l´i:n´i: *vt* align

ailiúnas al´u:nəs *m1* alimony

aill al´ *f2*, *pl* ~**te** cliff, precipice

áille a:l´ə : **álainn**

áilleacht a:l´əxt *f3* beauty; delight

áilleadóireacht a:l´ədo:r´əxt *f3* rock-climbing

áilleagán a:l´əga:n *m1* toy; trinket; doll

ailléirge al´e:r´g´ə *f4* allergy

ailléirgeach al´e:r´g´əx *a1* allergic

ailp al´p´ *f2*, *pl* ~**eanna** lump, chunk; knob

ailse al´s´ə *f4* cancer

ailt al´t´ *f2*, *pl* ~**eanna** steep-sided glen, ravine

áilteoir a:l't'o:r' *m3* trickster, practical joker

áilteoireacht a:l't'o:r'əxt *f3* tricking, joking

ailtire al't'ər'ə *m4* architect

ailtireacht al't'ər'əxt *f3* architecture

áiméan a:m'e:n *int* amen

áimear a:m'e:r *m1* chance, opportunity

aimhleas 'av',l'as *m3* harm, detriment; evil

aimhleasach 'av',l'asəx *a1* harmful, detrimental; misguided

aimhréidh 'av',r'e:γ *f2* entanglement, *dul in ~* to get entangled *a1* entangled; dishevelled; involved; uneven

aimhréireach 'av',re:r'əx *a1, ~ le* repugnant to

aimhrialta 'av',riəltə *a3* irregular; anomalous

aimhrialtacht 'av',riəltəxt *f3* anomaly

aimhriar 'av',riər *f2, gs -réire* disobedience; incongruity

aimiréal am'ər'e:l *m1* admiral, *~ dearg* red admiral

aimiréalacht am'ər'e:ləxt *f3* admiralty

aimitis am'ət'əs *f2* amethyst

aimléis am'l'e:s *f2* misery

aimlithe am'l'ihə *a3* sodden; enfeebled; bedraggled

aimnéise am'n'e:s'ə *f4* amnesia

aimpéar am'p'e:r *m1* ampère

aimpligh am'p'l'i: *vt* amplify

aimplitheoir am'p'l'iho:r *m3* amplifier

aimrid am'r'əd' *a1* barren, sterile

aimride am'r'ədə *f4* barrenness, sterility

aimridigh am'r'əd'i: *vt* make barren, sterilize

aimseartha am's'ərhə *a3* temporal

aimsigh am's'i: *vt* aim; find; make attempt at, *an marc a aimsiú* to hit the mark

aimsir am's'ər' *f2* weather; time; (*grammar*) tense, *~ shamhraidh* summer weather, *nósanna na haimsire seo* present-day customs, *~ na Nollag* Christmastide, *ur, in, ~ ag duine* in service with, hired for a season by, a person

aimsitheoir am's'iho:r *m3* marksman; finder

aimsiú am's'u: *m4* aim; hit (on mark); attack

ain- an' *pref* in-, un-, not; bad, unnatural; over-, intense

ainbhios an',v'is *m3, gs -bheasa* ignorance

ainbhiosach an',v'isəx *a1* ignorant; stupid

ainbhiosán an',v'isa:n *m1* ignorant person; ignoramus

ainbhreith an',v'r'eh *f2, pl ~eanna* unjust judgment

ainchleachtadh an',x'l'axtə *m1* inexperience

ainchreideamh an',x'r'ed'əv *m1* unbelief, infidelity

ainchreidmheach an',x'r'ed'v'əx *m1* unbeliever, infidel

ainchríonna an',x'r'i:nə *a3* imprudent, rash

aincis aŋ'k'əs' *f2* malignancy; peevishness

aindiachaí an',d'iəxi: *m4* atheist

aindiachas an',d'iəxəs *m1* atheism

aindiaga an',d'iəgə *a3* godless

aindleathach an',d'l'ahəx *a1* illegal

aindlí an',d'l'i: *m4* lawlessness

áineas a:n'əs *m3* sport, delight

ainéistéiseach an',e:s't'e:s'əx *m1 & a1* anaesthetic

aineoil an',o:l' *a3* unknown, strange

aineolach an',o:ləx *a1* ignorant; inexperienced

aineolas an',o:ləs *m1* ignorance, inexperience

ainfheoil an',o:l' *f3* proud flesh

aingeal aŋ'g'əl *m1* angel

ainghníomh an',γ'n'i:v *m1, pl ~artha* atrocity

aingí an'g'i: *a3* malignant; fretful

aingiallta 'aŋ',g'iəltə *a3* irrational

aingine aŋ'g'i:n'ə *f4* angina, *~ chléibh* angina pectoris

ainglí aŋ'l'i: *a3* angelic

ainglis aŋ'l'əs *f2* goitre

ainiarmhartach 'an',iərvərtəx *a1* having evil consequences

ainimh an'əv *f2, gs & npl ~e gpl -neamh** blemish, disfigurement

ainíochtach 'an',ixtəx *a1* cruel

ainís an'i:s' *f2* anise; caraway, *síol ~e* aniseed

ainligh an'l'i: *vt* guide, steady boat against current; kedge, *an scéal a ainliú* to handle the matter adroitly

ainm an'əm' *m4*, *pl* ~**neacha** name; reputation; noun, *in* ~ *a bheith ag obair* supposed to be working, *duine a chur as a* ~ to miscall, abuse, a person, *tá* ~ *an léinn air* he has a reputation for learning

ainmfhocal 'an'əm'‚okəl *m1* noun, substantive

ainmheasartha 'an'‚v'asərhə *a3* immoderate, intemperate

ainmheasarthacht 'an'‚v'asərhəxt *f3* excess, intemperance

ainmhéid 'an'‚v'e:d' *f2* hugeness, overgrowth

ainmhí an'əv'i: *m4* animal; brute

ainmhian an'‚v'iən *f2*, *gs* -**mhéine** *pl* ~**ta** passion, lust

ainmhianach an'‚v'iənəx *a1* passionate, lustful

ainmhíoch an'əv'i:(ə)x *a1*, *gsm* ~ animal, brutish

ainmliosta an'əm'‚l'istə *m4* catalogue

ainmneach an'əm'n'əx *m1 & a1* (*grammar*) nominative

ainmní an'əm'n'i: *m4*, (*grammar*) subject

ainmnigh an'əm'n'i: *vt* name; nominate; specify

ainmníocht an'əm'n'i:(ə)xt *f3* nomenclature

ainmnithe an'əm'n'ihə *a3* elect

ainmnitheach an'əm'n'ihəx *m1* nominee

ainmniúchán an'əm'n'u:xa:n *m1* nomination

ainmniúil an'əm'n'u:l' *a2* nominal; noted, well-known

ainneoin 'a‚n'o:n' *s*, ~, *d'* ~, *in* ~ notwithstanding, in spite of

ainneonach 'a‚n'o:nəx *a1* involuntary

ainnir an'ər' *f2*, *pl* ~**eacha** maiden, young woman

ainnis an'əs' *a1* miserable, wretched

ainnise an'əs'ə *f4* misery

ainniseoir an'əs'o:r' *m3* miserable person, wretch

ainriail 'an'‚riəl' *f*, *gs* -**alach** lack of discipline; anarchy

ainrialaí 'an'‚riəli: *m4* anarchist

ainrialta 'an'‚riəltə *a3* undisciplined; anarchical

ainrianta 'an'‚riəntə *a3* unbridled, unruly; licentious

ainríocht 'an'‚rixt *m3*, *gs* -**reachta** sorry plight, wretched condition

ainscian 'an'‚s'k'iən *f2*, *gs* -**céine** wildness, fury, ~ *mná* virago

ainscianta 'an'‚s'k'iəntə *a3* wild, furious

ainseal an's'əl *m1*, *dul in* ~, *chun ainsil* to become chronic

ainsealach an's'ələx *a1* chronic

ainsiléad an's'əl'e:d *m1* balance, scales

ainspianta 'an'‚s'piəntə *a3* grotesque; abnormal

ainspiantacht 'an'‚s'piəntəxt *f3* grotesqueness; abnormality

Ainspiorad 'an'‚s'pirəd *m1*, *an t*~ the Devil

ainsprid 'an'‚spr'id' *f2* evil spirit

aintéine an't'e:n'ə *f4* antenna

aintiarna an't'iərnə *m4* despot; tyrant

aintiarnas 'an'‚t'iərnəs *m1* tyranny

aintiarnúil 'an'‚t'iərnu:l' *a2* tyrannical

aintín an't'i:n' *f4* aunt

aintiún an't'u:n *m1* anthem

aíocht i:(ə)xt *f3* hospitality; lodging

aíochtlann i:(ə)xtlən *f2* guest-house

aíonna i:(ə)nə : aoi

aipindic ‚a'pin'd'ək' *f2* appendix

aipindicíteas a‚pin'd'ə'k'i:t'əs *m1* appendicitis

air er' : ar¹

airc ar'k' *f2* greed, voracity; want

áirc a:r'k' *f2* ark

airceach ar'k'əx *a1* voracious; needy

aird¹ a:rd' *f2*, *gs & pl* ~**e** direction, point of compass

aird² a:rd' *f2* attention; notice, *focal gan* ~ insignificant statement

airde a:rd'ə *f4* height; altitude, level, *fiche troigh ar* ~ twenty feet in height, *in* ~ on high, up, *ar cosa in airde* at a gallop

airdeall a:rd'əl *m1* alertness, watchfulness, vigilance, *san*, *ag*, ~ *ar* watchful over; on the alert against

airdeallach a:rd'ələx *a1* alert, watchful

aire¹ ar'ə *f4* care, attention; heed, notice, *is iomaí rud ar m'* ~ I have many things to attend to, ~ *duit!* ~ *chugat!* look out!

aire² ar'ə *m4* minister (of state)

aireach ar'əx *a1* careful, attentive; vigilant

aireachas ar'əxəs *m1* attention; vigilance

aireacht ar'əxt *f3* ministry

aireachtáil ar'əxta:l' *f3* perception

aireagal ar'ə́gəl *m1* oratory; apartment; (hospital) ward, *ceol aireagail* chamber music

aireagán ar'ə́ga:n *m1* invention

áireamh a:r'əv *m1* counting, reckoning, enumeration: census; arithmetic; number, *rud a chur san* ~ to take sth into account

áireamhán a:r'əva:n *m1* calculator

airéine ar'e:n'ə *f4* arena

áirge a:r'g'ə *f4* useful article, asset

airgead ar'ə́gəd *m1* silver; money, ~ *tirim* ready cash

airgeadaí ar'ə́gə́di: *m4* financier

airgeadas ar'ə́gə́dəs *m1* finance

airgeadóir ar'ə́gə́do:r' *m3* cashier, teller

airgeadra ar'ə́gə́drə *m4* currency

airgeadúil ar'ə́gə́du:l' *a2* silvery; financial

áirgiúil a:r'g'u:l' *a2* well-appointed; spacious

airí[1] ar'i: *m4*, *pl* ~**onna** symptom; characteristic

airí[2] ar'i: *f4* desert, *is maith an* ~ *air é* it serves him right

áiria a:r'iə *m4*, *pl* ~**nna** aria

airigh ar'i: *vt*, *vn* -**reachtáil** perceive; feel; hear, *d'* ~ *mé uaim iad* I missed them

áirigh a:r'i: *vt*, *vn* -**reamh** count, reckon

airíoch ar'i:(ə)x *m1* caretaker

áirithe[1] a:r'ihə *f4* certainty, certain quantity, portion, allotment, *d'* ~, *in* ~ allotted, certain, *suíochán a chur in* ~ to book a seat

áirithe[2] a:r'ihə *a3* certain, particular, *ach go h* ~ at any rate, *go h* ~ especially

áirithigh a:r'ihi: *vt* ensure

airleacan a:rl'əkən *m1* advance, loan

áirmhéadar 'a:r',v'e:dər *m1* comptometer

airmheán ar',v'a:n *m1* epicentre

airne a:rn'ə *f4* sloe

airneán a:rn'a:n *m1* night-visiting; working, etc late at night

airnéis a:rn'e:s' *f2* chattels; cattle; goods; equipment

airteagal art'ə́gəl *m1* article

airtéiseach art'e:s'əx *a1* artesian

airtléire art'l'e:r'ə *f4* artillery

airtríteas art'r'i:t'əs *m1* arthritis

ais[1] as' *s*, *ar* ~ back; again, *droim ar* ~ reversed, back to front, *le h* ~ be-side, compared with, *ar* ~ *nó ar éigean* at all costs

ais[2] as' *f2*, *pl* ~**eanna** axis

ais-[3] as' *pref* re-, back

áis a:s' *f2*, *pl* ~**eanna** convenience; facility; device, *an ndéanfá* ~ *dom*? would you do me a favour? *ní haon* ~ *dom é* it is of no use to me, *ar* ~! at ease!

aisce as'k'ə *f4* favour, gift, *in* ~ for nothing, *turas in* ~ journey in vain

aischothú 'as',xohu: *m4* feedback

aiseag as'əg *m1* restitution; vomit; emetic

aiseal as'əl *m1* axle

aiseipteach 'a,s'ep't'əx *a1* aseptic

aiséirí 'as',e:r'i: *m4* resurrection; resurgence

aiséirigh 'as',e:r'i: *vi* rise again

aiséiteach as'e:t'əx *m1* ascetic

aiséitiúil as'e:t'u:l' *a2* ascetic

aiseolas 'as',o:ləs *m1* feedback

aisfhreagra 'as',r'agrə *m4* back answer, retort

aisghair 'as',γar' *vt* abrogate; repeal

aisghairm 'as',γar'əm' *f2*, *pl* ~**eacha** abrogation; repeal

aisig as'əg' *vt*, *pres* -**seagann** *vn* -**seag** restore; vomit

aisíoc 'as',i:k *m3* repayment, restitution *vt* repay, refund

áisiúil a:s'u:l' *a2* convenient, handy

áisiúlacht a:s'u:ləxt *f3* convenience, utility

aisléim 'as',l'e:m' *f2*, *pl* ~**eanna** (*of spring*) recoil *vi* recoil

aisling a's'ləɲ' *f2* vision; vision poem

aislingeach as'l'əɲ'əx *m1 & a1* visionary

aispeist as'p'əs't' *f2* asbestos

aistarraing 'as',tarəɲ' *vt*, *pres* ~**ionn** (*of money*) withdraw

aiste[1] as't'ə *f4* peculiarity; condition; scheme; essay, composition, ~ *bia* diet

aiste[2] as't'ə *s*, *tá* ~ *ar an iasc* the fish are rising

aisteach as't'əx *a1* peculiar, strange; surprising; droll

aistear as't'ər *m1* journey; roundabout way, inconvenience, *turas in* ~ a journey in vain

aisteoir as't'o:r' *m3* actor

aisteoireacht as't'o:r'əxt *f3* acting (in theatre, etc)

aisti as't'i : **as**[1]

aistreach as'tʹrʹəx *a*1 (*of person*) roving, unsettled; (*of place*) inconvenient; transitive

aistreán as'tʹrʹa:n *m*1 out-of-the-way place; inconvenience

aistreánach as'tʹrʹa:nəx *a*1 out-of-the-way, inconvenient; migratory

aistrigh as'tʹrʹi: *vt* & *i* move, transfer; translate

aistritheach as'tʹrʹihəx *a*1 movable, *daonra* ∼ shifting population

aistritheoir as'tʹrʹiho:rʹ *m*3 remover; translator

aistriú as'tʹrʹu: *m*4 removal, transfer; translation

aistriúchán as'tʹrʹu:xa:n *m*1 translation

ait at' *a*1 pleasant; fine; comical, queer

áit a:tʹ *f*2, *pl* ∼**eanna** place, position, room, ∼ *seasaimh* standing room, ∼ *ti* site for a house, *muintir na háite* the local people, *dá mbeifeá i m'* ∼ *se* if you were in my shoes, *in* ∼ instead of, *cá h* ∼? where?

aiteacht at'əxt *f*3 queerness, oddness

aiteal at'əl *m*1 juniper

aiteall at'əl *m*1 fine spell between showers

aiteann at'ən *m*1 furze, gorse, whin

aiteas at'əs *m*1 pleasantness, fun; queerness; queer sensation

aiteasach at'əsəx *a*1 pleasant, joyful

áiteoireacht a:tʹo:rʹəxt *f*3 arguing; argumentation

áith a:ʹ *f*2, *pl* ∼ **eanna** kiln

aitheach ahəx *m*1 churl

aitheanta ahəntə *a*3 recognized, accepted

aitheantas ahəntəs *m*1 acquaintance, recognition; identification

aithease ahəsk *m*1 address; exhortation, *vt* exhort

aitheascal ahəskəl *m*1 oracle

aithin[1] ahənʹ *vt, pres* **aithníonn** *vn* ∼ **t** know, recognize; acknowledge, *rud a* ∼ *t ó, thar, rud eile* to distinguish between one thing and another, *is furasta a* ∼ *t (go)* it is easy to see, tell, (that)

aithin[2] ahənʹ *vt, pres* **aithníonn** *vn* ∼ **t**, ∼ *t ar, de, dhuine rud a dhéanamh* to bid, command, a person to do sth

aithinne ahənʹə *f*4 firebrand; spark

aithis ahəsʹ *f*2 slur, reproach; disgrace

aithiseach ahəsʹəx *a*1 defamatory; shameful

aithisigh ahəsʹi: *vt* slur, defame

aithne[1] ahnʹə *f*4 acquaintance, recognition; appearance, *fear atá ar m'* ∼ a man I know, *daoine a chur in* ∼ *dá chéile* to introduce people to each other, *gan* ∼ *gan urlabhra* unconscious; dead, *tá* ∼ *bisigh air* he shows signs of improvement

aithne[2] ahnʹə *f*4, *pl* **-theanta** commandment, precept, *na Deich nA* ∼ the Ten Commandments

aithnidiúil ahnʹədʹu:lʹ *a*2 familiar; well-known

aithreacha ahrʹəxə : **athair**

aithreachas ahrʹəxəs *m*1 repentance, regret

aithrí ahrʹi: *f*4 repentance; penance, ∼ *thoirní* sudden repentance

aithríoch ahrʹi:(ə)x *m*1 penitent *a*1, *gsm* ∼ penitent

aithris ahrʹəsʹ *f*2 narration; imitation; mimicry, *níl intí ach* ∼ (*scine*) it is only a makeshift (knife) *vt* & *i*, *pres* ∼ **ionn** narrate, recite; imitate; mimic

aithriseach ahrʹəsʹəx *a*1 imitative; mocking

aithriseoireacht ahrʹəsʹo:rʹəxt *f*3 recitation, mimicry

aithriúil ahrʹu:lʹ *a*2 fatherly, paternal

áitigh a:tʹi: *vt* & *i* occupy; settle down to; argue, *rud a áitiú ar dhuine* to persuade a person of sth

áitithe a:tʹihə *a*3 established, practised, *bligeard* ∼ confirmed blackguard

áititheach a:tʹihəx *a*1 persuasive

áititheoir a:tʹiho:rʹ *m*3 occupier; arguer

áitiúil a:tʹu:lʹ *a*2 local

áitreabh a:tʹrʹəv *m*1 habitation, abode; premises

áitreabhach a:tʹrʹəvəx *m*1 inhabitant

áitrigh a:tʹrʹi: *vt* inhabit

áitritheoir a:tʹrʹiho:rʹ *m*3 inhabitant

ál a:l *m*1, *pl* ∼ **ta** litter; brood

ala aləs, *ar* ∼ *na huaire* on the spur of the moment

alabhog 'aləˌvog *a*1 lukewarm

alabhreac 'aləˌvʹrʹak *a*1 piebald; pied

áladh a:lə *m*1 wound; lunge, ∼ *a thabhairt ar rud* to grab, snap, at sth

álainn a:lənʹ *a*1, *gsf, pl* & *comp* **áille** beautiful; delightful

aláram 263 **amhantrach**

aláram a'la:rəm *m*1 alarm

albam aləbəm *m*1 album

albatras aləbatrəs *m*1 albatross

alcaileach alkal'əx *a*1 alkaline

alcól alko:l *m*1 alcohol

alcólach alko:ləx *m*1 & *a*1 alcoholic

alfraits ‚al'frat's' *f*2 rascal; scoundrel

alga aləgə *m*4 alga

allabhair ‚a‚laur' *f*, *gs* **-bhrach** *pl* **-bhracha** echo

allabhrach ‚a‚laurəx *a*1 evocative

allagar aləgər *m*1 (loud) talk; disputation; shout, *ag* ~ arguing

allaíre ali:r'ə *f*4 partial deafness

allas aləs *m*1 sweat, perspiration, *ag cur allais* sweating

allasúil aləsu:l' *a*2 sweaty

allmhaire ‚al‚var'ə *f*4 imported article, import

allmhaireoir ‚al‚var'o:r' *m*3 importer

allmhairigh ‚al‚var'i: *vt* import

allta altə *a*3 wild

alltacht altəxt *f*3 astonishment, ~ *a chur ar dhuine* to astonish a person

alluaiceach ‚a‚luək'əx *a*1 airy, giddy

allúrach ‚a‚u:rəx *m*1 foreigner *a*1 foreign

almanag aləmənəg *m*1 almanac

almóin aləmo:n' *f*2 almond

almóir aləmo:r' *m*3 wall-cupboard; niche

almsa aləmsə *f*, *gs* ~ **n** alms

alp alo: *m*4, *pl* ~ **nna** aloe

alp alp *vt* & *i* bolt, devour

alpach alpəx *a*1 voracious, greedy

alpaire alpər'ə *m*4 voracious eater

alpán alpa:n *m*1 lump, chunk

Alsáiseach alsa:s'əx *m*1 & *a*1 Alsatian

alt alt *m*1 joint; knuckle; knot (in timber); hillock; article, paragraph, section (of act, etc), *in* ~ *a chéile* articulated, *as* ~ out of joint, *rógaire ar na hailt* é he is a real rogue *vt* articulate, joint

altach altəx *a*1 articulate, jointed; knotty; undulating

altaigh alti: *vt* & *i*, *bia a altú, altú le bia* to say grace at meals

altán alta:n *m*1 ravine; streamlet; hillock

altóir alto:r' *f*3 altar

altram altrəm *m*3 fosterage

altramaigh altrəmi: *vt* foster

altranas altrənəs *m*1 nursing

altú altu: *m*4 thanksgiving; grace (at meals)

alúm alu:m *m*1 alum

alúmanam ə'lu:mənəm *m*1 aluminium

am am *m*3, *pl* **amanna** time, *an t-* ~ the time, *faoin* ~ *seo* by this time, *in* ~ *trátha* at the proper time, *fan le d'* ~ wait your turn, *i ndiaidh an* ~ *a* after the event, *seo d'* ~ now is your chance, *in* ~ *an chogaidh* during the war

amach ə'max *adv* & *a* out, *an bealach* ~ the way out, *ó mo chroí* ~ from the bottom of my heart, *chuaigh sé an cnoc* ~ he went off over the hill, *na litreacha* ~ the outgoing mail, *fan* ~ *ón tine* stay away from the fire, *abair* ~ é say it out, aloud, *ón lá seo* ~ from this day forward, ~ *anseo* later on, ~ *ó* apart from, except, *is deas* ~ é it is very nice indeed, ~ *is* ~ out and out, ~ *is isteach le bliain* a year approximately

amadán əmədɑ:n *m*1 fool

amadánta əmədɑ:ntə *a*3 fatuous

amadántacht əmədɑ:ntəxt *f*3 fooling; foolishness

amaid əmɑd' *f*2 foolish woman

amaideach əmɑd'əx *a*1 foolish

amaideacht əmɑd'əxt *f*3 idiocy

amaidí əmɑd'i: *f*4 folly, nonsense, *ag* ~ fooling

amaitéarach əmɑt'e:rəx *m*1 & *a*1 amateur

amanathar ə'manəhər *adv* & *s* & *a* the day after tomorrow

amárach ə'mɑ:rəx *adv* & *s* & *a* tomorrow

amarrán əmərɑ:n *m*1 contention; misfortune

amas əməs *m*1 attack; aim; attempt

ambaiste əm'bas't'ə *int* indeed, really

ambasadóir əm'basə‚do:r' *m*3 ambassador

ambasáid əmbəsɑ:d' *f*2 embassy

amchlár 'əm‚xlɑ:r *m*1 timetable

amh ə *a*1, *gsm* ~ raw, uncooked

ámh ɑ:v *adv* however

amhábhar 'av‚ɑ:vər *m*1 raw material

amhail aul' *prep* & *conj* like, as

amháin ə'vɑ:n' *a* & *adv* & *conj* one, only, *(aon) uair* ~ once (upon a time), *is é an rud* ~ é it is the same thing, *ach* ~ except, *fiú* ~ *dá mbeadh sé agam* even if I had it

amhantar auntər *m*1 chance, venture; windfall

amhantrach auntrəx *a*1 speculative, risky; lucky

amhantraí auntri: *m4* speculator

amhantraíocht auntri:(ə)xt *f3* speculation

ámharach a:vərəx *a1* lucky, fortunate

ámharaí a:vəri: *f4*, *ar* ~ *an tsaoil* by a stroke of luck

amharc aurk *m1* sight; look; view, *ar* ~ in sight, ~ *tíre* landscape *vt & i* look, see

amharcail aurki:l' *f3* peering

amharclann aurklən *f2* theatre

amhas aus *m1* mercenary; hooligan

amhastrach austrəx *f2* barking

amhiarann 'av‚iərən *m1* iron ore

amhlabhra 'av‚laurə *f4* inarticulateness

amhlachas auləxəs *m1* semblance; figure

amhlaidh auli: *adv* thus, so, *is* ~ *atá sé* the fact is, *tá mé* ~ *leat* I am like yourself in that respect, *ní h*~ *duitse é* it is different with you

amhlánta aula:ntə *a3* boorish

amhola 'av‚ola *f4* crude oil

amhrán aura:n *m1* song

amhránaí aura:ni: *m4* singer

amhránaíocht aura:ni:(ə)xt *f3* singing

amhras aurəs *m1* doubt, suspicion

amhrasach aurəsəx *a1* doubtful, suspicious

amhsaine ausən'ə *f4* mercenary service

amlóir amlo:r' *m3* foolish person; awkward person

ámóg a:mo:g *f2* hammock

amóinia a'mo:n'iə *f4* ammonia

amparán ampəra:n *m1* hamper

ampla amplə *m4* hunger; greed, voracity

amplach ampləx *a1* hungry; greedy

amplóir amplo:r' *m3* hungry, greedy, person

amscaí amski: *a3* untidy; awkward

amú a'mu: *adv* wasted, in vain; astray

amuigh ə'miy' *adv & prep & a* out, outside, outer, ~ *faoin spéir* in the open, ~ *thoir* far to the east, *an balla* ~ the outer wall, *an rud is measa* ~ the worst thing there is, *tá sé* ~ *air* (go) it is reported of him (that), *tá siad* ~ *le chéile* they are on bad terms, *tá sé* ~ *agat orm* I owe it to you, ~ *agus istigh ar* approximately

an¹ ən¹ *def art, gsf & pl* na

an² ə(n)¹ *interr vb part, an dtagann sé?* does he come? *an ólfaidh tú é?* will you drink it?

an³ ən¹: is

an-⁴ ən¹ *pref* very; great

an-⁵ ən¹ *pref* in-, un-, not; bad, unnatural; over-, excessive

anabaí anəbi: *a3* unripe, immature, *breith* ~ premature birth

anabaíocht anəbi:(ə)xt *f3* immaturity

anacair anəkər' *f3, gs* **-cra** *pl* **-craí** unevenness; discomfort; distress, ~ *leapa* bedsore *a1, gsf, npl & comp* **-cra** uneven; uncomfortable; difficult

anacal anəkəl *m1* protection; quarter

anachain anəxən' *f2, pl* **-ana** mischance, calamity; harm

anacrach anəkrəx *a1* distressed, distressing

anaemach 'an‚e:məx *a1* anaemic

anaemacht 'an‚e:məxt *f3* anaemia

anagram 'an‚agram *m1* anagram

anáid ana:d' *f2* annuity

anáil ana:l' *f3* breath, *tá an* ~ *ann* he is still breathing, *tá* ~ *bhreá ag an teach* the house is airy, spacious, *faoi* ~ *an Bhéarla* under the influence of English

anailís anəl'i:s' *f2* analysis

anailísigh anəl'i:s'i: *vt* analyse

anairt anərt' *f2*, ~ *(bheag)* sail-cloth, canvas

anaithnid 'an‚ahn'əd' *a1* strange, unknown

analach anələx *f2* analogy

análaigh ana:li: *vt & i* breathe; aspirate

análaitheoir ana:liho:r' *m3* respirator

anall ə'nal *adv & prep & a* hither, from the far side, ~ *as Sasana* over from England, *riamh* ~ from time immemorial

anallód ə'nalo:d *adv* of yore, in olden times

análú ana:lu: *m4* respiration, ~ *tarrthála* kiss-of-life

anam anəm *m3, pl* **-acha** soul; life, *duine gan* ~ unfeeling person; lifeless person, *tá a h*~ *istigh ann* she is devoted to him, *Dia le m'* ~ God bless my soul, *(mo) sheacht mh'* ~ *thú* bravo, well done, *beidh d'* ~ *agam* I'll kill you, *rith sé lena* ~ he ran for his life, *lán d'* ~ in high spirits

anamchara 'anəm‚xarə *m, gs* **-d**, *pl* **-chairde** spiritual adviser, confessor

anamúil anəmu:l' *a2* lively, spirited

anann anən *m1* pineapple

anarac 'anə‚rak *m1* anorak

anas anəs *m*1 anus

anás ana:s *m*1 need, poverty

anásta ana:stə *a*3 needy; clumsy

anatamaíocht ə'natəmi:(ə)xt *f*3 anatomy

anbhá 'an,va: *m*4 panic

anbhann anəvən *a*1 weak, feeble

anbhuain 'an,vuən' *f*2 restlessness; unease; disturbance

ancaire aŋkər'ə *m*4 anchor

anchaoi 'an,xi: *s, in ~, ar ~* in a bad way

anchúinseach 'an,xu:n's'əx *a*1 monstrous; scoundrelly

anchuma 'an,xumə *f*4 bad, unnatural, appearance

anchumtha 'an,xumhə *a*3 misshapen

andóchas 'an,do:xəs *m*1 presumption

andóigh 'an,do:γ' *f*2, *pl ~* **eanna** improbability; unlikely person, place

andúchasach 'an,du:xəsəx *a*1 non-native; exotic

andúil 'an,du:l' *f*2 craving; addiction

andúileach 'an,du:l'əx *m*1 addict

andúilíocht 'an,du:l'i:(ə)xt *f*3 addiction

aneas ə'n'as *adv & prep & a* from the south, *an ghaoth ~* the south wind

anfa anəfə *m*4 storm; terror

anfhorlann 'an,o:rlən *m*1 violence, oppression

angadh aŋgə *m*1 pus, *~ a dhéanamh* to fester

angaíoch aŋgi:(ə)x *a*1, *gsm ~* purulent

angar aŋgər *m*1 want, distress, *go bun an angair* to the bitter end

anghrách 'an,γra:x *a*1, *gsm ~* erotic

Anglacánach aŋləka:nəx *m*1 & *a* Anglican

anglais aŋləs' *f*2 milk and water; milksop, *~ tae* weak tea

angóra aŋgo:rə *m*4 angora

aniar ə'n'iər *adv & prep & a* from the west, *an ghaoth ~* the west wind, *teacht ~ aduaidh ar dhuine* to take a person unawares, *druid ~ chun na tine* come close to the fire, *shuigh sé ~ sa leaba* he sat up in the bed, *bhí scata ina dhiaidh ~* there was a crowd trailing after him, *chugam ~ tú* bravo

aníos ə'n'i:s *adv & prep & a* up, *teacht ~ an staighre* to come up the stairs, *ag teacht ~ sa saol* prospering

anlaith 'an,lah *m*3, *gs & pl* -**atha** tyrant; usurper

anlann anlən *m*1 kitchen; condiment, sauce

anlathach 'an,lahəx *a*1 tyrannical; anarchical

anlathas 'an,lahəs *m*1 tyranny; usurpation; anarchy

anluchtaigh 'an,loxti: *vt* overload; glut

ann[1] an *adv* there, *tá an t-earrach ~* it is spring, *nuair a bhí m'athair ~* when my father was alive, *nuair a tháinig ~ dó* when he grew up, *ná bí ~* as don't dither, *ag dul ~* going there, *níl ~ ach sin* that is all there is to it

ann[2] a(:)n *s, in ~ rud a dhéanamh* able to do sth, *in ~ aige* a match for him

ann[3] an : **i**

annála ana:lə *spl* annals

annálaí ana:li: *m*4 annalist

annamh anəv *a*1 rare, infrequent; unusual

anó 'an,o: *m*4 discomfort; distress, misery

anocht ə'noxt *adv & s & a* tonight

anoir ə'nor' *adv & prep & a* from the east, *an ghaoth ~* the east wind, *tháinig siad ~ agus aniar orainn* they took us front and rear

anóirthear ə'no:r'h'ər *adv & s & a* the day after tomorrow

anois ə'nos' *adv* now, *~ beag* just now

anóiteach 'an,o:t'əx *a*1 uncomfortable; miserable

anonn ə'non *adv & prep & a* over, to the other side, *~ go Meiriceá* over to America, *~ agus anall* to and fro, *tá sé ag dul ~ sa lá* it is getting late in the day

anord 'an,o:rd *m*1 chaos

anordúil 'an,o:rdu:l' *a*2 chaotic

anraith anrəh *m*4 soup; broth

anró 'an,ro: *m*4 hardship; wretched condition

anróiteach 'an,ro:t'əx *a*1 severe, inclement; distressing

ansa ansə *a*3 dearest, most beloved

ansacht ansəxt *f*3 love; loved one

anseo ən''s'o *adv* here, *ár seal ~* our time in this life

ansin ən''s'in' *adv* there; then, *~ féin* even then

ansiúd ən''s'u:d *adv* yonder; there

ansmacht 'an,smaxt *m*3 tyranny

ansmachtaigh 'an,smaxti: *vt* bully

anta(i)- antə *pref* anti-

antaibheathach 'antə,v'ahəx *m1 & a1* antibiotic

antaiseipteach 'antə,s'ep'tə'x *a1* antiseptic

antaiseipteán 'antə,s'ep't'a:n *m1* antiseptic

Antartach ,an'tartəx *m1 & a1* Antarctic

antlás 'an,tla:s *m1* greed, covetousness

antlásach 'an,tla:səx *a1* greedy, covetous

antoisceach 'an,tos'k'əx *m1* extremist *a1* extreme

antraicít antrək'i:t' *f2* anthracite

antraipeolaíocht 'antrəp',o:li:(ə)xt *f3* anthropology

antrapóideach 'antrə,po:d'əx *m1 & a1* anthropoid

antrasc 'an,trask *m1* anthrax

antráth 'an,tra: *m3, pl ~ anna* inopportune moment; late hour

antráthach 'an,tra:həx *a1* late, untimely

anuas an'uəs *adv & prep & a* down, *teacht ~* to come down, *le bliain ~* for the past year, *ná tarraing ~ an scéal sin* don't mention that matter, *leag ~ ar an mbord é* lay it down on the table

anuasal 'an,uəsəl *m1, pl -uaisle* low-born person *a1, gsf, npl & comp -uaisle* low-born, ignoble

anuraidh ə'nuri: *adv & s & a* last year

aodh i: *f4, ~ thochais* nettlerash, hives

aoi i: *m4, pl aíonna* guest, lodger

aoibh i:v' *f2* smile; pleasant expression

aoibheall i:v'əl *m1* gambolling, *tá na ba ag ~* the cows are gadding

aoibhinn i:v'ən' *a1, gsf, npl & comp -bhne* delightful, blissful, *is ~ duit* it is well for you

aoibhiúil i:v'u:l' *a2* pleasant, smiling

aoibhneas i:v'n'əs *m1* bliss, delight

aoileach i:l'əx *m1* dung, farmyard manure

Aoine i:n'ə *f4, pl -nte* Friday, *~ an Chéasta* Good Friday

aoir i:r' *f2, pl aortha* lampoon, satire

aoire i:r'ə *m4* shepherd; pastor

aoirigh i:r'i: *vt, vn -reacht* shepherd, herd

aois i:s' *f2, pl ~ eanna* age, *tá sí bliain d' ~* she is a year old, *an fichiú h~* the twentieth century

aol i:l *m1, ~ ta* lime, *~ beo* quicklime *vt* whitewash

aolchloch i:l,xlox *f2* limestone

aolchoinneal 'i:l,xon'əl *f2, gs & pl -nnle* stalagmite

aolchuisne 'i:l,xis'n'ə *m4* stalactite

aolmhar i:lvər *a1* containing lime: limewhite

aon¹ i:n *m1, pl ~ ta* one; one person or thing, *a h~* one, *a h~ déag* eleven, *uimhir a h~* number one, *gach ~* everyone, *mar ~ le* in addition to, *an t-~ muileata* the ace of diamonds *num a* one, any, *~ mhac amháin* one son, *in ~ áit* anywhere, *an bhfuil ~ arán agat?* have you any bread? *ní raibh ~ airgead agam* I had no money, *d' ~ ghuth* unanimously, *d' ~ ghnó, d' ~ turas* deliberately

aon-² i:n *pref* one, uni-, mono-

aonach i:nəx *m1, pl -ntaí* fair; assembly

aonad i:nəd *m1* unit

aonar i:nər *m1, tá mé i m' ~* I am by myself, alone, *duine aonair* one, lone, person, *scileanna aonair* individual skills

aonarach i:nərəx *a1* single, solitary, lone

aonarán i:nəra:n *m1* solitary person

aonaránach i:nəra:nəx *a1* alone, solitary

aonbheannach 'i:n,v'anəx *m1* unicorn

aonchéileachas 'i:n,x'e:l'əxəs *m1* monogamy

aonchineálach 'i:n,x'in'a:ləx *a1* homogeneous

aonghin 'i:n,γ'in' *f2* only-begotten (child)

aonghnéitheach 'i:n,γ'n'e:həx *a1* of the same character; uniform

aonraic i:nrək' *a1* solitary; alone

aonraigh i:nri' *vt* isolate

aonréad 'i:n,re:d *m1* solo

aonréadaí 'i:n,re:di: *m4* soloist

aonta i:ntə *a3* one; single

aontacht i:ntəxt *f3* unity; union; unanimity;

Aontachtaí i:ntəxti: *m4* Unionist

aontaigh i:nti' *vt & i* unite; agree

aontaitheach i:ntihəx *a1* assenting, agreeing

aontaobhach 'i:n,ti:vəx *a1* unilateral

aontas i:ntəs *m1* union

aontíos 'i:n't'i:s *m1* cohabitation

aontumha 'i:n,tu:ə *f4* celibacy *a3* celibate

aonú i:nu: *num a* first, *an t-~ háit* the first place

aor i:r *vt* satirize, lampoon

aorach i:rəx *a1* satirical

aorthóir i:rho:r′ *m3* satirist, lampooner

aos i:s *m3* people, folk

aosaigh i:si: *vi* age; come of age

aosánach i:sɑ:nəx *m1* youth; youngster

aosta i:stə *a3* aged, old

aothú i:hu: *m4* crisis (in sickness)

ápa a:pə *m4* ape

apacailipsis 'apə,kal′əp′s′əs′ *m4* apocalypse

apacailipteach 'apə,kal′əp′t′əx *a1* apocalyptic

apacrafúil 'apə,krafu:l′ *a2* apocryphal

apaigí 'apə,g′i: *m4* apogee

apaipléis 'apə,p′l′e:s′ *f2* apoplexy

apsaint apsən′t′ *f2* absinth(e)

ar¹ er′ *prep, pron forms* **orm** orəm, **ort** ort, **air** er′ *m*, **uirthi** erhi *f*, **orainn** orən′, **oraibh** orəv′, **orthu** orhu on, in, at, *ar mo chúl* behind me, *ar ancaire* anchored, *ar aon aigne* of one mind, *ar meisce* drunk, *ar fheabhas* excellent, *ar mhná áille na hÉireann* one of the most beautiful women in Ireland, *ar dhath an róis* rose-coloured, *ar leathshúil* having only one eye, *ar ghrá Dé* for the love of God, *ar m'anam* by my soul, *duine ar fhichid* twenty-one persons, *ar aghaidh* forward, *ar sodar* trotting, *ar éirí dom* when I get, up, *tá ceann air* it has a head, *tá orm labhairt leis* I must speak to him, *tá tuirse air* he is tired, *cad tá ort?* what's wrong with you? *bhí rí ar Éirinn* there was a king of Ireland, *tá punt agam air* he owes me a pound, *tá sneachta air* it is going to snow, *tá sí ceanúil ar pháistí* she is fond of children

ar² er′ *defective v* said, says, *ar seisean* said he

ar³ ər† *rel part, an gort ar cuireadh an síol ann* the field in which the seed was sown *rel pron, ar cheannaigh sé* all that he bought

ar⁴ ər† *interr vb part, ar bhris tú é?* did you break it?

ar⁵ ər† : **is**

ár¹ a:r *m1* slaughter; havoc

ár² a:r *poss a* our

ara¹ arə *m4* charioteer

ara² arə *m4,* (of head) temple

ára a:rə *f, gs & gpl* ~ **nn,** *npl* ~ **nna** kidney *pl* loins; vitals

árach¹ a:rəx *m1* bier, litter

árach² a:rəx *m1* fetter; security; advantage

árachaigh a:rəxi: *vt* insure

árachas a:rəxəs *m1* insurance

arae a:′re: *conj & adv* because; however

aragail arəgəl′ *f2* ledge

arai¹ ari: *f, gs* ~ **on** *pl* ~ **onacha** bridle *pl* reins, *duine a thabhairt ar a* ~ **onacha** to bring a person under control

arai² ari: *f4* appearance

araicis arək′əs′ *f2, dul in* ~ *duine* to go to meet a person

araiciseach arək′əs′əx *a1* hasty, short-tempered

araid arəd′ *f2* bin, chest

araile ə′ril′ə *pron, agus* ~ et cetera

araíonacht ari:nəxt *f3* restraint

aralt arəlt *m1* herald

araltach arəltəx *a1* heraldic

araltas arəltəs *m1* heraldry

arán ara:n *m1* bread, *tá a chuid aráin ite* it is all up with him

aran arən *m1* feeling

aranta arəntə *a3* irritable, ill-humoured

araon ə′ri:n *adv* both, *sinn* ~ both of us

ararút arəru:t *m1* arrowroot

áras a:rəs *m1* habitation; house, building, *árais tí* household vessels

árasán a:rasa:n *m1* apartment; flat

áraslann a:rəslən *f2* block of flats

arbhar arəvər *m1* corn, cereals, ~ *Indiach* maize

arcán arka:n *m1* piglet

ard¹ a:rd *m1, npl* ~ **a** height, hillock; top, high part, *in* ~ *a réime* at the peak of his career, *os* ~ openly, publicly *a1* high, tall; loud, *farraige* ~ rough sea, *tá a shúil* ~ he is ambitious, *go h* ~ *sa tráthnóna* in mid-afternoon, ~ *i bhfarraige* far out to sea

ard-² a:rd *pref* arch-, high, chief; noble

ardaigh a:rdi: *vt & i* raise; increase, *cnoc a ardú* to ascend a hill, ~ *leat é* take it away with you

Ard-Aighne 'a:rd′ain′ə *m4* Attorney-General

ardaitheach a:rdihəx *a1* ascendant, ascending

ardaitheoir a:rdiho:r′ *m3* lifter; lift, elevator

ardán a:rda:n *m1* height; platform; stage; stand; terrace (of houses)

ardbhrú 'a:rd'vru: *m4* high pressure, ~ *fola* high blood-pressure

ardchathair 'a:rd'xahər *f*, *gs* **-thrach** *pl* **-thracha** metropolis

ardcheannas 'a:rd'x'anəs *m1* supremacy

ardchlár 'a:rd'xla:r *m1* plateau

ardeaglais 'a:rd'agləs *f2* cathedral

ardeaspag 'a:rd'aspəg *m1* archbishop

Ard-Fheis 'a:rd'es' *f2*, *pl* ~ **eanna** national convention

ardintinneach 'a:rd,in't'ən'əx *a1* high-spirited; headstrong

ardmháistir 'a:rd'va:s't'ər *m4*, *pl* **-trí** headmaster

ardmháistreás 'a:rd'va:s't'r'a:s *f3* headmistress

ardmhéara 'a:rd'v'e:rə *m4* lord mayor

ardnósach 'a:rd,no:səx *a1* grand, pompous; formal

ardteistiméireacht 'a:rd(d),t'es't'əm'e:r'əxt *f3* leaving certificate

ardtráthnóna 'a:rd(d),tra:'no:nə *m4* mid-afternoon

ardú a:rdu: *m4* elevation; exaltation, excitement, ~ *tuarastail* increase in salary, ~ *céime* promotion

aréir ə're:r' *adv & s a* last night

argain arəgən' *f3* destruction, plunder

argóint arəgo:n't' *f2* argument

aris ə'r'i:s' *adv* again; afterwards, *faoin am seo* ~ by this time next year

arm arəm *m1* arm, weapon; implement; army, *faoi* ~ under arms

armach arəmax *a1* armed

armadóir arəmədo:r' *m3* armourer, arms manufacturer

armadóireacht arəmədo:r'əxt *f3* manufacture of arms

armáid arəma:d' *f2* armada

armáil arəma:l' *f3* armament *vt* arm

armas arəmas *m1* coat of arms; shield

armchúirt 'arəm,xu:rt' *f2*, *pl* ~ **eanna** court martial

armlann arəmlan *f2* armoury, magazine

armlón 'arəm,lo:n *m1* ammunition

armóin arəmo:n' *f2* harmony; harmonium

armónach arəmo:nəx *a1* harmonic

armónaigh arəmo:ni: *vt* harmonize

armúr arəmu:r *m1* armour

armúrtha arəmu:rhə *a3* armoured

arna a(:)rnə *used with vn*, ~ *chríochnú*

dom when I had completed it, ~ *fhoilsiú ag* published by

arócar aro:kər *m1* Chile pine, monkey-puzzle

arracht arəxt *m3* spectre, monster; giant; juggernaut

arrachtas arəxtas *m1* brawn, strength

arraing arəŋ' *f2*, *pl* ~ **eacha** stabbing pain, stitch in side, *in* ~ *eacha an bháis* in the throes of death

arsa ərsə *defective v* said, says, ~ *mise* said I

ársa a:rsə *a3* ancient; aged

ársaíocht a:rsi:(ə)xt *f3* old age; antiquarianism

ársaitheoir a:rsiho:r' *m3* antiquarian

arsanaic arsənək' *f2* arsenic

art art *m1* stone, *chomh marbh le h* ~ stone dead

Artach artax *m1 & a1* Arctic

artaire artər'ə *m4* artery

artaireach artər'əx *a1* arterial

árthach a:rhəx *m1*, *pl* **-aí** vessel, boat; container

artola 'art,olə *f4* petrol

arú aru: ~ *inné* the day before yesterday, ~ *amárach* the day after tomorrow

arúil aru:l' *a2* arable

as¹ as *prep & adv*, *pron forms* **asam** asəm, **asat** asət, **as** as *m*, **aisti** as't'i *f*, **asainn** asən', **asaibh** asəv', **astu** astu out of, from, *abair as Gaeilge é* say it in Irish, *aithním as a shiúl é* I recognize him by his walk, *tá siad géar as a mbarr* they are sharp at the top, *tá sé as aithne* he is unrecognizable, *as baile* away from home, *moladh iad as a gcineáltas* they were praised for their kindness, *bíodh dóchas agat as Dia* trust God, *as a chéile* one after another, *thit siad as a chéile* they fell apart, *as go brách leis* off he went, *tá sé ag dul as* he is fading away, *go maith as* well-off

as² as : **as¹**

asaíobh asəv' : **as¹**

asainn asən' : **as¹**

asáitigh 'as,a:t'i: *vt* dislodge

asal asəl *m1* ass, donkey

asam asəm : **as¹**

asanálaigh 'as,ana:li: *vt & i* exhale

asarlaí asərli: *m4* sorcerer; conjurer

asarlaíocht asərli:(ə)xt *f3* sorcery; conjuring tricks

asat asət : **as**[1]

asbheir 'as,v'er' *vt*, *vn* **-bhreith** deduce

ásc a:sk *s*, *ar an gcéad* ~ at the first attempt, in the first instance

ascaill askəl' *f2* armpit; recess; avenue (of houses), ~ *mhara* an arm of the sea

aschur 'as,xur *m1* output

asclán askla:n *m1* armful; gusset

asfalt asfəlt *m1* asphalt

aslonnaigh 'as,loni: *vt* evacuate

aslonnú 'as,lonu: *m4* evacuation

asma asmə *f4* asthma

aspairín aspər'i:n' *m4* aspirin

aspal aspəl *m1* apostle

aspalachd aspələxt *f3* apostolic; apostolate

aspalda aspəldə *a3* apostolic

aspalóid aspəlo:d' *f2* absolution

asparagas 'as,parəgəs *m1* asparagus

asplanád aspləna:d *m1* esplanade

astaróideach astəro:d'əx *m1 & a1* asteroid

astitím 'as,t'it'əm' *f2* (atomic) fall-out

astralaí astrəli: *m4* astrologer

astralaíoch astrəli:(ə)x *a1*, *gsm* ~ astrological

astralaíocht astrəli:(ə)xt *f3* astrology

astu astu : **as**

at *m1*, *pl* **atanna** swelling *vi* swell; bloat

atá ə'ta: *pres rel of* **bí**

atáirg 'a,ta:r'g' *vt* reproduce

atáirgeach 'a,ta:r'g'əx *a1* reproductive

atáirgeadh 'a,ta:r'g'ə *m* reproduction

ath- ah ~ a[+] *pref* re-, second; old, ex-; return, counter-; later, after

áth a: *m3*, *pl* ~**anna** ford; spawning bed (in river); opening

athair[1] ahər' *m*, *gs* -ar *pl* **aithreacha** father; ancestor, ~ *críonna*, ~ *mór* grandfather

athair[2] ahər' *f*, *gs* **athrach** creeper

áthán a:ha:n *m1* anus

athaontaigh 'ah,i:nti: *vt* reunite

athaontú 'ah,i:ntu: *m* reunion

athartha aharhə *f4* fatherland

athartha[2] aharhə *a3* paternal, ancestral

atharthacht aharhəxt *f3* paternity

áthas a:həs *m1* joy, gladness

áthasach a:həsəx *a1* glad, joyful

athbheochan 'a,v'o:xən *f3* revival, A~ *an Léinn* the Renaissance

athbheoigh 'a,v'o:γ' *vt* revive, reanimate

athbhliain 'a,v'l'iən' *f3* coming, new, year

athbhreithnigh 'a,v'r'ehn'i: *vt* review, revise

athbhreithniú 'a,v'r'ehn'u: *m* review, revision

athbhrí 'a,v'r'i: *f4* renewed vigour; ambiguity

athbhríoch 'a,v'r'i:(ə)x *m1* tonic *a1*, *gsm* ~ stimulating; tonic; ambiguous

athbhuille 'a,v'il'ə *m4* counterblow; palpitation; relapse

athbhunú 'a,vunu: *m4* re-establishment, restoration

athchaint 'a,xan't' *f2* backbiting; impudence

athchairdeas 'a,xa:rd'əs *m1* reconciliation

athchaite 'a,xat'ə *a3* worn-out; cast-off

athcheannaí 'a,x'ani: *m4* second-hand dealer

athchluiche 'a,xlix'ə *m4*, (*of match*) replay

athchogain 'a,xogən' *vt & i pres* **-gnaíonn** ruminate, chew the cud

athchogantach 'a,xogəntəx *m1 & a1* ruminant

athchóirigh 'a,xo:r'i: *vt* rearrange; restore, renovate

athchomhair 'a,xo:r' *vt*, *vn* ~ **eamh** recount, recalculate

athchomhairle 'a,xo:r'l'ə *f4* change of mind

athchraiceann 'a,xrak'ən *m1*, *pl* **-cne** veneer

athchuimhne 'a,xiv'n'ə *f4* reminiscence

athchuir 'a,xir' *vt*, *vn* **-chur** replant; remand; replace

athchum 'a,xum *vt* reconstruct; distort

athchuma 'a,xumə *f4* transformation; distortion

athchur 'a,xur *m1* remand

athdhúchas 'a,γu:xəs *m1* atavism

athdhúchasach 'a,γu:xəsəx *a1* atavistic

athféar 'ah,e:r *m1* aftergrass

athfhill 'ah,il' *vt & i* recur; refold

athfhillteach 'ah,il't'əx *a1* recurring, recurrent

athfhreagra 'a,r'agrə *m4* rejoinder

athfhriotal 'a,r'itəl *m1* quotation

athghabh 'a,γav *vt*, *vn* ~**áil** recapture; recover (possession)

athghabháil 'a,γava:l' *f3* recapture; recovery

athghairm 'a,ɣar'əm' f2, pl ~eacha encore; repeal

athghlaoigh 'a,ɣli:ɣ' rt, rn -aoch recall

athiomrá 'ah,imra: m4 backbiting; slander

athlá 'a,la: s, rud a chur ar ~ to put off sth to another day

athlámh 'a,la:v f2, ds -áimh, ar athláimh second-hand, culaith athláimhe cast-off suit

athlasadh 'a,lasə m, gs -sta inflammation

athleagan 'a,l'agən m1 paraphrase

athleáigh 'a,l'a:ɣ' rt remelt; (of metal) refine

athléim 'a,l'e:m' f2 rebound

athléimneach 'a,l'e:m'n'əx a1 resilient

athlíon 'a,l'i:n rt & i refill, replenish

athluaigh 'a,luəɣ' rt reiterate

athluaiteachas 'a,luət'əxəs m1 tautology

athmhagadh 'a,vagə m1 mimicry

athmhuintearas 'a,vin't'ərəs m1 reconciliation

athnuachan 'a,nuəxən f3 renewal; renovation; rejuvenation

athnuaigh 'a,nuəɣ' rt, rn -uachan renew, renovate; rejuvenate

athphlandaigh 'a,flandi' rt replant; transplant

athrá 'a,ra: m4, pl ~ite repetition, reiteration

athrach ahrəx m1 change, alteration; alternative, chomh dócha lena ~ as likely as not

athraigh ahri: rt & i change, alter; move

athraitheach ahrihəx a1 changeable, movable; variant

athraon 'a,ri:n rt refract

athrú ahru: m4 change, alteration; variation

athscinmeach 'a,s'k'in'əm'əx a1 elastic

athscinn 'a,s'k'in' rt spring back; recoil

athscinneadh 'a,s'k'in'ə m (of spring) recoil

athscríobh 'a,s'k'r'i:v rt rewrite, copy, transcribe

athshondach 'a,hondəx a1 resonant

athshondas 'a,hondəs m1 resonance

athsmaoineamh 'a,smi:n'əv m1, pl -nte afterthought, teacht ar ~ to change one's mind

athuair 'ah,uər' s as adv again, a second time

atit 'a,t'it' ri, rn ~im relapse

atitim 'a,t'it'əm' f2, pl ~eacha second fall; relapse

Atlantach ,at'lantəx a1 Atlantic

atlas atləs m1 atlas

atmaisféar 'atməs,f'e:r m1 atmosphere

atmaisféarach 'atməs,f'e:rəx a1 atmospheric

atóg 'a,to:g rt, rn ~áil rebuild; retake

atóin 'a,to:n' f3, (of vessel) false bottom

atráth 'a,tra: m3, rud a chur ar ~ to adjourn sth

atreorú 'a,t'r'o:ru: m4 diversion

atuirse 'a,tirs'ə f4 weariness; dejection

atuirseach 'a,tirs'əx a1 weary; dejected

aturnae atu:rne: m4, pl ~tha attorney, solicitor

B

b', ba¹ bə,b'⁺: is

ba² ba: bó

bá¹ ba: f4, pl ~nna bay; strip, ~ i monarcha bay in factory

bá² ba: f4 sympathy, liking

bá³ ba: m4 drowning; immersion, inundation, ~ tarta quenching of thirst

báb ba:b f2 maiden

babaí babi: m4 baby

bábánta ba:ba:ntə a3 babyish

babhdán bauda:n m1 bogeyman; scarecrow

babhla baulə m4 bowl

babhlaer baule:r m1 bowler (hat)

babhláil baula:l' rt & i bowl

babhlálai baula:li: m4, (sport) bowler

babhstar baustər m1 bolster

babhta bautə m4 bout, spell; occasion, ~ i sometimes

babhtáil bauta:l' f3 & rt exchange, swop, barter

bábhún ba:vu:n m1 bawn, walled enclosure; bulwark, breakwater

bábóg ba:bo:g *f2* doll
babún ˌba'bu:n *m1* baboon
bac bak *m1* balk, hindrance; barrier; ~ (*na tíne*) (fire-)hob *vt & i* balk, hinder, *ná ~ leo* let them alone; don't mind them
bacach bakəx *m1* lame person; beggar *a1* lame; halting
bacachas bakəxəs *m1* begging, sponging
bacadail bakədi:l' *f3* limping
bacadradh bakədrə *m1* limping, hobbling
bacaí baki: *f4* lameness, *céim bhacaí a bheith ionat* to have a limp
bácáil ba:ka:l' *vt* bake; fire (pottery)
bácáilt ba:ka'l'i:t' *f2* bakelite
bacainn bakən' *f2* barrier, obstacle
bacán baka:n *m1* crook; peg, post *ar na bacáin* in preparation, in train, *rud a iompar ar bhacán do láimhe* to carry sth over one's arm
bacart bakərt *m1* try square
bách ba:x *a1, gsm* ~ affectionate
bachaillín baxal'i:n' *m4* bacillus
bachall baxəl *f2* crook, staff; crozier; ringlet, *go barra* ~ in abundance
bachallach baxələx *a1* crooked; ringleted
bachlaigh baxli: *vi* bud
bachlóg baxlo:g *f2* bud, sprout
bachta baxtə *m4* turf-bank
baclainn baklən' *f2, pl* ~ **eacha** bent arm, ~ *mhóna* armful of turf, *bhí an leanbh ina, ar a, baclainn aici*, she was carrying the child in her arms
bacóide bako:d'ə *ar chos bhacóide* standing, hopping, on one leg
bacstaí baksti: *m4* boxty, bread made of raw potatoes
bácús ba:ku:s *m1* bakehouse, bakery; pot-oven
bád ba:d *m1* boat
badánach bada:nəx *a1* tufted
badhbh baiv *f2* war-goddess; vulture; carrion-crow, ~ *chaointe* banshee
badmantan badmantən *m1* badminton
bádóir ba:do:r' *m3* boatman
bádóireacht ba:do:r'əxt *f3* boating
bagair bagər' *vt & i, pres* -**graíonn** brandish; beckon; threaten; drive (animals)
bagairt bagərt' *f3, gs* -**artha** threat
bagáiste baga:s't'ə *m4* baggage
bagánta baga:ntə *a3* hale; spruce
baghcat 'bai̯kat *m1* boycott
baghcatáil 'bai̯kata:l' *vt* boycott

bagrach bagrəx *a1* threatening, menacing
bagún bagu:n *m1* bacon
baic bak' *f2*, ~ *an mhuiníl* nape of neck
baiceáil bak'a:l' *vt & i* back
báicéir ba:k'e:r' *m3* baker
báicéireacht ba:k'e:r'əxt *f3* baking
baicle bak'l'ə *f4* band of people; clique
baictéir bak't'e:r' *mpl* bacteria
baictéarach bak't'e:rəx *a1* bacterial
baictéareolaíocht 'bak't'e:r,o:li:(ə)xt *f3* bacteriology
baig bag' *vt* bag
báigh ba:γ' *vt* drown; submerge; sink; immerse; inundate, *báite i bhfiacha* sunk in debt
bail bal' *f2* prosperity; state, ~ *ó Dhia air* God bless him, *cuir ~ ar an teach* put the house in order, *gan bhail* invalid
bailbhe bal'əv'ə *f4* dumbness; stammering
bailc bal'k' *f2* downpour (of rain) *vt, vn* **balcadh**, pour down
bailchríoch 'bal',x'r'i:x *f2* finishing touch
baile bal'ə *m4, pl* -**lte** home; place, town, ~ *fearainn* townland, *arán* ~ home-made bread
bailé bal'e: *m4, pl* ~ **anna** ballet
baileabhair bal'aur' *s*, ~ *a dhéanamh de dhuine* to make a fool of a person
baileach bal'əx *a1* exact, *níl a fhios agam* ~ I don't know exactly, *ní* ~ *a bhí tú imithe* you had only just left
bailéad bal'e:d *m1* ballad
bailí bal'i: *a3* valid
bailigh bal'i: *vt & i* collect, gather, *ag bailiú oilc* festering, *bhailigh sé leis* he went off, *bailithe de rud* fed up with sth
bailitheacht bal'ihəxt *f3* boredom
bailitheoir bal'iho:r' *m3* collector
bailiúchán bal'u:xa:n *m1* collection, ~ *daoine* gathering of people
báille ba:l'ə *m4* bailiff
bain ban' *vt & i, vn* ~ **t** extract, dig out; reap, *gual a bhaint* to mine coal, *glas a bhaint* to open a lock, *clog a bhaint* to strike a bell, *duais a bhaint* to win a prize, *beatha a bhaint amach* to make a living, *nuair a bhain mé an teach amach* when I got to the house, *bhain sé gáire asam* he made me laugh, ~*fidh mé tamall as* it will do me for a while,

~ díot do hata take off your hat, ~t de rud to shorten, reduce, sth, ní bhaineann sé duit it doesn't concern you, bhain taisme dó he met with an accident, tá costas ag ~t leis it involves expense, ~eadh siar as he was taken aback ~t faoi dhuine to appease, pacify, a person

baincéir baŋ´k´e:r´ m3 banker

baincéireacht baŋ´k´e:r´əxt f3 banking

baineanda ban´əndə a3 effeminate

baineann ban´ən al female; effeminate

baineannach ban´ənəx m1& al female

báiní ba:n´i: f4 wildness, frenzy, dul le ~ to become furious

báinín ba:n´i:n´ m4 woven woollen cloth, homespun; flannel; white homespun jacket

baininscneach ban´ən´s´k´n´əx al feminine (gender)

bainis ban´əs´ f2, pl ~eacha wedding (-feast) ~ bhaiste christening party

bainisteoir ban´əs´t´o:r´ m3 manager

bainisteoireacht ban´əs´t´o:r´əxt f3 managing; managership

bainistí ban´əs´t´i: f4 thrift

bainisticeacht ban´əs´t´i:(ə)xt f3 thriftiness

bainistreás ban´əs´t´r´a:s f3 manageress

bainne ban´ə m4 milk, ~ bó bleachtáin cowslip, ~ caoin spurge

bainniúil ban´u:l´ a2 milky; milk-yielding

báinseach ba:n´s´əx f2 green; lawn

bainseo ban´s´o: m4, pl ~nna banjo

baint ban´t´ f2 connection; relevance; harvesting, gathering

báinté ˌba:n´´t´e: s, tá an fharraige ina ~ the sea is dead calm

bainteach ban´t´əx al, ~ le rud involved in, relative to, sth

bainteoir ban´t´o:r´ m3 digger; reaper; picker

baintreach ban´t´r´əx f2 widow, ~ fir widower

baintreachas ban´t´r´əxəs m1 widowhood

báíocht ba:i:(ə)xt f3 sympathy

bairdéir ba:rd´e:r´ m3 warder

báire ba:r´ə m4 match, contest; hurling match; goal, i dtús ~ at the onset, i lár ~ in the middle, i ndeireadh ~ when all was over, cúl ~ goalkeeper

bairéad bar´e:d m1 biretta; cap

báireoir ba:r´o:r´ m3 player; hurler

bairille bar´əl´ə m4 barrel

bairín bar´i:n´ m4 loaf, ~ breac barm-brack

bairneach ba:rn´əx m1 limpet

bairrín ba:r´i:n´ m4 mitre

báirse ba:rs´ə m4 barge

báirseach ba:rs´əx f2 scold, shrew, virago

báirseoir ba:rs´o:r´ m3 water-, game-, keeper; nagging person

báisín ba:s´i:n´ m4 basin

baisleac bas´l´ək f2 basilica

baist bas´t´ vt baptize, christen; name

baiste bas´t´ə m4 baptism

Baisteach bas´t´əx m1 Baptist

báisteach ba:s´t´əx f2 rain; rainfall, tá ~ air it's going to rain

baisteadh bas´t´ə m, gs baiste pl -tí baptism; christening party

baistí bas´t´i: a3 baptismal, athair ~ godfather

báistigh ba:s´t´i: vi rain

báistiúil ba:s´t´u:l´ a2 rainy

báiteach ba:t´əx al watery; pale, wan; (of colour) pastel

baithis bahəs´ f2 top, crown (of head), forehead

baitic bat´ik´ f2 batik

baitín bat´i:n´ m4 conductor's baton

baitsiléir bat´s´əl´e:r´ m3 bachelor

balaistíocht balas´t´i:(ə)xt f3 ballistics

balastar baləstər m1 baluster pl banister(s)

balastráid baləstra:d´ f2 balustrade

balbh baləv al dumb; inarticulate; (of sound) dull

balbhán baləva:n m1 dumb person; stammerer

balc balk m1 balk, beam; hard substance

balcais balkəs´ f2 clout, rag; garment

balcóin balko:n´ f2 balcony

ball bal m1 organ (of body); component part; place; spot, mark, ~ acra tool, ~ dobhráin mole, baill bheatha vitals, ~ de chumann member of a society, ~ éadaigh article of clothing, garment, ~ séire mess; bungler, i m~ éigin somewhere, ar ~ (beag) a (little) while ago; presently

balla balə m4 wall

ballach¹ baləx m1 wrasse

ballach² baləx al spotted, speckled

ballán bala:n m1 teat

ballasta baləstə m4 ballast

ballbhrúigh ˈbalˌvru:ɣ´ vt bruise

ballchrith 'bal,x'r'ih s, ar ~ trembling all over

ballnasc 'bal,nask m1 ligament

ballóg balo:g f2 roofless house, ruin

ballóid balo:d' f2 ballot

ballraíocht balri:(ə)xt f3 membership

balsam balsəm m1 balsam, balm

balsamaigh balsəmi: vt embalm

balscóid balsko:d' f2 blotch; blister

bálta ba:ltə m4 welt (of shoe)

balún balu:n m1 balloon

bambach bambəx a1 tiresome, frustrating

bambú bambu: m4, gs ~ **nna** bamboo

ban-¹ ban pref female, -ess, -rix

ban² ban : **bean**

bán¹ ba:n m1, pl ~**ta** lea, grassland; uncultivated land

bán² ba:n m1 white a1 white; whiteheaded, fair, airgead ~ silver money, sioc ~ hoar-frost, leathanach ~ blank page, tá béal ~ aige he is plausible, tá an áit ~ the place is deserted

ban-ab 'ban,ab f3 abbess

banaí bani: m4 ladies' man; lady-killer

bánaí¹ ba:ni: m4 albino

bánaí² ba:ni: s, ~ a dhéanamh (le páiste) to pet (a child)

bánaigh ba:ni: vt & i whiten; clear out, bhánaigh an lá the day dawned, tá an áit á bánú the place is becoming deserted, ag bánú na tíre laying waste the country

banaltra banəltrə f4 nurse

banaltracht banəltrəxt f3 nursing

banana bo'nanə m4 banana

banbh banəv m1 piglet, bonham

bánbhuí 'ba:n,vi: a3 cream-coloured

banc bank m1 bank

bancáil bankaːl' vt bank

banchliamhain 'ban,x'l'iəvən' m4, pl ~**eacha** daughter-in-law

banda¹ bandə m4 band

banda² bandə a3 womanly, feminine

bándearg 'ba:n,d'arəg a1 pink

bandia 'ban,d'iə m, gs -**dé** pl -**déithe** goddess

banéigean ba,e:g'ən m4 rape

bangharda 'ban,ɣa:rdə m4 policewoman

bánghlóthach 'ba:n,ɣlo:həx f2 blancmange

banimpire 'ban,im'p'ər'ə m4 empress

banlámh 'ban,la:v f2 cubit

banna¹ banə m4 band (of musicians)

banna² banə m4 bond, binding, dul i mbannaí ar dhuine to go bail for a person, ~í pósta marriage banns

bannóir bano:r' m3 bondholder

banóglach 'ban,o:gləx m1 girl guide, ~ an Tiarna the handmaid of the Lord

banóstach 'ban,o:stəx m1 hostess

banphrionsa 'ban,f'r'insə m4 princess

banrach banrəx f2 enclosed field (for animals); paddock

banríon 'ban,ri:n f3, pl ~**acha** queen

bantam bantəm m1 bantam

bantiarna 'ban',t'iərnə f4 (titled) lady

bantracht bantrəxt f3 womenfolk

bánú ba:nu: m4 whitening; dawning; clearance, dispersal

banúil banu:l' a2 womanly, ladylike; modest

banúlacht banu:ləxt f3 womanliness; womanhood; modesty

baoi bi: m4, pl ~**the** buoy; float of fishing-net

baois bi:s' f2 folly

baoite bi:t'ə m4 bait

baoiteáil bi:t'a:l' vt bait

baoiteálaí bi:t'a:li: m4 hanger-on

baol bi:l m1 danger, nil sé lán ná ~ air it is not nearly full, is beag an ~ air é a dhéanamh he is hardly likely to do it

baolach bi:ləx a1 dangerous, is ~ nach bhfuil sé ag teacht I'm afraid he's not coming

baosra bi:srə m4 folly; idle boasting, tá sé le ~ he is in a rage

baoth bi: a1 foolish; vain

baothánta bi:ha:ntə a3 foolish; fatuous

baothdhána 'bi:,ɣa:nə a3 foolhardy

baothghalánta 'bi:,ɣala:ntə a3 snobbish

bara barə m4 barrow, ~ rotha wheelbarrow

baracáid baraka:d' f2 barricade

baraíd bari:d' s, pl ~í ur ~ í,ug ~ ar, rud a dhéanamh on the point of doing sth

baraiméadar 'bara,m'e:dər m4 barometer

barainneach barən'əx a1 thrifty; parsimonious, nil a fhios agam go ~ I do not know exactly

barainneacht barən'əxt f3 economy, thrift

baráiste bara:sˈtˈə *m4* barrage

baránta bara:ntə *m4* warranty

barántas bara:ntəs *m1* warrant; warranty, authority

barántúil bara:ntu:lˈ *a2* trustworthy; authentic

baratón barəto:n *m1* baritone

barbarach barəbərəx *m1 & a1* barbarian

barbartha barəbərhə *a3* barbarous; (*of speech*) coarse

barbarthacht barəbərhəxt *f3* barbarity, ~ *chainte* coarse speech

bárc ba:rk *m1* bark, ship

bárcadh ba:rkə *s, ag* ~ *allais* streaming with perspiration

bard ba:rd *m1* bard

barda¹ ba:rdə *m4* garrison; guard

barda² ba:rdə *m4* (hospital, city) ward

bardach ba:rdəx *m1* warden

bardal ba:rdəl *m1* drake

bardas ba:rdəs *m1* municipal authority, corporation

bardasach ba:rdəsəx *m1* alderman *a1* municipal

barr ba:r *m1, npl* ~ **a** tip, point; top; surface; crop, *i m* ~ *a réime* at the height of his career, *tá an teach ar bharr (amháin) lasrach* the house is all aflame, *de bharr* as a result of, because, *dá bharr sin* consequently, *le* ~ *sainte* out of sheer greed, *mar bharr ar an ádh* as luck would have it, *thar* ~ excellent, *dhíol sé thar* ~ *amach é* he sold it outright, ~ *láin (mhara)*, ~ *taoide* high tide; high-water mark

barra barə *m4* bar

barrach barəx *m1*, (*of flax, hemp*) tow

barrachas barəxəs *m1* predominance; surplus

barraicín barəkˈi:nˈ *m4* tip, toe (of foot, stocking) toe-cap (of boot, shoe), *ag siúl ar do bharraicíní* walking on tiptoe

barraíl bari:lˈ *f3* loppings; husky grain; waste

barraíocht bari:(ə)xt *f3* excess, *tá punt de bharraíocht ann* it is a pound over, *duine a bharraíocht* to beat a person

barrchaite 'ba:rˌxatˈə *a3* threadbare

barrchaolaigh 'ba:rˌxi:lˈi: *vt* taper

barrchéim 'ba:rˌxˈe:mˈ *f2* climax; apogee

barriall 'ba:rˌiəl *f2, gs* -**rréille** *pl* ~ **acha** bootlace, shoelace

barrliobar 'ba:rˌlˈibər *m1* numbness of fingers

barrloisc 'ba:rˌlosˈkˈ *vt, vn* -**oscadh** singe

barróg ba:ro:g *f2* hug; wrestling grip

barrshamhail 'ba:rˌhaulˈ *f3, gs* -**amhla** *pl* -**amhlacha** ideal

barrsheol ba:rˌxˈo:l *m1, pl* ~ **ta** topsail

barrthuairisc 'ba:rˌhuərˈəsˈkˈ *f2* additional information

barrthuisle 'ba:rˌhisˈlˈə *m4* stumble

barrúil baru:lˈ *a2* gay; funny; droll

barúil baru:lˈ *f3, pl* -**ulacha** opinion, *tá* ~ *aithne agam air* I think I know him

barúlach baru:ləx *a1* opinionated

barún baru:n *m1* baron

barúntacht baru:ntəxt *f3* barony

bas bas *f2, (fish)* ~ *(gheal)* bass

bás ba:s *m1, pl* ~ **anna** death, *go* ~ until death, *tá eagla a bháis air roimh thaibhsí* he is in mortal fear of ghosts

basadóir basado:rˈ *m3* match-maker

básaigh ba:si: *vt & i* put to death, execute; die

basár bəˈsa:r *m1* bazaar

basc bask *vt* bash; crush

bascadh baskə *m* bashing; severe injury, ~ *air* the devil take him

bascaed baske:d *m1* basket

básmhaireacht ba:svərˈəxt *f3* mortality

básmhar ba:svər *a1* mortal

básta ba:stə *m4* waist; bellyband

bastallach bastələx *a1* bombastic; captious

bastard bastərd *m1* bastard, ~ *madra* mongrel

bástcóta 'ba:stˌko:tə *m4* waistcoat

bastún bastu:n *m1* lout

bású ba:su: *m4* execution

basún basu:n *m1* bassoon

bata batə *m4* stick; baton, ~ *is bóthar a thabhairt do dhuine* to dismiss a person summarily, to sack a person

bataire batərˈə *m4* battery

batráil batra:lˈ *vt* batter

báuíl ba:u:lˈ *a2* sympathetic

bé bˈe: *f4, pl* ~ **ithe** maiden

béabhar bˈe:vər *m1* beaver

beacán bˈaka:n *m1* mushroom, ~ *bearaigh* toadstool

beach bˈax *f2* bee

beachaire bˈaxərˈə *m4* bee-keeper

beachlann bˈaxlən *f2* apiary

beacht b'axt *a*l, *gsm* ~ exact, precise, accurate

beachtaigh b'axti: *vt* correct, *ag beachtú orm* criticizing me

beachtaíoch b'axti:(ə)x *a*l, *gsm* ~ critical, captious

beachtaíocht b'axti:(ə)xt *f*3 exactitude; criticism

beachtas b'axtəs *m*l accuracy, precision

beadaí b'adi: *m*4 gourmet *a*3 sweet-toothed, fastidious, *bia* ~ dainty food

beadaíocht b'adi:(ə)xt *f*3 fastidiousness (about food); dainties

béadán b'e:da:n *m*l gossip; slander: worry

béadchaint 'b'e:d,xan't' *f*2 slander

beag¹ b'eg *m*l, *pl* ~anna little; small amount, *ar a bheag* at least, *ná déan a bheag díot féin* don't demean yourself, *is* ~ *a tháinig* few came *a*l, *comp* **lú** little, small; junior, lesser, *is* ~ *le rá é* it is not worth mentioning, *is é is lú is gann duit é* it's the least you might do, *ní* ~ *sin* that's enough, *is* ~ *orm é* I don't like it, *anois* ~ just now, *is* ~ *áit is deise* there are few nicer places, *is* ~ *nár thit mé* I nearly fell, *nach* ~ almost *ach chomh* ~ either, neither

beag-² b'eg *pref* small; -less; un-, in-

beagán b'ega:n *m*l little, *i m~ focal* in a few words

beagdheis 'b'eg,γ'es' *f*2, *grúpaí* ~*e* underprivileged groups

beagmhaitheasach 'b'eg,vahəsəx *a*l useless, worthless; disobliging

beagnach b'egnax *adv* almost

beagóinia b'ə'go:n'iə *f*4, *pl* ~**nna** begonia

beaguchtach 'b'eg,uxtəx *m*l lack of courage, *ná cuir* ~ *air* don't dishearten him

beaichte b'axt'ə *f*4 exactitude

beaignit b'ag,n'ət' *f*2 bayonet

beairic b'ar'ək' *f*2 barrack(s)

béal b'e:l *m*l, *pl* ~**a** *in certain phrases* mouth, opening, entrance; lip, ~ *bán* soft talk, ~ *scine* edge of knife, ~ *cruaiche* open end of stack, ~ *salach* thrush, ~ *gan scáth* blabber, ~ *tuile* hydrant, *i m~ na doininne* in the teeth of the storm, *dul ar bhéal, ar bhéala, duine* to go over a person's head; to take precedence over a person, *i m~*

a mhaitheasa in his prime, *i m~, i mbéala, báis* at death's door

bealach b'aləx *m*l, *pl* -**aí** way, road; pass; direction; manner, ~ *aeir* air route, ~ *isteach* way in, *cuireadh chun bealaigh é* he was sent off, sacked, *duine a chur ar bhealach a leasa* to advise a person for his own good, *as* ~ out of the way; wrong, *ar bhealach* in a way

bealadh b'alə *m*l grease, lubricant

bealaigh b'ali: *vt* grease, lubricate, *caint bhealaithe* unctuous speech

béalaithris 'b'e:l,ahr'əs' *f*2 oral account, tradition

béalbhach b'e:lvəx *f*2 bridle-bit, gun-wale; rim

béalchrábhadh 'b'e:l,xra:və *m*l lip-service to religion; hypocrisy

béalchráifeach 'b'e:l,xra:f'əx *a*l sanctimonious

béaldath 'b'e:l,dah *m*3, *pl* ~**anna** lipstick

béaliata 'b'e:l,iətə *a*3 tight-lipped, secretive

béalmhír 'b'e:l,v'i:r' *f*2, *pl* ~**eanna** (*tool*) bit

béalóg b'e:lo:g *f*2 small opening; (*of musical instrument*) mouthpiece

béaloideas 'b'e:l,od'əs *m*l oral tradition, folklore

béalscaoilte 'b'e:l,ski:l't'ə *a*3 indiscreet

Bealtaine b'altən'ə *f*4 May, *Lá* ~ May Day

bean b'an *f*, *gs & npl* **mná** *gpl* **ban** woman; wife, ~ *chabhrach* ~ *ghlúine*, midwife ~ *chéile* wife, ~ *rialta* nun, ~ *sí* banshee, ~ *tí* housewife; housekeeper, *a bhean uasal* madam, ~ *Uí Néill* Mrs. O'Neill

beangán b'aŋga:n *m*l young branch, shoot; scion; graft; prong

beann¹ b'an *f*2 horn, antler; prong

beann² b'an *f*2 regard; dependence, *tá mé beag* ~ *air* I have little regard for, little fear of, him

beann³ b'an **beanna** b'anə : **binn¹**

beannach b'anəx *a*l horned; peaked; gabled; angular

beannacht b'anəxt *f*3 blessing, greeting ~ (*na Naomhshacraiminte*) Benediction, ~ *Dé leat* God speed you, ~ *Dé lena anam* God rest his soul

beannachtach b'anəxtəx *a*l, *buíoch* ~ effusively grateful

beannaigh b'ani: *vt & i* bless; greet, *níl siad ag beannú dá chéile* they are not on speaking terms, *bheannaigh sé isteach chugainn* he called in to us

beannaithe b'aniha *a3* blessed, holy, *na hoird bheannaithe* the religious orders

beannaitheach b'anihax *a1* beatific

beannaitheacht b'anihaxt *f3* beatitude

beannú b'anu: *m4* blessing, greeting

beár b'a:r *m1* bar (in public house)

béar b'e:r *m1* bear

beara b'arə : **bior**

bearach b'arax *m1* heifer

bearbóir b'arəbo:r' *m3* barber

bearbóireacht b'arəbo:r'əxt *f3* hairdressing

béarfaidh b'e:rhi: *fut of* **beir**

béarla b'e:rlə *m4* speech, *B*~ English language

béarlachas b'e:rləxəs *m1* anglicism

béarlagair b'e:rləgər' *m4* jargon

Béarlóir b'e:rlo:r' *m3* English speaker

bearna b'a:rnə *f4* gap, ~ *mhil* hare-lip

bearnach b'a:rnəx *a1* gapped

bearnaigh b'a:rni: *vt* breach; broach; tap

bearnas b'a:rnəs *m1* gap, pass

bearr b'a:r *vt* clip; cut; shave; skim (milk)

bearradh b'a:rə *m*, ~ *gruaige* hair-cut, ~ *cainte* dressing-down

beart[1] b'art *m1*, *npl* ~**a** bundle; parcel

beart[2] b'art *m1*, *npl* ~**a** cast, move (in game); plan; action, *i mbearta crua* in evil plight, *tar éis na m*~ when all is said and done

beart[3] b'art *m3*, *pl* ~**anna** berth

beartach b'artax *a1* scheming; contriving

beartaigh b'arti: *vt & i* brandish; plan; consider

beartaíocht b'arti:(ə)xt *f3* scheming; ingenuity

beartán b'arta:n *m1* bundle, parcel

beartas b'artəs *m1* policy

beartú b'artu: *m4* plan, contrivance

béas[1] b'e:s *m3*, *gs & npl* ~**a** habit *pl* conduct, manners, *tá fios a bhéas aige* he knows how to behave

béas[2] b'e:s *m3* beige

béasach b'e:səx *a1* well-behaved; mannerly

béasaíocht b'e:si:(ə)xt *f3* politeness; etiquette

béascna b'e:sknə *f4* mode of conduct; custom; culture

beatha b'ahə *f4* life; livelihood; suste-

nance, *slí bheatha* means of livelihood, *is é do bheatha, dé do bheatha,* you are welcome, ~ *duine a scríobh* to write someone's biography

beathach b'ahax *a, beo* ~ alive and active

beathaigh b'ahi: *vt* feed, nourish; rear

beathaisnéis b'ah,as'n'e:s' *f2* biography

beathaisnéisí 'b'ah,as'n'e:s'i': *f4* biographer

beathaithe b'ahihə *a3* fat, well-fed

beathaitheach b'ahihəx *a1* nourishing, fattening

beathaitheacht b'ahihəxt *f3* fatness, obesity

beathú b'ahu: *m4* feeding, nourishment

beibheal b'ev'əl *m1 & vt* bevel

béic b'e:k' *f2*, *pl* ~**eacha** yell, shout ~ *asail* donkey's bray *vi* yell, shout

béicíl b'e:k'i:l' *f3* yelling, shouting

beidh b'eɣ *fut of* **bí**

beifear b'ef'ər *fut aut of* **bí**

béile b'e:l'ə *m4* meal

beilt b'el't' *f2*, *pl* ~**eanna** belt

béim b'e:m' *f2*, *pl* ~**eanna** blow; notch; emphasis

béimneach b'e:m'n'əx *a1* striking, smiting

Beinidicteach b'en'əd'ək'təx *m1 & a1* Benedictine

beinifis b'en'əf'i:s' *f2* benefice

beinsín b'en's'i:n' *m4* benzine

beir b'er' *vt & i, vn* **breith** bear, give birth to; win; bring, take; catch, *rug an bhó* the cow calved, *rugadh leanbh di* she bore a child, *tá na cearca ag breith* the hens are laying, *bheith* ~*the le rud* to gain by sth, *rug na gardaí air* the guards caught him, ~ *isteach air* get to close grips with him, ~ *ar do chiall* have sense, *breith ar dhuine i rás* to overtake a person in a race, *ag breith as* making off, *tá siad ag breith uainn* they are drawing away from us

beireatas b'er'ətəs *m1*, *ráta, teastas, beireatais* birth-rate, birth-certificate

beirfean b'er'əf'ən *m1* boiling heat

beirigh b'er'i: *vt & i* boil; cook; bake

beiriste b'er'əs't'ə *m4*, (cards) bridge

beirt b'ert' *f2*, *pl* ~**eanna** two persons; pair

beirtreach b'ert'r'ax *f2* oyster-bed

beith b'eh *f2*, *pl* ~**eanna** birch, ~ *gheal* silver birch

beithé b´ehe: *m*4, *pl* ~**anna** laughing-stock; laugh, jeer

beithilín b´ehəl´i:n´ *m*4 crib

beithíoch b´ehi:(ə)x *m*1 beast; animal; horse

beo b´o: *m*4, *gs & pl* ~ living being; life; livelihood; quick *a*3 living, alive; active, lively, *slán* ~ *leis* God keep him, *sreang bheo* live wire

beobhreitheach ´b´o,v´r´ehəx *a*1 viviparous

beochan b´o:xən *f*3 animation

beochán b´o:xa:n *m*1, ~ *tine* small fire

beocht b´o:xt *f*3 life, animation

beoga b´o:gə *a*3 lively; vivid

beoghearradh b´o:,γ´arə *m*, *gs* -**rrtha** vivisection

beoigh b´o:γ´ *vt & i* animate, enliven; (*of wind*) freshen

beoir b´o:r´ *f*, *gs* **beorach** *pl* **beoracha** beer

beola b´o:lə *spl* lips

beophianadh ´b´o:,f´iənə *m* suspense, impatience

beostoc ´b´o:,stok *m*1 livestock

bheadh v´ex *cond of* **bí**

bhéarfadh v´e:rhəx *cond of* **beir**

bheas v´es *fut rel of* **bí**

bheifí v´ef´i: *cond aut of* **bí**

bheith v´eh *vn of* **bí**

bhfuil vil´ *pres dep of* **bí**

bhí v´i: *p of* **bí**

bhíodh v´i:x *p hab of* **bí**

bhíothas v´i:həs *p aut of* **bí**

bhítí v´i:t´i: *p hab aut of* **bí**

bhuel wel´ *int* well

bhur vu:r *poss a your* (*pl*)

bí b´i: *substantive vb be*; exist, *an Té a bhí agus atá* He who was and is, *tá sé agam* I have it, *an lá atá inniu ann* the present day, *bhí go maith* (*go*) all went well (until), *má tá tú réidh* if you are ready, *tá orm a rá* I must say, *má tá fút imeacht* if you intend to go away, *bhí uaim labhairt leis* I wanted to speak to him, *tá sé bliain d´aois* he is a year old, *mar atá* namely, *bíodh is gur gheall sé é* even though he promised it, *má tá* as to that, however

bia b´iə *m*4, *pl* ~**nna** food; meal; substance

biabhóg b´iəvo:g *f*2 rhubarb

biachlár ´b´iə,xla:r *m*1 menu (card)

bia-eolaí b´iə,o:li: *m*4 dietician

biaiste b´iəs´t´ə *f*4 season, period (of plenty), ~ *an éisc* fishing season

bialann b´iəlan *f*2 canteen, restaurant

bianna b´iənə *m*4 ferrule

biatach b´iətəx *m*1 victualler *a*1 food-providing; generous

biatas b´iətəs *m*1 beet

biathaigh b´iəhi: *vt* feed, *tá sé ag biathú sneachta* snow-flakes are falling

bibe b´ib´ə *m*4 bib

bicéips b´i:k´e:ps´ *f*2 biceps

bideach b´i:d´əx *a*1 tiny

bige b´ig´ə *f*4 littleness

bigil b´ig´əl´ *f*2 vigil; eve of feast

bile b´il´ə *m*4 (large, sacred) tree

bileog¹ b´il´o:g *f*2 leaf, ~ *pháipéir* sheet of paper

bileog² b´il´o:g *f*2 billhook

bileogach b´il´o:gəx *a*1 leafy; laminated

bille b´il´ə *m*4 bill; currency note

billéad b´il´e:d *m*1 (army) billet

billéardaí b´il´e:rdi: *spl* billiards

billiún b´il´u:n *m*1 billion

binb b´in´əb´ *f*2 venom, fury, *ar* ~ *on* edge

binbeach b´in´əb´əx *a*1, (*of voice, speech*) venomous, sharp

bindealán b´in´d´əla:n *m*1 swaddling cloth; bandage

binid b´in´əd´ *f*2 rennet

binn¹ b´in´ *f*2, *npl* **beanna** *gpl* **beann** peak; gable; cliff, ~ *seáil* corner of shawl, *hata trí bheann* three-cornered hat, ~ *a gúna* the lap of her dress, ~ *siosúir* blade of scissors

binn² b´in´ *a*1 sweet, melodious, *d´éirigh go* ~ *liom* I got on splendidly

binnbharraíocht ´b´in´,vari:(ə)xt *f*3, *an bhinnbharraíocht a bheith agat ar dhuine* to gloat over a person

binneas b´in´əs *m*1, (*of sound*) sweetness

binneog b´in´o:g *f*2 head-square

binse b´in´s´ə *m*4 bench, seat; ledge, ~ *breithimh* judge´s bench; tribunal, *an B* ~ the Bench

bintiúr b´in´t´u:r *m*1 debenture

biobalta b´i:baltə *a*3 biblical

Bíobla b´i:blə *m*4 Bible

biocáire b´i:ka:r´ə *m*4 vicar

biocunta ´b´i:,kuntə *m*4 viscount

bíog¹ b´i:g *f*2 chirp

bíog² b´i:g *vi* start, jump; twitch

biogadh b´i:gə *m, gs* -gtha start, jump

biogamacht b´igəmaxt *f3* bigamy

biogarnach b´i:gərnəx *f2* squeaking, chirping

biogóid b´igo:d´ *m4* bigot

biogóideacht b´igo:d´əxt *f3* bigotry

biogúil b´i:gu:l´ *a2* jumpy; lively; sprightly

biolar b´ilər *m1* (water)cress

bioma b´i:ma *m4* beam

biongó b´iŋgo: *m4* bingo

bior b´ir *m3, gs* beara *pl* ~anna point; spit, spike; ~seaca icicle, ~ fiacla tooth-pick, *chuaigh sé ar bhior a chinn isteach san uisce*, he went head first into the water, *tháinig* ~ *ar a shúile* his eyes flashed anger

biorach b´irəx *a1* pointed; sharp

bioraigh b´iri: *vt & i* point, sharpen, *bhíoraigh sé a chluasa* he cocked his ears

biorán b´ira:n *m1* pin, ~ cniotála knitting-needle

bioránach b´ira:nəx *m1* sprat

bioranta b´irəntə *a3* sharp, cold

bioróir b´iro:r´ *m3* sharpener, pencil parer

biosún b´i:su:n *m1* bison

biotáille b´ita:l´ə *f4* spirits; strong drink

biotúman b´itu:mən *m1* bitumen

bís b´i:s´ *f2, pl* ~eanna vice; screw; spiral, *ar* ~ in suspense, impatient

biseach b´is´əx *m1* improvement (in health); increase, *blian bhisigh* leap-year

biseach b´is´əx *a1* spiral

bisigh b´is´i: *vt & i* improve, recover; increase, prosper

bisiúil b´is´u:l´ *a2* productive; fecund

bith¹ b´ih *s, ar* ~ any, *lá ar* ~ (anois) any day (now), *cibé ar* ~ at any rate, *níl ciall ar* ~ *aige* he has no sense

bith-² b´ih ~ b´i* *pref* ever-, constant

bith-³ b´ih ~ b´i* *pref* bio-

bitheog b´iho:g *f2* microbe

bitheolaíocht b´ih,o:li:(ə)xt *f3* biology

bithin b´i:hən´ *s, trí, ar, bhithin* because of, *dá bhithin sin* for that reason

bithiúnach b´ihu:nəx *m1* scoundrel

bithiúnta b´ihu:ntə *a3* scoundrelly

bitseach b´it´s´əx *f2* bitch

biúró b´u:ro: *m4, pl* ~nna bureau

bladair bladər´ *vt & i, pres* -draíonn *vn* -dar cajole, flatter

bladar bladər *m1* cajolery, flattery

bladhaire blair´ə *m4* flame

bladhm blaim *f3, pl* ~anna flame; flare-up *vi* flame, blaze, flare-up

bladhmach blaiməx *a1* flaming

bladhmaire blaimər´ə *m4* boaster

bladhmann blaimən *m1* blaze; boasting

bladhmannach blaimənəx *a1* blazing, boastful

bladrach bladrəx *a1* cajoling, flattering

bláfar bla:fər *a1* blooming, beautiful; tidy; demure

blagaid blagəd´ *f2* bald head

blaincéad blaŋ´k´e:d *m1* blanket

blais blas´ *vt & i* taste; partake of

blaiseadh blas´ə *m* taste, bite, sup

blaisféim blas´f´e:m´ *f2* blasphemy

blaisínteacht blas´i:n´t´əxt *f3* toying with food or drink, *níl tú ach ag* ~ *air* you are only nibbling at, sipping, it

blaistigh blas´t´i: *vt* season (food)

blaosc bli:sk *f2* shell (of egg, nut, etc), ~ *an chinn* skull, cranium

blár bla:r *m1* open space; field, *bheith ar an m*~ (folamh) to be down and out

blas blas *m1, pl* ~anna taste, flavour; accent, mode of pronunciation, *tá* ~ *na fírinne air* it rings true, *dheamhan* ~ nothing at all

blasta blastə *a3* tasty; (of speech) correct, telling, *bia* ~ savoury food

blastán blasta:n *m1* flavouring, seasoning

blastóg blasto:g *f2* savoury

bláth bla: *m3, pl* ~anna blossom, flower(s); bloom; prosperity, *faoi bhláth* in blossom; flourishing, *i m*~ *a shaoil* in the prime of his life

bláthach bla:həx *f2* buttermilk

bláthadóir bla:hədo:r´ *m3* florist

bláthaigh bla:hi: *vi* blossom, bloom

bláthchuach bla:,xuəx *m4* vase

bláthfhleasc bla:,l´ask *f2* wreath, garland

bleacht b´l´axt *m3* milk

bleachtaire b´l´axtər´ə *m4* detective

bleachtaireacht b´l´axtər´əxt *f3* detecting, *scéal* ~a detective story

bleachtán b´l´axta:n *m1* sow-thistle

bleaist b´l´as´t´ *f2, pl* ~eanna blast; blight

bleaisteáil b'l'as't'a:l' *vt & i* blast

bleán b'l'a:n *m*1 yield of milk; milking

bleánlann b'l'a:nlən *f*2 milking parlour

bléasar b'l'e:sər *m*1 blazer

bleathach b'l'ahəx *f*2 grist, ~ *uibhe* eggflip

bleib b'l'eb' *f*2, *pl* ~**eanna** bulb (of plant)

bleid b'l'ed' *f*2, *bhuail sé* ~ *orm* he accosted me; he addressed me in a wheedling manner

bléin b'l'e:n' *f*2, *pl* ~**te** groin; cavity; cove

bléitse b'l'e:t's'ə *m*4, (*cloth*) bleach

bliain b'l'iən' *f*3, *pl* -**anta**, -**ana** *with numerals* year, *leanbh bliana* year old child, *i mbliana* this year

bliainiris 'b'l'iən',ir'əs' *f*2 annual (publication), year-book

blianacht b'l'iənəxt *f*3 annuity

bliantóg b'l'iənto:g *f*2 annual (plant)

bliantúil b'l'iəntu:l' *a*2 yearly, annual

bligeard b'l'ig'a:rd *m*1 blackguard

bligh b'l'iɣ' *vt*, *vn* **bleán** milk, *bradán a bhleán* to strip a salmon

bliosán b'l'isa:n *m*1 artichoke

bliteoir b'l'it'o:r' *m*3 milker

bloc blok *m*1 block

blocánta bloka:ntə *a*3 stocky

blogh blau *f*3, *pl* ~**anna** fragment *vt & i* break into bits, shatter

blonag blonəg *f*2 soft fat, lard; blubber

blosc blosk *m*1 explosive sound, blast *vt & i* explode

bloscadh bloskə *m*1 crack; explosion; rally (in sickness); increase (in yield)

blúire blu:r'ə *m*4 bit, fragment

blús blu:s *m*1, *pl* ~**anna** blouse

bó bo: *f*, *gs & gpl* ~ *npl* **ba** cow

bob bob *m*4, *pl* ~**anna** ~ *a bhualadh ar dhuine* to play a trick on a person

bobáil boba:l' *vt & i*, (*of hair*) bob; (*of hedge*) trim; blink

bobailín bobəl'i:n' *m*4 tuft; tassel; pompon

bobaireacht bobər'əxt *f*3, *ag* ~ *ar dhuine* playing tricks on a person

bobarún bobəru:n *m*1 booby

bobghaiste 'bob,ɣas't'ə *m*4 booby-trap

boc bok *m*1 buck, playboy, ~ *mór* bigwig

bocáil boka:l' *vt* toss; *liathróid a bhocáil* to bounce a ball

bocaire bokər'ə *m*4 small cake; muffin

bocánach boka:nəx *m*1 goblin

bóchna bo:xnə *f*4 the ocean

bocht boxt *m1* poor person, *na boicht* the poor *a*1 poor, *is* ~ *an scéal é* it is a sad state of affairs, *is* ~ *liom do chás* I'm sorry for your trouble

bochtaigh boxti: *vt* impoverish

bochtaineacht boxtən'əxt *f*3 poverty; meanness; humiliation

bochtán boxta:n *m*1 poor person; mean person

bocóid boko:d' *f*2 boss, stud

bod bod *m*1 penis, ~ *gadhair* cuckoopint

bodach bodəx *m*1 churl, lout, ~ *mór* bigwig, ~ *bóthair* vagrant

bodhaire baur'ə *f*4 deafness, (*of sound*) dullness, *Ui Laoire* feigned deafness

bodhar baur *a*1, *npl* -**dhra** deaf, *tá mé* ~ *ag éisteacht libh* I am tired listening to you, *toirneach bhodhar* distant thunder, *tá mo chos* ~ I have no feeling in my leg, *uisce* ~ stagnant water

bodhraigh bauri: *vt* deafen, *ná* ~ *mé* don't bother me, *pian a bhodhrú* to deaden pain

bodhraitheach baurihəx *a*1 deafening

bodhrán¹ baura:n *m*1 deaf person; dullard

bodhrán² baura:n *m*1 winnowing drum; (kind of) tambourine

bodóg bodo:g *f*2 heifer

bodúil bodu:l' *a*2 churlish, surly

bog bog *m*1 soft part, etc, ~ *na cluaise* lobe of ear *a*1 soft, tender, *tóg (go)* ~ *é* take it easy, *snaidhm bhog* loose knot, *uisce* ~ lukewarm water, *imeacht* ~ *le* to go off hotfoot *vt & i* soften; move, loosen, slacken *pian a bhogadh* to ease pain, ~ *díom* release (your grip on) me, *ag* ~ *ach chun siúil* making a move to go, *cliabhán a bhogadh* to rock a cradle

bogach bogəx *m*1 soft, boggy, ground

bogadach bogədəx *f*2 movement, *ag* ~ stirring; rocking

bogadh bogə *m*, *gs* -**gtha** softening, easement; movement, *ar* ~ (*of nail, etc*) loose, (*of clothes*) steeping

bogán boga:n *m*1 soft ground; shell-less egg

bogarnach bogərnəx *f*2, *rud a choinneáil ar* ~ to dangle sth

bogásach boga:səx *a*l smug

bogfhiuchadh 'bog,uxə *s*, ~ *a bhaint as rud* to simmer sth

bogha bau *m*4, *pl* ~**nna** bow; ring, circle, ~ *báistí* rainbow

boghaisín baus'i:n' *m*4 ring, circle

boghdóir baudo:r' *m*3 archer

boghdóireacht baudo:r'əxt *f*3 archery

boghta bautə *m*4 vault; storey

boglach bogləx *m*l wet weather; thaw

bogmheisce 'bog,v'es'k'ə *s*, *ar* ~ slightly inebriated

bogshifin 'bog,hif'in' *m*4 bulrush

bogshodar 'bog,hodər *m*l canter

bogstróc 'bog,stro:k *s*, *ar do bhogstróc* at one's leisure

bogúrach bogu:rəx *a*l soft; maudlin

boicín bok'i:n' *m*4 gay spark; upstart

bóidicín bo:d'ək'i:n' *m*4 bodkin

boige bog'ə *f*4 softness

boigéiseach bog'e:s'əx *a*l soft-hearted; gullible

bóiléagar bo:l'e:gər *s*, *ar* ~ neglected; mislaid

boilg bol'əg' *f*2, *pl* ~**eacha** submerged reef

boilgearnach bol'əg'ərnəx *f*2 bubbling

boilgeog bol'əg'o:g *f*2 bubble

boilsc bols'k' *f*2 bulge

boilsceannach bol's'k'ənəx *a*l bulging

boilscigh bol's'k'i: *vt & i* bulge; (*of currency*) inflate

boilsciú bol's'k'u: *m*4, (*of currency*) inflation

Boilséiveach bol's'e:v'əx *m*l & *a*l Bolshevik

Boilséiveachas bol's'e:v'əxəs *m*l Bolshevism

bóin bo:in' *f*4, ~ *Dé* ladybird

boinéad bon'e:d *m*l bonnet

boirbe bor'əb'ə *f*4 fierceness; coarseness; (*of growth*) rankness

boirbeáil bor'əb'a:l' *f*3 threatening; (*of wound*) gathering

boiric bor'ək' *f*2 protuberance, swelling

boirrche bor'əx'ə *f*4 swelling; surge (*of anger*)

boiseog bos'o:g *f*2 pat, slap; ripple, ~ *uisce* palmful of water

bóitheach 'bo:,hax *m*l cowhouse, byre

bóithreoireacht bo:hr'o:r'əxt *f*3 travelling the roads, vagrancy

bóithrín bo:hr'i:n' *m*4 country lane, boreen

bólacht bo:ləxt *f*3 cattle, kine

boladh bolə *m*l, *pl* -**aithe** smell, scent; sense of smell

bólaí bo:li: *spl*, *sna* ~ *seo* in these parts

bolaigh boli: *vt* smell, scent

bolaíocht boli:(ə)xt *f*3 smelling, sniffing, *ag* ~ *thart* nosing about

bolastar boləstər *m*l bolster

bolb boləb *m*l caterpillar

bolcáinigh bolka:n'i: *vt* vulcanize

bolcán bolka:n *m*l volcano

bolcánach bolka:nəx *a*l volcanic

bolg[1] boləg *m*l belly, stomach; bellyful; bag; *pl* bellows, ~ *le gréin a dhéanamh* to sunbathe, ~ *soláthair* corpus, miscellany, ~ *loinge* hold of ship

bolg[2] boləg *vt & i* bulge; blister, *seolta a bholgadh* to fill, swell, sails, *farraige bholgtha* heaving sea

bolgach[1] boləgəx *f*2, ~ (*Dé*) smallpox, ~ *fhrancach* syphilis

bolgach[2] boləgəx *a*l big-bellied; bulging

bolgam boləgəm *m*l mouthful, sup

bolgán boləga:n *m*l bubble; (lamp-)bulb, ~ *béice* puff-ball

bolgchaint 'boləg,xan't' *f*2 ventriloquism

bolgchainteoir 'boləg,xan't'o:r' *m*3 ventriloquist

bolgóid boləgo:d' *f*2 bubble

bolgshúileach 'boləg,hu:l'əx *a*l pop-eyed

bolla bolə *m*4 bowl, *cluiche* ~ *í* game of bowls

bollán bola:n *m*l boulder

bollóg bolo:g *f*2 loaf

bológ bolo:g *f*2 bullock

bolscaire bolskər'ə *m*4 announcer; publicist; propagandist

bolscaireacht bolskər'əxt *f*3 announcing; publicity; propaganda

bolta boltə *m*4 bolt

boltáil bolta:l' *vt* bolt

boltanach boltənəx *a*l olfactory; odorous

boltanas boltənəs *m*l smell, scent

bómánta bo:ma:ntə *a*3 slow-witted

bómántacht bo:ma:ntəxt *f*3 dullness, stupidity

bóna bo:nə *m*4 collar; lapel

bónas 281 **bráidín**

bónas bo:nəs *m*1 bonus

bonn¹ bon *m*1 sole; foothold; foundation, basis; tyre; track, ~ *istigh* insole, *thug sé do na boinn é*; *bhain sé as na boinn é* he made off as fast as he could, *in, ar, áit na m*~; *láithreach* ~ immediately, *ar aon bhonn* on equal footing, ~ *ar bhonn* side by side, ~ *le* ~ at close quarters

bonn² bon *m*1 coin; medal

bonnaire bonər'ə *m*4 walker, trotter; footman

bonnán bona:n *m*1, ~ *(buí, léana)* bittern; siren, hooter

bonnbhualadh 'bon,vuələ *m*1, *gs & pl* **-uailte** callus, blister on sole of foot

bonneagar 'bon,agər *m*1 infrastructure

bonnóg bono:g *f*2 bannock, scone

bonsach bonsəx *f*2 javelin, ~ *shlaite* stout rod, switch

bórach¹ bo:rəx *a*1 bandy, bow-legged

bórach² bo:rəx *a*1 boric

bórasach bo:rasəx *a*1 boracic

borb borəb *a*1 fierce, violent; rude; rich, rank, *deoch bhorb* strong drink, *boladh* ~ pungent smell

bord bo:rd *m*1 table; board, council *ar bhord na cathrach* on the outskirts of the city, ~ *ar bhord le* side by side, level, with, *ar* ~ *loinge* on board a ship, *(of boat)* ~ *a chaitheamh* to tack

bordáil bo:rda:l' *vt & i* board, go aboard; take on board, *bád ag* ~ *a* boat tacking, *ag* ~ *ar, le* bordering, verging, on

borgaire borgər'ə *m*4 burger

borr bor *vt & i* swell, grow, *ag* ~ *adh chuig duine* getting angry with a person

borrach borəx *a*1 swollen; arrogant

borradh borə *m, gs* **-rrtha** swelling, growth; expansion, ~ *farraige* swell in sea, ~ *trádála* boom

borrchré 'bor,x'r'e: *f*4 fuller's earth

borróg boro:g *f*2 bun

borrphéist bor,f'e:s't' *f*2 ringworm

borrtha borhə *a*3 varicose

borrúil boru:l' *a*2, *(of soil)* rich, *(of plants)* fast-growing; enterprising, puffy

bos bos *f*2 palm (of hand); handful; slap, *ar iompú boise* instantly, ~ *camáin* 'boss', blade, of hurling-stick

bósan bo:sən *m*1 boatswain

bosca boskə *m*4 box, ~ *ceoil* melodeon

boschrann 'bos,xran *m*1 door-knocker; bell-clapper

boslach bosləx *m*1 handful

both boh *f*3, *pl* ~**anna** booth, hut

bothán boha:n *m*1 cabin; shed, coop

bothántaíocht boha:nti:(ə)xt *f*3 visiting houses for pastime or gossip

bóthar bo:hər *m*1, *pl* **bóithre** road, ~ *iarainn* railroad, *buail (an)* ~! beat it! *an* ~ *a thabhairt do dhuine* to dismiss a person

botún botu:n *m*1 blunder, mistake

brá bra: *m*4, *pl* ~**nna** captive, hostage

brabach brabəx *m*1 gain, profit; benefit, advantage

brablach brabləx *m*1 rubble

brabús brabu:s *m*1 profit; advantage

brabúsach brabu:səx *a*1 profitable, lucrative

brabúsaí brabu:si: *m*4 opportunist

brac brak *m*1, *pl* ~**anna** bracket

bráca¹ bra:kə *m*4 brake, harrow, *faoi bhráca na hainnise* in absolute misery

bráca² bra:kə *m*4 shed; hovel

brach brax *m*3 pus, rheum

brách bra:x *s, go* ~ forever; never, *as go* ~ *leis* off he went

brachadh braxə *m*1 fermentation; suppuration

brachaí braxi: *a*3 bleary

brachán braxa:n *m*1 porridge, stirabout, ~ *lom* gruel, ~ *a dhéanamh de rud* to make a mess of something

bradach bradəx *a*1 thieving; scoundrelly; stolen, *bó bhradach* trespassing cow

bradaí bradi: *m*4 pilferer, thief

bradaigh bradi: *vt & i* pilfer, steal; steal away

bradaíl bradi:l' *f*3 thieving; *(of grazing animals)* trespassing on crops

bradán brada:n *m*1 salmon

brádán bra:da:n *m*1 drizzling; drizzle

bradmheana 'brad,v'anə *m*4 bradawl

bradóg brado:g *f*2 landing-net

braich brax' *f*2 & *vt & i, pres* **-achann** malt

bráicín bra:k'i:n' *m*4 stare, batten

bráid bra:d' *f, gs* **-ád** *pl* ~**e** neck; throat; bust, ~ *coise* instep, *dul thar* ~ to pass by, *rud a chur faoi bhráid duine* to set sth before a person; to submit, refer, sth to a person

bráidín bra:d'i:n' *m*4 child's bib

braighdeanach braid′ənəx *m*1 captive, prisoner

braighdeanas braid′ənəs *m*1 captivity, bondage

braille bral′ə *m*4 braille

braillín bral′iːn′ *f*2 sheet

brainse bran′s′ə *m*4 branch

bráisléad bra:s′l′e:d *m*1 bracelet

bráite bra:t′ə *m*4 fishing-ground

braiteach brat′əx *a*1 perceptive; alert; treacherous

braiteog brat′o:g *f*2 tentacle

braith brah *vt & i, vn* **-ath** perceive, feel; spy out; betray, ~ *im uaim iad* I miss them, *bhí siad do mo bhrath* they observed me closely, ~ *im air go* I get the impression from him that, *tá mé ag brath (ar) imeacht* I intend to go away, *bhí mé ag brath ar litir uait* I was expecting a letter from you, *ag brath ar an déirc* depending on charity

bráithreachas bra:hr′əxəs *m*1 brotherhood

bráithriúil bra:hr′u:l′ *a*2 brotherly

bran[1] bran *m*1 bream

bran[2] bran *m*1, ~ *(mór)* bran, ~ *beag* pollard

branar branər *m*1 broken lea, fallow

branda[1] brandə *m*4 brand

branda[2] brandə *m*4 brandy

brandáil brandə:l′ *vt* brand

branra branrə *m*4 supporting bar; rest; tripod; gridiron *pl* (penal) stocks; reef, ~ *brád* collar-bone

braoi bri: *f*4, *pl* ~ **the** eyebrow

braon bri:n *m*1, *pl* ~ **ta** drop, small quantity, *tá ~ sa chapall sin* that is a spirited horse, *tá ~ air* it is going to rain, (of wound) *ag déanamh braoin* suppurating

braonach bri:nəx *a*1 dripping; wet; tearful, *an domhan ~* the wide world

brat[1] brat *m*1 cloak; covering, coating; (stage) curtain, ~ *urláir* floor-carpet

brat[2] brat *m*1 broth

bratach bratəx *f*2 flag

bratail brati:l′ *f*3 flapping (as of sail)

brath brah *m*1 perception, feeling; spying, betrayal; expectation; dependence, *Céadaoin an Bhraith* Spy Wednesday, *tá ~ aige (ar) imeacht* he intends to go away

bráth bra: *m*3, *lá an bhrátha* day of judgment, doomsday

brathadóir brahədo:r′ *m*3 betrayer; spy, informer

brathadóireacht brahədo:r′əxt *f*3 betraying, *ag ~ thart* snooping around

bráthair bra:hər′ *m, gs* **-ar** *pl* **-áithre** brother, kinsman; friar; brother in religious order; monkfish, *bráithre aon cheirde* birds of a feather

bratóg brato:g *f*2 small cloak, covering; rag, ~ *shneachta* snowflake

bratógach brato:gəx *a*1 ragged; in rags

breá b′r′a: *a*3 *gsm* ~, *gsf, npl & comp* ~ **tha** fine, excellent, *ba bhreá liom a bheith ann* I'd love to be there, ~ *bog anois* easy on there, *nach ~ nár labhair tú liom!* how well you did not speak to me!

breab b′r′ab *f*2, *pl* ~ **anna** bribe *vt* bribe

breabaireacht b′r′abər′əxt *f*3 bribery

breabhsánta b′r′ausa:ntə *a*3 sprightly; spruce

breac[1] b′r′ak *m*1 trout; (single) fish

breac[2] b′r′ak *a*1 speckled, dappled, *cuilt bhreac* patchwork quilt, *aimsir bhreac* middling weather *vt & i* speckle, dapple; lighten, change, in colour, *tuairisc a bhreacadh (síos)* to write, jot down, a report, ~ *an leabhar mór,* post the ledger, *bhreac an lá suas* the day cleared up a bit, *tuama a bhreacadh* to carve a tombstone

breac[3] b′r′ak *pref* middling, partly; odd, occasional

breacachan b′r′akəxən *f*3 variegation; patchwork

breacadh b′r′akə *m*1 variegation, ~ *an lae* daybreak

breacaireacht b′r′akər′əxt *f*3 variegation; carving; doodling; smattering

breacán b′r′aka:n *m*1 tartan, plaid *pl* old clothes

breaceolas 'b′r′ak,o:ləs *m*1 smattering

breacfhostaíocht 'b′r′ak,osti:(ə)xt *f*3 casual employment

Breac-Ghaeltacht 'b′r′ak,γe:ltəxt *f*3 mixed Irish- and English-speaking districts

breacoilte 'b′r′ak,ol′t′ə *a*3 semi-skilled

breacsháile 'b′r′ak,ha:l′ə *m*4 brackish water

breacsholas 'bʹrʹak,holəs *m*1 half-light, glimmer

bréad bʹrʹe:d *m*1 braid

bréag[1] bʹrʹe:g *f*2 lie, falsehood, *ainm bréige* false, assumed, name, *moladh bréige* insincere praise

bréag[2] bʹrʹe:g *vt* cajole, coax; soothe

bréagach bʹrʹe:gəx *a*1 lying, false

bréagadóir bʹrʹe:gədo:rʹ *m*3 liar; cajoler

bréagán bʹrʹe:ga:n *m*1 toy, plaything

bréagfholt 'bʹrʹe:g,olt *m*1 wig

bréagnaigh bʹrʹe:gniː *vt* contradict, refute

bréagnaitheach bʹrʹe:gnihəx *a*1 contradictory

bréagriocht 'bʹrʹe:g,rixt *m*3, *gs* **-reachta** disguise

breall bʹrʹal *f*2 blubber lip; blemish; fool, *tá ~ ort* you are making a mistake

breallach[1] bʹrʹaləx *m*1 clam

breallach[2] bʹrʹaləx *a*1 protuberant; blubber-lipped; foolish

breallaireacht bʹrʹalərʹaxt *f*3, ~ *(chainte)* nonsense

breallánta bʹrʹala:ntə *a*3 silly

bréan bʹrʹe:n *a*1 foul, rancid, putrid, *bheith ~ de rud* to be disgusted with, tired of, sth *vt & i* pollute; putrefy

bréanlach bʹrʹe:nləx *m*1 filthy place; cesspool

bréantas bʹrʹe:ntəs *m*1 rottenness, stench, filth

breasal bʹrʹasəl *m*1 raddle; rouge

breáthacht bʹrʹa:həxt *f*3 beauty, excellence

breáthaigh bʹrʹa:hiː *vt & i* beautify; become beautiful

breathnaigh bʹrʹahniː *vt & i* observe, examine; watch, *tá tú ag breathnú go maith* you are looking well

breathnóir bʹrʹahno:rʹ *m*3 observer, spectator

breicneach bʹrʹekʹnʹəx *a*1 freckled

bréid bʹrʹe:dʹ *m*4, *pl ~ eanna* frieze; cloth, canvas; bandage, ~*ceo* patch of fog

bréidín bʹrʹe:dʹi:nʹ *m*4 homespun cloth; tweed *pl* gossamer

bréifin bʹrʹe:fʹənʹ *f*, *gs* **-fne** *pl* **-fní** perforation

bréige bʹrʹe:gʹə *f*4 falseness

breis bʹrʹesʹ *f*2, *pl ~ eanna* increase; excess; increment, ~ *agus bliain* more than a year, *sa bhreis, de bhreis (ar)* in addition (to), over and above, *costas* ~*e* additional cost, *dul i m~* to prosper

breischáin 'bʹrʹesʹ,xa:nʹ *f*, *gs* **-chánach**, *pl* **-chánacha** surtax, surcharge

breischéim 'bʹrʹesʹ,xʹe:mʹ *f*2, *pl ~ eanna* comparative degree

breiseán bʹrʹesʹa:n *m*1 additive

breisiúil bʹrʹesʹu:lʹ *a*2 increasing; prolific

breith[1] bʹrʹeh *f*2, *pl ~ eanna* birth; bringing, taking; seizing, *lá ~ e* birthday, *má bhíonn ~ agat air* if you find time for it, *níl aon bhreith aige ort* he can't compare with you

breith[2] bʹrʹeh *f*2, *pl ~ eanna* judgment, decision; injunction, *go brách na ~ e* till doomsday

breitheamh bʹrʹehəv *m*1, *pl* **-thiúna** judge, ~ *dúiche* district justice

breithghreamannach 'bʹrʹe,γʹrʹamənəx *a*1 captious

breithiúnach bʹrʹehu:nəx *a*1 judicial; discerning, judicious; critical

breithiúnas bʹrʹehu:nəs *m*1 judgment, ~ *báis* sentence of death, ~ *aithrí* (sacramental) penance

breithnigh bʹrʹehnʹiː *vt* adjudge

breo bʹrʹo: *m*4, *pl ~ nna* brand, torch; glow

breoch bʹrʹo:x *a*1 glowing

breochloch 'bʹrʹo:,xlox *f*2 flint

breogán bʹrʹo:ga:n *m*1 crucible

breoigh bʹrʹo:γʹ *vt & i* glow; heat; sear; sicken

breoite bʹrʹo:tʹə *a*3 sick, ailing

breoiteachán bʹrʹo:tʹəxa:n *m*1 delicate person, invalid

breoiteacht bʹrʹo:tʹəxt *f*3 sickness, ill-health

breosla bʹrʹo:slə *m*4 fuel

breoslaigh bʹrʹo:sliː *vt* fuel

brí bʹrʹi: *f*4, *pl ~ onna* strength, vigour; significance, meaning, *cén bhrí ach* what matter but, *de bhrí go* whereas, because, *dá bhrí sin* therefore

briathar bʹrʹiəhər *m*1, *pl* **-thra** word; verb

briathrach bʹrʹiəhrəx *a*1 verbose

bríbhéir bʹrʹi:vʹe:rʹ *m*3 brewer

bríbhéireacht bʹrʹi:vʹe:rʹəxt *f*3 brew; brewing

bríce bʹrʹi:kʹə *m*4 brick

bríceadóir bʹrʹi:kʹədo:rʹ *m*3 bricklayer

bricfeasta 'bʹrʹikʹ,fʹastə *m*4 breakfast

bricín bʹrʹikʹi:nʹ *m*4 speckle; freckle

bricín b´r´ik´i:n´ *m*4 briquette

bricineach b´r´ik´in´ən *a*1 freckled

bricliath 'b´r´ik´,l´iə *a*1, *gsm* -**léith** *gsf* & *comp* -**léithe** grizzled

brídeach b´r´i:d´əx *f*2 bride

brídeog b´r´i:d´o:g *f*2 ceremonial image of St. Brigid

brilléis b´r´il´e:s´ *f*2 silly talk; nonsense

brin b´r´in´ *s*, ~ **óg** carefree young man

briocht b´r´ixt *m*3, *gs* **breachta** charm, spell; amulet

briogáid b´r´iga:d´ *f*2 brigade

briogáidire b´r´iga:d´ər´ə *m*4 brigadier

briogún b´r´igu:n *m*1 skewer

briomhar b´r´i:vər *a*1 strong, vigorous, *bia* ~ sustaining food

brionglóid b´r´iŋlo:d´ *f*2 dream

brionglóideach b´r´iŋlo:d´əx *a*1 dreamy

brionnaigh b´r´ini: *vt* forge (money, a document)

brionnú b´r´inu: *m*4 forgery

briosc b´r´isk *a*1 brittle; crisp; brisk, *glór* ~ lively voice

briosca b´r´iskə *m*4 biscuit

brioscán b´r´iska:n *m*1 (potato) crisp

brioscarnach b´r´iskarnəx *f*2 crunch, crackle

brioscóid b´r´isko:d´ *f*2 short biscuit, shortcake

briota b´r´itə *m*4, (*of sea*) chop, choppy wave, ~ *gaoithe* breeze

briotach b´r´itəx *a*1 lisping

briotaireacht b´r´itər´əxt *f*3 lisping; lisping speech

bris¹ b´r´is´ *f*2, *pl* -**eanna** loss

bris² b´r´is´ *vt* & *i* break; (*of money, bills*) change, ~*eadh as a phost é* he was dismissed from his post, *bhris siad amach le chéile* they fell out with each other, *bhris ar an bhfoighne aige* he lost patience, ~*eadh cath orthu* they were defeated in battle

briseadh b´r´is´ə *m*, *gs* -**ste** *pl* -**steacha** break, fracture; defeat; dismissal, ~ *puint* change of a pound *pl* breakers

briseán b´r´is´a:n *m*1 pancreas, ~ (*milis*) sweetbread

briste b´r´is´t´ə *a*3 broken; defeated, *talamh* ~ cultivated land, *airgead* ~ small change, ~ *as gnó* out of business

briste b´r´is´t´ə *m*4 trousers; (*of harness*) breeching

bristeach b´r´is´t´əx *a*1, (*of weather*) broken, unsettled

bristeoir b´r´is´t´o:r´ *m*3, ~ *oighir* ice-breaker, ~ *cloch* stone-breaker

brístín b´r´is´t´i:n´ *m*4 panties, knickers

bró bro: *f*4, *pl* -**nna** quern; millstone; dense mass

brobh brov *m*1, ~ (*luachra*) rush, ~ *féir* blade of grass

broc brok *m*1 badger

brocach¹ brokəx *m*1 badger's set

brocach² brokəx *a*1 grey; pock-marked, spotted; grimy, *caint bhrocach* smutty talk

brocaili broka´i: *m*4 broccoli

brocaire brokər´ə *m*4 terrier

brocais brokəs´ *f*2 den; dirty, smelly, place

brocamas brokəməs *m*1 refuse, ~ *cainte* vulgar, nonsensical, talk

brod brod *m*1 goad

bród bro:d *m*1 pride; arrogance; elation

bródúil bro:du:l´ *a*2 proud; arrogant

bródúlacht bro:du:ləxt *f*3 pride; arrogance

bróg bro:g *f*2 boot, shoe, ~ *adhmaid* clog

broghach braux *a*1 dirty

broic brok´ *vi*, *vn* ~ (with *le*), bear, tolerate

broicéad brok´e:d *m*1 brocade

bróicéir bro:k´e:r´ *m*3 broker

broid¹ brod´ *f*2 captivity; distress; misery, ~ *oibre* pressure of work

broid² brod´ *vt* goad, prod; nudge

broideadh brod´ə *m*, *gs* -**idte** prod, nudge; (*fishing*) bite

broidearnach brod´ərnəx *f*2 throbbing; pulsation; effervescence

broidearnúil brod´ərnu:l´ *a*2 throbbing; pulsating; effervescent

broidiúil brod´u:l´ *a*2 pressed, busy

bróidnéireacht bro:d´n´e:r´əxt *f*3 embroidering; embroidery

bróidnigh bro:d´n´i: *vt* embroider

broigheall brail *m*1 cormorant

broim brom´ *m*3, *pl* -**omanna** & *vi*, *pres* -**omann** *vn* -**omadh** fart

broimfhéar 'brom´,e:r *m*1 couch-grass

bróimid bro:m´id´ *f*2 bromide

broincíteas broŋk´i:t´əs *m*1 bronchitis

broinn bron´ *f*2, *pl* -**te** womb, *galar* ~ *e* congenital disease

bróis bro:s´ *f*2 brose; mess

bróisiúr bro:s´u:r *m*1 brochure

bróiste bro:s´t´ə *m*4 brooch

bróitseáil bro:t´s´a:l´ *vt* broach

brollach brolax *m*l breast, bosom; front; preface

bromach bromax *m*l colt

bromastún bromastu:n *m*l brimstone

brón bro:n *m*l sorrow, *mo bhrón* alas

brónach bro:nax *a*l sorrowful, sad

broncach broŋkax *a*l bronchial

bronn bron *vt* grant, bestow

bronnadh bronə *m*, *gs* **-nnta** *pl* **-nntaí** grant, bestowal

bronntanas brontənəs *m*l gift, present

bronntóir bronto:r´ *m*3 giver, bestower

brosna brosnə *m*4 decayed twigs, kindling; faggot

brostaigh brosti: *vt & i* hasten, urge; hurry

brostaitheach brostihəx *a*l inciting, stimulating

brostaitheoir brostiho:r´ *m*3 inciter, stimulator

brothall brohəl *m*l heat, sultriness; exuberance

brothallach brohələx *a*l hot, sultry

brú¹ bru: *m*4, *pl* **-nna** hostel

brú² bru: *m*4 press, shove, crush; pressure; bruise, ~ *fola* blood pressure

bruach bruəx *m*l bank (of river, etc), brink, ~ *cathrach* fringe of city, *i ngreim an dá bhruach* in a precarious situation, *léim an dá bhruach a chailleadh* to fall between two stools

bruachánach bruəxa:nəx *n & a*l riparian

bruachbhaile 'bruəx,val´ə *m*4, *pl* **-lte** suburb

bruachsholas 'bruəx,holəs *m*l, *pl* **-oilse** footlight

bruadar bruədər *m*l dream, reverie

bruar bruər *m*l fragments; crumbs

bruas bruəs *m*l, *npl* ~**a** (thick) lip

brúcht bru:xt *m*3, *pl* ~**anna** belch; burst, eruption, ~ *sneachta* sudden heavy fall of snow, ~ *farraige* huge, tidal, wave *ri* belch; burst forth, erupt

brúchtadh bru:xtə *m*, *gs* **-chta** *pl* **-aí** eruption; belching, eructation

brúid bru:d´ *f*2, *pl* ~**eanna** brute

brúidiúil bru:d´u:l´ *a*2 brutal

brúidiúlach bru:d´u:ləx *a*l, ~ *beathaithe* gross, fleshy

brúidiúlacht bru:d´u:ləxt *f*3 brutality

brúigh bru:y´ *vt & i* press, crush, shove,

push; **brú ar dhuine** to intrude on a person, ~ *fút* have patience

bruinneall brin´əl *f*2 fair maiden

bruíon¹ bri:n *f*2, *pl* ~**ta** fairy dwelling

bruíon² bri:n *f*2, *pl* ~**ta** strife, quarrel *vi* fight, quarrel

bruíonach bri:nəx *a*l quarrelsome

bruis bris´ *f*2, *pl* ~**eanna** brush

bruite brit´ə *a*3 boiled, cooked, *capall* ~ fiery horse, *an gadaí* ~ the mean thief

brúite bru:t´ə *a*3 pressed, bruised, crushed, ~ *faoi chois* down-trodden

bruith brih *f*2 boiling, cooking; baking; grilling, ~ *laidhre* inflammation between the toes; impatience *vt & i* boil, cook; bake, *bhruith sé a mhéara* he burned his fingers

bruithean brihən *f*2, *gs* **-thne** heat, *séideán bruithne* heat blast; warm wind, *ceo bruithne* heat haze

bruithneach brihn´əx *f*2 hot place, furnace *a*l hot, torrid

bruithneoir brihn´o:r´ *m*3 smelter

bruithnigh brihn´i: *vt* smelt

brúitín bru:t´i:n´ *m*4 mashed potatoes; pulp

bruitíneach brit´i:n´əx *f*2 measles, ~ *dhearg* German measles

brus brus *m*l broken bits; dust

brúsalóis bru:sələ:s´ *f*2 brucellosis

bruscán bruska:n *m*l fragments, ~ *beag airgid* a little money, ~ *daoine* group of people

brúscán bru:ska:n *m*l, ~ *(carranna)* carcrash

bruscar bruskər *m*l crumbs; refuse, litter, rubbish; rabble

bruth¹ bruh *m*3 heat; rash, eruption, ~ *ar éadach* nap on cloth, ~ *(farraige, le tír)* surf, ~ *faoi thir* wrack

bruth-² bruh ~ bru⁴ *pref* igneous

bruthaire bruhər´ə *m*4 cooker

bú bu: *m*4, *pl* ~**nna** hyacinth

bua buə *m*4, *pl* ~**nna** victory; talent, gift; merit; destiny, *de bhua (ruda)* by virtue of (sth), *cloch bhua* precious stone, *beir* ~ *(agus beannacht)* yours sincerely

buabhall buəvəl *m*l buffalo; bugle; drinking-horn

buabhallaí buəvəli: *m*4 bugler

buacach buəkəx *a*l lofty; rich, luxuriant; buoyant, *bheith go* ~ to be in fine fettle

buacacht buə́kəxt *f*3 loftiness; richness; buoyancy

buacaire buə́kər'ə *m*4 cock, tap

buach buəx *a*1, *gsm* ~ victorious

buachaill buə́xəl' *m*3 boy, bachelor, young man, (young) man-servant, ~ bó cowherd, cowboy, ~ aimsire servant-boy, ~ báire playboy

buachailleacht buə́xəl'əxt *f*3 herding (cattle)

buachalán buə́xəla:n *m*1, ~ (buí) ragweed

buachan buə́xən : **buaigh**

buadán buə́da:n *m*1 stump of horn; bandage; finger-stall

buaf buəf *f*2 toad

buafhocal 'buə̯̌okəl *m*1 epithet; punchline

buaibheach buə́v'əx *a*1 bovine

buaic buək' *f*2, *pl* ~eanna highest point, zenith; crest, ~ tí ridge, bheith sa bhuaic ar dhuine to be down on a person, is é do bhuaic é it is best for you

buaiceas buə́k'əs *m*1 wick

buaigh buəy' *vt & i, vn* **buachan** win, gain; (with *ar*) defeat, go mbua Dia leat God prosper you

buail buəl' *vt & i, vn* -**aladh** hit, strike; defeat, arbhar a bhualadh to thresh corn, airgead a bhualadh to mint money, ~eadh breoite é he fell sick, bhuail tart mé I got thirsty, bualadh ar an veidhlin to play on the violin, ~ ar aghaidh, ~ romhat go right ahead, cuan a bhualadh to make harbour, ~ i do phóca é put it in your pocket, bhuail sí sa rang mé she excelled me in class, ~te ar touching upon, bualadh le duine to meet a person, tá an uair ~te linn it is coming near the time, ~te suas leis an gcé lying alongside the quay

buaile buə́l'ə *f*4, *pl* -**lte** booley, milking-place in summer pasture; fold, enclosure

buaileam buə́l'əm *s*, ~ sciath braggadocio, braggart

buailteach buəl't'əx *a*1 pugnacious, given to striking

buailteán buəl't'a:n *m*1 striker (of flail)

buailteoir buəl't'o:r' *m*3 striker, beater; thresher, ~ uibhe eggbeater

buailtín buəl't'i:n' *m*4 pounder, beetle

buain buən' *vt, vn* ~ reap

buaine buən'ə *f*4 permanence, durability; longevity

buainteoir buən't'o:r' *m*3 mower, harvester

buair buər' *vt & i, vn* ~eamh grieve, vex, ná ~ mé don't bother me

buaircín buərk'i:n' *m*4 (tree-) cone; toggle-pin

buaircíneach buərk'i:n'əx *m*1 conifer *a*1 coniferous

buairt buərt' *f*3, *gs* -artha, *pl* -arthaí sorrow, vexation, tá sé ag déanamh buartha dom it is worrying me

buaiteach buə́t'əx *a*1 winning, victorious, bheith ~ le rud to be the gainer by sth

buaiteoir buə́t'o:r' *m*3 winner, victor

bualadh buə́lə *m, gs & pl* **builte**, beating, striking, inneall buailte threshing machine, ~ bos clapping of hands, applause, ~ cloiche stone-bruise, ní raibh ~ ar bith ar an iasc inniu the fish were not taking today, níl do bhualadh ann there is no one to surpass you, bhí ~ mór ann aréir there was a big fight last night

bual-lile 'buə(l'),l'il'ə *f*4 water-lily

bualtrach buə́ltrəx *f*2 cow-dung

buama buə́mə *m*4 bomb

buamadóir buə́mədo:r' *m*3 bomber

buamáil buə́ma:l' *vt & i* bomb

buan[1] buən *a*1 enduring, permanent, más ~ mo chuimhne if my memory serves me right, go ~ constantly, always, chomh ~ le carraig as solid as a rock

buan-[2] buən *pref* permanent, perpetual; fixed

buanaí buəni: *m*4 reaper

buanaigh buəni: *vt* perpetuate, go mbuanaí Dia sibh God preserve you

buanaitheoir buəniho:r' *m*3 fixative

buanchoiste 'buən,xos't'ə *m*4 standing committee

buanchruthach 'buən,xruhəx *a*1 stereotyped

buanfas buənfəs *m*1 durability

buannacht buənəxt *f*3 billeting; squatter's claim

buannúil buənu:l' *a*2 bold, presumptuous

buanordú 'buən,o:rdu: *m*4 standing order

buanseasmhach 'buən',s'asvəx *a*1 persevering, steadfast

buanseasmhacht 'buən',s'asvəxt *f*3 perseverance

buanseilbh 'buən',s'el'əv' *f*2 fixity of tenure

buarach buərəx *f*2 stall-rope; spancel

buartha buərhə *a*3 sorry, sorrowful, *bheith ~ faoi rud* to be perturbed about sth, *tá cuma bhuartha air* he looks worried

buatais buətəs' *f*2 top-boot

búbónach bu:bo:nəx *a*1 bubonic

bucainéir bokan'e:r' *m*3 buccaneer

búch bu:x *a*1, *gsm ~* gentle, affectionate

búcla bu:klə *m*4 buckle; ringlet

búclach bu:kləx *a*1 buckled; ringleted

búcláil bu:kla:l' *vt* buckle

búcólach bu:ko:ləx *m*1 & *a* bucolic

Búdachas bu:dəxəs *m*1 Buddhism

budragár budrəga:r *m*1 budgerigar

buí[1] bi: *s, a bhuí le Dia* thanks be to God (for it)

buí[2] bi: *m*4 yellow *a*3 yellow; sallow, *~ ón ngrian* tanned by the sun, *Fear B~* Orangeman, *iasc ~* dried fish

buicéad bik'e:d *m*1 bucket

buidéal bid'e:l *m*1 bottle

buidéalaigh bid'e:li: *vt* bottle

buifé bif'e: *m*4, *~ reatha* running buffet

buigh bi:γ *vt & i, vn* **-iochan** yellow, tan, *arbhar ag buíochan* corn ripening, *iasc a bhuíochan* to cure fish (by drying)

buile bil'ə *m*4 blow, stroke; beat, *ar bhuille boise* instantly, *~ faoi thuairim* random guess, *tá sé os cionn a bhuille* he is well able for his work, *~ súl* glance, *~ dorú* cast of fishing-line, *~ mall* a bit late

buillean bil'ən *m*1 bullion

buime bim'ə *f*4 foster-mother, nurse

buimpéis bim'p'e:s' *f*2 vamp (of shoe, stocking), dancing-shoe, pump

buinne[1] bin'ə *m*4 shoot (of plant); torrent, spate

buinne[2] bin'ə *m*4 course of interwoven rods (in basketry); wale; hoop; flange; welt (of shoe), *lán go ~ (béil)* full to the brim

buinneach bin'əx *f*2 scour, diarrhoea

buinneán[1] bin'a:n *m*1 slender shoot; sapling

buinneán[2] bin'a:n *m*1 bunion

buíocán bi:ka:n *m*1 yolk

buíoch bi:(ə)x *a*1, *gsm ~* thankful; satisfied, *níl siad ~ dá chéile* they are not on very good terms

buíochán bi:(ə)xa:n *m*1 jaundice, *tháinig (na) buíocháin air* he took the jaundice

buíochas bi:(ə)xəs *m*1 thanks, gratitude, *níl a bhuíochas ort* don't mention it, *dá bhuíochas* in spite of him

buióg bi:o:g *f*2 yellowhammer

buíon bi:n *f*2, *pl ~***ta** band, company, troop

búir bu:r' *f*2, *pl ~***eanna** bellow, roar; bray; low *vi* bellow, roar, low

búireach bu:r'əx *f*2 bellowing, roaring

buirg bir'əg' *f*2 borough

buirgcheantar 'bir'əg',x'antər *m*1 urban district

buirgéiseach bir'əg'e:s'əx *m*1 burgess *a*1 bourgeois

buirgléir bir'əg'l'e:r' *m*3 burglar

buirgléireacht bir'əg'l'e:r'əxt *f*3 burglary

búiríl bu:r'i:l' *f*3 bellowing, roaring

buiséad bis'e:d *m*1 & *vt & i* budget

buiséal bis'e:l *m*1 bushel

búiste bu:s't'ə *m*4 stuffing; poultice; bulge

búistéir bu:s't'e:r' *m*3 butcher

búistéireacht bu:s't'e:r'əxt *f*3 butchering, butchery

buitléir bit'l'e:r' *m*3 butler

bulaí boli: *m*4 bully, *~ fir* good man yourself

bulba boləbə *m*4 (lamp-)bulb

bulc bolk *m*1 bulk, mass; bundle; cargo

bulcaid bolkəd' *f*2 bulkhead

bulla[1] bulə *m*4 buoy, *~ eangaí* float of net

bulla[2] bulə *m*4 (papal) bull

bulla[3] bulə *m*4, *~ gaoithe* gust of wind

bulla[4] bulə *m*4, *~ (bó) báisín* whirligig, revolving motion

bulladóir bulado:r' *m*3 bulldog

bullán bula:n *m*1 bullock

bumaile boməl'ə *m*4 boom (of sail)

búmaraing 'bu:mə,raŋ' *f*2 boomerang

bumbóg bombo:g *f*2 bumble-bee; busy-body

bun¹ bun *m*1, *pl* ~**anna** base, bottom; stock, stump; extremity, ~ **na spéire** horizon, **níl** ~ **ná barr air** it is meaningless, *is é a bhun is a bharr go* the fact of the matter is that, *thit sé i m*~ *a chos* he collapsed, ~ *abhann* mouth of river, *tá sé i m*~ *a mhéide* he is fully grown, ~ *agus biseach* principal and interest, *tá* ~ *ar an aimsir* the weather is settled, *gnó a chur ar* ~ to establish a business, *faoi bhun* beneath, *i m*~ *an tí* attending to the house, ~ *ribe* carbuncle

bun-² bun *pref* basic, primary, elementary; medium

bunábhar 'bun,a:vər *m*1 raw material; (*of literary work*) substance

bunadh bunə *m*1 stock, kind, *mo bhunadh féin* my own kindred, ~ *na háite* the local people, *an fhírinne bhunaidh* the essential truth

bunaigh buni: *vt* found, establish

bunaíoch buni:(ə)x *a*1, *gsm* ~ primitive

bunaíocht buni:(ə)xt *f*3 establishment

bunairgead 'bun,ar'əg'əd *m*1 principal, capital sum

bunáit 'bun,a:t' *f*2, *pl* ~**eanna** ordinary residence; base

bunáite 'bun,a:t'ə *f*2 main part; majority

bunaitheoir buniho:r' *m*3 founder

bunalt 'bun,alt *m*1 butt-joint, ~ *creidimh* article of faith

bunaois 'bun,i:s' *f*2 fairly advanced age

bunaosta 'bun,i:stə *a*3 fairly old

bunata bunətə *a*3 basic; primary

bunchíos 'bun,x'i:s *m*3, *pl* ~**anna** ground rent

bunchloch 'bun,xlox *f*2 foundation-stone

bunchnoic 'bun,xnok' *mpl* foot-hills

bundallán bundəla:n *m*1 bung, stopper

bundamhna 'bun,daunə *m*4 primary matter; raw material

bundlaoi 'bun,dli: *f*4 eaves (of thatch)

bundúchasach 'bun,du:xəsəx *m*1 aborigine *a*1 aboriginal

bundún bundu:n *m*1 fundament; bottom, ~ *leice* sea-anemone

bungaló buŋgəlo: *m*4, *pl* ~**nna** bungalow

bunóc buno:k *f*2 infant

bunoideachas 'bun,od'əxəs *m*1 primary education

bunoscionn ,bunəs'k'in *adv* & *a* upside down; confused, wrong, ~ *le réasún* opposed to reason

bunreacht 'bun,raxt *m*3 constitution

bunreachtúil 'bun,raxtu:l' *a*2 constitutional

bunrí 'bun,ri: *f*4, *pl* ~**theacha** wrist

bunscoil 'bun,skol' *f*2, *pl* ~**eanna** primary school

bunsócmhainn 'bun,so:kvən' *f*2 fixed asset

bunsprioc 'bun,sp'r'ik *f*2 fixed stake, mark, *dul go* ~ to get down to brass tacks

bunsraith 'bun,srah *f*2 bottom layer, foundation; substratum

buntáiste bunta:s't'ə *m*4 advantage

buntomhas 'bun,to:s *m*1 dimension; standard (of weight, measurement)

buntús buntu:s *m*1 rudiment(s)

bunú bunu: *m*4 foundation, establishment

bunúil bunu:l' *a*2 well-founded; substantial; well-to-do; original

bunuimhir 'bun,iv'ər' *f*, *gs* -**mhreach** *pl* -**mhreacha** cardinal number; radix

bunús bunu:s *m*1 origin, basis; substance; majority, ~ *an chreidimh* the essence of faith, *tá* ~ *maith air* he is well-to-do, ~ *an ama* most of the time, ~ *gach aon lá* almost every day

bunúsach bunu:səx *a*1 original, basic; substantial; well-to-do

búr bu:r *m*1 boor

burdún bu:rdu:n *m*1 refrain; tale, gossip; epigram in verse

burgúin borəgu:n' *f*2 burgundy (wine)

burla bu:rlə *m*4 bundle, roll, bale

burláil bu:rla:l' *vt* bundle, roll together, bale

burlaire bu:rlar'ə *m*4 baler

bursa borsə *m*4 burse; purse

búrúil bu:ru:l' *a*2 boorish

bus bos *m*4, *pl* ~**anna** bus

bús bu:s *m*1 buzz; noise, ~ *deataigh* clouds of smoke

busáras 'bos,a:rəs *m*1 bus station

busta bostə *m*4 bust

buta¹ botə *m*4 butt (of wine, etc), ~ *ime* cask of butter

buta² botə *m*4 butt, thick end, stock

bután bu:ta:n *m*1 butane

buthal buhəl *m*1 fulcrum

butrach botrəx *f*2 buttery

C

cá ka: *interr a, pron & adv* what; how; where, *cá haois* what age, *cá has* where from, *cá fhad* how long

cab kab *m1, pl* ~**anna** mouth; snout; opening; lip

cába ka:bə *m4* cape; collar

cabaireacht kabər'əxt *f3* babbling; loquacity

cabáiste kaba:s't'ə *m4* cabbage

cábán ka:ba:n *m1* cabin

cabhail kaul' *f, gs* **-bhlach** *pl* **-bhlacha** body; torso; frame (of structure, vehicle, etc); bodice

cabhair[1] kaur' *f, gs* **-bhrach** help, assistance

cabhair[2] kaur' *vt, pres* **-bhraíonn** *vn* **-bhradh** emboss, chase

cabhán kaua:n *m1,* ~ *abhann* yellow water-lily

cabhlach kauləx *m1* fleet; navy

cabhrach kaurəx *a1* helpful

cabhraigh kauri: *vi* help, ~*liom* help me

cabhsa kausə *m4* causeway; path

cábla ka:blə *m4* cable

cáblach ka:bləx *a1* funicular; thickly plaited

cábóg ka:bo:g *f2* clodhopper, clown

cac kak *m3, pl* ~ **anna** excrement, ordure *vt & i* void excrement

cáca ka:kə *m4* cake

cacamas kakəməs *m1* dross, refuse; worthless thing

cách ka:x *m4* everyone

cachtas kaxtəs *m1* cactus

cad kad *interr pron* what, ~ *chuige*? why? ~ *as duit*? where are you from? ~ *fá*? why? ~ *é mar tá tú*? how are you? ~ *é mar olagón*! what wailing!

cadairne kadərn'ə *m4* scrotum

cadás kada:s *m1* cotton

cadhail kail' *vt, pres* **caidhleann** *vn* **caidhleadh** coil, twist, *ag caidhleadh sneachta* driving snow

cadhan kain *m1* pale-breasted brent goose; barnacle goose, ~ *aonair* lone bird

cadhnaíocht kaini:(ə)xt *f3, ar thús* ~*a* in the vanguard

cadhnra kainrə *m4* battery

cadóg kado:g *f2* haddock

cadráil kadra:l' *f3* chattering; gossip

cadránta kadra:ntə *a3* hard, unfeeling; stubborn

cafarr kafa:r *m1* helmet

cág ka:g *m1, npl* ~**a** jackdaw, ~ *cosdearg* chough

caibhéad kav'e:d *m1* recess; press

caibhéar ka'v'a:r *m1* caviar

caibidil kab'əd'əl' *f2, gs* **-dle,** *pl* **-dlí** chapter; debate

cáibín ka:b'i:n' *m4* caubeen, old hat, *do cháibín a thabhairt saor leat* to get off scot-free

caibinéad kab'ən'e:d *m1* cabinet

caibléir kab'l'e:r' *m3* cobbler

caibléireog kab'l'e:r'o:g *f2* cobbler

caid kad' *f2, pl* ~**eanna** football; game of football

caidéal kad'e:l *m1* pump

caidéalaigh kad'e:li: *vt* pump out

caidéis kad'e:s' *f2* inquisitiveness, ~ *a chur ar dhuine* to accost a person

caidéiseach kad'e:s'əx *a1* inquisitive, nosy

cáidheach ka:y'əx *a1* dirty

caidhp kaip' *f2, pl* ~**eanna** coif, bonnet, ~ *bháis* death-cap

caidhséar kais'e:r *m1* cutting, channel

caidhte kait'ə *m4* quoit

caidreamh kad'r'əv *m1* intercourse, intimacy; association, *oíche chaidrimh* social evening

caidreamhach kad'r'əvəx *m1* sociable person *a* sociable

caife kafə *m4* coffee; café

caifeach kaf'əx *a1* prodigal, wasteful

caifeachán kaf'əxa:n *m1* prodigal

caiféin kaf'e:n' *f2* caffeine

caifirín kaf'ər'i:n' *m4* head-scarf

caififéire kaf'ət'e:r'ə *m4* cafeteria

caígh ki:y' *vt & i* weep, lament, bewail

caighdeán kaid'a:n *m1* set measurement; standard

caighdeánach kaid'a:nəx *a1* standard

caighdeánaigh kaid'a:ni: *vt* standardize

cáil ka:l' *f2, pl* ~**eanna** reputation; quality; amount, portion, *i g* ~ *sagairt* in the capacity of a priest

cailc[1] kal'k' *f2* chalk; pipeclay, *dul thar* ~ *(le rud)* to overstep the mark

289

cailc-² kal′k′ *pref* calc(i)-

cailceach kal′k′əx *a*1 chalky; chalk-white

cailciam kal′k′iəm *m*4 calcium

cailcigh kal′l′u:l′ *vt & i* calcify

caileandar kal′əndər *m*1 calendar

caileann kal′ən *f*2, *gs* -**ille** calends, *Lá Caille* New Year's Day

cailéideascóp ′kal′e:d′ə,sko:p *m*1 kaleidoscope

cailg kal′əg′ *f*2, *pl* ~**eanna** sting *vt* sting

cáiligh ka:l′i: *vt & i* qualify

cailín ka:l′i:n′ *m*4 girl; young unmarried woman; maid-servant

cáilíocht ka:l′i:(ə)xt *f*3 quality; disposition; qualification, ~ *a thabhairt ar dhuine* to give a reference concerning a person

cailís kal′i:s′ *f*2 chalice; calyx

cáilitheach ka:l′ihəx *a*1 qualifying

cáiliúil ka:l′u:l′ *a*2 famous, celebrated

caill kal′ *f*2, *pl* ~**eanna** loss, *níl* ~ *air* he's not bad *vt & i* lose; miss, ~*eadh go hóg é* he died young

cailleach kal′əx *f*2 old woman, hag; alcove, ~ *ghiúise* pine stump, ~ *dhubh* cormorant

cailliúint kal′u:n′t′ *f*3, *gs* -**úna** loss

cailliúnaí kal′u:ni: *m*4 loser; spendthrift

caillte kal′t′ə *a*3 lost, perished; dreadful, sordid

caillteanas kal′t′ənəs *m*1 loss

cáilmheas ′ka:l′,v′as *m*3 goodwill

Cailvíneachas kal′əv′i:n′əxəs *m*1 Calvinism

cáim ka:m′ *f*2, *pl* ~**eacha** fault, blemish

caime kam′ə *f*4 crookedness; dishonesty

caimiléir kam′əl′e:r′ *m*3 dishonest person, crook

caimiléireacht kam′əl′e:r′əxt *f*3 crookedness, dishonesty

caimileon kam′əl′o:n *m*1 chameleon

cáimric ka:m′r′ək′ *f*2 cambric

caimseog kam′s′o:g *f*2 fib

cáin ka:n′ *f*, *gs* cánach *pl* cánacha fine, penalty; tax *vt & i* fine; condemn, censure

cáinaisnéis ′ka:n′,as′n′e:s′ *f*2 (parliamentary) budget

cainche kan′əx′ə *f*4 quince

caincín kaŋ′k′i:n′ *m*4 (snub) nose

cáineadh ka:n′ə *m*, *gs* -**nte** condemnation, censure

cainéal¹ kan′e:l *m*1 channel

cainéal² kan′e:l *m*1 cinnamon

caingean kaŋ′g′ən *f*2, *gs & pl* -**gne** cause, dispute; plea, ~ *dlí* action at law

caingneach kaŋ′n′əx *a*1 actionable; troublesome

cáinmheas ′ka:n′,v′as *m*3, (*of tax, fine*) assessment

cainneann kan′ən *f*2 leek

cainníocht kan′i:(ə)xt *f*3 quantity

caint kan′t′ *f*2, *pl* ~**eanna** speech, talk; discourse, ~ *na ndaoine* common speech, *leagan* ~*e* mode of expression, *ag* ~ *le duine* speaking to a person

cainteach kan′t′əx *a*1 talkative; chatty

cáinteach ka:n′t′əx *a*1 fault-finding, censorious

cainteoir kan′t′o:r′ *m*3 speaker, talker

cáinteoir ka:n′t′o:r′ *m*3 fault-finder

caintic kan′t′ək′ *f*2 canticle

caintigh kan′t′i: *vt & i* speak (*le* to); address, accost

cáipéis ka:p′e:s′ *f*2 document

cáipéiseach ka:p′e:s′əx *a*1 documentary

caipín kap′i:n′ *m*4 cap, ~ *sonais* caul

Caipisíneach kap′əs′i:n′əx *m*1 *& a*1 Capuchin

caipiteal kap′ət′əl *m*1 capital

caipitleachas kap′ət′l′əxəs *m*1 capitalism

caipitlí kap′ət′l′i: *m*4 capitalist

cairbid kar′əb′id′ *f*2 carbide

cairbín kar′əb′i:n′ *m*4 carbine

cairbreach kar′əb′r′əx *a*1 ridged, rugged, *na cianta* ~*a ó shin* in remote ages

cairde ka:rd′ə *m*4 respite; credit, *rud a chur ar* ~ to put off sth

cairdeagan ka:rd′əgən *m*1 cardigan

cairdeas ka:rd′əs *m*1 friendship

cairdeasaíocht ka:rd′asi:(ə)xt *f*3 fraternization

cairdiach ka:rd′iəx *a*1, *gsm* ~ cardiac

cairdín ka:rd′i:n′ *m*4 accordion

cairdinéal ka:rd′ən′e:l *m*1 cardinal

cairdinéalta ka:rd′ən′e:ltə *a*3 cardinal

cairdiúil ka:rd′u:l′ *a*2 friendly

cairdiúlacht ka:rd′u:ləxt *f*3 friendliness

cairéad kar′e:d *m*1 carrot

cairéal ka:r′e:l *m*1 quarry

cáiréas ka:r′e:s *m*1 caries

cáiréis ka:r′e:s′ *f*2 carefulness; nicety, delicacy

cáiréiseach ka:r′e:s′əx *a*l careful; nice, delicate, ~ *ar bhia* fastidious about food

Cairmiliteach kar′əm′əl′i:t′əx *m*l & al Carmelite

cairpéad kar′p′e:d *m*l carpet

cairrín ka:r′i:n′ *m*4 push-cart

cairt¹ kart′ *f*2, *pl* ~eacha chart; charter; parchment, deed

cairt² kart′ *f*2, *pl* ~eacha cart

cairtchlár 'kart′,xla:r *m*l cardboard

cairtéal kart′e:l *m*l cartel

cairtfhostaigh 'kart′,osti: *vt* charter

cáis ka:s′ *f*2, *pl* ~eanna cheese

cáisbhorgaire 'ka:s′,vorəgər′ə *m*4 cheese-burger

Cáisc ka:s′k′ *f*3 Easter; Passover

caiscín kas′k′i:n′ *m*4 wholemeal; whole-meal bread

caise kas′ə *f*4 stream, current

caiseach kas′əx *a*l gushing, flowing rapidly

caiséad kas′e:d *m*l cassette

caiseal kas′əl *m*l (ancient) stone fort; 'clamp' on stack of turf; spinning-top

caisearbhán ,ka:s′arəva:n *m*l dandelion

caisirnín kas′ərn′i:n′ *m*4 kink (in rope, etc); twist, spiral, ~ *deataigh* wisp of smoke

caisleán kas′l′a:n *m*l castle; mansion

caislín kas′l′i:n′ *m*4, ~ *aitinn* whinchat, ~ *cloch* stonechat

caismir kas′m′i:r′ *f*2 cashmere

caismirneach kas′m′ərn′əx *f*2 meandering; twists, torsion

caismirt kas′m′ərt′ *f*2 commotion; conflict; contention

caite kat′ə *a*3 worn, consumed, spent, past; thrown, *an tseachtain seo* ~ last week

caiteach kat′əx *a*l wearing, wasteful

caiteachas kat′əxəs *m*l expenditure

caiteoir kat′o:r′ *m*3 wearer; consumer; spender

caith kah *vt* & *i* wear (out), consume, spend; throw, cast, shoot, *píopa a chaitheamh* to smoke a pipe, *tá na blianta á gcaitheamh* the years are passing, *chaith sibh go maith liom* you entertained me well, *bhí sí ag* ~*eamh i ndiaidh an linbh* she was pining for the

child, *léim a chaitheamh* to take a jump, *ag* ~*eamh ó thuaidh* drifting north, *tá an aill ag* ~*eamh amach* the cliff is overhanging, *ag* ~*eamh anuas ar dhuine*, belittling a person, ~*fidh mé imeacht* I must go

cáith¹ ka: *f*3 chaff; rubbish

cáith² ka: *vt* & *i* winnow; spray; beat, *ag* ~*eadh báistí* pouring rain

caitheamh kahəv *m*l wear, consumption; spending; throw, cast; shooting, ~ *to-bac* tobacco-smoking, ~ *aimsire* pastime, *i g*~ *an lae* in the course of the day, *níl* ~ *ar bith ort é a dhéanamh* you are not compelled to do it, ~ *i ndiaidh ruda* hankering after sth

cáithil ka:hi:l′ *f*3 clearing of throat, hawking

caithiseach kahəs′əx *a*l affectionate; attractive, delightful, delicious

caithne kahn′ə *f*4 arbutus

cáithnín ka:hn′i:n′ *m*4 small flake, particle *pl* goose-flesh

caithreachas kahr′əxəs *m*l puberty

caithréim kahr′e:m′ *f*2, *pl* ~eanna martial career; triumph

caithréimeach kahr′e:m′əx *a*l triumphant; exultant

caithrigh kahr′i: *vi* reach puberty; develop

caiticeasma kat′ək′əsmə *m*4 catechism

caitín kat′i:n′ *m*4 pile, nap, of cloth; catkin

Caitliceach kat′l′ək′əx *m*l & al Catholic

Caitliceachas kat′l′ək′əxəs *m*l Catholicism

cál ka:l *m*l kale, cabbage, ~ *ceannann* colcannon

caladh kalə *m*l, *pl* -aí landing-place; ferry; harbour

calafort 'kalə,fort *m*l port, harbour

calaigh kali: *vt* (*of ship*) berth

calaois kali:s′ *f*2 deceit, fraud

calaoiseach kali:s′əx *a*l deceitful, fraudulent

calar kalər *m*l cholera

calc¹ kalk *m*l, *pl* ~anna dense mass, ~ *toite* belch of smoke

calc² kalk *vt* & *i* caulk, cake, ~ *tha leis an tart* parched with thirst

calcalas kalkələs *m*l calculus

call kal *m*4 call, need; claim, right

callaire kalər'ə *m4* crier, bellman; ranter; loud-speaker

callaireacht kalər'əxt *f3* crying, proclaiming; shouting; ranting

callán kala:n *m1* noise, clamour

callánach kala:nəx *a1* noisy, clamorous

callóid kalo:d' *f2* commotion; wrangle; disquiet; drudgery

callóideach kalo:d'əx *a1* turbulent; troublesome

callshaoth 'kal,hi: *m3* travail; contention, trouble

calm kaləm *m1* calm

calma kaləmə *a3* brave, strong; fine, splendid

calmacht kaləməxt *f3* bravery; strength

calóg kalo:g *f2* flake

calógach kalo:gəx *a1* flaky, flaked

calra kalrə *m4* calorie

cam¹ kam *m1, npl* ~**a** cresset, meltingpot, ~ *stile* worm, ~ *an ime* buttercup

cam² kam *m1, npl* ~**a** bend; crooked object; crookedness, fraud *a1* bent, crooked; distorted, wrong, *cleas* ~ dishonest trick *vt & i* bend, distort, *ga solais a chamadh* to refract a ray of light

camall kaməl *m1* camel

camán¹ kama:n *m1* hurling-stick; quaver

camán² kama:n *m1*, ~ *meall* camomile

camarsach kamərsəx *a1* wavy, curled

camas kaməs *m1* small bay, cove; bend of river, *chuir sé a cheann ina chamas* he curled himself up

cámas ka:məs *m1* fault-finding, disparagement; affectation

camastail kaməsti:l' *f3* crookedness; fraud, dishonesty

camchéachta 'kam,x'e:xtə *m4*, *an C* ~ the Plough

camchuairt 'kam,xuərt' *f2* ramble, tour

camfar kamfər *m1* camphor

camghob 'kam,yob *m1*, *npl* ~**a** crossbill

camhaoir kaui:r' *f2* daybreak

camhraigh kauri: *vi*, *(of fish, meat, etc)* become tainted

camhraithe kaurihə *a3* tainted, rancid

cam-mhuin 'kam,vin' *f2* wryneck

camóg kamo:g *f2* crook; camogie-stick; gaff-hook; comma

camógaíocht kamo:gi:(ə)xt *f3* camogie

campa kampə *m4* camp; faction

campáil kampa:l' *vi* camp

campálaí kampa:li: *m4* camper

camra kamrə *m4* sewer

camras kamrəs *m1* filth, sewage

can kan *vt & i* chant, sing; speak, talk

cána ka:nə *m4* cane

canablach kanəbləx *m1 & a1* cannibal

canablacht kanəbləxt *f3* cannibalism

cánachas ka:nəxəs *m1* taxation

canad kanəd *interr adv* where

canáil kana:l' *f3* canal

canárai kana:ri: *m4* canary

canbhás kanəva:s *m1* canvas

cancar kaŋkər *m1* canker; malignancy; cantankerousness

cancrach kaŋkrəx *a1* cankerous; cantankerous

cancrán kaŋkra:n *m1* crank

candaí kandi: *m4* candy

candam kandəm *m1* amount

cangarú kaŋgəru: *m4* kangaroo

canna kanə *m4* can, *ar na* ~ *i* drunk

cannaigh kani: *vt* can

canóin kano:n' *f3*, *pl* -**ónacha** cannon

canónach kano:nəx *m1* canon

canónaigh kano:ni: *vt* canonize

canónta kano:ntə *a3* canonical

canónú kano:nu: *m4* canonization

canrán kanra:n *m1* muttering, murmuring, grumbling

canta¹ kantə *m4* chunk

canta² kantə *a3* nice, neat, pretty

cantain kantən' *f3* chanting, singing

cantaireacht kantər'əxt *f3* chanting, singing; murmuring, complaining

cantal kantəl *m1* plaintiveness; peevishness, petulance

cantalach kantələx *a1* plaintive; peevish, querulous

canú kə'nu: *m4*, *pl* ~**nna** canoe

canúint kanu:n't' *f3*, *gs* -**úna** speech, expression; vernacular, dialect; accent

canúnach kanu:nəx *a1* dialectal

canúnachas kanu:nəxəs *m1* dialectal trait(s), vernacularism; colloquialism

caoch ki:x *m1*, *npl* ~**a** blind, purblind, person *a1*, *gsm* ~ blind, purblind, *bhuail sé* ~ *mé* he beat me hollow, *coirce* ~ blasted oats *vt & i* blind; daze, dazzle, *chaoch an píopa* the pipe choked, *súil a chaochadh (ar dhuine)* to wink (at a person)

caochadh ki:xə *m*, *gs* **-chta** winking, closing, *i g ~ na súl* in the twinkling of an eye

caochán ki:xa:n *m*1 purblind creature; mole

caochneantóg 'ki:x,n'anto:g *f*2 deadnettle

caochpholl 'ki:x,fol *m*1 bog-hole

caochshráid 'ki:x,hra:d' *f*2, *pl* **~eanna** cul-de-sac

caoga ki:gə *m*, *gs* **~d**, *pl* **~idí**, *ds & npl* with numerals **~id & a** fifty

caogadú ki:gədu: *m*4 a fiftieth

caoi ki: *f*4, *pl* **caíonna** way, manner; means, opportunity, ~ *a chur ar rud* to put sth in order, to repair sth, *is é an chaoi a bhfuil sé* (go) the fact is (that), *i g ~, sa chaoi*, (is) go so that, *ar aon chaoi, ar chaoi ar bith* anyway, *cén chaoi a bhfuil tú?* how are you?

caoiche ki:x'ə *f*4 blindness, purblindness

caoile ki:l'ə *f*4 narrowness; slenderness; meagreness

caoimhe ki:v'ə *f*4 gentleness; loveliness; smoothness

caoin¹ ki:n' *a*1 smooth, delicate, gentle, refined

caoin² ki:n' *vt & i* keen, lament; cry, weep

caoinchead 'ki:n',x'ad *s*, *le ~* (ó) by kind permission (of)

caoindúthrachtach 'ki:n',du:hrəxtəx *a*1 earnest, devout

caoineadh ki:n'ə *m*, *gs & pl* **-nte** keen, lament; weeping; elegy

caoineas ki:n'əs *m*1 smoothness, gentleness

caoinfhulaingt 'ki:n',ulən't' *f*, *gs* **-gthe** tolerance

caoinfhulangach 'ki:n',uləŋəx *a*1 tolerant

caointeach ki:n't'əx *a*1 plaintive, mournful

caointeoir ki:n't'o:r' *m*3 mourner, crier

caoireoil 'ki:r',o:l' *f*3 mutton

caoithiúil ki:hu:l' *a*2 convenient, opportune; pleasant, kindly

caoithiúlacht ki:hu:ləxt *f*3 opportuneness; pleasantness, kindliness, *ar do chaoithiúlacht* at your convenience

caol ki:l *m*1, *pl* **~ta** slender part of body, of limb; narrow water; osier, twig (in basket-making), *~ na coise* ankle, *~ na láimhe* wrist, *~ na sróine* bridge of nose *a*1 thin, slender; fine; narrow,

fead chaol shrill whistle, *aigéad ~* dilute acid, *béile ~* meagre repast, *tuiscint chaol* subtle perception, *tar ~ díreach abhaile* come straight home

caolach ki:ləx *m*1 osiers; twigs; wickerwork

caoladóir ki:lədo:r' *m*3 wicker-worker; basket-maker

caoladóireacht ki:lədo:r'əxt *f*3 wattling, wicker-work; basketry

caolaigeanta 'ki:l,ag'əntə *a*3 narrowminded

caolaigh ki:li: *vt & i* become thin; narrow; reduce; dilute; attenuate, palatalize, *caolú isteach* to edge one's way in, to sidle in

caolán ki:la:n *m*1 creek; small intestine, ~, *snáithe caoláin* catgut

caolas ki:ləs *m*1 strait, narrow water; narrow place; bottleneck

caolchuid 'ki:l,xid' *f*, *an chaolchuid de rud* the lesser part of sth, *ar an g~ in* needy circumstances, in want

caolchúiseach 'ki:l,xu:s'əx *a*1 subtle

caolchúis 'ki:l,xu:s' *f*2 subtlety

caoldroim 'ki:l,drom' *m*3, *pl* **-omanna** small of back; sirloin (of beef)

caolsáile 'ki:l,sa:l'ə *m*4 inlet, firth

caolsráid 'ki:l,sra:d' *f*2, *pl* **~eanna** alley

caolú ki:lu: *m*4 attenuation, narrowing; dilution

caomh ki:v *a*1 dear, gentle; pleasant; lovely, smooth

caomhnaigh ki:vni: *vt* cherish; preserve; conserve

caomhnaitheach ki:vnihəx *a*1 preservative, protective

caomhnóir ki:vno:r' *m*3 guardian, protector; patron

caomhnú ki:vnu: *m*4 preservation, conservation, protection

caonach ki:nəx *m*1 moss, ~ *liath* mildew

caonaí ki:ni: *s*, ~ (*aonair*) lone person

caor ki:r *f*2 berry; round object, ball; glowing object, ~ *thine* fireball, *tá an teach ina aon chaor amháin* the house is all ablaze

caora ki:rə *f*, *gs & gpl* **~ch** *npl* **-oirigh** sheep; ewe

caorán ki:ra:n *m*1 fragment, small sod, of turf; moor

caordhearg 'ki:r,γ'arəg *a*1 glowing

caoróg ki:ro:g *f*2, (*plant*) ~ *léana* pink

caorthann ki:rhən *m*1 mountain ash, rowan

capaillín kapəl'i:n' *m*4 pony

capall kapəl *m*1 horse

capsúl kapsu:l *m*1 capsule

captaen kapte:n *m*1 captain

cár ka:r *m*1 grin, grimace; set of teeth

cara karə *m, gs* ~**d** *pl* **cairde** *gpl* ~**d** *in certain phrases* friend, ~ **Críost**, ~ **as Críost** godparent, *a chara na gcarad* my dearest friend

caracatúr karəkətu:r *m*1 caricature

carachtar karəxtər *m*1 character

carachtracht karəxtrəxt *f*3 characterization

caramal karəməl *m*1 caramel

carbad karəbəd *m*1 chariot

carbaihiodráit 'karəbə,hidra:t' *f*2 carbohydrate

carball karəbəl *m*1 (hard) palate; gum; jaw; boulder

carbán karəba:n *m*1, *(fish)* carp

carbhán karəva:n *m*1 caravan

carbhas karu:s *m*1 carouse, carousal

carbhat karəvat *m*1 cravat, scarf; (neck-) tie

carbólach karəbo:ləx *a*1 carbolic

carbón karəbo:n *m*1 carbon

carbónmhar karəbo:nvər *a*1 carboniferous

carbradóir karəbrədo:r' *m*3 carburettor

carcair karkər' *f, gs* **-crach** *pl* **-cracha** prison; stall, pen

cardáil ka:rda:l' *f*3 carding (of wool); discussion, gossip *vt & i* card; discuss

carghas kari:s *m*1 Lent; self-denial, an C~ a dhéanamh to keep the Lenten fast

carn ka:rn *m*1 cairn; heap, pile; great amount *vt & i* heap, pile, accumulate

carnabhal ka:rnəvəl *m*1 carnival

carnabhóir ka:rnəvo:r' *m*3 carnivore

carnach ka:rnəx *a*1 cumulative

carnadh ka:rnə *m, gs* **-ntha** accumulation, ~ **crúb** pounding of hoofs

carnán ka:rna:n *m*1 (small) heap, mound, (cards) kitty

caróg karo:g *f*2 crow

carr¹ ka:r *m*1, *pl* ~**anna** car, ~ **sleamhnáin** sledge

carr² ka:r *f*3 crust, coating; rocky patch

carracán karəka:n *m*1 rocky eminence; large rock

carrach karəx *a*1 rough-skinned; scabby, mangy; rocky, *an galar* ~ scurvy

carraeir kare:r' *m*3 carman, carrier

carraeireacht kare:r'əxt *f*3 carting; carriage, haulage

carraig karəg' *f*2, *pl* ~**eacha** rock

carraigeach karəg'əx *a*1 rocky

carraigín karəg'i:n' *m*4 carrageen moss

carráiste kara:s't'ə *m*4 carriage

carrchlós 'ka:r,xlo:s *m*1 car-park

carrmhogall 'ka:r,vogəl *m*1 carbuncle

cársán ka:rsa:n *m*1 wheeze

cársánach ka:rsa:nəx *a*1 wheezy

cart kart *vt & i* tan (leather); scrape clean; clear away

cárt ka:rt *m*1 quart

cárta ka:rtə *m*4 card, *caite i gcártaí* discarded

cartagrafaíocht 'kartə,grafi:(ə)xt *f*3 cartography

cartán karta:n *m*1 carton

carthanach karhənəx *a*1 charitable; loving; friendly

carthanacht karhənəxt *f*3 love, charity; friendliness, friendship

carthanas karhənəs *m*1, *(of foundation, etc)* charity

cartlann kartlən *f*2 archives

cartlannaí kartləni: *m*4 archivist

Cartúiseach kartu:s'əx *m*1 *& a*1 Carthusian

cartún kartu:n *m*1 cartoon

cartúnaí kartu:ni: *m*4 cartoonist

cartús kartu:s *m*1 cartridge

carúl karu:l *m*1 carol

cas kas *a*1 twisted, winding; curly; complicated; devious *vt & i* twist; turn; wind, *amhrán a chasadh* to sing a song, *níor chas sé orainn ó shin* he hasn't returned to us since, *chas tú bréag liom* you accused me of lying, ~ **adh orm, dom, liom, é** I met, happened to meet, him, *má chastar ann arís mé* if I happen to be there again

cás¹ ka:s *m*1, *pl* ~**anna** case; circumstances; matter for concern, *is é an* ~ *(go)* the fact of the matter is (that), *cuir(eam) i g* ~ *(go)* (let us) suppose (that), *is trua liom do chás* I am sorry about your trouble, *bheith i g* ~ *faoi rud* to be concerned about sth, *ní* ~ *orm, liom, iad* they are no concern of mine

cás² ka:s *m1*, *pl* ~ **anna** (*of box*, *etc*) case; frame; cage

cásach ka:səx *a1* honoured, venerable, respectful

casacht kasəxt *f3* cough

casachtach kasaxtəx *f2* cough(ing)

casadh kasə *m1*, *pl* **-staí** twist, turn; reproach, ~ *in abhainn* wind in a river, ~ *an tobac* cable-stitch, ~ *aigne* nausea, *le* ~ *an phoist* by return of post, *rud a chur ar* ~ to set sth spinning

cásaigh ka:si: *vt* lament, deplore; inquire for, *chásaigh sé bás m'athar liom* he sympathized with me on my father's death

cásáil ka:sa:l′ *f3* casing *vt* encase, case

casal kasəl *m1* chasuble; mantle

cásamh ka:səv *m1* lamenting, grumbling; condolence

casaoid kasi:d′ *f2* complaint *vt & i* complain, grumble

casaoideach kasi:d′əx *a1* complaining

casarnach kasərnəx *f2* brushwood, scrub

casaról kasəro:l *m1* casserole

casca kaskə *m4* cask

caschaint 'kas,xan′t′ *f2* cross-talk

cáscúil ka:sku:l′ *a2* paschal

casfhocal 'kas,okəl *m1* tongue-twister

casla kaslə *f4* small harbour, creek

cásmhaireacht ka:svər′əxt *f3* concern; plaintiveness; sympathy

cásmhar ka:svər *a1* concerned; plaintive; sympathetic

casóg kaso:g *f2* cassock; jacket, coat

casta kastə *a3* twisted, wound; intricate, *ceist chasta* knotty question, *aghaidh chasta* wizened face

castacht kastəxt *f3* complexity, intricacy

castainéad kastən′e:d *m1* castanet

castainn kastən′ *f2* windlass; twist, kink

castaire kastər′ə *m4* spanner

castán kasta:n *m1* (Spanish, sweet) chestnut

castóir kasto:r′ *m3* winder, turner

casúireacht kasu:r′əxt *f3* hammering

casúr kasu:r *m1* hammer

cat kat *m1* cat, ~ *crainn* pine marten, ~ *mara* angel-fish; calamity

catach katəx *a1* curly, curly-haired; dog-eared

catacóm katəko:m *m1* catacomb

catail kati:l′ *f3* curliness

catalaíoch katali:(ə)x *m1* catalyst *a1*, *gsm* ~ catalytic

catalóg katəlo:g *f2* catalogue

cátaoir ka:ti:r′ *f*, *gs* ~ **each** ember-days

cath kah *m3*, *pl* ~ **anna** battle; conflict, trial; battalion

cathach kahəx *m1* battle reliquary *a1* battling, warlike

cathain kahən′ *interr adv* when

cathair kahər′ *f*, *gs* ~ **thrach** *pl* **-thracha** city; circular stone fort, ~ *ghríobháin* maze, labyrinth

cathaitheach kahihəx *a1* tempting; regretful, sorrowing

cathaitheoir kahiho:r′ *m3* tempter; mischief-maker

cathaoir kahi:r′ *f*, *gs* ~ **each** *pl* ~ **eacha** chair; seat, throne, ~ *uilleann* armchair

cathaoirleach kahi:rləx *m1* chairman

cathartha kahərhə *a3* civic, civil, *an tArm C* ~ the Irish Citizen Army

cathlán kahla:n *m1* battalion

cathróir kahro:r′ *m3* citizen

cathróireacht kahro:r′əxt *f3* citizenship

cathú kahu: *m4* conflict, battle; temptation; regret, sorrow

catóid kato:d′ *f2* cathode

catóir kato:r′ *m3* curler

catsúil 'kat,su:l′ *f2*, *gs & npl* ~ **e** *gpl* **-úl** sidelong glance; ogle

catúil katu:l′ *a2* feline, cat-like

cé¹ k′e: *f4*, *pl* ~ **anna** quay

cé² k′e: *interr pron* who, whom; what, *cé a rinne é?* who did it? *cé a dúirt tú?* whom did you say? *cé hé an fear seo?* who is this man? *cé aige a bhfuil sé?* who has it? *cé leis an leabhar?* whose is the book? *cér diobh é?* who are his people? *cérbh é an fear sin?* who was that man? *cérb iad?* who are they? *cén fear é?* what man is he? *cén uair?* when? *cén áit?* where? *cén fáth?* why? *cé againn is airde?* which of us is the taller? *cé acu ceann is fearr leat?* which one do you prefer? *níl a fhios agam cé acu fear nó bean atá ann* I don't know whether it is a man or a woman, *cé chomh mór leis?* how big is he? *cé mar a thaitin sé leat?* how did you like it?

cé³ k'e: *conj* although, *cé nach bhfeicim iad* although I do not see them, *cé is moite* (*de*) except (for), *cé nár imigh tú fós?* have you not gone away yet?

ceachartha k'axərha *a3* near, mean, niggardly

ceacharthacht k'axərhəxt *f3* meanness

ceacht k'axt *m3*, *pl* ~**anna** lesson; recited passage, episode; (school) exercise

céachta k'e:xtə *m4* plough

ceachtar k'axtər *pron* either, ~ *den bheirt* either of the two (persons), *níor labhair* ~ *againn* neither of us spoke

cead k'ad *m3* leave, permission, *i g*~ *duit* by your leave; with due respect to you ~ *a chinn a thabhairt do dhuine* to let a person go free, ~ *tobac a dhíol* licence to sell tobacco, ~ *taistil* permit to travel

céad¹ k'e:d *m1*, *pl* ~**ta** hundred; century, *faoi chéad* a hundredfold, *faoin g*~, *sa chéad* per cent, ~ (*meáchain*) hundredweight

céad² k'e:d *num a chéad fhear* the first man, *na chéad daoine* the first people, *an chéad lá eile* the next day

céad-³ k'e:d *pref* first

céad-⁴ k'e:d *pref* hundred, many

céadach k'e:dəx *a1* hundredfold; great, immense

ceadaigh k'adi: *vt & i* permit, allow; ask permission, *cheadaigh sé liom é* he consulted me about it

ceadaithe k'adihə *a3* permitted; sanctioned

ceadaitheach k'adihəx *a1* permissive

ceadal k'adəl *m1* (music) recital

Céadaoin k'e:di:n' *f4*, *pl* ~**eacha** Wednesday, ~ *an Luaithrigh* Ash Wednesday, ~ *an Bhraith* Spy Wednesday

céadar¹ k'e:dər *m1* cedar

céadar² k'e:dər *m1* cheddar (cheese)

céadchosach 'k'e:d,xosəx *m1* centipede

céadfa k'e:dfə *f4* (bodily) sense; perception, understanding

céadfach k'e:dfəx *a1* sensory; perceptive, sensible

céadfacht k'e:dfəxt *f3* sensibility

ceadmhach k'advəx *a1* permissible

céadphroinn 'k'e:d,fron' *f2*, *pl* ~**te** breakfast

céadrata k'e:drətə *a3* primitive

ceadú k'adu: *m4* permission, sanction

céadú k'e:du: *m4 & a* hundredth

céaduair 'k'e:d,uər' *a, de, chéaduair* first, at first, *déan do chuid a chéaduair* take your meal first

ceadúnaí k'adu:ni: *m4* licensee

ceadúnaigh k'adu:ni: *vt* license

ceadúnas k'adu:nəs *m1* licence

ceáfar k'a:fər *m1*, *pl* -**fraí** caper; frisk; (music) caprice

ceáfrach k'a:frəx *a1* frisky

ceaig k'ag' *m4*, *pl* ~**eanna** keg

ceaileacó k'al'əko: *m4* calico

ceaintín k'an't'i:n' *m4* can; canteen

ceal k'al *m4* want, lack; absence of, (*de*) *cheal nirt* for want of strength, *rud a chur ar* ~ to abolish sth, *rud a ligean ar* ~ to let sth fall into disuse; to neglect sth

céalacan k'e:ləkən *m1* morning fast, *bheith ar* ~ to be fasting from the previous night

cealaigh k'ali: *vt* do away with; hide; rescind, cancel; consume

cealg k'aləg *f2* deceit; treachery; sting (of insect), *ag cothú ceilge* creating mischief, hatching a plot *vt* beguile; deceive; (*of insect*) sting, *leanbh a chealgadh* to lull a child to sleep

cealgach k'aləgəx *a1* guileful; treacherous; beguiling

cealgadh k'aləgə *m*, *gs* -**gtha** beguilement, deception

ceall, ~ a k'al, k'alə : **cill**

ceallafán k'aləfa:n *m1* cellophane

ceallalóid k'aləlo:d' *f2* celluloid

ceallalós k'aləlo:s *m1* cellulose

ceallamán k'aləma:n *m1* hoard (of money)

cealú k'alu: *m4* rescission, cancellation

ceamara k'amərə *m4* camera

ceana k'anə : **cion¹**

ceanastar k'anəstər *m1* canister

ceangail k'angəl' *vt*, *pres* -**glaíonn** bind, tie

ceangailteach k'angəl't'əx *a1* binding, connecting; sticky

ceangal k'angəl *m1* tie, binding; fetter; (*of poem*) envoy, ~ *cairdis* bond of friendship

ceangaltán k'angəlta:n *m1* truss, bundle

ceann¹ k´an *m*1, *npl* ~**a** & *ds* **cionn** *in certain phrases* head; roof; end, extremity; one, *tá* ~ *faoi*, ~ *síos, air* he is downcast, ashamed, *lig a cheann leis* let him go free, *thug sé a cheann leis* he survived, escaped, ~ *ar aghaidh* headlong; on purpose, ~ *gruaige* head of hair, ~ *comhairle*, (*of parliament*) speaker, *tá sé ina cheann maith dóibh* he provides well for them, ~ *báid* bows of boat, *dul chun cinn* advance, progress, ~ *a thógáil de rud* to take notice of sth, ~ *cait* long-eared owl, *ceann cipín* blockhead, ~ *tíre* promontory, ~ *cúrsa, scribe* journey's end, destination, *oíche chinn, cheann, féile* eve of festival, *an* ~ *a bhaint de scéal* to begin a story; to broach a subject, ~ *a chur ar scéal* to conclude a story; to close a subject, *tá dhá cheann ar an scéal* there are two sides to the story, *fuair sé an* ~ *is fearr orm* he got the better of me, *dhá cheann two, punt an* ~ a pound each, *ina g*~ *is ina g*~ one by one, *ar* ~ at the head of, in front of, *tháinig teachtaire chugam ar a cheann* a messenger came to me for it, *de cheann* for the sake of, instead of, *de chionn go, cionn is* (*go*) because, *tá an samhradh dár gcionn* summer lies ahead of us, *faoi cheann míosa* in a month's time, *fan go* ~ *seachtaine* wait for a week, *bhí sé i g*~ *a dheich mbliana d'aois* he had reached ten years of age, *dul i g*~ *oibre* to set to work, *ina cheann sin* along with that, *i g*~ *a chéile* together, *os cionn* above; in charge of, *os cionn céad* more than a hundred, *thar* ~ on behalf of; for the sake of, in return for, (*bheith*) *thar cionn* (to be) excellent

ceann-² k´an *pref* chief; main; -headed

céanna k´e:nə *m*4, *mar an g*~ in like manner *a*3 very, same, *ar an gcuma chéanna* in like manner, *san am* ~ at the same time, nevertheless

ceannach k´anəx *m*1 purchase

céannacht k´e:nəxt *f*3 identity

ceannadhairt k´an͵airt´ *f*2, *pl* ~**eanna** bolster, pillow

ceannaghaidh k´an͵aiy´ *f, gs* & *pl* ~**nnaithe** face, features

ceannaí k´ani: *m*4 buyer; dealer, merchant, ~ *gearr* retailer

ceannaigh k´anər´: *vt* & *i* buy, purchase; bribe, *dár gceannach ón mbás* to redeem us from death

ceannainne k´anən´ə *f*4 blaze (on animal's forehead)

ceannairc k´anər´k´ *f*2 mutiny, revolt

ceannairceach k´anər´k´əx *m*1 mutineer, rebel *a*1 mutinous, rebellious

ceannaire k´anər´ə *m*4 leader, guide; corporal

ceannaitheoir k´aniho:r´ *m*3 buyer

ceannann k´anən *f*2 white-faced animal *a*1, (*of animal*) white-faced, having blaze on forehead, *tonnta* ~ *a* white-crested waves, *an rud* ~ *céanna* the selfsame thing

ceannáras k´ana:rəs *m*1 headquarters

ceannas k´anəs *m*1 sovereignty; authority, command; assertiveness, *Banc Ceannais na hÉireann* the Central Bank of Ireland

ceannasach k´anəsəx *a*1 sovereign; commanding, masterful; assertive

ceannasaí k´anəsi: *m*4 commander; controller

ceannasaíocht k´anəsi:(ə)xt *f*3 leadership, command; assertion

ceannbhán k´anəva:n *m*1, ~ (*móna*) bog-cotton, cotton-grass

ceannbheart k´an͵v´art *m*1, *npl* ~**a** headgear; helmet

ceannbhrat ´k´an͵vrat *m*1 canopy

ceanncheathrú ´k´an͵x´ahru: *f, gs* ~**n** *pl* ~**na** headquarters

ceanndána ´k´an͵da:nə *a*3 headstrong; stubborn

ceanndánacht ´k´an͵da:nəxt *f*3 wilfulness, stubbornness

ceanneasna ´k´an͵asnə *f*4 grey homespun

ceannfort k´anfart *m*1 commander, leader; (*army*) commandant; (*police*) superintendent

ceannlá ´k´an͵la: *m, gs* **-lae** *pl* **-laethanta** appointed day, ~ *an chíosa* gale day

ceannlíne k´an͵l´i:nə *f*4, *pl* **-nte** headline

ceannlitir ´k´an͵l´it´ər´ *f, gs* **-treach** *pl* **-treacha** capital letter

ceann-nochta ´k´a(n)͵noxtə *a*3 bare-headed

ceannródaí ´kan͵ro:di: *m*4 leader, guide; pioneer

ceannsmacht 'k'an,smaxt m3 mastery, ~ *a fháil ar dhuine* to get the better, the upper hand, of a person

ceannsraith 'k'an,srah f2, pl ~**eanna** capitation

ceannteideal 'k'an',t'ed'əl m1 caption, heading

ceanrach k'anrəx f2 headstall, halter

ceansa k'ansə a3 gentle, meek; tame

ceansacht k'ansəxt f3 gentleness, meekness; tameness

ceansaigh k'ansi: vt appease; tame, control

ceansú k'ansu: m4 appeasement; control, restraint

ceant k'ant m4, pl ~**anna** auction

ceantáil k'anta:l' f3 auctioning; sale, clearance vt & i auctioning, ag ~ ar a *chéile* outbidding each other

ceantálaí k'anta:li: m4 auctioneer

ceantar k'antər m1 district

ceantrach k'antrəx a1 district, local

ceanúil k'anu:l' a2 loving, affectionate, fond

ceanúlacht k'anu:ləxt f3 affection, kindness

ceap[1] k'ap m1, npl ~**a** stock; block, base ~ *magaidh* laughing-stock, ~ *gréasaí* shoemaker's last, ~ *tuisle* stumbling-block, ~*a* (penal) stocks, ~ *rotha* nave of wheel, ~ *oifigí* office block

ceap[2] k'ap vt & i chip; fashion, shape; invent; appoint; think; intend, *dán a cheapadh* to compose a poem, *an rud a cheap Dia dó* what God ordained for him, *ainmhí a cheapadh* to head off an animal, *liathróid a cheapadh* to field a ball

ceapach k'apəx f2 plot, ~ *bláthanna* flower-bed

ceapachán k'apəxa:n m1 appointment (to post); (*of art*) composition

ceapadóir k'apədo:r' m3 composer, inventor

ceapadóireacht k'apədo:r'əxt f3 composition

ceapaire k'apər'ə m4 sandwich

ceapóg k'apo:g f2 little plot; (seed-)bed; dibble

ceapord 'k'ap,o:rd m1 small sledge-hammer

cearbhas k'arəvəs m1 caraway

cearc k'ark f2, gs **circe** hen, ~ *fhraoigh* grouse, ~ *cholgach* shuttlecock

cearchaill k'arəxəl' f2 log; girder

céard k'e:rd interr pron what

ceardaí k'a:rdi: m4 artisan, craftsman

ceardaíocht k'a:rdi:(ə)xt f3 craft; craft-work, craftsmanship, workmanship, *ag* ~ working at a trade

ceardchumann 'k'a:rd,xumən m1 trade union

ceardchumannaí 'k'a:rd,xuməni: m4 trade-unionist

ceardlann k'a:rdlən f2 workshop, work-room

ceardscoil 'k'a:rd,skol' f2, pl ~**eanna** technical school

ceardúil k'a:rdu:l' a2 well-wrought, workmanlike

ceardúlacht k'a:rdu:ləxt f3 skilled workmanship, artistry

cearn k'a:rn f3 corner, angle, *as gach* ~ from all quarters

cearnach k'a:rnəx a1 angular; square; quadratic

cearnaigh k'a:rni: vt square

cearnóg k'a:rno:g f2 square

cearnógach k'a:rno:gəx a1 angular; four-square

cearr k'a:r f3, pl ~**anna** injury, wrong, *tá* ~ *bheag air* he is a bit off in the head *a1* wrong

cearrbhach k'arəvəx m1 card-player, gambler, gamester

cearrbhachas k'arəvəxəs m1 card-playing, gaming, gambling

ceart k'art m1, npl ~**a** right, ~ *vótála* franchise, *a cheart a thabhairt do dhuine* to give a person his due, *bhain sé* ~ *díobh* he held his own against them, *bhí sé de cheart acu suí* they should have sat down, *níl a fhios agam i g*~ I don't really know, *tá sé fuar i g*~ it is quite cold, *duine nach bhfuil i g*~ one who is not in his right mind, *ó cheart* properly, originally *a1* right; just, proper; true, correct, *ba cheart duit labhairt leis* you should speak to him, *tá sin mar is* ~ that is as it should be, *bhí fearg cheart uirthi* she was really angry, *níl an fear sin* ~ that man is not right in the head, ~ *go leor* right enough; all right

ceárta k'a:rtə f4 forge; workshop

ceartaigh k´arti: *vt & i* correct; rectify, amend; chastise; mend; expound

ceartaiseach k´artəs´əx *a1* insistent on one's rights; dogmatic; conceited, self-righteous

ceartaitheach k´artihəx *a1* corrective, amending

ceartaitheoir k´artiho:r´ *m3* corrector; reformer, ~ *sáibh* saw-setter

ceartas k´artəs *m1* justice *pl* rights, just claims

ceartchreideamh ´k´art,x´r´ed´əv *m1* orthodoxy

ceartchreidmheach ´k´art,x´r´ed´v´əx *a1* orthodox

ceartaí k´arhi: *f4* nervousness, jitters

ceartlár k´art,la:r *m1* exact centre

ceartú k´artu: *m4* correction, amendment; chastisement; adjustment

ceartúchán k´artu:xa:n *m1* correction

ceas k´as *m3* surfeit; excess; oppression, sorrow

céas¹ k´e:s *m3* matted hair, wool

céas² k´e:s *vt & i* crucify; torment; suffer agony

ceasacht k´asəxt *f3* complaining; murmur, grumble, *ag ~ ar rud* complaining about the meagreness of sth

céasadh k´e:sə *m, gs & pl* -**sta** crucifixion; agony, torment

céasadóir k´e:sədo:r´ *m3* crucifier, tormentor

céasla k´e:slə *f4* paddle (for currach, etc)

céaslaigh k´e:sli: *vt & i* paddle

ceasna k´asnə *m4* affliction, complaint

ceasnaigh k´asni: *vt & i* complain, grumble

ceasnúil k´asnu:l´ *a2* complaining, querulous, peevish

céasta k´e:stə *a3* crucified; tormented; tormenting; miserable, *fai chéasta* passive voice

ceastóireacht k´asto:r´əxt *f3* questioning; interrogation, *ag ~ ar dhuine* cross-examining a person

céatadán k´e:tədə:n *m1* percentage

ceatha k´ahə : **cith**

ceathach k´ahəx *a1* showery

ceathair k´ahər´ *m4, pl* ~**eanna** four, ~ *déag* fourteen

ceathairchosach ´k´ahər´,xosəx *m1 & a1* quadruped

ceathairéad k´ahər´e:d *m1* quartet

ceathairshleasach ´k´ahər´,hl´asəx *a1* quadrilateral

ceathairuilleach ´k´ahər´,il´əx *a1* quadrangular

ceathairuilleog ´k´ahər´,il´o:g *f2* quadrangle

ceathanna k´ahənə : **cith**

ceathartha k´ahərhə *a3* fourfold; quaternary; elemental

ceathracha k´ahrəxə *m, gs* ~**d** *pl* ~**idí** *a* forty

ceathramhán k´ahrəva:n *m1* quadrant

ceathrar k´ahrər *m1* four persons

ceathrú¹ k´ahru: *f, gs* ~**n** *pl* ~**na** *ds* ~**in** *in certain phrases* quarter, fourth, thigh, ~ *caorach* sheep's haunch, *saighdiúiri a chur ar ~in* to quarter soldiers, ~ *anama a iarraidh* to ask for quarter, ~ *d'amhrán* verse of a song

ceathrú² k´ahru: *num a* fourth

ceathrúnach¹ k´ahru:nəx *m1* quartermaster

ceathrúnach² k´ahru:nəx *a1* quartered, *seisiún ~* quarter sessions

céibhe k´e:v´ə : **ciabh**

céide k´e:d´ə *m4* flat-topped hill; place of assembly; (*street name*) drive

ceil k´el´ *vt* conceal; suppress, withhold, *a cheart a cheilt ar dhuine* to deny a person his right, *cárta a cheilt* to renege a card

céile k´e:l´ə *m4* companion; spouse, *fear ~* husband, *bean chéile* wife, ~ *comhraic* antagonist, ~ *imeartha* opponent in game, *a chéile* each other, *tá sé i gceann a chéile go maith* it is well put together, *ó lá go (a) chéile* from day to day, *is é an dá mhar a chéile é* it is the same thing, *mile ó chéile* a mile apart, *bhi an fhoireann trí chéile ann* the whole team was there, *trí, trína, chéile* mixed-up, confused

céileachas k´e:l´əxəs *m1* companionship; cohabitation; copulation

céili k´e:l´i: *m4* friendly call, visit; social evening; Irish dancing session, dance

ceiliúir k´el´u:r´ *vt & i pres-úrann* warble, sing; celebrate, *ceiliúradh de dhuine* to bid farewell to a person

ceiliúr k´el´u:r *m1* warble, song; address, greeting, ~ *pósta* proposal of marriage

ceiliúradh k'el'u:rə *m, gs* **-rtha** celebration, leave-taking

céill k'e:l', **céille** k'e:l'ə : **ciall**

céilli k'e:l'i: *a3* sensible, rational

ceilp k'el'p *f2* kelp

ceilt k'el't' *f2* concealment; withholding, denial

Ceilteach[1] k'el't'əx *m1* Celt *a1* Celtic

ceilteach[2] k'el't'əx *a1* secretive, withholding

Ceiltis k'el't'əs' *f2* Celtic (language)

céim k'e:m' *f2, pl* **~eanna** step; degree, rank; pass, ravine, **~ siar** retrogression, ~ (*i gclai, i mballa*) stile, **~eanna na gealaí** phases of the moon, **ar aon chéim le** on a par with, **rug ~ orm** I got into difficulties

céimí k'e:m'i: *m4* graduate

ceimic k'em'ək' *f2* chemistry

ceimiceach k'em'ək'əx *a1* chemical

ceimiceán k'em'ək'a:n *m1* chemical

ceimiceoir k'em'ək'o:r' *m3* chemist

céimíocht k'e:m'i:(ə)xt *f3* rank, distinction

céimiúil k'e:m'u:l' *a2* distinguished, notable

céimneach k'e:m'n'əx *a1* stepped

céimnigh k'e:m'n'i: *vt & i* step; grade, graduation; structure

céimniú k'e:m'n'u: *m4* stepping, tread; grading, graduation

céimseach k'e:m's'əx *a1* graduated, gradual

céimseata k'e:m's'ətə *f, gs* **~n** geometry

céimseatúil k'e:m's'ətu:l' *a2* geometric

céin k'e:n' : **cian**[1,3]

céine k'e:n'ə : **cian**[3]

ceinteagrád k'en't'əgra:d *m1* centigrade

ceinteagrádach 'k'en't'ə,gra:dəx *a1* centigrade

ceintilítear 'k'en't'ə,l'i:t'ər *m1* centilitre

ceintiméadar 'k'en't'ə,m'e:dər *m1* centimetre

céir[1] k'e:r' *f, gs* **céarach** *pl* **céaracha** wax; coating, stain

céir[2] k'e:r' : **ciar**[1]

ceirbreach k'er'əb'r'əx *a1* cerebral

ceirbream k'er'əb'r'əm *m1* cerebrum

ceird k'e:rd' *f2, pl* **~eanna** trade, craft; occupation

céire k'e:r'ə : **ciar**[1]

ceiribín k'er'əb'i:n' *m4* cherub

ceirín k'er'i:n' *m4* poultice

ceirisín k'er'əs'i:n' *m4* kerosene

céiriúil k'e:r'u:l' *a2* waxy

ceirnín k'e'rn'i:n' *m4* disc, record

céirseach k'e:rs'əx *f2* (hen) blackbird

ceirt k'ert' *f2, pl* **~eacha** rag, clout, **cuir ort do cheirteacha** put on your clothes

ceirtlín k'ert'l'i:n' *m4* ball, clew, **~ a dhéanamh,** (*of cabbage, etc*) to form a head

ceirtlis k'ert'l'əs' *f2* cider

céis k'e:s' *f2, pl* **~eanna, ~ mhuice** young pig, slip

céislín k'e:s'l'i:n' *m4* tonsil

céislínteas k'e:s'l'i:n't'əs *m1* tonsilitis

ceisneamh k'es'n'əv *m1* complaining; complaint, grumble, **ní raibh sé i bhfad ag ~** he was not long ailing (before he died)

ceist k'es't' *f2, pl* **~eanna** question; inquiry; point, problem, **bhí sé i g~ agam an áit a dhíol** I was thinking of selling the place, **ná bíodh ~ ort faoi** you needn't be concerned about it

ceisteach k'es't'əx *m1* interrogative *a1* questioning, interrogative

ceistigh k'es't'i: *vt & i* question, interrogate

ceistitheoir k'es't'iho:r' *m3* questioner

ceistiú k'es't'u: *m4* interrogation

ceistiúchán k'es't'u:xa:n *m1* interrogation; questionnaire

ceithearnach k'ehərnəx *m1* kern, footsoldier, light-armed soldier; (*chess*) pawn, ~ *coille* tipulae

ceithre k'ehr'ə *num a* four, **~ dhuine dhéag** fourteen persons

ceo[1] k'o: *m4* fog; mist, haze, **~ deannaigh** cloud of dust

ceo[2] k'o: *m4, nil ~ ar bith air* there is nothing wrong with him, *an bhfuil aon cheo ar siúl?* is there anything on?

ceobhrán k'o:vra:n *m1* light drizzle; mist

ceobhránach k'o:vra:nəx *a1* misty, drizzly

ceoch k'o:x *a1, gsm* **~** foggy; misty, cloudy

ceol k'o:l *m1, pl* **~ta** music; song; ringing sound, **~ a bhaint as an saol** to enjoy life, **mo cheol thú** bravo

ceolaire k'o:lər'ə *m4* warbler

ceolán k'o:la:n *m1* little bell; tinkle, **~ linbh** whimpering child

ceolchoirm 'k'o:l,xor'əm' f2, pl ~**eacha** concert

ceoldráma 'k'o:l,dra:mə m4 opera

ceolfhoireann 'k'o:l,or'ən f2, gs & pl -**rne** orchestra

ceolfhoirneach 'k'o:l,o:rn'əx al orchestral

ceolmhaireacht k'o:lvər'əxt f3 tunefulness

ceolmhar k'o:lvər al musical, tuneful; vigorous

ceoltóir k'o:lto:r' m3 musician; singer

ceomhar k'o:vər al foggy

cha xa†, **chan**¹ xan† neg part not, ~ **phósann siad go hóg** they do not marry young, **chan ólaim é** I do not, will not, drink it, **chan fhuil sin ceart** that is not right, **char ith sé é** he did not eat it

chan² xan† : **is**

char¹ xar† neg vb part, ~ **fhan siad ach seachtain** they only stayed a week

char² xar†, **charbh** xarv† : **is**

cheal x'al ~ **nár imigh tú fós?** have you not gone away yet? ~ **nach bhfuil a fhios sin agat?** surely you know that?

cheana hanə adv already; beforehand; other, last, **mar atá ráite** ~ (féin) as stated already, **an lá** ~ the other day, **an tú atá ann?** is mé ~ is that you? it is, indeed

chí x'i: var pres of **feic²** ~ **Dia sinn** God help us, ~ **Dia sin** what a pity

choíche xi:x'ə adv ever, forever, **beidh sé** ~ **amhlaidh** it will always be so, **ní thiocfaidh sé** ~ he will never come, **an fhírinne** ~ to be perfectly truthful

chomh xo: adv as, so, ~ **geal le sneachta** as white as snow, ~ **luath agus is féidir** as soon as possible, ~ **hard léi!** how tall she is!

chonacthas xonəkəs p aut of **feic²**

chonaic xonək' p of **feic²**

chuaigh xuəy' p of **téigh²**

chuala xuələ p of **clois, cluin**

chualathas xuələhəs p aut of **clois, cluin**

chuathas xuəhəs p aut of **téigh²**

chucu xuku : **chuig**

chugaibh xugəv' : **chuig**

chugainn xugən' : **chuig**

chugam xugəm : **chuig**

chugat xugət : **chuig**

chuici xik'i : **chuig**

chuig xig' ~ hig'† prep, pron forms **chugam** xugəm, **chugat** xugət, m **chuige**

xig'ə, f **chuici** xik'i, **chugainn** xugən', **chugaibh** xugəv', **chucu** xuku, to, towards; for; at, **tháinig sé chugam** he came to me, **níor chuir tú chuige i gceart** you didn't go the right way about it, **ní chugat atá mé** I am not referring to you, **seo chuige** here goes, **chugam aniar thú** bravo, **teacht chugat féin** to come to, recover, **an bhliain seo chugainn** next year, **cad chuige?** why? **maith** ~ **cluichí** (a imirt) good at (playing) games

chuige xig'ə : **chuig**

chun xun prep to, towards, for, **dul** ~ **na cathrach** to go to the city, ~ **an bhaile** home(wards), **duine a chur** ~ **báis** to put a person to death, **dul** ~ **olcais** to get worse, to go to the bad, **ceathrú** ~ **a sé** a quarter to six, ~ **rud a dhéanamh** (in order) to do something, **ag ullmhú** ~ **a bpósta** preparing for their marriage, **lá** ~ **taistil** a suitable day for travelling

ciabh k'iəv f2, gs **céibhe** hair; tress

ciabhach k'iəvəx al long-haired

ciach k'iəx m1 hoarseness; gloom, sadness

ciachán k'iəxa:n al hoarseness, huskiness

ciachánach k'iəxa:nəx al hoarse

ciachmhar k'iəxvər al foggy, dark; gloomy, sorrowful

cianaid k'ian'i:d' f2 cyanide

ciall k'iəl f2, ds **céille** ds **céill** in certain phrases sense; sanity; perception; meaning, **duine a thabhairt chun céille**, to make a person see reason, **in aois (na) céille** at the age of reason, ~ **cheannaithe** the teachings of experience, **tú féin a chur i gcéill** to make oneself clear, felt, **cur i gcéill** pretence

ciallaigh k'iəli: vt & i mean, signify; explain, interpret

ciallmhaireacht k'iəlvər'əxt f3 sensibleness, reasonableness

ciallmhar k'iəlvər al sensible, reasonable

cian¹ k'iən f, pl ~**ta** ds **céin** & dpl ~**aibh** in certain phrases long time, age; distance, distant place, **le** ~ **d'aimsir** this long time, **i gcéin** in the distance, far off, **i mbaile is i gcéin** at home and abroad, **ó chianaibh** a while ago

cian² k'iən m4 sadness, melancholy

cian³ k'iən *a*1, *gsm* **céin** *gsf* & *comp* **céine** long; distant

cianach k'iənəx *a*1 melancholy; peevish

cianaosta 'k'iən,i:stə *a*3 long-lived, very old; primeval

cianda k'iəndə *a*3 distant, remote

cianghlaoch 'k'iən,ɣli:x *m*1, ~ **gutháin** trunk-call

cianóg k'iəno:g *f*2 small coin, mite, *níl* ~ *rua agam* I haven't a rex

ciap k'iəp *vt* harass, annoy; torment

ciapach k'iəpəx *a*1 annoying, tormenting

ciapadh k'iəpə *m*, *gs* **-ptha** annoyance, torment

ciar¹ k'iər *a*1, *gsm* **céir** *gsf* & *comp* **céire** dark, swarthy

ciar² k'iər *vt* wax

ciarach k'iərəx *a*1 waxen

ciarbhui 'k'iər,vi: *a*3 tawny

ciardhubh 'k'iər,ɣuv *a*1 jet-black, sable

ciaróg k'iəro:g *f*2 beetle

ciarsúr k'iərsu:r *m*1 kerchief, handkerchief

cib¹ k'i:b' *f*2 sedge

cib² k'i:b' *f*2 pip (in fowl)

cibé k'ə'b'e: *pron* & *a* whoever; whatever, whichever, ~ *bith* at any rate, ~ *acu* whether

cibeach k'i:b'əx *a*1 sedgy

cibleachán k'ib'l'əxa:n *m*1 (nine) pin

cic k'ik' *m*4, *pl* ~**eanna** kick

ciceáil k'ik'a:l' *vt* & *i* kick

ciclipéid 'k'ik'l'ə,p'e:d' *f*2 encyclopaedia

cifle k'if'l'ə *m*4 tatter, ~ *ceo* wisp of fog, vapour

cigil k'ig'əl' *vt* & *i*, *pres* **-glíonn** tickle; (*of light*) play

cigilt k'ig'əl't' *f*2 tickle, titillation; play (of light)

cigilteach k'ig'əl't'əx *a*1 ticklish

cigire k'ig'ərə *m*4 inspector

cigireacht k'ig'ər'əxt *f*3 inspection; inspectorship

cíle k'i:l'ə *f*4 keel

cileagram 'k'il'ə,gram *m*1 kilogram(me)

cíléar k'i:l'e:r *m*1 keeler, shallow tub

cileavata 'k'il'ə,vatə *m*4 kilowatt

cililítear 'k'il'ə,l'i:t'ər *m*1 kilolitre

ciliméadar 'k'il'ə,m'e:dər *m*1 kilometre

cill k'il' *f*2, *npl* **cealla** *gpl* **ceall** church; churchyard; cell

cillín k'il'i:n' *m*4 cell; hoard, nest-egg

cime k'im'ə *m*4 captive, prisoner

ciméara k'im'e:rə *m*4 chimera; mirage; delusion

cín k'i:n' *f*2, *pl* **cíona** ~ *lae* diary

Cincís k'iŋ'k'i:s' *f*2 Pentecost, Whitsun(tide)

cinciseach k'iŋ'k'i:s'əx *m*1 person or animal born at Whitsuntide; ill-starred person *at* Pentecostal; ill-starred

cine k'in'ə *m*4, *pl* **-níocha** race, *fear mo chine* my kinsman, *cúl le* ~ a stranger to one's kind

cineál k'in'a:l *m*1, *pl* ~**acha** kind, species; sex, gender; class; sort, variety, ~ *Eoghain* the descendants of Eoghan, *rud a thabhairt chun cineáil* to develop the natural qualities of sth, ~ *a dhéanamh ar dhuine* to give a person a treat, ~ *fuar* somewhat cold

cineálach k'in'a:ləx *a*1 generic; qualitative

cineálta k'in'a:ltə *a*3 kind; pleasant, mild; tame, *ainmhí* ~ good breed of animal

cineáltas k'in'a:ltəs *m*1 kindness; natural quality

cineama k'in'əmə *m*4 cinema

cinedheighilt 'k'in'ə,ɣ'ail't' *f*2 apartheid

ciniceas k'in'ək'əs *m*1 cynicism

cinicí k'in'ək'i: *m*4 cynic

ciniciúil k'in'ək'u:l' *a*2 cynical

ciníoch k'in'i:(ə)x *a*1, *gsm* ~ racial, ethnical

ciníochas k'in'i:(ə)xəs *m*1 racialism

cinn¹ k'in' *vt* & *i* (with *ar*) surpass, overcome; be too much for, *chinn orm é a dhéanamh* I failed to do it

cinn² k'in' *vt* & *i* fix, determine, decree

cinneadh k'in'ə *m*1 determination, decision, ~ *dáta* fixing of date, ~ *coiste* the findings of a committee

cinnfhearann 'k'in',arən *m*1 headland (in ploughing)

cinnire k'in'ər'ə *m*4 person leading an animal by the head; guide, attendant

cinniúint k'in'u:n't' *f*3, *gs* **-úna** fate, destiny; chance; tragedy

cinniúnach k'in'u:nəx *a*1 fateful; fatal, tragic

cinniúnachas k'in'u:nəxəs *m*1 fatalism

cinnte k'in't'ə *a*3 certain; definite; stingy

cinnteach k'in't'əx *a*1 fixed, definite; definitive

cinnteacht k'in't'əxt *f3* certainty; stinginess; limitation

cinntigh k'in't'i: *vt & i* make certain; confirm, assure

cinntitheach k'in't'ihəx *m1* determinant; determinative *a1* decisive; determinative

cinntiú k'in't'u: *m4* confirmation

cinseal k'in's'əl *m1* ascendancy; dominance

cinsealach k'in's'ələx *a1* ascendant, dominating

cinsealacht k'in's'ələxt *f3* an Chinsealacht the Ascendancy

cinsire k'in's'ər'ə *m4* censor

cinsireacht k'in's'ər'əxt *f3* censorship, ag ~ ar dhuine censoring a person

cinsiriúil k'in's'ər'u:l' *a2* censorial

cíoch k'i:x *f2* breast, pap

cíochbheart 'k'i:x,v'art *m1* brassière

cioclón k'iklo:n *m1* cyclone

cíocrach k'i:krəx *a1* greedy, eager (for food, etc)

cíocras k'i:krəs *m1* greed, eagerness (for food, etc), ~ léinn thirst for learning

ciombal k'imbəl *m1* cymbal

cion[1] k'in *m3, gs* ceana love, affection; esteem; effect, influence, *rud a chur i g~ ar dhuine* to impress sth on a person, ~ *croí a dhéanamh le leanbh* to hug a child to one's bosom

cion[2] k'in *m4* share, amount, *rinne sé ~ fir* he played a man's part, *ag obair ar chion a láimhe féin* working on his own account

cion[3] k'in *m3, pl* ~ta offence, transgression; blame, *is é a chionta féin é* it is his own fault

cioná k'i:na: *m4, (cards)* five of trumps; chief, champion, star

ciondáil k'inda:l' *f3 & vt* ration

ciondargairdín 'k'indər,ga:rd'i:n' *m4* kindergarten

cionmhaireacht k'inəvər'əxt *f3* proportion, share

cionmhar k'inəvər *a1* proportional

cionn k'in : **ceann**[1]

cionroinn k'in,ron' *vt* apportion

cionroinnt 'k'in,ron't' *f2, pl* -rannta apportionment, portion

cionsiocair 'k'in,s'ikər' *f, gs* -crach *pl* -cracha primary cause

ciontach k'intəx *a1* guilty *m1* culprit

ciontacht k'intəxt *f3* guilt, guiltiness

ciontaí k'inti: *s, is tú is ~ leis* you are to blame for it

ciontaigh k'inti: *vt & i* blame, accuse; convict; transgress

ciontóir k'into:r' *m3* offender

ciontú k'intu: *m4* conviction

cíor k'i:r *f2* comb; crest, ~ *fiacla* set of teeth, ~ *mheala* honeycomb, *an chíor a chogaint* to chew the cud, *tá an teach ina chíor thuathail* the house is upside down *vt & i* comb; examine minutely

cíoradh k'i:rə *m, gs* -rtha combing; discussion, examination

cíorbhuí 'k'i:r,vi: *m4, pl* ~onna goldcrest

ciorcad k'irkəd *m1* circuit

ciorcal k'irkəl *m1* circle

ciorclach k'irkləx *a1* circular; cyclic

ciorclaigh k'irkli: *vt* encircle, circle

ciorclán k'irkla:n *m1* circular (letter)

cíorláil k'i:rla:l' *f3* combing; searching; rough handling *vt & i* comb; search; tousle, handle roughly

cióróis k'iro:s' *f2* cirrhosis

ciorraigh k'iri: *vt & i* cut; hack, maim; curtail; overlook, bewitch

ciorrú k'iru: *m4* mutilation; curtailment

cíos k'i:s *m3, pl* ~anna rent; tax, tribute, ~ *dubh* extortion

cíosaigh k'i:si: *vt* rent, pay rent for; compensate for

cíoscheannach 'k'i:s,x'anəx *m1* hire-purchase

ciotach k'itəx *a1* left-handed; clumsy; inconvenient

ciotaí k'iti: *f4* left-handedness; awkwardness, ~ *a dhéanamh do dhuine* to inconvenience a person

ciotóg k'ito:g *f2* left hand; left-hander; left-handed person; awkward person

ciotógach k'ito:gəx *a1* left-handed; awkward

ciotrainn k'itrən' *f2* awkward fall; clumsiness

ciotrúnta k'itru:ntə *a3* clumsy; contrary

ciotrúntacht k'itru:ntəxt *f3* clumsiness; contrariness

cipe k'ip'ə *m4* body of troops in close formation; rank; band

cipín k'ip'i:n' *m4* little stick, twig, ~ *solais* match, *bheith ar ~i* to be on tenterhooks

circe k'ir'k'ə : **cearc**

circeoil 'k'ir'k',o:l' f3 chicken(meat)

circín k'ir'k'i:n' m4, ~ trá dunlin

ciréib k'i:r'e:b' f2, pl ~eacha riot; obstreperous person

ciréibeach k'i:r'e:b'əx a1 wild, riotous; obstreperous

círín k'i:r'i:n' m4 crest, ~ coiligh cockscomb, ~ toinne crest of wave, dul i g~ a chéile to fight, bhí ~ troda air his hackles were up

círíneach k'i:r'i:n'əx a1 crested; flushed

cirte k'irt'ə f4 rightness, correctness

cis¹ k'is' f2, pl ~eanna wicker container; basket, crate

cis² k'is' f2 restraint, handicap vt & i place one's weight (ar on); restrain; handicap

ciseach k'is'əx f2 wattled causeway; improvised path; footbridge, ~ a dhéanamh de rud to make a mess of sth

ciseal k'is'əl m1 layer, course (in building)

ciseán k'is'a:n m1 (wicker) basket

cispheil k'is',f'el' f2 basketball

cist k'is't' f2, pl ~eanna cyst

ciste k'is't'ə m4 chest, coffer; treasure; fund

císte k'i:s't'ə m4 cake

Cistéirseach k'is't'e:rs'əx m1 & a1 Cistercian

cisteoir k'is't'o:r' m3 treasurer

cistin k'is't'ən' f2, pl ~eacha kitchen

citeal k'it'əl m1 kettle

cith k'ih m3, gs ceatha pl ceathanna shower

cithfholcadh k'ih,olkə m, gs -tha pl -cthaí shower (-bath)

cithréim k'ihr'e:m' f2 deformity, tá ~ air he is maimed

citreach k'it'r'əx a1 citric

citreas k'it'r'əs m1 citrus

ciú k'u: m4, pl ~nna queue

ciúáil k'u:a:l' vi queue

ciúb k'u:b m1, pl ~anna cube

ciúbach k'u:bəx a1 cubic

ciúbachas k'u:bəxəs m1 cubism

ciúbaigh k'u:bi: vt cube

ciúin k'u:n' a1 calm, still, duine ~ quiet, silent, person

ciumhais k'u:s' f2, pl ~eanna border, edge, ~ leathanaigh margin of page, ~ talaimh strip of land

ciumhsach k'u:səx a1 bordered, ringed

ciúnaigh k'u:ni: vt & i calm; pacify

ciúnas k'u:nəs m1 calmness; stillness, silence, quiet

ciúnú k'u:nu: m4 calming, pacification

ciúta k'u:tə m4 quip, clever remark; ingenious trick, knack

ciútraimintí k'u:trəm'ən't'i: fpl accoutrements

clab klab m1, pl ~anna mouth; garrulity

claba klabə m4 clamp, cleat (of oar)

clabaireacht klabər'əxt f3 prattling, garrulousness

clábar kla:bər m1 mud

clábarach kla:bərəx a1 muddy

clabhar klaur m1 mantel-tree; mantelpiece; damper

clabhstra klaustrə m4 cloister

clabhsúr klausu:r m1 closure, an ~ a chur ar rud to bring sth to a close

clabhta klautə m4 clout, blow; chunk

clabhtáil klauta:l' vt clout

cladach kladəx m1 shore; rocky foreshore, ~ feamainne bank of seaweed

cladhaire klair'ə m4 villain; rogue; coward

cladhartha klairhə a3 villainous; cowardly

cladóir klado:r' m3 shore-dweller; shoreworker

cladóireacht klado:r'əxt f3 shore-working

clagarnach klagərnəx f2 clatter, ~ bháisti pelting rain

clagfharraige 'klag,arəg'ə f4 choppy sea

claí kli: m4, pl ~ocha dike, wall; fence

claibín klab'i:n' m4 lid; bar of latch, ~ muilinn mill-clapper

cláideach kla:d'əx f2 mountain stream, torrent

claidhreacht klair'əxt f3 villainy, roguery; cowardice

claifort 'kli:,fort m1 embankment

claig klag' f2, pl ~eanna dent, dinge

claimhe klav'ə f4 manginess, scurvy

claimhteoir klav't'o:r' m3 swordsman

claimhteoireacht klav't'o:r'əxt f3 swordplay; swordsmanship

claíomh kli:v m1, pl -aimhte sword

cláiréad kla:r'e:d m1 claret

cláiríneach kla:r'i:n'əx m1 deformed person, cripple

cláirnéid kla:r'n'e:d' f2 clarinet

cláirseach kla:rs'əx *f*2 harp; large flat object; woodlouse

cláirseoir kla:rs'o:r' *m*3 harpist

cláirseoireacht kla:rs'o:r'əxt *f*3 playing the harp

clais klas' *f*2, *pl* ~**eanna** water channel; gully; rut, groove; spawning bed, ~ *eochrach* keyway, ~ *luatha* ash-pit, ~ *éisc* large quantity of fish

claisceadal klas'k'ədəl *m*1 choral singing; choir

clamh klav *m*1 mange

clamhach klaux *a*1 mangy; bald in spots

clamhán klaua:n *m*1 buzzard

clamhsán klausa:n *m*1 grumble, complaint

clampa klampə *m*4 clamp; built-up stack

clampaigh klampi: *vt & i* clamp

clampar klampər *m*1 wrangle; commotion

clamprach klamprəx *a*1 wrangling; disorderly

clann klan *f*2 children, offspring; race, descendants; followers

claochladán kli:xlədə:n *m*1 transformer

claochlaigh kli:xli: *vt & i* deteriorate; change character of, metamorphose

claochlú kli:xlu: *m*4 change, deterioration; metamorphosis, transformation

claon[1] kli:n *m*1, *pl* ~**ta** incline; slope; inclination, tendency, ~ *adhairte* crick in neck, *tá an* ~ *ann* he is perverse by nature, ~ *beag ró-ard* a little too high *a*1 inclined; sloping; reclining; ~ *ar, chun,* prone to, partial to, *breithiúnas* ~ perverse judgment *vt & i* incline; slope; bend; decline; yield, ~*adh chun raimhre* to incline to obesity, *chlaon sé leo* he sided with them, ~*adh ón bhfírinne* to deviate from the truth

claon-[2] kli:n *pref* crooked, sloping; perverse; evil; indirect

claonach kli:nəx *a*1 perverse, deceitful

claonachas kli:naxəs *m*1 deviationism; inclination to evil

claonadh kli:nə *m, gs* -**nta** inclination; tendency; perversion, ~ *na gréine* declining of the sun, ~ *chun na trócaire* leaning towards mercy

claonamharc 'kli:n,aurk *m*1 sidelong glance; squint

claonmharaigh 'kli:n,vari: *vt* mortify (passions)

claonmharú 'kli:n,varu: *m*4 mortification

claonpháirteach 'kli:n,fa:rt'əx *a*1 partisan

claonpháirteachas 'kli:n,fa:rt'əxəs *m*1 collusion, partisanship

claonta kli:ntə *a*3 partial, prejudiced

claontacht kli:ntəxt *f*3 evil disposition; partiality, prejudice

clapsholas 'klap,holəs *m*1 twilight

clár kla:r *m*1 board; table; counter; flat surface; list, index; programme, ~ *(béil)* lid, ~ *bairille* stave of barrel, ~ *éadain* forehead, ~ *na fírinne* the plain truth, ~ *na Mí* the plains of Meath, *an domhan cláir* the whole world, ~ *ábhair* table of contents, ~ *oibre* work schedule; agenda, ~ *comhardaithe* balance sheet

clárach kla:rəx *a*1 made of boards, wooden; flat, broad

cláraigh kla:ri: *vt & i* tabulate; register, flatten; lay

cláraitheoir kla:riho:r' *m*3 registrar; recorder, ~ *ríomhaireachta* computer programmer

clárfhiacail 'kla:r,iəkəl' *f*2, *pl* -**cla** front tooth, incisor

clárlann kla:rlən *f*2 registry (office)

clárú kla:ru: *m*4 drubbing; tabulation; registration

clasach klasəx *a*1 channelled; trenched grooved, gashed

clasaiceach klasək'əx *a*1 classic *a*1 classic(al)

clasaigh klasi: *vt & i* channel; trench; gash, groove; *(of potatoes)* mould; *(of fish)* make a redd

clásal kla:səl *m*1 clause

claspa klaspə *m*4 clasp

clástrafóibe 'kla:strə,fo:b'ə *f*4 claustrophobia

clé k'l'e: *f*4 left hand; left-hand side *a*3 & *adv* left; sinister; wrong, evil

cleacht k'l'axt *vt & i* perform habitually; be, become, accustomed to; practise

cleachtach k'l'axtəx *a*1 accustomed *(ar, le* to)

cleachtadh k'l'axtə *m*1, *pl* -**chtaí** habit; practice, experience, ~ *dráma* rehearsal of play, *leabhar cleachta* exercise book

cleachtas k'l'axtəs *m*1 practice

cleachtóir k'l'axto:r' *m*3 practitioner

cleamaire k'l'amər'ə *m*4 strawboy, mummer

cleamhnas k'l'aunəs *m*1 relationship by marriage; marriage arrangement, match

cleandar k'l'andər *m*1 calender; stiffening (in cloth)

cleas k'l'as *m*1, *npl* ~a trick; feat; knack, ~a *lúith* athletics, *rinne mise an* ~ *céanna* I did the same thing

cleasach k'l'asəx *a*1 playful; tricky, crafty

cleasaí k'l'asi: *m*4 playful person or animal; trickster; juggler; acrobat; *(cards)* joker

cleasaíocht k'l'asi:(ə)xt *f*3 playfulness, trickery; dexterous feats, acrobatics, *ag* ~ *le rudaí* juggling with things

cléata k'l'e:tə *m*4 cleat

clébhord 'k'l'e:vo:rd *m*1 port, larboard

cléibhín k'l'e:v'i:n' *m*4 small creel or basket; wicker boat, currach

cleipteamáine 'k'l'ep't'ə,ma:n'ə *f*4 kleptomania

cleipteamáineach 'k'l'ep't'ə,ma:n'əx *m*1 & *a* kleptomaniac

cléir k'l'e:r' *f*2 clergy; band, company

cléireach k'l'e:r'əx *m*1 clerk; altar-boy; sexton

cléireachas k'l'e:r'əxəs *m*1 clerkship, *obair chléireachais* clerical work

cléiriúil k'l'e:r'u:l' *a*2 clerical

cléirtheach 'k'l'e:r',hax *m, gs* **-thí** *pl* **-thithe** presbytery

cleite k'l'et'ə *m*4 feather; quill; plume, ~ *comhrá* subject of conversation

cleiteach k'l'et'əx *f*2 moult, moulting process *a*1 feathered; pinnate

cleiteán k'l'et'a:n *m*1 penthouse (over door)

cleitearnach k'l'et'ərnəx *f*2, *(of bird)* fluttering

cleith k'l'eh *f*2, *pl* ~**eanna** wattle, stake; pole; cudgel, ~ *uachtair* gaff (of sail), *bheith i g* ~ *le duine* to be dependent on a person

cléithín k'l'e:hi:n' *m*4 splint; (thatching) scallop

cleithiúnach k'l'ehu:nəx *a*1 dependent

cleithiúnaí k'l'ehu:ni: *m*4 dependant

cleithiúnas k'l'ehu:nəs *m*1 dependence,

(bheith) i g ~ go on the supposition that

cleithmhagadh 'k'l'e,vagə *m*1 teasing

cleitín k'l'et'i:n' *m*4 eaves (of thatch)

cliabh k'l'iəv *m*1, *gs & npl* **cléibh** ribbed frame; chest; creel; pannier

cliabhán k'l'iəva:n *m*1 cradle; wicker cage

cliabhrach k'l'iəvrəx *m*1 bodily frame, chest; inner body

cliamhain k'l'iəvən' *m*4, *pl* ~**eacha** son-in-law, ~ *isteach* man married into farm, into household

cliant k'l'iənt *m*1 client

cliantacht k'l'iəntəxt *f*3 clientship; clientele

cliarlathach 'k'l'iər,lahəx *a*1 hierarchic(al)

cliarlathas 'k'l'iər,lahəs *m*1 hierarchy

cliath k'l'iə *f*2, *gs* **cléithe** wattled, latticed, frame; hurdle, ~ *fhuirste* harrow, ~ *catha* rank of battle,' ~ *(ceoil)* staff, stave, ~ *a chur ar rud* to darn sth

cliathach k'l'iəhəx *f*2 ribbed frame *a*1 ribbed, latticed; criss-cross

cliathán k'l'iəha:n *m*1 flank, side

cliathánach k'l'iəha:nəx *a*1 lateral, sideways, *carr* ~ side-car, jaunting-car

cliathbhosca k'l'iə,voskə *m*4 crate

cliathrás 'k'l'iə,ra:s *m*3 hurdle-race

clib k'l'ib' *f*2, *pl* ~**eanna** tag

clibíneach k'l'ib'i:n'əx *a*1 matted; clustered

clibirt k'l'ib'ərt' *f*2 scrimmage; *(sport)* scrum(mage)

cling k'l'iŋ' *f*2, *pl* ~**eacha** & *rt* & *i* clink; tinkle, ring

clingeach k'l'iŋ'gəx *a*1 clinking; tinkling, ringing

clinic k'l'in'ək' *m*4 clinic

cliniciúil k'l'in'ək'u:l' *a*2 clinical

cliobóg k'l'ibo:g *f*2 filly; frisky person, *ag caitheamh* ~ playing leap-frog

clíoma k'l'i:mə *m*4 climate

clíomach k'l'i:məx *a*1 climatic

clíomaigh k'l'i:mi: *rt* acclimatize

cliotar k'l'itər *m*1 clitter; din

clip k'l'ip' *rt* prick; tease; tire, wear out

clipe k'l'ip'ə *f*4 pinnule, ~ *droma* spine

clis k'l'is' *vi* jump, start; flinch, fail

cliseach k'l'is'əx *a*1 easily startled, jumpy

cliseadh k'l'is'ə *m, gs* **-ste** jump, start; sudden collapse, failure

clisiam kˈlˈiʃˈiəm *m*4 confused talk, din

clisiúnach kˈlˈiʃˈuːnəx *m*1 bankrupt

clisiúnas kˈlˈiʃˈuːnəs *m*1 bankruptcy

cliste kˈlˈiʃˈtˈə *a*3 dexterous; smart, clever

clisteacht kˈlˈiʃˈtˈəxt *f*3 dexterity; smartness, cleverness

clíth kˈlˈiː *m*: heat (in swine)

cliúsaí kˈlˈuːsiː *m*4 flirt

cló klo: *m*4, *pl* ~**nna** form; shape, appearance; impression, mould; print, type

clóbh klo:v *m*1 clove

clóbhuail ˈklo:ˌvuəlˈ *vt* print

clóca klo:kə *m*4 cloak

cloch klox *f*2 stone, ~ *chora* stepping-stone; ~ *phaidrín* bead of rosary, *cloch shneachta* hailstone, *cois cloiche* by the shore

clochach kloxəx *a*1 stony

clochán kloxa:n *m*1 stepping-stones; (old) stone structure

clochar kloxər *m*1 stony place; convent

clóchas klo:xəs *m*1 pertness, presumption

clóchasach klo:xəsəx *a*1 pert, presumptuous

clochraigh kloxriː *vt & i* petrify

clóchur ˈklo:ˌxur *m*1 type-setting

clóchuradóir ˈklo:ˌxurədo:rˈ *m*3 typesetter

clódóir klo:do:rˈ *m*3 printer

clódóireacht klo:do:rˈəxt *f*3 printing

cló-eagraí ˈklo:ˌagriː *m*4 compositor

clog¹ klog *m*1 bell; clock, *a haon a chlog* one o'clock

clog² klog *m*1 & *vt & i* blister

clogach klogəx *a*1 blistered

clogad klogəd *m*1 helmet, ~ *gloine* bell-jar

clogarnach klogərnəx *f*2 peal, sound of bells

clogás kloga:s *m*1 bell-tower, belfry

clóghrafaíocht ˈklo:ˌɣrafiː(ə)xt *f*3 typography

clogra klogrə *m*4 carillon, set of bells

clóic klo:kˈ *f*2 cloak; gloom; defect

cloicheán kloxˈa:n *m*1 prawn

cloichín kloxˈiːnˈ *m*4 stone, bead (of necklace)

cloichíneach kloxˈiːnˈəx *a*1 pebbly

cloigeann klogˈən *m*1, *pl* -**gne** skull; head, ~ *píopa* bowl of pipe, *trí cloigne déag* fear thirteen men, ~ *maide* blockhead

cloigh¹ kliː.yˈ *vt* wear down, subdue, enervate

cloigh² klˈiː.yˈ *vi* cleave, adhere (*le* to)

clóigh¹ klo:yˈ *vt* tame, domesticate, *tú féin a chló le rud* to accustom oneself to sth

clóigh² klo:yˈ *vt* print

cloigín klogˈiːnˈ *m*4 bell; cluster, ~ *gorm* bluebell

cloigíneach klogˈiːnˈəx *a*1 belled; tinkling; clustered

cloigtheach ˈklogˈˌhax *m*, *gs* -**thí** *pl* -**thithe** round tower; belfry

clóiríd klo:rˈiːdˈ *f*2 chloride

clóirín klo:rˈiːnˈ *m*4 chlorine

clóirínigh klo:rˈiːnˈiː *vt* chlorinate

clois klos *vt & i* hear

cloiséad klo:ʃˈe:d *m*1 closet, cabinet

cloisteáil klosˈtˈa:lˈ *f*3 hearing, listening

cloíte klˈiː.tˈə *a*3 subdued, exhausted; enervating; abject, base

cloiteach klˈiː.tˈəx *a*1 subduing, exhausting

cloiteacht klˈiː.tˈəxt *f*3 weakness, exhaustion; meanness of spirit

cloiteoir klˈiː.tˈo:rˈ *m*3 conqueror

clólann klo:lən *f*2 printing-works

clór(a)(i) klo:rə *pref* chlor(o)-

clóraform klo:rəˌforəm *m*1 chloroform

clord klo:rd *m*1 thwart; gangway; ledge

clos klos *s, is* ~ *dom* (go) I hear (that), *go g*~ *dom* as I have heard

clós klo:s *m*1 close, enclosure; yard; (*in street names*) court

closamhairc ˈklosˌaurˈkˈ *áiseanna* ~ audio-visual aids

clóscríbhinn ˈklo:ˌsˈkˈrˈiː.vˈənˈ *f*2 typescript

clóscríbhneoireacht ˈklo:ˌsˈkˈrˈiː.vˈnˈo:rˈəxt *f*3 typewriting, typing

clóscríobh ˈklo:ˌsˈkˈrˈiː.v *vt & i*, *vn* ~, type(write)

clóscríobhaí ˈklo:ˌsˈkˈrˈiː.viː *m*4 typist

clóscríobhán ˈklo:ˌsˈkˈrˈiː.va:n *m*1 typewriter

clostrácht ˈklosˌtra:xt *m*3 hearsay

clú kluː *m*4 reputation; honour, renown

cluain¹ kluənˈ *f*3, *pl* ~**te** meadow; aftergrass

cluain² kluənˈ *f*3 deception; beguilement; dissimulation

cluaisín kluəʃˈiːnˈ *m*4 auricle; tab, lobe

cluanach kluənəx *a*1 deceitful; beguiling, flattering

cluanaire kluənər'ə *m*4 deceiver; flatterer

cluanaireacht kluənər'əxt *f*3 deceitfulness; flattery, coquetry

cluas kluəs *f*2 ear; lug, handle, ~ *spáide* tread of spade, ~ *maide rámha* cleat of oar, *chuir sé* ~ *air féin* he pricked up his ears, ~ *chaoin* cuckoo-pint

cluasach kluəsəx *a*1 having ears; long-eared, *casúr* ~ claw-hammer, *soitheach* ~ vessel with handles

cluasaí kluəsi: *m*4 listener, eavesdropper

cluasaíocht kluəsi:(ə)xt *f*3 eavesdropping; listening, talking, in a furtive manner

club klob *m*4, *pl* ~**anna** club

clúdach klu:dəx *m*1 cover, wrap; lid, ~ *litreach* envelope

clúdaigh klu:di: *vt* cover, wrap

cluich klix' *vt & i* chase; turn, round up; harass, *iasc ag* ~*eadh* fish shoaling

cluiche klix'ə *m*4 game; joke; harassment; shoal (of fish), ~ *faoileán* flock of seagulls, ~ *corr* rounders

cluicheadh klix'ə *m*, *gs* -**chte** harrying, chase; harassment; nagging, ~ *a bhaint as giorria* to turn a hare

cluichíocht klix'i:(ə)xt *f*3 gaming, sporting

clúid[1] klu:d' *f*2, *pl* ~**eacha** nook, corner

clúid[2] klu:d' *f*2, *pl* ~**eacha** cover, covering

cluimhreach kliv'r'əx *f*2 feathers, plumage, ~ *ghabhair* mare's-tails

cluimhrigh kliv'r'i: *vt* pluck (feathers); preen

cluin klin' *vt & i*, *vn* ~**stin** hear

cluinteach klin't'əx *a*1 gossipy

clúiteach klu:t'əx *a*1 of good repute; honoured, renowned

clúmh klu:v *m*1 down, feathers; hair (on body); fur, ~ *liath* downy mildew

clúmhach klu:vəx *m*1 fluff, fuzz, *a*1 downy, feathery; hairy, furry; coated; fluffy; fleecy

clúmhilleadh 'klu:,v'il'ə *m*, *gs* -**llte** defamation of character, slander

clúmhillteach 'klu:,v'il't'əx *a*1 defamatory, slanderous

clúmhúil klu:vu:l' *a*2 downy; (*of fruit*) mildewed

cluthair kluhər' *f*, *gs* -**thrach** *pl* -**thracha** shelter; recess, covert

cluthaireacht kluhər'əxt *f*3 shelter; warmth, comfort; secrecy

cluthar kluhər *a*1 sheltered; warm, comfortable; secretive

clutharaigh kluhəri: *vt* shelter; make warm, comfortable; keep secret

cnádán kna:da:n *m*1 bur; (head of) burdock, teasel

cnádánach kna:da:nəx *a*1 bickering, disagreeable

cnádánacht kna:da:nəxt *f*3 bickering; disagreeable talk

cnáfairt kna:fərt' *f*2 bones, remains (of food), ~ (*tine*) smouldering (fire), ~ (*chainte*) muttering

cnag knag *m*1, *npl* ~**a** knock, crack, blow; cracking sound; crunch, ~ *iomána* hurling-ball *vt & i* knock, strike; lay low; beat, surpass, *cnó a chnagadh* to crack a nut, *úll a chnagadh* to crunch an apple

cnagadh knagə *m*, *gs* -**gtha** knocking, striking; cracking, crunching

cnagaire[1] knagər'ə *m*4 knocker, striker; woodpecker

cnagaire[2] knagər'ə *m*4 noggin

cnagaosta 'knag,i:stə *a*3 elderly

cnagarnach knagərnəx *f*2 cracking; crackle, crunch

cnagbheirigh 'knag,v'er'i: *vt* parboil

cnaguirlis 'knag,u:rl'əs' *f*2 percussion instrument

cnaí kni: *m*4 gnawing, corrosion; wasting, decline

cnáib kna:b' *f*2 hemp

cnáibeach kna:b'əx *a*1 hempen

cnaigh kni:γ' *vt & i* gnaw, corrode; waste, wear away

cnáimhseach kna:v's'əx *f*2 midwife *a*1 obstetric(al)

cnáimhseachas kna:v's'əxəs *m*1 midwifery, obstetrics

cnáimhseáil kna:v's'a:l' *f*3 grumbling, complaining

cnáimhsealaí kna:v's'a:li: *m*4 grumbler

cnáimhseoir kna:v's'o:r' *m*3 obstetrician

cnaipe knap'ə *m*4 button; bead, stud, *tá a chnaipe déanta* it is all up with him

cnaiste knas't'ə *m*4 stretcher, side rail (of bed)

cnaíteach kni:t'əx *a*l gnawing, consuming

cnámh kna:v *f*2 bone, ~*a scéil* the framework, outline, of a story, *gaol na g*~ close relationship, kinship

cnámhach kna:vəx *a*l bony; big-boned; (*of vegetables*) coarse-ribbed

cnámhaigh kna:vi: *vt & i* ossify

cnámharlach kna:vərləx *m*l skeleton

cnámhóg kna:vo:g *f*2 residue, ~ *ghuail* cinder

cnap knap *m*l, *pl* ~**anna** lump; heap; knock, *tá sé ina chnap codlata* he is fast asleep *vt* heap, gather up; knock, raise lump(*s*) on

cnapach knapəx *a*l lumpy; knobby, gnarled

cnapán knapa:n *m*l lump, ~ *ime* pat of butter, ~ *fola* clot of blood

cnapánach knapa:nəx *a*l lumpy; gnarled, rugged

cnapsac 'knap,sak *m*l knapsack

cneá k'n'a: *f*4, *pl* ~**cha** wound, sore

cnead k'n'ad *f*3, *pl* ~**anna** pant; gasp, groan; sob *vi* pant, groan

cneadach k'n'adəx *a*l panting, groaning

cneáigh k'n'a:γ' *vt* wound

cneámhaire k'n'a:vər'ə *m*4 mean person; rogue, crook

cneámhaireacht k'n'a:vər'əxt *f*3 meanness, roguery

cneas k'n'as *m*l, *npl* ~**a** skin; surface; good appearance

cneasaigh k'n'asi: *vt & i* cicatrize, heal

cneaschol 'k'n'as,xol *m*l colour bar

cneasluiteach 'k'n'as,lit'əx *a*l skintight

cneasta k'n'astə *a*3 honest, sincere; decent; mild-mannered, *aimsir chneasta* mild, calm, weather

cneastacht k'n'astəxt *f*3 honesty, sincerity; seemliness; mildness of manner

cneasú k'n'asu: *m*4 cicatrization, healing

cniog k'n'ig *m*4 rap, tap; blow, *ná bíodh ~ asat* don't make a sound *vt* rap, tap; strike, *tá sé ~tha* he is beaten

cniopaire k'n'i:pərə' *m*4 mean, miserly, person

cniopaireacht k'n'i:pər'əxt *f*3 meanness, miserliness

cniotáil k'n'ita:l' *f*3 knitting; knitted material *vt & i* knit

cniotálaí k'n'ita:li: *m*4 knitter

cnó kno: *m*4, *pl* ~**nna** nut; metal nut, ~

capaill (horse) chestnut, ~ *cócó* coconut, ~ *coill*, ~ *gaelach* hazelnut

cnoc knok *m*l hill, ~ *oighir* iceberg, ~ *ailse* malignant tumour, ~ *farraige* mountainous wave

cnocach knokəx *a*l hilly

cnocadóir knokədo:r' *m*3 hillman, hill-climber

cnocadóireacht knokədo:r'əxt *f*3 hill-climbing

cnocán knoka:n *m*l hillock; heap

cnocánach knoka:nəx *a*l hilly, uneven

cnoga knogə *m*4 peg; thole-pin

cnóire kno:ər'ə *m*4 nut gatherer; nutcracker

cnota knotə *m*4 knot, cockade; crest (of bird)

cnuaisciúin knuəs'k'u:n' *f*3 thrift; tidiness, efficiency

cnuaisciúnach knuəs'k'u:nəx *a*l thrifty; tidy at work, efficient

cnuasach knu:səx *m*l garnered food; collection, store, ~ *trá* gleanings of seashore

cnuasaigh knu:si: *vt & i* gather food (from woodland, sea-shore); pick (potatoes, etc); collect, store

cnuasainm 'knuəs,an'əm' *m*4, *pl* ~**neacha** collective noun

cnuasaitheach knu:sihəx *a*l garnering; thrifty

cnuchair knuxər' *vt, pres* -**chraíonn** foot (turf)

cnuchairt knuxərt' *f*3, *gs* -**artha** footing (of turf); footed turf

cnúdán[1] knu:da:n *m*l purring

cnúdán[2] knu:da:n *m*l gurnard

cóbalt ko:bəlt *m*l cobalt

cobhsaí kausi: *a*3 stable; resolute

cobhsaigh kausi: *vt* stabilize

cobhsaíocht kausi:(ə)xt *f*3 firmness, stability

cobhsaitheoir kausiho:r' *m*3 stabilizer

coc kok *vt, ag* ~ *adh féir* cocking hay

coca kokə *m*4, ~ (*féir*) cock of hay, ~ *liathróide* ball-cock

cocach kokəx *a*l cocked, pointed; tufted; cocky

cócaire ko:kər'ə *m*4 cook

cócaireacht ko:kər'əxt *f*3 cooking, cookery

cócaireán ko:kər'a:n *m*l cooker

cocán koka:n *m*1, ~ *róis* rosebud, (*of hair*) knot, bun

cócaon ko:ke:n *m*1 cocaine

cócaráil ko:kəra:l' *vt & i* cook

cocatú ˌkokəˈtu: *m*4, *pl* -**nna** cockatoo

cóch ko:x *m*1 squall

cochall koxəl *m*1 hood; cowl, mantle; capsule, pod; landing-net, ~ *an chroí* pericardium, ~ *gaoithe* wind-sock, ~ *gruaige* hair-pad, *tháinig* ~ *air* he bristled, became angry

cochán koxa:n *m*1 straw

cócó¹ ko:ko: *m*4 cocoa

cócó² ko:ko: *m*4, *cnó* ~ coconut

cocól koko:l *m*1 cuckold

cocún koku:n *m*1 cocoon

cód ko:d *m*1 code

coda kodə : **cuid**

códaigh ko:di: *vt* codify

codail kodəl' *vt & i*, *pres* -**dlaíonn** sleep

codaisíl kodəsˈiːl' *f*2, *pl* ~**eacha** codicil

codán kodaːn *m*1 fraction

codanna kodənə : **cuid**

codarsnach kodərsnəx *a*1 contrary; contrasting, opposite

codarsnacht kodərsnəxt *f*3 contrariety, contrast; contrariness, *i g* ~ *le* as opposed to

codladh kolə *m*, *gs* -**ata** sleep, ~ *na súl oscailte* day-dreaming, ~ *driúraic*, ~ *gliúragáin*, ~ *grifín* pins and needles, *fág ina chodladh é* let it rest

codlaidín kolədˈiːn' *m*4 opium

codlaidíneach kolədˈiːn'əx *m*1 & *a*1 opiate

codlatach kolətəx *a*1 sleepy, drowsy; dormant

codlatán kolətaːn *m*1 sleeper, sleepyhead; hibernating creature

códú ko:du: *m*4 codification

cófra ko:hrə *m*4 coffer, chest; (ko:frə) press

cogadh kogə *m*1, *pl* -**aí** war, ~ *dearg* out and out war, ~ *cathartha* civil war, ~ *na gcarad* quarrel between friends, *ag* ~ *le* warring with

cogain kogˈən' *vt & i*, *pres* -**gnaíonn** chew, masticate; gnaw, grind, *caint a chogaint* to slur speech, to mutter

cogaíoch kogi:(ə)x *m*1 & *a*1 belligerent

cogaíocht kogi:(ə)xt *f*3 warfare; belligerency

cógaiseoir ko:gəsˈo:r' *m*3 pharmacist

cógaisíocht ko:gəsˈi:(ə)xt *f*3 pharmacy; pharmaceutics

cogal kogəl *m*1 (corn-)cockle; tares

cogar kogər *m*1 whisper; secret, conspiring, talk, ~ *scéil a fháil* to get wind of a matter, ~ *mé leat*, ~ *mé seo* (*leat*) tell me in confidence

cogarnach kogərnəx *f*2 whispering; secret, conspiring, talk

cógas ko:gəs *m*1 medicinal preparation, medicine

cógaseolaíocht ˈko:gəsˌo:liː(ə)xt *f*3 pharmacology

cógaslann ko:gəslən *f*2 pharmacy

coguas koguəs *m*1 soft palate, cavity

cogúil kogu:l' *a*2 warlike, bellicose

coibhéis kovˈe:s' *f*2 equivalence, equivalent

coibhéiseach kovˈe:s'əx *a*1 equivalent

coibhneas kovˈn'əs *m*1, *npl* ~**a** relationship, kinship, affinity; proportion

coibhneasacht kovˈn'əsəxt *f*3 relativity; relativism

coibhneasta kovˈn'əstə *a*3 relative; comparative

coicís kokˈi:s' *f*2 fortnight

coicisiúil kokˈi:sˈu:l' *a*2 fortnightly

cóidiútar ko:dˈu:tər *m*1 coadjutor; curate

coidlín kodˈl'iːn' *m*4 codling

coigeadal kogˈədəl *m*1 chant, chorus; clamour

coigeal kogˈəl *f*2 distaff; narrow channel, ~ *na mban sí* bulrush

coigeartaigh kogˈərti: *vt* rectify, adjust

coigeartú kogˈərtu: *m*4 rectification, adjustment

coigil kogˈəl' *vt*, *pres* -**glíonn** spare, save; gather closely, rake, *an tine a choigilt* to bank up the fire with ashes

coiglt kogˈəlt' *f*2 sparing, saving; conservation, thrift, ~ (*tine*) raked embers, banked-up fire

coigilteach kogˈəlt'əx *a*1 sparing, frugal

coigilteas kogˈəlt'əs *m*1 conservation, thrift, *cárta coigiltis* savings certificate

coigistigh kogˈəsˈtˈi: *vt* confiscate

coigistíocht kogˈəsˈtˈi:(ə)xt *f*3 confiscation

coigríoch kogˈriːx *f*2 strange place; foreign country

coigríochach kogˈriːxəx *m*1 stranger, foreigner *a*1 strange, foreign

coileach kol′əx *m*1 cock, ~ *gaoithe* weathercock

coileachmheáchan ′kol′əx‚v′a:xən *m*1 bantam-weight

coileán kol′a:n *m*1 pup, cub

coiléar kol′e:r *m*1 collar

coilgneach kol′əg′n′əx *a*1 prickly, spiny; irritable, irascible

coiliceam kol′ək′əm *m*1 colic, gripes

coilichín kol′əx′i:n′ *m*4 cockerel, *tá ~ air* his hackles are up

coilíneach kol′i:n′əx *m*1 colonist; outsider *a*1 colonial

coilíneacht kol′i:n′əxt *f*3 colony

coilínigh kol′i:n′i: *vt* colonize

coilíniú kol′i:n′u: *m*4 colonization

cóilis ko:l′əs′ *f*2 cauliflower

coill¹ kol′ *f*2, *pl* ~**te** wood; forest

coill² kol′ *vt* geld, castrate; violate, despoil; expurgate

coilleadh kol′ə *m*, *gs* -**llte** castration; violation, robbery; expurgation

coillteach kol′t′əx *a*1 wooded, sylvan

coillteán kol′t′a:n *m*1 eunuch

coim kom′ *f*2 waist, middle; cloak, cover, *i g~ na hoíche* in the middle of the night, *faoi choim* in secret

coimeád kom′a:d *m*, *gs* -**ta** keeping; observance; protection; retention; maintenance, *fear ~ta* keeper, *ar do choimeád* on the run, in hiding, ~ *dleathach* lawful custody *vt & i* keep; observe; guard; hold; maintain; detain, *an bóthar a choimeád* to keep to the road

cóiméad ko:m′e:d *m*1 comet

coimeádach kom′a:dəx *m*1 & *a*1 conservative

coimeádachas kom′a:dəxəs *m*1 conservatism

coimeádaí kom′a:di: *m*4 keeper, custodian; conservator

coimeádán kom′a:da:n *m*1 container

coimeádta kom′a:tə *a*3 *as adv, go ~* safely

cóimeáil ko:m′a:l′ *f*3 assembly; assemblage, *line chóimeála* assembly line *vt* assemble

coimeasár kom′əsa:r *m*1 commissar

coiméide kom′e:d′ə *f*4 comedy

coiméideach kom′e:d′əx *a*1 comic

coimhdeach kov′d′əx *a*1 accompanying, attendant; ancillary

coimhdeacht kov′d′əxt *f*3 accompaniment, ~ *a dhéanamh ar dhuine* to escort, chaperon, a person, *lucht ~a* retinue, attendants

cóimheá ′ko:′v′a: *f*4 balance, equilibrium

cóimheáchan ′ko:′v′a:xən *m*1 counterweight, counterbalance

coimhéad kov′e:d *m*, *gs* -**ta** watch, guard; observation *vt & i* watch over, guard; attend to, *an chontúirt a choimhéad* to beware of danger, *tá siad ag ~ orainn* they are looking at us

coimhéadach kov′e:dəx *a*1 watchful, vigilant; observant

coimhéadaí kov′e:di: *m*4 watcher, observer

cóimheas ′ko:′v′as *m*3, *gs & npl* ~**a** comparison, collation, ~ *giaranna* gear ratio *vt* compare, collate

coimheascar kov′əskər *m*1 struggle, melée

cóimhéid ′ko:′v′e:d′ *f*2 equal size or amount

cóimheonach ′ko:′v′o:nəx *a*1 congenial

cóimhiotal ′ko:′v′itəl *m*1 alloy

coimhlint kov′l′ən′t′ *f*2 race, contest; rivalry, competition

coimhlinteoir kov′l′ən′t′o:r′ *m*3 contestant, rival

coimhthíoch kov′hi:(ə)x *m*1 stranger; foreigner *a*1, *gsm* ~ foreign; unfamiliar; exotic; distant; aloof, shy, *aimsir choimhthíoch* unseasonable weather

coimhthíos kov′hi:s *m*1 strangeness; aloofness, shyness

coimín kom′i:n′ *m*4 common, common pasturage

coimíneacht kom′i:n′əxt *f*3 commonage

coimirce kom′ər′k′ə *f*4 protection, guardianship; patronage

coimirceach kom′ər′k′əx *a*1 protecting; patronizing, tutelary

coimirceas kom′ər′k′əs *m*1 protectorate

coimirceoir kom′ər′k′o:r′ *m*3 protector, guardian; patron

coimircí kom′ər′k′i: *m*4 ward

coimisinéir ‚kom′is′ən′e:r′ *m*3 commissioner

comisiún ‚ko:m′is′u:n *m*1 commission

coimisiúnta ‚ko:m′is′u:ntə *a*3 commissioned

coimpeart kom′p′ərt *m*3 conception

coimpléasc kom'p'l'e:sk *m*1 constitution; digestive system; girth, circumference; complex

coimpléascach kom'p'l'e:skəx *a*1 of strong constitution; large of girth; complex

coimpléid kom'p'l'e:d' *f*2 compline

coimre kom'r'ə *f*4 neatness (of figure); conciseness (of style); summary

coimrigh kom'r'i: *vt* sum up, summarize

coinbhinsiún ˌkon''v'in's'u:n *m*1 convention

coinbhinsiúnach ˌkon''v'in's'u:nəx *a*1 conventional

coinbhint kon'(ə)v'ən't' *f*2 convent

coincheap 'kon̪ˌx'ap *m*3, *gs* & *npl* **~a** concept *vt* conceive

coincleach koŋ'k'l'əx *f*2 mildew

coincréit koŋ'k'r'e:t' *f*2 concrete

coincréiteach koŋ'k'r'e:t'əx *a*1 concrete

coindris 'kon̪ˌd'r'is' *f*2, *pl* **~eacha** dog-rose (tree)

cóineartú 'ko:n'artu: *m*4 confirmation

coineascar kon'əskər *m*1 twilight, dusk

coinicéar kon'ak'e:r *m*1 rabbit-warren

coinín kon'i:n' *m*4 rabbit

coinleach kon'l'əx *m*1 stubble; stubble-field, ~ *féasóige* stubbly beard

coinlín kon'l'i:n' *m*4 corn-stalk, straw, ~ *reo* icicle

coinne kon'ə *f*4 appointment; expectation (of meeting), *áit faoi choinne leabhar* a place for books, *tháinig sé faoi choinne an airgid* he came to get the money, *i g~* against, *os ~* in front of, opposite, *os a, ina, choinne sin* as against that

coinneac 'koˌn'ak *m*1 cognac

coinneáil kon'a:l' *f*3 keeping; maintenance; retention; detention; observance

coinneal kon'əl *f*2, *gs* & *pl* **-nnle** candle, torch; light, glint, ~ *reo* icicle, *coinnle corra* bluebells

coinnealbhá 'kon'əlˌva: *m*4 excommunication

coinnealbháigh 'kon'əlˌva:y' *vt* excommunicate

coinnigh kon'i: *vt* keep; maintain; retain, hold; store; detain; observe

coinníoll kon'i:l *m*1, *pl* **~acha** condition;

stipulation; covenant, pledge, *dar mo choinnioll* on my honour

coinníollach¹ kon'i:ləx *m*1, (*grammar*) conditional

coinníollach² kon'i:ləx *a*1 covenanted; faithful, reliable; diligent

coinnleoir kon'l'o:r' *m*3 candle-stick, ~ *craobhach* chandelier

coinscríobh 'kon̪ˌs'k'r'i:v *m*, *gs* **-ofa** conscription *vt* conscript

coinscríofach 'kon̪ˌs'k'r'i:fəx *m*1 & *a*1 conscript

coinseartó kon's'e:rto: *m*4, *pl* **~nna** concerto

coinsias kon's'iəs *m*3 conscience, *dar mo choinsias* by my troth

coinsiasach kon's'iəsəx *a*1 conscientious

coinsíneacht 'kon̪ˌs'i:n'əxt *f*3 consignment

coinsínigh 'kon̪ˌs'i:n'i: *vt* consign

cointinn kon't'ən' *f*2 contention; contentiousness

cointinneach kon't'ən'əx *a*1 contentious, quarrelsome

coip kop' *vt* & *i* ferment; froth, foam, *uachtar ~the* whipped cream, *prátaí ~the* creamed potatoes

cóip¹ ko:p' *f*2 band, company; rabble

cóip² ko:p' *f*2, *pl* **~eanna** cope

cóip³ ko:p' *f*2, *pl* **~eanna** cope

cóipcheart 'ko:p'ˌx'art *m*1, *npl* **~a** copyright

coipeach kop'əx *a*1 frothy, foamy

coipeadh kop'ə *m*, *gs* **-pthe** fermentation; foam, lather; agitation

cóipeáil¹ ko:p'a:l' *f*3 coping *vt* cope

cóipeáil² ko:p'a:l' *f*3 copying, duplication *vt* & *i* copy

cóipeálaí ko:p'a:li: *m*4 copyist

cóipleabhar 'ko:p'ˌl'aur *m*1 copy-book

coir kor' *f*2, *pl* **~eanna** crime, offence; fault, *duine gan choir* harmless person, *níl ~ air* sin that's not (too) bad

cóir¹ ko:r' *f*3, *pl* **córacha** justice, equity; proper share, due; proper equipment; proper order, ~ *éadaigh* rig-out, ~ *a chur ar dhuine* to provide for, accommodate, a person, ~ *leighis* medical treatment, ~ (*ghaoithe*) favourable wind *a*1, *gsm* ~ *gsf*, *npl* & *comp* **córa** just, proper; decent, honest

cóir² ko:r' *s*, *de chóir, a chóir, chóir* near, (*de*) *chóir* (*a bheith*) nearly coirbéal kor'əb'e:l *m*l & *vt* corbel

coirbhéad kor'əv'e:d *m*l corvette

coirce kor'k'ə *m*4 oats

coirceog kor'k'o:g *f*2 (conical) beehive; cone

coirceogach kor'k'o:gəx *a*l hive-shaped, conical

coirdial ko:rd'iəl *m*l cordial

coire kor'ə *m*4 cauldron; boiler, ~ bolcáin volcanic crater, ~ (guairneáin) whirlpool

coireach kor'əx *m*l offender, transgressor *a*l wicked; guilty

cóiréagrafaíocht 'ko:r'e:,grafi:(ə)xt *f*3 choreography

coiréal kor'e:l *m*l coral

coiréalach kor'e:ləx *m*l & *a*l coral

coireolaíocht 'kor',o:li:(ə)xt *f*3 criminology

cóirigh ko:r'i: *vt* & *i* arrange, dress; fix, mend, repair

cóiríocht ko:r'i:(ə)xt *f*3 accommodation; equipment; fittings

cóiriú ko:r'u: *m*4 arrangement, dressing, repairing, mending

coiriúil kor'u:l' *a*2 criminal

cóiriúil ko:r'u:l' *a*2 favourable, suitable

coirloisceoir 'kor',los'k'o:r' *m*3 arsonist

coirloscadh 'kor',loskə *m*, *gs* -oisdhe arson

coirm kor'əm' *f*2, *pl* ~ eacha ale; drinking-party, feast, ~ cheoil concert

coirne ko:rn'ə *f*4 cornea

coirneach ko:rn'əx *m*l tonsured person, monk; osprey *a*l tonsured

coirnéad ko:rn'e:d *m*l, (musical instrument) cornet

coirnéal[1] *m*l ko:rn'e:l *m*l corner

coirnéal[2] ko:rn'e:l *m*l colonel

coirpeach kor'əp'əx *m*l malefactor, criminal; mischief-maker

coirpeacht kor'əp'əxt *f*3 criminality

coirpín kor'p'i:n' *m*4 corpuscle

cóirséad ko:rs'e:d *m*l corset; corsage; wrap

coirt kort' *f*2, *pl* ~ eacha bark; bark-dye; tan; coating, scum, ~ ar theanga fur on tongue

coirteach kort'əx *a*l cortical; coated; furred

coirthe kor'hə *m*4 (standing-)stone

coirtigh kort'i: *vt* decorticate; tan; coat, encrust

cois kos' : cos

coisbheart 'kos',v'art *m*l, *npl* ~ a footwear

coisc kos'k' *vt* & *i*, *vn* cosc check, stop; prevent, restrain; brake, scéal a chosc to suppress a story, tá sé ~ the orm I am forbidden to do it

coiscéim kos'k'e:m' *f*2, *pl* ~ eanna footstep; pace, ~ bhacaí limp

coiscin kos'k'i:n' *m*4 contraceptive

coisctheach kos'k'əx *a*l preventive, restraining

coisí kos'i: *m*4 walker, pedestrian; (foot-) traveller; foot-soldier, infantryman

coisíocht kos'i:(ə)xt *f*3 pace, gait; foot-travel

cóisir ko:s'ər' *f*2 (wedding-)feast, banquet; party, social gathering; retinue

coisreacan kos'r'əkən *m*l consecration; blessing, ~ (mná) churching, uisce coisreacain holy water

coisric kos'r'ək' *vt* consecrate; church, bless

coiste kos't'ə *m*4 jury; committee

cóiste ko:s't'ə *m*4 coach, carriage; jaunting-car, ~ na marbh (funeral) hearse

coisteoir kos't'o:r' *m*3 juror; member of committee

cóisteoir ko:s't'o:r' *m*3 coachman

coite kot'ə *m*4 small boat, cot

coiteann kot'ən *m*l commonalty; community; (of land) common, an ~ the common people *a* common, general

coiteoir kot'o:r' *m*3 cottar, cottager

coitianta kot'iəntə *a*3 usual, common, go ~ generally

coitiantacht kot'iəntəxt *f*3 commonalty, common people; the general run of things

cóitín ko:t'i:n' *m*4 little coat; petticoat

coitinne kot'ən'ə *f*4 generality, i g~ in general

col kol *m*l, *pl* ~ anna prohibition, impediment (to marriage); incest; wicked deed, ~ gaoil forbidden degree(s) of relationship, ~ ceathrair, ceathar first cousin, ~ móide violation of vow, ~ a ghlacadh le duine, to take an aversion to a person

cóla ko:lə *m*4 cola

colach koləx *a*l incestuous; wicked; repugnant

colainn kolən′ *f*2, *pl* ~**eacha** (living) body; trunk, *i g*~ *dhaonna* in human form, incarnate, *peacaí na* ~ *e* the sins of the flesh, ~ *báid* hull of boat

coláiste kola:s′t′ə *m*4 college

coláisteach kola:s′t′əx *a*l collegiate

coláisteáról ˌko′las′t′e:ro:l *m*l cholesterol

colanda koləndə *a*3 physical

colasaem kolase:m *m*l coliseum

colbha koləvə *m*4 outer edge, side; ledge

colg koləg *m*l blade, sword; bristle; dorsal fin, *tháinig* ~ *air* he became angry

colgach koləgəx *a*l bearded, bristling, angry, *aimsir cholgach* bitterly cold weather

colgán koləga:n *m*l prickle, bristle; swordfish

colgrach koləgrəx *f*2 mare's-tail

coll kol *m*l hazel

collach kolax *m*l boar

collaí koli: *a*3 carnal, sexual

colláid kola:d′ *f*2 collation

collaíocht koli:(ə)xt *f*3 carnality, sexuality

collóir kolo:r′ *m*3 water diviner

colm[1] koləm *m*l dove

colm[2] koləm *m*l scar

colmán koləma:n *m*l (little) dove

colmnach koləmnəx *a*l scarred

colmóir koləmo:r′ *m*3 hake

cológ kolo:g *f*2 collop

colpa koləpə *m*4, ~ (*coise*) calf (of leg), ~ (*súiste*) handle (of flail)

colpach koləpəx *f*2 yearling heifer or bullock

colscaradh ˈkolˌskarə *m*, *gs* **-rtha** *pl* **-rthaí** divorce

coltar koltər *m*l coulter

colún kolu:n *m*l column

colúnaí kolu:ni: *m*4 columnist

colúnáid kolu:na:d′ *f*2 colonnade

colúr kolu:r *m*l pigeon, ~ *toinne* black guillemot

com kom *m*l, *pl* ~**anna** coomb, mountain recess

comadóir komədo:r′ *m*3 commodore

comáil koma:l′ *vt* tie together, interlace

comair komər′ *a*l, *gsf*, *npl* & *comp* **coimre** (*of figure*) neat, (*of style*) concise

comaitéir komət′e:r′ *m*3 commuter

comaoin[1] komi:n′ *f*2, *pl* ~**eacha** favour, obligation; recompense; enhancement, *bheith faoi chomaoin ag duine* to be under a compliment to a person, ~ *a ghlacadh ó dhuine* to accept a consideration from a person, ~ *Aifrinn* Mass offering

Comaoin[2] komi:n′ *f*2, *pl* ~**eacha** Holy Communion, ~ *na Naomh* the Communion of Saints

Comaoineach[1] komi:n′əx *f*, *gs* & *gpl* ~ *npl* ~**a** Holy Communion

comaoineach[2] komi:n′əx *a*l obliging, kind

comard ˈkomˌa:rd *m*l equivalent

comardaigh ˈkomˌa:rdi: *vt* equate

comh-[1] *pref* mutual, joint, common; co-, fellow-; equal; close, near; full, complete

comha ko:f4 condition, terms (of peace); indemnity, reward

comhad ko:d *m*l cover; protection, keeping; file, ~ *na fírinne* the preservation of truth

comhaill ko:l′ *vt*, *vn* **-all** fulfil, perform, *riail a chomhall* to observe a rule

comhaimseartha ˈko:ˌam′s′ərhə *a*3 contemporary (*le* with)

comhair[1] ko:r′ *s*, *faoi chomhair*, *i g*~ for, intended for, *os* ~ in front of, opposite, *os* ~ *an tsaoil* for everyone to see

comhair[2] ko:r′ *vt* & *i* count, calculate

comhaireamh ko:r′əv *m*l count; calculation

comhairíocht ko:r′i:(ə)xt *f*3 exchange of services, mutual assistance

comhairle ko:rl′ə *f*4 advice, counsel; influence; council, *bheith idir dhá chomhairle faoi rud* to be in two minds about sth, ~ *contae* county council

comhairleach ko:rl′əx *a*l advisory, consultative

comhairleoir ko:rl′o:r′ *m*3, adviser, counsellor: councillor

comhairligh ko:rl′i:′ *vt* & *i* advise, counsel; decide, resolve

cómhaith ˈko:ˌvah *f*2 equal (goodness), *a chómhaith* his equal *a*l equally good

cómhalartach ˈko:ˈvalərtəx *a*l reciprocal

cómhalartaigh ˈko:ˈvalərti: *vt* reciprocate

comhall ko:l *m*l fulfilment, performance, observance

comhalta ko:ltə *m*4 foster-brother, -sister; fellow, member

comhaltacht ko:ltəxt *f*3 fellowship

comhaltas ko:ltəs *m*1 joint fosterage; association, brotherhood; membership

comhaontas 'ko:'i:ntəs *m*1 alliance, concord

comhaontú 'ko:'i:ntu: *m*4 agreement

comhar ko:r *m*1 mutual assistance; cooperation, partnership, working together

comharba ko:rbə *m*4 successor; inheritor of property, heir

comharbas ko:rbəs *m*1 succession: inheritance

comharchumann 'ko:rˌxumən *m*1 co-operative society

comh-ard ko:'a:rd *m*1 equal height, level; comparison *a*1 equally high, level (*le* with)

comhardaigh ko:rdi: *vt* equalize; adjust, balance

comhardú ko:rdu: *m*4 equalization; adjustment, balance

Cómhargadh 'ko:ˌvarəgə *m*1, *an* ~ the Common Market

comharsa ko:rsə *f*, *gs & gpl* ~n *npl* ~na neighbour, *bean na* ~n neighbouring woman

comharsanacht ko:rsənəxt *f*3 neighbourhood, vicinity, *ag* ~ *le duine* living near a person; being neighbourly with a person

comharsanúil ko:rsənu:l' *a*2 neighbourly

comhartha ko:rhə *m*4 sign; mark, symbol; signal; notice; token, *slán mo chomhartha* bless the mark, *dá chomhartha sin* as an indication of that, ~ *i cuain* harbour bearings, *tá a* ~*i (sóirt) agam* I know now what that looks like

comharthaigh ko:rhi: *vt* mark; indicate; signal

comharthaíocht ko:rhi:(ə)xt *f*3 signs, appearance; signalling

comhbhá 'ko:'va: *f*4 sympathy; alliance

comhbheith 'ko:'v'eh *f*2 co-existence

comhbhráithreachas 'ko:'vra:hr'əxəs *m*1 confraternity

comhbhrón 'ko:'vro:n *m*1 condolence, sympathy

comhbhrúiteán 'ko:'vru:t'a:n *m*1 compress

comhchaidreamh 'ko:'xad'r'əv *m*1 association

comhchealgaire 'ko:'x'aləgər'ə *m*4 conspirator

comhcheangail 'ko:'x'aŋgəl' *vt & i, pres* -glaíonn bind, join together; combine

comhcheangal 'ko:'x'aŋgəl *m*1 combination, affiliation, association

comhcheilg 'ko:'x'el'əg' *f*2, *npl* -chealga *gpl* -chealg conspiracy

comhcheol 'ko:'x'o:l *m*1 harmony

comhchiall 'ko:'x'iəl *s, ar* ~ *le* as sensible as, synonymous with

comhchiallach 'ko:'x'iələx *m*1 synonym *a*1 synonymous (*le* with)

comhchoirí 'ko:'xor'i: *m*4 accomplice

comhchoirigh 'ko:'xor'i: *vt* recriminate

comhchoiriú 'ko:'xor'u: *m*4 recrimination

comhcholáiste 'ko:'xola:s't'ə *m*4 constituent college

comhchosach 'ko:'xosəx *a*1 isosceles

comhchruinn 'ko:'xrin' *a*1 round, globular, circular

comhchruinnigh 'ko:'xrin'i: *vt & i* gather, congregate, concentrate

comhdaigh ko:di: *vt* file

comhdháil 'ko:ˌγa:l' *f*3 meeting; convention, congress

comhdhéan 'ko:'γ'e:n *vt* make up, constitute

comhdhéanamh 'ko:'γe:nəv *m*1 constitution, structure, composition

comhdheas 'ko:'γas *a*1 ambidexterous

comhdhlúite 'ko:'γlu:t'ə *a*3 condensed

comhdhlúthaigh 'ko:'γlu:hi: *vt & i* condense

comhdhúil 'ko:'γu:l' *f*2 compound

comhdhuille 'ko:'γil'ə *m*4 counterfoil

comhéigean 'ko:'e:g'ən *m*1 coercion

comhéignigh 'ko:'e:g'n'i: *vt* coerce

comhfháisc 'ko:'a:s'k' *vt* squeeze together, compress

comhfháscadh 'ko:'a:skə *m, gs* -áiscthe compression

comhfhios 'ko:'is *s, i g* ~ (*don saol*) openly, to everyone's knowledge

comhfhiosach 'ko:'isəx *a*1 conscious

comhfhocal 'ko:'okəl *m*1 compound word

comhfhreagair 'ko:'r'agər' *vi, pres* -graíonn correspond

comhfhreagrach 'ko:'r'agrəx *a*1 corresponding, harmonizing

comhfhreagracht 'ko:'r'agrəxt *f*3 corre-spondence, agreement; joint responsi-bility

comhfhreagras 'ko:'r'agrəs *m*1 corre-spondence (letters, etc)

comhfhuaim 'ko:'uəm' *f*2, *pl* ~eanna consonance, assonance

comhghairdeas 'ko:'γa:rd'əs *m*1 congrat-ulation

comhghairm 'ko:'γar'əm' *f*2, *pl* ~eacha convocation

comhghéilleadh 'ko:'γ'e:l'ə *m*, *gs* -llte compromise

comhghleacaí 'ko:'γ'l'aki: *m*4 equal, peer, fellow

comhghnás 'ko:'γna:s *m*1, *pl* ~anna pro-tocol; (social) conventions

comhghnásach 'ko:'γna:səx *a*1 conven-tional

comhghreamaigh 'ko:'γ'r'ami: *vi* cohere

comhghreamaitheach 'ko:'γ'r'amihəx *a*1 cohesive

comhghuaillí 'ko:'γuəl'i: *m*4 ally

comhiomlán 'ko:'imla:n *m*1 & *a*1 aggre-gate

comhla ko:lə *f*4 shutter; valve, ~ (dorais) door(-leaf)

comhlach[1] ko:ləx *a*1 valvular

comhlach[2] ko:ləx *a*1 associate

comhlachas ko:ləxəs *m*1 association

comhlacht ko:ləxt *m*3 cómpany, firm

comhlán 'ko:'la:n *a*1 full up; complete, perfect, *brabús* ~ gross profit

comhlánaigh 'ko:'la:ni: *vt* complete, com-plement

comhlann ko:lən *m*1 match; contest, fight

comhlántach 'ko:'la:ntəx *a*1 complemen-tary

comhlánú 'ko:'la:nu: *m*4 complement, ~ *doiciméid* completion of document

comhlárnach 'ko:'la:rnəx *a*1 concentric

comhlathas 'ko:'lahəs *m*1 common-wealth

comhleá 'ko:'l'a: *m*4 fusion (of metals)

comhleáigh 'ko:'l'a:γ' *vt (of metals)* fuse

comhlíon 'ko:'l'i:n *vt* fulfil; perform, ob-serve; complete, *dualgas a chomhlíon-adh* to carry out an obligation

comhlíonadh 'ko:'l'i:nə *m*, *gs* -nta fulfil-ment; performance, observance; com-pletion; requital

comhluadar 'ko:'luədər *m*1 company; household

comhluadrach 'ko:'luədrəx *a*1 compan-ionable; associative

comhoibrigh 'ko:'ob'r'i: *vi* co-operate, collaborate

comhoibriú 'ko:'ob'r'u: *m*4 co-operation

comhoiriúnach 'ko:'or'u:nəx *a*1 compat-ible, harmonizing; matching

comhoiriúnacht 'ko:'or'u:nəxt *f*3 com-patibility

comhoiriúnaigh 'ko:'or'u:ni: *vt* match, harmonize

comhordaigh 'ko:'o:rdi: *vt* co-ordinate

comhphobal 'ko:'fobəl *m*1 community, *an C*~ *Eorpach* the European Com-munity

comhrá ko:ra: *m*4, *pl* ~ite conversation, ~ *béil* gossip

comhrac ko:rək *m*1 encounter; fight; meeting, ~ *aonair* duel, ~ *oíche agus lae* twilight, ~ *an dá uisce* the conflu-ence of two streams

comhraic ko:rək' *vt* & *i* encounter; fight, *an áit a gcomhraiceann na taoidí* where the tides meet

comhráiteach ko:ra:t'əx *m*1 conversa-tionalist *a*1 conversational

comhréidh 'ko:'re:γ' *a*1 flat, *crosaire* ~ level crossing

comhréir 'ko:,re:r' *f*2 accord, congruity; syntax, *i g*~ (*le*) proportional (to)

comhréiteach 'ko:'re:t'əx *m*1 compro-mise; agreement

comhréitigh 'ko:'re:t'i: *vt* & *i* compro-mise, agree

comhriachtain 'ko:'riəxtən' *f*3 coition, copulation

comhrialtas 'ko:,riəltəs *m*1 coalition gov-ernment

comhrian 'ko:'riən *m*1, *pl* ~ta contour

comhrianach 'ko:'riənəx *a*1 contour

comhshamhlaigh 'ko:'hauli: *vt* & *i* assim-ilate

comhshaolach 'ko:'hi:ləx *a*1 contempo-rary

comhshínigh 'ko:'hi:n'i: *vt* countersign

comhshleasach 'ko:'hl'asəx *a*1 equilateral

comhshondas 'ko:'hondəs *m*1 assonance

comhshuaitheadh 'ko:'huəhə *m*, *gs* -uaite concussion

comhshuigh 'ko:'hiγ' *vt* arrange in posi-tion, compose

comhshuíomh 'ko:'hi:v *m*1 composition

comhthacaigh 'ko:'haki: *vi*, ~ *le* corroborate

comhthacaíocht 'ko:'haki:(ə)xt *f* 3 corroboration

comhtháite 'ko:'ha:t'ə *a* 3 fused; cohesive, coherent; integrated

comhthaobhach 'ko:'hi:vəx *a* l collateral

comhtharlaigh 'ko:'ha:rli: *vi* coincide

comhtharlú 'ko:'ha:rlu: *m* 4 coincidence

comhthéacs 'ko:,he:ks *m* 4 context

comhthiarnas 'ko:'hiərnəs *m* l condominium

comhthionól 'ko:,hino:l *m* l assembly; gathering, group, community

comhthíreach 'ko:'hi:r'əx *m* l compatriot

comhthogh 'ko:'hau *vt* co-opt

comhthráth 'ko:'hra: *s, i g~* concurrently

comhthreomhar 'ko:'hr'o:vər *a* l parallel

comhthreomharán 'ko:'hr'o:vərə:n *m* l parallelogram

comhuaineach 'ko:'uən'əx *a* l simultaneous

comóir komo:r' *vt* convene; celebrate; escort

comónta komo:ntə *a* 3 common, ordinary

comóradh komo:rə *m* l gathering, assembly; celebration; accompaniment, escort

comórtas komo:rtəs *m* l comparison; competition

compánach kompa:nəx *m* l companion

compántas kompa:ntəs *m* l association, ~ *aisteoirí* troupe of actors

comparáid kompərə:d' *f* 2 comparison; likeness

comparáideach kompərə:d'əx *a* l comparative

compás kompa:s *m* l compass; (pair of) compasses; limit, circumference

complacht kompləxt *m* 3, (army) company; gang

compord kompo:rd *m* l comfort

compordach kompo:rdəx *a* l comfortable; comforting; pleasant

comrádaí komra:di: *m* 4 comrade; mate

comrádaíocht komra:di:(ə)xt *f* 3 comradeship

con kon : **cú**

cón ko:n *m* l cone

conabhrú 'konə,vru: *m* 4 mauling, scrimmage

conablach konəbləx *m* l carcase; remains; hulk

conách kə'na:x *m* l prosperity, *a chonách sin ort* more luck to you; it serves you right

conacra 'kon,akrə *m* 4 conacre

cónaí ko:ni: *m, gs & pl* **-aithe** dwelling, residence; state of rest; stop, stay, *bheith i do chónaí in áit* to be living in a place, *i g~* always, still

cónaidhm 'ko:,naim' *f* 2, *pl* ~ **eanna** federation

cónaiféar ko:nəf'e:r *m* l conifer

cónaigh ko:ni: *vi* dwell, reside; rest, stay

conair konər' *f* 2 path, passage, ~ *an bhia* alimentary canal

conairt konərt' *f* 2, *pl* ~ **eacha** pack (of hounds)

cónaisc 'ko:,nas'k' *vt & i* connect; amalgamate, federate

cónaitheach ko:nihəx *a* l constant, continual; persevering; resident

cónaitheoir ko:niho:r' *m* 3 resident

conamar konəmər *m* l broken bits, fragments

conas konəs *interr adv* how

cónasc 'ko:,nask *m* l link; connection; conjunction

cónascach 'ko:,naskəx *a* l linking; connecting; federal; conjunctive

cónascachas 'ko:,naskəxəs federalism

cónascadh 'ko:,naskə *m, gs* **-ctha** *pl* **-chaí** amalgamation, fusion; federation

conbharsáid kon(ə)varsa:d' *f* 2 conversation; intercourse

conbhua 'kon,vuə *m* 4 *pl* ~ **nna** convoy

concar koŋkər *m* l conger (eel)

concas koŋkəs *m* l conquest

conchró 'kon,xro: *m* 4, *pl* ~ **ite** kennel

concordáid koŋko:rda:d' *f* 2 concordat

confach konəfəx *a* l rabid; ill-tempered; angry, *spéir chonfach* sullen sky

confadh konəfə *m* l rabies; anger, ill temper, *madra confaidh* mad dog, ~ *ocrais* ravenous hunger, *tá ~ ar an lá* the day looks threatening

cóngar ko:ŋgər *m* l proximity; vicinity, *i g~ áite* near a place, *dul an ~* to take the short-cut, *cóngair tí* household appliances

cóngarach ko:ŋgərəx *a* l near, convenient; terse, witty

conlaigh konli: *vt & i* glean, gather

conláisteach konla:sˈtˈəx *a*l compact, tidy; convenient

conlán konla:n *m*l gleaning; collection; group, family, *rud a dhéanamh ar do chonlán féin* to do sth on one's own initiative, on one's own account

connadh konə *m*l firewood; fuel

cónra ko:nrə *f*4 coffin

conradh konrə *m*, *gs* **-nartha** *pl* **-narthaí** contract; treaty; bargain, *C~ na Gaeilge* the Gaelic League

conraitheoir konriho:rˈ *m*3 contractor; member of a league

conrós ˈkon,ro:s *m*l, *pl* **~anna** dog-rose

consairtín konsartˈi:nˈ *m*4 concertina

consal konsəl *m*l consul

consan konsən *m*l consonant

conslaod ˈkon,sli:d *m*l distemper

conspóid konspo:dˈ *f*2 argument; controversy *vt & i* argue; contest

conspóideach konspo:dˈəx *a*l argumentative; controversial

conspóidí konspo:dˈi: *m*4 contestant (of will, etc); controversialist

constábla konsta:blə *m*4 constable

constáblacht konsta:bləxt *f*3 constabulary

constaic ˈkon,stak *f*2 obstacle

contae konte: *m*4, *pl* **~tha** county

contráil kontra:lˈ *f*3 contrary; contrariness

contráilte kontra:lˈtˈə *a*3 contrary; wrong, *aimsir chontráilte* unfavourable weather

contráilteacht kontra:lˈtˈəxt *f*3 contrariness, perversity

contralt ˈkon,tralt *m*l contralto

contrártha kontra:rhə *a*3 contrary, opposite (*le* to)

contrárthacht kontra:rhəxt *f*3 contrast, opposite

contúirt kontu:rtˈ *f*2 danger

contúirteach kontu:rtˈəx *a*l dangerous

cónúil ko:nu:lˈ *a*2 conical

copail kopəlˈ *f*2 copula

copar kopər *m*l copper

copóg kopo:g *f*2 dock, *~ an chroí* auricle of heart

cor kor *m*l, *npl* **~a** turn, twist; (*dancing*) reel, *~ bealaigh* detour, *~ cainte* idiom, *ag tabhairt na g~* writhing; in the throes of death, *~ coise* trip, *~ na péiste* cable-stitch, *~a* (*crua*) *an tsaoil*

the vicissitudes of life, *~ i mbia* contamination in food, *~ lín* cast of net, *~ éisc* haul of fish, *as ~* out of order, *ar aon chor* at any rate, *ar chor ar bith, in aon chor* at all *vt & i* turn, *feoil chortha* tainted meat, *~ a thabhairt do dhuine* to give a person the slip

cór[1] ko:r *m*l chorus, choir

cór[2] ko:r *m*l corps

cora korə *f*4 weir

córach ko:rəx *a*l shapely; comely

coradh korə *m*, *gs* **-rtha** *pl* **-rthaí** turn, bend, *~ biorach* hairpin bend

córagrafaíocht ˈko:rə,grafi:(ə)xt *f*3 choreography

coraintín korənˈtˈi:nˈ *m*4 quarantine

coraíocht kori:(ə)xt *f*3 wrestling; turning, *ag ~ ar an iasc* casting for fish

córam ko:rəm *m*l quorum

corann korən *m*l tonsure

córas ko:rəs *m*l system

corc kork *m*l cork

corca korkə *f*4 race, people

corcach korkəx *f*2 marsh

corcáil korka:lˈ *vt* cork

corcair korkərˈ *f*, *gs* **-cra** purple (dye-stuff)

corcán korka:n *m*l pot

corcra korkrə *a*3 purple

corcrán korkra:n *m*l, *~ coille* bullfinch

corda[1] ko:rdə *m*4 cord, string, *~ an rí* corduroy

corda[2] ko:rdə *m*4 chord

córlann ko:rlən *f*2 choir, chancel (of church)

corn[1] ko:rn *m*l, (*musical instrument*) horn; (*trophy*) cup, *~ (óil)* (drinking-) horn, *~ na bhfuíoll* cornucopia

corn[2] ko:rn *vt* roll, coil

corna ko:rnə *m*4 roll, coil

cornchlár ko:rn,xla:r *m*l sideboard

cornphíopa ˈko:rn,fˈi:pə *m*4 hornpipe

coróin koro:nˈ *f*, *gs* **-ónach** *pl* **-ónacha** crown; corona, *C~ Mhuire* rosary

coróinéad koro:nˈe:d *m*l coronet

corónach koro:nəx *a*l coronary

corónaigh koro:ni: *vt* crown

corónú koro:nu: *m*4 coronation

corp korp *m*l body; corpse; trunk; (*of ship*) hulk, *~ eaglaise* nave of church, *i g~ an lae* in the middle of the day, *le ~ nirt* by sheer force

corpán korpa:n *m*l corpse

corpanta korpəntə a3 corpulent, *bithiúnach* ~ out-and-out scoundrel

corparáid korpəra:d′ f2 corporate body

corparáideach korpəra:d′əx a1 corporate

corpartha korpərhə a3 corporal; corporeal

corpeolaíocht 'korp,o:li:(ə)xt f3 physiology

corplár 'korp,la:r m1 centre, core

corpoiliúint 'korp,ol′u:n′t′ f3 physical training

corpraigh korpri: vt incorporate

corr¹ kor f2 projection, angle, edge, *chuir sé é féin ar a chorr leis* he overreached himself

corr² kor f2, ~(*éisc, ghlas, mhóna*) heron, ~ *bhán* white stork

corr³ kor f2, ~ (*ghainimh*) sand-eel

corr⁴ kor a1, *gsm* ~ odd; tapering; round, curved, *éan* ~ odd man out

corr-⁵ kor *pref* odd; occasional; tapering; projecting; rounded

corrabhuais korəvuəs′ f2 uneasiness; confusion

corrabhuaiseach korəvuəs′əx a1 uneasy; confused

corrach¹ korəx s, ~ *le, agus, ar* more than

corrach² korəx a1 unsteady, unsettled; projecting, pointed, *codladh* ~ uneasy sleep

corradh korə s, ~ *le, agus, ar* more than

corraghiob 'korə,γ′ib s, *ar do chorraghiob* on one's hunkers

corraí kori: m4 movement; stir, excitement, *ná cuir* ~ *air* don't vex him

corraiceach korək′əx a1 rough; unsteady; odd

corraigh kori: vt & i move, stir, ~ *ort* hurry up, *is furasta é a chorraí* he is easily vexed

corrail kori:l′ f3 movement, stir; agitation, excitement

corraithe korihə a3 agitated, excited

corraitheach korihəx a1 moving, stirring, exciting

corrán korə:n m1 hook, sickle; crescent, ~ *géill* angle of jaw; jaw-bone

corránach korə:nəx a1 hooked, angular; projecting, *giall* ~ lantern jaw

corrdhuine 'kor,γin′ə m4, *pl* -**dhaoine** occasional person; queer person

corrmhéar 'kor,v′e:r f2 forefinger

corrmhíol 'kor,v′i:l m1, *pl*, ~ **ta** gnat

corróg koro:g f2, (*anatomy*) hip

corrthónach 'kor,ho:nəx a1 restless, fidgety

corrthónacht 'kor,ho:nəxt f3 restlessness, fidgetiness

cortasón kortəso:n m1 cortisone

cortha¹ korhə a3 tired, exhausted

cortha² korhə a3 tainted, turned

córúil ko:ru:l′ a2 choral

cos kos f2, *ds* **cois** *in certain phrases* leg; foot; handle; shaft, stem; lower end, ~ *a croise*, ~ *a fuara* stilts, *siúl de chos* to travel on foot, *cur sna cosa* to make off, *ar* ~ *a in airde* galloping, *rug sé a chosa leis* he made his escape, *ag cur a chos uaidh*, (*of horse*) flinging out its hoofs, (*of person*) displaying temper, *rud a chur faoi chois* to suppress sth, ~ *ar bolg* oppression, *le haghaidh na coise tinne* for the rainy day, *cois cnoic* at the foot of a hill, *cois na tine* beside the fire, *le cois* beside; along with; in addition to, *ar cois* afoot

cosain kosən′ vt & i, *pres* -**snaíonn** defend, protect; earn, merit; cost

cosaint kosən′t′ f3, *gs* -**anta** defence, protection

cosair kosər′ f, *gs* -**srach** trampled matter, litter, *tá an áit ina* ~ *easair* the place is in a mess

cosamar kosəmər m1 refuse, trash

cosán kosə:n m1 path, footway; way, passage, ~ *sráide* footpath, pavement

cosantach kosəntəx a1 defensive, protective

cosantóir kosənto:r′ m3 defender, protector; defendant

cosc kosk m1 check, restraint; prevention, prohibition

coscair koskər′ vt & i, *pres* -**craíonn** mangle; rend; disintegrate; defeat, *tá sé ag* ~ *t* a thaw has set in

coscairt koskərt′ f3, *gs* -**artha** mangling; slaughter; disintegration; defeat, *tá* ~ *ann* a thaw has set in

coscán koskə:n m1 brake

coscrach koskrəx a1 distressful, shattering, shocking; victorious

coslia 'kos,l′iə m4, *pl* ~ **nna** chiropodist

cosliacht 'kos,l′iəxt f3 chiropody

cosmach kosməx a1 cosmic

cosmaid kosməd′ f2 cosmetic

cosmaideach kosməd′əx a1 cosmetic

cosmas kosməs *m*1 cosmos

cosmhuintir 'kos,vin't'ər' *f*2 hangers-on, dependants; poor people, proletariat

cosnochta 'kos,noxtə *a*3 barefooted

cósta ko:stə *m*4 coast

costáil kosta:l' *vt & i* cost

costas kostəs *m*1 cost, expense

costasach kostəsəx *a*1 costly; expensive; sumptuous

cosúil kosu:l' *a*2 (with *le*) like, resembling, *is ~ go* it appears that, apparently

cosúlacht kosu:ləxt *f*3 likeness; appearance, resemblance; double, *de réir ~a* to all appearances, apparently

cóta ko:tə *m*4 coat, *~ (beag)* petticoat, *~ fearthainne* raincoat, *~ mór* overcoat

cotadh kotə *m*1 bashfulness, shyness

cothabháil kohəva:l' *f*3 sustenance, maintenance

cothabhálach kohəva:ləx *a*1 sustaining, nourishing

cothaigh kohi: *vt & i* feed; nourish; stir up, promote; maintain, *ag cothú díoltais* harbouring revenge

cothaitheach kohihəx *m*1 nutrient *a*1 feeding, sustaining; fattening

cothroime kohrəm'ə *f*4 evenness, balance; fairness, equity

cothrom kohrəm *m*1 level; balance; equal measure; fair play; equity, *ar ~* at par, *~ an lae a rugadh é* (on) the anniversary of his birth, *~ na haimsire sin* at the corresponding period, *~ na Féinne a thabhairt do dhuine* to give a person fair play *a*1 level, balanced; fair, equable; average, *seachtain ~* a week exactly, *duine ~ ar bith* any ordinary person, *cluiche ~*, draw, drawn game

cothromaigh kohrəmi: *vt* even, level; balance, equalize

cothromaíocht kohrəmi:(ə)xt *f*3 evenness, balance; equilibrium

cothú kohu: *m*4 nourishment, sustenance; promotion, maintenance, *~ feirge* incitement to anger

cotúil kotu:l' *a*2 bashful, shy

crá kra: *m*4 anguish, torment; sorrow

crábhadh kra:və *m*1 religious practice; piety, devotion

cradhscal kraiskəl *m*1 shuddering; repugnance

craein kre:n' *f*, *gs* **-aenach** *pl* **-aenacha** (*machine*) crane

crág kra:g *f*2 large hand; claw, paw; clutch (of engine), *~ airgid* handful of money

crágach kra:gəx *a*1 having large hands; chelate

crágáil kra:ga:l' *vt & i* claw, paw; handle roughly or unskilfully

craic krak' *f*2, *pl ~ eanna* crack, chat

craiceann krak'ən *m*1, *pl* **-cne** skin; rind; surface; finish, polish, *tá ~ na fírinne air* it rings true

craicneach krak'n'əx *a*1 smooth-skinned; well-finished, polished, *scéal ~* plausible story

cráifeach kra:f'əx *a*1 religious; pious, devout

cráifeacht kra:f'əxt *f*3 devoutness; piety, devotion

cráigh kra:ɣ' *vt* agonize, torment; distress, grieve, annoy

cráin kra:n' *f*, *gs* **-ánach** *pl* **-ánacha** sow; (breeding) female

cráinbheach 'kra:n',v'ax *f*2 queen bee

cráiniam kra:n'iəm *m*4 cranium

cráite kra:t'ə *a*3 agonized, tormented; grieved

cráiteachán kra:t'əxa:n *m*1 tormented, miserable, person; wretch

crampa krampə *m*4 cramp

cranda krandə *a*3 stunted; withered, decrepit

crandaí krandi: *m*4, *~ bogadaí* see-saw

crandaigh krandi: *vt & i* stunt; become stunted

crann kran *m*1 tree; mast, pole; handle, shaft; beam; wooden implement, *~ ardaithe* jack, *~ fuinte* rolling pin, *~ snámha* (dug-out) canoe, *~ solais* chandelier, *~ tabhaill* sling, catapult, *~ tochrais* (winding) reel, *~ tógála* crane, *~ tomhais* guess, *crainn a chaitheamh ar rud, rud a chur ar chrainn* to cast lots for sth, *bheith faoi chrann smola* to be blighted, accursed, *dul as do chrann cumhachta* to lose control of oneself, *cos chrainn* wooden leg

crannaíl krani:l' *f*3 timbering; latticework; ship's masts

crannchur 'kran,xur *m*1 casting of lots; sweepstake, lottery

crannlach kranləx *m*1 brushwood; (withered) stalks

crannlaoch 'kran,li:x *m*1, *pl* ~ **ra** old soldier

crannlacha 'kran,laxə *f*, *gs & gpl* ~ **n** *npl* ~ **in** teal

crannóg krano:g *f*2 piece of wood; wooden frame; pulpit; crannog, lake-dwelling; crow's-nest; (mill-)hopper

cranra kranrə *m*4 knot in timber

cranrach kranrəx *a*1 knotty; callous, horny

cranraigh kranri: *vt & i* become knotty; harden, make or grow callous, *ag cranrú leis an aois* stiffening with age

craobh kri:v *f*2, *pl* ~ **acha** *gpl* ~ *in certain phrases* branch, bough, ~ *ghinealaigh* genealogical tree, *dul, imeacht, le* ~ *acha* to go wild, mad, *tugadh an chraobh dó* he was awarded the palm, declared the winner, ~ *na hÉireann* the championship of Ireland, ~ *eolais* signpost, ~ *cheoil* woodwind instrument, *arbhar craoibhe* eared corn

craobh-abhainn 'kri:v,aun' *f*, *gs* **-ann** *pl* **-aibhneacha** affluent, tributary

craobhabhar 'kri:v,aur *f*, *gs* **-bhrach** *pl* **-abhracha** sty (on eye)

craobhach kri:vəx *m*1 branches, loppings *a*1 branched, branching; flowing, spreading

craobhaigh kri:vi: *vt & i* branch; spread

craobhchluiche 'kri:v,xlix'ə *m*4 final; championship game

craobhóg kri:vo:g *f*2 twig, spray

craobhscaoil 'kri:v,ski:l' *vt* propagate, disseminate; broadcast

craobhscaoileadh 'kri:v,ski:l'ə *m*, *gs* **-lte** propagation, dissemination; broadcast

craol kri:l *vt & i* announce, proclaim; broadcast

craolachán kri:ləxa:n *m*1 broadcasting; wireless

craoladh kri:lə *m*, *gs* **-lta** *pl* **-ltaí** broadcast

craoltóir kri:lto:r' *m*3 broadcaster

craorag kri:rəg *a*1 blood-red, crimson, *fuisce a ól* ~ to drink whiskey neat

craos kri:s *m*1 gullet; maw; vent;

gluttony, ~ *gunna* breech of gun, ~ *tine* roaring fire

craosach kri:səx *a*1 open-mouthed; voracious, gluttonous, *tine chraosach* roaring fire

craosaire kri:sər'ə *m*4 glutton

craosán kri:sa:n *m*1 gullet; gorge, ravine

craosdeamhan 'kri:s',d'aun *m*1 demon of gluttony

craosfholc 'kri:s,olk *vt* gargle

craosfholcadh 'kri:s,olkə *m*, *gs* **-ctha** gargle

craosghalar 'kri:s,yalər *m*1 thrush

crap krap *vt & i* contract, shrink; draw in or up

crapadh krapə *m*, *gs* **-ptha** *pl* **-pthaí** contraction, shrinkage

crapall krapəl *m*1 fetter; disablement, restriction

crapallach krapələx *a*1 crippling, restrictive

craplaigh krapli: *vt* fetter; cripple

craptha krapə *a*3 stilted, cramped

cré¹ k'r'e: *f*4, *pl* ~ **anna** clay, soil; earth, dust

cré² k'r'e: *f*4, *pl* ~ **anna** creed

creabhar k'r'aur *m*1 gadfly; horsefly; woodcock

creach¹ k'r'ax *f*2 foray, (cattle-)raid; booty; prey; loss, ruin *vt & i* raid; plunder; ruin

creach² k'r'ax *vt* brand, cauterize

creachadh k'r'axə *m*, *gs* **-chta** *pl* **-chtaí** plunder, spoliation; ruin

creachadóir k'r'axədo:r' *m*3 raider; plunderer, spoiler

créacht k'r'e:xt *f*3 gash, wound

créachta k'r'e:xtə *f*4 consumption

créachtach¹ k'r'e:xtəx *m*1 (purple) loosestrife

créachtach² k'r'e:xtəx *a*1 gashed, wounded

créachtaigh k'r'e:xti: *vt* gash, wound

créafóg k'r'e:fo:g *f*2 clay, earth

creagach k'r'agəx *a*1 craggy, stony, barren

creagán k'r'aga:n *m*1 rocky eminence; stony ground; callus

créam k'r'e:m *vt* cremate

créamadh k'r'e:mə *m*, *gs* **-mtha** cremation

créamatóiriam ˌkˈrˈeːməˈtoːrˈiəm *m*4 crematorium

creat kˈrˈat *m*3 frame; shape, appearance; rib of house-roof

creatach kˈrˈatəx *a*1 gaunt, emaciated; weak

creathach kˈrˈahəx *f*2 ague *a*1 trembling; vibrating, *crann* ~ aspen tree

creathadh kˈrˈahə *m*1 vibration

creathán kˈrˈahaːn *m*1 tremble, quiver, ~ *talún* earth tremor

creathánach kˈrˈahaːnəx *a*1 trembling, quivering; vibratory

creathnaigh kˈrˈahni *vi* tremble, quake; flinch

creatlach kˈrˈatləx *f*2 framework, skeleton, hulk

créatúr kˈrˈeːtuːr *m*1 creature; created thing, *an* ~ the poor thing!

cré-earra 'kˈrˈeːˌarə *m*4 earthenware article *pl* earthenware

creid kˈrˈed *vt & i* believe; suppose

creideamh kˈrˈedˈəv *m*1 belief, faith; religion

creidiúint kˈrˈedˈuːnˈtˈ *f*3, *gs* -**úna** credit, credence, honour

creidiúnach kˈrˈedˈuːnəx *a*1 creditable; respectable

creidiúnacht kˈrˈedˈuːnəxt *f*3 creditableness; credit; respectability

creidiúnaí kˈrˈedˈuːniː *m*4 creditor

creidiúnaigh kˈrˈedˈuːni *vt* accredit

creidmheach kˈrˈedˈvˈəx *m*1 believer *a*1 believing, faithful

creidmheas 'kˈrˈedˌvˈas *m*3 credit

creidte kˈrˈetʲə *a*3 credible

creig kˈrˈegˈ *f*2, *npl* **creaga** *gpl* -**creag** crag; stony, barren, ground

creill kˈrˈelˈ *f*2, *pl* ~ **eanna** knell; taunt

creim kˈrˈemˈ *vt & i* gnaw; corrode, erode

creimeadh kˈrˈemˈə *m*, *gs* -**mthe** corrosion, erosion

creimire kˈrˈemˈərˈə *m*4 rodent; backbiter

creimneach kˈrˈemˈnˈəx *a*1 gnawing; corrosive, erosive; corroded; decayed

créip kˈrˈeːpˈ *f*2, *pl* ~ **eanna** crape, crepe

creiteon kˈrˈetˈoːn *m*1 cretonne

créúil kˈrˈeːuːlˈ *a*2 clayey, earthy

cré-umha kˈrˈeːˌuːə *m*4 bronze

cré-umhaí 'kˈrˈeːˌuːiː *a*3 bronze

criadóir kˈrˈiədoːrˈ *m*3 ceramist, potter

criadóireacht kˈrˈiədoːrˈəxt *f*3 ceramics, pottery

crián kˈrˈiːaːn *m*1 crayon

criathar kˈrˈiəhər *m*1 sieve; riddle; quagmire, ~ *meala* honeycomb

criathrach kˈrˈiəhrəx *m*1 (pitted) bog *a*1 pitted, perforated; swampy

criathraigh kˈrˈiəhri *vt* sieve; riddle, sift; honeycomb

críne kˈrˈiːnˈə *f*4 old age, decrepitude

crinnghréas 'kˈrˈinˈˌɣˈrˈeːs *m*3 fretwork

críoch kˈrˈiːəx *f*2, *ds* **crich** *in certain phrases* limit; boundary; region, territory; end; completion, ~ *a chur ar dhuine* to settle a person in life, *rud a chur i gcrích* to complete, accomplish, sth, *duine a chur ó chrích* to ruin a person's prospects

críochadóireacht kˈrˈiːəxədoːˈrəxt *f*3 demarcation

críochaigh kˈrˈiːxi *vt* demarcate

críochdheighilt 'kˈrˈiːxˌɣˈailˈtʲ *f*2 partition of territory

críochfort 'kˈrˈiːxˌfort *m*1 terminal

críochnaigh kˈrˈiːxni *vt & i* finish; complete, accomplish

críochnaithe kˈrˈiːxnihə *a*3 finished, accomplished, complete, utter

críochnaitheach kˈrˈiːxnihəx *a*1 final, finishing, closing

críochnúil kˈrˈiːxnuːlˈ *a*2 complete, thorough; neat; methodical

críochú kˈrˈiːxu *m*4 demarcation

criogar kˈrˈigər *m*1, ~ (*iarta*) cricket, ~ *féir* grasshopper

crion kˈrˈiːn *m*1, *pl* ~ **ta** anything old or withered *a*1 old; withered, decayed *vt & i* age; wither, decay

críonna kˈrˈiːnə *a*3 wise, prudent, shrewd; grown-up; old

críonnacht kˈrˈiːnəxt *f*3 wisdom, prudence, shrewdness; maturity; old age

crios kˈrˈis *m*3, *gs* **creasa**, *pl* ~ **anna** girdle, belt; band; zone

crioslach kˈrˈislax *m*1 bosom

crioslaigh kˈrˈisli *vt* girdle, enclose

criosma kˈrˈismə *m*4 chrism

Críost kˈrˈiːst *m*4 Christ

Críostaí kˈrˈiːstiː *m*4 & *a*3 Christian

Críostaíocht kˈrˈiːstiː(ə)xt *f*3 Christianity

criostal kˈrˈistal *m*1 crystal

criostalaigh kˈrˈistali *vt & i* crystallize

Críostúil kˈrˈiːstuːlˈ *a*2 Christian; charitable, humane

Críostúlacht kˈrˈiːstuːləxt *f*3 Christianity; Christian charity

crith kˈrˈih *m*3, *gs* **creatha** *pl* **creathanna** tremble, shiver; shudder, vibration, ~ *talún* earthquake *vt* tremble, shake

critheagla kˈrˈih,aglə *f*4 fear, terror; timorousness

critheaglach kˈrˈih,agləx *a*1 quaking, terrified; timorous

crithir kˈrˈihərˈ *f*, *gs* **-thre** *pl* **-threacha** spark; particle; powdered matter

critic kˈrˈitˈəkˈ *f*2 critique

criticeas kˈrˈitˈəkˈəs *m*1 criticism

criticeoir kˈrˈitˈəkˈoːrˈ *m*3 critic

criticiúil kˈrˈitˈəkˈuːlˈ *a*2 critical

criú kˈrˈuː *m*4, *pl* ~**nna** crew

cró[1] kroː *m*4, *pl* ~**ite** eye, socket; enclosure, pen; (small) outhouse; hovel, ~ *na baithise* fontanelle, ~ *gunna* bore of gun, ~ *sorcais* circus ring

cró[2] kroː *m*4 blood, gore

crobh krov *m*1 hand; clawed foot; talons

crobhaing krovənˈ *f*2 cluster

croca krokə *m*4 crock

croch krox *f*2 cross; gallows; hook, hanger; (fire-)crane, *vt & i* hang, raise, carry, *seol a chrochadh* to hoist sail, ~ *leat* clear off, ~ *suas é* sing up

cróch kroːx *m*4 saffron; crocus

crochadán kroxədaːn *m*1 (hat-, coat-, hall-,)stand); clothes-hanger

crochadh kroxə *m*, *gs* **-chta** hanging; erection; pitch (of roof, etc)

crochadóir kroxədoːrˈ *m*3 hangman; gallows-bird; loafer

crochadóireacht kroxədoːrˈəxt *f*3, *ag* ~ *(thart)* loafing about

crochaille kroxalˈə *m*4 phlegm

cróchar kroːxər *m*1 bier; stretcher

crochóg kroxoːg *f*2 suspender (for stocking)

crochta kroxtə *a*3 hung, hanged; hanging, *aill chrochta* overhanging cliff, *cosán* ~ steep path, ~ *le hobair* taken up with work, *caint chrochta* affected speech

crochtín kroxtˈiːnˈ *m*4 hammock; swing

cróga kroːgə *a*3 brave; hardy; spirited

crógacht kroːgəxt *f*3 bravery; hardiness; spiritedness

crogall krogəl *m*1 crocodile

croí kriː *m*4 heart; core, centre, *a chroí* my dear

croíbhrú ˈkriːˌvruː *m*4 contrition

croíbhrúite ˈkriːˌvruːtˈə *a*3 contrite

cróice kroːkˈə *m*4 croquet

cróicéad kroːkˈeːd *m*1 croquette

croídhícheall ˈkriːˌɣˈiːxˈəl *m*1 utmost endeavour

croíleacán kriːlˈəkaːn *m*1 core

cróílí ˈkroːˌlˈiː *m*4 bed-ridden state, infirmity, *bheith i g~ an bháis* to be on one's death-bed *a*3 bed-ridden, infirm

croiméal kromˈeːl *m*1 moustache

cróimiam kroːmˈiəm *m*4 chromium

cróinéir kroːnˈeːrˈ *m*3 coroner

cróineolaíoch kroːnˌoːliː(ə)x *a*1, *gsm* ~ chronological

croinic kronˈək *f*2 chronicle

croiniceoir kronˈəkˈoːrˈ *m*3 chronicler

cróise kroːsˈə *f*4 crochet

cróiseáil kroːsˈaːlˈ *vt & i* crochet

croisín krosˈiːnˈ *m*4 crutch, *(music)* crotchet

croiteoir krotˈoːrˈ *m*3 sprinkler

croith kroh *vt & i* shake; scatter, sprinkle; wave (to)

croíúil kriːuːlˈ *a*2 hearty; cordial, cheerful

croíúlacht kriːuːləxt *f*3 heartiness; cordiality, cheerfulness

crólinn ˈkroːˌlˈinˈ *f*2, *pl* ~**te** pool of blood

crom krom *a*1 bent, stooped *vt & i* bend, stoop, *chrom sí ar chaoineadh* she started to cry

cróm kroːm *m*1 chrome

cromada kromədə *s*, *ar do chromada* crouched

cromán kromaːn *m*1 hip; crank; ~ *na gcearc* hen-harrier

crómatach kroːmətəx *a*1 chromatic

cromfhearsaid ˈkromˌarsədˈ *f*2 crankshaft

cromleac ˈkromˌlˈak *f*, *gs* **-eice** *npl* ~**a** cromlech

cromóg kromoːg *f*2 hooked nose; hook, hooked stick

cromógach kromoːgəx *a*1 hooked; hooknosed

crompán krompaːn *m*1 creek

crón kroːn *a*1 dark yellow; tawny, tan

crónachan kroːnəxən *f*3 dusk, nightfall

crónán kroːnaːn *m*1 hum; murmur, purr

cróntráth ˈkroːnˌtraː *m*3 dusk, gloaming

cros¹ kros *f* 2 cross; cross-piece; affliction; prohibition *vt* cross; prohibit; contradict

cros-² kros *pref* cross-

crosach krosəx *a*1 crosswise; crossed; scarred; grimy, *caora chrosach* black-faced sheep, *bean chrosach* palmist, fortune-teller

crosadh krosə *m*, *gs* **-sta** prohibition

crosáid krosa:d' *f* 2 crusade

crosáil krosa:l' *vt & i* cross

crosaire krosər'ə *m*4 crossing, cross-road(s)

crosán krosa:n *m*1 razorbill; starfish

crosánacht krosa:nəxt *f* 3 genre of comic satire

crosbhóthar 'kros,vo:hər *m*1, *pl* **-óithre** crossroads

crosfhocal 'kros,okəl *m*1 crossword

crosógaíocht kroso:gi:(ə)xt *f* 3 lacrosse

cros-síolrach 'kro(s)',s'i:lrəx *a*1 hybrid

crosta krostə *a*3 cross, fractious; troublesome; contrary

crotach krotəx *m*1 curlew

crotal krotəl *m*1 rind, husk; lichen, ~ *cnó* nutshell

crothán kroha:n *m*1 sprinkling, light covering, ~ *eolais* a little knowledge

crothóg kroho:g *f* 2, ~ *dhubh* coalfish

crú¹ kru: *m*4, *pl* ~**ite** shoe (for animal's hoof)

crú² kru: *m*4 milking; (yield of) milk

crua kruə *m*4 hard state, difficult circumstances; hardness *a*3 hard; solid; difficult; hardy, *greim* ~ tight grip, *aimsir chrua* severe weather, *deoch chrua* drink of strong spirits, ~ *sa chorp* constipated

crua-ae 'kruə,e: *m*4, *pl* **-nna** liver

cruach¹ kruəx *f* 2 stack, rick; pile *vt* stack; pile

cruach² kruəx *f*4 steel

cruachan kruəxən *f* 3 hardening

cruachás 'kruə,xa:s *m*1 predicament; distress

cruacht kruəxt *f* 3 hardness; hardiness

crua-earra 'kruə,arə *m*4 (article of) hardware

cruaigh kruəy' *vt & i* harden

cruáil kru:a:l' *f* 3 hardship, adversity; cruelty; stinginess

cruálach kru:a:ləx *a*1 cruel; stingy

cruálacht kru:a:ləxt *f* 3 cruelty; stinginess

cruan kruən *m*1 *& vt* enamel

cruas kruəs *m*1 hardness; stinginess

cruatan kruətən *m*1 hardship

crúb kru:b *f* 2 claw; hoof

crúbach kru:bəx *a*1 clawed, hoofed; club-footed, lame

crúbadach kru:bədəx *f* 2 crawling, scrambling

crúbáil kru:ba:l' *vt & i* claw, paw

crúca kru:kə *m*4 crook, hook, *do chrúcaí a chur i rud* to get sth in one's clutches, ~ *is cró* hook and eye

crúcach kru:kəx *a*1 hooked

crúcáil kru:ka:l' *vt & i* hook; claw, clutch

crúdóir kru:do:r' *m*3 farrier

cruib krib' *f* 2, *pl* ~**eanna** crib

cruibhéad kriv'e:d *m*1 cruet

crúibín kru:b'i:n' *m*4 (little) claw or hoof, ~ *(muice)* crubeen, pig's trotter

cruicéad krik'e:d *m*1 cricket

cruidín krid'i:n' *m*4 kingfisher

crúigh¹ kru:y' *vt* milk

crúigh² kru:y' *vt*, *capall a chrú* to shoe a horse

cruimh kriv' *f* 2 maggot; grub, ~ *arbhair* corn-weevil, ~ *phucháin* fluke-worm

cruimheach kriv'əx *a*1 maggoty

cruinn krin' *a*1 round; gathered; exact, accurate; clear, coherent, *éist go* ~ *leis* listen attentively to him

cruinne¹ krin'ə *f*4 roundness

cruinne² krin'ə *f*4 universe; orb, globe; world

cruinneas krin'əs *m*1 exactness, accuracy; accumulation; clearness; frugality, *duine gan chruinneas* scatter-brain

cruinneog krin'o:g *f* 2 round object; globe

cruinnigh krin'i: *vt & i* gather, assemble; collect; converge, focus (*ar* on); form

cruinnín krin'i:n' *m*4 globule

cruinniú krin'u: *m*4 gathering, meeting; focussing; forming

crúiscín kru:s'k'i:n' *m*4 small jug; small jar

cruit¹ krit' *f* 2, *pl* ~**eanna** hump; small eminence

cruit² krit' *f* 2, *pl* ~**eanna** (small) harp

cruiteach krit'əx *a*1 humped, hunchbacked

cruiteachán krit'əxa:n *m*1 hunchback

crúiteoir kru:t'o:r' *m*3 milker

cruithneacht krihn'əxt *f* 3 wheat

cruitire krit'ər'ə *m*4 harpist

cruóg kru:o:g *f* 2 urgent need

cruógach kru:o:gəx *a*1 pressing, urgent; busy

crúsca kru:skə *m*4 jug; jar

crústa kru:stə *m*4 crust, ~ *de dhorn* blow of a fist

crústach kru:stəx *m*1 & *a*l crustacean

crústaigh kru:sti: *vt* pelt

crústáil kru:sta:l′ *vt* drub, belabour

cruth kruh *m*3, *pl* ~**anna** shape, appearance; state, condition, *i g* ~ , *sa chruth*, (*is*) *go* in such a way that; in order that

cruthach kruhəx *a*l shapely

crúthach kru:həx *m*l, ~ (*bainne*) yield of milk

cruthaigh kruhi: *vt* & *i* create; form; prove, *cruthú go maith* to turn out well, *chruthaigh sé orm sa chúirt* he testified against me in court

cruthaíocht kruhi:(ə)xt *f*3 shape; promising appearance

cruthaitheach kruhihəx *a*l creative

cruthaitheoir kruhiho:r′ *m*3 creator

cruthanta kruhəntə *a*3 lifelike, exact; real, *rógaire* ~ a proper rogue

cruthú kruhu: *m*4 creation; proof; testimony

cruthúnas kruhu:nəs *m*l proof, evidence

cú ku: *m*4, *pl* ~**nna** *gs* & *gpl* **con** *in certain phrases* hound, greyhound

cuach[1] kuəx *f*2 cuckoo; falsetto (voice); whinny; whine; sob, ~ (*cheoil*) strain of music, snatch of song

cuach[2] kuəx *m*4, *npl* ~ **a** *gpl* ~ bowl; goblet, ~ *abhlann*, ~ *altóra* ciborium, ~ *Phádraig* round-leaved plantain

cuach[3] kuəx *f*2 bundle; tress, curl; bow; embrace, *mo chuach thú* I love you *vt* bundle; roll, wrap; embrace, hug, *duine a chuachadh suas* to puff a person up

cuachach[1] kuəxəx *a*l falsetto

cuachach[2] kuəxəx *a*l bowl-shaped, hollow

cuachach[3] kuəxəx *a*l rolled; curled, tressy

cuachail kuəxi:l′ *f*3 speaking in falsetto voice; whining; whinnying

cuachma kuəxmə *f*4 whelk

cuachóg kuəxo:g *f*2 bow-knot

cuaifeach kuəf′əx *m*l, ~ (*gaoithe*) whirlwind; blast of wind

cuaille kuəl′ə *m*4 pole; stake

cuain kuən′ *f*2, *pl* ~**eanna** litter, brood; band

cuainín kuən′i:n′ *m*4 cove

cuaird kuərd′ *f*, *gs* **-uarda** *an Chúirt Chuarda* Circuit Court

cuaire kuər′ə *f*4 curvature; camber

cuairt kuərt′ *f*2, *pl* ~**eanna** *pl* **-arta** *with numerals* circuit; round, course; visit; occasion, time

cuairteoir kuərt′o:r′ *m*3 visitor; tourist

cual kuəl *m*l faggot; bundle, heap

cuallacht kuələxt *f*3 fellowship, company; corporation, guild; sodality

cuan kuən *m*l, *pl* ~**ta** haven, harbour; bend, curve

cuar kuər *m*l curve; hoop, *a*l curved; bent; hooped *vt* & *i* curve

cuarán kuərα:n *m*l sandal

cuanna kuənə *a*3 comely, graceful; charming, elegant

cuardach kuərdəx *m*l search *a*l searching

cuardaigh kuərdi: *vt* & *i* search; search for, seek

cuardaitheoir kuardiho:r′ *m*3 searcher

cuartaíocht kuərti:(ə)xt *f*3 visiting; tourism

cuas kuəs *m*l *npl* ~ **a** cavity; recess; cove, creek; bay

cuasach kuəsəx *a*l cavernous, hollow; concave

cuasnóg kuəsno:g *f*2 wild bees' nest; lucky find

cúb ku:b *f*2 coop; bend, fold *vt* & *i* coop; bend; cower, shrink

cúbláil ku:bla:l′ *f*3 manipulation; defalcation *vt* & *i* gather in, grab; manipulate; defalcate

cúblálaí ku:bla:li: *m*3 grabber; defalcator

cúcamar ku:kəmər *m*l cucumber

cudal kudəl *m*l, ~ (*sceitheach*) cuttlefish

cufa kofə *m*4 cuff

cufróg kufro:g *f*2 cypress

cuí ki: *a*3 fitting, proper

cuibheas kiv′əs *m*l fitness, propriety; seemliness, decency

cuibheasach kiv′əsəx~ki:səx *a*l fair, middling

cuibhiúil kiv′u:l~ki:u:l′ *a*2 proper; seemly, decent

cuibhreach kiv′r′əx *m*l binding, fetter; trammel

cuibhreann kiv´r´ən *m*1 common table, mess; division, allotment, portion; enclosed field; tilled field, *bheith i g ~ duine* to be at table with a person, to be in a person's company

cuibhrigh kiv´r´i: *vt* bind, fetter

cuid kid´ *f*3, *gs* **coda** *pl* **codanna** part; share; portion, *~ de na daoine* some of the people, *cuid mhór páipéir* a lot of paper, *mo chuid éadaigh* my clothes, *~ iontais é* it is a matter for wonder, *do chuid a shaothrú* to earn one's living, *a chuid* my dear

cuideachta kid´əxtə *f*4 company; companionship; fun, amusement

cuideachtúil kid´əxtu:l´ *a*2 companionable, sociable

cuideáin kid´a:n´ *a*1 extraneous; odd, *éan ~* strange bird; loner

cuidigh kid´i: *vi* help; requite, *cuidiú le rún* to second a motion, *~ liom* help me

cuiditheoir kid´iho:r´ *m*3 helper; supporter, seconder

cuidiú kid´u: *m*4 help, assistance

cúig ku:g´ *m*4 & *a* five, *~ déag* fifteen

cúige ku:g´ə *m*4 province

cúigeach ku:g´əx *m*1 & *a*1 provincial

cúigeachas ku:g´əxəs *m*1 provincialism

cuigeann kig´ən *f*2, *pl* **-gne** (of milk) churning; churn

cúigear ku:g´ər *m*1 five persons

cúigiú ku:g´u: *m*4 & *a* fifth

cúigréad ku:g´r´e:d *m*1 quintet

cuil kil´ *f*2, *pl* **~eanna** (insect) fly

cúil ku:l´ *f*, *gs* **cúlach** *pl* **cúlacha** corner, nook, *i g ~ coicíse* cast aside

cuilce kil´k´ə *f*4 quilt; bedding, mattress

cuilceach kil´k´əx *m*1 rascal, scamp

cuileann kil´ən *m*1 holly

cúileann ku:l´ən *f*2 fair maiden *a*1 fair-haired

cuileog kil´o:g *f*2, (insect) fly

cúilín ku:l´i:n´ *m*4, (in games) point

cuilithe kil´əhə *f*4 eddy; vortex; centre, core, *i g ~ tinnis* in the throes of sickness

cuilithín kil´əhi:n´ *m*4 ripple, chop; whirling flake

cuilmheáchan ´kil´v´a:xən *m*1 (boxing) fly-weight

cuilt kil´t´ *f*2, *pl* **~eanna** quilt

cuimhin kiv´ən´ *s*, *is ~ liom* I remember

cuimhne kiv´n´ə *f*4 memory, *cuimhní cinn* recollections; memoirs

cuimhneach kiv´n´əx *a*1 recollective; thoughtful, *is ~ liom* I remember

cuimhneachán kiv´n´əxa:n *m*1 commemoration; memento

cuimhneamh kiv´n´əv *m*1 remembrance; recollection; conception

cuimhnigh kiv´n´i´: *vt* & *i* remember; consider, think; remind; conceive

cuimhnitheach kiv´n´ihəx *a*1 memorial

cuimil kim´əl´ *vt* & *i* *pres* **-mlíonn** rub; stroke; wipe

cuimilt kim´əl´t´ *f*2 rubbing; stroking; wiping; friction

cuimleoir kim´l´o:r´ *m*3 wiper, rubber

cuimse kim´s´ə *f*4 good amount, plenty, *gan chuimse* limitless *as*, *thar*, *~* exceeding, *tá fuacht as ~ ann* it is extremely cold

cuimsigh kim´s´i: *vt* comprehend; include, comprise; control

cuimsitheach kim´s´ihəx *a*1 comprehensive, inclusive; focal, *clásal ~* restrictive clause

cuimsiú kim´s´u: *m*4 connotation, scope; inclusion

cuing kiŋ´ *f*2, *pl* **~eacha** yoke; bond, obligation; tie; nape (of neck); neck of land

cuingir kiŋ´g´ər´ *f*, *gs* **-greach** *pl* **-greacha** yoke; pair, couple; group, herd

cuingrigh kiŋ´r´i: *vt* yoke, couple

cúinne ku:n´ə *m*4 corner; angle, nook

cúinneach ku:n´əx *m*1 corner(-kick) *a*1 cornered, having corners

cuinneog kin´o:g *f*2 churn

cúinse ku:n´s´ə *m*4 countenance; show, circumstance *pl* affairs; pretext; wile, *ar aon chúinse* in any, under no, circumstances, *ar chúinse go* on condition that

cúipéir ku:p´e:r´ *m*3 cooper

cuir kir´ *vt* & *i*, *vn* **cur** sow, plant; bury; set; put; send, *líon a chur* to cast a net, *snaidhm a chur* to tie a knot, *eolas an bhealaigh a chur* to ask the way, *báire a chur* to score a goal, *ag cur fearthainne* raining, *~ amach* pour out; issue, publish, *~eadh amach air go raibh sé breoite* he was reported to be sick, *tá a chroí ag cur air* his heart is troubling him, *~ as* put out (of);

add to; emit, extinguish, *cur as do dhuine* to disconcert a person, ~ *chun cinn* advance, promote, *cur chun ruda* to set about sth, ~ *de* put off; remove from; get done, get over, ~ *diot* be off, *cur fút in áit* to settle down in a place, *cur in aghaidh ruda* to oppose sth, *cur isteach ar phost* to apply for a job, *cur isteach ar dhuine* to incovenience, interrupt, a person, *cur le gealltanas* to fulfil a promise, *ag cur le* in keeping with, *rud a chur ó mhaith* to render sth useless, ~ *uait* stop that, *cur síos ar rud* to describe sth, *cur suas de rud* to refuse to accept sth, *chuir siad trína chéile mé* they confused me, *scéal a chur trí chéile* to discuss a matter, ~ *umat* get dressed

cuircín kir′k′i:n′ *m*4 crest, comb
cuircíneach kir′k′i:n′əx *a*1 crested, tufted
cuireadh kir′ə *m*1, *pl* **-rí** invitation; summons
cuireata kir′ətə *m*4, *(cards)* knave, jack
cuirfiú kir′f′u: *m*4, *pl* **-nna** curfew
cuirín kir′i:n′ *m*4 currant
cuirliún kirl′u:n *m*1 curlew
cúirt ku:rt′ *f*2, *pl* ~**eanna** court; mansion; courtyard, ~ *leadóige* tennis-court
cúirtéireacht ku:rt′e:r′əxt *f*3 courting
cúirtéis ku:rt′e:s′ *f*2 courtesy; (military) salute
cúirtéiseach ku:rt′e:s′əx *a*1 courteous
cúirteoir ku:rt′o:r′ *m*3 courtier
cuirtín kirt′i:n′ *m*4 curtain
cúis ku:s′ *f*2, *pl* ~**eanna** cause, reason; case, charge; movement, ~ *gháire* laughing matter, ~ *dlí* lawsuit, *ní dhéanfadh sin* ~ that wouldn't do
cúiseach ku:s′əx *a*1 prim, demure
cúiseamh ku:s′əv *m*1 accusation, charge
cúiseoir ku:s′o:r′ *m*3 accuser
cúisí ku:s′i: *m*4 accused person
cúisigh ku:s′i: *vt* accuse; charge, prosecute
cúisín ku:s′i:n′ *m*4 cushion
cúisitheoir ku:s′iho:r′ *m*3 prosecutor
cuisle kus′l′ə *f*4 vein; pulse; forearm, ~ *uisce* water channel
cuisne kis′n′ə *m*4 (hoar-)frost; frosty vapour
cuisneach kis′n′əx *a*1 frosty, hardy
cuisneoir kis′n′o:r′ *m*3 refrigerator

cuisnigh kis′n′i: *vt & i* freeze; refrigerate
cuisniúchán kis′n′u:xa:n *m*1 refrigeration
cúistiúnach ku:s′t′u:nəx *a*1 inquisitorial
cúistiúnacht ku:s′t′u:nəxt *f*3 inquisition
cúistiúnaí ku:s′t′u:ni: *m*4 inquisitor
cúiteach ku:t′əx *a*1 compensating, retributive
cúiteamh ku:t′əv *m*1 requital; recompense, compensation
cuiteog kit′o:g *f*2 earthworm
cúitigh ku:t′i: *vt* requite; repay, compensate
cúitíneach ku:t′i:n′əx *m*1 cuticle
cúitiúc ku:t′u:k *m*1 caoutchouc, rubber
cuitléireacht kit′l′e:r′əxt *f*3 cutlery
cúl ku:l *m*1, *pl* ~**a** in certain phrases back; reserve, support; *(games)* goal; *(of army)* rear, *ar chúl na gaoithe* sheltered from the wind, *dul ar* ~ to go back; to recede, decline, ~ *a chur ar rud* to set back sth, *(marcaíocht) ar* ~ *a* (riding) pillion, ~ *taca* backing; backer, ~ *le cine* one who forsakes his own, ~ *gruaige* head of hair, ~ *báire* goalkeeper
cúlai ku:li: *m*4, *(games)* back
cúlaigh ku:li: *vt & i* back, move back; reverse, retreat
culaith kuləh *f*2, *pl* **-Itacha** suit, apparel; gear, equipment
cúlaitheach ku:lihəx *a*1 regressive, retrogressive
cúlánta ku:la:ntə *a*3 secluded; backward; shy
cúlarán ku:lərɑ:n *m*1 earth-nut, pig-nut
cúlbhóthar 'ku:l,vo:hər *m*1, *pl* **-óithre** by-road
cúlchaint 'ku:l,xant′ *f*2 backbiting
cúlchistin 'ku:l,x′is′t′ən *f*2, *pl* ~**eacha** back-kitchen; scullery
cúlchríoch 'ku:l,x′r′i:x *f*2 hinterland
cúléist 'ku:l,e:s′t′ *vi*, *vn* ~**eacht** eavesdrop
cúlghabhálach 'ku:l,ɣava:ləx *a*1 retrospective
cúlgharda 'ku:l,ɣa:rdə *m*4 rearguard
cúlionad 'ku:l,inəd *m*1 background
cúlóg ku:lo:g *f*2 pillion; pillion-rider, *ar* ~ riding pillion
cúlra ku:lrə *m*4 background; *(of painting)* ground(work)

cúlráid 'ku:l,ra:d´ f2 secluded place, *ar an g~* in seclusion, *fanacht ar an g~* to stay in the background

cúlráideach 'ku:l,ra:d´əx a1 secluded; retiring

cúlsruth 'ku:l,sruh m3, pl ~ **anna** backward current; slip-stream

cúltaca 'ku:l,takə m4 reserve

cúltort 'ku:l,tort vi back-fire

cultúr kultu:r m1 culture

cultúrtha kultu:rhə a3 cultured

cúlú ku:lu: m4 backing, reversal; retirement, withdrawal, ~ *gealaí* waning of moon

cum kum vt & i form, shape; compose; devise, invent; limit, ration

cuma[1] kumə f4 shape, form; appearance, *ar chuma éigin* somehow, *ar aon chuma, ar chuma ar bith* at any rate, *ar an g~ chéanna* similarly

cuma[2] kumə a, *is ~ liom* it's all the same to me, I don't care, *is ~ duit* it doesn't matter to you, *is ~ nó bás é* it is the same as death, *is ~* no matter, *bheith ar nós ~ liom faoi rud* to be indifferent to sth

cumá kə'ma: interr adv (with ná, nach) why (not)? ~ *nach suíonn tú?* why don't you sit down?

cumadh kumə m, gs -**mtha** formation; composition; contrivance, invention, ~ *bia* food-rationing

cumadóir kumədo:r´ m3 maker; composer, inventor

cumadóireacht kumədo:r´əxt f3 composition, invention; fiction

cumaisc kuməs´k´ vt & i, pres -**ascann** vn -**asc** mix; blend, combine; cohabit (*le* with)

cumalas kumələs m1 cumulus

cumann kumən m1 friendship, companionship; company; association, society, *a chumann* my darling

cumannachas kumənəxəs m1 communism

cumannaí kuməni: m4 communist

cumar kumər m1 ravine; steep-sided inlet; confluence, channel

cumarsáid kumərsa:d´ f2 communication

cumas kuməs m1 capability, power

cumasach kuməsəx a1 capable, powerful

cumasaigh kuməsi: vt enable, empower

cumasc kuməsk m1 mixture; blend, compound; merger

cumha ku:ə m4 loneliness, homesickness, nostalgia

cumhach ku:əx a1 lonesome, homesick, nostalgic

cumhacht ku:əxt f3 power; authority, influence; strength, energy

cumhachtach ku:əxtəx a1 powerful

cumhachtaigh ku:əxti: vt empower

cumharshalann 'ku:r,halən m1 smelling-salts

cumhdach ku:dəx m1 cover, protection; shrine (of relic)

cumhdaigh ku:di: vt cover, protect; keep, preserve, *an dlí a chumhdach* to uphold the law

cumhra ku:rə a3 fragrant; pure, fresh; (*of timber*) sappy, green

cumhracht ku:rəxt f3 fragrance; perfume; purity, freshness; sappiness

cumhraigh ku:ri: vt perfume; embalm; purify, freshen

cumhrán ku:ra:n m1 perfume, scent

cumraíocht kumri:(ə)xt f3 shape, form; configuration

cumtha kumhə a3 shapely, comely; invented

cumthacht kumhəxt f3 shapeliness, comeliness

cúnamh ku:nəv m1 help, assistance

cúnant ku:nənt m1 covenant

cúnantóir ku:nənto:r´ m3 covenanter

cúng ku:ŋ m1 narrow; narrow part a1 narrow, *áit chúng* confined space, *tuairimí ~a* hide-bound opinions, *tá croí ~ aige* he is mean at heart

cúngach ku:ŋgəx m1 narrow space, congestion, *bheith sa chúngach* to be in a difficult situation, ~ *croí* miserliness

cúngaigeanta 'ku:ŋ,ag´əntə a3 narrow-minded

cúngaigh ku:ŋgi: vt & i narrow, restrict, *cúngú ar cheart duine* to encroach on a person's rights

cúngú ku:ŋgu: m4 encroachment

cunsailéir kaunsəl´e:r´ m3 counsellor

cunta kuntə m4 count

cúntach ku:ntəx a1 helpful; auxiliary

cuntais kuntəs´ vt & i count

cuntanós kuntəno:s m1 countenance; pleasant appearance; civility

cuntaois kunti:s´ f2 countess

cuntar¹ kuntər m1 proviso, condition; chance; risk

cuntar² kuntər m1 (shop) counter

cuntas kuntəs m1 count; account, reckoning; narration, *sluaite gan chuntas* innumerable hosts, *i g* ~ *Dé* for goodness sake, ~ *duine a chur* to inquire about a person

cuntasóir kuntəso:r′ m3 accountant; book-keeper

cuntasóireacht kuntəso:r′əxt f3 accountancy; book-keeping

cúntóir ku:nto:r′ m3 helper, assistant

cuntraphointe 'kuntrə͵fon′t′ə m4 counterpoint

cunús kunu:s m1 dirt, rubbish; slovenly, useless, person

cuóta kwo:tə m4 quota

cupán kopa:n m1 cup

cupard kopərd m1 cupboard

cúpla ku:plə m4 couple, pair; twins, *an C* ~ Gemini

cúplach ku:pləx a1 twin

cúpláil ku:pla:l′ f3 copulation, mating; coupling *vt & i* link together; copulate, mate *cártaí a chúpláil* to suit cards

cúplán ku:pla:n m1, (*device*) coupling

cúpón ku:po:n m1 coupon

cur kur m1 sowing, planting; tillage; burial; setting, laying; course, round, ~ *uirlisí* set of tools, ~ *amach* emission, dispatch; production, ~ *amach a bheith agat ar rud* to have knowledge of sth, ~ *isteach* insertion; fitting; interference, ~ *síos* description, account, *focal gan* ~ *leis* an empty statement, ~ *le chéile* unity, co-operation, ~ *trí chéile* confusion; discussion

cúr¹ ku:r m1 froth, foam

cúr² ku:r *vt* chastise, scourge

curach kurəx f2 currach; coracle

cúrach ku:rəx a1 frothy; foamy

curaclam kurəkləm m1 curriculum

curadh kurə m1 warrior, hero; champion

curadóir kurədo:r′ m3 sower, tiller

curadóireacht kurədo:r′əxt f3 sowing, tilling

curaí kori: m4 curry

curaíocht kuri:(ə)xt f3 sowing, tillage; crops

cúram ku:rəm m1, pl -aimí care, responsibility, charge; family; task, duty

cúramach ku:rəməx a1 careful; tender; busy, full of care

cúránach ku:ra:nəx a1 frothy; foaming; creamy

curata kurətə a3 brave, heroic

curca kurkə m4 crest, tuft; topknot; cockade

curcach kurkəx a1 crested, tufted; cockaded

curfá kurfa: m4 chorus (of song)

curiarracht 'kur͵iərəxt f3 (sport) record

cúróg ku:ro:g f2 soufflé

curra kurə m4 holster

cúrsa ku:rsə m4 course; career; round; affair; circumstance; reef (of sail); ~ *menstrual period*, ~ *spioradálta* retreat, ~ *i airgid* money matters, *ní* ~ *magaidh é* it is no laughing matter, *an* ~ *seo* on this occasion

cúrsáil ku:rsa:l′ f3 & *vt* & *i* cruise; course, *seol a chúrsáil* to reef a sail

cúrsaíocht ku:rsi:(ə)xt f3 circulation, currency

cúrsóir ku:rso:r′ m3 cruiser

cuspa kuspə m4 object; objective, ~ *sláinte* toast; (art) model

cuspóir kuspo:r′ m3 target; object; objective, purpose; theme

cuspóireach kuspo:r′əx m1 object; objective, accusative, case a1 objective; accusative

custaiméir kostəm′e:r′ m3 customer

custaiméireacht kostəm′e:r′əxt f3 custom, dealing

custam kostəm m1 customs

custard kostərd m1 custard

cuthach kuhəx m1 rage, fury

cúthail ku:hal′ a1 shy; diffident, modest

cúthaileacht ku:hal′əxt f3 shyness, diffidence

D

dá¹ da: *conj* if, *dá mbeinn gan titim* if I had not fallen, *dá mba ea féin* even so

dá² da: *do or de + poss a* a to or for his, her, its, their; of or from or off his, her, its, their, *thug sí dá hathair é*, she gave it to her father, *chuir sé i dtaisce dá chlann é* he put it by for his children, *bhain sé dá cheann é* he removed it from his head, *cuid dá n-oidhreacht* part of their inheritance

dá³ da: *de or de + rel part* a of those who(m), of that which, *iomlán dá mbaineann linn* all (of those) who are connected with us, *gach uair dá smaoinim air* every time I think of it, *dá fheabhas dá bhfuil sé* however good he is

dá⁴ da: *de + part* a however, *dá airde an sliabh* however high the mountain

daba dabə *m4* daub; blob; lump, *mac an ~* ring finger

dabhach daux *f2, gs* **daibhche** *pl* **dabhcha** vat, tub; pool, pond

dabhaid daud′ *f2* piece, section; chunk

dabht daut *m4, pl ~***anna** doubt

dada dadə *m4* iota, jot, tittle, *ní ~ é* it is nothing, *an bhfuil ~ le rá agat?* have you anything to say?

daibhir dev′ər′ *m4, pl ~***bhre** poor person *a1, gsf, npl & comp ~***bhre** poor, indigent

daibhreas dev′r′əs *m1* poverty, indigence

daichead dax′əd *m1, pl ~***chidí** *& a* forty

daicheadú dax′ədu: *m4 & a* fortieth

daid dad′ *m4, pl ~***eanna** dad

daideo 'da'd′o: *m4* grandad

daidí dad′i: *m4* daddy

daigh daγ′ *f2, pl* **daitheacha** stabbing pain; twinge, *~ chroí* heartburn *pl* rheumatics, rheumatism

daighear dair *f2, gs ~***ghre** *pl ~***ghreacha** flame, fire, *~ ghaoithe* blast of wind

daigheartha dairhə *a3* fiery; stabbing, painful

dáil¹ da:l′ *f3, pl* **dálaí**, **dála** *in certain phrases* meeting; tryst; assembly, convention; legislative assembly, parliament; distribution; circumstance, *bheith i n~ duine* to be in a person's company, *~ dí* serving of drink, *i*

ndeireadh na dála when all is said and done, *i n~ le bheith déanta* nearly done, *mo dhála féin* as in my own case, *is é an dála céanna agamsa é*, it is the same with me, *dála mar a rinne mise* just as I did, *dála an scéil* by the way *pl* data

dáil² da:l′ *vt* allocate, distribute, allot; pour out

dáilcheantar 'da:l′,x'antər *m1* constituency

dáileadh da:l′ə *m, gs* **-lte** *pl* **-ltí** apportionment, distribution

dáileog da:l′o:g *f2*, drop, dose

dáilia da:l′iə *f4, pl ~***nna** dahlia

daille dal′ə *f4* blindness; dullness, stupidity

dailtín dal′t′i:n′ *m4* brat; impudent fellow

dáimh da:v′ *f2* love of kind; fellow-feeling, natural affection

daimsín dam′s′i:n′ *m4* damson

daingean daŋ′g′ən *m1* stronghold; fort, citadel, secure base; security, *i n~* firmly fixed *a1, gsf, npl & comp* **-gne** fortified, solid, secure, steadfast

daingne daŋ′n′ə *f4* strength, security; firmness, solidity

daingnigh daŋ′n′i: *vt & i* fortify; strengthen, secure, *conradh a dhaingniú* to ratify a treaty, *dhaingnigh an slaghdán ann* his cold became chronic

daingnitheoir daŋ′n′iho:r′ *m3* stabilizer

dainséar dan′s′e:r *m1* danger

dainséarach dan′s′e:rəx *a1* dangerous

dair dar′ *f, gs & gpl* **darach** *npl* **daracha** oak

dáir da:r′ *f, gs* **dárach** heat (in cow)

dáiríre da:r′i:r′ə *m4* seriousness, *i n~* in earnest *adv & a3* earnest, serious; in earnest, in reality, *~ píre* really and truly

dáiríreacht da:r′i:r′əxt *f3* earnestness, seriousness

dairt dart′ *f2* dart; missile, clod

dairtchlár 'dart′,xla:r *m1* dartboard

daite¹ dat′ə *a3* coloured, dyed, stained; comely

daite² dat′ə *a3* allotted, *an saol atá ~ dúinn* the life in store for us

330

daitheacha dahəxə *fpl* rheumatics, rheumatism

dálach da:ləx *s, ag obair Domhnach is* ~ working ceaselessly

dalba dalabə *a3* bold, forward; large, strong

dalcaire dalkər'ə *m4* stocky person

dall¹ dal *m1* blind person; dull person; dimness, ~ *bán* albino *a1* blind; dazzled; dull; dazed, *bheith* ~ *ar rud* to be ignorant of sth *vt* blind; dazzle; daze; obscure

dallach daləx *s,* ~ *dubh a chur ar dhuine* to hoodwink a person

dallachar daləxər *m1* dazzle

dalladh dalə *m, gs* **-lta** blinding; dazzlement, *bhí* ~ *bia ann* there was lashings of food, *ag obair ar* ~ working intensely, ~ *púicín* blindman's-buff; confusion; deception

dallamullóg 'dalə‚mulo:g *m4* confusion, deception, delusion, ~ *a chur ar dhuine* to hoodwink, delude, a person

dallán dala:n *m1* plug, stopper

dallarán daləra:n *m1* dunce, fool

dallóg dalo:g *f2* (window-)blind; blind creature, ~ *fhéir* dormouse, ~ *fhraoigh* shrew

dallradharcach 'dal‚rairkəx *a1* short-sighted

dallraigh dalri: *vt* blind, dazzle, benumb (with cold)

dallraitheach dalrihəx *a1* dazzling, glaring

dalta daltə *m4* foster-child; pupil, student; alumnus; cadet

daltachas daltəxəs *m1* fosterage; pupilage

daltas daltəs *m1* cadetship

damáiste dama:s't'ə *m4* damage; harm, injury *pl* damages

damáisteach dama:s't'əx *a1* damaging, harmful; damaged; *(of food)* gone off

damanta dəməntə *a3* damned; damnable; wicked, terrible, ~ *daor* terribly dear

damascach daməskəx *a1* damask, damascene

damba dambə *m4* dam

dambáil damba:l' *vt* dam

damh dav *m1* ox

dámh da:v *f2* (academic) faculty, *an* ~ followers of the arts

damhán du:a:n *m1,* ~ *alla* spider

damhna daunə *m4* matter, substance, material, ~ *bróin* cause of sorrow

damhsa dausə *m4* dance

damhsaigh dausi: *vt & i* dance; jump about; gambol; shimmer

dámhscoil 'da:v‚skol' *f2* bardic school

damhsóir dauso:r' *m3* dancer

damnaigh damni: *vt* damn, condemn

damnú damnu: *m4* damnation, condemnation, ~ *air!* damn it!

dán da:n *m1, pl* ~**ta** art, art of poetry; poem, *an rud atá i n*~ *dúinn* what is in store for us

dána da:nə *a3* bold; daring, confident; audacious

dánacht da:nəxt *f3* boldness; daring, confidence, audacity

danaid danəd' *f2* grief, regret, loss

danaideach danəd'əx *a1* grievous, sad

danar danər *m1* foreigner, barbarian, *na Danair* the Danes

danartha danərhə *a3* cruel, barbarous; unsociable

danarthacht danərhəxt *f3* barbarity; unsociability

dánlann da:nlən *f2* art gallery

daoi di: *m4* ignorant person; dunce; boor

daoibh di:v' : **do²**

daoine di:n'ə : **duine**

daoineach di:n'əx *a1* populous; numerous

daoire di:r'ə *f4* dearness, costliness

daoirse di:rs'ə *f4* slavery, bondage; oppression

daoirsigh di:rs'i: *vt & i* raise price of; make, become, dear

daoithiúil di:hu:l' *a2* churlish; uncivil

daol di:l *m1* beetle; insect, worm, *bhuail* ~ *caointe i* she took a sudden fit of crying

daonáireamh 'di:n‚a:r'əv *m1* census of population

daonchairdeas 'di:n‚xa:rd'əs *m1* philanthropy

daonchumhacht 'di:n‚xu:əxt *f3* manpower

daonlathach 'di:n‚lahəx *a1* democratic

daonlathaí 'di:n‚lahi: *m4* democrat

daonlathas 'di:n‚lahəs *m1* democracy

daonna di:nə *a3* human; humane, kindly

daonnachas di:nəxəs *m1* humanism

daonnacht di:nəxt *f*3 humanity; kindliness

daonnachtaí di:nəxti: *m*4 humanist

daonnachtúlacht di:nəxtu:ləxt *f*3 humaneness; philanthropy

daonnaí di:ni: *m*4 human being

daonra di:nrə *m*4 population

daonscoil 'di:n̩skol' *f*2, *pl* ~**eanna** folkschool

daor di:r *m*1 slave; condemned, convicted, person *a*1 unfree; servile; convicted, severe; dear, high-priced *vt* enslave; convict, condemn

daoradh di:rə *m*, *gs* -**rtha** enslavement; conviction, condemnation

daoránach di:ra:nəx *m*1 convict

daorbhreith 'di:r̩,v'r'eh *f*2 conviction, sentence

daorghalar 'di:r̩,γalər *m*1 piles

daorsmacht 'di:r̩,smaxt *m*3 slavery, oppression

daoscarshlua 'di:skər̩,hluə *m*4, *pl* ~**ite** common herd; rabble; rank and file

dar[1] dar *prep*, ~ *fia* by Jove, ~ *m'anam* by my soul

dar[2] dar *defective v* (with *le*) it seems, seemed, would seem (to), ~ *liom* it seems to me, I think, I thought, ~ *leis féin* in his own estimation

dar[3] dar *do* or *de* + *indirect rel of copula ar* for whom (is), *an té* ~ *dual an miádh* he who is fated to misfortune, *bean* ~*bh ainm Deirdre* a woman whose name was Deirdre, *cé* ~ *díobh thú?* what is your (family) name?

dár[1] da:r *do* or *de* + *poss a* **ár** to, for, in, at, our; of, from, our, *slí bheatha* ~ *ndaoine* a way of living for our people, *duine* ~ *gclann* one of our children, *táimid* ~ *gcloí* we are being overcome

dár[2] da:r *do* or *de* + *rel part* **ar**, *an dream* ~ *fhóin sé* those whom he served, *an crann* ~ *scoitheadh iad* the tree from which they were lopped, *gach uair* ~ *smaoinigh mé air* every time I thought of it

dár[3] da:r *prep*, *an lá* ~ *gcionn* the following day

dara darə *num a* second; next, other, *níl an* ~ *rogha agam* I have no alternative, *an* ~ *huair a thiocfaidh sé* next time he comes

dartán darta:n *m*1 clod, sod

dás da:s *m*1 dais

dásacht da:səxt *f*3 daring, audacity; madness; fury

dásachtach da:səxtəx *a*1 daring, audacious; mad, furious

dáta[1] da:tə *m*4 date; period, *tá an* ~ *caite* the time has expired

dáta[2] da:tə *m*4 (*fruit*) date

dátaigh da:ti: *vt* date

dath dah *m*3 colour; appearance, ~ *a chur ar rud* to colour, dye, paint, sth, *scéal gan* ~ an unlikely story, *níl a dhath céille acu* they have no sense, *dheamhan a dhath!* devil a bit!

dathadóir dahədo:r' *m*3 colourist; dyer, painter, ~ *cruthanta é* he is a born liar

dathadóireacht dahədo:r'əxt *f*3 dyeing, painting; exaggeration

dathaigh dahi: *vt & i* colour; dye, paint, *scéal a dhathú* to make a story plausible

dathannach dahənəx *a*1 multicoloured; colourful

dátheangach 'da:,haŋgəx *a*1 bilingual

dátheangachas 'da:,haŋgəxəs *m*1 bilingualism

dathúil dahu:l' *a*2 colourful; good-looking, comely, beautiful

dathúlacht dahu:ləxt *f*3 good looks, comeliness, beauty

de d'e' *prep*, *pron forms* **díom** d'i:m, **díot** d'i:t, **de** d'e, **dí** d'i *f*, **dínn** d'i:n', **díbh** d'i:v', **díobh** d'i:v, from, off; of, *tóg den bhord é* take it off the table, *stad sé den ól* he stopped drinking, *leanúint de rud* to keep at sth, *a leithéid de lá* such a day, *éirí de léim* to jump up, *de ghlanmheabhair* off by heart, *ag obair d'oíche is de lá* working day and night, *de ghnáth* as a rule, *de bhrí gur fíor é* because it is true, *de bharr* on account of, *ní den mhúineadh é* it is not the polite thing to do, not manners, *bhí sé de nós acu* it was customary with them, *is fada de bhlianta* (ó) it is years (since), *má tá sé de mhisneach agat* if you have the courage, *is fearr de bhia é* (ná) it is better food (than), *rud eile de* and what is more, *cibé ar domhan de* but howsoever, *de réir mo thuairime* in my opinion, *de dheoin nó d'ainneoin* willingly or unwillingly

-de d´ə (with comparatives) *is fearrde sibh í* you are the better for it

dé¹ d´e: *f, gs & pl* ~**ithe** puff, breath; glimmer, *ar an* ~ *deireadh* at one's last gasp

dé² d´e: (in names of days of the week) *Dé Domhnaigh* (on) Sunday

dé-³ d´e: *pref* bi-, di-, two-

dé⁴ d´e: : **dia**

dea- d´a(:) hyphenated *pref* good; well-

deabhadh d´auə *m1* haste, hurry

deabhaidh d´aui: *f, gs & pl* **deafa** strife, contention; fight

déabhlóid d´e:vlo:d´ *f2* devolution

deabhóid d´avo:d´ *f2* devotion

deabhóideach d´avo:d´əx *a1* devout, devotional

deaca(i)- d´akə *pref* deca-

deacair d´akər´ *f, gs & pl* **deacra** difficulty; hardship, distress *a1, gsf, npl & comp* **-cra** hard, difficult

déach d´e:(ə)x *a1, gsm* ~ dual

deachaigh¹ d´axi: *vt* decimate

deachaigh² d´axi: *p dep of* **téigh²**

deachtafón ´d´axtə,fo:n *m1* dictaphone

deachtaigh d´axti: *vt* instruct; dictate

deachthas d´axhəs *p dep aut of* **téigh²**

deachtóir d´axto:r´ *m3* dictator

deachtóireacht d´axto:r´əxt *f3* dictatorship

deachtú d´axtu: *m4* dictation

deachú d´axu: *f, gs* ~**n** *pl* ~**na** tenth part, tithe

deachúil d´axu:l´ *f3 & a2* decimal

deachúlach d´axu:ləx *a1* decimal

deachúlaigh d´axu:li: *vt* decimalize

deacracht d´akrəxt *f3* difficulty; distress, discomfort

déad d´e:d *m1, npl* ~**a** tooth; set of teeth

déadach d´e:dəx *a1* dental, toothed

déadchíor ´d´e:d,x´i:r *f2* denture

déag d´e:g *s* (with numerals) -teen, *aon* ~ eleven, *dó dhéag* twelve, *naoi* ~ nineteen *trí dhuine dhéag* thirteen persons, *a dhá oiread* ~ twelve times as much, *pl* ~**a** tens, teens

deagánach d´aga:nəx *m1* deacon

déagóir d´e:go:r´ *m3* teenager

dealagáideacht d´aləga:d´əxt *f3* delegation

dealaigh d´ali: *vt & i* part, separate; distinguish, differentiate, ~ *le* part with, separate from, ~ *ó* subtract from

dealbh¹ d´aləv *f2* statue

dealbh² d´aləv *a1, gsm* ~ destitute; bare, empty; bleak

dealbhach d´aləvəx *a1* statuesque

dealbhaigh d´aləvi: *vt* sculpture

dealbhóir d´aləvo:r´ *m3* sculptor

dealbhóireacht d´aləvo:r´əxt *f3* sculpture

dealg d´aləg *f2* thorn, prickle; spike; pin, brooch

dealgán d´aləga:n *m1* knitting-needle

dealrachán d´alrəxa:n *m1* clavicle, collarbone

dealraigh d´alri: *vt & i* shine forth; illuminate, ~ **le** liken to, *dealraíonn sé go it* appears that

dealraitheach d´alrihəx *a1* shining, resplendent; handsome, *is* ~ *lena athair é* he looks like his father, *scéal* ~ a likely story

dealraitheacht d´alrihəxt *f3* appearance, resemblance; verisimilitude

dealramh d´alrəv *m1* sheen, radiance; appearance; resemblance, *de réir dealraimh* apparently, *níl aon* ~ *leis sin* that's ridiculous

dealú d´alu: *m4* separation; subtraction

dealús d´alu:s *m1* destitution

dealúsach d´alu:səx *a1* destitute, poor

deamhan d´aun *m1* demon, ~ *fola* vampire, *dheamhan a bhfaca mé* I saw nothing, *dheamhan a fhios agam* I haven't the faintest idea

deamhanta d´auntə *a3* demoniac(al); fiendish, *is* ~ *an bréagadóir é* he is an awful liar

dea-mhéin ´d´a(:)´v´e:n´ *f2* goodwill, *le* ~ with kind regards

déan¹ d´e:n *m1* dean

déan² d´e:n *vt & i* do; practise; make; form; produce, *coir a dhéanamh* to commit a crime, *ionad duine a dhéanamh* to act in someone's place, *an Cháisc a dhéanamh* to celebrate Easter, *an fhirinne a dhéanamh* to speak the truth, *foighne a dhéanamh* to have patience, *tá an bád ag* ~*amh uisce* the boat is taking water, *do chuid a dhéanamh* to take one's meal, *ó rinne sé lá* since daylight, *fearthainn a dhéanamh* to rain, *aithris a dhéanamh ar dhuine* to imitate a person, *ag* ~*amh amach ar an tráthnóna* getting on for evening, *scéala a dhéanamh ar dhuine* to inform on someone, *an talamh a dhéanamh* to reach land, ~*amh ar an teach* to make for the house, *tá mé ag* ~*amh go bhfuil an ceart agat* I think you are right, *ag* ~*amh iontais de* wondering at it, *rinne sé dearmad de* he forgot it, *déanfaidh sé gnó, cúis it* will do, suffice *rinne sé eolas an bhealaigh dom* he directed me on my way, ~*amh (as) duit féin* to provide, shift, for oneself, *trua a dhéanamh do dhuine* to take pity on a person, *gáire a dhéanamh faoi dhuine* to laugh at someone, *rinne sé faoi mo dhéin* he made for me, *rinne siad mór leis* they became pally with him

déanach d'e:nəx *a1* last, final; late, *ar na blianta* ~*a* in recent years

déanaí d'e:ni: *f4, le* ~ of late

déanamh d'e:nəv *m1* doing; making; manufacture; *bhí sé ar dhéanamh uibhe* it was egg-shaped, *gan* ~ undone, unfinished

déanfasach d'e:nfasəx *a1* industrious, officious

déanmhas d'e:nvəs *m1* formation, structure

deann d'an *m3, gs & npl* ~**a** sting; pang, thrill

deannach d'anəx *m1* dust

deannachtach d'anəxtəx *a1* sharp, severe

deannachúil d'anəxu:l' *a2* dusty

deannóg d'ano:g *f2* pinch (of snuff)

déanta d'e:ntə *a3* complete, finished, *dochtúir* ~ fully-qualified doctor, ~ *na fírinne* to tell the truth, as a matter of fact

déantán d'e:ntɑ:n *m1* artefact

déantóir d'e:nto:r' *m3* maker, manufacturer

déantús d'e:ntu:s *m1* make, manufacture

déantúsaíocht d'e:ntu:si:(ə)xt *f3* manufacturing

dear d'ar *vt* draw, design

deara d'arə *s, rud a thabhairt faoi deara* to notice sth, *rud a chur faoi* ~ *do dhuine* to cause someone to do something, *tú féin faoi* ~ *é* you are the cause of it yourself

dearadh d'arə *m1, pl* -**raí** design

dearbh¹ d'arəv *a1, is* ~ *liom go* I feel certain that, *go* ~ assuredly

dearbh-² d'arəv *pref* real, true; own, blood-; absolute

dearbhaigh d'arəvi: *vt & i* declare; confirm; prove, *dearbhú le rud* to testify to something

dearbhán d'arəva:n *m1* voucher

dearbhchló 'd'arəv,xlo: *m4, pl* ~**nna** positive

dearbhú d'arəvu: *m4* declaration; confirmation; proof

dearc d'ark *vt & i* look, behold; regard, consider

dearcach d'arkəx *a1* far-seeing, considerate

dearcadh d'arkə *m1* look; outlook; foresight; consideration

dearcán d'arka:n *m1* acorn

deardan d'a:rdən *m1* rough weather

Déardaoin d'e:r'di:n' *m4* Thursday, ~ *Deascabhála* Ascension Thursday

dearfa d'arəfə *a3* attested, proved; sure, certain, *go* ~ certainly, indeed

dearfach d'arəfəx *a1* affirmative, positive

dearfaidh d'e:rhi: *fut of* **abair**

dearg d'arəg *m1, npl* ~**a** red; rouge, *an* ~ *a chur in uachtar* to turn the sod *a1* red; glowing; intense, *cneá dhearg* raw wound, *cosán* ~ beaten track, *bhí cogadh* ~ *ann* there was bloody war, a regular set-to, *bhí an t-ádh* ~ *air* he was in real luck *vt & i* redden; blush; glow; wound; (of soil) turn up, *píopa a dheargadh* to light a pipe, *dhearg sí air* she rounded on him

dearg-² d'arəg' *pref* red; real; intense, utter

deargadaol 'd'arəgə,di:l *m1* devil's coach-horse

deargán d'arəga:n *m1* sea-bream

dearlacadh d'a:rləkə *m, gs & pl* **-laicthe** gift, bounty

dearlaic d'a:rlək' *f2* endowment *vt, pres* **-acann** grant, bestow, endow

dearmad d'arəməd *m1* forgetfulness, negligence; omission; mistake, ~ *cló* misprint, ~ *a dhéanamh ar, de, dhuine* to forget about a person, *mo dhearmad* by the way *vt* forget, overlook, omit

dearmadach d'arəmədəx *a1* forgetful, absent-minded

dearna¹ d'a:rnə *f, gs* ~**n** *pl* ~**na** palm (of hand); slap, thump

dearna² d'a:rnə *p dep of* **déan²**

dearnadóir d´a:rnǝdo:r´ *m3* palmist

dearnáil d´a:rna:l´ *f3* darning *vt & i* darn

dearóil d´aro:l´ *a1* frail, puny; cold, bleak; poor, wretched

dearscnaitheach d´arsknihǝx *a1* excellent; distinctive; distinguished, prominent

dearth. áir d´arha:r´ ~ d´r´aha:r´ *m, gs -ár pl* ~**eacha** brother, *a Sheáin, a dhearthair,* my dear Seán

dearthóir d´arho:r´ *m3* designer

deas¹ d´as *s, ó dheas* southwards, *dul ó dheas* to go south, *an taobh ó dheas* the southerly part

deas² d´as *s, de dheas, i n*~, *do* near, close, to

deas³ d´as *a1, (of position)* right, *an lámh dheas* the right hand

deas⁴ d´as *a1,* ~ *do* near, close; convenient to, *an ceann is deise duit* the nearest to you, *bheith* ~ *i ngaol do dhuine* to be closely related to a person

deas⁵ d´as *a1, gsm* ~ nice, *is* ~ *a chodlóinn néal* I'd love to take a nap, *is é atá* ~ *air* he sure can do it

deasach d´asǝx *a1* righthanded

deasaigh d´asi: *vt & i* dress; prepare; settle in position, aim

deasbhord d´as,vo:rd *m1* starboard

deasc¹ d´ask *f2* desk

deasc² d´ask *vt & i, (of liquid)* settle; glean; thin out

deasca d´askǝ *m4* dregs; sediment; leaven, yeast, ~ *an tslaghdáin* after effects of the cold, *de dheasca* in consequence of

deascabháil d´askǝva:l´ *f3* ascension

deascán d´askǝn *m1* deposit, sediment; gleanings; accumulation; quantity

deaschaint d´as,xan´t´ *f2* witty speech *pl* witticisms

deasghnáth d´as,ɣna: *m3, gs & npl* ~**a** rite, ceremony; formality

deaslabhra d´as,laurǝ *f4* elocution

deaslámhach d´as,la:vǝx *a1* righthanded; dexterous, handy

deasóg d´aso:g *f2* right hand; right fist

deastógáil d´as,to:ga:l´ *f3* assumption

deatach d´atǝx *m1* smoke; vapour, steam

deataigh d´ati: *vt* smoke

deatúil d´atu:l´ *a2* smoky; vaporous

débheathach d´e:,v´ahǝx *m1 & a1* amphibian

débhríoch d´e:,v´r´i:(ǝ)x *a1, gsm* ~ ambiguous

débhríocht d´e:,v´r´i:(ǝ)xt *f3,* ambiguity

décharbónáit d´e:,xarǝbo:na:t´ *f2* bicarbonate

déchéileachas d´e:,x´e:l´ǝxǝs *m1* bigamy

déchosach d´e:,xosǝx *m1 & a1* biped

défhoghar d´e:,aur *m1* diphthong

deic d´ek´ *f2* deck

deiceagram d´ek´ǝ,gram *m1* decigram

deich d´ex´ *m4 & a* ten

deichiú d´ex´u: *m4 & a* tenth

deichniúr d´ex´n´u:r *m1* ten persons; decade (of rosary)

deicibeil d´ek´ǝ,b´el´ *f2* decibel

deiciméadar d´ek´ǝ,m´e:dǝr *m1* decimetre

déideadh d´e:d´ǝ *m1* toothache

déidhe d´e:ɣ´ǝ *m4, uimhir dhéidhe* dual number

deifir d´ef´ǝr´ *f2, gs -fre* hurry; haste, *tá* ~ *leis* it is urgent

deifnídeach d´ef´n´i:d´ǝx *a1* definitive

deifreach d´ef´r´ǝx *a1* hurried, in a hurry

deifrigh d´ef´r´i: *vt & i* hurry, hasten

deighil d´ail´ *vt, pres* **-ghleann** part, separate, divide, partition

deighilt d´ail´t´ *f2* separation; division; partition

deighilteach d´ail´t´ǝx *a1* causing separation, divisive, *im* ~ soft butter

deighilteoir d´ail´t´o:r´ *m3* separator

deil d´el´ *f2, pl* ~**eanna** (turning-)lathe, *ar* ~ in good working order; neatly arranged

déil d´e:l´ *f2, (timber)* deal

deilbh d´el´ǝv´ *f2, pl* ~**eacha** frame; shape, appearance; warp

deilbhigh d´el´ǝv´i: *vt* frame; shape, fashion, *snáth a dheilbhiú* to warp thread

deilbhíocht¹ d´el´ǝv´i:(ǝ)xt *f3, (grammar)* accidence

deilbhíocht² d´el´ǝv´i:(ǝ)xt *f3* bareness, poverty

deileadóir d´el´ǝdo:r´ *m3* turner

déileáil d´e:l´a:l´ *f3* dealing *vi* deal

déileálaí d´e:l´a:li: *m4* dealer

deilf d´el´f´ *f2, pl* ~**eanna** dolphin

deilgne d´el´ǝg´n´ǝ *f4* thorns, prickles

deilgneach¹ d´el´ǝg´n´ǝx *f2* chicken-pox

deilgneach² d´el´ǝg´n´ǝx *a1* thorny, prickly; barbed

deilín d´el´i:n´ *m4* sing-song, rigmarole

deiliús d'el'u:s *m*1 sauciness, impudence

deiliúsach d'el'u:səx *a*1 saucy, impudent

deilt d'el't' *f*2, *pl* -**eanna** delta

deimheas d'ev'əs *m*1 shears

deimhin d'ev'ən' *s* certainty, proof, ~ *a dhéanamh de rud* to make certain of sth *a*1, *gsf, npl* & *comp* -**mhne** sure, certain, *go* ~ *duit* I assure you, *go* ~ indeed

deimhneach d'ev'n'əx *a*1 certain; positive

deimhnigh d'ev'n'i: *vt* & *i* certify; affirm, confirm, verify, *deimhniú go* to make sure that

deimhniú d'ev'n'u: *m*4 certification, assurance, confirmation

deimhniúchán d'ev'n'u:xa:n *m*1 certification

deimhniúil d'ev'n'u:l' *a*2 affirmative

déin¹ d'e:n' *s, dul faoi dhéin duine* to go to meet, to fetch, a person, *ag teacht faoi mo dhéin* coming towards, for, me

déin² d'e:n' : **dian**

déine d'e:n'ə *f*4 swiftness; intensity; severity

deir¹ d'er' *f*2 shingles, herpes

deir² d'er' *pres of* **abair**

deirc d'er'k' *f*2 hole, hollow, cavity

déirc d'e:r'k' *f*2 charity, alms(-giving), *bheith ar an* ~ to be reduced to beggary, *fear, bean,* ~*e* beggar(-man, -woman)

deirceach d'er'k'əx *a*1 hollow, *gealach dheirceach* crescent moon

déirceach d'e:r'k'əx *m*1 almsgiver, charitable person; mendicant *a*1 charitable, helpful to the needy; mendicant

déircinteacht d'e:r'k'i:n't'əxt *f*3 begging, importuning

deireadh¹ d'er'ə *m*1, *pl* -**rí** end; finish; stern, rear, *D~ Fómhair* October, *níl tús ná* ~ *air* it is in chaos; he is all confused, *bheith i n~ na déithe* to be at one's last gasp, *tá* ~ *déanta* everything is done, *bheith ar* ~ to be last, *faoi dheireadh* at last, *bheith ar* ~, *chun deiridh, le rud* to be behindhand with sth, *as a dheireadh* eventually, at the heel of the hunt, *an lá faoi dheireadh* the other day, ~ *báid* stern of boat, *cosa deiridh* hind legs, *roth deiridh* back wheel

deireadh² d'er'ə *p hab of* **abair**

deireanach d'er'ənəx *a*1 last; late; latter, *bheith* ~ *ag rud* to be late for sth, *ar*

na blianta ~ *a* in recent years, *an scéala is deireanaí* the latest news

deireanas d'er'ənəs *m*1, *le* ~ recently

deirfiúr d'er'f'u:r ~ d'r'ef'u:r *f*, *gs* -**féar** *pl* ~**acha** sister

deirge d'er'əg'ə *f*4 redness; glow; rawness; fallowness (of soil)

déirí d'e:r'i: *m*4 dairy

déiríocht d'e:r'i:(ə)xt *f*3 dairying

deirmitíteas ,d'er'əm'ə't'i:t'əs *m*1 dermatitis

deis d'es' *f*2 right hand; right hand side; opportunity, *casadh faoi dheis* to turn right, *ar dheis na gréine* facing the sun, *dá mbeadh sé ar mo dheis agam* if I had it near me; if it were convenient for me, *an* ~ *a thapú* to seize the opportunity, *rinne sé* ~ *dom* it served my purpose, *tá* ~ *a labhartha aige* he speaks well, has the knack of saying the right thing, *tá* ~ *mhaith orthu* they are in good circumstances, ~ *imeartha* playing facilities, ~ *a chur ar rud* to repair something

deisbhéalach 'd'es',v'e:ləx *a*1 well-spoken, witty

deisceabal d'es'k'əbəl *m*1 disciple

deisceart d'es'k'ərt *m*1 south, southern part

deisceartach d'es'k'ərtəx *m*1, southerner *a*1 southern

déise d'e:s'ə : **dias¹**

deiseacht d'es'əxt *f*3 nearness, closeness

deiseal d'es'əl *adv* in right hand direction, sunwise, *dul* ~ to go clockwise, *casadh* ~, *ar* ~ to turn right

deisealach d'es'ələx *a*1 towards the right, clockwise; right handed, dexterous; tidy

deiseálan d'es'əla:n *m*1 cowlick

deisigh d'es'i: *vt* mend, repair

deisitheoir d'es'iho:r' *m*3 mender, repairer

deisiú d'es'u: *m*4 repair(ing), *thug siad* ~ *dá chéile* they abused each other

deisiúchán d'es'u:xa:n *m*1 mending, repairing, putting things in order

deisiúil d'es'u:l' *a*2 well-to-do; well-equipped

deisiúr d'es'u:r *m*1 southerly aspect

deismíneacht d'es'm'i:n'əxt *f*3 refinement; primness, preciosity

deismir d′es′m′ər′ a1 fine, exemplary; neat, tidy; refined, pretty

deismireacht d′es′m′ər′əxt f3 example, illustration; neatness, tidiness; refinement, prettiness, ~ *chainte* nice turn of phrase

deismireán d′es′m′ər′a:n m1 curio

déistin d′e:s′t′ən′ f2 distaste, nausea; disgust, loathing

déistineach d′e:s′t′ən′əx a1 distasteful, nauseating; disgusting, loathsome

déithe d′e:hə : **dia**

dénártha ′d′e:₁na:rhə a3 binary

deo d′o: s, go ~ forever, always, *ní rachaidh mé ann go ~ aris* I will never go there again, *bhí sé an-fhuar go ~* it was exceedingly cold

deoch d′ox f, gs dí pl ~**anna** drink; potion; infusion, wash, ~ *chodlata* sleeping-draught, *ar* ~ in one's cups

dé-ocsaid ′d′e:₁oksi:d′ f2 dioxide

deoin d′o:n′ f3, pl **deonta** will, consent, *de do dheoin* (*féin*) of one's own free will

deoir d′o:r′ f2, npl **-ora** gpl **-or** tear, drop, *deora codlata* sleeping draught, *deora Dé* fuchsia

deoise d′o:ʃə f4 diocese

deolcach d′o:lkəx m1 suckling

deolchaire d′o:lxər′ə f4 gratuity, bounty

deonach d′o:nəx a1 voluntary; willing; providential

deonachán d′o:nəxa:n m1 donation

deonaigh d′o:ni: vt & i grant, consent; condescend

deontas d′o:ntəs m1 grant

deontóir d′o:nto:r′ m3 grantor, ~ *fola* blood donor

deonú d′o:nu: m4 grant, consent; condescension, *trí dheonú Dé* by God's will

deorach d′o:rəx a1 tearful

deoraí d′o:ri: m4 stranger, wanderer, exile; lonely person, *ní raibh duine ná* ~ *ann* there wasn't a soul there

deoraíocht d′o:ri:(ə)xt f3 exile

deoranta d′o:rəntə a3 strange, foreign, aloof

déroinn ′d′e:₁ron′ vt bisect

déscéalaíocht ′d′e:₁s′k′e:li:(ə)xt f3 mythology

déshúiligh ′d′e:₁hu:l′i: npl binoculars

dhá γa: num a two

dháréag δa:r′e:g m4 twelve persons, *an Dáréag* (*Aspal*) the Twelve (Apostles)

dhein γ′en′ var p of **déan**

di d′i : **de, do²**

di¹ d′i: : **deoch**

dí-² d′i: pref de-, di-, dis-, in-, un-

dia d′iə m, gs **dé** pl **déithe** God; deity, *D~ duit* God save you, *D~* (*go deo*) *leat* bravo, *idir mé is D~* I swear to God, *mura bhfuil ag D~* unless God has decreed otherwise

diabhal d′iəvəl m1 devil, *an* ~ *capaill sin* that devil of a horse, *d'anam, do chorp, don* ~ damn you, *bíodh an* ~ *acu* to hell with them, *téigh tigh, i dtigh, diabhail go* to blazes, *ní miste liom sa* ~ I don't care a damn, *ag imeacht in ainm an diabhail* going like the devil, (*don*) ~ *focal* devil a word, (*ná*) *don* ~ *é* devil a bit, ~ *a mbeadh a fhios agat* you would never know

diabhalta d′iəvəltə a3 mischievous, ~ *greannmhar* extremely funny

diabhlaí d′iəvli: a3 diabolic, devilish

diabhlaíocht d′iəvli:(ə)xt f3 devilry, witchcraft; devilment, mischievousness; cursing

diach d′iəx s deuce, *nach é an* ~ *é*? isn't it the deuce?

diachair d′iəxər′ f3, gs **-chra** pain, affliction; distress

diachas d′iəxəs m1 theism

diachrach d′iəxrəx a1 painful, sore; distressing

diaga d′iəgə a3 divine; godly; sacred, holy; theological

diagacht d′iəgəxt f3 divinity, theology

diagaire d′iəgər′ə m4 theologian

dianta d′iəntə a3 godly, pious

diaibéiteas ′d′iə₁b′e:t′əs m1 diabetes

diaidh d′iəγ′ s, ~ *ar* n~ gradually, *siúl i* n~ *duine* to walk after, a person, *mí ina dhiaidh* a month after, *i* n~ *a chéile* one after another; by degrees, *tá an teach uaigneach ina* n~ the house is lonely since they went, *ní bheidh Dia ina dhiaidh orainn* God won't hold it against us, *i* n~ *an ama* after the (due) time, *leath i* n~ *a haon* half past one, *chuaigh sé i* n~ *a chinn isteach san uisce* he went head first into the water, *ina dhiaidh sin* afterwards, *ina dhiaidh sin is uile* notwithstanding all that, *i* n~ *gur iarr mé é* even though I asked for it

diail¹ d'iəl' *f2*, *pl* **-eanna** dial

diail² d'iəl' *a1* terrible, remarkable, *is ~ an reathaí é* he is a terrific runner, *go ~!* splendid!

dialligh d'iəl'i: *vt & i* dial

dialann d'iələn *f2* diary

dialannaí d'iələni: *m4* diarist

diall d'iəl *vi*, *~ le, ar* incline towards, *~ ó* decline, deviate, from

diallait d'iələt' *f2* saddle

diallaiteoir d'iələt'o:r' *m3* saddler

diamant d'iəmənt *m1* diamond

diamhair d'iəvər' *f2*, *pl* **-mhra** dark, secluded, place; solitude; mystery, *~ a bheith ort* to have an eerie feeling *a1*, *npl* **-mhra** dark; occult, mysterious; secluded; weird, lonely

diamhasla d'iə,vaslə *m4* blasphemy

diamhracht d'iəvrəxt *f3* darkness; mysteriousness; weirdness

dian d'iən *a1*, *gsm* **déin** *gsf & comp* **déine** intense, strong; hard, severe

dianchosc d'iən'xosk *m1* strict prohibition

dianchúram d'iən'xu:rəm *m1* intensive care

dianleathadh d'iən'l'ahə *s*, *ar ~* wide open

diantréanach d'iən't'r'e:nəx *a1* ascetic

diantréanas d'iən't'r'e:nəs *m1* asceticism

di-armáil d'i:,armə:l' *f3* disarmament *vt & i* disarm

dias¹ d'iəs *f2*, *gs* **déise** ear of corn; spike (of plant)

dias² d'iəs *m1* deism

diasraigh d'iəsri: *vt & i* glean

diathair d'iəhər' *f2* orbit, *ar ~ in* orbit

díbeartach d'i:b'ərtəx *m1* banished person; outcast

díbh d'i:v' : **de**

dibheán d'ə'v'a:n *m1* divan

díbheirg d'i:,v'er'əg' *f2* wrath, vengeance

díbheirgeach d'i:,v'er'əg'əx *a1* wrathful, vengeful

díbheo d'i:,v'o: *a3* lifeless, listless, moribund

díbhinn d'i:v'ən' *f2* dividend

díbhirce d'i:v'ər'k'ə *f4* ardour, eagerness, zeal

díbhirceach d'i:v'ər'k'əx *a1* ardent, eager, zealous

díbhoilsciú d'i:,vol's'k'u: *m4* deflation

díbholaíoch d'i:,voli:(ə)x *m1 & a1*, *gsm ~* deodorant

díbir d'i:b'ər' *vt*, *pres* **-bríonn** drive out, banish, expel, *taibhse a dhíbirt* to lay a ghost

díbirt d'i:b'ərt' *f3*, *gs* **-beartha** banishment, expulsion

díblí d'i:b'l'i: *a3* worn-out, debilitated, dilapidated; vile, debased

díbligh d'i:b'l'i: *vt & i* wear out, debilitate, dilapidate; revile, abuse

díbliocht d'i:b'l'i:(ə)xt *f3* debility, dilapidation, wretchedness; vileness

dícháiligh d'i:,xa:l'i: *vt* disqualify

dícheall d'i:x'əl *m1* best endeavour, *tá sé ar a dhícheall* he is doing his best, *~ anama* all-out effort

dícheallach d'i:x'ələx *a1* doing one's best; earnest, diligent, *duine ~* industrious person

dícheann d'i:,x'ən *vt* behead; cut off, destroy

dichéillí d'i:,x'e:l'i: *a3* senseless, foolish

díchnámhaigh d'i:,xna:vi: *vt* bone, fillet

díchreidmheach d'i:,x'r'ed'v'əx *m1* unbeliever *a1* unbelieving; sceptical; incredulous

díchuimhne d'i:,xiv'n'ə *f4* forgetfulness

díchuir d'i:,xir' *vt*, *vn* **-ur** expel; disperse, scatter

dídean d'i:d'ən *f2* cover, shelter; refuge, protection, *duine a dhídean* to shelter, protect, a person

dídeanach d'i:d'ənəx *a1* sheltering, protecting

dídeanaí d'i:d'əni: *m4* refugee

dídhaoinigh d'i:,yi:n'i: *vt* depopulate

difear d'if'ər *m1* difference

dífhostaíocht d'i:,osti:(ə)xt *f3* unemployment

difríocht d'if'r'i:(ə)xt *f3* difference

difriúil d'if'r'u:l' *a2* different (*le*, from)

diftéire d'if't'e:r'ə *f4* diphtheria

digeann d'i:g'ən *m1* extreme, extremity; climax

digeanta d'i:g'əntə *a3* pertinacious, obdurate; die-hard

díghalraigh d'i:,yalri: *vt* disinfect

díghalrán d'i:,yalra:n *m1* disinfectant

díhiodráitigh d'i:,hidra:t'i: *vt* dehydrate

dil d'il' *a1* dear, beloved

díláithreach d'i:,la:hr'əx *m*1 displaced person

díláithrigh d'i:,la:hr'i: *vt* displace; clear out; demolish

dílaraigh d'i:,la:ri: *vt* decentralize

díle d'i:l'ə *f*, *gs* ~ **ann** *pl* -**lí** flood; deluge, torrent, *an D* ~ the Flood, *thar dhroim na* ~ *ann* over the crest of the ocean

díleá d'i:,l'a: *m*4 dissolution; digestion

díleách d'i:,l'a:x *a*1, *gsm* ~ digestive

díleagra d'il',agrə *m*4 address, memorial

díleáigh d'i:,l'a:γ' *vt & i* dissolve; digest

dílis d'i:l'əs *a*1, *gsf, npl & comp* **dílse** own; genuine; solid; loyal, faithful, *a dteanga dhílis* their own language, *a oidhre* ~ his lawful heir, *ainm* ~ proper name; proper noun, *a Dhia dhílis* dear God

dílleachta d'i:l'əxtə *m*4 orphan

dílleachtlann d'i:l'əxtlən *f*2 orphanage

dílse d'i:l' s'ə *f*4 proprietary right; ownership; security; loyalty, fidelity, *dul i n* ~ *le rud* to pledge oneself to sth

dílseacht d'i:l's'əxt *f*3 proprietary right, ownership; attribute; genuineness; allegiance, *móid* ~ *a* vow of fidelity

dílseánach d'i:l's'a:nəx *m*1 proprietor; loyal follower

dílseoir d'i:l's'o:r' *m*3 loyalist

dílsigh d'i:l's'i: *vt* vest; pledge; cede; appropriate; conceal, *fiacha a dhílsiú* to secure debts

díluacháil d'i:,luəxa:l' *f*3 devaluation *vt* devalue

diméin d'ə'm'e:n' *f*2, *pl* ~ **te** demesne

dímheas d'i:,v'as *m*3 disrespect, contempt

dimrí d'i:,m'r'i: *f*4 feebleness, helplessness; ineffectiveness

dímríoch d'i:,m'r'i:(ə)x *a*, *gsm* ~ feeble, helpless, ineffectual

dineach d'in'əx *m*1 draught, potion

dineamó d'in'əmo: *m*4, *pl* ~ **nna** dynamo

dineasár d'in'əsa:r *m*1 dinosaur

ding[1] d'in' *f*2, *pl* ~ **eacha** wedge *vt* wedge; pack tightly, stuff

ding[2] d'in' *f*2, *pl* ~ **eacha** *vt & int*

dinglis d'in'l'əs' *f*2 tickle, titillation

dingliseach d'in'l'əs'əx *a*1 ticklesome, ticklish

dinimit d'in'əm'i:t' *f*2 dynamite

dínit d'i:n'ət' *f*2 dignity; high estate

díniteach d'i:n'ət'əx *a*1 dignified

dínn d'i:n' : **de**

dinnéar d'in'e:r *m*1 dinner

dinnireacht d'in'ər'əxt *f*3 dysentery

dinnseanchas d'in',s'anəxəs *m*1 topography

dintiúr d'in't'u:r *m*1 indenture *pl* credentials

díobh[1] d'i:v *vt & i* extinguish; eliminate; become extinct

díobh[2] d'i:v : **de**

díobhadh d'i:və *m*1 elimination, extinction

díobhaí d'i:vi: *a*3 without issue, extinct

díobháil d'i:va:l' *f*3 loss, deprivation, want; injury, damage, *rud a bheith de dhíobháil ort* to want, need of sth, *cad é an* ~ (*ach*) what harm (but)

díobhálach d'i:va:ləx *a*1 injurious, harmful; at a loss, wanting

díobhlásach d'i:vla:səx *a* a prodigal

díoc[1] d'ik *m*3 pip (in fowl)

díoc[2] d'ik *m*3, *pl* ~ **anna** hunch, stoop

díocas d'i:kəs *m*1 eagerness, keenness

díocasach d'i:kəsəx *a*1 eager, keen

díochlaon d'i:,xli:n *vt*, (*grammar*) decline

díochlaonadh d'i:,xli:nə *m*, *gs* -**nta** *pl* -**ntaí** declension

díog d'i:g *f*2 ditch, trench, drain

díogarnach d'i:,gərnəx *f*2 gasp(ing); breath, ~ *sholais* glimmer of light

díogha d'i:v *m*4 the worst, ~ *na bhfear* the worst of men, *rogha an dá dhíogha* choice between two evils

díograis d'i:grəs' *f*2 zeal; fervour; kindred affection, *racht* ~ *e* fit of devotion

díograiseach d'i:grəs'əx *a*1 fervent, zealous; devoted

díograiseoir d'i:grəs'o:r' *m*3 zealot, enthusiast

díol d'i:l *m*3 sale; payment; recompense, *i n* ~ *ruda* in payment for sth, *is maith an* ~ *ort é* you well deserve it, ~ *trua é* he is to be pitied, ~ *míosa de lón a* month's supply of provisions, *fuair sí a* ~ *d'fhear* she got a husband worthy of her *vt & i* sell, pay, *dhiol sé go daor as* he paid dearly for it

díolachán d'i:ləxa:n *m*1 selling, sale

díolaim d'i:ləm' *f*3, *pl* -**amaí** gleaning, gathering; collection, ~ *dána* anthology of verse

díolaíocht d'i:li:(ə)xt *f*3 payment; instalment; recompense

dioltach d'i:ltəx *m*1 avenger

dioltas d'i:ltəs *m*1 vengeance, revenge

dioltasach d'i:ltəsəx *a*l vengeful, vindictive

dioltóir d'i:lto:r' *m*3 seller; vendor, dealer

diolúine d'i:lu:n'ə *f*4, *pl* **-ntí** exemption, immunity; licence

diom d'i:m : **de**

diomá d'i:ma: *f*4 disappointment, sorrow

diomách d'i:ma:x *a*l, *gsm* ~ disappointed, sorry

diomail d'iməl' *vt, pres* **-mlaíonn** waste, squander

diomailt d'iməl't' *f*2 waste, extravagance

diomailteach d'iməl't'əx *a*l wasteful, extravagant

diomaíoch d'imi:(ə)x *a*l, *gsm* ~ ungrateful

diomaite d'imət'ə ~ **de** apart from, besides

diomas d'i:məs *m*1 pride, arrogance; contempt

diomasach d'i:məsəx *a*l proud, arrogant; contemptuous

diomhaoin d'i:vi:n' *a*l idle; worthless; unemployed; unused

diomhaointeas d'i:vi:n't'əs *m*1 idleness; worthlessness, unemployment, ~ *an tsaoil* the vanity of the world

diomú d'imu: *m*4 displeasure, dissatisfaction

diomuachas d'i:muəxəs *m*1 defeatism

diomuan d'i:muən *a*l impermanent, transient; short-lived

diomúch d'imu:x *a*l, *gsm* ~ displeased, dissatisfied

dion d'i:n *m*1, *pl* ~**ta** protection, shelter; covering; roof, *vt* protect, shelter, proof, roof, thatch

dionach d'i:nəx *a*l protective; impermeable, proof

dionbhrollach 'd'i:n,vroləx *m*1 preface

dionchruthú 'd'i:n,xruhu: *m*, apologetics

diongbháil d'iŋva:l' *f*3 match, equal; worth; constancy, assurance, *casadh fear a dhiongbhála air* he met his match

diongbháilte d'iŋva:l't'ə *a*3 worthy, fitting; steadfast, constant, fixed, solid, thick-set; self-assured, *dúnta go* ~ securely closed, *ordú* ~ strict order, *labhairt go* ~ to speak decisively

dionmhar d'i:nvər *a*l protective, (water-, weather-) proof

dionteach 'd'i:n',t'ax *m, gs* **-tí** *pl* **-tithe** penthouse

dioplóma ,d'ip'lo:mə *m*4 diploma

diopsamáine d'ipsə,ma:n'ə *f*4 dipsomania

diorma d'i:rmə *m*4 band, troop; detachment

diorthach d'i:rhəx *m*1 & *a*l derivative

diorthaigh d'i:rhi: *vt* derive

diosal d'i:səl *m*1 diesel

diosc d'isk *vi* dissect

diosc d'i:sk *vi* creak, grate

diosca d'iskə *m*4 disc

dioscadh d'iskə *m, gs* **-ctha** dissection

dioscaireacht d'iskər'əxt *f*3 light (house)work

dioscán d'i:ska:n *m*1 creaking, grating; squeak, ~ *fiacla* gnashing of teeth

dioscánach d'i:ska:nəx *a*l creaky, squeaky, grating, rasping

diosmaid d'isməd' *f*2 dispensation

diospóireacht d'i:spo:r'əxt *f*3 disputing, debating; debate; discussion

díot d'i:t : **de**

díotáil d'i:ta:l' *f*3 indictment *vt* indict

díotchúisigh 'd'i:t,xu:s'i: *vt* arraign

díothach d'i:həx *a*l wanting, deficient; needy, destitute

díothaigh d'i:hi: *vt* destroy, eliminate; exterminate

díothóir d'i:ho:r' *m*3 destroyer, exterminator

díothú d'i:hu: *m*4 destruction, extermination

dip d'ip' *f*2, *pl* ~**eanna,** ~ *chaorach* sheep-dip

dírbheathaisnéis 'd'i:r''v'ah,as'n'e:s' *f*2 autobiography

díreach d'i:r'əx *a*l straight; straightforwardness, *rud a chur as a dhíreach* to put sth out of plumb *a*l straight, direct; erect; straightforward; upright, honest, *soir* ~ due east, ~ *i ndiaidh a chéile* right after each other, *aill dhíreach* perpendicular cliff, *modh* ~ direct method, ~ *ag an doras* just at the door, *anois (go)* ~ just now, *go* ~ exactly

dirigh d'i:r'i: *vt & i* straighten, aim, direct, *gunna a dhíriú ar dhuine* to aim a gun at a person, *d'aire a dhíriú ar rud* to direct one's attention to sth, *díriú ar áit* to make straight for a place, *díriú ar dhuine* to round on a person

diríocht d'i:r'i:(ə)xt *f3* straightness; directness, uprightness

dís d'i:s' *f2* two; pair, couple, *an ~ acu* both of them

disc d'i:s'k' *f2* dryness, barrenness, *dul i n~* to run dry

discaoil 'd'i:,ski:l' *vt & i* unloose, disperse, dissolve, disintegrate

discigh d'i:s'k'i: *vt & i* dry up, drain out; consume; exterminate

disciplín d'is'k'əp'l'i:n' *m4* discipline

discréid d'is'k'r'e:d' *f2* discretion; reserve, secrecy

discréideach d'is'k'r'e:d'əx *a1* discreet; reserved, secret

diséad d'i:s'e:d *m1* duet

diseart d'is'ərt *m1* deserted place; hermitage

dishealbhaigh 'd'i:,haləvi: *vt* dispossess, evict

dishealbhú 'd'i:,haləvu: *m4* dispossession, eviction

dísle d'i:s'l'ə *m4* die; cube, *rud a chur ar dhísli* to cast dice for sth

dispeag d'is'p'ag *vt* despise, belittle

dispeagadh d'is'p'agə *m, gs* **-gtha** belittlement; (*grammar*) diminutive

dispeansáid d'is'p'ənsa:d' *f2* dispensation

díth[1] d'i: *f2, npl* **díotha** *gpl* **díoth** loss; deprivation; lack; need, *rud a bheith de dhíth, a dhíth, ort* to need something, *dul ar ~* to go to loss, *mo dhíth* alas, *~ céille* folly

díthiomnach 'd'i:,himnəx *a1* intestate

dithneas d'ihn'əs *m1* haste, hurry, urgency

dithneasach d'ihn'əsəx *a1* urgent, hurried

díthreabh d'i:hr'əv *f2* uninhabited place; wilderness; hermitage

díthreabhach d'i:hr'əvəx *m1* recluse, hermit; homeless person; waif

diúc d'u:k *m4* duke

diúcacht d'u:kəxt *f3* duchy

diúg d'u:g *f2* drop *vt* drain, drink to the dregs; suck, sponge on

diúgaire d'u:gər'ə *m4* tippler; sponger

diúgaireacht d'u:gər'əxt *f3* draining, drinking dry; sponging, whimpering

diúilicín d'u:l'ək'i:n' *m4* mussel

diúité d'u:t'e: *m4, pl* **~ithe** duty

diúl d'u:l *m1* suck(ing), *leanbh (an) diúil* suckling *vt & i* suck

diúlach d'u:ləx *m1* fellow; lad

diúlfhiacail 'd'u:l,iəkəl' *f2, pl* **-cla** milktooth

diúltach d'u:ltəx *m1 & a1* negative, *dreach ~* forbidding aspect

diúltaigh d'u:lti: *vt & i* deny, refuse, *dhiúltaigh sé m'iarratas* he refused my application, *diúltú do rud* to renounce, reject, sth, *diúltú roimh dhuine* to shrink from, shun, a person

diúltú d'u:ltu: *m4* denial, refusal; renunciation

diúnas d'u:nəs *m4* obstinacy

diúracán d'u:rəka:n *m1* projectile, missile

diúraic d'u:rək' *vt & i, pres* **-acann** *vn* **-acadh** cast, shoot, project; brandish

diurnaigh d'u:rni: *vt* drain, swallow; embrace

dlaíóg dli:o:g *f2* (little) wisp; single stalk, blade, *~ ghruaige* lock of hair

dlaoi dli: *f4, pl* **~the** wisp; tuft; bundle of thatch, *~ ghruaige* lock, tress of hair, *an ~ mhullaigh a chur ar rud* to finish off sth; to cap sth, *~ de rópa* strand of rope

dlaoitheach dli:həx *a1, (of hair)* hanging in locks; (*of wool*) tufted

dleacht d'l'axt *f3, pl* **-anna** due, lawful right, *~ chustaim* customs duty, *~ údair* author's royalty

dleathach d'l'ahəx *a1* lawful; genuine; just

dlí d'l'i: *m4, pl* **~the** law, *an ~ a chur ar dhuine* to take legal proceedings against a person

dlí-eolaíocht 'd'l'i:,o:li:(ə)xt *f3* jurisprudence

dligh d'l'iy' *vt* be entitled to, merit; be liable to, *dlionn sé beannacht* he deserves a blessing, *dlitear dom é* I am entitled to it, *dlitear díom é* it is incumbent on me, *tá sé dlite ort á a dhéanamh* you are under an obligation to do it

dlínse d'l'i:n's'ə *f4* jurisdiction

dlíodóir d'l'i:(ə)do:r' *m3* lawyer

dlisteanach d'l'is't'ənəx *a1* lawful, legitimate; proper; loyal

dliteanas d'l'it'ənəs *m*1 lawful claim, right; liability

dlíthairgthe 'd'l'i:,har'ək'ə *a*3, *nótaí* ~ legal tender notes

dlíthí d'l'i:hi: *m*4 litigant

dlíthiúil d'l'i:hu:l' *a*2 legal, juridical, lawful

dlúimh dlu:v' *f*2, *pl* ~eanna mass; dense cloud, pall

dlúite dlu:t'ə *a*3 compressed

dlús dlu:s *m*1 compactness; density; fullness, ~ *ruda a bheith agat* to have an abundance of sth, ~ *a chur le* rud to speed up something

dlúsúil dlu:su:l' *a*2 diligent, industrious; expeditious

dlúth¹ dlu: *m*1 warp, *tá sé de dhlúth agus d'inneach ann* it is in his very nature

dlúth² dlu: *a*1 close; compact; dense; near

dlúthaigh dlu:hi: *vt* & *i* compress, tighten; draw together, *dlúthú le duine* to draw close to a person

do¹ də *poss a* your

do² do ~ də⁷ *prep, pron forms* **dom** dom, **duit** dit', **dó** do: m, **di** d'i *f*, **dúinn** du:n', **daoibh** di:v', **dóibh** do:v', to, for, *dul don Spáinn* to go to Spain, *cóngarach do rud* near sth, *rud a thabhairt do dhuine* to give a person sth, *bheannaigh sé dom* he greeted me, *ní oireann sé duit* it doesn't suit you, *chonacthas dom (go)* it appeared to me (that), *inis scéal dúinn* tell us a story, *laethanta saoire do pháistí* holidays for children, *oíche mhaith duit* I bid you good night, *is maith dóibh é* it is well for them, *mar is eol duit* as you know, *b'éigean dóibh teitheadh* they had to fly, *cad is ainm dó?* what is his name? *ní gearánta duit* you shouldn't complain, *ag teacht dom* when I was coming, *sa chomhrá dúinn* during the course of our conversation

do-³ do⁷ *pref* impossible, difficult, to; ill, evil

dó¹ do: *m*4 burning; scorching; combustion; burn, ~ *laidhre* inflammation between the toes, ~ *seaca* frostbite

dó² do: *m*4, *pl* ~nna two, ~ *dhéag* twelve

dó³ do: : **do²**

do-aimsithe ,do'am's'ihə *a*3 unattainable, inaccessible; elusive

do-áirithe ,do'a:r'ihə *a*3 countless, myriad

do-aitheanta ,do'ahəntə *a*3 unrecognizable, indistinguishable

do-athraithe ,do'ahrihə *a*3 unchangeable, immutable; irrevocable

dóbair do:bər' *defective v*, ~ *dom titim*; ~ *go dtitfinn, gur thit mé* I nearly fell, ~ *dó* it was a near thing for him

dobhar daur ~ do:r *m*1 water; flood, torrent

dobharchú 'daur,xu: ~ 'do:r,xu: *m*4 otter

dobhardhroim 'daur,γrom' ~ 'do:r-,γrom' *m*3, *pl* -omanna watershed

dobhareach 'daur,ax ~ 'do:r,ax *m*1, *gs* -eich *npl* ~a hippopotamus

dobhogtha ,do'vokə *a*3 immovable, irresponsive

do-bhraite ,do'vrat'ə *a*3 imperceptible, intangible

dobhránta daura:ntə *a*3 dull, stupid

dobhréagnaithe ,do'v'r'e:gnihə *a*3 irrefutable, undeniable, incontrovertible

dobhriathar do,v'r'iəhər *m*1, *pl* -thra adverb

dobhriste ,do'v'r'is't'ə *a*3 unbreakable, *geall* ~ sacred promise

dobrón ,do'bro:n *m*1 intense sorrow; grief, affliction

dobrónach ,do'bro:nəx *a*1 grieving, afflicted

dócha do:xə *a*, *comp* **dóichí** (used with *is*) likely, probable, *is* ~ *é* I suppose so, *is* ~ (go) it is likely (that), *chomh* ~ *lena athrach* as likely as not, *is é is dóichí (de) go* it is most likely that

dochaideartha ,do'xad'ərhə *a*3 unsociable

dochaite ,do'xat'ə *a*3 durable, hardwearing; inexhaustible; inedible

dochar doxər *m*1 harm; hurt, injury; damage, debit, *sochar agus* ~ profit and loss

dóchas do:xəs *m*1 hope; expectation, trust, ~ *a bheith agat as duine, as rud* to hope in a person, in sth

dóchasach do:xəsəx *a*1 hopeful; confident, optimistic

docheansaithe ,do'x'ansihə *a*3 untameable, unmanageable

dochloiste ,do'xlos't'ə *a*3 inaudible

dochloíte ,do'xli:t'ə *a*3 indomitable, invincible; irrefutable

dochma doxmə *m*4 privation, hardship; gloom, depression; reluctance *a*3 distressed, uncomfortable; morose, reluctant

dochrach doxrəx *a*l harmful, hurtful, pernicious; distressing

dochraide doxrəd′ə *f*4 hardship, oppression; distress

dochreidte ˌdo′x′r′et′ə *a*3 incredible

docht doxt *a*l, *gsm* ~ tight; rigid; strict *vt* tighten, bind securely

dochtúir doxtu:r′ *m*3 doctor

dochtúireacht doxtu:r′əxt *f*3 doctorate; medical practice; doctoring

dóchúil do:xu:l′ *a*2 likely, probable

dochuimsithe do′xim′s′ihə *a*3 boundless,

dóchúlacht do:xu:ləxt *f*3 likelihood, probability

dochurtha ˌdo′xurhə *a*3 difficult to put, set, etc, ~ *i bhfeidhm* unenforcible

dócmhainn do:kvən′ *f*2 liability

dócmhainneach do:kvən′əx *a*l insolvent

dócúl do:ku:l *m*l discomfort; pain, distress

dodach dodəx *a*l sullen; restive, jibbing

dodhéanta ˌdo′γ′e:ntə *a*3 impossible, hard to do; impracticable

dodhearmadta ˌdo′γ′arəmətə *a*3 unforgettable

dodhíleáite ˌdo′γ′i:ˌl′a:t′ə *a*3 indigestible

dodhíolta ˌdo′γ′i:ltə *a*3 unsaleable

do-earráide ˌdo′ara:d′ə *a*3 infallible

dofhaighte ˌdo′a:t′ə *a*3 unobtainable; rare

dofheicthe ˌdo′ek′ə *a*3 invisible, indiscernible

dofhulaingthe ˌdo′uləŋ′hə *a*3 unbearable

do-ghafa ˌdo′γafə *a*3 impregnable

doghonta ˌdo′γontə *a*3 invulnerable

doghrainn daurən′ *f*2 distress, affliction, difficulty

doghraineach daurən′əx *a*l distressful, afflicted; difficult

dogma dogmə *m*4 dogma

dogmach dogməx *a*l dogmatic

dóib do:b′ *f*2 daub, plaster-clay; (sticky) mud

dóibeáil do:b′a:l′ *vt* daub, plaster (with mud)

dóibh do:v′ : *do*[2]

doicheall dox′əl *m*l churlishness, inhospitality; unwillingness, *brú ar an* ~ to intrude where one is not wanted

doicheallach dox′əlax *a*l churlish, inhospitable, grudging

doichte doxt′ə *f*4 tightness, hardness, rigidity

doiciméad dok′əm′e:d *m*l document

doiciméadach dok′əm′e:dəx *a*l documentary

dóid do:d′ *f*2 hand, fist, handful; lump

do-idithe ˌdo′i:d′ihə *a*3 inexhaustible

dóigh[1] do:γ′ *f*2 way, manner; state, condition, ~ *oibre* method of working, *ar dhóigh éigin* somehow, *ar aon* ~, *ar dhóigh ar bith* anyhow, *sa* ~ *sin de* as far as that is concerned, *tá* ~ *mhaith orthu* they are in good circumstances, *bheith gan* ~ to be in a poor way, ~ *a chur ar rud* to fix sth, *ar* ~ real, excellent, *ar dhóigh go* so that, ~ *a fháil ar rud* to get a chance to do sth

dóigh[2] do:γ′ *f*2 hope, expectation; confidence; likely subject, mark, ~ *a dhéanamh de rud* to take sth for granted, *de mo dhóigh* in my opinion, ~ *magaidh* butt for ridicule, *dar n*~, *ar n*~ of course, (used as *a* with *is*) likely, probable, *is* ~ *liom* (*go*) I am of opinion (that)

dóigh[3] do:γ′ *vt & i* burn, sear, scorch

dóighiúil do:γ′u:l′ *a*2 good-looking, handsome; generous; decent

dóighiúlacht do:γ′u:ləxt *f*3 handsomeness; generosity; decency

doilbh dol′əv′ *a*l dark, gloomy; melancholy

doilbhir dol′əv′ər′ *a*l, *gsf, npl & comp* -**bhre** dark, gloomy; slow of speech

doiléir dol′e:r′ *a*l dim, obscure; vague

doiléire dol′e:r′ə *f*4 dimness, obscurity; vagueness

doilféoir dol′ə′f′o:r′ *m*3 conjurer, illusionist

doiligh dol′i: *a*l, *gsf, npl & comp* -**lí** hard, difficult; distressing

doilíos dol′i:s *m*l sorrow, melancholy, affliction; contrition

doilíosach dol′i:səx *a*l sorrowful, melancholy; contrite

doimhneacht dov′n′əxt *f*3 depth; deep (place), *dul amach ar an* ~, to go out into deep water, on the deep (sea)

doimhnigh dov′n′i: *vt & i* deepen

Doiminiceach dom′ən′ək′əx *m*l *& a*l Dominican

doineann don'ən f2 stormy weather, storm; wintriness

doineanta don'əntə a3 stormy; inclement, wintry

doingean doŋ'g'ən m1, (fish) bass

doinsiún don's'u:n m1 dungeon

do-inste ,do'in,s't'ə a3 inexpressible, indescribable

doirb dor'əb' f2, pl ~**eacha** water beetle

doire dor'ə m4 oak-wood; wood, grove, thicket

dóire do:ər'ə m4 burner

doirneog do:rn'o:g f2 round stone, handstone

doirnín do:rn'i:n' m4 grip, handle; peg

doirseoir dors'o:r' m3 door-keeper, porter

doirt dort' vt & i pour; spill, shed, dhoirt an dath the colour ran, ag ~eadh fearthainne pouring rain, tá sí ~e dó she is devoted to him

doirteadh dort'ə m, gs **doirte** pouring, spilling, ~ fola bloodshed

doirteal dort'əl m1 (kitchen) sink

dóisceanta do:s'k'əntə a swarthy

do-ite ,do'it'ə a3 inedible

dóite do:t'ə a3 burned; withered, dry; bitter, severe, bheith ~ de rud to be tired of, fed up with, sth

dóiteacht do:t'əxt f3 burning; bitterness, annoyance

dóiteán do:t'a:n m1 conflagration, fire

dóithin do:hin' m4, ní haon ~ Brian Brian is not a man to be trifled with, ní haon ~ an obair seo this work is no joke

dol dol m3, gs & npl ~**a** loop; noose, snare; ~ eangaí cast of a net, ~ éisc catch of fish, ~ daoine group of people, ~ a bhaint as rud to take a turn at sth vt loop; snare; net

dola¹ dolə m4 thole-pin; peg

dola² dolə m4 harm, loss; expense; toll

doláimhsithe ,do'la:v's'ihə a3 unmanageable, unwieldy

dólámhach 'do:,la:vəx a1 two-handed; all out; unaided, ag obair ~ working energetically, (as s) ar ~ with both hands, ag ~(le) working, competing, strenuously (with)

dólás do:la:s m1 dolour, tribulation; contrition

dólásach do:la:səx a1 dolorous, sorrowful

doleigheasta ,do'l'aistə a3 incurable

doléite ,do'l'e:t'ə a3 illegible

doleithscéil ,do'l'e,s'k'e:l' a inexcusable

dollar dolər m1 dollar

doloicthe ,do'lok'ə a3 fool-proof

doloiscthe ,do'los'k'ə a3 non-inflammable

dolúbtha ,do'lu:pə a3 inflexible, rigid; stubborn

dom dom : do²

domhain daun f2, gs **doimhne** pl **doimhneacha** depth; deep, abyss; ~ na farraige the deep sea, i ndoimhneacha an tsléibhe in the recesses of the mountain a1, gsf, npl & comp **doimhne** deep; profound; tá sé go ~ i bhfiacha he is sunk in debt, ~ i bhfarraige far out to sea

domhainiascaireacht 'daun',iəskər'əxt f3 deep-sea fishing

do-mhaite ,do'vat'ə a3 unforgivable; unforgiving

domhan daun m1 world; earth, is beag den ~ é it is very little indeed, níl eagla ar ~ air he is not a bit afraid, pé ar ~ é anyway, in any case, an ~ de rud a vast amount of sth, tá meas an domhain acu air they think the world of him

domhanda daundə a3 terrestrial; mundane, worldly; world-wide, cogadh ~ world war

domhanfhad 'daun,ad m1 longitude

domhanleithead 'daun',l'ehəd m1 latitude

domhantarraingt 'daun,taraŋ't' f, gs -**gthe** gravitation of the earth, gravity

domheanma ,do'v'anəmə f, gs ~**n** low spirits, dejection

domhillte ,do'v'il't'ə a3 indestructible

domhínithe ,do'v'i:n'ihə a3 inexplicable

Domhnach daunəx ~ do:nəx m1, pl - **aí** Sunday, i n~ indeed, forsooth

domhúinte ,do'vu:n't'ə a3 incorrigible, unteachable

domlas domləs m1 gall, bile; bitterness; rancour

domlasta domləstə a3 bilious; rancorous; obnoxious, rud ~ bitter, unsavoury, thing

domplagán dompləgə:n m1 dumpling

dona donə *a3* unfortunate, unlucky; bad; poor, wretched, *is ~ an scéal é* it is a sad state of affairs, *bheith go ~ to be* seriously ill

donacht donəxt *f3* badness, wretchedness; misfortune; illness, *dul i n~, chun ~ a* to get worse

Dónall do:nəl *m1, ~ na gréine* happy-go-lucky person; foolish fellow, *~ na gealaí* the man in the moon

donán do:na:n *m1* unfortunate person, wretch

donas donəs *m1* ill-luck, misfortune; affliction, misery, *tá an ~ air le fuacht* it is dreadfully cold, *is cuma liom sa ~* I don't care a rap

donn don *m1* brown; brown animal; hard brown timber *a1* brown, *cailín ~* brown-haired girl, *teach ~ daingean* strong and secure house

donnóg dono:g *f2* dunnock, hedge-sparrow

doraitheacht dorihəxt *f3* line-fishing

doras dorəs *m1, pl* **doirse** door; doorway, *cur ó dhoras* riddance; evasion

dorcha dorəxə *f4* darkness, obscurity *a3* dark; obscure; blind; secretive

dorchacht dorəxəxt *f3* dark state, darkness

dorchadas dorəxədəs *m1* darkness, secrecy, reserve

dorchaigh dorəxi: *vt & i* darken; become secretive, reserved, *tá sé ag dorchú (san amharc)* his sight is failing

dorchla dorəxlə *m4* corridor

dord do:rd *m1* buzz, drone; (*of voice*) bass, *~ mara* murmur of sea, *~ beach* drone of bees, *~ na murúch* the mermaid's chant *vi* hum, buzz, drone; chant in deep voice

dordán do:rda:n *m1* hum, buzz, murmur, drone

dordghuth 'do:rd,ɣuh *m3* bass voice

doréitithe 'do're:t'ihə *a3* hard, impossible, to disentangle; insoluble, *~ le* irreconcilable with

dorn do:rn *m1, npl* **doirne** fist; punch; handle, grip, *~ mine* handful of meal, *dul sna doirne, ar na doirne, le duine* to engage in fisticuffs with a person

dornáil do:rna:l' *f3* fistfighting, boxing *vt & i* fist, box

dornálaí do:rna:li: *m4* boxer

dornálaíocht do:rna:li:(ə)xt pugilism, boxing

dornán do:rna:n *m1* fistful, handful; small handle, grip, *~ daoine* small number of people

dornasc 'do:r,nask *m1* handcuff

dornásc 'do:r,na:sk *m1* feeling with hands, groping; (trout-)tickling

dornchla do:rnxlə *m4* hilt

dornóg do:rno:g *f2* mitten

doroinnte ,do'ron't'ə *a3* indivisible

dorr dor *f2* anger; growl

dorrga dorəgə *a3* surly, gruff

dorsán dorsa:n *m1* drumming, humming, sound; growl

dórtúr do:rtu:r *m1* dormitory

dorú doru: *m4* marking-line; fishing-line, *as ~* out of alignment

dos dos *m1, pl ~* **anna** bush, tuft; thicket

dosach dosax *a1* bushy, tufted

dosaen dose:n *m4, pl ~* **acha** dozen

doscaí doski: *a3* extravagant, reckless

doscaoilte ,do'ski:l't'ə *a3* impossible to loosen, indissoluble, inseparable

do-scartha ,do'skarhə *a3* inseparable

doscriosta ,do's'k'r'istə *a3* ineradicable, indestructible

doscúch dosku:x *a1, gsm ~,* (*of person*) tough, hard

doshamhlaithe ,do'haulihə *a3* unimaginable, inconceivable

doshaothraithe ,do'hi:hrihə *a3* unworkable, (*of land*) irreclaimable

dosheachanta ,do'haxəntə *a3* unavoidable, inescapable

doshéanta ,do'he:ntə *a3* undeniable

doshiúlta ,do'x'u:ltə *a3* impassable

dosmachtaithe ,do'smaxtihə *a3* ungovernable, unruly, uncontrollable

dóthain do:hən' *f4* enough, sufficiency, *tá a seacht n~ le rá acu* they talk far too much, *~ rí de bhéile* a meal fit for a king

dóthanach do:hənəx *a1* sated, *bheith ~ de rud* to be fed up with sth

dothuigthe ,do'hik'ə *a3* unintelligible, incomprehensible; inscrutable

dothuirsithe ,do'hirs'ihə *a3* tireless, indefatigable

dóú do:u: *num a* second

drabhlás draula:s *m1* carouse; dissipation, *bheith ar an ~* to be debauched, a profligate

drabhlásach draula:səx *a*l dissipated, profligate, wretched

drabhlásaí draula:si: *m*4 profligate

drae dre: *m*4, *pl* ~anna dray

draein dre:n′ *f*, *gs* -aenach *pl* -aenacha drain

draenáil dre:na:l′ *f*3 drainage *vt* & *i* drain, dig drain(s)

dragan dragən *m*l dragon

dragún dragu:n *m*l dragoon

draid drad′ *f*2, *pl* ~eanna grin, grimace, ~ bhreá fiacla fine set of teeth, *lán go* ~ full to the brim,

draidgháire ′drad′,γa:r′ə *m*4 toothy smile, grin

draighean drain *m*l blackthorn; angry appearance; reluctance, *bata, maide, draighin* blackthorn stick, *tá* ~ *chun bruine air* he is bristling for a fight

draighneán drain′a:n *m*l blackthorn

draíocht dri:(ə)xt *f*3, *gs* & *pl* ~a druidic art; magic, enchantment, *bheith faoi dhraíocht* to be under a spell

draíochtach dri:(ə)xtəx *a*l magical, bewitching, entrancing

draíodóir dri:(ə)do:r′ *m*3 magician; crafty person; rogue, ~ *fir* wizard, enchanter, ~ *mná* witch, enchantress

dram dram *m*3, *pl* ~anna dram

dráma dra:mə *m*4 drama, play

drámadóir dra:mədo:r′ *m*3 dramatist, playwright

drámaíocht dra:mi:(ə)xt *f*3 drama, dramatic art

drámata dra:mətə *a*3 dramatic

drámh dra:v *m*l, *pl* -áite non-trump card; inferior stuff; misfortune

dramhaíl dravi:l′ *f*3 inferior stuff; refuse, trash

dramhaltach draultəx *f*2 trampling; trampled state

dramhpháipéar ′dra(v),fa:p′e:r *m*l waste paper

drandal drandəl *m*l gum(s)

drann dran *vt* & *i* grin, snarl, ~ *adh le rud* to go near, interfere with, sth

drannach dranəx *a*l snarling

drannadh dranə *m*l grin, snarl, *ná bíodh* ~ *agat leo* don't go near, meddle with, them

drantaigh dranti: *vt* & *i* snarl; brandish

drantán dranta:n *m*l snarling; grumbling; growl; humming, buzzing, ~ *ceoil* crooning

drantánach dranta:nəx *a*l growling, grumbling; humming, crooning

draoi¹ dri: *m*4, *pl* ~the druid; wizard, magician; diviner; trickster

draoi² dri: *m*4, *an* ~ *daoine* a great number of people

draoib dri:b′ *f*2 mud, mire; scum

draoibeach dri:b′əx *a*l muddy, miry

draoibeáil dri:b′a:l′ *vt* bespatter

draoidín dri:d′i:n′ *m*4 midget

draothadh dri:hə *s*, ~ *gáire* faint smile; wry smile

drár dra:r *m*l drawer (*of table*); (*of clothing*) drawers

dreach d′r′ax *m*3, *gs* & *npl* ~a face; facial expression; aspect *vt* delineate, portray

dréacht d′r′e:xt *m*3 (literary, musical) piece, composition; draft

dréachtaigh d′r′e:xti: *vt* draft

dream d′r′am *m*3, *pl* ~anna body of people; group, set, *an* ~ *a deir é* those who say it

dreancaid d′r′aŋkəd′ *f*2 flea

dreancaideach d′r′aŋkəd′əx *a*l infested with fleas, flea-bitten

dreap d′r′ap *vt* & *i* climb

dreapa d′r′apə *m*4 place suitable for climbing; ledge or crevice in cliff; stile

dreapadóir d′r′apədo:r′ *m*3 climber

dreapadóireacht d′r′apədo:r′əxt *f*3 climbing

dreas d′r′as *m*3, *gs* & *npl* ~a turn, spell, bout

dreasaigh d′r′asi: *vt* incite, urge on, drive

dreideáil d′r′ed′(z′)a:l′ *vt* & *i* dredge

dreidire d′r′ed′(z′)ər′ə *m*4 dredger

dreige d′r′eg′ə *f*4 meteor

dreigít d′r′eg′i:t′ *f*2 meteorite

dréim d′r′e:m′ *f*2 aspiration; contention; expectation, ~ *le cáilíocht* striving for distinction, *i n* ~ *le duine* vying with a person *vi* (with *le*) aspire to; contend with; expect, *ag* ~ *le hardú céime* striving for, expecting, promotion,

dréimire d′r′e:m′ər′ə *m*4 ladder

dréimreach d′r′e:m′r′əx *a*l ladder-like, gradual; (*of hair*) wavy

dreo d′r′o: *m*4 decomposition, decay

dreoigh d′r′o:γ′ *vt* & *i* decompose, decay, rot

dreoilín d'r'o:l'i:n' *m*4 wren, *Lá an D~* St Stephen's Day, *~ ceannbhuí* goldcrest, *~ teaspaigh* grasshopper

dreoite d'r'o:t'ə *a*3 withered, decayed

dreoiteach d'r'o:t'əx *a*l decaying, mouldering, withering

driodar d'r'i:dər *m*l lees, dregs; sediment; slops; refuse

driog d'r'ig *f*2, *pl ~anna* droplet *ʊt* & *i* distil

driogaireacht d'r'igər'əxt *f*3 distilling; distillation

drioglann d'r'iglən *f*2 distillery

driopás d'r'ipa:s *m*l hurry, bustle; fumbling, clumsiness

driopásach d'r'ipa:səx *a*l bustling; awkward, fumbling

dris d'r'is' *f*2, *pl ~eacha* bramble, briar, *~ chosáin* obstruction

driseog d'r'is'o:g *f*2 bramble, briar

driseogach d'r'is'o:gəx *a*l briary, prickly, irritable

drisín d'r'is'i:n' *m*4 intestine (of animal); drisheen

drisiúr d'r'is'u:r *m*l dresser

drithle d'r'ihl'ə *f*4 spark, sparkle; titillation

drithleach d'r'ihl'əx *a*l sparkling, glittering; excitable

drithleog d'r'ihl'o:g *f*2 spark

drithligh d'r'ihl'i: *vi* spark; sparkle, twinkle, scintillate

drithlín d'r'ihl'i:n' *m*4 gleaming drip; twitch, thrill, tingle, *~ i allais* beads of sweat

driuch d'r'ux *m*3 creepy feeling; angry appearance; fretfulness, *~craicinn, ~ fionnaidh* goose-flesh

droch- drox' *pref* bad; poor, evil; ill-, un-

drochaigne 'drox'ag'n'ə *f*4 ill-will, malevolence

drocháiseach 'drox'a:s'əx *a*l disobliging

droch-araíonach 'drox'ari:nəx *a*l ugly; ill-tempered, intolerant

drochbhail 'drox'val' *f*2 bad condition; ill-usage; invalidity, *~ a bheith ort* to be in a bad way

drochbhéas 'drox'v'e:s *m*3, *gs & npl ~a* bad habit; vice; *pl* bad manners

drochbhéasach 'drox'v'e:səx *a*l having bad habits; addicted to vice; ill-mannered

drochbhraon 'drox'vri:n *m*l bad drop; (inherited) taint of character

droch-chríoch 'dro(x)'x'r'i:x *f*2 bad end; ruination, *~ air* confound him

droch-chroí 'dro(x)'xri: *m*4 weak heart; evil disposition, ill-will, *~ a bheith agat do dhuine* to be ill-disposed towards a person

drochfhuadar 'drox'uədər *m*l, *tá ~ faoi* he is bent on mischief

drochiarraidh 'drox'iəri: *f*, *gs -ata pl -ataí* bad attempt, attack; indecent assault

drochíde 'drox'i:d'ə *f*4 ill-usage, abuse

drochiompar 'drox'impər *m*l bad behaviour, immoral conduct

drochiontaoibh 'drox'inti:v' *f*2 distrust

drochlabhartha 'drox'laurhə *a*3 eviltongued

drochmheas 'drox,v'as *m*3 contempt

drochmhianach 'drox'v'iənəx *m*l bad quality; baseness of character, *madra drochmhianaigh* vicious dog

drochmhisneach 'drox'v'is'n'əx *m*l discouragement, despondency

drochmhúineadh 'drox'vu:n'ə *m*, *gs -nte* bad manners, rudeness; viciousness (in animal)

drochmhúinte 'drox,vu:n't'ə *a*3 unmannerly, rude, *tarbh ~* cross, vicious, bull

drochobair 'drox'obər' *f*2, *gs -oibre* bad work; mischief

drochrath 'drox'rah *m*3 ill luck, misfortune, *~ air* bad luck to him

drochrud 'drox,rud *m*3 bad thing, *an ~ a sheachaint* to avoid evil, *is é an ~ é* he is a wicked character

drochscéal 'drox,s'k'e:l *m*l, *pl ~ta* piece of bad news

drochshaol 'drox'hi:l *m*l bad, hard, life; hard times, *An D~* the Famine

drochtheist 'drox'hes't' *f*2 bad testimony, unfavourable report

drochuair 'drox,uər' *f*2 evil hour, crisis, *ar an ~ (do dhuine)* unfortunately (for a person)

drogall drogəl *m*l aversion; reluctance; laziness

drogallach drogələx *a*l reluctant; chary (*roimh*, of); lazy

droichead drox'əd *m*l bridge, *~ tógála* drawbridge

droim drom' *m3, pl* **-omanna** back; ridge, *ná cuir sa ~ ort é* don't antagonize him, *~ in airde* prone; upside down, *~ faoi* supine, *~ ar ais* back to front, *~ thar ~* topsy-turvy, *~ ar dhroim* in close succession, *ar a dhroim sin* on top of that, *~ bóthair* camber of road, *ar dhroim talún* on the face of the earth, *duine a chur de dhroim tí* to drive a person out of his house, *chuir sin dá dhroim ar fad é* that upset him altogether, *~ láimhe a thabhairt do rud* to abandon sth, *dá dhroim sin* on that account, *ól dá dhroim é* drink it at one draught, *~ dubhach* melancholy

droimeann drom'ən *f2* white-backed cow *al* white-backed

droimneach drom'n'əx *m1* black-backed gull

droimneach[2] drom'n'əx *al* ridged, undulating; arched, convex

droimscríobh 'drom',s'k'r'i:v *vt, vn ~* endorse

droinse dron's'ə *m4* drench

drol drol *m3, pl ~* **anna** loop, ring; link, staple; ringlet

drólann dro:lən *f2* colon *pl* intestines

dromadaire dromədər'ə *m4* dromedary

dromainn dromən' *f2* ridge, mound

dromán droma:n *m1* camber; back-band

dromchla dromplə *m4* top, ridge, crest; (raised) surface, *ar dhromchla na talún* on the face of the earth

dromlach dromləx *m1* spine, spinal column; ridge

drong droŋ *f2* body of people; group, faction; multitude

dronlíne 'dron',l'i:n'ə *f4, pl* **-nte** straight line

dronn dron *f2* hump; camber, *~ a bheith ort* to be hunchbacked; to have one's shoulders hunched

dronnach dronəx *al* humped, hunchbacked; arched, ridged; convex

dronuilleog 'dron,il'o:g *f2* rectangle

dronuillinn 'dron,il'ən' *f2, pl* **-eacha** right angle

drualus 'druə,lus *m3* mistletoe

drubáil droba:l' *f3* drubbing

drúcht dru:xt *m3* dew; dewdrop

drúchtín dru:xt'i:n' *m4* light dew; dewdrop; white slug, *~i allais* beads of sweat

drúchtmhar dru:xtvər *al* dewy

druga drogə *m4* drug

drugadóir drogədo:r' *m3* druggist

drugáil drogə:l' *vt* drug

druid[1] drid' *f2, pl ~* **eanna** starling

druid[2] drid' *vt & i, vn ~* **im** close, shut, *doras a dhruidim* to close a door, *~ im le duine* to move close to, approach, a person, *tá an ceo ag ~ im isteach orainn* the mist is closing in on us, *~ siar uaim* move away from me, *~ i leataobh* move aside

druidte drit'ə *a3* closed, shut, *duine ~* close, uncommunicative, person, *~ le* close to, *mí ~* full month, *tá an áit ~ leo* the place is swarming with them

druil dril' *f2, pl ~* **eanna** drill, furrow

druileáil dril'a:l' *f3* drill(ing) *vt & i* drill

druilire dril'ər'ə *m4, (tool)* drill

drúis dru:s' *f2* lust

drúisiúil dru:s'u:l' *a2* lustful, lascivious

druma drumə *m4* drum; (fife and) drum band

drumadóir drumədo:r' *m3* drummer

druncaeir droŋke:r' *m3* drunkard

drúthlann dru:hlən *f2* brothel

dtí d'i: *go ~* to, until, even to, *go ~ an doras* as far as the door, *tháinig sé go ~ mé* he came up to me, *go ~ seo* up to now, hitherto, *ní haoibhneas go ~ é* there is no happiness to compare with it

dú[1] du: *m4* (used as *a* with *is*) native, natural, *an rud is ~ do dhuine* what is natural, proper, for a person

dú[2] du: *pref* black, dark; great, intense; evil; unknown

dua duə *m4* labour, toil, trouble, *bhí a lán dá dhua agam* I had to work hard for it, had great difficulty with it, *~ oibre* stress of work, *~ na farraige* hardships of seafaring

duáilce du:a:l'k'ə *f4* vice; fault, defect; unhappiness

duáilceach du:a:l'k'əx *al* vicious, wicked; unhappy

duainéis duən'e:s' *f2* labour, difficulty, distress; discontent

duairc duərk' *al* morose, cheerless, gloomy

duairceas duərk'əs *m1* moroseness, cheerlessness, gloominess

duais¹ duəs′ *f2, pl* ~**eanna** gift, reward, prize

duais² duəs′ *f2* gloom, dejection; trouble; distress

duaisbhanna 'duəs‚vanə *m4* prize-bond

duaiseach duəs′əx *a1* gloomy, dejected; grim

duaiseoir duəs′o:r′ *m3* prizewinner

duaisiúil duəs′u:l′ *a2* laborious, difficult, distressing

duaithníocht duəhn′i:(ə)xt *f3* camouflage

dual¹ duəl *m1* braid, tress; wisp, tuft, twist; ply, ~ **snáithe** strand of thread, ~ **deataigh** smoke spiral *vt* twine, braid, coil; fold

dual² duəl *m1* dowel; knot (in timber)

dual³ duəl *s* (used as *a* with *is*) *an rud is* ~ *do dhuine* what is natural, proper, for a person, *is* ~ *athar dó é* like father like son, *is* ~ *dúinn uile an bás* death must come to all of us, *an oidhreacht is* ~ *dó* his rightful inheritance

dualach¹ duələx *a1* curled; tufted; interlaced, twined

dualach² duələx *a1* dowelled; knotted, gnarled

dualgas duəlgəs *m1* natural right, due, duty, *do dhualgas a dhéanamh* to do one's duty, *is beag an* ~ *orm é* it is the least I can do, *ar* ~ on duty

duan duən *m1, pl* ~**ta** poem, song

duán¹ du:a:n *m1* (fish-)hook, ~ **báid** boat-hook

duán² du:a:n *m1* kidney

duánaí du:a:ni: *m4* angler

duanaire duənər′ə *m4* maker or reciter of verses; rhymer, crooner, verse anthology

duántacht du:a:ntəxt *f3* angling

duartan duərtən *m1* downpour

duasmánta duəsma:ntə *a3* gloomy, morose, surly

dúbail du:bəl′ *vt, pres* -**blaíonn** double; fold (in two)

dúbailt du:bəl′t′ *f2* double; duplication,

dúbailte du:bəl′t′ə *a3* doubled; double

dubh duv *m1* black; black substance; black speck, ~ *a chaitheamh* to wear black, *an* ~ *a chur ina gheal ar dhuine* to persuade a person that black is white, ~ *na bprátaí* (form of) potato blight, ~ *na fríde de rud* the least little bit of sth, *an* ~ *a dhéanamh ar dhuine*

to act vilely towards a person, ~ *na hoíche* the dark of night *a1* black; black-haired; swarthy; malevolent; dismal, *uisce* ~ dark water, *tá an áit* ~ *le daoine* the place is swarming with people, *na céadta* ~*a (de)* countless hundreds (of), *tá mé* ~ *dóite de* I am heartily sick of it

dubh- duv- *pref* black, dark; great, intense; evil; unknown

dubhach du:əx *a1* dismal, gloomy; melancholy, sorrowful

dubhachas du:əxəs *m1* gloom, sorrow

dubhaigh duvi: *vt & i* blacken, darken; blight; sadden, oppress

dúblach du:bləx *m1 & a1* duplicate

dúch du:x *m1* ink

dúchan du:xən *f3* blackening, darkening; potato blight; sadness, ~ *na gcnoc d'éanlaith* vast flocks of birds, *le* ~ *na hoíche* at night-fall

dúchán du:xa:n *m1* ink-well

dúchas du:xəs *m1* heritage, patrimony; native place; natural affinity; heredity, natural bent, *de réir dúchais* by traditional custom, *filleadh ar do dhúchas* to return home; to revert to kind, *rud a bheith sa* ~ *agat*, ~ *ruda a bheith ionat*, to have a natural aptitude for sth, *tá an teanga ó dhúchas aige* he is a native speaker of the language, *áit dúchais* native place; natural habitat, *cainteoir dúchais* native speaker, *madra dúchais* mad dog

dúchasach du:xəsəx *m1* native *a1* hereditary; innate; native

dúchéalacan 'du:‚x′e:ləkən *m1* complete fast, *cógas a chaitheamh ar* ~ to take medicine on an empty stomach

dúcheist 'du:‚x′es′t′ *f2, pl* ~**eanna** puzzle, riddle

dúchíos 'du:‚x′i:s *m3* "black" rent, ransom for privilege or immunity

dúchosach 'du:‚xosəx *m1* maidenhair (fern)

dúchroíoch 'du:‚xri:(ə)x *a1, gsm* ~ joyless; spiteful

Dúchrónach 'du:‚xro:nəx *m1* Black-and-Tan

ducht doxt *m3, pl* ~**anna** duct

dúdach du:dəx *a1* stumpy; longnecked; mopish, foolish-looking

dúdaireacht du:dər'əxt *f3* eavesdropping; gulping, puffing (at pipe), *tá an citeal ag ~* the kettle is singing

dufair dufər' *f2* jungle

dufal dofəl *m1* duffel

duga dugə *m4* dock; basin (of canal)

dugaire dugər'ə *m4* docker

dúghorm 'du:ɣorəm *a1* dark blue; navy-blue

duibhe div'ə *f4* blackness; swarthiness; darkness, gloom; malevolence

duibheagán div'əga:n *m1* abyss; deep chasm, depth(s), *iasc duibheagáin* deep-sea fish, *~ smaointe* profundity of thought

duibheagánach div'əga:nəx *a1* deep, abysmal, profound

duibhré 'div'ˌre: *f4*, *oíche dhuibhré* moonless night; pitch-dark night

dúiche du:x'ə *f4* hereditary land, native place; estate; district, *~ Dé* the kingdom of God, *an ~ timpeall, máguaird* the surrounding country, *an ~ daoine* huge concourse of people

dúid du:d' *f2*, *pl ~eanna* stump; stumpy object; (craned) neck, *a chur ort féin* to crane one's neck

dúidín du:d'i:n' *m4* short-stemmed (clay) pipe

duifean dif'ən *m1* darkness, cloudiness; shadow; scowl

dúil¹ du:l' *f2*, *gs & npl ~e gpl dúl* element, created thing, creature

dúil² du:l' *f2* desire, fondness; expectation, hope, *~ a chur i rud* to take a liking to, get a longing for, sth, *~ i dtobac* craving for tobacco, *tá ~ san airgead aige* he is fond of money, *bheith ag ~ le rud* to desire sth; to expect, hope for, sth

Dúileamh du:l'əv *m1*, *(of God)* Creator

duileasc dil'əsk *m1* dulse

duileascar dil'əskər *m1*, *~ (cloch)* rock moss; dyer's moss

duille dil'ə *m4* leaf; eyelid

duilleach dil'əx *a1* leafy; leaf-shaped

duilleog dil'o:g *f2* leaf, *~ bháite* (leaf of) water-lily

duillín dil'i:n' *m4* docket

duilliúr dil'u:r *m1* leaves, foliage

dúilmhear du:l'v'ər *a1* desirous, longing, expectant

duine din'ə *m4*, *pl daoine* person; *an ~* human being, man; mankind, *~ fásta* grown-up, adult, person, *~ uasal* gentleman, *caint na ndaoine* colloquial speech, *do dhuine féin* one's own relation, *in aois ~* of adult age, *mo dhuine* the person referred to, your man, *a dhuine uasail* sir, *~ de na mná* one of the women, *ba dhóigh le ~ (go)* one would think (that), *bhí ~ clainne aici* she had a child, *aon ~, ~ ar bith* anyone, anybody, *síleann daoine (go)* some (people) think that, *fuair siad scilling an ~* they got a shilling each

duineata din'ətə *a3* human, kindly

dúinn du:n' : **do²**

dúire du:r'ə *f4* dourness, stubbornness; dullness, stupidity; sullenness

duirling du:rl'əŋ' *f2* stony beach

dúirt du:rt' *p of* **abair**

dúiseacht du:s'əxt *f3* state of being awake, aroused, *bheith i do dhúiseacht* to be awake

dúisigh du:s'i: *vt & i* wake, awake; waken, rouse, *inneall a dhúiseacht* to start an engine

dúisire du:s'ər'ə *m4* (mechanical) starter

dúisitheach du:s'ihəx *a1* evocative

duit dit' : **do²**

dul dol *m3* going, departure; method; construction, version; occasion, instance, *níl ~ níos faide aige* he can go no further, *tá ~ air* there is a way of doing, of saying it, *dá mbeadh ~ agam ar a dhéanamh* if I could manage to do it, *tá sé in aghaidh ~a* it is against nature, against reason, *~ cainte* turn of phrase, *tá ~ eile ar an scéal* there is another version of the story, *den ~ seo* this time, on this occasion, *rún gan ~ amach air* unfathomable secret, *ar an gcéad ~ amach*, *~ síos* in the first instance, *~ chun cinn* progress, *níl (aon) ~ as aige* he has no way out of it, no alternative, *~faoi na gréine* sunset, *~ i léig* decline

dúlachán du:laxa:n *m1* lake trout

dúlaíocht du:li:(ə)xt *f3* bleak weather, *~ an gheimhridh* depths of winter

dúléim 'du:ˌl'e:m' *f2* leap in the dark; plunge, *baineadh an ~ as* he gave a violent start

dúlra du:lrə *m4*, *an* ~ the elements, nature

dúluachair 'du:ˌluəxərʲ *f3*, *gs* -**chra** ~ *na bliana*, *an gheimhridh*, midwinter, depths of winter

dumha du:ə *m4* mound, tumulus

dumhach du:əx *f2*, *gs* **duimhche** *du*ʲ-**mhcha** sandhill, dune; *pl* sandy ground, (sand-)links

dúmhál 'du:ˌva:l *m1 & vt* blackmail

dúmhálaí 'du:ˌva:li: *m4* blackmailer

dumpáil dompaˈlʲ *vt* dump

dún¹ du:n *m1*, *pl* ~**ta** fort, fortress; haven; residence; promontory fort

dún² du:n *vt & i* close, shut; secure, fasten, ~ *do dhorn air* grasp, hold, it tight; take it when you have the chance, ~*adh ar áit* to close in on a place, *cuirtíní a dhúnadh* to draw curtains

dúnárasach 'du:nˌa:rəsəx *a1* reticent, reserved, taciturn

dúnbhásaí 'du:nˌva:si: *m4*, (*person*) homicide

dúnbhású 'du:nˌva:su: *m4*, (*deed*) homicide

dundarlán dundərla:n *m1* stocky person; blockhead; blow

dúnfort 'du:nˌfort ~ du:nfərt *m1* fortified place, stronghold

dungaraí doŋgəri: *m4* dungaree

dúnghaois 'du:nˌɣi:sʲ *f2* policy

dúnmharaigh 'du:nˌvari: *vt* murder

dúnmharfóir 'du:nˌvarəfo:rʲ *m3* murderer

dúnmharú 'du:nˌvaru: *m4* murder

dúnorgain 'du:nˌorəgənʲ *f3* manslaughter

dúnpholl 'du:nˌfol *m1* man-hole

dunsa donsə *m4* dunce

dúnta du:ntə *a3* closed (up); close, reticent; secured, fastened, *spéir dhúnta* heavily overcast sky

dúntóir du:nto:rʲ *m3* fastener

dúr du:r *a1* dour, obstinate; stupid; insensitive

dúradán du:rəda:n *m1* black speck; spot, ~ *i súil* mote in eye

dúradh du:rəv *p aut of* **abair**

dúramán du:rəma:n *m1* stupid person

dúranta du:rəntə *a3* dour, grim, morose

durdáil du:rda:lʲ *vi* coo

durdam du:rdəm *m1* murmur, chatter

dúreo 'du:ˌro: *m4* black frost

dúrud 'du:ˌrud *m3*, *an* ~ a great deal, *tá an* ~ *airgid aige* he has loads of money, *shíl sé an* ~ *dínn* he thought the world of us

dúshlán 'du:ˌhla:n *m1* challenge, defiance, ~ *duine a thabhairt* to challenge a person, *to defy a person*, ~ *a chur faoi dhuine* to throw down the gauntlet to a person, *rud a dhéanamh as* ~ to do sth out of sheer bravado

dúshlánach 'du:ˌhla:nəx *a1* challenging, defiant; reckless; resistant; secure

dúshnámh 'du:ˌhna:v *m3* under-water swimming

dúshraith 'du:ˌhrah *f2*, *pl* ~ **eanna** base, foundation; substratum, ~ *an chreidimh* the basis of religion

dusta dostə *m4* dust

duthain duhənʲ *a1* short-lived, transient

dúthomhas 'du:ˌho:s *m1* enigma

dúthracht du:hrəxt *f3* devotion, fervour; earnestness; favour, *do dhúthracht a chaitheamh le rud* to do one's very best with sth, *thug mé* ~ *bheag airgid dó* I gave him a little extra money (out of goodwill)

dúthrachtach du:hrəxtəx *a1* devoted; zealous; generous, kind, *oibrí* ~ earnest worker, *guí go* ~ to pray fervently

E

é e: *pron* he, him; it, *déan é do it, buaileadh é* he was struck, *gan é* without him, it, *mar é* like him, it, *is deas é* it is nice, *is é an fear céanna é* he is the same man, *is é sin* namely, *b'fhéidir é* it might be so

ea *a pron* (used with *is*) *is ea* it is, *ní hea* it isn't, *an ea?* is it? *múinteoir is ea é* he is a teacher, *más ea* (*féin*) even so, *is ea anois* well now, *an ea nach dtuigeann tú mé?* is it that you don't understand me?

éabann e:bən *m*1 ebony

Éabha e:və *f*4 Eve, síol ~ the human race

eabhar aur *m*1 ivory

eabhartha aurhə *a*3 ivory

éablóid e:vlo:d′ *f*2 evolution

each ax *m*1, *gs* eich *npl* ~-a horse, steed

each-chumhacht 'a(x),xu:əxt *f*3 horse-power

eachma axmə *f*4 eczema

éacht e:xt *m*3 feat; achievement

éachtach e:xtəx *a*1 powerful; wonderful

eachtra axtrə *f*4 adventure; incident; tale

eachtrach axtrəx *a*1 extern(al)

eachtraigh axtri: *vt & i, vn* -aí relate, narrate, tell

eachtraíocht axtri:(ə)xt *f*3 adventuring, journeying, *ag* ~ spinning yarns

eachtránaí axtra:ni: *m*4 adventurer

eachtrannach axtrənəx *m*1 alien, foreigner *a*1 alien, foreign

eachtrúil axtru:l′ *a*2 adventurous, eventful

eacnamaí aknami: *m*4 economist

eacnamaíoch aknəmi:(ə)x *a*1, *gsm* ~ economic(al)

eacnamaíocht aknəmi:(ə)xt *f*3 economy; economics

éacúiméineach ˌe:ku:′m′e:n′əx *a*1 ecumenical

éacúiméineachas ˌe:ku:′m′e:n′əxəs *m*1 ecumenism

éad e:d *m*3 jealousy, envy, *in* ~ *le, ag* ~ *le* jealous of

éadach e:dəx *m*1, *pl* -aí cloth; clothing, clothes

éadáil e:da:l′ *f*3 acquisition; profit; spoil; wealth, *is beag an* ~ *dó é* he has little to gain by it

éadaingean e:ˌdaŋ′g′ən *a*1, *gsf, npl & comp* -gne insecure; unstable, irresolute

éadairbheach 'e:ˌdar′əv′əx *a*1 unprofitable; futile

éadaitheoir e:diho:r′ *m*3 clothier, draper

éadálach e:da:ləx *a*1 acquisitive; profitable; rich

éadan e:dən *m*1 front, face; forehead; flat surface; end, *in* ~ against, opposed to, *ní bheadh sé d′* ~ *orm* I wouldn't have the audacity, *as* ~ *a chéile* one by one; in rapid succession; all together

eadarlúid 'adər,lu:d′ *f*2 interlude

eadhon a:(ə)n *adv* namely

éadmhar e:dvər *a*1 jealous, envious

éadóchas 'e:ˌdo:xəs *m*1 despair

éadóchasach 'e:ˌdo:xəsəx *a*1 despairing,hopeless

éadóigh 'e:ˌdo:γ′ *f*2 unlikely place, thing, *is* ~ *go* it is unlikely that

éadoilteanach 'e:ˌdol′t′ənəx *a*1 involuntary

éadoimhneacht 'e:ˌdov′n′əxt *f*3 shallowness

éadóirseacht ado:rs′əxt *f*3 naturalization

éadóirsigh ado:rs′i: *vt* naturalize

éadomhain 'e:ˌdaun′ *a*1, *gsf, npl & comp* -oimhne shallow

eadra adrə *m*4 morning milking-time; noon; interval

eadraibh adrəv′ : idir

eadráin adra:n′ *f*3 intervention in dispute, mediation, conciliation

eadrainn adrən′ : idir

eadránaí adra:ni: *m*4 mediator, arbitrator

éadrócaireach 'e:ˌdro:kər′əx *a*1 merciless

éadroime e:drəm′ə *f*4 lightness; airiness; giddiness

éadrom e:drəm *a*1 light; sparse; trivial; giddy

éadromaigh e:drəmi: *vt & i* lighten; alleviate, *tá mo cheann ag éadromú* I am getting dizzy

éadromán e:drəma:n *m*1 balloon, bladder, float

éag e:g *m*3 death; numbness, *dul in* ~, *dul d′* ~ to die, die out, *go h* ~ forever, *ar chúl* ~ *a* backward, forgotten *vi* die; die out

eagal agəl *a*1 (used with *is*) *is* ~ *liom (go)* I fear (that), *is* ~ *dó* he is in danger

eagán aga:n *m*1 hollow, pit; bird's crop

éaganta e:gəntə *a*3 silly, giddy

éagaoin 'e:ˌgi:n′ *vt & i* moan, lament, complain

éagaointeach 'e:ˌgi:n′t′əx *a*1 mournful; querulous

eagaois agi:s′ *f*2 gizzard

eagar agər *m*1 arrangement, order; state, plight, *fear eagair* editor, *cuir* ~ *ar do chuid páipéar* arrange your papers, *leabhar a chur in* ~ to edit a book

eagarfhocal 'agər,okəl *m*1 editorial

eagarthóir agərho:r′ *m*3 editor

eagarthóireacht agərho:r'əxt *f*3 editing, *foireann* ~ *a* editorial staff

eagla aglə *f*4 fear, fright, ~ *a chur ar dhuine* to make someone afraid, *ar* ~ *go* for fear that, lest, *ar* ~ *na h*~ to be on the safe side

eaglach agləx *a*1 fearful, afraid; timid

eaglais agləs' *f*2 church, *E*~ *na hÉireann* Church of Ireland

eaglaiseach agləs'əx *m*1 churchman, clergyman

eaglasta agləstə *a*3 ecclesiastical

éagmais e:(g)məs' *f*2 absence; want, *bheith in* ~ *ruda* to be without sth, *ina* ~ *sin* as well as that

éagmaiseach e:(g)məs'əx *a*1 lonesome, longing

eagna agnə *f*4 wisdom; intelligence, understanding

eagnaí agni: *m*4 wise man, sage, *a*3 wise, intelligent

éagnaigh e:gni: *vt & i*, *vn* **-ach** moan; complain; reproach, revile

éagnairc e:gnər'k' *f*2 requiem

éagnaíocht agni:(ə)xt *f*3 wisdom; wittiness, smart talk

éagobhsaí 'e:ˌgausi: *a*3 unstable

éagóir e:go:r' *f*3, *pl* **-óracha** injustice, wrong; unfairness, ~ *a dhéanamh ar dhuine* to wrong a person, *bheith san* ~ to be in the wrong

éagórach e:go:rəx *a*1 unjust; wrong

éagothroime 'e:ˌgohrəm'ə *f*4 unevenness, unbalance; inequality

éagothrom 'e:ˌgohrəm *a*1 uneven, unbalanced; unfair, inequitable

eagraigh agri: *vt* arrange, organize

eagraíocht agri:(ə)xt *f*3 organization

eagrán agra:n *m*1 edition, (*of journal*) issue, number

eagras agrəs *m*1 organization

éagruth 'e:ˌgruh *m*3 shapelessness; deformity; decay, *dul in* ~ to become ugly, go to rack and ruin

éagruthach 'e:ˌgruhəx *a*1 shapeless; deformed; decayed

éagsúil e:gsu:l' *a*2 unlike; different, various

éagsúlacht e:gsu:ləxt *f*3 unlikeness; variation; strangeness

éaguimhne 'e:ˌgiv'n'ə *f*4 oblivion

éaguimseach 'e:ˌgim's'əx *a*1 unbounded, immoderate

éagumas 'e:ˌguməs *m*1 incapability; impotence

eala¹ alə *f*4 swan

eala² alə *f*, ~ *mhagaidh* object of ridicule

éalaigh e:li: *vi* escape; elope; slip away, *éalú ar dhuine* to steal up on a person, *éalú ón tóir* to evade the pursuit

ealaín ali:n' *f*2, *npl* **-íona** *gpl* **-íon** art; science, skill; workmanship, craft, *Máistir Ealaíne* Master of Arts, ~ *bheatha* livelihood, *níl h*~ *duit é* it is no way for you to carry on, *tá sé lán ealaíon* he is full of tricks

ealaíonta ali:ntə *a*3 artistic, skilful; graceful; tricky

ealaíontóir ali:nto:r' *m*3 artist, craftsman; tricky person

éalaitheach e:lihəx *m*1 escaper, fugitive, *a*1 fugitive; elusive

éalang e:ləŋ *f*2 defect, weak spot, ~ *a fháil ar dhuine* to take a person at a disadvantage

éalangach e:ləŋəx *a*1 defective; weak, debilitated

eallach aləx *m*1, *pl* **-aí** cattle; livestock; poultry

ealta altə *f*4 flock (of birds, etc)

éalú e:lu: *m*4 escape, evasion; elopement

éalúchas e:lu:xəs *m*1 escapism

éamh e:v *m*1, *npl* ~**a**, cry, entreaty; complaint

éan e:n *m*1 bird; young of bird, ~ *róin* baby seal, ~ *corr* odd man out

éanadán e:nədа:n *m*1 bird-cage

Eanáir ana:r' *m*4 January

éaneolaíocht 'e:n,o:li:(ə)xt *f*3 ornithology

eang e:ŋ *f*3 track, trace; gusset; notch; groove; gap, ~ *talún* patch of land, ~ *aí eochrach* wards of key

eangach¹ aŋəx *f*2 (fishing-)net; network

eangach² aŋəx *a*1 gusseted; chequered; notched, grooved

eangaigh aŋi: *vt* notch, groove, indent

eanglach aŋləx *m*1 numbness from cold; pins and needles

éanlaith e:nlah *f*2 birds, fowl

éanlann e:nlən *f*2 aviary

éar e:r *vt* refuse, deny

éaradh e:rə *m*, *gs* **-rtha** *pl* **-rthaí** refusal, denial; hindrance

earc ark *m*1, *npl* ~**a** a lizard; reptile; ~ **luachra** newt

earcach arkəx *m*1 recruit

earcaíocht arki:(ə)xt *f*3 recruiting

éard e:rd (used as *pron* with *is*) *is* ~ **a deir sé go** what he says is that

eardhamh ar(ə)γəv *m*1 vestibule; sacristy

éarlais e:rləs′ *f*2 earnest (money); deposit

éarlamh e:rləv *m*1 patron (saint)

earnáil a:rna:l′ *f*3 sector

earr a:r *f*2 end, extremity

earra arə *m*4 goods, merchandise; commodity, *is olc an t-*~ *é* he is a bad lot

earrach arəx *m*1 spring, *an t-*~ **a dhéanamh** to do the spring work

earráid ara:d′ *f*2 error; contrariness; eccentricity, *dul in* ~ to go wrong

earráideach ara:d′əx *a*1 erroneous; incorrect; eccentric

eas as *m*3, *pl* ~**anna** waterfall, cascade, rapid

easair asər′ *f*, *gs & gpl* **-srach** *npl* **-sracha** bedding, litter

easanálaigh ′as,ana:li: *vt & i* breathe out, exhale

easaontaigh ′as,i:nti: *vt & i* disagree (**le** with), dissent (*le* from); disunite

easaontas ′as,i:ntəs *m*3 disagreement, dissent; discord

easaontóir ′as,i:nto:r′ *m*3 dissenter

éasc e:sk *m*1 flaw, weak spot

éasca e:skə *a*3 swift, nimble; fluent; easy; ready

éascaigh e:ski: *vt & i* make easy; hurry, expedite

eascaine askən′ə *f*4 imprecation; curse

eascainigh askən′i: *vt & i*, *vn* **-ní** curse, swear

éascaíocht e:ski:(ə)xt *f*3 speed; nimbleness; fluency; readiness

eascair askər′ *vi*, *pres* **-craionn** spring, sprout; (*of day*) break

eascairdeas ′as,ka:rd′əs *m*1 unfriendliness, antagonism

eascairdiúil ′as,ka:rd′u:l′ *a*2 unfriendly, hostile

eascann askən *f*2 eel; snake

eascara ′as,karə *m*, *gs* ~**d** *pl* **-cairde** unfriendly person; enemy

eascra askrə *m*4 beaker

eascrach askrəx, **eascracha** askrəxə: **eiscir**

easláinte ′as,la:n′t′ə *f*4 ill-health, ailment

easlán ′as,la:n *m*1 sick person, invalid, *a*1 sick, unhealthy

easmailt asmal′t′ *f*2 reproach; revilement

easna asnə *f*4, *pl* ~**cha** rib

easnach asnəx *a*1 ribbed

easnamh asnəv *m*1 want, deficiency; shortage, omission, *in* ~ **ruda** lacking sth, *níl aon* ~ **orthu** they want for nothing

easnamhach asnəvəx *a*1 deficient; insufficient, incomplete

easóg aso:g *f*2 stoat

easonóir ′as,ono:r′ *f*3 dishonour, indignity

easpa¹ aspə *f*4 lack; loss, absence; deficiency, *rud a bheith in* ~, *d′* ~, *ort* to lack sth

easpa² aspə *f*4 abscess

easpach aspəx *a*1 lacking, deficient; defective, *táimid triúr* ~ we are three short

easpag aspəg *m*1 bishop

easpagóideacht aspəgo:d′əxt *f*3 bishopric, episcopacy

easparta aspərtə *f*, *gs* ~**n** *pl* ~**na** vespers, evensong

easpórtáil ′as,po:rta:l′ *vt* export

easpórtálaí ′as,po:rta:li: *m*4 exporter

easraigh asri: *vt* litter, strew

eastát asta:t *m*1 estate

easumhal ′as,u:əl *a*1, *npl* **-mhla** disobedient, insubordinate

easumhlaíocht ′as,u:li:(ə)xt *f*3 disobedience, insubordination

easurraim ′as,urəm′ *f*2 irreverence; disrespect

easurramach ′as,urəməx *a*1 irreverent, disrespectful; disobedient

eatarthu atərhu : **idir**

eatramh atrəv *m*1 interval, lull; respite, ~ **a dhéanamh** to stop raining

eatramhach atrəvəx *a*1 interim; intermittent

eibhear ev′ər *m*1 granite

eibleacht eb′l′əxt *f*3 emulsion

éiceolaíocht ′e:k′o:li:(ə)xt *f*3 ecology

éide e:d′ə *f*4 clothes, dress; livery, *in* ~ **garda** in garda uniform

éideannas ′e:,d′anəs *m*1 (political) détente

éidearfa ′e:,d′arəfə *a*3 unconfirmed, uncertain

eidhneán ain′a:n *m*1 ivy

éidigh e:d′i: *vt* dress, clothe; accoutre

éidreorach 'e:,d'r'o:rəx *a1* shiftless; feeble; paltry

éifeacht e:f'əxt *f3* significance; force, effect; value; substance; achievement, *labhairt le h~* to speak to good effect, *teacht in ~* to mature; to succeed in life

éifeachtach e:f'əxtəx *a1* significant; effective; highly capable, efficient

éifeachtúil e:f'əxtu:l' *a2* effectual

éigean e:g'ən *m1* force, violence; rape; necessity, compulsion; distress, *b'~ dom imeacht* I had to go, *ar ~* hardly, barely

éigeandáil 'e:g'ən,da:l' *f3* emergency

éigeantach e:g'əntəx *a1* compulsory; distressed

éigeas e:g'əs *m1*, *pl* **-gse** learned person, sage; poet

éigh e:y' *vi*, *vn* **éamh** cry out, complain; (with *ar*) call upon, beseech

éigiallta 'e:,g'iəltə *a3* senseless, irrational; foolish, imbecile

éiginnte 'e:,g'in't'ə *a3* uncertain; indefinite; undecided

éiginnteacht 'e:,g'in't'əxt *f3* uncertainty, indefiniteness; indecision

éigiontach 'e:,g'intəx *a1* innocent

éigiontaigh 'e:,g'inti *vt* acquit

éigneasta 'e:,g'n'astə *a3* dishonest; insincere

éignigh e:g'n'i *vt* force; violate

éigrioch e:g'r'i:x *f2* infinity

éigríonna 'e:,g'r'i:nə *a3* unwise, imprudent; inexperienced

éigse e:g'sə *f4* learning, poetry; (assembly of) learned men, poets

eilc el'k' *f2*, *pl* **~eanna** elk

eile el'ə *a & adv & s* other, another, different; more, else, *ceann ~* another one, *an saol ~* the next world, *rud ~ de* furthermore, *níl teach ná ~ aige* he has neither a house nor anything else, *is beag ~ a bhí le rá aige* he had little else to say

éileamh e:l'əv *m1* claim, demand; complaint, accusation, *~ a dhéanamh ar rud* to claim sth, *an t-~ a íoc* to foot the bill

eileatram el'ətrəm *m1* bier; hearse

eilicsir e:l'ək's'ər *m4* elixir

eilifint el'əf'ən't' *f2* elephant

éiligh e:l'i *vt & i* claim, demand; complain; ail

Eiliseach el'is'əx *m1 & a1* Elizabethan

eilit el'ət' *f2* doe, hind

éilitheoir e:l'iho:r' *m3* claimant; complainant, plaintiff

éill el', ~ **e** el':o : **iall**

eillín e:l'i:n' *m4* brood, clutch

eilligh e:l'i *vt* corrupt, pollute, defile

éimear e:m'ər *m1* emery

éimigh e:m'i *vt* refuse; deny, reject

eindéimeach in''d'e:m'əx *a1* endemic

éindí e:n'd'i: *s, in ~ (le)* together (with)

éineacht e:n'əxt *s, in~* at the same time, at once; together, altogether, *in ~ le* together, along, with

éineart 'e:,n'art *m1* enfeeblement

eintríteas ,en''t'r'i:t'əs *m1* enteritis

eipic ep'ək' *f2* epic

eipiciúil ep'ək'u:l' *a2* epic(al)

eipidéim 'ep'ə,d'e:m' *f2* epidemic

eipidéimeach 'ep'ə,d'e:m'əx *a1* epidemic

eipistil ,e'p'is't'əl' *f2* epistle

eire er'ə *m4* load, burden

Éire e:r'ə *f*, *ds* **-rinn** *gs* **~ann** Ireland, *pé in Éirinn é* whoever he may be, *i bhfad ~ann níos fearr* much better

eireaball er'əbəl *m1* tail

eireog er'o:g *f2* pullet

éirí e:r'i: *m4* rising, rise, *~ amach* outing; insurrection, *~ in airde* high spirits; uppishness, *~ croí* elation; palpitation, *~ slí* waylaying, hold-up; robbery, *~ slua* muster

éiric er'ək' *f2* reparation, retribution; compensation, reward

eiriceach er'ək'əx *m1* heretic

eiriceacht er'ək'əxt *f3* heresy

eiriciúil er'ək'u:l' *a2* heretical

éirigh e:r'i *vi* rise; grow; become, *éirí fuar* to get cold, *éirí amach* to go on an outing; to rise in revolt, *éirí as* to give up, to relinquish, *ag éirí chugam* defying me, *~ díom* leave me alone, *cad é d'~ dó?* what happened to him? *d'~ eatarthu* they quarrelled, *éirí i d'fhear* to become a man, *d'~ leis* he succeeded, *d'~ achrann* trouble developed

éirim e:r'əm' *f2* scope; drift; inclination; talent, ~ *a chuid cainte* the tenor of his speech, ~ *aigne* mental power

éirimiúil e:r'əm'u:l' *a2* lively; talented; intelligent

éiritheach e:r'ihəx *a1* rising; prosperous, *plúr* ~ self-raising flour

eirleach e:rl'əx *m1* destruction; slaughter

eirmín er'əm'i:n' *m4* ermine

éis e:s' *s, d'* ~, *tar* ~ after; although, *tar* ~ *an lae* at the end of the day, *tar* ~ *an tsaoil* after all, *dá* ~ *sin is uile* in spite of all that

éisc e:s'k' : **iasc**

eisceacht es'k'əxt *f3* exception

eisceachtúil es'k'əxtu:l' *a2* exceptional

eiscir es'k'ər' *f, gs* **eascrach** *pl* **eascracha** esker, (glacial) ridge

eisdíritheach 'es'd'i:r'ihəx *m1* extrovert

eiseachadadh 'es'axədə *m, gs* **-chadta** extradition

eiseachaid 'es'axəd' *vt, pres* **-adann** extradite

eiseachas 'es'əxəs *m1* existentialism

éiseałach e:s'ələx *a1* fastidious, squeamish

eiseamal es'əməl *m1* specimen

eiseamláir es'əmla:r' *f2* exemplar, model; example; illustration

eiseamláireach es'əmla:r'əx *a1* exemplary

eisean es'ən *3 sg m emphatic pron* he, him, ~ *a rinne é* he is the person who did it

eisigh es'i: *vt* issue

eisilteach es'əl't'əx *m1* effluent

eisimirce es'im'ər'k'ə *f4* emigration

eisimirceach 'es',im'ər'k'əx *m1 & a1* emigrant

eisiúint es'u:n't' *f3, gs* **-úna** issue

éislinn e:s'l'ən' *f2* vulnerable spot; flaw

éislinneach e:s'l'ən'əx *a1* vulnerable; defective, handicapped

eisreachtaí es',raxti: *m4* outlaw

eisreachtaigh es',raxti: *vt* proscribe, outlaw

éist e:s't' *vt & i* listen (*le* to); hear, heed; be silent, *cás a* ~ *eacht* to hear a case

éisteacht e:s't'əxt *f3* hearing; silence, *lucht* ~ *a* audience, *tabhair* ~ *dó* give him a hearing, *tá sé ina* ~ he is silent

éisteoir e:s't'o:r' *m3* listener, hearer

eite et'ə *f4* wing; flank; pinion, wing feather; fin

eiteachas et'axəs *m1* refusal

eiteán et'a:n *m1* spindle; bobbin; shuttlecock

éitear e:t'ər *m1* ether

eiteog et'o:g *f2* wing; (little) wing feather, *chuir sé* ~ *a ar mo chroí* it transported me with joy

éitheach e:hox *m1* lying, falsehood, *leabhar éithigh a thabhairt* to take a false oath, *thug tú é* ~ you're a liar

eithne ehn'ə *f4* kernel; nucleus

eithneach ehn'əx *a1* nuclear

eithre ehr'ə *f4* tail; fin

eitic et'ək' *f2* ethics

eiticiúil et'ək'u:l' *f2* ethical

eitigh et'i: *vt, vn* **-teach** refuse

eitil et'əl' *vi, pres* **-tlíonn** fly; flutter

eitilt et'əl't' *f2* flight; flutter; flicker, *ar* ~ flying

eitinn et'ən' *f2* consumption, tuberculosis

éitir e:t'ər' *f2* strength, vigour

eitleán et'əl'a:n *m1* aeroplane

eitleog et'əl'o:g *f2* kite

eitleoir et'əl'o:r' *m3* flyer, airman

eitleoireacht et'əl'o:r'əxt *f3* flying; airmanship

eitlíocht et'əl'i:(ə)xt *f3* aviation

eitneach et'n'əx *a1* ethnic

eitpheil 'et',f'el' *f2* volleyball

eitre et'r'ə *f4* furrow, groove

eitrigh et'r'i: *vt & i* furrow, groove

eitseáil et's'a:l' *f3* etching *vt & i* etch

Eocairist okər'əs't' *f2* Eucharist

eochair[1] oxər' *f, gs* **-chrach** *pl* **-chracha** key

eochair[2] oxər' *f, gs* **-chrach** *pl* **-chracha** border, edge

eochraí oxri: *f4* roe (of fish)

eoclaip o:kləp' *f2* eucalyptus

eol o:l *m1* (used with *is*), *is* ~ *dom* (*go*) I know (that)

eolach o:ləx *a1* knowledgeable; skilled; informed (*ar in*), familiar (*ar* with)

eolaí o:li: *m4* knowledgeable person; expert; guide; scientist, ~ *an teileafóin* telephone directory

eolaíoch o:li:(ə)x *a1, gsm* ~ scientific

eolaíocht o:li:(ə)xt *f3* science

eolaire o:lar'ə *m4* directory

eolas o:ləs *m*1 knowledge, skill; familiarity; information, *réalta eolais* guiding star; *cuaille eolais* signpost, ~ *a chur ar rud* to acquire a knowledge of sth,

tá sé ar ~ agam I know, have learned, it

eorna o:rnə *f*4 barley

eotanáis o:tənə:s′ *f*2 euthanasia

F

fabhalscéal 'faul‿s′k′e:l *m*1, *pl* ~**ta** legend, fable

fabhar fa(:)vər *m*1 favour; favouritism, influence

fabhcún fauku:n *m*1 falcon

fabhra faurə *m*4 eyelash; (eye)brow, ~ *i (éadaigh)* fringe (of cloth)

fabhrach faurəx *a*1 favourable; partial

fabhraíocht fauri:(ə)xt *f*3 favouritism

fabht faut *m*4 fault, flaw; defect

fabhtach fautəx *a*1 faulty, flawed; unsound; treacherous

faca fakə *p dep of* **feic²**

fachnaoid faxni:d′ *f*2 derision; joking

facthas fakəs *p dep aut of* **feic²**

fad fad *m*1 length; distance, duration, extent, ~ *saoil* length of life, *míle ar ~* a mile long; a mile altogether, *an bealach ar ~* the whole way, *rud eile ar ~* quite a different matter, ~ *le*, *a fhad le* as far as, ~ *(is)*, *a fhad (is)* as long as, *i bh~ ó chéile* far apart; sparse, *cá fhad?* how long? *dá fhad (go dtí é)* however long (it may be), ~ *gach aon fhaid* ever so long

fada fadə *a*3 (*comp* **faide**) long; protracted, tedious, *is ~ go* it will be a long time until, *go mór (is go) ~* ever so much, *chomh ~ leis sin de* as far as that is concerned, *an ~ eile go?* will it be long more until? *le ~* for a long time past, ~ *ó shin* long ago

fadaigh¹ fadi: *vt & i* set, kindle (fire); incite; erect

fadaigh² fadi: *vt & i* lengthen, *fadú le*, *ar*, *rud* to add to sth

fadálach fada:ləx *a*1 slow; dilatory, tedious

fadaraíonach 'fad‚ari:nəx *a*1 long-suffering, patient; long-headed

fadbhreathnaitheach 'fad‚v′r′ahnihəx *a*1 far-seeing

fadcheannach 'fad‚x′anəx *a*1 far-seeing, shrewd

fadfhulaingt 'fad‚ulən′t′ *f*, *gs* -**gthe** long-suffering, endurance, forbearance

fadfhulangach 'fad‚ulaŋəx *a*1 long-suffering, enduring, forbearing

fadharcán fairka:n *m*1 knot (in timber), lump (on body); corn (on foot)

fadharcánach fairka:nəx *a*1 gnarled; callous; lumpy

fadhb faib *f*2, *pl* ~**anna** knot (in timber); callosity, lump; problem, *sin i an fhadhb* there's the snag

fadhbáil faiba:l′ *f*3 striking, slogging

fadline 'fad‚l′i:n′ə *f*4, *pl* -**nte** meridian

fadó ‚fa'do: *adv* long ago

fadsaolach 'fad‚si:ləx *a*1 long-lived; easygoing

fadsaolaí 'fad‚si:li: *f*4 longevity

fág¹ fa:g *m*3 large wave, swell

fág² fa:g *vt & i*, *vn* **-áil** leave; forsake; grant, suppose, *tá tuilleadh ~ tha* there is more left, *d'fhág sé go luath* he left early, *is bocht a ~adh iad* they were most unfortunate, ~ *ann sin (go)* it follows from that (that), ~ *slán acu* say farewell to them, *rud a fhágáil ar dhuine* to attribute sth to a person, to accuse a person of sth, ~ *fúmsa é* let me deal with it, ~ *aim le huacht (go)* I solemnly declare (that), *is leis a ~adh é* it led to his undoing

fágálach fa:ga:ləx *m*1 laggard; weakling; changeling

faghairt fairt′ *f*3, *gs* -**artha** temper (of metal); fire, fervour; spirit; (glint of) anger

faghartha fairhə *a*3 tempered; fiery, mettlesome, (*of eyes*) glinting

fágtha fa:kə *a*3 left, forsaken, *créatúr beag ~* helpless little creature

faí fi: *f*4, *pl* ~**the** note; cry; lament; (*grammar*) voice

fáibhile 'fa:,v'il'ə *m4* beech

faic fak' *f4 (with negative)* nothing, *níl ~ air* there is nothing the matter with him, *~ na fríde, na ngrást* nothing whatsoever

faiche fax'ə *f4* green, lawn

faichill fax'əl' *f2* care, caution; wariness, *duine a chur ar a fhaichill* to put a person on his guard *vt & i* be careful of; (with *ar*) be wary of, be on guard against

faichilleach fax'əl'əx *a1* careful, cautious

faicín fak'i:n' *m4* (baby's) napkin; rag

faicsean fak's'ən *m1* faction

fáidh fa:γ' *m4, pl* **-ithe** prophet; wise man, sage

fáidheadóireacht fa:γ'(ə)do:r'əxt *f3* prophecy; wise speech, *ag ~* prophesying; talking sagaciously

fáidhiúil fa:γ'u:l' *a2* prophetic; wise

faigh faγ' *vt* get; find; be able to, *bás a fháil* to die, *rud a fháil tomhaiste* to get sth measured, *ag fáil dorcha* getting dark, *ní bhfaighfeá iad a shásamh* you couldn't satisfy them

faighin fain' *f2, gs* **-ghne** *pl* **-ghneacha** sheath; case; vagina

faighneog fain'o:g *f2* shell, pod

fail[1] fal' *f2, pl ~eanna* ring, bracelet; enclosure; lair, sty

fail[2] fal' *f2, pl ~eanna* hiccup

fáil fa:l' *f3* getting, finding; capability, *níl ~ air* it can't be got, found, *gan ~ ar chasadh acu* without any possibility of their returning, *ar ~* extant, available, *le ~* to be had, available, *chuir sé ó fháil (orm) é* he made it unobtainable (to me)

fáilí fa:l'i: *a3* pleasant, affable; furtive, stealthy

faill fal' *f2, pl ~eanna* unguarded state; chance, opportunity; cessation

faillí fal'i: *f4, pl ~ocha* neglect; delay, omission

failligh fal'i: *vt & i* neglect; omit, delay

faillitheach fal'ihəx *a1* negligent

faillitheoir fal'iho:r' *m3* negligent person; defaulter

fáilte fa:l't'ə *f4* welcome, *~ a chur roimh dhuine* to welcome a person, *F~ an Aingil* the Angelus, *~ Uí Cheallaigh*, generous welcome

fáilteach fa:l't'əx *a1* welcoming

fáilteoir fa:l't'o:r' *m3* receptionist

fáiltigh fa:l't'i: *vi* welcome

fáiltiú fa:l't'u: *m4* welcoming; reception

fainic fan'ək' *f2* warning, caution *vt & i* beware, *~ thú féin* mind yourself

fáinleog fa:n'l'o:g *f2* swallow

fáinne fa:n'ə *m4* ring; circle; ringlet; halo, *~ an lae* break of day

fáinneach fa:n'əx *a1* ring-like; ringed; ringleted

fáinneáil fa:n'a:l' *f3* circling; fluttering

fáinnéirí 'fan',e:r'i: *m4* convalescence

fáinneoireacht fa:n'o:r'əxt *f3* ringing (of animals)

fáinnigh fa:n'i: *vt & i* ring, encircle, *tá an lá ag fáinniú* the day is dawning

faíoch fi:(ə)x *a1, gsm ~* loud, plaintive; fluent; copious

fair far' *vt & i* watch; look out for, expect, *ag ~e na huaire* tied to time, *ag ~e ar dhuine* keeping a watch on a person, *~ thú féin* mind yourself, *ag ~e na faille* waiting for an opportunity, *corp a fhaire* to wake a corpse

fáir fa:r' *f2, pl* **-eacha** (hen's) nest; bed, lair (of animal) *vi* roost

fáirbre fa:r'b'r'ə *f4* notch; wrinkle

fairche far'əx'ə *f4* diocese

faire far'ə *f4* watch; wake, *~ leapa* bedside vigil, *fear ~* look-out, watchman, *bí ar d'fhaire* look out

faireach fi:r'əx *f2* booing, hooting, jeering

faireog far'o:g *f2* gland

fairis far'əs' : **fara**[2]

Fairisíneach far'əs'i:n'əx *m1* Pharisee *a1* Pharisaic(al)

fairsing fars'əŋ' *a1* wide, extensive; ample; plentiful; liberal, *teach ~* spacious house, *is ~ an cheist í* it is a broad question, *fómhar ~* abundant harvest, *tá croí ~ aici* she is openhearted

fairsinge fars'əŋ'ə *f4* width, extent; spaciousness; expanse; abundance

fairsingigh fars'əŋ'i: *vt & i* widen, extend; broaden; become liberal, *ráiteas a fhairsingiú* to amplify a statement, *tá an bia ag fairsingiú* food is becoming more plentiful

fairtheoir far'ho:r' *m3* watcher, sentry

fáisc fa:s´k´ *vt & i, vn* **fáscadh** squeeze; wring, press, bind closely; attack, *téad a fháscadh* to tighten a rope, *tá siad ag fáscadh orainn* they are pressing on us, *~ ort abhaile* hurry off home, *~eadh as an mbochtaineacht iad* they were bred in poverty

fáisceán fa:s´k´a:n *m1* binder, bandage

fáiscín fa:s´k´i:n´ *m4* clip, fastener

fáiscire fa:s´k´ər´ə *m4* squeezer

fáiscthe fa:s´k´ə *a3* squeezed, pressed; tight; well-knit; trim, neatly dressed

faisean fas´ən *m1* fashion; habit, mannerism

faiseanta fas´əntə *a3* fashionable; stylish

faisisteach fas´əs´t´əx *a1* fascist

faisisteachas fas´əs´t´əxəs *m1* fascism

faisistí fas´əs´t´i: *m4* fascist

faisnéis fas´n´e:s´ *f2* information; intelligence, report; (*grammar*) predicate

faisnéiseach fas´n´e:s´əx *a1* informative; (*grammar*) predicative

faisnéiseoir fas´n´e:s´o:r´ *m3* informant

fáistine fa:s´t´ən´ə *f4* prophecy; divination

fáistineach fa:s´t´ən´əx *m1* prophet, soothsayer; future (tense) *a1* prophetic; (*grammar*) future

faiteach fat´əx *a1* fearful, apprehensive; timid

faiteadh fat´ə *m1* flapping, flutter, *i bh~ na súl* in the twinkling of an eye

fáithim fa:həm´ *f2* hem

faithne fahn´ə *m4* wart

faitíos fat´i:s *m1* fear, apprehension; timidity, *ar fhaitíos go* for fear that, lest

fál¹ fa:l *m1, pl ~ta* hedge, fence; wall, barrier; enclosure; field

Fál² fa:l *m1 Inis, Críocha, Fáil* (the island, territories, of) Ireland

fala falə *f4, pl -lta* grudge, resentment, *fear ~* spiteful man

fálaigh fa:li: *vt* fence, enclose; lag

fallás fala:s *m1* fallacy

fallaing faləŋ´ *f2, pl ~eacha* mantle, cloak, *~ sheomra* dressing-gown

fálróid fa:lro:d´ *f2* sauntering, strolling; easy pace

falsa falsə *a3* false; lazy

falsacht falsəxt *f3* falseness; laziness, *ag ~* idling

falsaigh falsi: *vt* falsify, *uacht fhalsaithe* forged will

falsaitheoir falsiho:r´ *m3* falsifier, forger

falsóir falso:r´ *m3* lazy person

faltanas faltənəs *m1* spite, grudge

fáltas fa:ltəs *m1* income, profit; amount, supply

fámaire fa:mər´ə *m4* stroller, idler; summer visitor; huge person or thing

fan fan *vi* stay, wait, remain

fán fa:n *m1* straying, wandering, vagrancy, *ar ~* astray, *chuaigh sé le ~ an tsaoil* he took to a roving life

fána fa:nə *f4* declivity, slope; hollow, droop

fánach fa:nəx *a1* wandering, straying; aimless; futile, *comhrá ~* casual conversation, *ceathanna ~a* occasional showers

fanacht fanəxt *m3* wait, stay

fánaí fa:ni: *m4* wanderer; casual worker; nomad

fanaiceach fanək´əx *m1 & a1* fanatic

fanaiceacht fanək´əxt *f3* fanaticism

fanaile fanəl´ə *m4* vanilla

fánaíocht fa:ni:(ə)xt *f3* wandering; hiking; aimlessness; decline

fánán fa:na:n *m1* slope; ramp; chute; slip (for boats)

fann fan *a1, gsm ~* faint, weak, languid

fanntais fantəs´ *f2* faint, swoon

fantaisíocht fantəs´i:(ə)xt *f3* fantasy

faobhar fi:vər *m1* edge; blade, *~ a chur ar rud* to sharpen sth, *tá ~ ar a teanga* she has a sharp tongue

faobhrach fi:vrəx *a1* sharp; cutting, biting; eager

faobhraigh fi:vri: *vt* sharpen, whet

faocha fi:xə *f, gs & gpl ~n npl ~in* periwinkle, *~ chapaill* whelk

faoi¹ fi: *prep, pron forms* **fúm** fu:m, **fút** fu:t, **faoi** fi: *m,* **fúithi** fu:hi *f,* **fúinn** fu:n´ **fúibh** fu:v´, **fúthu** fu:hu, under, below, beneath; less than; about; round; concerning; against, *~ chré* under the soil, buried, *tá an ghrian ag dul ~* the sun is setting, *bheith ~ ualach* to be burdened, *~ sholas an lae* in the light of day, *~ bhláth* in flower, *ag dul ~ scrúdú* undergoing an examination, *~ bhrón* sorrowful, *cur fút in áit* to settle down in a place, *bhí luas ~* he was going at speed, *tá fás fúthu* they are growing, *fág fúm é* leave it to me, *mise ~ duit* I'll warrant you, *~ mar a bheadh fearg air* as if he was angry, *~ is go raibh siad ag troid* because they were fighting, *~ dhó* twice, *a sé ~ a seacht* six by seven, *fiche ~n gcéad* twenty per cent, *amuigh ~n tuath* out in the country, *~ mhaidin* by morning, *~ láthair* at present, *~ orlach de* within an inch of it, *~ dheireadh* at last, *dhéanfá gáire ~* you would laugh at it

faoi² fi: : **faoi¹**

faoileán fi:l'a:n *m*1 seagull

faoileanda fi:l'ondə *a*3 graceful

faoileoir fi:l'o:r' *m*3 glider

faoisc fi:s'k' *vt* shell; parboil (shellfish)

faoiseamh fi:s'əv *m*1 relief; alleviation, ease

faoistin fi:s't'ən' *f*2 confession, *an Fhaoistin Choiteann* the Confiteor

faoitín fi:t'i:n' *m*4 whiting

faolchú 'fi:l,xu: *m*4, *pl* ~nna wild dog, wolf

faomh fi:v *vt*, *pp* **faofa** accept; approve

faon fi:n *a*1 supine; limp, languid

faonoscailt 'fi:n,oskəl't' *f*2 slight opening; hint

faopach fi:pəx *s*, *san fhaopach* in dire straits, in a fix

fara¹ farə *m*4 (hen-)roost

fara² farə *prep*, *pron forms* **faram** farəm, **farat** farət, **fairis** far'əs' *m*, **farae** fare: *f*, **farainn** farən', **faraibh** farəv', **faru** faru, along with; as well as, besides

faradh farə *m*, *gs* **-rtha** ferrying; ferry, *bád fartha* ferryboat

farae fare: : **fara²**

faraibh farəv' : **fara²**

farainn farən' : **fara²**

faram farəm : **fara²**

farantóireacht farənto:r'əxt *f*3 ferrying

faraor fəˈri:r *int* alas, *bheith ar an bh~*, to be in a bad way

farasbarr 'farəs,ba:r *m*1 excess, surplus

farat farət : **fara²**

fardal fa:rdəl *m*1 inventory

fardoras 'fa:r,dorəs *m*1, *pl* **-oirse** lintel (of door)

fargán farəga:n *m*1 ledge

farradh farə *s*, *i bh~* in the company of, beside; *~ is, i bh~ is* compared with, beside

farraige farəgّə *f*4 sea

faru faru : **fara²**

fás fa:s *m*1 growth, development; sapling, rod, *~ aon oíche* mushroom growth *vt & i* grow

fásach fa:sǝx *m*1 waste, desert; deserted place; luxuriant growth

fáscadh fa:skə *m*, *pl* **-ai** press, squeeze; tightness, pressure; exertion, *~ reatha* burst of speed, *den chéad, ar an gcéad, fháscadh*, at the first attempt

fáschoill 'fa:s,xol' *f*2, *pl* ~te undergrowth; grove

fáslach fa:sləx *m*1 upstart

fásra fa:srə *m*4 vegetation

fásta fa:stə *a*3 grown, *duine ~* adult

fastaím fasti:m' *f*4 nonsense

fáth¹ fa: *m*3, *pl* ~**anna** cause, reason, *cén ~*? why? *tú féin a chur i bh~* to assert oneself

fáth-² fa: *pref* mystic, figurative; wise, witty

fathach fahəx *m*1 giant

fáthach fa:həx *a*1 figurative, symbolic

fáthadh fa:hə *s*, *~ an gháire* smile

fáthchiallach 'fa:,x'iələx *a*1 allegorical, figurative

fáthmheas 'fa:,v'as *m*3 diagnosis

fáthscéal 'fa:,s'k'e:l *m*1 *pl* ~**ta** allegory, parable

feá¹ f'a: *m*4, *pl* ~**nna** fathom

feá² f'a: *f*4, *pl* ~**nna** beech

feabhas f'aus *m*1 excellence; improvement, *dá fheabhas iad* however good they may be, *ar fheabhas* excellent, *dul i bh~* to improve

Feabhra f'aurə *f*4 February

feabhsaigh f'ausi: *vt & i* better, improve; get better

feac¹ f'ak *m*4, *pl* ~**anna** handle (of spade, shovel)

feac² f'ak *vt & i* bend

feacadh f'akə *m*, *gs* **-ctha** *pl* **-cthaí** bend, bent posture, *~ a bhaint as rud* to bend sth

féach f'e:x *vt & i* look; consider; examine; test, *cuisle a fhéachaint* to feel a pulse, *~ aint le rud a dhéanamh* to try to do sth, *tháinig sé do m'fhéachaint* he came to see me

féachadóir f'e:xədo:r' *m*3 onlooker, observer

féachaint f'e:xənt' f3, gs **-ana** look; aspect; trial, *lucht féachana* onlookers

feacht f'axt m3, pl **~aí** flow, current

feachtas f'axtəs m1 campaign

fead f'ad f2, pl **~anna** whistle, *bheith i ndeireadh na feide* to be at one's last gasp

féad f'e:d auxiliary v, vn **~achtáil** be able to; ought to, *~aim a rá (go)* I may say (that)

feadaíl f'adi:l' f3 whistling

feadair f'adər' defective v (with negative or interrogative) 1sg **feadar** 2sg **feadraís** 1pl **feadramar** know, *ní fheadair aon duine cá bhfuil sé* nobody knows where he is

feadaire f'adər'ə m4 whistler

feadán f'ada:n m1 tube; gully; whistle, wheeze, *~ orgáin* organ reed

feadh f'a: m3 extent, distance, duration, *~do radhairc* as far as the eye could see, *ar ~ tamaill* for a while, *ar ~ na tíre* throughout the country, *ar ~ m'eolais* as far as I know

feadhain f'a:n' f3, gs & pl **-dhna** troop, company, *ceann feadhna* commander, ringleader

feadhnach f'a:nəx m1 band, troop; pannier; pail; large quantity

feadóg¹ f'ado:g f2, *~ (stáin)* (tin) whistle

feadóg² f'ado:g f2 plover

feag f'ag f3, pl **~acha** rush

feall f'al m1 deceit, treachery; let-down vi (with *ar*) prove false to, betray; fail

feallaire f'alər'ə m4 deceiver, betrayer

feallmharú f'al,varu: m4 assassination

fealltach f'altəx a1 deceitful, treacherous

fealltóir f'alto:r' m3 betrayer, traitor

fealsamh f'alsəv m1, pl **-súna** philosopher

fealsúnacht f'alsu:nəxt f3 philosophy

feamainn f'amən' f2 seaweed

fean f'an m4, pl **~anna** fan

feanléas f'an',l'e:s m1, pl **~acha** fanlight

feann f'an vt flay, skin, *tá siad ag ~adh a chéile* they are slating each other

feannóg f'ano:g f2 scald-crow, *~ charrach* carrion-crow

feanntach f'antəx a1 bitter, sharp, severe

fear¹ f'ar m1 man; husband, *~ ceoil, dlí, musician, lawyer, ~ feasa* seer, *~ ionaid an rí,* king's deputy, viceroy; *~ siúil* itinerant, *~ teanga* interpreter, *~ tí* householder; master of ceremonies,

~ (céile) husband, *leanbh fir* male child, *fuair sé an ~ maith air* he got the better of him, *~ bréige* scarecrow

fear² f'ar vt & i pour out; perform; affect; excrete, *fáilte a fhearadh roimh dhuine* to accord a person a welcome, *ag ~ adh na ndeor* shedding tears, *cogadh a fhearadh* to wage war

fear-³ f'ar pref man-, male; manly, he-

féar f'e:r m1, npl **~a** grass, hay, *ag tabhairt an fhéir* in the grave, dead

féarach f'e:rəx m1 pasture; grazing rent

fearacht f'arəxt s as prep like, as

féaráilte f'e:ra:l't'ə a3 fair, equitable

fearán f'ara:n m1 dove

fearann f'arən m1 land, territory; quarter, *baile fearainn* townland

fearas f'arəs m1 husbandry, management; equipment; apparatus, *i bh ~* in working order

fearastúil f'arəstu:l' a2 well-equipped; competent; handy

fearb f'arəb f2 weal, welt

fearg f'arəg f2, ds **feirg** in certain phrases anger; irritation, *bheith i bhfeirg le duine* to be angry with a person

fearga f'arəgə a3 male; virile

feargach f'arəgəx a1 angry; irritated, inflamed

feargacht f'arəgəxt f3 manhood; virility

féarmhar f'e:rvər a1 grassy

fearnóg f'a:rno:g f2 alder

fearr f'a:r : **maith¹**

fearsaid f'arsəd' f2 spindle; shaft, axle-tree; ridge of sand in tidal waters

feart¹ f'art m3, gs & npl **~a** prodigy, miracle

feart² f'art m3, gs & npl **~a** mound, tumulus; grave

fearthainn f'arhən' f2 rain; rainfall

feartlaoi f'art,li: f4, pl **~the** epitaph

fearúil f'aru:l' a2 manly, manful

fearúlacht f'aru:ləxt f3 manliness

feasa f'asə : **fios**

feasach f'asəx a1 knowing, well-informed, *is ~ mé, dom, é* I am aware of it

féasóg f'e:so:g f2 beard

féasrach f'e:srəx m1 muzzle

feasta f'astə adv from now on, henceforth, *ní fheicfidh tú ~ iad* you will not see them any more

féasta f'e:stə *m*4 feast, banquet

féatas f'e:təs *m*1 foetus

feic[1] f'ek' *m*4 (sorry) sight, spectacle

feic[2] f'ek' *vt & i*, *vn* ~**eáil** see, *bheith le* ~*eáil* to be visible, ~ *tear dom* (*go*) it appears to me (that)

feiceálach f'ek'a:ləx *a*1 noticeable, conspicuous; striking, showy, handsome

féich f'e:x' : **fiach**[1]

féichiúnaí f'e:x'u:ni: *m*4 debtor

féichiúnaigh f'e:x'u:ni: *vt* debit

féichiúnas f'e:x'u:nəs *m*1 indebtedness, liability

féichiúnta f'e:x'u:ntə *a*3 prompt, punctual

féideartha f'e:d'ərhə *a*3 feasible, possible

féidearthacht f'e:d'ərhəxt *f*3 feasibility, possibility

feidhm f'aim' *f*2, *pl* ~**eanna** function; use, duty; undertaking; effect; need, *i bh*~ in operation, *i bh*~ *rúnaí* in the capacity of a secretary, *duine gan* ~ useless person, *dul as* ~ to fall into disuse, *níl* ~ *leis* it is not necessary, *chuir sí a toil i bh*~ *orthu* she imposed her will on them

feidhmeannach f'aim'ənəx *m*1 functionary, official; executive; agent

feidhmeannas f'aim'ənəs *m*1 function, service; office

feidhmigh f'aim'i: *vt & i* function; act; execute, enforce

feidhmiúchán f'aim'u:xa:n *m*1, *oifigeach feidhmiúcháin* executive officer

feidhmiúil f'aim'u:l' *a*2 functional; efficient; forceful

féidir f'e:d'ər' *s* (used with *is*) *is* ~ (*go*) it is possible (that), *ní* ~ *liom* I cannot, *más* ~ if possible, *b'fhéidir é* maybe it is, maybe so

feifeach f'ef'əx *a*1 expectant; watchful, attentive

feighil f'ail' *f*2, *gs* ~**ghle** vigilance; care, attention, *i bh*~ *an tí* minding the house *vt* watch, oversee

feighlí f'ail'i: *m*4 watcher, tender, overseer, ~ *páistí* babysitter

feil f'el' *vi*, *vn* ~**iúint** (with *do*) suit; fit

féil f'e:l' : **fial**[1,2]

féile[1] f'e:l'ə *f*4 generosity, hospitality

féile[2] f'e:l'ə *f*4, *pl* **-lte** festival, feast (day), *Lá Fhéile Pádraig* St. Patrick's Day

féileacán f'e:l'əka:n *m*1 butterfly, ~ *oíche* moth

féileadh f'e:l'ə *m*1, *pl* **-lí**, ~ *beag* kilt

féileastram f'e:l'əstram *m*1 (wild) iris, flag

feileon f'el'o:n *m*1 felon

feileonacht f'el'o:nəxt *f*3 felony

féilire f'e:l'ər'ə *m*4 calendar

feiliúnach f'el'u:nəx *a*1 suitable; fitting; helpful

feill- f'el' *pref* foul, treacherous; exceedingly

feillbhinn 'f'el',v'in' *go* ~ excellently, thoroughly

feilmeanta f'el'əm'əntə *a*3 strong, vigorous, forceful

feilt f'el't' *f*2 felt

féiltiúil f'e:l't'u:l' *a*2 festive; periodic; regular, punctual

féin[1] he:n', f'e:n' *a & pron* -self; own; even, only, *mé* ~ myself, *do scéal* ~ your own story, *an uair sin* ~ even at that time

féin-[2] f'e:n' *pref* self-, auto-

feiniméan f'en'əm'e:n' *m*1 phenomenon

féiniúlacht f'e:n'u:ləxt *f*3 selfhood, separate identity

féinmharfóir 'f'e:n',varəfo:r' *m*3 suicide

féinmharú 'f'e:n',varu *m*4 suicide

Féinne f'e:n'ə : **Fiann**

féinriail 'f'e:n',riəl' *f*, *gs*-**alach** autonomy

féinrialaitheach 'f'e:n',riəlihəx *al* autonomous

féinspéis 'f'e:n',sp'e:s' *f*2 egotism

féinspéiseachas 'f'e:n',sp'e:s'əxəs *m*1 egoism

féinspéisí 'f'e:n',sp'e:s'i: *m*4 egoist

féir f'e:r' : **fiar**

feirc f'er'k' *f*2, *pl* ~**eanna** peak; tilt (of hat, etc); fringe; haft, hilt

feircín f'er'k'i:n' *m*4 firkin

feirdhris 'f'er',γ'r'is' *f*2, *pl* ~**eacha** dogrose

feire f'er'ə *m*4 groove; rim, flange

féire f'e:r'ə : **fiar**

féirín f'e:r'i:n' *m*4 gift, present

feirm f'er'əm' *f*2, *pl* ~**eanna** farm

feirmeoir f'er'əm'o:r' *m*3 farmer

feirmeoireacht f'er'əm'o:r'əxt *f*3 farming

feis f'es' *f*2, *pl* ~**eanna** festival; feis

feisire f'es'ər'ə *m*4 member of (British) parliament

feisteas f'es't'əs *m*1 fittings, furnishings; dress; arrangement feisteoir f'es't'o:r' *m3* fitter; outfitter

feistigh f'es't'i: *vt* arrange, adjust; dress, equip; fasten, secure, moor.

féith f'e: *f2, pl* ~eacha sinew; muscle; vein; seam (of coal, etc); natural bent

feithealann f'ehələn *f2* waiting-room

feitheamh f'ehəv *m1* wait, expectation, *ag* ~ *le* waiting for, expecting

féitheog f'e:ho:g *f2* (small) sinew; muscle; (small) vein

féitheogach f'e:ho:gəx *a1* sinewy; muscular

feitheoir f'eho:r' *m3* supervisor, superintendent

feitheoireacht f'eho:r'əxt *f3* supervision, superintendence

feithicil f'ehək'əl *f2, gs* -cle *pl* -clí vehicle

feithid f'ehəd' *f2* tiny creature, insect; wild creature

feithideolaíocht 'f'ehəd',o:li:(ə)xt *f3* entomology

feithidicíd f'ehəd'ək'i:d' *f2* insecticide

féithleann f'e:hl'ən *m1* honeysuckle, woodbine

féithuar 'f'e:h,uər *a1* nippy, chilly

feo f'o: *m4* withering, decay

feochadán f'o:xədɑ:n *m1* thistle

feodach f'o:dəx *a1* feudal

feodachas f'o:dəxəs *m1* feudalism

feoigh f'o:γ *vi* wither, decay

feoil f'o:l' *f3, pl* -olta flesh, meat

feoiliteach f'o:l',it'əx *a1* carnivorous

feoilseántach 'f'o:l',s'e:ntəx *a1* vegetarian

feoilseántóir 'f'o:l',s'e:nto:r' *m3* vegetarian

feoite f'o:t'ə *a3* withered, decayed

feolmhar f'o:lvər *a1* fleshy, fat, flabby

feothan f'o:hən *m1* gust; breeze; puff

feosaí f'o:si: *a3* wizened, shrivelled

fí f'i: *f4* weaving, weave; plait

fia¹ f'iə *m4, pl* ~nna deer

fia-² f'iə *pref* wild; large, outsize

fiabhras f'iəvrəs *m1* fever

fiabhrasach f'iəvrəsəx *a1* feverish

fiacail f'iəkəl' *f2, pl* -cla tooth; edge, ~ (charraige) projecting rock, *rud a rá faoi d'fhiacla* to mutter sth, *níor chuir sé* ~ *ann* he did not mince his words, *fiacla rotha* cogs of wheel

fiach¹ f'iəx *m1, gs* féich *npl* ~a debt; *pl* price, *bheith i bhfiacha* to be in debt, *tá sé d'fhiacha orm é a dhéanamh* I am

obliged to do it, *maith dúinn ár bhfiacha* forgive us our trespasses

fiach² f'iəx *m1, npl* ~a raven

fiach³ f'iəx *m1 & vt* hunt, chase

fiachóir f'iaxo:r' *m3* debtor

fiaclach f'iəkləx *a1* toothed; cogged; serrated

fiaclóir f'iəklo:r' *m3* dentist

fiafheoil f'iə,o:l' *f3* venison

fiafraí f'iəfri: *m, gs & pl* -aithe inquiry, question

fiafraigh f'iəfri: *vt & i* ask, inquire

fiafraitheach f'iəfrihəx *a1* inquisitive; solicitous

fiagaí f'iəgi: *m4* huntsman; hunter; provider

fiaile f'iəl'ə *f4* weeds

fiailicíd f'iəl'ək'i:d' *f2* weed-killer

fiáin f'i:a:n' *a1* wild; uncultivated; lawless; tempestuous, ~ *chun ruda* eager to do, to get, sth

fial¹ f'iəl *m1, gs* féil *npl* ~a veil

fial² f'iəl *a1, gsm* féil *gsf & comp* féile generous, hospitable

fianaise f'iənəs'ə *f4* witness, testimony, evidence, *i bh~ duine* in the presence of a person

Fiann f'iən *f2, gs* Féinne the Fianna, band (of warrior-hunters)

fiannaíocht f'iəni:(ə)xt *f3* stories, lays, of the Fianna; ancient lore; romantic story-telling

fiántas f'i:a:ntəs *m1* wildness, fierceness; wilderness

fiaphoc f'iə,fok *m1* buck (deer)

fiar f'iər *m1, npl* ~a slant, bias; bend, twist; perverseness, *trasna ar* ~ diagonally *a1, gsm* féir *gsf & comp* féire slanting, diagonal; bent, perverse *vt & i* slant, veer; bend, twist, distort

fiarlán f'iər,la:n *m1* zig-zag

fiarlaoid f'iərli:d' *s, (ar)* ~ across, diagonally, athwart; wandering

fiarsceabha f'iər,s'k'au *m4* slant, *ar* ~ askew

fiarshúil 'f'iər,hu:l' *f2, gs & npl* ~e *gpl* -úl squint (eye)

fiarshúileach 'f'iər,hu:l'əx *a1* squint-eyed

fiarthrasna 'f'iər,hrasnə *adv & a3* diagonal, diagonally; crossways

fiata f'iətə *a3* wild; fierce, angry; shy

fia-úll 'f'iə,u:l *m1, npl* ~a crab-apple

fíbín f'i:b'i:n' *m4* gadding; excitement, *go* ~ easily, idly

fiche f'ix'ə *m*, *gs* -ad *pl* -chidí *ds & npl with numerals* -chid *& a* twenty, na *fichidí* the twenties, *trí leabhar* ~*ad*, *ar fhichid*, *is* ~ twenty-three books, ~ *bean* twenty women

ficheall f'ix'əl *f2* chess

fichiú f'ix'u: *m4 & a* twentieth

ficsean f'ik's'ən *m1* fiction

fidil f'id'əl' *f2*, *gs* -dle *pl* -dleacha fiddle

fidléir f'id'l'e:r' *m3* fiddler

fíf f'i:f' *f2*, *pl* ~eanna fife

fige f'ig'ə *f4* fig

figh f'iγ' *vt & i* weave, plait; (*of story, etc*) compose, contrive, *tá sé fite fuaite ann* it is in the very fibre of his being

figiúr f'ig'u:r *m1*, *pl* -úirí figure, digit; number

file f'il'ə *m4* poet

fileata f'il'ətə *a3* poetic(al); imaginative, romantic

filiméala f'il'əm'e:lə *m4* nightingale

filíocht f'il'i:(ə)xt *f3* poetry

Filistíneach f'il'əs't'i:n'əx *m1 & al* Philistine

fill f'il' *vt & i* bend, turn back; fold; return

filléad f'il'e:d *m1* fillet

filleadh f'il'ə *m1*, *pl* -llteacha bend, fold; return, ~ *beag* kilt

fillteach f'il't'ax *al* folding

fillteán f'il't'a:n *m1* folder, wrapper

fillteog f'il't'o:g *f2* wrap

filltín f'il't'i:n' *m4* crease, crinkle, pucker; tuck

fimineach f'im'i:n'əx *m1* hypocrite *al* hypocritical

fimineacht f'im'i:n'əxt *f3* hypocrisy

fine f'in'ə *f4*, *pl* -nte family group; race

finéagar f'in'e:gər *m1* vinegar

fíneáil f'i:n'a:l' *f3 & vt* fine

fíneálta f'i:n'a:ltə *a3* fine; subtle, slender, delicate

fíneog f'i:n'o:g *f2* mite

Fínín f'i:n'i:n' *m4* Fenian

Fíníneachas f'i:n'i:n'əxəs *m1* Fenianism

finiúch f'i:n'u:x *al*, *gsm* ~ maggoty, fly-blown

finiúin f'i:n'u:n' *f3*, *pl* -únacha (grape-)vine; vineyard

finne f'in'ə *f4* whiteness, fairness

finné f'in'e: *m4*, *pl* ~ithe witness

finscéal 'f'in',s'k'e:l *m1*, *pl* ~ta romantic tale; fable; fiction

finscéalaíocht 'f'in',s'k'e:li:(ə)xt *f3* legendary tales; romancing, fiction

fíocas f'i:kəs *m1* piles, haemorrhoids

fíoch f'i:x *m1*, *gs* fích *npl* ~a feud; anger, fury

fíochán f'i:xa:n *m1* weaving; weave, web; tracery

fíochmhaire f'i:xvər'ə *f4* ferocity

fíochmhar f'i:xvər *al* furious, ferocious

fíodóir f'i:(ə)do:r' *m3* weaver

fíodrince 'f'id,rin'k'ə *m4* twirl, pirouette

fíogach f'i:gax *m1* dog-fish

fíoghual 'f'i,γuəl *m1* (wood) charcoal

fíon f'i:n *m3*, *pl* ~ta wine

fíonaíl f'ini:l' *f3* kinslaying, fratricide; parricide

fíonaíolach f'ini:ləx *m1* parricide, fratricide

fíonchaor 'f'i:n,xi:r *f2* grape

fíonghort 'f'i:n,γort *m1* vineyard

fíonn¹ f'in *m1*, *npl* ~a cataract (on eye)

fíonn² f'in *a1* white; bright, clear; (*of hair*) fair

fíonn³ f'in *vt* ascertain, discover, find; invent

fíonnachrith 'f'inə,x'r'ih *m3*, *gs* -chreatha gooseflesh

fíonnachtain f'inəxtən' *f3*, *gs & pl* -ana find, discovery; invention

fíonnadh f'inə *m1* (body) hair; fur, *tá* ~ *fiáin air* he has a wild appearance

fíonnaitheach f'inihax *al* hairy; furry

fíonnmhóin f'i:n,vo:n' *f3* peat-moss

fíonnuaire 'f'in,uər'ə *f4* coolness, freshness

fíonnuar 'f'in,uər *al* cool; refreshing; serene

fíonraí f'inri: *f4* suspense, suspension, *cuireadh ar* ~ *é* it was put in abeyance; he was suspended

fíontar f'intər *m1* risk; enterprise, *chuaigh siad i bh*~ *na stoirme* they ventured out into the storm

fíontraí f'intri: *m4* adventurer

fíor¹ f'i:r *f*, *gs* ~ach *pl* ~acha figure, form; image; appearance, ~ *na Croise* the sign of the Cross, ~ *na spéire* the horizon, ~ *aille* edge of cliff, ~*acha an bháis* portents of death

fíor² f'i:r *f2* truth; pledge *al* true, *is* ~ *duit* you are right

fíor-³ f'i:r *pref* true, real; intense, very

fíoraigh¹ f'i:ri *vt* figure, outline; symbolize; portend

fíoraigh² f'i:ri *vt* verify; fulfil

fíoras f'i:rəs *m*1 fact

fíorchaoin 'f'i:r,xi:n' *s*, ~ *fáilte* hearty welcome

fíoruisce f'i:r,iʃk'ə *m*4 spring water

fíos f'is *m*3, *gs* **feasa** knowledge; information, *tá a fhios agam* (go) I know that, *gan fhios* (do) unknown (to), *bean feasa* wise woman, fortune-teller, *chuir sé ~ air* he sent for him, *rud a chur i bh~, a thabhairt le ~, do dhuine* to let a person know sth, *go bh~ dom* as far as I know

fíosaíocht f'isi:(ə)xt *f*3 clairvoyance

fíosrach f'isrəx *a*1 inquiring, inquisitive

fíosracht f'isrəxt *f*3 inquisitiveness, curiosity

fíosraigh f'isri *vt & i* inquire

fíosrúchán f'isru:xa:n *m*1 inquiry, inquisition

fíre f'i:r'ə *f*4 truthfulness, sincerity; genuineness, fidelity

firéad f'ir'e:d *m*1 ferret

firéan f'i:r'e:n *m*1 just person; sincere person *a*1 just, righteous; genuine

fireann f'ir'ən *a*1 male; virile

fireannach f'ir'ənəx *m*1 & *a*1 male

fíréanta f'i:r'e:ntə *a*3 just, righteous; genuine; sincere

fíric f'i:r'ək' *f*2 fact

fírinne f'i:r'ən'ə *f*4 truth, *is é ~ an scéil* (go) the fact of the matter is (that), *de dhéanta, de ráite, na ~* as a matter of fact

fírinneach f'i:r'ən'əx *a*1 truthful

firinscneach f'ir'ən'ʃk'n'əx *a*1 (*grammar*) masculine

firmimint f'ir'əm'əm'ən't' *f*2 firmament, *ag imeacht sna ~i* going at great speed; going crazy

fís f'i:ʃ *f*2, *pl* ~**eanna** vision

fiseolaíocht f'iʃo:r'əxt *f*3 inquisitiveness, *ag* ~ prying

fiseolaíocht 'f'iʃ,o:li:(ə)xt *f*3 physiology

fisic f'iʃək' *f*2 physics

fisiceoir f'iʃək'o:r' *m*3 physicist

fisiteiripe 'f'iʃ,ə,t'er'əp'ə *f*4 physiotherapy

fisiteiripeach 'f'iʃ,ə,t'er'əp'əx *m*1 physiotherapist

fithis f'ihəs' *f*2 path, passage; course, orbit

fithisigh f'ihəs'i: *vt & i* orbit

fiú f'u: *s* (used with *is*), *is* ~ *punt é* it is worth a pound, *ní* ~ *trácht air* it is not worth mentioning, *níl* ~ *na léine aige* he hasn't even a shirt, ~ *amháin dá mbeinn ann* even if I were there, *mór is* ~ grandeur, pomposity, ~ *le rá* notable, noteworthy

fiuch f'ux *vt & i* boil

fiuchadh f'uxə *m*, *gs* **-chta** boil(ing), *ar* ~ boiling, ~ *feirge* surge of anger

fiúise f'u:ʃ'ə *f*4 fuchsia

fiúntach f'u:ntəx *a*1 worthy; respectable, generous

fiúntas f'u:ntəs *m*1 worth, merit; decency; generosity

fiús f'u:s *m*1, *pl* ~**anna** fuse

flagún flagu:n *m*1 flagon

flaigín flag'i:n' *m*4 flask

flainín flan'i:n' *m*4 flannel

flaith flah *m*3, *gs & pl* **-atha** ruler, prince, chief

flaitheas flahəs *m*1 rule, sovereignty; kingdom, *na flaithis* heaven

flaithiúil flahu:l' *a*2 princely; lavish, generous

flaithiúlacht flahu:ləxt *f*3 princeliness; generosity

flannbhuí 'flan,vi: *a*3, (*of colour*) orange

flas flas *m*3 floss

flaspóg flaspo:g *f*2 smack, kiss

fleá f'l'a: *f*4, *pl* ~**nna** feast, ~ *cheoil* festival of music

fleáchas f'l'a:xəs *m*1 festivity, conviviality

fleasc f'l'ask *f*2 rod, wand; band, hoop; wreath; scion, *ar fhleasc a dhroma* on the flat of his back

fleisc f'l'es'k' *f*2, *pl* ~**eanna** flex

fleiscín f'l'es'k'i:n' *m*4 hyphen

fliche f'l'ix'ə *f*4 wetness, dampness

flichshneachta f'l'ix',hn'axtə *m*4 sleet

fliodh f'l'i *f*2, *gs* **-idhe** chickweed

flip f'l'i:p' *f*2, *pl* ~**eanna** flip; (heavy) blow

fliú f'l'u: *m*4 influenza

fliuch f'l'ux *a*1, *gsm* ~ wet; rainy *vt & i* wet

fliuchadh f'l'uxə *m*, *gs* **-chta** wetting, ~ *do bhéil* a drop to drink

fliuchán f'l'uxa:n *m*1 wetness, moisture; wetting

fliuchras f'l'uxrəs *m*1 wetness; rainfall

fliúit f'l'u:t' *f*2, *pl* ~eanna flute, ~ *Shasanach* recorder

fliúiteadóir f'l'u:t'ədo:r' *m*3 flautist

flocas flokəs *m*1 flock, wadding, ~ *cadáis* cotton-wool

fióra flo:rə *m*4 flora

flosc flosk *m*3, *pl* ~anna flux; torrent, ~ *(chun) oibre* eagerness for work

fluairíd fluər'i:d' *f*2 fluoride

fluaraiseach fluərəs'əx *a*1 fluorescent

flúinse flu:n's'ə *m*4 flounce

flúirse flu:rs'ə *f*4 abundance, plenty

flúirseach flu:rs'əx *a*1 abundant, plentiful

flústar flu:stər *m*1 flurry, flutter

fo- fo *pref* under-, sub-, hypo-, subsidiary; assistant, minor; trivial; occasional

fo-bhaile 'fo,val'ə *m*4, *pl* -lte suburb

fo-bhailteach 'fo,val't'əx *m*1 suburbanite *a*1 suburban

fobhriste 'fo,v'r'i:s't'ə *m*4 underpants

focal fokəl *m*1 word; phrase, remark; message, *níl* ~ *faoi* nothing is said about it, *sciorradh, titim, focail* slip of the tongue, *lámh is* ~ solemn pledge, ~ *a chur ar rud* to bespeak sth

fócas fo:kəs *m*1 focus

fochaid foxəd' *f*2 mocking, derision

fochair foxər' *s* proximity, *bheith i bh*~ *duine* to be with a person

fochall foxəl *m*1 corrupt matter, filth; hollow (in core of tuber, fruit)

focheann 'fo,x'an *m*1 odd, occasional, one

fochéimí 'fo,x'e:m'i: *m*4 undergraduate

fochma foxmə *m*4 chilblain

fochupán 'fo,xopa:n *m*1 saucer

foclach fokləx *a*1 wordy, verbose

focleolaíocht 'fok(ə)l,o:li:(ə)xt *f*3 philology

foclóir foklo:r' *m*3 dictionary; vocabulary

fód fo:d *m*1 sod; strip of ground; layer of earth, of sods, *ar an bh*~ on the spot, immediately, *an* ~ *a sheasamh* to stand one's ground, *an* ~ *dúchais* one's native place

fodar fodər *m*1 fodder, provender

fodhlí 'fo,γ'l'i: *m*4, *pl* -the by-law

fodhuine 'fo,γin'ə *m*4, *pl* -dhaoine inferior person; an odd person

fódúil fo:du:l' *a*2 stable; sensible

fo-éadach 'fo,e:dəx *m*1, *pl* -aí underclothes, *ball fo-éadaigh* undergarment

fógair fo:gər' *vt & i, pres* -graíonn declare, proclaim; announce; warn, *earraí a fhógairt* to advertise goods, ~ *don diabhal iad* tell them to go to the devil

fógairt fo:gərt' *f*3, *gs* -artha call; proclamation; warning; summons, order

fogas fogəs *s* nearness, *i bh*~ *do rud* close to sth

fogha fau *m*4, *pl* ~nna lunge; short run, dash, ~ *a thabhairt faoi dhuine* to attack a person

foghail faul' *f*3, *gs* -ghla *pl* -ghlacha plundering, depredation; trespass; spoils

foghar faur *m*1 sound

foghlaeir faule:r' *m*3 fowler

foghlaeireacht faule:r'əxt *f*3 fowling, *gunna* ~ *a* fowling-piece

foghlaí fauli: *m*4 plunderer; marauder, trespasser, ~ *mara* pirate

foghlaim fauləm' ~ fo:ləm' *f*3 learning; instruction, teaching *vt & i, pres* ~ionn learn; experience; instruct, teach

foghlaimeoir fauləm'o:r' ~ fo:ləm'o:r' *m*3 learner

foghlamtha fauləmhə ~ fo:ləmhə *a*3 learned

foghraíocht fauri:(ə)xt *f*3 phonetics

fo-ghúna 'fo,γu:nə *m*4 slip, petticoat

fógra fo:grə *m*4 notice; warning, summons; placard, sign

fógraíocht fo:gri:(ə)xt *f*3 advertising

fógróir fo:gro:r' *m*3 announcer; advertiser

fóibe fo:b'ə *f*4 phobia

foiche fox'ə *f*4 wasp

foighne fain'ə *f*4 patience

foighneach fain'əx *a*1 patient

foighnigh fain'i: *vt & i, vn* -neamh have patience (*le* with); bear, endure

fóill fo:l' *a*1, ~ *ort* go easy, go ~ yet, still, *fan go* ~ wait a while

foilmhe fol'əv'ə *f*4 emptiness, vacuity

foilsceadh fol's'k'ə *m*1 stir, flutter, flurry; speed

foilseachán fol's'əxa:n *m*1 publication

foilsigh fol's'i: *vt* reveal, disclose; publish

foilsitheoir fol's'iho:r' *m*3 publisher

foilsitheoireacht fol's'iho:r'əxt *f*3 publishing, publication

fóin fo:n' *vi*, *pres* **fónann** *vn* **fónamh** serve, be of use (*do* to); benefit

foinse fon's'ə *f*4 fountain, spring; source

fóint fo:nt' *f*2 usefulness, utility

fóinteach fo:n't'əx *a*1 practical, helpful

fóir[1] fo:r' *f*, *gs* ~**each** *pl* ~**eacha** boundary, limit; edge; "clamp", *chuaigh sé thar* ~ *(leis)* he went too far (with it)

fóir[2] fo:r' *vt & i*, *vn* ~**ithint** help, relieve, save, *go bhfóire Dia orainn* God help us, *d'fhóir an bia dúinn* the food agreed with us

foirceann for'k'ən *m*1 end, extremity, limit

foirceanta for'k'əntə *a*3 finite

fóirdheontas 'fo:r',γ'o:ntəs *m*1 subsidy

foireann for'ən *f*2, *gs & pl* **-rne** company; crew, team; staff; set

foirfe for'əf'ə *a*3 complete, perfect; aged, mature

foirfeacht for'əf'əxt *f*3 completeness, perfection; age, maturity

foirfigh for'əf'i: *vt & i* perfect; mature

foirgneamh for'əg'n'əv *m*1 building, structure; collection of buildings

foirgneoir for'əg'n'o:r' *m*3 builder

foirgníocht for'əg'n'i:(ə)xt *f*3 (art, trade, of) building

foirgthe for'ək'ə *a*3, ~ *le* honeycombed, infested, covered, with, ~ *le daoine* swarming with people

fóirithint fo:r'ihən't' *f*2 help, succour, *oifigeach* ~ *e* relieving officer

foirm for'əm' *f*2, *pl* ~**eacha** form

foirmigh for'əm'i: *vt* form; formulate

foirmiúil for'əm'u:l' *a*2 formal

foirmiúlacht for'əm'u:ləxt *f*3 formality

foirmle for'əm'l'ə *f*4 formula

foirnéis fo:rn'e:s' *f*2 furnace

fóirsteanach fo:rs't'ənəx *a*1 suitable, fitting

foirtil fort'əl' *a*1 strong

fóisc fo:s'k' *f*2, *pl* ~**eacha** ewe

foisceacht fos'k'əxt *f*3 nearness, proximity, *i bh*~ *míle de* within a mile of it

fóiséad fo:s'e:d *m*1 faucet, tap; funnel

foitheach fohəx *m*1 diver, grebe

fola folə : **fuil**

folach foləx *m*1 hiding, covering, concealment, *i bh*~ hidden, ~ *cruach*, ~

bíog, a dhéanamh to play hide-and-seek

folachánaí foləxa:ni: *m*4 stowaway

folaigh foli: *vt & i* hide, cover, conceal; include

folaíocht foli:(ə)xt *f*3 blood, breeding; lineage, descent, *ceart* ~ *a* birthright

foláir fola:r' *s*, *ní* ~ *rud éigin a dhéanamh* something must be done, *ní* ~ *dom imeacht* I must go, *ní* ~ *liom mo scíth a ligean* I feel I must rest

foláireamh fola:r'əv *m*1 command; warning, notice

folaitheach folihəx *a*1 hidden, secret

folamh foləv *a*1, *gsf & comp* **foilmhe** *npl* **-lmha** empty; vacant, void, *buille* ~ missed blow

folc folk *vt* bathe; wash; immerse, submerge, *ag* ~ *adh fearthainne* pouring rain

folcadán folkəda:n *m*1 bath(-tub)

folcadh folkə *m*, *gs* **-ctha** *pl* **-cthaí** bath, wash; drenching; steeping; immersion

folíne 'fo,l'i:n'ə *f*4, *pl* **-nte** (telephone) extension

folláin fola:n' *a*1 healthy; wholesome, sound

follas foləs *a*1, *gsf & comp* **foilse** clear, evident; open, overt

follasach foləsəx *a*1 clear, evident, plain, obvious

folmhaigh foləvi: *vt* empty, discharge, exhaust

folracht folrəxt *f*3 blood, gore

folt folt *m*1 hair (of head)

foltfholcadh 'folt,olkə *m*, *gs* **-ctha** *pl* **-cthaí** shampoo

foluain foluən' *f*3 fluttering, flying; hovering, *ar* ~ floating

folúil folu:l' *a*2 full-blooded; thoroughbred

folúntas folu:ntəs *m*1 vacancy; emptiness, void

folús folu:s *m*1 emptiness; vacuum, void

fómhar fo:vər *m*1 autumn; harvest (season), *an* ~ *a dhéanamh* to do the harvest work

fomhórach 'fo,vo:rəx *m*1 & *a*1 pirate; giant, *F*~ Fomorian

fomhuireán 'fo,vir'a:n *m*1 submarine

fón fo:n *m*1 (tele)phone

fónamh fo:nəv *m*1 service; usefulness; validity, *rud ar* ~ excellent thing, *bheith ar* ~ to be well, ~ *a dhéanamh do dhuine* to render service to a person

fondúir fondu:r´ *m*3 founder

fondúireacht fondu:r´əxt *f*3 foundation, institution

fonn¹ fon *m*1 air, tune; melody, song

fonn² fon *m*1 desire, inclination, *d'fhonn* in order to, ~ *oibre* eagerness for work

fonnmhar fonəvər *a*1 desirous, eager, willing

fonóid fono:d´ *f*2 jeering; derision

fonóideach fono:d´əx *a*1 jeering, derisive

fonsa fonsə *m*4 band, hoop; rim, ring

fónta fo:ntə *a*3 serviceable, useful; good, sound

for- for *pref* over-, superior, super-; external; great, extreme

forábhar 'for,a:vər *m*1 supplement

foracha forəxə *f*, *gs & gpl* ~ **n** *npl* ~ **in** guillemot

foráil fora:l´ *f*3 provision, *forálacha reachta* provisions of an enactment

forainm 'for,an´əm´ *m*4, *pl* ~ **neacha** pronoun

foráiste fora:s´t´ə *m*4 forage

foraois fori:s´ *f*2 forest

foraoiseacht fori:s´əxt *f*3 forestry

foraoiseoir fori:s´o:r´ *m*3 forester

foras forəs *m*1 base, foundation; established principle; stability; institution

forás fora:s *m*1 growth, development; progress

forasta forəstə *a*3 established; stable; sedate, grave

forbair forəbər´ *vt & i*, *pres* **-braíonn** develop

forbairt forəbərt´ *f*3, *gs* **-artha** development; growth

forbhalla 'for,valə *m*4 parapet, battlement

forbhás forəva:s *m*1, *ar* ~ unsteady, liable to topple

forbhríste 'for,v´r´i:s´t´ə *m*4 overalls

forc fork *m*1 fork

forcamás forkəma:s *m*1 watchfulness, attention; affectation, ~ *cainte* pedantry

forcháin 'for,xa:n´ *f*, *gs* **-ánach** *pl* **-ánacha** surtax

forchéimniú 'for,x´e:m´n´u: *m*4 progression

forchraiceann 'for,xrak´ən *m*1, *pl* **-cne** epidermis; foreskin

fordhaonna 'for,γi:nə *a*3 superhuman

fordheontas 'for,γ´o:ntəs *m*1 bounty

fordhuilleog 'for,γil´o:g *f*2 fly-leaf

foréigean 'for,e:g´ən *m*1 violence, force, compulsion

foréigneach 'for,e:g´n´əx *a*1 violent, forcible

foréiligh 'for,e:l´i: *vt*, *vn* **-leamh** requisition

forghabh 'for,γav *vt* grasp; secure; usurp

forghabháil 'for,γava:l´ *f*3 grasp; forcible seizure, usurpation

forghabhálaí 'for,γava:li: *m*4 usurper

forlámhas 'for,la:vəs *m*1 domination; authority; despotism; usurpation

forléas 'for,l´e:s *m*1, *pl* ~ **acha** skylight

forleathan 'for,l´ahən *a*1, *gsf & comp* **-eithne** widespread, far-reaching, general

forléine 'for,l´e:n´ə *f*4, *pl* **-nte** smock

forlíonadh 'for,l´i:nə *m*1, *pl* **-ntaí** filling, swelling; completion, supplement

forma forəmə *m*4 form, bench

formad forəməd *m*1 envying; envy; emulation, *i bh* ~, *ag* ~, *le chéile* vying with each other

formhéadaigh 'for,ve:di: *vt* magnify

formheas 'for,v´as *vt* approve

formhór 'for,vo:r *m*1 greater part, majority

formhothaithe 'for,vohihə *a*3 imperceptible, *tháinig sé isteach go* ~ he entered unnoticed

formhuinigh 'for,vin´i: *vt* endorse

forneart 'for,n´art *m*1 superior strength; force, violence

forógra 'for,o:grə *m*4 proclamation, decree; forewarning

forrán fora:n *s*, ~ *a chur ar dhuine* to accost a person

fórsa fo:rsə *m*4 force, *na* ~ *i* the forces, troops

forscáth 'for,ska: *m*3, *pl* ~ **anna** canopy

forsheomra 'for,ho:mrə *m*4 antechamber, lobby

fórsúil fo:rsu:l´ *a*2 forceful, forcible

fortacht fortəxt *f*3 aid, succour; relief, comfort

fortún fortu:n *m*1 fortune; chance, fate

fós fo:s *adv* yet, still; again, *agus ceann eile* ~ and yet another one, *agus* ~ and moreover, *níos deise* ~ nicer still

fosaíocht fosi:(ə)xt *f3* herding, attending, *ag* ~ *le duine* making up to a person

foscadh foskə *m1*, *pl* **-ai** shelter

foscúil fosku:l′ *a2* shady, sheltered; discreet, secretive

fosfáit fosfa:t′ *f2* phosphate

fosfar fosfər *m1* phosphorus

foshuiteach 'fo,hit′əx *m1 & a1* subjunctive

foslongfort 'fos'loŋ,fort *m1* encampment

fosta fostə *adv* also

fostaí fosti: *m4* employee

fostaigh fosti: *vt & i* catch, grip; hire, employ

fostaíocht fosti:(ə)xt *f3* employment

fostóir fosto:r′ *m3* employer

fostú fostu: *m4* entanglement; hire, employment, *i bh* ~ *i ndris* entangled in a briar

fóta(i)- fo:tə *pref* phot(o)-

fótachóip 'fo:tə,xo:p′ *f2*, *pl* ~**eanna** photocopy

fótagraf 'fo:tə,graf *m1* photograph

fótastat fo:tə,stat *m1* photostat

fothain fohən′ *f3* shelter; discretion, *i bh* ~, *faoi fhothain, an oileáin* in the lee of the island

fothainiúil fohən′u:l′ *a2* sheltering; sheltered; discreet, secretive

fothair fohər′ *f2*, *gs* **foithre** *pl* **foithreacha** wooded hollow, ravine; steep slope towards precipice

fotháirge 'fo,ha:r′g′ə *m4* by-product

fothoghchán 'fo,hauxa:n′ *m1* by-election

fothrach fohrəx *m1* ruin (of building)

fothragadh fohrəgə *m*, *gs* **-gtha** bath; drenching; bustle

fothraig fohrəg′ *vt*, *pres* **-ragann** bathe, wash; plunge

fothram fohrəm *m1* noise; din, tumult

fothú fohu: *m4* foundation, establishment

fothúil fohu:l′ *a2* solidly based, solid

fraigh fray′ *f2*, *pl* **-itheacha** wall *pl* rafters, roof

frainse fran′s′ə *m4* fringe

fráma fra:mə *m4* frame

francach fraŋkəx *m1* rat; *F*~ Frenchman, ~ *mná* Frenchwoman

fraoch¹ fri:x *m1*, *gs* **-oigh** heather; heath, moor

fraoch² fri:x *m1*, *gs* **-oich** fierceness, fury

fraochán fri:xa:n *m1* bilberry, whortleberry, blueberry

fraochmhar fri:xvər *a1* heathery

fraochta fri:xtə *a3* fierce, furious

frapa frapə *m4* prop, ~ *aille* ledge in cliff

fras fras *f2* shower, ~ *a deor* floods of tears *a1* copious, abundant

frása fra:sə *m4* phrase

fraschanna 'fras,xanə *m4* watering-can

freagair f′r′agər′ *vt & i*, *pres* **-graíonn** answer, respond; attend to, observe; outcrop, ~ *t do rud* to correspond to sth, *tá na carraigeacha ag* ~ *t ann* the rocks are exposed there

freagra f′r′agrə *m4* answer

freagrach f′r′agrəx *a1* answerable, accountable, *má bhíonn an lá* ~ if the day is suitable

freagracht f′r′agrəxt *f3* responsibility

fréamh f′r′e:v *f2*, *pl* ~**acha** root; source, origin

fréamhaigh f′r′e:vi: *vt & i* root, take root; spring (*ó* from)

freanga f′r′aŋgə *f4* twist, contortion; twitch, spasm

freascó f′r′asko: *m4*, *pl* ~**nna** fresco

freastail f′r′astəl′ *vt & i*, *pres* **-alaíonn** attend

freastal f′r′astəl *m1* attendance, service

freastalaí f′r′astəli: *m4* attendant, waiter, helper

freasúra f′r′asu:rə *m4* opposition, *an* ~ the opposition (party)

freisin f′r′es′ən′ *adv* also

frid f′r′i:d′ *f2* flesh-worm, mite, *oiread na* ~ *e* the least little bit

fridín¹ f′r′i:d′i:n′ *m4* germ

fridín² f′r′i:d′i:n′ *m4* barb

frigéad f′r′ig′e:d *m1* frigate

frígháire 'f′r′i:,ɣa:r′ə *m4* slight smile

frimhagadh 'f′r′i,vagə *m1* light raillery

frioch f′r′ix *vt & i* fry

friochtán f′r′ixta:n *m1* frying-pan

friofac f′r′ifak *m1* barb (of hook); restraint

fríos f′r′i:s *m3*, *pl* ~**anna** frieze

friotaíocht f′r′iti:(ə)xt *f3* resistance

friotal f′r′itəl *m1* speech, expression, utterance

friotháil f'r'iha:l' f3 attention, ministry, service vt & i attend, minister (ar to); serve

friothálaí f'r'iha:li: m4 attendant, server

friothamh f'r'ihəv m1 refraction, reflection

friseáilte f'r'is'a:l't'ə a3 fresh; vigorous

frisnéis f'r'is'n'e:s' f2 contradiction; rebuttal

frith- f'r'ih ~ f'r'i† pref (becomes **fri-** before t) anti-, counter-

frith f'r'i: m3 find, finding

frithbheartaigh 'f'r'i,v'arti: vt counteract

frithbheathach 'f'r'i,v'ahəx m1 & a1 antibiotic

frithbhualadh 'f'r'i,vuələ m, gs -uailte recoil, repercussion; pulsation, throb

frithchaiteoir 'f'r'i,xat'o:r' m3 reflector

frithchaith 'f'r'i,xah vt, vn ~ **eamh** reflect

frithchioclón 'f'r'i,x'iklo:n m1 anticyclone

frithchosúil 'f'r'i,xosu:l' a2 paradoxical

frithchosúlacht 'f'r'i,xosu:ləxt f3 paradox

frithdhúnadh 'f'r'i,γu:nə m, gs -nta lockout

frithgheallaí 'f'r'i,γ'ali: m4 underwriter

frithghiniúint 'f'r'i,γ'in'u:n't' f3, gs -úna contraception

frithghiniúnach 'f'r'i,γ'in'u:nəx m1 & a1 contraceptive

frithghníomh 'f'r'i,γ'n'i:v m1, pl ~ **artha** counteraction; reaction

frithghníomhaí 'f'r'i,γ'n'i:vi: m4 reactionary

frithir f'r'ihər a1 sharp, sore; tender; intense

frithnimh 'f'r'i,n'iv f2, pl ~ **eanna** antidote

frithsheasmhacht 'f'r'i,hasvəxt f3 resistance, steadfastness

frithsheipteach 'f'r'i,hep't'əx a1 antiseptic

frithsheipteán 'f'r'i,hep't'a:n m1 antiseptic

frithshuigh 'f'r'i,hiγ' vt set against, contrast (le with)

fritonn 'f'r'i,ton f2, pl ~ **ta** backlash

frog frog m1, pl ~ **anna** frog

frogaire frogər'ə m4 frogman

frogisí frog'əs'i: npl frills, frippery; airs, affectation

fronsa fronsə m4 (theatrical) farce

fruilcheannach 'fril',x'anəx m1 hire-purchase

fuacht fuəxt m3 cold; chill; apathy

fuachtán fuəxta:n m1 chilblain

fuadach fuədəx m1 seizure; abduction, kidnapping; plunder, ~ **croí** palpitation

fuadaigh fuədi: vt & i take away by force; abduct, kidnap, **tá mo chroí ag fuadach** my heart is palpitating

fuadaitheoir fuədiho:r' m3 abductor, kidnapper; hijacker

fuadar fuədər m1 rush, bustle, activity, **tá ~ troda faoi** he is bent on fighting

fuadrach fuədrəx a1 busy, hurried, fussy

fuafar fuəfər a1 hateful, hideous, odious

fuaidire fuəd'ər'ə m4 vagrant

fuaidreamh fuəd'r'əv m1 wandering, vagrancy; fuss; suspension

fuaidrigh fuəd'r'i: vi wander, stray; fuss

fuaigh fuəγ' vt & i, pres -**ann** sew; stitch; bind, stick (do to)

fuáil fu:a:l' f3 sewing, stitching, needlework

fuaim fuəm' f2, pl ~ **eanna** sound

fuaimint fuəm'ən't' f2 soundness, solidity, substance

fuaimintiúil fuəm'ən't'u:l' a2 fundamental, substantial, sound

fuaimíocht fuəm'i:(ə)xt f3 sound, acoustics

fuaimneach fuəm'n'əx a1 sounding, resounding, resonant

fuaimnigh fuəm'n'i: vt & i sound; pronounce

fuaimniú fuəm'n'u: m4 pronunciation, enunciation (of speech)

fuair fuər' p of **faigh**

fuaire fuər'ə f4 cold, coldness, **ag dul i bh~** getting cool

fuairnimh 'fuər,n'iv' f2 sting of cold, numbness

fual fuəl m1 urine

fualán fuəla:n m1 chamber-pot

fuar fuər a1 cold; apathetic; without interest; uncooked, **tá (sé) ~ agat a bheith ag caint** it is useless for you to speak

fuaraigeanta 'fuər,ag'əntə a3 cool-headed, imperturbable

fuaraigh fuəri: *vt & i* cool; make or become cold; become indifferent, *pian a fhuarú* to relieve pain, *lig don scéal sin fuarú* let that matter die down

fuarán fuəra:n *m*1 spring, fountain

fuaránta fuəra:ntə *a*3 frigid, indifferent; listless

fuarchráifeach 'fuər‚xra:f'əx *a*1 lukewarm in religion; hypocritical

fuarchúis 'fuər‚xu:s' *f*2 coolness, imperturbability; frigidity; indifference

fuarchúiseach 'fuər‚xu:s'əx *a*1 cool, imperturbable; frigid; indifferent

fuarthan fuərhən *m*1 coolness; cool place

fuarthas fuərhəs *p aut of* **faigh**

fuarthé 'fuər‚he: *m*4, *pl* ~**anna** apathetic person; apathy

fuascail fuəskəl' *vt, pres* -**claíonn** release, deliver; redeem, ransom; solve

fuascailt fuəskəl't' *f*2 release, deliverance; redemption, ransom; solution

fuascailteoir fuəskəl't'o:r' *m*3 liberator, emancipator; redeemer

fuath[1] fuə *m*3, *pl* ~**anna** phantom, spectre

fuath[2] fuə *m*3 hate, hatred

fuathaigh fuəhi: *vt* hate; turn against

fud fud *s, ar* ~ throughout; among, *ar* ~ *na háite* all over the place

fúibh fu:v' : **faoi**[1]

fuil fil' *f, gs & pl* **fola** blood, *fear a bhfuil* ~ *ann* a man of mettle, *aithníonn an fhuil a chéile* blood is thicker than water

fuilaistriú 'fil‚as'tr'u: *m*4 blood transfusion

fuilchoscach 'fil‚xoskəx *m*1 & *a*1 astringent

fuileadán fil'əda:n *m*1 blood-vessel

fuilleach fil'l'əx *m*1 remains; remainder; balance, ~ *ama a bheith agat* to have plenty of time

fuilteach fil't'əx *a*1 bloody; bloodthirsty

fuin fin' *vt & i* knead; knit together, mould, *fear* ~*te* well-knit man

fuineadh fin'ə *m*1, ~ **gréine** sunset

fúinn fu:n' : **faoi**[1]

fuinneamh fin'əv *m*1 energy, vigour; spirit

fuinneog fin'o:g *f*2 window; opening

fuinniúil fin'u:l' *a*2 energetic, vigorous

fuinseog fin's'o:g *f*2 ash

fuíoll fi:l *m*1 remainder, remains; surplus; defect, *bhí saol na bh*~ *acu* they lived in abundance, ~ *tinnis* aftereffects of sickness

fuip fip' *f*2, *pl* ~**eanna** whip

fuipeáil fip'a:l' *vt* whip

fuireach fir'əx *m*1 wait, delay

fuirigh fir'i: *vi* wait, remain

fuirseadh firs'ə *m, gs* -**ste** harrowing; fuss, tussle

fuirsigh firs'i: *vt & i, pres* -**seann** harrow; fuss; tussle

fuisce fis'k'ə *m*4 whiskey

fuiseog fis'o:g *f*2 (sky)lark

fuist fis't' *m*4 whist

fúithi fu:hi : **faoi**[1]

fulacht fuləxt *f*3 cooking-place; barbecue

fulaing fuləŋ' *vt & i, pres* ~**íonn** bear, endure, suffer, tolerate

fulaingt fuləŋ't' *f, gs* -**gthe** (capacity for) suffering; endurance, tolerance

fulangach fuləŋəx *a*1 suffering; enduring, patient, tolerant

fúm fu:m : **faoi**[1]

fungas fuŋgəs *m*1 fungus

furasta furəstə *a*3, *comp* **fusa** easy (to do)

fusacht fusəxt *f*3 easiness, *dá fhusacht é* however easy it might be

fústar fu:stər *m*1 fuss, fidgetiness

fústrach fu:strəx *a*1 fussy, fidgety

fút fu:t : **faoi**[1]

fúthu fu:hu : **faoi**[1]

fútráil fu:tra:l' *f*3 fidgeting, bungling

G

ga[1] ga *m*4, *pl* ~**thanna** spear, dart; sting; gaff, ~ *solais* ray of light, ~ *ciorcail* radius of circle

ga[2] ga *s, bhí* ~ *seá ann* he was panting, gasping for breath

gá ga: *m*4 need, requirement

gabairdín gabərd'i:n' *m*4 gabardine

gabh gav *vt & i* take; catch; capture; undertake; go, *colainn dhaonna a ghabháil* to assume human form, *leithscéal duine a ghabháil* to accept a person's apology, *ghabh sí* she conceived, *ghabh tinneas mé* I took sick, *cuan a ghabháil* to make harbour, *amhrán a ghabháil* to sing a song, ~ *aim pardún agat* I beg your pardon, *tá sé ag ~ áil ort* he is imposing on you, ~ *aim orm (go)* I'll warrant (that), *ghabh sé de bhata orm* he set about me with a stick, *ag ~ áil don staidéar* studying, ~ *ann sé go breá duit* it suits you well, *tá costas ag ~ áil leis* it involves expense, ~ *áil le ceird* to take up a trade, *buíochas a ghabháil le duine* to thank a person, *an tseachtain seo a ghabh tharainn* the past week

gábh ga:v *m*1, *npl* ~ **a** danger, peril

gabha gau *m*4, *pl* **gaibhne** smith, ~ *dubh* blacksmith

gabháil gava:l' *f*3 catch, seizure; undertaking; yeast, ~ *éisc* catch of fish, ~ *seilbhe* taking of possession, ~ *(gine)* conception, ~ *féir* armful of hay, ~ *véarsaí* recitation of verses

gabhair gaur' *f*4 craze, *ar* ~ *chun ruda* crazy for sth, ~ *thobac* craving for tobacco

gabhairín gaur'i:n' *m*4, ~ *reo* male snipe

gabhal gaul *m*1 fork, crotch; forked inlet, ~ *ginealaigh* genealogical branch

gabhálaí gava:li: *m*4 invader, conqueror

gabháltas gava:ltəs *m*1 seizure; occupancy; holding (of land), ~ *gall* foreign occupation

gabhann gaun *m*1 (cattle-)pound; enclosure ~ *(cúirte)* dock

gabhar gaur *m*1 goat; horse-mackerel, *an G* ~ Capricorn

gabhdán gauda:n *m*1 container, receptacle

gabhlach gauləx *a*1 forked; branching; bow-legged

gabhlaigh gauli: *vt & i* fork, branch

gabhlán gaula:n *m*1 martin, ~ *gaoithe* swift

gabhlóg gaulo:g *f*2 (small) fork; forked stick; forked implement, ~ *bhoird* table-fork, ~ *cheoil, thiúnta* tuning-fork

gabhlógach gaulo:gəx *a*1 forked

gabhrán gaura:n *m*1 wild clematis

gach gax *a & s* every, each; everything, ~ *aon*, ~ *uile* every, ~ *dara*, ~ *re* every second (in series), ~ *a raibh aige* all he had

gad gad *m*1 withe, ~ *saili* osier withe, ~ *ar ghaineamh* useless expedient, *cladhaire gaid* gallows-bird

gada gadə **: goid**

gadaí gadi: *m*4 thief

gadaíocht gadi:(ə)xt *f*3 thieving; theft

gadhar gair *m*1, ~ *(fiaigh)* (hunting) dog, beagle

Gaeilge ge:l'g'ə *f*4 Irish (language)

Gaeilgeoir ge:l'g'o:r' *m*3 Irish speaker, learner of Irish

Gael ge:l *m*1 Irishman, Irishwoman

Gaelach ge:ləx *a*1 Irish; attached to Irish culture; native to Ireland

Gaelachas ge:ləxəs *m*1 Irish characteristic(s); attachment to Irish culture

Gaeltacht ge:ltəxt *f*3 Irish-speaking district

gafa gafə *a*3 taken, caught; absorbed, ~ *i bpríosún* held in prison, ~ *ag slaghdán* in the grip of a cold, ~ *in obair* engrossed in work, ~ *gléasta* fitted and ready; all dressed up

gág ga:g *f*2 crack, crevice; chap in skin; narrow creek

gágach ga:gəx *a*1 cracked, fissured; chapped; thin, miserable

gáibéal ga:b'e:l *m*1 gap; chasm

gaibhneacht gav'n'əxt *f*3 smith's work, metalwork, *ag* ~ forging metal

gáifeach ga:f'əx *a*1 dangerous, terrible; loud; exaggerated, *scéal* ~ sensational story, *éadach* ~ flamboyant clothes

gaige ga:g'ə *m*4 dandy

gailbh gal'əv' *f*2, *pl* ~ **eacha** storm, squall

gailbheach gal'əv'əx *a*1 squally, stormy

gaileadán gal'əda:n *m*1 boiler

gailearaí gal'əri: *m*4 gallery

gaileon gal'o:n *m*1 galleon

gaille gal'ə *m*4 galley (in printing)

gáilleog ga:l'o:g *f*2 mouthful, swig

gailliasc 'gal',iəsk *m*1, *gs & npl* **-léisc** pike

gailseach gal's'əx *f*2 earwig

gaimbín gam'b'i:n' *m*4 (exorbitant) interest, *fear* ~ usurer, gombeen man

gaimbíneachas gam'b'i:n'əxəs *m*1 usury; gombeenism

gainéad gan'e:d *m*1 gannet

gaineamh gan'əv *m*1 sand

gaineamhchloch 'gan'əv‚xlox *f*2 sandstone

gaineamhlach gan'əvləx *m*1 sandy desert

gainmheach gan'əv'əx *a*1 sandy

gainne[1] gan'ə *m*4 scale(s) (of fish); scurf

gainne[2] gan'ə *f*4 scarcity; scantiness, *dul i n∼* to become scarce

gáinne ga:n'ə *f*4 reed; dart, *imeacht sna gáinní* to rush off

gaion gi:n *m*1 subsoil

gair gar' *vt & i*, *vn* ∼m call, *an chuach ag ∼m* the cuckoo calling, *∼m ar dhuine* to call upon a person, *rí a ghairm de dhuine* to proclaim a person king, *∼ im thú* I acclaim you

gáir ga:r' *f*2, *pl* **gártha** cry, shout, *∼(mhola) a ligean* to give a cheer, *d'aon gháir* with one acclaim, *chuaigh a gháir i bhfad* he was heard of far and wide *vt & i* shout; laugh, *gháir sé liom* he shouted at me, *ag ∼e fúm* laughing at me

gairbhéal gar'əv'e:l *m*1 gravel

gairdeach gar'd'əx *a*1 joyous

gairdeas ga:rd'əs *m*1 joy, rejoicing

gairdín ga:rd'i:n' *m*4 garden

gaire gar'ə *f*4 nearness, proximity, *i n∼ áite* near a place

gáire ga:r'ə *m*4 laugh, *rinne sí ∼ liom* she smiled at me, *leath a gháire air* he smiled broadly

gairéad[1] gar'e:d *m*1 ostentation

gairéad[2] gar'e:d *m*1 garret, turret

gaireas ga:r'əs *m*1 device, apparatus

gairfean gar'əf'ən *m*1 roughness; rough ground

gairge gar'əg'ə *f*4 harshness, irritability; pungency

gairgeach gar'əg'əx *a*1 harsh, gruff, surly

gairid gar'əd' *a*1 short; near, *gaol ∼* close relationship, *scoil ghairid* hedge-school, *cúirt ghairid* petty sessions, *rugadh ∼ air* he was caught unawares, *∼ do mhíle* nearly a mile, *le ∼* of late

gáiriteach ga:r'ət'əx *a*1 laughing, jolly

gairleog ga:rl'o:g *f*2 garlic

gairm gar'əm' *f*2, *pl* **∼eacha** call; summons; title; occupation, *∼ slógaidh* mobilization, *∼ chrábhaidh* religious vocation, *an ghairm dheiridh* last post, *tá ∼ dochtúra aige* he is a doctor by profession, *mo ghairm thú!* bravo!

gairmeach gar'əm'əx *m*1 & *a*1 vocative

gairmiúil gar'əm'u:l' *a*2 vocational; professional

gairmoideachas 'gar'əm'‚od'əxəs *m*1 vocational education

gairmscoil 'gar'əm'‚skol' *f*2, *pl* **∼eanna** vocational school

gairneoireacht ga:rn'o:r'əxt *f*3 horticulture

gáirsiúil ga:rs'u:l' *a*2 lewd, obscene

gáirsiúlacht ga:rs'u:ləxt *f*3 lewdness, obscenity, *∼ chainte* filthy language

gairtéar gart'e:r *m*1 garter

gaisce gas'k'ə *m*4 feat (of arms); bravado

gaiscíoch gas'k'i:(ə)x *m*1 warrior, hero; boaster

gaiscíúil gas'k'u:l' *a*2 valiant; boastful

gaiste gas't'ə *m*4 snare, trap

gaistríteas gas't'r'i:t'əs *m*1 gastritis

gáitéar ga:t'e:r *m*1 gutter; drain-pipe, channel

gal gal *f*2 valour; steam, *∼ uisce* water vapour, *∼ ghaoithe* blast of hot wind, *∼ tobac* a smoke of tobacco, *∼ soip* transitory thing

gála[1] ga:lə *m*4 gale (of wind)

gála[2] ga:lə *m*4 (rent) gale, *rud a íoc ina ghálaí* to pay sth in instalments

galaigh gali: *vt & i* vaporize; evaporate; steam

galamaisíocht 'galə‚mas'i:(ə)xt *f*3 playfulness; histrionics

galán gala:n *m*1 crane-fly, daddy-long-legs

galánta gala:ntə *a*3 gallant; grand, *éadach ∼* stylish clothing, *dóigheanna ∼* genteel ways

galántacht gala:ntəxt *f*3 courtliness; stylishness; swank, *∼ éadaigh* elegance in dress

galar galər *m*1 sickness, disease; affliction, *i n∼ na gcás* in a quandary

galbhánaigh galvə:ni: *vt* galvanize

galf galf *m*1 golf

galfaire galfər'ə *m*4 golfer

gall gal *m*1 foreigner

gallán gala:n *m*1 standing-stone

gallchnó 'gal‚xno: *m*4, *pl* **∼nna** walnut

gallda galdə *a*3 foreign; anglicized

galldachas galdəxəs *m*1 foreign ways; anglicization

gallóglach 'gal‚o:gləx *m*1 gallowglass

Galltacht galtəxt *f*3 English-speaking district

galltrumpa 'gal,trompə *m*4 clarion

gallúnach galu:nəx *f*2 soap

galóisí galo:s'i: *npl* galoshes

galrach galrəx *a*l diseased; sickly

galraigh galri: *vt & i* infect with disease; inoculate; become diseased

galstobh 'gal,stov *vt* braise

galtán galta:n *m*l steamer

galún galu:n *m*l gallon; vessel

gamal gaməl *m*l lout, fool

gambún gambu:n *m*l gammon

gamhain gaun' *m*3, *gs & pl* **-mhna** calf, *scéal an ghamhna bhuí* long-drawn-out story

gan gən *prep* without, ~ *phingin* penniless, *caint* ~ *éifeacht* ineffectual talk, ~ *bhaint* unreaped, ~ *bhia* ~ *deoch* without food or drink, *b'fhearr duit* ~ *fanacht* you had better not wait, *(agus)* ~ *ann ach leanbh fós* though he is only a child yet

gandal gandəl *m*l gander

ganfhiosach ganəsəx *a*l secret, secretive

ganfhiosaíocht ganəsi:(ə)xt *f*3 secrecy, secretiveness, *ag* ~ acting surreptitiously

gangaid gangəd' *f*2 venom; bitterness

gangaideach gangəd'əx *a*l venomous; bitter

gann gan *a*l, *gsm* ~ scarce; sparse, ~ *i mbainne* short of milk, ~ *ar mhíle* scarcely a mile

gannchuid 'gan,xid' *f*3, *gs* **-choda** slight portion, penury, scarcity, *bheith ar an n*~ to be in straitened circumstances

gannchúis 'gan,xu:s' *f*2 scarcity; penury; stinginess

gannchúiseach 'gan,xu:s'əx *a*l scarce; penurious; stingy

ganntanas gantənəs *m*l shortage, *ar an n*~ in want

gaobhar gi:vər *m*l, *bheith i n* ~ *áite* to be near a place, *ar na gaobhair* nearby

gaofar gi:fər *a*l windy, *caint ghaofar* verbose speech

gaois gi:s' *f*2 wisdom; shrewdness

gaoiseach gi:s'əx *a*l wise; shrewd

gaol gi:l *m*l, *pl* ~ **ta** relationship; relative, ~ *a bheith agat le duine* to be related to a person, *cairde gaoil* friends and relations, *tá* ~ *idir an dá fhocal* the two words are connected

gaolmhaireacht gi:lvər'əxt *f*3 relationship; affinity

gaolmhar gi:lvər *a*l related; cognate

gaorthadh gi:rhə *m*l, *pl* **-aí** (wooded) river-valley

gaosán gi:sa:n *m*l nose

gaoth¹ gi: *f*2 wind, *imeacht ar nós na gaoithe* to go like the wind, *lucht gaoithe móire* gas-bags, ~ *a bhriseadh* to break wind, to belch, ~ *an fhocail* the slightest hint

gaoth² gi: *m*l, *npl* ~ **a** inlet of sea, estuary

gaothaire gi:hər'ə *m*4 vent; ventilator

gaothrán gi:hra:n *m*l fan

gaothscáth 'gi:,ska: *m*3, *pl* ~ **anna** windscreen

gar¹ gar *m*l, *pl* ~ **anna** proximity; convenience, *i n*~ *do rud* near sth, ~ *a dhéanamh do dhuine* to do a person a good turn, *níl* ~ *i gcaint* it is no use talking *a*l near, *go* ~ *ina dhiaidh sin* shortly afterwards

gar-² gar *pref* near; approximate

garach garəx *a*l obliging

garaíocht gari:(ə)xt *f*3 favours, services, *bheith in áit na* ~ *a* to be in a position to help

garáiste gara:s't'ə *m*4 garage

garastún garəstu:n *m*l garrison

garathair 'gar,ahər' *m*, *gs* **-ar** *pl* **-aithreacha** great-grandfather

garbh garəv *a*l rough; coarse; harsh, *obair gharbh* badly-finished work, *cuntas* ~ rough count

garbhaigh garəvi: *vt & i* roughen; become rough

garbhánach garəva:nəx *m*l coarse-grained person; sea-bream

garbhchríoch 'garəv,x'r'i:x *f*2, *G*~*a na hAlban* the Highlands of Scotland

garbhlus 'garəv,lus *m*3 goose-grass

garbhshíon 'garəv,hi:n *f*2 rough weather, ~ *na gcuach* spell of harsh weather in May

garchabhair 'gar,xaur' *f*, *gs* **-bhrach** first aid

garda ga:rdə *m*4 guard, *bheith ar* ~ *(ar rud)* to be on guard (over sth), ~ *saighdiúirí* guard, body, of soldiers, ~ *(síochána)* policeman

gardáil ga:rda:l' *vt & i* guard

garg garəg *a1* acrid; rude; rough, *deoch gharg* harsh drink, *gníomh ~* violent deed, *ag gol go ~* weeping bitterly

gariníon 'gar,in'i:n *f2*, *pl* **~acha** granddaughter

garlach ga:rləx *m1* child; urchin

garmachán garəməxa:n *m1* stickleback

garmhac 'gar,vak *m1*, *gs & npl* **-mhic** grandson

garmheastachán 'gar,v'astəxa:n *m1* approximation

gáróid ga:ro:d' *f2* clamour, din; urgent call

garphointe 'gar,fon't'ə *m4* nearest point

garra garə *f4*, *~ bhuí* greater celandine

garraí gari: *m4* garden; plot; enclosure, *tá ~ ar an ngealach* there is a halo round the moon

garraíodóir gari:(ə)do:r' *m3* gardener

garraíodóireacht gari:(ə)do:r'əxt *f3* gardening

garrán gara:n *m1* grove

garsún garsu:n *m1* boy

garúil garu:l' *a2* obliging

gas gas *m1* stalk; sprig

gás ga:s *m1* gas; paraffin oil

gasail gasal' *f2* gazelle

gasóg gaso:g *f2* little stalk; boy scout

gasra gasrə *m4* group of people; branch of organization; (army) section

gasta gastə *a3* fast; clever; neat, *diúlach ~* smart fellow

gastacht gastəxt *f3* quickness; cleverness; tidiness

gastrach gastrəx *a1* gastric

gasúr gasu:r *m1* boy; child

gátar ga:tər *m1* distress, *bheith i n~ (ruda)* to be in need (of sth)

gátarach ga:tərəx *a1* needy, distressed

gathaigh¹ gahi: *vt & i* sting; radiate

gathaigh² gahi: *vt* gaff

gathú gahu: *m4* radiation

gé g'e: *f4*, *pl* **~anna** goose, *~ fhiáin* wild goose; wanderer

geab g'ab *m4* gab, chatter, *do gheab a chur isteach* to interfere in a conversation

geabaire g'abər'ə *m4* chatterbox

geabaireacht g'abər'əxt *f3* chattering; loquacity

geabanta g'abəntə *a3* loquacious

geábh g'a:v *m3*, *pl* **~anna** (short) run, spell of activity, *~ a thabhairt ar áit* to make a flying visit to a place

geabhróg g'auro:g *f2* (common) tern

geadán g'ada:n *m1* (bare) patch; buttocks, rump, *~ linbh* baby's bottom

geaf g'af *m3*, *pl* **~anna** gaff

geafáil g'afa:l' *vt* gaff

geafar g'afər *m1* gaffer

géag g'e:g *f2* branch, limb; offshoot, *~a duine* a person's limbs, *~ den mhuir* arm of the sea, *~a ginealaigh* family tree

géagach g'e:gəx *a1* branched; long-limbed; (*of hair*) flowing

geaitín g'at'i:n' *m4* wicket(-gate)

geáitse g'a:t's'ə *m4* pose; affectations, *ag déanamh geáitsí* putting on airs

geáitsíocht g'a:t's'i:(ə)xt *f3* gesturing; play-acting

geal g'al *a1* white, bright; pure, *is ~ an scéal liom é* it is glad news to me, *a ghrá geal* my dearest *vt & i* whiten, brighten, *nuair a gheal an lá* when day dawned, *~ ann sé mo chroí* it gladdens my heart

gealacán g'aləka:n *m1* white (of egg); white (of eye)

gealach g'aləx *f2* moon, *oíche ghealaí* moonlight night

gealán g'ala:n *m1* gleam; bright spell

gealas g'alas *m1*, *pl* **~acha** suspender (for trousers); *pl* braces

gealbhan g'aləvən *m1* sparrow

gealgháire g'al,γa:r'ə *m4* radiant smile; pleasant laugh

gealgháireach g'al,γa:r'əx *a1* sunny, radiant, joyous

geall g'al *m1*, *pl* **~ta** pledge; wager; prize, *rud a chur i n~* to pawn, pledge, sth, *dul i n~ ar rud* to go security for sth, *biodh ~ air (go)* I'll wager, I'm sure (that), *is ~ le féasta acu é* it is like a feast to them, *tá sé ~ le bheith déanta* it is practically done, *i n~, mar gheall, air sin* on that account *vt & i* pledge (one's word), promise, *~aim duit (go)* I assure you (that), *an rud a gheall Dia dúinn* what God ordained for us, *tá sí ~ta dó* she is engaged to him

geallchur g'al,xur *m1* betting; wager

geallearb g'al,arəb *vt* pawn

geallghlacadóir 'g'al,γlakədo:r' *m3* bookmaker; turf accountant

geallmhar g'aləvər *a1* fond (*ar of*), ~ *ar rud a dhéanamh* keen to do sth

gealltanas g'altənəs *m1* pledge, promise, ~ *pósta* engagement

gealt g'alt *f2, gs* **geilte** lunatic; panic-stricken person

gealtachas g'altəxəs *m1* lunacy; panic

gealtartar g'al,tartər *m1* cream of tartar

gealtlann g'altlən *f2* lunatic asylum

geamaireacht g'amər'əxt *f3* pantomime

geamhar g'aur *m1* springing corn or grass, braird; corn in the blade

geamhchaoch g'av,xi:x *a1, gsm* ~ bleary, purblind

geamhoiche g'av,i:x'ə *f4, pl* ~**anta** winter's night

geamhsholas g'av,holəs *m1* dim light

gean g'an *m3* love, affection

geanas g'anəs *m1* chastity; modesty

geanasach g'anəsəx *a1* chaste; modest

geanc g'aŋk *f2, gs* **geince** snub nose

geanmnai g'anəmni: *a3* chaste

geanmnaíocht g'anəmni:(ə)xt *f3* chastity

geansaí g'ansi: *m4* jersey, gansey

geanúil g'anu:l' *a2* loving; lovable; seemly

geanúlacht g'anu:ləxt *f3* lovingness; lovableness; seemliness

géar g'e:r *a1* sharp; steep, *uillinn ghéar* acute angle, *scread ghéar* shrill scream, *focal* ~ cutting remark, *bainne* ~ sour milk, *intleacht ghéar* keen intellect, *siúl* ~ brisk walk, *rachaidh sé* ~ *go maith orm* it will put me to the pin of my collar

géaraigh g'e:ri: *vt & i* sharpen, *tá an ghaoth ag géarú* the wind is freshening, *do ghoile a ghéarú* to whet one's appetite, *géarú ar siúl* to increase speed

gearán g'ara:n *m1* complaint, grievance; ailment *vt & i* complain, *ní ~ ta dom* I have no cause for complaint

géarán g'e:ra:n *m1* canine tooth

gearánach g'ara:nəx *a1* complaining

gearb g'arəb *f2, gs* **geirbe** scab; mange

gearbach g'arəbəx *a1* scabby

géarchéim g'e:r,x'e:m' *f2, pl* ~**eanna** emergency

géarchúis g'e:r,xu:s' *f2* astuteness, discernment

géarchúiseach g'e:r,xu:s'əx *a1* astute, discerning

gearg g'arəg *f2, gs* **geirge** quail

geargáil g'arəga:l' *f2* gargoyle

géarghá g'e:r,γa: *m4* urgent need

géarleanúint g'e:r,l'anu:n't' *f3, gs* -**úna** persecution

gearr[1] g'a:r *m4,* ~ *goirt* corncrake

gearr[2] g'a:r *a1, gsm* ~ *gsf & comp* **giorra** short; near, *freagra* ~ curt answer, *tomhas* ~ short measure, ~ *sa radharc* shortsighted, *is* ~ (*go*) it won't be long (until), *is* ~ (*ó*) it is not long (since) *vt & i* cut; shorten; levy, *an bholgach a ghearradh ar dhuine* to vaccinate a person against smallpox, *gamhain a ghearradh* to castrate a calf, *fíor na croise a ghearradh ort féin* to make the sign of the cross on oneself, *léim a ghearradh* to take a jump, *sraith a ghearradh* to strike a rate, ~*adh príosún air* he was sentenced to imprisonment

gearr-[3] g'a:r *pref* short; small; young; moderate

gearradh g'arə *m, gs* -**rrtha** *pl* -**rrthacha** cutting, cut; keenness; levy, ~ *gúna* cut of dress, *fear a bhfuil* ~ *ann* an incisive man, ~ *teanga* severe scolding, *na gearrthacha* the rates, *ag imeacht faoi ghearradh* going at speed

gearrán g'ara:n *m1* gelding; horse; nag

gearranáil g'a:r,ana:l' *f3* shortness of breath

gearranálach g'a:r,ana:ləx *a1* short of breath; asthmatic

gearrbhodach g'a:r,vodəx *m1* young fellow; squireen

gearrcach g'a:rkəx *m1* nestling

gearrchaile g'a:r,xal'ə *m4* young girl

gearrchaint g'a:r,xan't' *f2* impertinent talk; terse remark

gearrinsint g'a:r,in's'ən't' *f2* short account, epitome (*ar rud of sth*)

gearróg g'aro:g *f2* short bit, scrap; short answer

gearr-radharcach g'a:(r),rairkəx *a1* shortsighted

gearrscéal g'a:r,s'k'e:l *m1, pl* ~**ta** short story

gearrscríobh g'a:r,s'k'r'i:v *m, gs* -**ofa** shorthand

gearrshaolach g'a:r,hi:ləx *a1* short-lived

gearrthóg g'a:rho:g *f2* cutting, snippet; cutlet

gearrthóir g'a:rho:r' m3 cutter; (cold) chisel

géarú g'e:ru: m4 sharpening; souring, ~ siúil increase of speed

géasar g'e:sər m1 geyser

geasróg g'asro:g f2 spell; superstition

geata g'atə m4 gate

geataire g'atər'ə m4 (long) rush; (wick of) rush candle

géibheann g'e:v'ən m1 bond, fetter, i n~ in captivity; in sore distress

géibheannach g'e:v'ənəx m1 captive a1 distressing, critical, cás ~ crucial case

geilignit g'el'əg'n'i:t' f2 gelignite

geilitín g'el'ət'i:n' m4 gelatine

géill[1] g'e:l' vt & i yield, surrender, ~eadh do Dhia to obey God, ~eadh don namhaid to submit to the enemy, ghéill sé go raibh an ceart agam he admitted that I was right, ~ slí yield right of way

géill[2] g'e:l' : **giall**[1,2]

géilleadh g'e:l'ə m, gs -llte submission; compliance; credence

geilleagar g'el'əgər m1 economy, ~ na tíre the national economy

geilleagrach g'el'əgrəx a1 pertaining to economy

géilliúil g'e:l'u:l' a2 submissive; compliant; credulous

géillsine g'e:l's'ən'ə f4 subjection, allegiance

géillsineach g'e:l's'ən'əx m1 subject

géim[1] g'e:m' f2, pl ~eanna low, bellow; roar, ~ galltrumpa clarion-call vi low, bellow; roar; trumpet

géim[2] g'e:m' m4, (of birds, etc) game; gameness

geimheal g'ev'əl f2, gs & pl -mhle fetter, shackle

geimhleach g'ev'l'əx m1 & a1 captive

geimhreadh g'ev'r'ə m1, pl -rí winter

geimhrigh g'ev'r'i: vi winter; hibernate

geimhriú g'ev'r'u: m4 hibernation

geimhriúil g'ev'r'u:l' a2 wintry

géimiúil g'e:m'u:l' a2 game; sportive

géimneach g'e:m'n'əx f2 lowing, bellowing; roaring

géin[1] g'e:n' f2, pl ~te gene

géin[2] g'e:n' f2, briste ~e jeans

géineas g'e:n'əs m1 genus

géineasach g'e:n'əsəx a1 generic

géineolaíocht 'g'e:n',o:li:(ə)xt f3 genetics

Geiniseas g'en'əs'əs m1 Genesis

géiniteach g'e:n'ət'əx a1 genetic

geir g'er' f2, pl ~eacha fat; suet

géire g'e:r'ə f4 sharpness; steepness; shrillness; sourness

geireach g'er'əx a1 fatty

geiréiniam 'g'e'r'e:n'iəm m4 geranium

geis g'es' f2, npl geasa gpl geas taboo, is ~ dom é a dhéanamh I am forbidden to do it, rud a chur de gheasa ar dhuine to place sth as a strict obligation on a person, bheith faoi gheasa ag duine to be under a person's spell

géis g'e:s' f2, pl ~eanna swan

geit g'et' f2, pl ~eanna start; fright, de gheit suddenly vi jump, start

geiteach g'et'əx a1 easily startled; skittish

geiteo g'et'o: m4, pl ~nna ghetto

geo(i)- g'o: pref geoc-

geocach g'o:kəx m1 strolling musician; mummer; vagrant; cadger

geografach g'o:grəfəx a1 geographical

geografaíocht g'o:grəfi:(ə)xt f3 geography

geoiméadrach 'g'o:,m'e:drəx a1 geometric(al)

geoiméadracht 'g'o:,m'e:drəxt f3 geometry

geoin g'o:n' f2 confused noise, drone, ~ chainte hum of conversation, ~ ghadhar cry of beagles

geolaí g'o:li: m4 geologist

geolaíocht g'o:li:(ə)xt f3 geology

geolbhach g'o:lvəx m1 gill(s) (of fish); jowl

geonaíl g'o:ni:l' f3 droning; whining

gheobhadh γ'o:x cond of faigh

gheobhaidh γ'o:i: fut of faigh

gheofaí γ'o:fi: cond aut of faigh

gheofar γ'o:fər fut aut of faigh

giall[1] g'iəl m1, gs géill npl ~a jaw,(lower) cheek; jamb (of door); corner (of gable-end), ~ rinse jaw of wrench

giall[2] g'iəl m1, gs géill npl ~a hostage, (human) pledge

giar g'iər m1, pl ~anna gear

giarsa g'iərsə m4 joist, beam, girder

gibiris g'ib'ər'əs' f2 gibberish, ~ chainte unintelligible speech

gild g'il'd' m4, pl ~eanna guild

gile g'il'ə f4 whiteness; fairness; gladness, ~ na gréine brightness of the sun, a ghile mo chroí my heart's beloved

gilidín g'il'əd'i:n' *m4* fry (of trout or salmon)

gilitín g'il'ət'i:n' *m4* guillotine

gimléad g'im'l'e:d *m1* gimlet

gin g'in' *f2*, *pl* ~**te** begetting; birth; foetus; offspring, ~ *shaolta* earthly being *vt & i* give birth to; beget; originate, *tá an geamhar ag* ~*iúint* the corn is springing, *teas a ghiniúint* to generate heat

gine g'in'ə *m4* guinea

ginea-, gíni- g'in'ə *pref* gyn(o)-

gineadóir g'in'ədo:r' *m3* begetter; sower; generator

ginealach g'in'ələx *m1* genealogy, pedigree, *ó ghinealach go* ~ from generation to generation

ginealas g'in'ələs *m1* genealogy, *ag déanamh ginealais* tracing pedigrees

ginearál g'in'ə:ra:l *m1* (army) general

ginearálta g'in'əra:ltə *a3* general

ginid g'in'əd' *f2* sprite, genie

ginideach g'in'əd'əx *m1 & a1* genitive

giniúint g'in'u:nt' *f3*, *gs* -**úna** procreation; birth; germination, ~ *Mhuire gan Smál* the Immaculate Conception, *baill ghiniúna* genitals, *stáisiún giniúna* generating station

ginmhilleadh g'in'v'il'ə *m*, *gs* -**llte** (procured) abortion

gintlí g'in't'l'i: *m4 & a3* gentile

gintlíocht g'in't'l'i:(ə)xt *f3* sorcery

giob g'ib *m4*, *pl* ~**anna** morsel; scrap, ~ *geab* pecking; chit-chat *vt* pick, peck

giobach g'ibəx *a1* shaggy; untidy

giobal g'ibəl *m1* rag, clout

gioblach g'ibləx *a1* ragged, tattered

gioblachán g'ibləxa:n *m1* ragamuffin

giobóg g'ibo:g *f2* tiny bit; scrap; rag

giobógach g'ibo:gəx *a1* scrappy; ragged; untidy

giodal g'idəl *m1* sauciness; self-conceit

giodalach g'idələx *a1* saucy; conceited

giodam g'idəm *m1* restlessness; giddiness, jauntiness

giodamach g'idəməx *a1* restless; giddy, jaunty

giofóg g'ifo:g *f2* gipsy

giog g'i:g *f2 & vi* cheep, chirp

giolc g'ilk *m3*, *pl* ~**acha** reed; tall, reed-like, grass

giolcach g'ilkəx *f2* reeds; cane, ~ (*shléibhe*) broom

giolcadh g'ilkə *m*, *gs* -**cha** chirping; chirp, *éirí le* ~ *an ghealbhain* to rise with the dawn

giolla g'ilə *m4* youth; page; gillie; manservant, ~ *na leisce* lazy fellow

giollacht g'iləxt *f3* attendance, service; guidance, ~ *a dhéanamh ar rud* to attend to sth

giollaigh g'ili: *vt* lead; attend to, tend, *duine a ghiollacht* to guide a person

giómánach g'i:ma:nəx *m1* yeoman; coachman, chauffeur; lackey, ill-mannered fellow

giomhán g'iva:n *m1* hank (of thread, etc)

giomnáisiam g'im'na:s'iəm *m4* gymnasium

giongach g'iŋəx *a1* fidgety; skittish

giorra g'irə *f4* shortness, ~ *anála* shortness of breath, ~ *radhairc* shortsightedness

giorracht g'irəxt *f3* shortness; nearness, *i n*~ *aimsire* in a short space of time, *i n*~ *míle dúinn* within a mile of us

giorraigh g'iri: *vt & i* shorten

giorraisc g'irəs'k' *a1* short, abrupt, *ordú* ~ curt order

giorria g'iriə *m4*, *pl* ~**cha** hare

giorrú g'iru: *m4* abbreviation, curtailment, contraction

giorta g'irtə *m4* girth (of saddle)

giortach g'irtəx *a1* short, skimpy, *fear beag* ~ stumpy little man

giosta g'istə *m4* yeast

giota g'itə *m4* bit, piece, ~ *grinn* spell of fun

giotáil g'i:ta:l' *f3* pottering; fumbling

giotár g'ə'ta:r *m1* guitar

gipis g'ip'əs' *f2* giblets

gipseam g'ip's'əm *m1* gypsum

girseach g'irs'əx *f2* young girl

Giúdach g'u:dəx *m1* Jew *a1* Jewish

giúiré g'u:r'e: *m4*, *pl* ~**ithe** jury

giuirléid g'u:rl'e:d' *f2* implement *pl* articles (of dress, furniture); knick-knacks, personal belongings

giúis g'u:s' *f2*, *pl* ~**eanna** fir, pine; bog-deal

giúistis g'u:s't'i:s' *m4* justice (of the peace), magistrate *pl* judiciary

giúmar g'u:mər *m1* humour, mood

giúmaráil g'u:mərə:l' *vt* humour

giúrann g'u:rən *m*l barnacle; teredo; barnacle goose

giúróir g'u:ro:r' *m*3 juror

giúsach g'u:səx *f*2 fir, pine(-trees, timber)

glac¹ glak *f*2 hand, half-closed hand, *rud a bheith i do ghlac agat* to have sth in one's grasp, ~ *leabhar* handful of books, ~ *crainn* fork of tree, ~ *saighead* quiver

glac² glak *vt* take, accept; undertake, *ord beannaithe a ghlacadh* to take holy orders, *do shuaimhneas a ghlacadh* to take one's ease, *an slaghdán a ghlacadh* to catch a cold, *eagla a ghlacadh roimh rud* to become afraid of sth, ~ *aimis le toil Dé* let us accept the will of God, *ghlac eagla é* fear seized him

glacadh glakə *m*, *gs* -**ctha** acceptance, reception; handling; seizure

glacadóir glakado:r' *m*3 taker, acceptor; receiver

glacadóireacht glakədo:r'əxt *f*3 reception (of radio, etc), *gléas* ~*a* receiving set

glacaire glakər'ə *m*4, (*of gramophone, etc*) pick-up

glacaireacht glakər'əxt *f*3 handling; touching, pawing

glae gle: *m*4 glue; sticky substance; slime

glafadh glafə *m*l bark, ~ *a thabhairt ar dhuine* to snap at a person

glafarnach glafərnəx *f*2 confused din, ~ *na gaoithe* the howling of the wind

glagaireacht glagər'əxt *f*3 foolish behaviour, ~ (*chainte*) nonsense

glaidiólas glad'i:o:ləs *m*l gladiolus

glaine glan'ə *f*4 cleanness; clarity; purity

glaise¹ glas'ə *f*4 stream

glaise² glas'ə *f*4 greenness; greyness; brightness; rawness

glam glam *f*2, *pl* ~**anna** bay, howl *vi* bay; howl

glám gla:m *m*l, *pl* ~**anna** grab, clutch *vt* & *i* grab, *ag* ~*adh ar rud* pulling and tearing at sth

glan glan *m*l cleanness, ~ *na fírinne* the plain truth *a*l clean, clear; pure, bright, clear-cut, *brabach* ~ net profit, *faisnéis ghlan* definite information, *sé troithe* ~ six feet exactly, *diúltú* ~ *de rud* to refuse sth absolutely, *fan* ~ *air* stay clear of it, *go díreach* ~ exactly *vt* & *i* clean, clear, *léim a ghlanadh* to

clear a jump, *tá an daichead* ~ *ta aige* he has passed the forty mark, *fiacha a ghlanadh* to clear debts

glanachar glanəxər *m*l cleanliness

glanmheabhair 'glan'v'aur' *s*, *tá sé de ghlanmheabhair agam* I have it off by heart

glanoscartha 'glan'oskərhə *a*3, *dul* ~ *thar rud* to clear sth at a bound

glanscartha 'glan'skarhə *a*3 completely separated; (*of flat*) self-contained

glantáirgeacht 'glan'ta:r'g'əxt *f*3 net output

glantóir glanto:r' *m*3 cleaner; detergent

glao gli: *m*4, *pl* ~**nna** call, shout, ~ *gutháin* telephone call

glaoch gli:x *m*l, *gs* -**aoich** calling, call, ~ *ar earraí* demand for goods

glaoigh gli:γ' *vt* & *i* cry out, shout; call for, *coileach ag glaoch* a cock crowing, *rolla a ghlaoch* to call a roll, *glaoch ar Dhia* to call upon God

glár gla:r *m*l silt; (soft) mass

glas¹ glas *m*l lock, ~ *fraincín* padlock, *an* ~ *a chur ar, a bhaint de, rud* to lock, unlock, sth, *faoi ghlas* under lock and key, ~ *fiacla* lockjaw

glas² glas *m*l green (colour); grey (colour), ~ *caorach* undyed homespun *a*l green; unripe; inexperienced; grey, *óganach* ~ callow youth, *aimsir ghlas* raw weather

glas³ glas *f*2 rivulet

glas-⁴ glas *pref* green; grey; pallid; immature

glasáil glasa:l' *vt* lock

glasán glasa:n *m*l finch

glasioc 'glas,i:k *m*3 part payment, instalment

glasóg glaso:g *f*2 wagtail

glasphluma 'glas,flomə *m*4 greengage

glasra glasrə *m*4 vegetable; vegetation

glasuaine 'glas,uən'ə *f*4 & *a*3 vivid green

glé g'le: *a*3 clear, bright, pellucid, *stíl ghlé* lucid style

gleacaí g'l'aki. *m*4 wrestler, acrobat; gymnast; trickster

gleacaíocht g'l'aki:(ə)xt *f*3 wrestling, acrobatics; gymnastics; trickery

gleadhair g'l'air' *vt*, *pres* -**dhrann** beat noisily, pummel, *ag gleadhradh báistí* pelting rain, *ag gleadhradh ceoil* playing (music) merrily

gleadhrach g1′airəx *a*1 noisy; tumultuous, *sruthán* ~ dancing stream, *tine ghleadhrach* blazing, cheerful, fire

gleadhradh g1′airə *m*, *gs* **-dhartha** noisy beating; tumult; blaze, glare, ~ *báistí* pelting (of) rain, ~ *daoine* vast number of people

gleann g1′an *m*3, *pl* ~ **ta** glen; valley; hollow, ~ *seo na ndeor* this vale of tears, *i n*~ *toinne* in the trough of a wave

gleanntán g1′anta:n *m*1 small glen, dell

gléas g1′e:s *m*1, *pl* ~ **anna** arrangement; facilities; apparatus; attire; key (in music), *rud a chur i n*~ to adjust sth, *tá* ~ *oibre air* he is equipped to work, ~ *beo* means of livelihood, ~ *iompair* means of conveyance, ~ *a chur ort féin* to tog oneself out *vt* arrange; equip; prepare, ~ *an capall* harness the horse, ~ *ta i síoda* dressed in silk

gléasadh g1′e:sə *m*, *gs* **-sta** equipment; preparation; attire

gléasra g1′e:srə *m*4 apparatus, equipment; plant

gléasta g1′e:stə *a*3 equipped; well-dressed

gléib g1′e:b′ *f*2, *pl* ~ **eanna** glebe

gleic g1′ek′ *f*2, *pl* ~ **eaca** wrestling, fighting; contest, *dul i n*~ *le rud* to grapple with sth

gléigeal ′g1′e:,g′al *a*1 pure white, brilliant, *uisce* ~ crystal-clear water, *aimsir ghléigeal* glorious weather, *mo leanbh* ~ my fairest child

gléine g1′e:n′ə *f*4 clearness, lucidity, transparence, brightness

gléineach g1′e:n′əx *a*1 clear, lucid, transparent

gleo g1′o: *m*4, *pl* ~ **nna** fight, battle; noise, tumult, *ag* ~ fighting, raising ructions

gleoiréiseach g1′o:r′e:s′əx *a*1 boisterous, hilarious

gleoiseach g1′o:s′əx *f*2 linnet

gleoite g1′o:t′ə *a*3 neat, pretty; charming

gleorán g1′o:ra:n *m*1 nasturtium

gliaire g1′iər′ə *m*4 gladiator

glib g1′ib′ *f*2, *pl* ~ **eanna** forelock, fringe; dishevelled hair

glic g1′ik′ *a*1 clever; shrewd; cunning

gliceas g1′ik′əs *m*1 cleverness; shrewdness; cunning

glicrín g1′ik′r′i:n′ *m*4 glycerine

gligin g1′ig′i:n′ *m*4 little bell; tinkle; rattle-brained person

glinn g1′in′ *a*1 clear, distinct, vivid

glinne[1] g1′in′ə *f*4 clarity, distinctness, vividness

glinne[2] g1′in′ə *f*4, winding-frame (for fishing line)

glinneáil g1′in′a:l′ *vt & i* wind (on reel, frame), *snáithe a ghlinneáil* to wind up a thread

glinnigh g1′in′i: *vt & i*, *vn* **-iúint** scrutinize; peer (*ar at*); sparkle

gliobach g1′ibəx *a*1 tousled, dishevelled; hairy, shaggy

gliogar g1′igər *m*1 rattle, jingle; foolish talk, ~ *na gcág* the chatter of jackdaws

gliogarnach g1′igərnəx *f*2 rattling, tinkling; prattle

gliogram g1′igrəm *m*1 rattle, noise, ~ *cos* clatter of feet

gliomach g1′iməx *m*1 lobster

gliondar g1′indər *m*1 gladness, joyousness

gliondrach g1′indrəx *a*1 glad, joyous

glioscarnach g1′iskərnəx *f*2 glistening; sparkle, glitter

gliú g1′u: *m*4 glue

gliúáil g1′u:a:l′ *vt* glue

gliúc g1′u:k *m*3, *pl* ~ **anna** peep

gliúcaíocht g1′u:ki:(ə)xt *f*3 peering; furtiveness

gloine glon′ə *f*4 glass, ~ *fuinneoige* (pane of) window-glass, *gloiní a chaitheamh* to wear glasses, ~ *lampa* globe (of lamp), *gloiní boird* table glasses

gloineadóir glon′ədo:r′ *m*3 glazier

gloineadóireacht glon′ədo:r′əxt *f*3 glazing; glaziary

gloinigh glon′i: *vt & i* vitrify; glaze

glóir glo:r′ *f*2 glory, ~ *do Dhia* glory be to God, ~ *dhiomhaoin* vainglory

glóirigh glo:r′i: *vt* glorify

glóirmhian ′glo:r′,v′iən *f*2, *gs* **-mhéine** *pl* ~ **ta** ambition

glóirmhianach ′glo:r′,v′iənəx *a*1 ambitious

glóir-réim ′glo:(r′),re:m′ *f*2, *pl* ~ **eanna** triumphal course; pageant

glónraigh glo:nri: *vt* glaze

glór glo:r *m*1, *pl* ~ **tha** voice; speech, utterance; sound

glórach glo:rəx *a*1 loud-voiced; noisy

glórail glo:ri:l′ *f*3 sound of voices, noisiness

glórmhar glo:rvər *a*1 glorious

glórshúileach 'glo:r,hu:l′əx *a*1 wall-eyed

glotas glotəs *m*1 glottis

glóthach glo:həx *f*2 jelly; animal slime, ~ *fhroig* frog-spawn *a*1 gelatinous; viscous

glóthaigh glo:hi: *vi* gel

glothar glohər *m*1 rattle, gurgle, ~ *an bháis* death-rattle

gluair gluər′ *a*1 bright; loud, shrill

gluaire gluər′ə *f*4 clearness, brightness; loudness; shrillness

gluais[1] gluəs′ *f*2, *pl* ~**eanna** commentary; glossary, vocabulary

gluais[2] gluəs′ *vt & i* move, set in motion; go, proceed

gluaiseacht gluəs′əxt *f*3 movement, motion, ~ *lasánta* fiery impulse, ~ *chainte* rhythm of speech, ~ *na teanga* the language movement

gluaisrothar 'gluəs′,rohər *m*1 motorcycle

gluaisteán gluəs′t′a:n *m*1 motor-car

gluaisteánaí gluəs′t′a:ni: *m*4 motorist

gluaisteánaíocht gluəs′t′a:ni:(ə)xt *f*3 motoring

glúcós glu:ko:s *m*1 glucose

glug glug *m*1 plopping, plop

glugar glugər *m*1 plopping, squelching, gurgle, *ubh ghlugair* addle-egg

glúin glu:n′ *f*2, *gs & npl* ~**e** *gpl* ~**ún** knee; generation, *trí ghlúin daoine* three generations of people, ~ *ghaoil* degree of relationship, ~ *staighre* step of stairs

gnách gna:x *a*1, *gsm* ~ customary, usual; ordinary, *is* ~ (*le*) it is customary (for), *mar is* ~ as usual

gnaíúil gni:u:l′ *a*2 beautiful; decent

gnaoi gni: *f*4 beauty; affection

gnás[1] gna:s *m*1, *pl* ~**anna** haunt, resort; lair; custom, ~ *dlí* legal convention

gnás[2] gna:s *f*2, *pl* ~**anna** cleft; hare-lip

gnáth[1] gna: *m*1, *npl* ~**a** custom, usage; customary thing, *as an n*~ out of the ordinary, *de ghnáth* as a rule

gnáth-[2] gna:† *pref* customary; vulgar, common; constant

gnáthaigh gna:hi: *vt & i* make a habit of, practise; frequent; haunt

gnáthamh gna:həv *m*1 custom; procedure; frequentation

gnátharm 'gna:h'arəm *m*1 regular army

gnáthchléir 'gna:'x′l′e:r′ *f*2 secular clergy

gnáthdhochtúir 'gna:'γoxtu:r′ *m*3 general practitioner

gnáthdhuine 'gna:,γin′ə *m*4, *pl* ~**dhaoine** ordinary person, *an* ~ the man in the street

gnáthghaoth 'gna:'γi: *f*2 prevailing wind

gnáthóg gna:ho:g *f*2 habitat; lair; cache

gnáthóir gna:ho:r′ *m*3 frequenter, habitué

gnáthshaighdiúir 'gna:'haid′u:r′ *m*3 private soldier

gné g′n′e: *f*4, *pl* ~**ithe** species, kind; appearance, ~ *de rud* an aspect of sth

gnéas g′n′e:s *m*1, *pl* ~**anna** sex

gnéasach g′n′e:səx *a*1 sexual

gné-eolaíocht 'g′n′e:,o:li:(ə)xt *f*3 physiognomy

gníomh g′n′i:v *m*1, *pl* ~**artha** function; act, deed, ~ *gaisce* feat of arms, ~ *creidimh* act of faith, *Gníomhartha na nAspal* the Acts of the Apostles, *peaca gnímh* actual sin

gníomhach g′n′i:vəx *a*1 active, *bainisteoir* ~ acting manager

gníomhachtaigh g′n′i:vəxti: *vt* activate

gníomhaigh g′n′i:vi: *vt & i* act

gníomhaíocht g′n′i:vi:(ə)xt *f*3 activity, performance; action (in play)

gníomhaire g′n′i:vər′ə *m*4 agent

gníomhaireacht g′n′i:vər′əxt *f*3 agency

gníomhas g′n′i:vəs *m*1 deed

gnó gno: *m*, *pl* ~**thaí** business, *fear* ~ businessman, *tá* ~ *agam díot* I want to talk to you, *déanfaidh sé* ~ it will do, *tá déanamh* ~ *inti* she is resourceful, ~ *thai eachtracha* foreign affairs, *rinne sé é d'aon ghnó* he did it on purpose

gnó-eagraí 'gno:,agri: *m*4 entrepreneur

gnólacht gno:ləxt *m*3 commercial firm

gnóthach gno:həx *a*1 busy; officious

gnóthachan gno:həxən *m*1 winning; benefit, *ag* ~ (*ar rud*) gaining (by sth)

gnóthaigh gno:hi: *vt & i* work; win, earn, *is beag a ghnóthaigh mé air* I gained little by it

gnóthas gno:həs *m*1 business enterprise

gnúis gnu:s′ *f*2, *pl* ~**eanna** face; countenance, ~ *a chur ort féin* to pull a wry face

gnúsacht gnu:səxt *f3* grunt

gnúsachtach gnu:səxtəx *f2*, *ag ~* grunting

go¹ gə *bheith ~ maith* to be well, *fuair sí bás ~ hóg* she died young, *~ feargach* angrily

go² gə *prep, míle ~ leith* a mile and a half, *~ bhfios dom* as far as I know

go³ gə *prep* to, till, until, *dul ~ Meiriceá* to go to America, *~ ham luí* until bedtime, *~ glúine san uisce* up to the knees in water, *~ brách* forever, *blian ~ Luan seo chugainn* a year (ago) next Monday, *~ teacht an earraigh* until the coming of spring, *ní féasta ~ rósta* nothing makes a feast like roast meat

go⁴ gə *conj that, deir sé ~ bhfuil deifir air* he says (that) he is in a hurry, *fan ~ dtiocfaidh sé* wait until he comes, *níor fhéad mé teacht mar ~ raibh mé tinn* I couldn't come because I was sick

go⁵ gə *verbal part, ~ maire tú é* may you live to enjoy it, *~ raibh maith agat* thank you

gó go: *f4* lie, falsehood, deceit, *gan ghó* undoubtedly

gob gob *m1, npl ~a* beak, bill; tip, point, *~ a chur ort féin* to pout, *~ gainimh* spit of sand, *~ pinn* nib of pen *vt & i* peck (*ar* at); spring, sprout, *ag ~adh amach* sticking out

gobach gobəx *a1* beaked, long-billed; pointed, sharp

gobadán gobədə:n *m1* sandpiper

gobán¹ gobɑ:n *m1* tip; gag, *~ súraic* baby's soother

gobán² gobɑ:n *m1* jack-of-all-trades, *an G ~ Saor* legendary builder

gobharnóir govərno:r′ *m3* governor

goblach goblɑx *m1* beakful, mouthful (of food); (choice) morsel; chunk

gocarsach gokərsəx *f2* clucking (of fowl)

góchum ′go:xum *vt* counterfeit

gogaide gogəd′ə *m4* hunkers

gogaideach gogəd′əx *a1* squatting; unsteady; giddy

gogail gogəl′ *vi, pres* **-alaíonn** *vn* **gogal** gobble, cackle

gogán gogɑ:n *m1* noggin, pail

goic gok′ *f2, pl ~eanna* cock, tilt, *chuir sé ~ troda air féin* he struck a fighting attitude

goiciúil gok′u:l′ *a2* cocked; perky

goid god′ *f3, gs* **gada** theft, larceny *vt & i* steal

goil gol′ *vt & i, vn* **gol** weep, cry (softly)

goile gol′ə *m4* stomach; appetite

góilín go:l′i:n′ *m4* (small) inlet, creek

goill gol′ *vi* grieve; vex, *ghoill an focal orm* the remark distressed me

goilliúnach gol′u:nəx *a1* painful, distressing, *duine ~* sensitive person

goimh gov′ *f2* sting, venom, *bhí ~ ar an lá* the day was bitingly cold, *~ a bheith ort le duine* to be sore at a person

goimhiúil gov′u:l′ *a2* stinging, venomous

goin gon′ *f3, pl* **gonta** wound; sting, *~ ghréine* sunstroke *vt* wound; sting, *ghoin sé an beo ann* it cut him to the quick, *ghoin mo choinsias mé* my conscience pricked me

goinbhlasta ′gon′ˌvlastə *a3* piquant

goineog gon′o:g *f2* stab, sting; gibe, cutting remark; fang

goirín gor′i:n′ *m4* pimple, pustule, *~ dubh* blackhead

goirmín gor′əm′i:n′ *m4* pansy

goirt gort′ *a1* saline, salt; *uisce ~* brackish water, *chaoin sí go ~* she wept bitterly

goirteamas gort′əməs *m1* saltiness; bitterness

góiséireacht go:s′e:r′əxt *f3* hosiery

góislín go:s′l′i:n′ *m4* gosling

gol gol *m1* weeping, *bhris a ~ uirthi* she burst into tears

goltraí goltri: *f4* (piece of) slow, sad, music

gonc goŋk *m1* snub

gonta gontə *a3* incisive; terse, *cainteoir ~* forceful speaker, *tagairt ghonta* pointed reference

gontacht gontəxt *f3* incisiveness; terseness; pungency

gor gor *m1* heat (of incubation), *cearc ar ~* clocking hen, *~ a dhéanamh ar uibheacha* to hatch eggs, *~ a dhéanamh ar rud* to brood over sth, *~ i gcneá* inflammation in a wound *vt & i* heat, warm; hatch, incubate

goradh gorə *m, gs* **-rtha** heat; incubation, *~ a chur ar rud* to solder sth

goraille ˌgo′ril′ə *m4* gorilla

gorlann gorlən *f2* hatchery

gorm gorəm *m1 & a1* blue

gormán gorəma:n *m*1 black person; cornflower

gort gort *m*1 field, *ar ghort an bhaile* close at hand

gorta gortə *m*4 hunger, famine; meanness

gortach gortəx *a*1 hungry; skimpy, *áit ghortach* barren place, *bheith ~ le duine* to be stingy with a person

gortaigh gorti: *vt* hurt, injure

gortghlanadh 'gort,ɣlanə *m*, *gs* -**nta** clearance (of field); weeding

gortú gortu: *m*4 hurt, injury

gorún goru:n *m*1 haunch

gotha gohə *m*4 appearance; gesture; affectation, *chuir sé ~ i troda air féin* he struck a fighting attitude

gothaíocht gohi:(ə)xt *f*3 mannerism

grá gra:x *m*4 love; charity, *i n~ le duine* in love with a person, *ba mhór as ~ dia é* it would be a great act of charity, *a ghrá* my dear, *~ mo chroí* my darling, *ar ghrá d'oinigh* for honour's sake, *de ghrá an réitigh* for peace sake

grabálaí graba:li: *m*4 grabber

grábháil gra:va:l' *f*3 engraving; (*of ship*) graving *vt* engrave; (*of ship*) grave

grabhar graur *m*1 crumbs, fragments, *~ móna* turf-mould

grách gra:x *a*1, *gsm ~* loving; beloved

grád gra:d *m*1 grade; class, *~ teasa* degree of heat

grádaigh gra:di: *vt* grade; graduate, scale

gradam gradəm *m*1 esteem; distinction; respect, *bheith faoi ghradam* to be held in esteem, (*corp*) *ina luí faoi ghradam* (a body) lying in state

gradamach gradəməx *a*1 estimable, esteemed

grádán gra:da:n *m*1 grade, gradient

graeipe gre:p'ə *f*4 graip

graf graf *m*1 & *vt* & *i* graph, chart

grafadh grafə *m*, *gs* **grafa** grubbing, hoeing

grafán grafa:n *m*1 hoe, grub-axe

grafóg grafo:g *f*2 (small) hoe

grag grag *m*1 grog

grág gra:g *f*2 raucous cry; croak

grágáil gra:ga:l' *f*3 cawing, croaking; braying; cackling

graí gri: *f*4, *pl ~onna* stud (of horses); breeding stud

graidhin grain' *s*, *mo ghraidhin* (*go deo*) *thú* bravo, good for you

graiféad graf'e:d *m*1 grapnel, small anchor

gráig gra:g' *f*2, *pl ~eanna* village, hamlet

gráigh gra:γ' *vt* & *i* love

graiméar gram'e:r *m*1 grammar (book)

gráin gra:n' *f*, *gs* -**ánach** hatred; ugliness; terror, *chuir an áit ~ orm* the place disgusted me, *is ~ liom é* I detest it, *~ an pheaca* the hatefulness of sin

grainc graŋ'k' *f*2, *pl ~eanna* frown, grimace

gráinigh gra:n'i: *vt* hate, detest

gráiniúil gra:n'u:l' *a*2 hateful; ugly; terrible

gráinne gra:n'ə *m*4 grain

gráinneach gra:n'əx *a*1 granular, granulated

gráinneog gra:n'o:g *f*2 hedgehog

gráinnigh gra:n'i: *vt* grain, granulate

gráinnín gra:n'i:n' *m*4 granule; pinch, small quantity

gráinseach gra:n's'əx *f*2 grange; granary

gráinteacht gra:n't'əxt *f*3 fondling, cuddling

graire gri:r'ə *m*4 stud-horse

gráisciúil gra:s'k'u:l' *a*2 vulgar, obscene

gram gram *m*1 gram(me)

gramadach gramədəx *f*2 grammar

gramadúil gramədu:l' *a*2 grammatical

gramafón 'gramə,fo:n *m*1 gramophone

gramaisc graməs'k' *f*2 rabble, mob

grámhar gra:vər *a*1 loving, affectionate; lovable

gramhas graus *m*1 grin, grimace

gramhsach grausəx *a*1 grinning, grimacing

grán gra:n *m*1, *~ cruithneachta* wheat grain, *~ agus glasraí* grain crops and vegetables, *~ (gunna)* shot, *~ iompair* ball-bearings, *~ arcáin* lesser celandine

gránach gra:nəx *m*1 & *a*1 cereal

gránádóir gra:na:do:r' *m*3 grenadier

gránáid gra:na:d' *f*2 grenade

gránaigh gra:ni: *vt* & *i* granulate; scrape

gránbhiorach 'gra:n,v'irəx *a*1, *peann ~* ball-point pen

gránna gra:nə *a*3 ugly; disagreeable, *focal ~* vile remark, *tugadh íde ghránna dó* he was treated brutally, *an duine ~* the poor fellow

gránnacht gra:nəxt *f* 3 ugliness

gránphlúr 'gra:n,flu:r *m*l cornflour

gránúll 'gra:n,u:l *m*l, *npl* ~a pomegranate

graosta gri:stə *a*3 lewd, filthy, *scéal* ~ smutty story

graostacht gri:stəxt *f* 3 lewdness, *ag* ~ talking smut

grásaeir gra:se:r′ *m*3 grazier; cattle dealer, jobber

gráscar gra:skər *m*l mob; refuse; affray, ~ *Béarla* smattering of English, *i n* ~ *le duine* scuffling with a person

grásta gra:stə *m*4, *gs & npl* ~ *gpl* **grást** grace, *Dia na ngrást* God of mercy, *ó Dhia orthu* God rest them, *buille gan ghrásta* merciless blow, *ar stealladh na ngrást* blind drunk

grástúil gra:stu:l′ *a*2 gracious; merciful

grástúlacht gra:stu:ləxt *f* 3 graciousness; mercifulness

gráta gra:tə *m*4 grate; grid

grátáil[1] gra:ta:l′ *f* 3 grating; grille

grátáil[2] gra:ta:l′ *vt* grate (potatoes, etc)

grathain grahən′ *f* 2 swarm; rabble

gread g′r′ad *vt & i* strike; lash; scorch, *an doras a ghreadadh* to hammer at the door, *ag* ~ *adh a mbos ar a chéile* clapping their hands, beating their hands together, *tá sé ag* ~ *adh leis* he is slogging away, ~ *leat* away with you, *tá mo lámha* ~ *ta* my hands are smarting

greadadh g′r′adə *m*, *gs* **-eadta** beating, trouncing, ~ *teanga* tongue-lashing, ~ *báistí* pelting rain, *ar* ~ *at great speed*, ~ *croí* heart-scald, ~ *chugat bad cess to you*, ~ *airgid* plenty of money

greadhnach g′r′ain′əx *a*l noisy; merry; cheerful; bright

greadóg g′r′ado:g *f* 2 slap, smack; appetizer, ~ *thine* brisk fire

greagán g′r′aga:n *m*l drop (of spirits)

greagnaigh g′r′agni′ *vt* pave, strew, *tá an áit greagnaithe leo* the whole place is strewn with them

Greagórach g′r′ago:rəx *a*l Gregorian

greallach g′r′aləx *f* 2 mire; slush

greamachán g′r′aməxa:n *m*l adhesive

greamaigh g′r′ami′ *vt & i* attach, fasten; adhere to; grip, grasp, *rud a ghreamú de rud* to stick sth to sth, *ionad a*

ghreamú *duit féin* to secure a place for oneself

greamaire g′r′amər′ə *m*4 pliers

greamaitheach g′r′amihəx *a*l gripping; adhesive

grean[1] g′r′an *m*l gravel; coarse sand

grean[2] g′r′an *vt* engrave, *adhmad a ghreanadh* to carve wood

greanadh g′r′anə *m*, *gs* **-nta** engraving; shapeliness, ~ *adhmaid* woodcut

greanadóir g′r′anədo:r′ *m*3 engraver

greanadóireacht g′r′anədo:r′əxt *f* 3 engraving

greann g′r′an *m*l fun; mirth; jesting, *scéal grinn* funny story, ~ *a thabhairt do chailín* to fall in love with a girl

greannaigh g′r′ani′ *vt* irritate; beard, challenge; taunt

greannán g′r′ana:n *m*l comic(-paper)

greannmhaireacht g′r′anu:r′əxt *f* 3 humorousness; queerness; lovingness

greannmhar g′r′anu:r *a*l humorous; queer; loving

greanntraigéide 'g′r′an,trag′e:d′ə *f* 4 tragi-comedy

greanta g′r′antə *a*3 graven; ground; clear-cut, *obair ghreanta* polished work, ~ *ina pearsa* shapely of figure

greantacht g′r′antəxt *f* 3 shapeliness, beauty; elegance

gréas g′r′e:s *m*3, *gs & npl* ~a ornamental work; decorative pattern; embroidery

gréasaí g′r′e:si: *m*4 shoemaker, cobbler

gréasaigh g′r′e:si: *vt* ornament, embroider

greasáil g′r′asa:l′ *f* 3 beating, trouncing *vt* beat, trounce

gréasaíocht g′r′e:si:(ə)xt *f* 3 shoemaking

gréasán g′r′e:sa:n *m*l web; woven fabric, ~ *bóithre* network of roads, ~ *snátha* tangle of thread, ~ *bréag* tissue of lies

gréasta g′r′e:stə *a*3 ornamented, embroidered

gréibhlí g′r′e:v′l′i: *spl* knick-knacks, trinkets

greidimín g′r′ed′əm′i:n′ *m*4 spanking, drubbing

greille g′r′el′ə *f* 4 grille; gridiron

greim g′r′em′ *m*3, *pl* **greamanna** grip; hold; bite; stitch, ~ *láimhe* handclasp, ~ *coise* foothold, *dul i n* ~ *i rud* to get caught in sth, *chuaigh siad i ngreamanna ina chéile* they came to grips with one another, *breith ar do ghreamanna* to get going properly, *na greamanna dubha* evil influences, *dul i n~* to engage, lock, mesh, ~ *bia* morsel of food, ~ *a bhaint as rud* to bite sth, ~ *(fuála) a chur i rud* to stitch sth, *greamanna fáis* growing pains

greimlin g´r´em´l´i:n´ *m4* adhesive plaster

gréisc g´r´e:s´k´ *f2 & vt* grease

gréiscdhíonach ˈg´r´e:s´k´ˌγ´i:nəx *al* grease-proof

gréisceach g´r´e:s´k´əx *al* greasy

gréisclí g´r´e:s´k´ˌl´i: *f4* grease-paint

gréithe g´r´e:hə *spl* trinkets; presents; ware, ~ *tí* household utensils

grian¹ g´r´iən *f2, gs* **gréine** *pl* ~ **ta** *ds* **gréin** *in certain phrases* sun, *lá gréine* sunny day, *páiste gréine* illegitimate child, *cúl le gréin* bereft of sunlight *vt* sun, *tú féin a ghrianadh* to sun oneself

grian-² g´r´iən *pref* sun-, solar

grianach g´r´iənəx *al* sunny; cheerful

grianadh g´r´iənə *m, gs* **-nta** sunning, basking

grianaíocht g´r´iəni:(ə)xt *f3* basking, sunniness

grianán g´r´iəna:n *m1* sunny upper room; solar; summerhouse

grianchloch ˈg´r´iənˌxlox *f2* quartz

grianchlog g´r´iənˌxlog *m1* sundial

grianghoradh ˈg´r´iənˌγorə *m, gs* **-rtha** sunning, basking

grianghraf ˈg´r´iənˌγraf *m1* photograph

grianghrafadóir g´r´iənˌγrafədo:r´ *m3* photographer

grianghrafadóireacht ˈg´r´iənˌγrafədo:r´əxt *f3* photography

grianmhar g´r´iənvər *al* sunny; bright, cheerful

grianstad ˈg´r´iənˌstad *m4, pl* ~ **anna** solstice

grideall g´r´id´əl *f2* griddle

gril g´r´il´ *f2, pl* ~ **eanna** grill, grating

grinn g´r´in´ *al* perceptive; accurate, *amharc* ~ penetrating look

grinneall g´r´in´əl *m1, (of river, etc)* bed; bed-rock

grinneas g´r´in´əs *m1* perspicacity, accuracy

grinnigh g´r´in´i: *vt* scrutinize

gríobhán g´r´i:va:n *m1, cathair ghríobháin* maze, labyrinth

gríodán g´r´i:da:n *m1* dregs, remains

griofadach g´r´ifədəx *m1* stinging, sensation; tingle *al* tingling

griog g´r´ig *m3, pl* ~ **anna** slight, irritating, pain *vt* tease; annoy; titillate

griolsa g´r´ilsə *m4* grilse

gríos g´r´i:s *m1* hot ashes; ardour; rash (on skin)

gríosach g´r´i:səx *f2* hot ashes, *déanfaidh sé* ~ he will wreak havoc *al* glowing

gríosaigh g´r´i:si: *vt* inflame; incite, *an croí a ghriosú* to stimulate the heart

gríosaitheach g´r´i:sihəx *m1* stimulant *al* stirring; provocative

gríosc g´r´i:sk *vt & i* broil, grill

gríosclann g´r´i:sklən *f2* grill-room

gríosóir g´r´i:so:r´ *m3* agitator

griotháil g´r´iha:l´ *f3 & vt* grunt

griothalán g´r´ihəla:n *m1* fuss, bustle

griscín g´r´i:s´k´i:n´ *m4* slice of meat (for broiling), ~ *uaineola* lamb chop

gríséadach g´r´i:s´e:dəx *al* roan

gró gro: *m4, pl* ~ **ite** crow-bar

grod grod *al* sudden; prompt, *go* ~ *sa bhliain* early in the year *vt & i* quicken; urge on

grodfhoclach ˈgrodˌoklex *al* hasty

groí gri: *a3* strong, vigorous

gróig gro:g´ *vt & i, (of turf)* foot; huddle

grósa gro:sə *m4* gross

grósaeir gro:se:r´ *m3* grocer

grósaeireacht gro:se:r´əxt *f3* grocery (business)

grua gruə *f4, pl* ~ **nna** cheek, ~ *an chnoic* the brow of the hill, ~ *diamaint* facet of diamond

gruagach¹ gruəgəx *m1* hairy goblin; ogre

gruagach² gruəgəx *al* hairy, shaggy

gruagaire gruəgər´ə *m4* hairdresser

gruagaireacht gruəgər´əxt *f3* hairdressing

gruaig gruəg´ *f2* hair (of head)

gruaim gruəm´ *f2* gloom, dejection

gruama gruəmə *a3* gloomy; morose, *aimsir ghruama* dull weather

gruamaigh gruəmi: *vi* become gloomy, darken

grúdaigh gru:di: *vt & i* brew

grúdaire gru:dər´ə *m4* brewer

grúdarlach gru:dərləx *m1* swill; inferior ale

grúdlann gru:dlən *f2* brewery

grugach grugəx *al* frowning, scowling

gruig grig´ *f2, pl* ~ **eanna** frown, scowl

grúm¹ gru:m *m*1 (ice-)floe

grúm² gru:m *m*1 bridegroom

grúmaeir gru:me:r' *m*3 stable groom

grúnlach gru:nləx *m*1 dregs, refuse

grúnlas gru:nləs *m*1 groundsel

grúnta gru:ntə *m*4 depth, sounding

grúntáil gru:nta:l' *vi* sound

grúpa gru:pə *m*4 group

grúpáil gru:pa:l' *vt & i* group

grus grus *m*1 frown, scowl

grusach grusəx *a*1 gruff, laconic

grúscán gru:ska:n *m*1 grunting; growl

gruth gruh *m*3 curds

guagach guəgəx *a*1 unstable; fickle

guagacht guəgəxt *f*3 instability; fickleness

guailleadóireacht guəl'ədo:r'əxt *f*3 shouldering; swaggering

guailleáil guəl'a:l' *vt & i* shoulder; swagger, *ag ~ thart* sauntering about

guailleán guəl'a:n *m*1 shoulder-strap *pl* braces

guailleog guəl'o:g *f*2 epaulet(te)

guailli guəl'i: *m*4 companion

guaim guəm' *f*2 (self-)control

guairdeall¹ guərd'əl *m*1 circling; uneasiness, *ag ~ i mo thimpeall* hovering about me

guairdeall² guərd'əl *m*1 storm petrel

guairdeallach guərd'ələx *a*1 circling; uneasy

guaire guər'ə *m*4 bristle, whisker

guaireach guər'əx *a*1 bristly

guairille ˌguər'r'il'ə *m*4 guerilla

guairilleach ˌguər'r'il'əx *a*1 guerilla

guairne guərn'ə *f*4 whirl, spin

guairneach guərn'əx *a*1 whirling, spinning

guairneán guərn'a:n *m*1 whirl; eddy; uneasiness, *poll guairneáin* vortex (of whirlpool)

guairneánach guərn'a:nəx *a*1 whirling, swirling; restless

guais guəs' *f*2, *pl* ~**eacha** danger; dismay, *is ~ liom (go)* I fear (that)

guaiseach guəs'əx *a*1 dangerous

gual guəl *m*1 coal

gualach guələx *m*1 charcoal

gualainn guələn' *f*2, *pl* guailli shoulder, *chuir siad a nguailli le chéile* they made a combined effort, ~ *cnoic* shoulder of hill, ~ *báid* bow of boat

gualcheantar ˈguəl‚x'antər *m*1 coalfield

gualda guəldə *a*3 coal-black, charred

guamach guəməx *a*1 planned; comfortable

guí gi: *f*4, *pl* ~**onna** prayer, entreaty, *is é mo ghuí (go)* it is my fervent wish (that)

guigh giy' *vt & i* pray

guilpin gil'p'i:n' *m*4 lout

guine gin'ə *f*4, *cearc ghuine* guinea-hen, *muc ghuine* guinea-pig

guíodóireacht gi:(ə)do:r'əxt *f*3 praying, petitioning; cursing

guiséad gis'e:d *m*1 gusset

gúm gu:m *m*1 plan, scheme

guma gomə *m*4 gum, ~ *peirce* guttapercha

gúna gu:nə *m*4 gown, dress, ~ *breithimh* judge's robe

gúnadóir gu:nədo:r' *m*3 dressmaker

gúnadóireacht gu:nədo:r'əxt *f*3 dressmaking

gunail gonəl' *f*2 gunwale

gúnga gu:ŋgə *m*4 posterior; crouch, *sui ar do ghúngaí (beaga)* to sit on one's hunkers

gúngach gu:ŋgəx *a*1 narrow-rumped; crouched; ungainly

gúngáil gu:ŋga:l' *f*3 swaying; awkward gait

gunna gonə *m*4 gun

gunnadóir gonədo:r' *m*3 gunner

gunnán gona:n *m*1 revolver

gur¹ gər *conj* that, *dúirt sé ~ tháinig an litir* he said the letter had arrived

gur² gər⁺ gura gərə, gurab gərəb, gurb gərb⁺, gurbh gərv : **is**

gus gus *m*3 vigour; enterprise

gúshnáithe ˈgu:‚hna:hə *m*4 basting thread

gusmhar gusvər *a*1 forceful; enterprising

gustal gustəl *m*1 belongings; resources; enterprise

gustalach gustələx *a*1 wealthy; enterprising

guta¹ gutə *m*4 vowel

guta² gutə *m*4 filth, mire

gúta gu:tə *m*4 gout

guth guh *m*3, *pl* ~**anna** voice; utterance; vote, ~ *a bheith agat* to be able to sing, *d'aon ghuth* unanimously

guthach guhəx *a*1 vocal

guthaíocht guhi:(ə)xt *f*3 vocalization; voice, vote

guthán guha:n *m*1 telephone

H

haca hakə *m*4 hockey
haemaifilia 'he:mə,f'il'iə *f*4 haemophilia
haileabó hal'əbo: *m*4, *pl* ~**nna** halibut
háilléar ha:l'e:r *m*l halyard
haingear haŋ'(g')ər *m*l hangar
hairicín har'ək'i:n' *m*4 hurricane
haisis has'əs' *f*2 hashis
haiste has't'ə *m*4 hatch; hatchway;
    floodgate
halbard haləbərd *m*l halberd; billhook
halla halə *m*4 hall; mansion; hallway
halmadóir haləmədo:r' *m*3 helm, tiller
hanla hanlə *m*4 handle
hap hap *m*4 *pl* ~**anna** hop, *de* ~ sud-
    denly, ~ *de maide* wallop of a stick
hart hart *m*l (*cards*) heart, *an t-aon* ~
    the ace of hearts
hata hatə *m*4 hat, ~ *an tsagair* species
    of sea-anemone
héadónachas he:do:nəxəs *m*l hedonism
hearóin haro:n' *f*2 heroin
heicseagán 'hek's'ə,ga:n *m*l hexagon
heicteagram 'hek't'ə,gram *m*l hecto-
    gram
heicteár hek't'a:r *m*l hectare
heictiméadar 'hek't'ə,m'e:dər *m*l hecto-
    metre
héileacaptar 'he:l'ə,kaptər *m*l helicopter
heipteagán 'hep't'ə,ga:n *m*l heptagon
heirméiteach her'əm'e:t'əx *a*l hermetic

hibrid hib'r'əd' *f*2 hybrid
hibrideach hib'r'əd'əx *a*l hybrid
hiceraraí hik'əri: *m*4 hickory
hidrigin 'hid'r'ə,g'in' *f*2 hydrogen
hiéana ,hi:'e:nə *m*4 hyena
hiodrálach hidra:ləx *a*l hydraulic
hiodrálaic hidra:lək' *f*2 hydraulics
hiodrant hidrant *m*l hydrant
hiopnóis hipno:s' *f*2 hypnosis
hiopnóisigh hipno:s'i: *vt* hypnotize
hipeadróm 'hip'ə,dro:m *m*l hippodrome
hipideirmeach 'hip'ə,d'er'əm'əx *a*l hypo-
    dermic
hipitéis 'hip'ə,t'e:s' *f*2 hypothesis
hipitéiseach 'hip'ə,t'e:s'əx *a*l hypotheti-
    c(al)
histéire his't'e:r'ə *f*4 hysteria
hob hob *s, ní raibh* ~ *ná hé as* there
    wasn't a move, a squeak, out of him,
    bhí sí ar ~ *imeacht* she was about to
    leave
hormón horəmo:n *m*l hormone
húda hu:də *m*4 hood
húicéir hu:k'e:r' *m*3 (*boat*) hooker
húm hu:m *s, ní raibh* ~ *ná hám as* there
    wasn't a sound, a move, out of him
húmas hu:məs *m*l humus
hurá ha'ra: *int* hurrah!
hurlamaboc 'hu:rləmə,bok *m*4 commo-
    tion, uproar

I

i i† *prep, pron forms* **ionam** inəm, **ionat**
    inət, **ann** an *m,* **inti** in't'i *f,* **ionainn**
    inən', **ionaibh** inəv', **iontu** intu, in; into,
    i dteach in a house, *in eitleán* in a plane,
    sa' chathair in the city, *san earrach* in
    the spring, *sna gardaí* in the guards, *in
    dhá áit* in two places, *i bhfad ó bhaile*
    far from home, *i measc na ndaoine*
    among the people, *tá sé i mbun a chuid
    oibre* he is attending to his work, *i
    gcrích* completed, *bheith in ann rud a
    dhéanamh* to be able to do sth, *in
    acmhainn an cháin a íoc* able to pay the
    tax, *i riocht pléascadh* ready to burst,
    i gcaitheamh an lae during the day, *i*

mbliana this year, *i gcónaí* always, *in
aisce* gratis, *i gceart* right, *in aice* near,
i gcead duit by your leave, *rud a bheith
ionat* to be capable of sth, *bhí céim
bhacaí ann* he walked with a limp, *tá
cloch mheáchain ann* it weighs a stone,
sagart atá ann he is a priest, *tá sé ina
oide* he is a teacher, *bheith i do bheatha*
to be alive, *bheith i do sheasamh* to be
standing, *tá sé ina shamhradh* it is like
summer, *bheith freagrach i rud* to be
answerable for sth, *tháinig siad i dtír*
they came ashore, *dul i bhfeabhas* to
get better, *cuir in iúl dó é* inform him
of it, *go mall san oíche* late at night

387

í i: 3 *sg f pron* she, her; it, *phós sé í* he married her, *pósadh í* she got married, *tháinig sí chugam agus í ag gol* she came to me (and she) crying, *bean mar í* a woman like her, *ba gharbh an oíche í* it was a rough night, *is í an bhanaltra chéanna í* she is the same nurse, *bád álainn í* it is a lovely boat

iad iəd 3 *pl pron* they, them, *chualamar ag caint ~* we heard them talking, *díoladh go saor ~* they were sold cheaply, *d'imigh siad agus iad sásta* they went away satisfied, *gan ~* without them, *is maith na húlla ~* they are good apples, *agus daoine nach iad* and other people besides them, *is iad na cnoic is airde sa tír iad* they are the highest hills in the country

iaguar iəguər ~ d'z'aguər *m*1 jaguar

iaidin iəd'i:n' *m*4 iodine

iaigh iəɣ' *vt & i* close, shut; dam; enclose, *~ le* unite with

iall iəl *f*2, *gs* **éille** *pl* **~acha** *ds* **éill** *in certain phrases* thong, strap; leash, *~ bróige* bootlace, shoe-lace, *ar éill* on the leash, *~ éan* skein of birds in flight

iallach iələx *m*1 constraint, compulsion, *~ a chur ar dhuine rud a dhéanamh* to compel a person to do sth

ialtóg iəlto:g *f*2, *~ (leathair)* bat

ialus 'iə,lus *m*3 bindweed, convolvulus

iamh iəv *m*1 closure, enclosure, *faoi ~ an tí* within the four walls of the house, *ní dheachaigh, níor tháinig, ~ ná foras air* he neither stopped nor stayed

iamhchríoch 'iəv,x'r'i:x *f*2 enclave

iar- iər⁺ *pref* after-, post-; late, ex-; west, western

iarann iərən *m*1 iron, *~ rotha* iron rim of wheel, *an t~ a chur ar éadach* to iron cloth, *fuinneog iarainn* barred window

iarchéimí 'iər'x'e:m'í: *m*4 post-graduate

iardheisceart 'iər'ɣ'es'k'ərt *m*1 south-west

iarfhocal 'iər'okəl *m*1 epilogue

iarghaois 'iər'ɣi:s' *f*2 hindsight

iargharda 'iər'ya:rdə *m*4 rearguard; ex-guard

iarghnó 'iər'yno: *m*4 grief, regret; annoyance

iarghnóch 'iər'yno:x *a*1, *gsm ~* vexed, distressed, unhappy

iargúil 'iər,gu:l' *f*, *gs* **-úlach** *pl* **-úlacha** remote corner; backward, isolated place

iargúlta 'iər,gu:ltə *a*3 backward, isolated; outlandish, *bhí cuma ~ air* he looked terrible

iarla iərlə *m*4 earl

iarlacht iərləxt *f*3 earldom

iarlais iərləs' *f*2 changeling; chronically ailing person

iarmhaireach iərvər'əx *a*1 eerie, lonely

iarmhairt iərvərt' *f*3, *gs* **-arta** result, consequence

iarmhar iərvər *m*1 progeny; remainder; residue, *fear iarmhair a chine* the last survivor of his race

iarmharach iərvərəx *a*1 residuary; residual

iarmharán iərvəra:n *m*1 last survivor; remnant

iarmhartach iərvərtəx *a*1 resultant, consequential

iarmhéirí 'iər,v'e:r'i: *m*4 matins

iarmhír 'iər,v'i:r' *f*2, *pl* **~eanna** suffix

iarn- iərn *pref* iron-, ferro-

iarnaí iərni: *a*3 iron, made of iron; iron-hard

iarnaigh iərni: *vt* put in irons; fit, cover, with iron

iarnáil iərna:l' *vt* iron, smooth with flat-iron

iarnóin 'iər,no:n' *f*3, *pl* **-ónta** afternoon

iarnóir iərno:r' *m*3 ironworker; ironmonger

iarnra iərnrə *m*4 hardware

iarnród 'iərn,ro:d *m*1 railroad

iaróg iəro:g *f*2 quarrel; disturbance; after-effect, *an ~ a bhaint as* to take the sting out of it

iarógach iəro:gəx *a*1 quarrelsome; hurtful

iarr iər *vt* request, demand; seek, *rud a ~ aidh ar dhuine* to ask a person for sth, *ag ~ aidh rud a dhéanamh* trying to do sth

iarracht iərəxt *f*3 attempt, effort; quantity, *~ a thabhairt ar, faoi, rud* to attempt sth, *~ filíochta* piece of poetry, *~ den ghreann* a touch of humour, *an ~ seo* this time, *tá sé ~ bodhar* he is a bit deaf

iarraidh iəri: *f, gs* **-ata**, *pl* **-atai** request, demand; attempt, *tá ~ ar an leabhar sin* that book is in demand, *gan ~* unasked, unwanted, *d' ~ a fháil* to get one's wish, *tabhair ~ air* have a go at it, *ar ~* missing, *fan le d' ~* wait your turn

iarratach iərətəx *a*l petitioning; importunate

iarratas iərətəs *m*l asking; importunity; (formal) application, *tá ~ air* it is in demand

iarratasóir iərətəso:r′ *m*3 applicant

iarrthóir iərho:r′ *m*3 petitioner; candidate; examinee

iarsma iərsmə *m*4 remainder, remnant; survivor; after-effect; encumbrance, *~ an drochbhirt* the consequence of an evil deed *pl* relics

iarsmalann iərsmələn *f*2 museum

iarta iərtə *m*4 hob (of fireplace)

iarthar iərhər *m*l west, western region; back, remote part

iartharach iərhərəx *m*l westerner *a*l western; back; remote

iartheachtach 'iər'haxtəx *a*l subsequent

iarthuaisceart 'iər'huəs′k′ərt *m*l north-west

iasacht iəsəxt *f*3 lending, borrowing; loan, *ar ~* on loan, *ón ~* from outside, from abroad, *teanga ~a* foreign language

iasachtaí iəsəxti: *m*4 borrower

iasachtóir iəsəxto:r′ *m*3 lender

iasc iəsk *m*l, *gs & npl* **éisc** fish, *na hÉisc* Pisces *vt & i* fish

iascach iəskəx *m*l fishing; fishery

iascaire iəskər′ə *m*4 fisherman

iascaireacht iəskər′əxt *f*3 fishing

iascán iəska:n *m*l small fish; mussel

iasceolaíocht 'iəsk.o:li:(ə)xt *f*3 ichthyology

iascúil iəsku:l′ *a*2 abounding in fish, *líon ~* good fishing net

iata iətə *a*3 closed, shut; secured; constipated, *spéir ~* lowering sky

iatacht iətəxt *f*3 constipation

iatán iəta:n *m*l enclosure (with letter)

íceach i:k′əx *a*l healing, curative

idé id′e: *f*4, *pl ~anna* idea

ide i:d′ə *f*4 ill-usage; plight, *~ béil* verbal abuse

ideál id′e:l *m*l ideal

idéalach id′e:ləx *a*l ideal

idéalachas id′e:ləxəs *m*l idealism

idéalaí id′e:li: *m*4 idealist

idigh i:d′i: *vt* use up, consume; expend; abuse, destroy

idir[1] id′ər′ *prep, pl pron forms* **eadrainn** adrən′, **eadraibh** adrəv′, **eatarthu** atərhu, between, amongst, *~ pháirceanna* between fields, *tá míle eatarthu* they are a mile apart, *~ an dá linn* in the meantime, *d'éirigh eadrainn* we fell out, *eatarthu féin atá sé* let them settle it among themselves, *bheith ~ eatarthu* to be betwixt and between, *~ fhir agus mhná* both men and women *~ Doire agus Cúil Raithin* between Derry and Coleraine

idir-[2] id′ər′ *pref* inter-, mid-

idirbheart 'id′ər′,v′art *m*l, *npl ~a* transaction

idirchreidmheach 'id′ər′,x′r′ed′v′əx *a*l interdenominational

idirdhealaigh 'id′ər′,ɣ′ali: *vt* differentiate, distinguish

idirdhealú 'id′ər′,ɣ′alu: *m*4 differentiation, discrimination, distinction

idirghabháil 'id′ər′,ɣava:l′ *f*3 intervention, mediation; interposition

idirghabhálaí 'id′ər′,ɣava:li: *m*4 mediator, go-between

idirghuí 'id′ər′,ɣi: *f*4, *pl ~onna* intercession; supplication

idirghuítheoir 'id′ər′,ɣi:ho:r′ *m*3 intercessor

idirlinn 'id′ər′,l′in′ *f*2, *pl ~te* interval, intermission; pause, time-lag

idirmheánach 'id′ər′,v′a:nəx *a*l intermediate

idirnáisiúnta 'id′ər′,na:s′u:ntə *a*3 international

idir-riocht 'id′ə(r′),ri:(ə)xt *f*3 interregnum

idirscaradh 'id′ər′,skarə *m, gs* **-cartha** *pl* **-carthaí** separation; divorce

idirstad 'id′ər′,stad *m*4, *pl ~anna* (*punctuation*) colon

ifreanda if′r′əndə *a*3 hellish, infernal

ifreann if′r′ən *m*l hell

il- il′-il′[+] *pref* many; diverse, varied; multi-, poly-

ilbheartach 'il′,v′artəx *a*l, (*of sportsman, etc*) all-round

ilbhláthach 'il',vla:həx *m*1 polyanthus *a*l multiflorous

ilbhliantóg 'il',v'l'iənto:g *f*2 perennial

ilbhliantúil 'il',v'l'iəntu:l' *a*2, *(of plant)* perennial

ilchineálach 'il',x'in'a:ləx *a*l mixed, varied, heterogeneous

ilchodach 'il',xodəx *a*l compound, composite

ilchomórtas 'il',xomo:rtəs *m*l tournament

ilchreidmheach 'il',x'r'ed'v'əx *a*l multidenominational

ilchríoch 'il',x'r'i:x *f*2 continent

ilchumasc 'il',xuməsk *m*l assortment

ildánach 'il,da:nəx *a*l skilled in various arts, versatile, accomplished

ildathach 'il,dahəx *a*l multicoloured, variegated, iridescent

ile i:l'ə *f*4 oil

ileochair 'il',oxər *f*. *gs* **-chrach** *pl* **-chracha** skeleton key

ilfheidhmeannas 'il',aim'ənəs *m*l pluralism

ilghnéitheach 'il',γ'n'e:həx *a*l diverse, various, heterogeneous

iligh i:l'i: *vt* oil

iliocht il'i:(ə)xt *f*3 variety, diversity

ilphósadh 'il',fo:sə *m*, *gs* **-sta** polygamy

ilroinnt 'il',ron't' *f*2, *pl* **-rannta** division into many parts; fragmentation

ilsiamsa 'il',s'iəmsə *m*4 variety show, vaudeville

ilstórach 'il,sto:rəx *m*l skyscraper *a*l multi-storeyed

ilteangach 'il',t'aŋgəx *m*l & *a*l polyglot

iltíreach 'il',t'i:r'əx *m*l & *a*l cosmopolitan

iltréitheach 'il',t'r'e:həx *a*l versatile

im¹ im' *m*, *gs* ~ **e** *pl* **-eanna** butter

im-² im' *pref* great, very

imaistriú im',as't'r'u: *m*4 transmigration

imbhualadh 'im',vuələ *m*, *gs* **-uailte** *pl* **-uailtí** collision

imchluiche 'im',xlix'ə *m*4 (card) drive

imchruth 'im',xruh *m*3, *pl* ~ **anna** configuration, outline

imchuairt 'im',xuərt' *f*2, *pl* ~ **eanna** circuit

imdhearg 'im',γ'arəg *vt* cause to blush, shame; revile

imdhíon 'im',γ'i:n *vt* immunize

imdhíonacht 'im',γ'i:nəxt *f*3 immunity

imdhíonadh 'im',γ'i:nə *m*, *gs* **-nta** immunization

imdhruid 'im',γrid' *vt*, *vn* ~ **im** encompass; besiege

imeacht im'əxt *m*3 going, departure; course; bearing; *bhí an-~ ar eallach* cattle were selling fast, *le h~ aimsire* with the passage of time, *is breá an t-~ atá faoi* he bears himself well, ~ *ai an lae* the events of the day, *tús a chur ar na himeachtaí* to open the proceedings, *sna himeachtaí seo* in these parts

imeagla 'im',aglə *f*4 great fear, terror

imeaglach 'im',agləx *a*l fearful; terrible

imeall im'əl *m*l border, edge, margin, ~ *na spéire* horizon, ~ *spéaclaí* rim of spectacles

imeallach im'ələx *a*l bordering, marginal; bordered

imeallbhord 'im'əl,vo:rd *m*l border, margin, seaboard

imeartas im'ərtəs *m*l play, playfulness; trickery, ~ *focal* quibble; pun

imeartha im'ərhə *a*3 prankish; practised, clever, ~ *le rud* fed up with sth

imghearradh 'im',γ'arə *m*, *gs* **-rrtha** circumcision

imigéin im'əg'e:n' *s*, *in* ~ far off, far away

imigéiniúil im'əg'e:n'u:l' *a*2 far-away, remote

imigh im'i: *vi*, *vn* imeacht go, leave; travel, proceed; give way, *na faisin atá ag imeacht* current fashions, *tá airgead bréige ag imeacht* counterfeit money is in circulation, *tá an lá ag imeacht* the day is passing, *d' ~ rud éigin air* sth happened to him, *d' ~ as an téad* the rope slackened, *imeacht le rud* to make off with sth, *imeacht le ceird* to follow a trade, *ag imeacht le haer an tsaoil* leading the gay life, ~ *leat* get out of here, *imeacht ó smacht* to get out of control

imir¹ im'ər' *f*2, *pl* ~ **eacha** tint, tinge

imir² im'ər' *vt* & *i*, *pres* **imríonn** play; gamble, ~ *t ar dhuine* to play a trick on a person, *arm a ~ t* to wield a weapon, ~ *an chóir leo* act justly towards them, *dioltas a ~ t ar dhuine* to wreak vengeance on a person, *tá an tsláinte ag ~ t air* his health is troubling him

imirce im'ər'k'ə *f*4 migration, emigration, *éan* ~ migratory bird imirceach im'ər'k'əx *m*1 migrant, emigrant *a*l moving, migratory

imirt im'ərt' *f*, *gs* imeartha playing; play; use, cé leis (an) ~? whose turn is it to play? teach imeartha gaming house, ~ carthanachta the exercise of friendship, ~ faltanais the venting of spleen

imleabhar 'im',l'aur *m*1 volume

imleacán im'l'əka:n *m*1 navel; central point, hub

imline 'im',l'i:n'ə *f*4, *pl* -nte outline, perimeter, circumference

imlinigh 'im',l'i:n'i *vt* outline

imlitir 'im',l'it'ər' *f*, *gs* -treach *pl* -treacha circular (letter), ~ ón bPápa (papal) encyclical

imní im'n'i: *f*4 anxiety, concern, fretting

imníoch im'n'i:(ə)x *a*l, *gsm* ~ anxious, concerned; diligent

imoibrigh 'im',ob'r'i *vi* react

impí im'p'i: *f*4, *pl* ~ocha entreaty; intercession

impigh im'p'i *vt & i* entreat, implore

impíoch im'p'i:(ə)x *m*l supplicant; intercessor *a*l, *gsm* ~ suppliant

impire im'p'ər'ə *m*4 emperor

impireacht im'p'ər'əxt *f*3 empire

impiriúil im'p'ər'u:l' *a*2 imperial

impiriúlachas im'p'ər'u:ləxəs *m*1 imperialism

imprisean im''p'r'is'ən *m*l impression

impriseanachas ,im''p'r'is'ənəxəs *m*l impressionism

imreas im'r'əs *m*l strife, discord, *ag* ~ quarrelling, creating mischief

imreasach im'r'əsəx *a*l contentious, quarrelsome

imreasc im'r'əsk *m*l iris (of eye), mac imrisc pupil (of eye)

imreog im'r'o:g *f*2 butterscotch

imreoir im'r'o:r' *m*3 player

imrothlach 'im',rohləx *a*l revolving

imrothlaigh 'im',rohli *vi* revolve

imrothlú 'im',rohlu: *m*4, (of wheel, etc) revolution

imruathar 'im',ruəhər *m*l onrush; invasion

imscríobh 'im',s'k'r'i:v *vt* circumscribe

imshaol 'im',hi:l *m*l environment

imshruthú 'im',hruhu: *m*4, ~ (na fola) circulation (of the blood)

imshuí 'im',hi: *m*4 siege

imshuigh 'im',hiɣ *vt* beleaguer, besiege

imtharraingt 'im',harən't' *f*, *gs* -gthe attraction; gravity, ~ an domhain terrestrial gravitation

imtheorannaí 'im',ho:rəni: *m*4 internee

imtheorannaigh 'im',ho:rəni *vt* intern

imtheorannú 'im',ho:rənu: *m*4 internment

imthoisceach 'im',hos'k'əx *a*l circumstantial

in¹ in' *pron*, b'in é é that was it, nach in é an fear? isn't that the man?

in-² in' ~ in† *pref* capable of, fit for, fit to be

in-³ in' ~ in† *pref* in-, il-l, im-m, ir-r

inbhear in'v'ər *m*l river-mouth, estuary, ~ éisc (river) fishery

inbhéarta 'in',v'e:rtə *m*4 inverse

inbhéartach 'in',v'e:rtəx *a*l inverse

inbheirthe 'in',v'erhə *a*3 inborn, innate

inbhraite ,in'vrat'ə *a*3 perceptible, palpable, tangible

inbhreathnaitheach 'in',v'r'ahnihəx *a*l introspective

inbhreathnú 'in',v'r'ahnu: *m*4 introspection

inchaite ,in'xat'ə *a*3 wearable; spendable; edible

inchinn in'x'ən' *f*2 brain

inchloiste ,in'xlos't'ə *a*3 audible

inchomórtais ,in'xomo:rtəs' *a*3 comparable (le with, to)

inchreidte ,in'x'r'et'ə *a*3 credible

inchurtha in'xurhə *a*3, ~ le comparable to, equal to, even with

indéanta ,in''d'e:ntə *a*3 practicable; fit to be done; possible

indíreach 'in',d'i:r'əx *a*l indirect

indíritheach 'in',d'i:r'ihəx *a*l introvertive

indíritheoir 'in',d'i:r'iho:r' *m*3 introvert

indóite in'do:t'ə *a*3 combustible

inearráide ,in''ara:d'ə *a*3 fallible

infhaighte ,in 'a:t'ə *a*3 procurable, available

infheicthe ,in''ek'ə *a*3 visible

infheidhme ,in''aim'ə *a*3 serviceable; fit, able-bodied

infheistigh 'in',es't'i *vt* invest

infheistíocht 'in',es't'i:(ə)xt *f*3 investment, sum invested

infhill 'in',il' *vt* fold inwards; enfold; inflect

infhuascailte ,in'uəskəl't'ə *a*3 redeemable; solvable, soluble infinideach in'f'ən'əd'əx *m*1 & *a*1 infinitive

ingear in'g'ər *m*1 perpendicular, vertical, *line ingir* plumb-line

ingearach in'g'ərəx *a*1 perpendicular, vertical; sheer

inghlactha ,in'ɣlakə *a*3 acceptable, admissible

ingne iɲ'n'ə : ionga

ingneach in'n'əx *a*1 having nails, claws

Inid in'əd' *f*2 Shrovetide, *Máirt ∼ e* Shrove Tuesday

inimirce ,in',im'ər'k'ə *f*4 immigration

inimirceach in',im'ər'k'əx *m*1 & *a*1 immigrant

iníoctha ,in'i:kə *a*3 payable, due

inion in'i:n *f*2, *pl ∼* acha daughter, *a ∼ ó* my dear girl, *I∼ Uí Bhriain* Miss O'Brien

inior in'i:r *m*1 grazing; pasturage

inis¹ in'əs' *f*2, *gs* inse *pl* insi island

inis² in'əs' *vt* & *i* , *pres* insíonn *vn* insint tell, relate; describe, *d' ∼ tú orm é* you informed on me about it, *rud a thabhairt le hinsint do dhuine* to give a person a piece of one's mind about sth, *slán mar a n-instear* God save us from the likes of it

inite ,in'it'ə *a*3 edible

iníuch 'in',iu,ux *vt* scrutinize; audit

iníuchadh 'in',iu,xə *m*, *gs* -chta *pl* -chtaí scrutiny; audit

iníuchóir 'in',iu,xo:r' *m*3 scrutineer, auditor

inlasta ,in'lastə *a*3 inflammable

inleighis ,in'l'ais' *a*3 curable

inleog in'l'o:g *f*2 device; snare, trap

inliocht in'l'i:(ə)xt *f*3 manoeuvre

inmhaite ,in'vit'ə *a*3 enviable, *ní raibh mo thuras ∼ orm* I had little to show for my journey

inmhe in'əv'ə *f*4 maturity, strength, *in ∼ fir* fit to do a man's work, *bheith in ∼ rud a dhéanamh* to be able to do sth

inmheánach 'in',v'a:nəx *m*1 innards *a*1 internal, *an bheatha ∼* the interior life

inmholta ,in'voltə *a*3 commendable, praiseworthy; advisable

inne in'ə *m*4 middle, centre *pl* innards; bowels, guts

inné ə'n'e: *adv* & *s* & *a* yesterday

inneach in'əx *m*1 weft

innéacs in'e:ks *m*4, *pl ∼* anna index

innéacsaigh in'e:ksi: *vt* & *i* index

inneall in'əl *m*1 arrangement, order; snare, device; machine, engine, *in ord agus in ∼* in excellent condition, *∼ a chur ort féin* to dress, tidy, oneself, *∼ oilc* evil contrivance

innealra in'əlrə *m*4 machinery, (mechanical) equipment

innealta in'əltə *a*3 ordered; neat; skilled, *cailín ∼* smartly-dressed girl

innealtóir in'alto:r' *m*3 engineer

innealtóireacht in'alto:r'əxt *f*3 engineering

inneoin in'o:n' *f*, *gs* -onach *pl* -onacha anvil

innill in'əl' *vt*, *pres* inlíonn arrange, set; array; equip; plot

inilt in'əl't' *f*2 grazing; pasturage

inniu in'u *adv* & *s* & *a* today, *mí is an lá ∼* a month ago today, *bliain ó ∼* a year hence

inniúil in'u:l' *a*2 able, fit for, *bheith ∼ ar rud a dhéanamh* to be able to do sth, *don bhóthar* ready for the road

inniúlacht in'u:ləxt *f*3 ability, competence

inoibrithe ,in'ob'r'ihə *a*3 workable, practicable

inólta ,in'o:ltə *a*3 drinkable

inphósta ,in'fo:stə *a*3 marriageable

inrátaithe ,in'ra:tihə *a*3 rateable

inroinnte ,in'ron't'ə *a*3 divisible

inscéalaíochta in''s'k'e:li:(ə)xtə *a*3, *(of survivor)* alive to tell the tale

inscne in's'k'n'ə *f*4 gender

inscríbhinn 'in',s'k'r'i:v'ən' *f*2 inscription

inse¹ in's'ə *m*4 hinge

inse² in's'ə *f*4 inch, water-meadow

insealbhaigh 'in',s'aləvi: *vt* invest, install

inseamhnaigh 'in',s'auni: *vt* inseminate

inseamhnú 'in',s'aunu: *m*4 insemination, *∼ saorga* artificial insemination

inseolta ,in''s'o:ltə *a*3 navigable; seaworthy

insint in's'ən't' *f*2 narration, utterance; version, *fear inste scéil* storyteller; survivor

insíolraí 'in',s'i:lru *m*4 inbreeding

insíothlaigh 'in',s'i:hli: *vi* infiltrate

insíothlú 'in',s'i:hlu: *m*4 infiltration

insligh 'in',s'l'iɣ *vt* insulate

inslin in's'l'ən' *f*2 insulin

inslitheoir 'in',s'l'iho:r' *m*3 insulator

insliú 'in̠,s'l'u: m4 insulation

inspéise ,in'sp'e:s'ə a3 worthy of notice, interesting

inspioráid insp'ora:d' f2 (divine) inspiration

insteall 'in̠,s't'al vt inject

instealladh 'in̠,s't'alə m, gs -llta pl -lltaí injection

institiúid in̠s't'ət'u:d' f2 institute

inti in't'i : i

intinn in't'ən' f2 mind; spirits; intention, tuirse ~e mental strain, tá an dea-acu dúinn they are well-disposed towards us, ní air a bhí m' ~ my thoughts were elsewhere, rud a bheith ar ~ agat to intend sth, ar aon ~ of one mind

intinneach in't'ən'əx a1 intentional; strong-willed, ~ suairc merry and gay

intíre 'in̠,t'i:r'ə a3 inland, domestic, internal

intleacht in't'l'əxt f3 intellect, intelligence; ingenuity

intleachtach in't'l'əxtəx a1 intellectual, intelligent; ingenious

intreach in't'r'əx a1 intrinsic

intriacht in't'r'iəxt f3 interjection

intuaslagtha ,in̠'tuəsləkə a3 soluble

intuigthe ,in̠'tik'ə a3 understandable; implied

íobair i:bər' vt & i, pres- -braíonn sacrifice

íobairt i:bərt' f3, gs -artha sacrifice

íobartach i:bərtəx m1 sacrificial victim a1 sacrificial, sacrificing

íoc¹ i:k m3 payment; charge, rate; requital, in ~ ár bpeacaí in atonement for our sins vt & i pay; requite, atone for

íoc² i:k f2 healing, cure, ~ leighis medicament vt & i heal, cure

íocaí i:ki: m4 payee

íocaíocht i:ki:(ə)xt f3 paying; payment

íochtar i:xtər m1 lower part, bottom, bheith in ~ to be underneath, to be down (trodden), ~ bróige sole of shoe, draid íochtair bottom teeth, ~ na hÉireann the north of Ireland

íochtarach i:xtərəx a1 lower, low(-lying); inferior, humble

íochtarán i:xtəra:n m1 lowly person; inferior, subordinate

íoclann i:klən f2 dispensary

íocóir i:ko:r' m3 payer

íocshláinte 'i:k̠,hla:n't'ə f4 balm, balsam, restorative

íodálach ida:ləx m1 & a1 italic, cló ~ italic type, italics, I~ Italian

íogair i:gər' a1 sensitive; touchy, cás ~ delicate case

íogart o:gərt m1 yoghourt

íoglú i:glu: m4, pl ~nna igloo

íol i:l m1, npl ~a idol

íoladhradh 'i:l̠,airə m, gs íoladhartha idolatry

iolar i:lər m1 eagle

iolarach ilərəx a1 aquiline

iolartha ilərhə a3 manifold, numerous; varied

íolbhriseadh 'i:l̠,v'r'is'ə m, gs -ste iconoclasm

iolra ilrə m4 & a3, (grammar) plural

iolrach ilrəx a1 multiple

iolrachas ilrəxəs m1 pluralism

iolraigh ilri: vt multiply, ús iolraithe compound interest

iolrú ilru: m4 multiplication

iomad iməd s great number or quantity; abundance, an ~ uair many times, an ~ airgid too much money, tá an ~ le rá agat you talk too much

iomadaigh imədi: vt & i increase; proliferate; make, grow, numerous

iomadúil imədu:l' a2 numerous, plentiful; excessive; exceptional

iomadúlacht imədu:laxt f3 numerousness, abundance

iomáin ima:n' f3 (game of) hurling vi hurl, play hurling

iomaíocht imi:(ə)xt f3 competition; emulation, ag ~ le chéile competing with one another

iomair imər' vt & i, pres -mraíonn vn -mramh row

iomaire imər'ə m4 ridge

iomaireach imər'əx a1 ridged; ribbed; corrugated

iomaitheoir imiho:r' m3 competitor, rival

iománaí ima:ni: m4 hurler

iománaíocht ima:ni:(ə)xt f3 hurling

iomann imən m1 hymn

iomarbhá 'imər̠,va: f4 contention; controversy

iomarca imərkə *f*4 excess; too many, too much, *bhí an* ~ *deifre ort* you were in too great a hurry, ~ *a bhreithe ó dhuine* to gain an advantage over a person, *uabhar agus* ~ pride and arrogance

iomarcach imərkəx *a*1 excessive; redundant; arrogant, *breith* ~ exceedingly harsh judgment

iomard imərd *m*1 reproach; affliction; hardship, *tá* ~ *ar an áit seo* this place is unlucky

iomardach imərdəx *a*1 reproachful; challenging

iomardaigh imərdi: *vt* reproach; challenge; reprimand

iomas iməs *m*1 intuition

iomasach iməsəx *a*1 intuitive

iomchuí 'im,xi: *a*3 appropriate, fitting

iomghaoth 'im,yi: *f*2 whirlwind

íomhá i:vɑ: *f*4, *pl* ~**nna** image, statue; likeness, *a* ~ *sa scáthán* his reflection in the mirror

íomháineachas i:va:n'əxəs *m*1 imagery

iomlachtadh imləxtə *m*1 ferrying; transport, passage

iomláine imla:n'ə *f*4 fullness, entirety

iomlaisc imləs'k' *vt & i*, *pres* **-ascann** roll about, flounder; wallow

iomlán imla:n *m*1 all; total, ~ *na fírinne* the whole truth, *faoi* ~ *éadaigh* under full sail, *ina* ~ in its entirety *a*1 full, whole, complete

iomlaoid imli:d' *f*2 change, fluctuation

iomlaoideach imli:d'əx *a*1 alternating

iomlasc imləsk *m*1 rolling, tumbling, floundering, *poll iomlaisc* wallow-hole

iomlat imlət *m*1 mischievousness

iomlatach imlətəx *a*1 mischievous

iomlua 'im,luə *m*4 activity; agitation; exercise; mention, ~ *bratach* fluttering of flags, *iomrá agus* ~ report and discussion

iomluaigh 'im,luəy' *vt & i* move, agitate, exercise; mention, propose

iompaigh impi: *vt & i* turn; reverse, change over, *d'* ~ *an bád* the boat capsized, *fearg a iompú* to avert anger, *tá an bainne iompaithe* the milk has turned, *d'* ~ *a lí air* he changed colour, *d'* ~ *sí ina Caitliceach* she became a Catholic

iompair impər' *vt & i*, *pres* **-praíonn** carry, transport; support; endure, *bheith ag*

iompar (clainne) to be with child, *tá sé ag iompar na bhfód* he is beneath the sod, *tú féin a iompar go maith* to carry oneself well; to behave well

iompaitheach impihəx *m*1 convert; proselyte

iompar impər *m*1 carriage; transport; load; support; endurance; bearing, conduct, ~ *fuaime* transmission of sound, ~ *scéalta* tale-bearing, ~ *clainne* gestation, pregnancy

iompórtáil 'im,po:rta:l' *f*3 importation, import *vt* import

iompórtálaí 'im,po:rta:li: *m*4 importer

iompróir impro:r' *m*3 carrier

iompú impu: *m*4 turning, turn, *ar* ~ *boise* in a trice, ~ *goile* stomach upset, ~ *na bpeacach* the conversion of sinners

iomrá imra: *m*4 rumour; discussion, *tá* ~ *leis* it is being reported, talked about, *bhí* ~ *an airgid orthu* they were reputed to have money

iomráiteach imra:t'əx *a*1 well-known, famous

iomrall imrəl *m*1 aberration, error, ~ *aithne* mistaken identity, ~ *aimsire* anachronism, *urchar iomraill* missed, wide, shot

iomrallach imrələx *a*1 straying, wide of mark; mistaken

iomramh imrəv *m*1 rowing, *bád iomartha* rowing-boat

iomrascáil imrəska:l' *f*3 wrestling

iomrascálaí imrəska:li: *m*4 wrestler

iomróir imro:r' *m*3 oarsman, rower

ion i:n *a*1, *gsm* ~ pure; sincere

íona i:nə *spl* pains, pangs

íonacht i:naxt *f*3 purity

ionad inəd *m*1 place, position; site; mark, trace, ~ *coinne* rendezvous, ~ *saoire* holiday resort, *tá a ghualainn as* ~ his shoulder is dislocated, *a* ~ *sa saol* his station in life, *fear ionaid* deputy, substitute, *in* ~ *labhairt liom* instead of speaking to me

ionadach inədəx *a*1 substitute, vicarious; out-of-the-way, inaccessible

ionadaí inədi: *m*4 representative; substitute, deputy, ~ *rí* viceroy

ionadaigh inədi: *vt* position; appoint; represent; substitute

ionadaíocht inədi:(ə)xt *f*3 representation; substitution

ionadh i:nə *m*1, *pl* **-aí** wonder, surprise, *is ~ liom (go)* I am surprised (that), *bhí fearg air linn, ní nach ~* he was angry with us, and no wonder

ionaibh inəv´ : **i**

ionaigh i:ni: *vt* purify

ionainn inən´ : **i**

ionam inəm : **i**

ion-análaigh 'in͵ana:li: *vt & i* breathe in, inhale

ionann inən *a* same, identical; equal, *is ~ iad* they are identical, *is ~ an cás domsa* it is all the same to me, *~ is a rá (go)* as much as to say (that), *tá deifir anois leis, murab ~ is riamh* it is urgent now, more than ever, *murab ~ is tusa* unlike you, *tá sé ~ is (a bheith) críochnaithe*

ionannas inənəs *m*1 sameness, identity; uniformity

ionar inər *m*1 tunic; jerkin

ionas inəs *s as adv*, *~ go* so that, *~ nach* so that ... not

ionat inət : **i**

ionathar inəhər *m*1 entrails, intestines

ioncam iŋkəm *m*1 income

ionchas inəxəs *m*1 expectation, prospect, *~ saoil* life expectancy, *ar ~, le h~, go* in the expectation (that)

ionchoirigh 'in͵xor´i: *vt* incriminate

ionchoisne 'in͵xos´n´ə *m*4 inquisition; inquest

ionchollú 'in͵xolu *m*4 incarnation

ionchorpraigh 'in͵xorpri: *vt* incorporate

ionchúiseamh 'in͵xu:s´əv *m*1 prosecution

ionduchtú 'in͵duxtu: *m*4 induction

iondúil indu:l´ *a*2 usual, customary, *go h~* usually, as a rule

ionfhásta 'in͵a:stə *a*3 ingrown, ingrowing

ionga iŋgə *f*, *gs* **~n** *pl* **ingne** nail; claw, talon, *ar a ingne deiridh*, (*of animal*) rearing, *~ tobac* quid of tobacco, *~ gairleoige* clove of garlic

iongabháil iŋgava:l´ *f*3 careful handling; attention; prudence, *duine a ~ go maith* to take good care of a person

ionghlanadh 'i:n͵γlanə *m*, *gs* **-nta** purification

ionlach inləx *m*1 wash, lotion

ionladh inlə *m*, *gs* **ionnalta** washing, ablutions

ionlao 'in͵li: *a*3 in-calf

ionnail inəl´ *vt*, *pres* **ionlann** wash, bathe

ionnaltán inəlta:n *m*1 wash-basin

ionnarbadh inərbə *m*, *gs* **-btha** expulsion, banishment, *dul ar ~* to go into exile

ionnús inu:s *m*1 wealth, resources; valuables; resourcefulness

ionracas inrəkəs *m*1 uprightness, honesty, integrity

ionradaíocht 'in͵radi:(ə)xt *f*3 irradiation

ionradh inrə *m*1, *pl* **-aí** incursion, invasion; pillaging, *ag ~ na tíre* invading, devastating, the country

ionraic inrək´ *a*1 upright, honest; guileless

ionramh inrəv *m*1 management, treatment; care

ionramháil inrəva:l´ *f*3 handling, management; humouring, *~ a dhéanamh ar rud* to manipulate sth *vt* handle, manage, manoeuvre; humour

ionramhálaí inrəva:li: *m*4 handler, manipulator

ionróir inro:r´ *m*3 invader

ionsaí insi: *m*4 advance, attack; attempt, *d´~ na farraige* towards the sea

ionsaigh insi: *vt & i* advance upon, attack; approach; attempt, *ag ionsaí abhaile* making for home; coming near home

ionsair in´ser´ : **ionsar**

ionsaitheach insihəx *a*1 aggressive

ionsaitheoir insiho:r´ *m*3 attacker, aggressor

ionsar 'in´ser´ *prep*, *pron forms* **ionsorm** ͵in´sorəm **ionsort** in´sort, **ionsair** in´ser´ *m*, **ionsuirthi** 'in´sirhi *f*, **ionsorainn** ͵in´sorən´, **ionsoraibh** ͵in´sorəv´ **ionsorthu** in´sorhu, to, towards, *cuir scéala ionsair* send word to him

ionsoraibh ͵in´sorəv´ : **ionsar**

ionsorainn ͵in´sorən´ : **ionsar**

ionsorm ͵in´sorəm : **ionsar**

ionsort in´sort : **ionsar**

ionsorthu in´sorhu : **ionsar**

ionstraim instrəm´ *f*2 instrument

ionstraimeach instrəm´əx *a*1 instrumental

ionstraimí instrəm´i: *m*4 instrumentalist

ionstraimigh instrəm´i: *vt* instrument; orchestrate

ionsuigh 'in͵si: *vt* plug in

ionsuirthi 'in´sirhi : **ionsar**

iontach i:ntəx *a*1 wonderful; surprising; strange, *d´éirigh go h~ leis* it was a great success, *tá sé ~ te* it is very hot

iontaise 'in,tas'ə *f*4 fossil

iontaiseach 'in,tas'əx *a*1 fossil(ized)

iontaisigh 'in,tas'i: *vt & i* fossilize

iontaobhach ,in'ti:vəx *a*1 trusting

iontaobhaí ,in'ti:vi: *m*4 trustee

iontaobhaíocht ,in'ti:vi:(ə)xt *f*3 trusteeship

iontaobhas ,in'ti:vəs *m*1 trust, ~ *carthanais* charitable trust

iontaofa in'ti:fə *a*3 trustworthy, reliable

iontaofacht ,in'ti:fəxt *f*3 trustworthiness, reliability

iontaoibh ,in'ti:v' *f*2 trust; reliance, confidence

iontas i:ntəs *m*1 wonder, surprise, ~ *a dhéanamh de rud* to wonder at sth, *ag breathnú ar na hiontais* seeing the sights

iontlaise intlas'ə *a*3 inlaid, *urlár* ~ parquet floor

iontóir i:nto:r' *m*3 purifier

iontráil intra:l' *f*3 entry *vt & i* enter

iontrálaí intra:li: *m*4 entrant

iontróid intro:d' *f*2 introit

iontu intu : **i**

ionú inu: *m*4 (proper) time, season, favourable opportunity, *dá mbeadh ~ agam air* if I had time to do it

ionú i:nu: *m*4 purification

ionúin inu:n' *a*1, *comp* **ansa** dear, beloved

iora irə *m*4, ~ *(rua)* (red) squirrel, ~ *glas* grey squirrel

iorna i:rnə *m*4 hank, skein

iaróin i:ro:n' *f*2 irony

iarónta i:ro:ntə *a*3 ironic(al)

iorpais i:rpəs' *f*2 dropsy; venom, *tá an ~ ina chroí* he is full of spite

iorpaiseach i:rpəs'əx *a*1 dropsical; venomous

iorras irəs *m*1 promontory

ios- i:s *pref* least, minimum

Íosa i:sa *m*4 Jesus

Íosánach i:sa:nəx *m*1 & *a*1 Jesuit

ioscaid iskəd' *f*2 hollow behind knee, popliteal space, *go h~ i san uisce* knee-deep in water, ~ *tobac* little bit of tobacco

ioschúirt 'i:s,xu:rt' *f*2, *pl* ~**eanna** inferior court

íosfaidh i:si: *fut of* **ith**

íoslach i:sləx *m*1 basement

Íoslamachas i:sləməxəs *m*1 Islam

íospairt i:spɔrt' *f*3, *gs* **-artha** ill-treatment, ill-usage

íosta istə *m*4 store, depot; treasury

íosta i:stə *a*3 minimum, minimal

iostán ista:n *m*1 cottage

íostas istəs *m*1 lodging, accommodation, *teach íostais* lodging house, ~ *mac léinn* students' hostel

íota i:tə *f*4 (great) thirst; ardent desire

iothlainn ihlən' *f*2, *pl* ~**eacha** haggard

íreas ir'əs *m*1 iris

íris¹ ir'əs' *f*2 strap, sling (for carrying)

íris² ir'əs' *f*2 journal, magazine

iriseoir ir'əs'o:r' *m*3 journalist

iriseoireacht ir'əs'o:r'əxt *f*3 journalism

irisleabhar 'ir'əs',l'aur *m*1 journal, magazine

is¹ is³ *copula*, *(is) fear maith é, fear maith is ea é* he is a good man, *is óige mise ná é* I am younger than he is, *ní críonnacht creagaireacht* miserliness is not thrift, *ní hionann iad* they are not the same, *an fíor é? is fíor* is it true? it is, *an gloine é? is ea* is it glass? it is, *arbh é a bhí ann? níorbh é, charbh é*, was it he who was there? it was not, *nárbh é an t-amadán é* wasn't he a right idiot, *deir sé gur mé a rinne é, ach ní mé* he says that it was I who did it, but it was not, *gura slán dóibh* God be with them, *gurab amhlaidh duit* the same to you, *nach leigheas ar chasacht é?* is it not a cure for a cough? *daoine nach iad* people other than they, *ba bhreá an bhean í, nár bhreá?* she was a fine woman, wasn't she? *sílim gurb ea* I think it is so, *dúirt sí gurbh iad a bhí ann* she said it was they who were there, *ar leis féin é?* was it his own? *an teach ar le Seán é* the house John owns, owned, *nára fada an lui sin ort* I wish you a speedy recovery, *nárab amhlaidh duit* may it not be so for you, *dá mba mise thú* if I were you, *rud ab fhusa a dhéanamh* something that was easy to do, *níor, char, chuardaí an té a rinne é*, whoever made it was no tradesman, *ní hé nár mhaith liom é*, it is not that I wouldn't like it, *ráiteas nárbh fhíor* a statement that wasn't true, *an leat an teach?* is yours the house? it is, *b'fhearr é sin* that would be better

is² is ~ *prep* (of time) ~ *an* up to, ago, *bliain* ~ *an t-am seo* this time last year

ise i:s'ə 3 *sg f*, emphatic *pron* she, her, ~ *a dúirt é* she is the person who said it, *ach amháin* ~ except herself

íseal i:s'əl *m1, pl* **ísle** lowly person; low-lying place, *os* ~ in a low voice; in secret *a1, gsf, npl & comp* **isle** low; low-sized, *tír* ~ low-lying country, *gníomh* ~ mean act, *glór* ~ low voice

ísleacht i:s'l'əxt *f3* lowness, lowliness

ísleán i:s'l'a:n *m1* low-lying place; depression; declivity

íslígh i:s'l'i: *vt & i* lower, depress, *isliú de chapall* to alight from a horse

ísliú i:s'l'u: *m4* lowering, depression, decline; abasement

ispín is'p'i:n' *m4* sausage

isteach ə's't'ax *adv & prep & a* in, into, ~ (*ar*) *an doras* in by, through the door, ~ *leat*, ~ *libh* in you go, *chuaigh sé* ~ *go cnámh* it penetrated to the bone, *tá an cíos* ~ *leis* it includes the rent, *bheith* ~ *le duine* to be in association with a person, *bíonn siad* ~ *is amach le chéile* they are on friendly terms

istigh ə's't'iy' *adv & prep & a* in, inside; indoor, at home; inner, *bí* ~ come in, *tá an tairne* ~ *go domhain ann* the nail is embedded in it, *bhí sé* ~ *i bpríosún* he was confined to prison, *tá an fómhar* ~ the harvest is in, *tá fear do dhiongbhála* ~ *anois leat* you are pitted against your match now, *an litir atá* ~ *leis seo* the letter enclosed herewith, *tá béile maith* ~ *againn* we have had a good meal, *tabhair* (*cead*) *a bheith* ~ *dóibh* give them permission

to stay (for the night), *tá an eite dheas* ~ *arís* the party of the right is back in power, *bheith* ~ *ar chomórtas* to be entered for a competition, *níl sé* ~ *leis féin* he is dissatisfied with himself, *tá bliain eile* ~ another year is ended

istir ə's't'i:r' *adv* in the land; ashore, landed

istoíche ə'sti:x'ə *adv* by, at, night

ith ih *vt & i, vn* ~ **e** eat, feed; bite, *tá an mheirg ag* ~ *e an iarainn* the rust is corroding the iron, *ag* ~ *e na gcomharsan* reviling, backbiting, the neighbours, *bhí sé ag* ~ *e na bhfocal* he was mumbling his words, *ite ag an éad* consumed with jealousy

itheachán ihəxa:n *m1* eating, *teach itheacháin* eating-house

ithiomrá 'ih,imra: *m4, pl* **-ite** backbiting; slander

ithir ihər' *f, gs* **-threach** *pl* **-threacha** soil, earth; arable land

iubhaile u:vəl'ə *f4* jubilee

iúd u:d *pron* that, yon, *b'* ~ *é* (*é*) yonder it is, *b'* ~ *iad ag imeacht ar cosa in airde* off they went at a gallop

lúil u:l' *m4* July

iúl u:l *m1* knowledge; direction; attention, *rud a chur in* ~ *do dhuine* to let a person know sth; to pretend sth to a person, *tú féin a chur in* ~ to express oneself; to assert oneself, *bhíomar ar an* ~ *céanna* we were on the same track, *d'* ~ *a bheith ar rud* to have one's attention on sth

lúpatar u:pətər *m1* Jupiter

iúr u:r *m1* yew

J

jab d'z'ab *m4, pl* ~**anna** job; post, employment

jabaire d'z'abər'ə *m4* (cattle-)jobber

jacaí d'z'aki: *m4* jockey

jaingléir d'z'aŋ'l'e:r' *m3* straggler, vagrant

jéinios d'z'e:n'i:s *spl* bits of earthenware; shards; "chanies"

jib d'z'ib' *f2, pl* ~**eanna** jib(-sail)

jíp d'z'i:p' *m4, pl* ~**eanna** jeep

júdó d'z'u:do: *m4* judo

L

lá la: *m, gs* **lae** *pl* **laethanta** day; daytime, *lenár* ~ during our lifetime, *ag baint lae as* getting along somehow

lábach la:bəx *a1* muddy, miry

lábán la:ba:n *m1* mud; soft roe, milt

labhair laur' *vt & i, pres* **-bhraíonn** speak

labhairt laurt' *f3, gs* **-artha** speaking; speech; call

labhandar lavəndər *m1* lavender

labharthach laurhəx *a1* talkative; vociferous

labhras laurəs *m1* (bay) laurel

lábúrtha la:bu:rhə *a3* base, vulgar

lacáiste laka:s't'ə *m4* rebate, discount; allowance

lách la:x *a1, gsm* ~ affable, friendly

lacha laxə *f, gs & gpl* ~**n** *npl* ~**in** duck

láchan la:xən *f3* dawning

lachín laxi:n' *f4* duckling

lachna laxnə *a3* dull grey; dun, drab

lacht laxt *m3* milk; yield of milk, *súile ina* ~ eyes full of tears

lachtach laxtəx *a1* lactic, milky; *(of eyes)* tearful

lachtadh laxtə *m, gs* **lachta** *pl* **-aí** lactation

lád la:d *m1* watercourse

ládáil la:da:l' *f3* lading; cargo *vt* lade

ládanam la:dənəm *m1* laudanum

ladar ladər *m1* ladle, *do* ~ *a chur i rud* to intervene in sth

ládasach la:dəsəx *a1* self-willed; obstinate

ladhar lair *f2, gs* **laidhre** *pl* **-dhracha** interdigital, toe; claw; prong; fork; fistful

ladhrach lairəx *a1* toed, clawed; pronged, forked

ladrann ladrən *m1* robber, ~ *(saithe)* drone

ladúsach ladu:səx *a1* pert; wheedling; silly

lae le:, **laethanta** le:həntə : **lá**

laethúil le:hu:l' *a2* daily

laftán lafta:n *m1* rocky ledge; grassy terrace, ~ *néalta* bank of clouds

lag lag *m1, npl* ~ **a** weak person, weak creature; weakness, *(le)* ~ *trá* (at) low tide *a1* weak; fragile, *páistí* ~ *a* young children

lagachar lagəxər *m1* weakness, faintness

lagaigh lagi: *vt & i* weaken; slacken, *deoch a lagú* to dilute a drink, *nár lagaí Dia thú* more power to you

lagar lagər *m1, pl* **-gracha** weakness, faintness; slackening, *bhí siad i lagracha ag gáire* they were weak from laughing

lágar la:gər *m1* lager

lagbhrí 'lag,v'r'i: *f4* weakness, enervation

lagbhríoch 'lag,v'r'i:(ə)x *a1, gsm* ~ weak, enervate

lagbhrú 'lag,vru: *m4* low pressure, *(of weather)* depression

laghad laid *m4* smallness, fewness, *níl amhras dá* ~ *faoi* there is not the least doubt about it, *ar a* ~ at least

laghairt lairt' *f2, pl* **-eanna** lizard

laghdaigh laidi: *vt & i* lessen, decrease; reduce

laghdaitheach laidihəx *a1* lessening, decreasing

laghdú laidu: *m4* decrease; reduction

lagmhisneach 'lag,v'is'n'əx *m1* lowspiritedness, low morale

lagú lagu: *m4* weakening; abatement

lai li: *m4, pl* ~**onna** pole, shaft

láí la:i: *f4, pl* **lánta** loy, spade

láib la:b' *f2* mud, mire, ~ *abhann* silt *vt* muddy, spatter

laibhe lav'ə *f4* lava

laibhín lav'i:n' *m4* leaven

laicear lak'ər *m1* lacquer

láidir la:d'ər *m4, pl* **-dre** strong person, strong creature *a1, gsf, npl & comp* **-dre** strong; durable, *is* ~ *nár leagadh mé* it is a wonder I was not knocked down

láidreacht la:d'r'əxt *f3* strength

láidrigh la:d'r'i: *vt & i* strengthen

laige lag'ə *f4* weakness; faint, swoon, *ó* ~ *go neart* from childhood to maturity

láigh la:γ' *vi, vn* **láchan** dawn

láimhdeachas la:v'd'əxəs *m1* handling; manipulation, *cáin láimhdeachais* turnover tax

láimhseáil la:v's'a:l' *f3* management, handling *vt* manage, handle

láimhsigh la:v's'i: *vt* handle, manipulate; grapple with

laincis laŋˈkʼəsˈ f2 fetter; hobble, spancel

laindéar lanˈdʼeːr m1 lantern

láine laːnʼə f4 fullness

láinnéar laːnʼeːr m1 lanyard; tatter

lainse lanʼsʼə f4 launch

lainseáil lanʼsʼaːlʼ vt launch

láinteacht laːˈnʼtʼəxt f3 blandishment, fondling

láíocht laːiː(ə)xt f3 affability; kindliness

laíon liːn m1 pith; pulp

láir laːrʼ f, gs **lárach** pl **láracha** mare

láirig laˈrʼəgʼ f2, pl ~**eacha** thigh

laiste lasˈtʼə m4 latch

laisteas ˌlasˈtʼas adv & prep & a on the south side

laistiar ˌlasˈtʼiər adv & prep & a on the west side; behind

laistigh ˌlasˈtʼiɣ adv & prep & a on the inside, within, indoors

laistíos ˌlasˈtʼiːs adv & prep & a below

láithreach¹ laːhrʼəx m1 ruined site; ruin; trace, imprint

láithreach² laːhrʼəx a1 & adv present, immediate; immediately

láithreacht laːhrʼəxt f3 presence

láithreán laːhrʼaːn m1 piece of ground; site; floor, space; (of play) set, ~ **féir** windrow

láithrigh laːhrʼiː vi present oneself, appear

laitís latʼiːsʼ f2 lattice, lattice-work

láma¹ laːmə m4 lama

láma² laːmə m4 llama

lamairne lamərnʼə m4 jetty

lámh laːv f2, ds **láimh** in certain phrases hand, arm; handwriting; signature; handle, *ó thuaidh ~ siar* (to) north by west, *rud a bheith idir lámha agat* to be engaged in sth, *fág ar a láimh é* leave it to him, *oibriú as ~ duine* to work in partnership with a person, *d'aon ~* by concerted effort, *duine a thabhairt ar láimh, i láimh* to bring a person into custody, *tá ~ is focal eatarthu* they are engaged to be married, *rud a chur de láimh* to dispose of sth, *láimh le* close by, *as láimh* immediately, *cúl láimhe* reserve

lámhacán laːvəkaːn m1 creeping, crawling (*as a child*)

lámhach laːvəx m1 shooting; fire vt shoot

lámhachóir laːvəxoːrʼ m3, (*person*) shooter, shot

lámhadóir laːvədoːrʼ m3 handler

lamháil lauaːlʼ f3 allowance; discount; margin vt allow; remit

lámhainn laːvənʼ f2 glove

lámhaíocht laːviː(ə)xt f3 helping hand; subscription

lámháltas lauaːltəs m1 allowance, concession

lámhcheird ˈlaːvˌxʼeːrdʼ f2, pl ~**eanna** handicraft

lámhchleasaí ˈlaːvˌxʼlasiː m4 juggler

lámhchleasaíocht ˈlaːvˌxʼlasiː(ə)xt f3 jugglery

lámhiata ˈlaːvˌiətə a3 close-fisted

lámhleabhar ˈlaːvˌlʼaur m1 handbook, manual

lámh-mhaisiú ˈlaː(v)ˌvasʼu: m4 manicuring; manicure

lamhnán launaːn m1 bladder

lámhscaoileadh ˈlaːvˌskiːlʼə m, gs -**lte** manumission

lámhscríbhinn ˈlaːvˌsʼkʼrʼiːvʼənʼ f2 manuscript

lampa lampə m4 lamp

lampróg lamproːg f2 glow-worm; firefly

lán¹ laːn m1 full; contents, charge; arrogance, ~ *a chur le prátaí* to mould potatoes, *an ~ mara* high tide, *is mór an ~ airgid é* it is a great deal of money, *a ~ uisce* much water, *a ~ daoine* many people a1 full

lán² laːn m1 curve, bend

lána laːnə m4 lane

lánaigh laːniː vt & i fill out, give volume to, *prátaí a lánú* to mould potatoes

lánaimseartha ˈlaːnamʼsʼərhə a3 full-time

lánán laːnaːn m1 charge, filling

lánchúlaí ˈlaːnˈxuːliː m4 full-back

lánchumhachtach ˈlaːnˈxuːəxtəx a1 plenipotentiary

lánchumhachtóir ˈlaːnˈxuːəxtoːrʼ m3 plenipotentiary

landair landərʼ f2 partition; recess; store-room, pantry

langa laŋgə m4 ling

langaire laŋgərʼə m4 clout, blow

lánléargas ˈlaːnˈlʼeːrgəs m1 panorama, ~ *ar rud* clear insight into sth

lánmhar laːnvər a1 full, replete; self-conceited

lánmhúchadh ˈlaːnˈvuːxə m, gs -**chta** (*of lights*) black-out: asphyxia

lann lan *f* 2 plate, lamina; scale (of fish); blade

lannach[1] lanəx *m*1 mullet

lannach[2] lanəx *a*1 laminate(d); bladed

lánoiread 'la:n'or'əd *s, a* ~ equally as much, as many

lansa lansə *m*4 lance; lancet; blade

lansaigh lansi: *vt* lance

lánscoir 'la:n'skor' *vt*, (of parliament) dissolve

lánscor 'la:n'skor *m*1, (of parliament) dissolution

lánseol 'la:n''s'o:l *s, faoi* ~ under full sail; in full swing

lánstad 'la:n'stad *m*4, *pl* ~**anna** full stop; period

lánstaonadh 'la:n'sti:nə *m, gs* -**nta** total abstinence; teetotalism

lánstaonaire 'la:n'sti:nər'ə *m*4 teetotaller

lántán lanta:n *m*1 level place; grazing patch

lántosaí 'la:n'tosi: *m*4 full-forward

lánúin la:nu:n' *f* 2, *pl* ~**eacha** (married or engaged) couple

lánúnas la:nu:nəs *m*1 partnership in marriage; cohabitation, mating

lao li: *m*4, *pl* ~**nna** (young) calf, *a* ~ my dear

laoch li:x *m*1, *gs* -**oich** *pl* ~**ra** warrior, hero

laochas li:xəs *m*1 heroism, valour; boastfulness, bravado

laochta li:xtə *a*3 valorous, heroic

laofa li:fə *a*3 biased

laofheoil 'li:,o:l' *f* 3 veal

laoi li: *f* 4, *pl* ~**the** lay, (narrative) poem

laom li:m *m*3, *pl* ~**anna** flash, blaze; fit, spell

laomtha li:mhə *a*3 blazing; brilliant; fiery

lapa lapə *m*4 paw; flipper; webbed foot, ~ *na circe* cable-stitch

lapadaíl lapədi:l' *f* 3 paddling, wading, ~ *na dtonn* the lapping of the waves

lapadán lapədɑ:n *m*1 toddling, waddling, flopping about; toddler; pinniped

lapairín lapər'i:n' *m*4, ~ *locha* little grebe, dabchick

lár la:r *m*1 ground, floor; middle, centre, *bheith ar* ~ to be on the ground; to be laid low; missing

láraigh la:ri: *vt* centralize

laraing larəŋ' *f* 2 larynx

laraingíteas ,larəŋ''g'i:t'əs *m*1 laryngitis

larbha larəvə *m*4 larva

larcán larka:n *m*1, ~ *gruaige* mop of hair

lardrús la:rdru:s *m*1 larder

lárionad 'la:r,inəd *m*1 centre

lárlíne 'la:r,l'i:n'ə *f* 4, *pl* -**nte** diameter

lárnach la:rnəx *a*1 central, medial, innermost

lártheifeach 'la:r,hef'əx *a*1 centrifugal

lárthosaí 'la:r,hosi: *m*4 centre-forward

lárú la:ru: *m*4 centralization

las las *vt & i* light; blush; inflame

lása la:sə *m*4 lace

lasadh lasə *m, gs* -**sta** lighting, flaming; inflammation; blush

lasair lasər' *f, gs* -**srach** *pl* -**sracha** flame, blaze, ~ *choille* goldfinch

lasairéan 'lasər',e:n *m*1 flamingo

lasán lasa:n *m*1 flame, flash; match (for lighting)

lasánta lasa:ntə *a*3 flaming, fiery; irritable; flushed

lasbhus ,las'vus *adv & prep & a* on the near side

lasc lask *f* 2 lash, whip; switch *vt & i* lash, whip; kick, strike; dash, ~ *ann, as* switch on, off

lascadh laskə *m, gs* -**ctha** lashing, whipping; kick

lascaine laskən'ə *f* 4 abatement, discount; easement (of weather conditions)

lasc-chlár 'lask,xla:r *m*1 switchboard

lasmuigh ,las'miy' *adv & prep & a* on the outside, outdoors, ~ *de sin* apart from that

lasnairde ,las'na:rd'ə *adv & prep & a* overhead

lasóg laso:g *f* 2 small flame; torch; match

lasta lastə *m*4 freight (load), cargo; large quantity

lastall ,las'tal *adv & prep & a* on the far side, beyond; on the other side, overleaf

lastas lastəs *m*1 freightage, cargo; shipment

lastliosta 'last,l'istə *m*4 manifest

lastoir ,las'tor' *adv & prep & a* on the east side

lastóir lasto:r' *m*3 lighter

lastuaidh ,las'tuəy' *adv & prep & a* on the north side

lastuas ,las'tuəs *adv & prep & a* above, overhead

lata latə *m*4 lath; louver; barrel-hoop

láth la: *m*1 heat, rut

lathach lahəx *f*2 mud, slush; slime

láthair la:hər´ *f*, *gs* **láithreach** *pl* **láithreacha** place, spot, site; presence, *in aice láithreach* nearby, *i ~ na huaire* at the present moment, *as ~* absent, *faoi ~* at present, *teacht i ~ a bheith ionat* to have a good presence

le *l´e prep, pron forms* **liom** l´om, **leat** l´at, **leis** l´es *m*, **léi** l´e:i *f*, **linn** l´in´, **libh** l´iv´ **leo** l´o:, with; to, for; by, against, *bhí a aghaidh linn* he was facing us, *thit sé leis an aill* he fell down the cliff, *bhí an t-ádh leis* he was lucky, *tá liom* I have succeeded, *ná bí liom mar gheall air* don't annoy me about it, *le cuimhne na ndaoine* in living memory, *chomh mór le* as big as, *cara liom* a friend of mine, *tá a cheann leis* he is free to go, *d'oibrigh mé liom* I kept on working, *dul le ceird* to take up a trade, *dul le báiní* to go berserk, *tá costas leis* it entails cost, *ní maith liom é* I don't like it, *tá siad le pósadh* they are to be married

lé l´e: *f*4 leaning, partiality; lie; range, view

leá l´a: *m*4 melting; dissolution

leaba l´abə *f*, *gs* **leapa** *pl* **leapacha** bed, *~ dhearg* lair, *~ loinge* ship's berth, *~ luascáin* hammock, *~ sheoide* setting of jewel, *~ iomartha* rowlock, *i ~ rud* instead of sth, *i ~ a chéile* by degrees

leabaigh l´abi: *vt* bed, embed, set

leabhair l´aur´ *a*1 lithe, pliant

leabhairchruthach ´l´aur´,xruhəx *a*1 streamlined

leabhal l´aul *m*1 libel

leabhar l´aur *m*1 book, *an ~ a thabhairt (i rud)* to swear by the book (to sth), *an ~ a ghlanadh* to clear one's account

leabhareolaíocht ´l´aur,o:li:(ə)xt *f*3 bibliography, bibliology

leabharlann ´aurlən *f*2 library

leabharlannaí ´l´aurləni: *m*4 librarian

leabharthaca ´l´aur,hakə *m*4 book-end

leabhlach l´auləx *a*1 libellous

leabhlaigh l´auli: *vt* libel

leabhragán l´aurəgən *m*1 bookcase

leabhraigh l´auri: *vt & i* swear, *duine a leabhrú* to administer an oath to a person

leabhrán l´aura:n *m*1 booklet

leabhróg l´auro:g *f*2 libretto

leac l´ak *f*2 flat stone or rock; flagstone, slab; (*cards*) kitty, *~ a dhéanamh de rud* to beat sth flat, *~ oighir* (sheet of) ice

leaca l´akə *f*, *gs & gpl* **~n** *npl* **leicne** side of face, cheek; side, slope (of hill); side of leaf in book, etc.

leacach l´akəx *a*1 flagged, stony

leacaigh l´aki: *vt & i* flatten; crush; buckle, crumple up; dinge

leacam l´akəm *m*1 sidelong glance

leacanta l´akəntə *a*3 smooth-cheeked, comely; comfortable

leacht¹ l´axt *m*3, *pl* **~anna** grave-mound, cairn; heap, *~ (cuimhneacháin)* memorial, monument

leacht² l´axt *m*3, *pl* **~anna** liquid

léacht l´e:xt *f*3 lecture

leachtach l´axtəx *a*1 liquid

leachtaigh l´axti: *vt & i* liquefy; liquidate, liquidize

leachtaitheoir l´axtiho:r´ *m*3 liquefier; liquidizer; liquidator

léachtán l´e:xta:n *m*1 lectern

léachtóir l´e:xto:r´ *m*3 lecturer

léachtóireacht l´e:xto:r´əxt *f*3 lecturing; lectureship

leachtú l´axtu: *m*4 liquefaction; liquidation

leadair l´adər´ *vt*, *pres* **-draíonn** beat; hack; lacerate

leadán l´ada:n *m*1 bur, *~ liosta* burdock; claw, spine

leadhb l´aib *f*2, *pl* **~anna** strip; pelt; rag; blow, *~ aráin* chunk of bread *vt* tear in strips; beat; lap, lick

leadhbach l´aibəx *a*1 torn in strips; shabby; clownish

leadhbóg l´aibo:g *f*2 shred, tatter; untidy woman; flat-fish, flounder, *~ leathair* bat

leadóg l´ado:g *f*2 tennis, *~ bhoird* ping-pong

leadradh l´adrə *m*, *gs* **leadartha** *pl* **leadarthaí** beating, trouncing; laceration, wound

leadrán l´adra:n *m*1 lingering, loitering; dilatoriness; tedium

leadránach l´adra:nəx *a*1 dilatory, tedious

leafa l´afə *m*4, *~ gáire* faint, wry, smile

leafaos ´l´a,fi:s *m*1 paste

leag l'ag *vt & i* knock down; lower; lay, set, ~ *amach* lay out, arrange; prescribe; allot, *bheith ~ tha ar rud* to be intent on sth, ~ *ort (féin)* get down to it, ~*adh ormsa é* I was blamed for it

leagáil¹ l'aga:d' *m4* legate

leagáid² l'aga:d' *f2* legacy

leagáideacht l'aga:d'əxt *f3* legation

leagan l'agən *m1, pl ~acha* knocking down, demolition; fall; lowering; laying, setting; imputation; version, ~ *a bheith agat le rud* to have a leaning towards sth, *tá ~ breá air* he has a fine bearing, *ar ~ na súl* at a glance, in a twinkling, ~ *cainte* turn of speech, ~ *amach* layout, arrangement

leaid l'ad' *m4* ~*eanna* lad

leáigh l'a:ɣ' *vt & i* melt, *ag leá den saol* fading away to nothing, *nach leáite an duine é* what a useless person he is

leaisteach l'as't'əx *a1* elastic

leaisteachas l'as't'əxəs *m1* elasticity

leaistic l'as't'ək' *f2* elastic

leáiteach l'a:t'əx *a1* melting; dwindling; wan

leamh l'av *a1, gsm ~* insipid, tasteless; lifeless, dull, *nach ~ atá do cheann ort* how simple-minded you are

léamh l'e:v *m1, pl ~a* reading; interpretation

leamhach l'aux *m1* marsh-mallow (plant)

leamhachán l'auxa:n *m1* marsh-mallow (sweet)

leamhan l'aun *m1* moth

leamhán l'aua:n *m1* elm

leamhaol l'av,i:l *m1, pl ~ta (paint)* distemper

leamhas l'aus *m1* softness; tastelessness, insipidity; inanity

leamhgháire l'av,ɣa:r'ə *m4* faint smile; dry, sarcastic, smile

leamhnacht l'aunəxt *f3* new milk

leamhsháinn l'av,ha:n' *f2* stalemate

lean l'an *vt & i, vn ~úint* follow; continue, adhere; remain, endure, *mar ~ as* as follows, ~ *den phatrún* keep to the pattern, ~ *leat* keep going, proceed

léan l'e:n *m1, pl ~ta* deep affliction; anguish, *bhí ~ ar an aimsir* the weather was awful, *mo ~, mo ~ géar* woe is me, alas

léana l'e:nə *m4, pl ~nta* water-meadow; greensward, lawn

leanbaí l'anəbi: *a3* childlike; childish, *an aois ~* second childhood

leanbaíocht l'anəbi:(ə)xt *f3* childhood; childishness; dotage

leanbán l'anəba:n *m1* baby; darling

leanbh l'anəv *m1, pl ~naí* child, *a ~* my child, my darling

léanmhar l'e:nvər *a1* grievous, agonizing, woeful

leann l'an *m3, pl ~ta* (pale) ale; beer, ~ *dubh* porter, stout

léann l'e:n *m1* learning; education, study

leanna l'anə : **lionn**

leannán l'ana:n *m1* lover; darling; spouse; fairy lover, *rud a bheith ina ~ ort* to be chronically affected by sth

leannánta l'ana:ntə *a3* chronic

leannlus l'an,lus *m3, pl ~anna* hop

léannta l'e:ntə *a3* learned, scholarly

leantach l'antəx *a1* consecutive; continuing

leantóir l'anto:r' *m3* follower; trailer

leanúint l'anu:n't' *f3, gs -úna* following, pursuit; adherence; continuation, *lucht leanúna* followers, *ar ~* (to be) continued

leanúnach l'anu:nəx *a1* continuous, successive; persistent; attached, faithful

leanúnachas l'anu:nəxəs *m1* continuity; attachment, faithfulness

leanúnaí l'anu:ni: *m4* follower

leapachas l'apəxəs *m1* bedding

lear¹ l'ar *m1* sea, *thar ~* overseas, abroad

lear² l'ar *m4* great number, great amount

léaráid l'e:ra:d' *f2* diagram; illustration, sketch

learg l'arəg *f2* slope, side, ~ *sléibhe* (stretch of) mountainside

léargas l'e:rgəs *m1* sight, insight, discernment; visibility

learóg l'aro:g *f2* larch

léaróga l'e:ro:gə *fpl* blinkers

léarscáil l'e:r,ska:l' *f2, pl ~eanna* map

léarscáiligh l'e:r,ska:l'i: *vt* map

léarscáilíocht l'e:r,ska:l'i:(ə)xt *f3* mapping

leas¹ l'as *m3* good, benefit; fertilizer

leas-² l'as *pref* vice-, deputy; step-; by-

léas¹ l'e:s *m1, pl ~acha* ray of light; radiance; glimmer; weal, blister

léas² l'e:s *m3* lease

léas³ l'e:s *f2* cornstalk (with ear); wisp of straw

léas⁴ l'e:s *vt* thrash, flog

leasa l'asə : **lios**

léasach l'e:səx *a1* leasehold

leasachán l'asəxa:n *m1* fertilizer

léasacht l'e:səxt *f3* leasehold

léasadh l'e:sə *m*, *gs* **-sta** *pl* **-staí** thrashing, flogging

leasaigh l'asi: *vt & i* amend, reform; cure, preserve; dress, fertilize, *bia a leasú* to season food

léasaigh l'e:si: *vt* lease, farm (out)

leasainm l'as,an'əm' *m4*, *pl* ~**neacha** nickname

leasaitheach l'asihəx *m1* preservative *a1* amending, reforming; preservative

leasaitheoir l'asiho:r' *m3* reformer, improver, ~ *bagúin* bacon curer

leas-ardeaglais l'as'a:rd,agləs' *f2* procathedral

lease l'ask *a1*, *gsm* ~ lazy; slow, sluggish; reluctant, *ba ~ liom labhairt leis* I was diffident about speaking to him

léaslíne l'e:s',l'i:n'ə *f4*, *pl* **-nte** horizon

leasmháthair l'l'as,va:hər' *f*, *gs* **-ar**, *pl* **-mháithreacha** stepmother

léaspáin l'e:spa:n' *mpl*, *gpl* **-án** dazzlement, *mura bhfuil ~ ar mo shúile* unless my eyes deceive me

léaspairt l'e:spərt' *f2* sparkle, flash of wit

leasrach l'asrəx *m1* loins, thighs

leasrí l'l'as,ri: *m4*, *pl* ~ **the** regent; viceroy

leastar l'astər *m1* vessel; cask, firkin; (wash-)tub

leasú l'asu: *m4* amendment, reform, redress; cure, preservation; seasoning; dressing (of soil), fertilizer

leasúchán l'asu:xa:n *m1* amendment

leat l'at : **le**

léata l'e:tə *m4* leat, open drain

leataobh l'a,ti:v *m1* one side (of two); lay-by, *tá ~ ar na cruacha* the stacks are lopsided, *i*, *do*, *~ aside*

leataobhach l'a,ti:vəx *a1* one-sided; lopsided; biased

leath¹ l'ah *f2*, *ds* **leith** *in certain phrases* side; part, direction; half; portion, *ar leith, faoi leith* apart; distinct; remarkable, special, *i leith na láimhe deise* towards the right, *i leith na léithe* greyish, tending to grey, *bheith i leith duine* to be in favour of a person, *dul i leith*

na déirce to resort to alms, *ná cuir bréag i mo leith* don't impute a lie to me, *tar i leith* come hither, *ó shin i leith* from that time forth, *ceann go leith* one and a half, *ba ~ dóibh uile é* he was a match for them all

leath² l'ah *vt & i* spread; open wide; perish, *tá a radharc ag ~ adh air* his sight is getting dim, *tá mé leata leis an ocras* I am famished

leath-³ l'ah ~ l'a⁺ *pref* lying, turned, to one side; lopsided; partial; half-, hemi-, semi-; half-grown; one of two

leathadh l'ahə *m*, *gs* **leata** spreading; diffusion; opening out; expansion, ~ *radhairc* indistinctness of vision, ~ *a fháil ó fhuacht* to be benimbed with cold

leathaghaidh l'ah,aiy' *f2* side of face, profile

leathan l'ahən *m1* broad part, flat open space *a1*, *gsf & comp* **leithne** broad; wide, expansive

leathán l'aha:n *m1* sheet (of paper, glass, etc)

leathanach l'ahənəx *m1* page; sheet

leathanaigeanta l'l'ahən,ag'əntə *a3* broad-minded

leathar l'ahər *m1* leather; skin, hide

leathbhádóir l'l'a,va:do:r' *m3* shipmate; colleague

leathbhreac l'a,v'r'ak *m1* counterpart, ~ *an lae inniu* a day like today

leathcheann l'a,x'an *m1* side of head; tilt of head, slant; half-glass (of spirits)

leathchruinne l'a,xrin'ə *f4* hemisphere

leathchúlaí l'a,xu:li: *m4* half-back

leathchúpla l'l'a,xu:plə *m4* twin

leathdhuine l'l'a,yin'ə *m4*, *pl* **-dhaoine** half-wit

leathéan l'l'ah,e:n *m1* bird's mate; loner

leathfhada l'l'ah,adə *a3* fairly long; oblong

leathfhocal l'l'ah,okəl *m1* hint; catchword

leathlaí l'a,li: *m4* shaft (of cart, etc)

leathlámhach l'l'a,la:vəx *a1* one-armed; short-handed

leathnaigh l'ahni: *vt & i* widen, extend

leathóg l'aho:g *f2* flat-fish, ~ *bhallach* plaice

leathphraitinn l'a,frat'ən' *f2* foolscap

leathrach l'ahrəx *a1* leathern; leathery

leathrann l'l'a,ran *m1* couplet

leathscoite l'l'a,skot'ə *a3* semi-detached

leathstad 'l'a,stad *m*4, *pl* ~anna semi-colon

leath-thosaí 'l'a,hosi: *m*4 half-forward

leath-threascairt 'l'a,hr'askart' *s*, *rud a fháil ar* ~ to get sth at a knock-down price

leatrom l'atrəm *m*1 uneven weight; inequality; oppression, affliction, *tá* ~ *san ualach* the load is lopsided

leatromach l'atrəməx *a*1 lopsided; biased; oppressive; distressed, afflicted

léi l'e:i : **le**

leibhéal l'ev'e:l *m*1 level

leibhéalta l'ev'e:ltə *a*3 level

léibheann l'ev'ən *m*1 level space; terrace; platform; ~ *cheann staighre* landing

leibide l'eb'əd'ə *f*4 slovenly person; fool

leibideach l'eb'əd'əx *a*1 slovenly; foolish

leice l'ek'ə *a*3 sickly, delicate

leiceacht l'ek'əxt *f*3 sickliness, delicacy

leiceadar l'ek'ədər *m*1 slap (on face)

leiceann l'ek'ən *m*1, *npl* **-cne** cheek

léiche l'e:x'ə : **liach**[1]

leiciméir l'ek'əm'e:r' *m*3 idler, shirker

leicneach l'ek'n'əx *f*2 mumps

leictrea-, l'ek't'r'ə **leictri-** l'ek't'r'ə *pref* electr(o)-

leictreach l'ek't'r'əx *a*1 electric(al)

leictreachas l'ek't'r'əxəs *m*1 electricity

leictreoir l'ek't'r'o:r' *m*3 electrician

leictreon l'ek't'r'o:n *m*1 electron

leictreonach l'ek't'r'o:nəx *a*1 electronic

leictreonaic l'ek't'r'o:nək' *f*2 electronics

leictrigh l'ek't'r'i: *vt* electrify

leictriú l'ek't'r'u: *m*4 electrification

leid l'ed' *f*2, *pl* ~eanna hint; prompt; clue

léidearnach l'e:d'ərnəx *f*2 beating, pelting; driving rain

leideoir l'ed'o:r' *m*3 prompter

leidhce l'aik'ə *m*4 limp thing; delicate person; slap

leifteanant l'ef't'ənənt *m*1 lieutenant

léig l'e:g' *f*2 decay, neglect, *dul i* ~ to decline, decay; to die out

léigear l'e:g'ər *m*1 beleaguerment, siege

léigh l'e:γ' *vt & i, vn* **léamh** read, *an tAifreann a léamh* to say Mass

leigheas l'ais *m*1, *pl* ~anna healing, medicine; cure, remedy *vt & i* heal; cure, remedy

léigiún l'e:g'u:n *m*1 legion

léigiúnach l'e:g'u:nəx *m*1 *& a*1 legionary

léim l'e:m' *f*2, *pl* ~eanna jump, leap; obstacle to be jumped *vt & i* jump, leap

leimhe l'ev'ə *f*4 tastelessness, insipidity; inanity

léimneach l'e:m'n'əx *f*2 *& a*1 jumping, leaping

léimneoir l'e:m'n'o:r' *m*3 jumper

léimrás 'l'e:m',ra:s *m*3 steeplechase

léine l'e:n'ə *f*4, *pl* **-nte** shirt

léinseach l'e:n's'əx *f*2 smooth tract of water, flat stretch of ground

leipreachán l'ep'r'əxa:n *m*1 leprechaun

léir l'e:r' *a*1 clear; distinct; clever, *go* ~ wholly, entirely; all

léirigh[1] l'e:r'i: *vt & i* clarify, explain, illustrate; arrange; produce (play, etc)

léirigh[2] l'e:r'i: *vt* beat (down), subdue

léiritheach l'e:r'ihəx *a*1 illustrative; representational

léiritheoir l'e:r'iho:r' *m*3 demonstrator, portrayer; producer (of plays, etc)

léiriú[1] l'e:r'u: *m*4 clarification, illustration; arrangement; portrayal; production (of plays, etc)

léiriú[2] l'e:r'u: *m*4 beating, dressing-down; weakness

léirmheas 'l'e:r',v'as *m*3 critical consideration; criticism, review

léirmheastóir 'l'e:r',v'asto:r' *m*3 critic, reviewer

léirmheastóireacht 'l'e:r',v'asto:r'əxt *f*3 criticism

léirscrios 'l'e:r',s'k'r'is *m, gs* ~**ta** total destruction, devastation *vt* destroy utterly, devastate

léirsitheoir l'e:rsiho:r' *m*3 (political) demonstrator

léirsiú l'e:rs'u: *m*4 (political) demonstration

léirsteanach l'e:rs't'ənəx *a*1 perceptive; mistrusting; meticulous

leis[1] l'es' *f*2, *pl* **leasracha** thigh

leis[2] l'es' *adv* also

leis[3] l'es' *adv* uncovered, exposed

leis[4] l'es' : **le**

leisce l'es'k'ə *f*4 laziness; reluctance; embarrassment, ~ *na bréige* for fear of telling a lie

leisceoir l'es'k'o:r' *m*3 lazy person, idler

leisciúil l'es'k'u:l' *a*2 lazy; reluctant; shy

leisciúlacht l'es'k'u:ləxt *f*3 laziness; reluctance

leispiach l'es'p'iəx *m*1 & *a*1, *gsm* ~ lesbian

leite l'et'ə *f*, *gs* ~**an** porridge

leith l'eh *f*2 flat-fish; flounder

léith l'e: : liath

leithcheal l'e,x'al *m*3 passing over, exclusion; invidious distinction

léithe l'e:hə *f*4 greyness; mouldiness

leithead l'ehəd *m*1 breadth, width; latitude; overweening pride, conceit, ~ *tíre* expanse of country

leitheadach l'ehədəx *a*1 broad, wide; widespread, prevalent; conceited

leitheadaigh l'ehədi: *vi* spread

leitheadúlacht l'ehədu:ləxt *f*3 prevalence

leithéid l'ehe:d' *f*2 like, counterpart, equal, *a* ~ *seo d'áit* such-and-such a place, *a* ~ *seo* take this for example, *daoine dá leithéidí* people of that kind

léitheoir l'e:ho:r' *m*3 reader

léitheoireacht l'e:ho:r'əxt *f*3 reading

leithinis 'l'eh,in'əs' *f*2, *gs* -**nse** *pl* -**nsí** peninsula

leithleach l'ehl'əx *a*1 apart; distinct; stand-offish; selfish

leithleachas l'ehl'əxəs *m*1 peculiarity, distinctiveness; stand-offishness; selfishness

leithligh l'ehl'i: *s, ar* ~ apart, by oneself, in particular

leithlis l'ehl'əs' *f*2 isolation

leithlisigh l'ehl'əs'i: *vt* isolate

leithreas l'ehr'əs *m*1 privy, lavatory, toilet

leithreasaigh l'ehr'əsi: *vt* appropriate

leithscéal 'l'e,s'k'e:l *m*1, *pl* -**ta** excuse; apology

leithscéalach 'l'e,s'k'e:ləx *a*1 fond of excuses, apologetic

leitís[1] l'et'i:s' *f*2 lettuce

leitís[2] l'et'i:s' *f*2, ~ *mharfach* paralysis

leo[1] l'o: *m*4, ~ *ola* oil slick

leo[2] l'o: : le

leochaileach l'o:xal'əx *a*1 frail, fragile, tender

leoga l'o:gə *int* indeed

leoicéime ,l'o:'k'e:m'ə *f*4 leukaemia

leoiste l'o:s't'ə *m*4 idler; drone

leoithne l'o:hn'ə *f*4 light breeze

leomh l'o:v *vt* & *i* dare, presume; allow

leon[1] l'o:n *m*1 lion, *an Leon* Leo

leon[2] l'o:n *vt* sprain; wound

leonadh l'o:nə *m*, *gs* -**nta** *pl* -**ntaí** sprain; wound

leonta l'o:ntə *a*3 leonine

leor l'o:r *a*1, *is* ~ *sin* that is enough, *is* ~ *a rá (go)* suffice it to say (that), *go* ~ enough, plenty, *mór go* ~ big enough, *ceart go* ~ right enough; all right

leoraí l'ori: *m*4 lorry

leorghníomh 'l'o:r,γ'n'i:v *m*1 reparation, restitution

lí l'i: *f*4, *pl* ~**ocha** colour, complexion; lustre; pigment

lia[1] l'iə *m*4, *npl* ~**ga**, *gpl* ~**g** stone

lia[2] l'iə *m*4, *pl* ~**nna** physician

lia[3] l'iə *comp a* more, more numerous, *ní* ~ *tír ná nós* so many men, so many minds

liach[1] l'iəx *f*2, *gs* **léiche** ladle

liach[2] l'iəx *m*1, *gs* -**aich**, *npl* ~**a** sorrow; calamity; cry of lamentation

liacharnach l'iəxərnəx *f*2 screeching, crying

liacht[1] l'iəxt *f*3 medicine

liacht[2] l'iəxt *s*, *a* ~ so many, *dá* ~ however many

liag l'iəg *f*2 stone, ~ *dhrandail* gumboil

liagóir l'iəgo:r' *m*3 coxwain

liamhán l'iəva:n *m*1, ~ (*mór*), ~ *gréine* basking-shark

liamhás l'i:ə,va:s *m*1, *npl* ~**a** (*meat*) ham

lián l'i:a:n *m*1 trowel; (blade of) propellor

liath l'iə *m*1, *gs* **léith** *npl* ~**a** grey (colour) *a*1, *gsm* **léith** *gsf* & *comp* **léithe** grey *vt* & *i* turn or make grey

liathadh l'iəhə *m*, *gs* **liata** greyness, ~ *an tae* colouring of milk

liathán l'iəha:n *m*1 spleen

liathróid l'iəhro:d' *f*2 ball, ~ *láimhe* handball

libh l'iv' : le

libhré l'iv'r'e: *m*4, *pl* ~**ithe** livery

libín l'ib'i:n' *m*4 dripping wet object

licéar l'ik'e:r *m*1 liqueur

lictéar l'ik't'e:r *m*1, (*ship*) lighter

lig l'ig' *vt* & *i* let, allow; release; hire; cast, *do scíth a* ~*ean* to take a rest, ~*ean ort go* to pretend that, ~*ean as obair* to desist from work, *d'aithne a* ~*ean chuig, le, duine* to reveal one's identity to a person, *chugamsa a* ~ *sé an focal sin* he meant that remark for me, *ualach a* ~*ean díot* to lay down a load,

~ean den ól to stop drinking, ~ dó leave him alone, do ghluin a ~ean fút to go down on one's knee, ~ fút settle down, control yourself, ~ le let out, lengthen, ná ~ leis é don't let him get away with it, tá an corcán ag ~ean uaidh, tríd the pot is leaking, scread a ~ean to utter a scream, rud a ~ean uait to relinquish sth

ligean l'ig'ən m1 letting, releasing, casting; play, scope; extension, ar ~ean free in movement, running freely

ligh l'iɣ' vt & i lick; fawn on

ligthe l'ik'ə a3 loose-limbed, lithe, ~ ar, le given, addicted, to

lile l'il'ə f4 lily

limfe l'im'f'ə f4 lymph

limistéar l'im'əs't'e:r m1 area, territory; sphere of action

lincse l'iŋ'k's'ə f4 lynx

líne l'i:n'ə f4, pl -nte line; lineage; generation, ~ uibheacha clutch of eggs

líneach l'i:n'əx a1 marked with lines; linear

líneádach l'i:n'e:dəx m1, pl -aí linen

líneáil l'i:n'a:l' f3 lining vt line

líneár l'i:n'e:r m1, (ship) liner

ling l'iŋ' vt & i leap; jump at, attack

lingeach l'iŋ'g'əx a1 springy

lingeán l'iŋ'g'a:n m1 (mechanical) spring

línigh l'i:n'i: vt & i line, rule; draw

líníocht l'i:n'i:(ə)xt f3 (line-)drawing

líntheoir l'i:n'iho:r' m3 drawer, draughtsman

linn¹ l'in' f2, pl ~te pool, pond; lake, sea

linn² l'in' f2 space of time, period, cúrsaí na ~e current affairs, idir an dá ~ meantime

linn³ l'in' : le

líntéar l'in't'e:r m1 drain, sink; culvert

lintile l'in't'əl'ə f4 lentil

liobair l'ibər' vt, pres -braíonn tear, tatter; scold

liobar l'ibər m1 loose, hanging, thing; limp object; hanging lip

liobarnach l'ibərnəx a1 hanging loose; tattered, flabby, slovenly; clumsy

liobrálach l'ibra:ləx a1 liberal

liobrálachas l'ibra:ləxəs m1 liberalism

liobrálaí l'ibra:li: m4 liberal

liocáir l'ika:r' f2 liquor

liocras l'ikrəs m1 liquorice

liodán l'ida:n m1 litany

líofa l'i:fə a3 ground, sharpened; fluent; eager; speedy

líofacht l'i:faxt f3 sharpness; fluency; keenness, alacrity

líóg l'i:o:g f2 cowlick

liom l'iom : le

líomanáid l'i:məna:d' f2 lemonade

líomatáiste l'i:məta:s't'ə m4 limit, extent; district; tract of land

liombó l'imbo: m4 limbo

líomh l'i:v vt grind, sharpen; file, polish; erode

líomhain l'i:vən' f3, gs -mhna pl ~tí allegation; revilement vt, pres -mhnaíonn allege; revile

líomhán l'i:va:n m1 file

líomóg l'i:mo:g f2 pinch, nip

líomóid l'i:mo:d' f2 lemon

líon¹ l'i:n m1 flax; linen

líon² l'i:n m1, pl ~ta net; web

líon³ l'i:n m1, pl ~ta full number, complement; fill, measure, ~ tí household, family, an ~ daoine atá san áit the population of the place vt & i fill; (of tide) flood

líonmhaireacht l'i:nvər'əxt f3 numerousness, abundance

líonmhar l'i:nvər a1 numerous, abundant; full, complete

lionn l'in m, gs leanna pl ~ta humour (of the body), ~ dubh melancholy

líonóil l'i:no:l' f2 linoleum

líonolann l'i:n,olən f, gs -olla lint

líonra l'i:nrə m4 network, web

líonrith l'i:n,rih m4 palpitation; excitement; panic

lionsa l'insə m4 lens

liontán l'i:nta:n m1 small net, netting

liopa l'ipə m4 lip; lap; tag; flap

liopard l'ipərd m1 leopard

liopasta l'ipəstə a3 untidy; clumsy

líos l'is m3, gs leasa pl ~anna ring-fort; ring, halo

liosta¹ l'istə m4 list

liosta² l'istə a3 tedious; irksome; persistent

liostacht l'istəxt f3 tediousness; tiresomeness; persistence

liostaigh l'isti: vt list, enumerate

liostáil l'ista:l' f3 enlistment vt & i enlist

liothrach l'ihrəx m1 mush

liotúirge l'itu:r'g'ə m4 liturgy

liotúirgeach l'itu:r'g'əx a1 liturgical

lipéad l'ip'e:d m1 label

líreac l'i:r'ək m1 licking

líreacán l'i:r'əka:n m1 lollipop

liric l'ir'ək' f2 lyric

liriceach l'ir'ək'əx a1 lyric(al)

liteagraf 'l'it'ə,graf m1 & vt lithograph

liteagrafaíocht 'l'it'ə,grafi:(ə)xt f3 lithography

litear l'i:t'ər m1 litre

liteartha l'it'ərhə a3 literary; literal; literate

litir l'it'ər' f, gs **-treach** pl **-treacha** letter

litreoireacht l'it'r'o:r'əxt f3 lettering

litrigh l'it'r'i: vt spell

litríocht l'it'r'i:(ə)xt f3 literature

litriú l'it'r'u: m4 spelling, orthography

liú l'u: m4, pl **~nna** yell, shout

liúdramán l'u:drəma:n m1 loafer

liúigh l'u:γ' vi yell, shout

liúir l'u:r' f, gs **-úrach** pl **-úracha** lugger

liúireach l'u:r'əx f2 yelling, shouting

liúit l'u:t' f2, pl **~eanna** lute

liúntas l'u:ntəs m1 allowance

liúr l'u:r m1, pl **~acha** pole; blow (of stick) vt beat, trounce

liúradh l'u:rə m, gs **-rtha** beating, trouncing

liús l'u:s m1, (fish) pike

Liútarach l'u:tərəx m1 & a1 Lutheran

lobh lóv vt & i rot, decay

lobhadh lauə m1 rot, decay

lobhar laur m1 leper

lobhra laurə f4 leprosy

loc¹ lok m1 lock (of canal, etc)

loc² lok vt pen, enclose; park

loca¹ lokə m4 pen, fold; parking-place

loca² lokə lock (of hair, etc); tuft, handful

locair lokər' vt, pres **-craíonn** plane; smooth, polish

lócaiste l'o:kəs't'ə m4 locust

locar lokər m1, (tool) plane

loc-chomhla 'lok,xo:lə f4 sluice-gate

loch lox m3, pl **~anna** lake; pool; lough, *bheith faoi ~* to be submerged

lochán loxa:n m1 small lake, pond

lóchán lo:xa:n m1 chaff

lóchrann lo:xrən m1 lantern; lamp, torch

locht loxt m3, pl **~anna** fault

lochta loxtə m4 loft; gallery

lochtach loxtəx a1 faulty; erroneous; blameworthy, *airgead ~* spurious money

lochtaigh loxti: vt fault, blame

lochtaitheach loxtihəx a1 fault-finding; censuring

lód¹ lo:d m1 load

lód² lo:d m1 lode

lódáil lo:da:l' vt & i load

lodar lodər m1 miry spot, slough

lodartha lodərhə a3 muddy, slushy; flabby; abject; vulgar

lofa lofə a3 rotten, decayed

lofacht lofəxt f3 rottenness, decay

log log m1 hollow, ~ *staighre* (well of) staircase, ~ *tine* fire-box, ~ *amharclainne* pit of theatre

logainm 'log,an'əm' m4, pl **~neacha** place-name

logall logəl m1 socket (of eye, etc)

logán loga:n m1 hollow; pit; lowlying place

logánta loga:ntə a3 local

logh lau vt remit, forgive

logha lau m4, pl **~nna** indulgence; allowance, concession

lógóireacht lo:go:r'əxt f3 wailing; lamentation

loic lok' vt & i flinch, fail; shirk

loiceach lok'əx m1 shirker; defaulter

loicéad lok'e:d m1 locket

loiceadh lok'ə m, gs **-cthe** failure, refusal; default

loighciúil laik'u:l' a2 logical

loighic laik' f2, gs **-ghce** logic

loilíoch lol'i:(ə)x f2, gs **loilí** cow after calving, milch cow

loime lom'ə f4 bareness; poverty

loine lon'ə f4 churn-dash; plunger, piston

loingeán lon'g'a:n m1 cartilage, gristle

loingeas lon'g'əs m1 ships, shipping; fleet

loingseoir lon's'o:r' m3 seaman, navigator

loingseoireacht lon's'o:r'əxt f3 seamanship, (skill in) navigation; seafaring, *bealach ~a* ocean lane

loinneog lon'o:g f2 refrain

loinnir lon'ər' f, gs **-nnreach** light, brightness; radiance

loirgneán lor'əg'n'a:n m1 gaiter; shinguard

lóis lo:s' f2, pl **~eanna** lotion

loisc los'k' vt, vn **loscadh** burn, scorch, sting

loisceoir los'k'o:r' m3 incinerator

loiscneach lo∫k′n′əx *m*1 firewood; caustic *a*1 burning, scorching, stinging; caustic

lóiste lo∫t′ə *m*4 lodge

lóisteáil lo∫t′a:l′ *f*3 lodgement *vt & i* lodge (money, etc)

lóistéir lo∫t′e:r′ *m*3 lodger, boarder

lóistín lo∫t′i:n′ *m*4 lodging, accommodation, *teach* ~ boarding-house

loit lot′ *vt, vn* **lot** hurt; injure, damage

loiteach lot′əx *a*1 injurious, damaging

loitiméir lot′əm′e:r′ *m*3 destroyer; botcher

loitiméireacht lot′əm′e:r′əxt *f*3 destructiveness, destruction

lom lom *m*1 bareness; openness; nakedness, poverty, ~ *na fírinne* the naked truth, *an* ~ *a fháil ar dhuine* to take a person at a disadvantage *a*1 bare, thin, *teanga* ~ sharp tongue, *eiteach* ~ flat refusal, ~ *ar, chun* close to, against, ~ *díreach* straight, direct; right away, *bheith* ~ *dáiríre* to be in dead earnest *vt & i* lay bare; strip; become bare, *caora a* ~*adh* to shear a sheep, *seol a* ~*adh* to haul in a sail

lóma lo:mə *m*4, (*bird*) loon, diver

lomadh lomə *m, gs* **-mtha** baring, shearing, stripping; impoverishment

lomair lomər′ *vt, pres* **-mraíonn** shear; denude, despoil

lomaire lomər′ə *m*4 shearer; fleecer, ~ *faiche* lawn-mower

lomán loma:n *m*1 log

lomchlár ′lom,xla:r *s*, ~ *na fírinne* the plain truth

lomlán ′lom,la:n *m*1 fullness, full capacity *a*1 filled to capacity

lomnocht ′lom,noxt *a*1, *gsm* ~ stark naked

lomnochtacht ′lom,noxtəxt *f*3 nakedness

lomra lomrə *m*4 fleece

lomrach lomrəx *a*1 fleecy, woolly

lon lon *m*1, *pl* ~**ta**, ~ (*dubh*) blackbird

lón lo:n *m*1, *pl* ~**ta** provision, supply; food; repast, lunch, ~ *cogaidh* ammunition, munitions

lónadóir lo:nədo:r′ *m*3 caterer, provisioner

lónadóireacht lo:nədo:r′əxt *f*3 catering, provisionment

long loŋ *f*2 ship

longadán loŋgəda:n *m*1 swaying, rocking

longbhriseadh ′loŋ,v′r′i∫ə *m, gs* **-ste** *pl* **-steacha** shipwreck

longfort ′loŋ,fort ~ lonfərt *m*1 camp; stronghold

longlann lonlən *f*2 dockyard

lonnach lonəx *m*1 ripple

lonnaigh loni: *vt & i* stop, stay; settle; frequent

lonnaitheoir loniho:r′ *m*3 squatter

lonnú lonu: *m*4 sojourn, stay; settlement

lonrach lonrəx *a*1 bright, shining; resplendent

lonradh lonrə *m*1 brightness, resplendence

lonraigh lonri: *vt & i* shine; illumine

lónroinn ′lo:n,ron′ *f*2, *npl* **-ranna** *gpl* **-rann** commissariat

lorg lorəg *m*1 mark, print; trace; course, *ar* ~ in the track of; in pursuit of; following after *vt & i* track, trace; seek, search for

lorga lorəgə *f*4 staff, cudgel; shin; shaft, stem

lorgaire lorəgər′ə *m*4 tracker; detective

lorgaireacht lorəgər′əxt *f*3 tracking; detection

losaid losəd′ *f*2 kneading-trough

losainn losən′ *f*2 lozenge

loscadh loskə *m, gs* **loiscthe** burning, scorching, stinging

loscann loskən *m*1 frog; tadpole

lot lot *m*1 hurt, wound; injury, damage

lotnaid lotnəd′ *f*2 pest

lú lu: : **beag**

lua luə *m*4 mention, reference

luach luəx *m*3, *pl* ~**anna** value; price; reward

luacháil luəxa:l′ *f*3 valuation; evaluation *vt* value; evaluate

luachair luəxər′ *f*3, *gs* **-chra** rushes; rushy place

luachálaí luəxa:li: *m*4 valuer

luachmhar luəxvər *a*1 valuable, costly, precious

luadar luədər *m*1 movement, activity; vigour

luaidhe luəy′ə *f*4 lead

luaidhiúil luəy′u:l′ *a*2 lead-like, leaden

luaidreán luəd′r′a:n *m*1 report, rumour

luaigh luəɣ´ *vt & i* mention, *lua le* to name in connection with; to assign to, *tá siad luaite (i gcleamhnas) le chéile* their engagement has been announced

luail luəl´ *f2* moving; motion, activity

luain luən´ *f2* movement; vigorous exertion

luaineach luən´əx *a1* nimble; restless; vacillating

luaineacht luən´əxt *f3* mobility; restlessness; vacillation; fluctuation

luainigh luən´i: *vi* move nimbly; move unsteadily; vary, change

luaíocht luəi:(ə)xt *f3* merit

luaiteachas luət´əxəs *m1* mention, report

luaith luə *f3* ashes

luaithe luəhə *f4* quickness; earliness

luaithreach luəhr´əx *m1* ashes; dust

luaithreadán luəhr´əda:n *m1* ash-tray

luaithriúil luəhr´u:l´ *a2* ashy; ashen

luamh luəv *m1* yacht

luamhaire luəvər´ə *m4* yachtsman

luamhán luəva:n *m1* lever

Luan luən *m1, pl* ~**ta** Monday, *lá an Luain* the day of judgment

luas luəs *m1, pl* ~**anna** speed, velocity; earliness

luasaire luəsər´ə *m4* accelerator

luasc luəsk *vt & i* swing, sway, oscillate

luascach luəskəx *a1* swinging, oscillating

luascadán luəskəda:n *m1* pendulum

luascadh luəskə *m, gs* -**ctha** *pl* -**cthaí** oscillation, swing, *ar* ~ swaying, rocking

luascán luəska:n *m1* (child's) swing

luasghéaraigh 'luəs͜ɣ´e:ri: *vt & i* accelerate

luasghéarú 'luəs͜ɣ´e:ru: *m4* acceleration

luasmhéadar 'luəs͜v´e:dər *m1* speedometer

luath luə *a1* quick, speedy; early, *intinn* ~ fickle mind, *go* ~ soon

luathaigh luəhi: *vt & i* quicken, hasten, accelerate

luathintinn 'luəh͜in´t´ən´ *f?* fickle mind, fickleness

luathintinneach 'luəh͜in´t´ən´əx *a1* fickle, hasty

luathscríbhneoireacht 'luəs͜k´r´i:v´n´o:r´əxt *f3* speed-writing

lúb lu:b *f2* loop, link; coil; twist, bend; recess, nook; (mesh in) net; stitch, *i* ~ *chruinnithe* in a gathering, ~ *ar lár*

dropped stitch, *tá* ~ *ina chroí* he is deceitful at heart *vt & i* loop; net; bend

lúbach lu:bəx *a1* looped; twisting; pliable; crafty

lúbaire lu:bər´ə *m4* crafty person, twister

lúbaireacht lu:bər´əxt *f3* practising deceit; craftiness

lúbán lu:ba:n *m1* loop; coil, ball; hasp

lúbánach lu:ba:nəx *a1* looped, coiled

lúbarnaíl lu:bərni:l´ *f3* writhing, wriggling

lubhóg luvo:g *f2* flake

lubhógach luvo:gəx *a1* flaky

lúbóg lu:bo:g *f2* (small) loop; buttonhole

lúbra lu:brə *m4* maze

luch lux ~ lox *f2* mouse, ~ *chodlamáin* dormouse

lúcháir lu:xa:r´ *f2* joy, exultation

lúcháireach lu:xa:r´əx *a1* joyous, jubilant

lucharachán luxərəxa:n *m1* leprechaun, pigmy, elf

luchóg luxo:g ~ loxo:g *f2* mouse

lucht loxt *m3, pl* ~**anna** content; capacity; cargo; (class of) people, ~ *léinn* learned persons, *an* ~ *éisteachta* the audience

luchtaigh loxti: *vt* charge, fill; load

luchtmhar loxtvər *a1* (well-) laden; capacious; emotional

luchtóir loxto:r´ *m3* loader

lúdrach lu:drəx *f2* hinge, pivot

lúfaireacht lu:fər´əxt *f3* agility, suppleness

lúfar lu:fər *a1* agile, athletic

lugach lugəx *m1* lug-worm

luí li: *m4* lying (down); state of rest; inclination, tendency; pressure, *bhí* ~ *bliana air* he was laid up for a year, ~ *gréine* sunset, ~ *na tíre* the lie of the land, *rud a chur ina* ~ *ar dhuine* to impress sth on a person

luibh liv´ *f2, pl* ~**eanna** herb, plant

luibheach liv´əx *a1* herbaceous

luibheolaí 'liv´͜o:li: *m4* herbalist, botanist

luibheolaíocht 'liv´͜o:li:(ə)xt *f3* botany

luibhiteach 'liv´͜it´əx *a1* herbivorous

luibhre liv´r´ə *m4* herbage

lúibín lu:b´i:n´ *m4* small loop; buttonhole; ringlet; bracket; ditty, ~ *coille* arbour, ~ *cufa* cuff-link

luid lid´ *f2, pl* ~**eanna** scrap, shred; rag

lúide lu:d'ə *comp of* **beag** *with* **-de²** less, minus, *ní ~ sin mo chion air* I love him none the less for that

lúidín lu:d'i:n' *m4* little finger; little toe

luifearnach lif'ərnəx *f2* weeds; refuse *vi* weedy

luigh liɣ' *vi* lie; settle; lean, incline, *dul a luí* to go to bed, *luí roimh dhuine* to lie in wait, in ambush, for a person, *~ an ghrian* the sun set, *luí amach, isteach, ar rud* to set about sth in earnest, *~ an oíche orainn* night fell on us, *níor ~ m'intinn air* I did not dwell on it, *tá sé ag luí le réasún* it stands to reason

luíochán li:(ə)xa:n *m1* lying down, lying abed; ambush

lúipín lu:p'i:n' *m4* lupin

lúireach lu:r'əx *f2* breastplate; prayer for protection

luiseag lis'əg *f2* tang, fang, *~ dúáin* shank of fishing-hook

luisne lis'n'ə *f4* blush, glow

luisnigh lis'n'i: *vi* blush, glow

luisniúil lis'n'u:l' *a2* blushing, glowing; ruddy

luiteach lit'əx *a1* well-fitting, *~ le* attached, addicted, to

lúitéis lu:t'e:s' *f2* fawning, obsequiousness

lúitéiseach lu:t'e:s'əx *a1* fawning, obsequious

lúitheach lu:həx *f2* ligament, tendon *pl* sinews *a1* sinewy, muscular

lúithnire lu:hn'ər'ə *m4* athlete

lúithnireacht lu:hn'ər'əxt *f3* athleticism

lumbágó ˌlum'ba:go: *m4* lumbago

Lúnasa lu:nəsə *m4* August

lus lus *m3*, *pl* **~anna** plant, herb, *~ an chromchinn* daffodil

lusach lusəx *a1* herbaceous

lusca luskə *m4* crypt, vault

lusra lusrə *m4* herbs; herbage

lústaire lu:star'ə *m4* fawner, flatterer

lústar lu:stər *m1* fawning, flattery; agitated movement

lútáil lu:ta:l' *f3* obsequiousness, toadyism *vi* fawn

lútálaí lu:ta:li: *m4* obsequious person, toady

lúth lu: *m1* (power of) movement, agility; vigour; sinew, tendon

lúthaíocht lu:hi:(ə)xt *f3* exercising, exercise

lúthchleas 'lu:ˌxl'as *m1*, *npl* **~a** athletic exercise *pl* athletics

lúthchleasaí 'lu:ˌxl'asi: *m4* athlete

lúthchleasaíocht 'lu:ˌxl'asi:(ə)xt *f3* athletics, sport

M

má¹ ma: *f4*, *pl* **~nna** plain

má² ma: *conj*, *combines with* **is** *to form* **más** if, *más olc maith leat é* whether you like it or not, *más ea* if so, even so, *más é sin é* even so, *is beag má tá cuidiú ar bith aige* he has little or no help, *tá, agus ~ tá* yes, and even so

mabóg mabo:g *f2* tassel

mac mak *m1*, *gs & npl* **mic** son; descendant; boy, *~ léinn* student, *~ tíre* wolf, *ní raibh ~ an aoin ann* there wasn't a soul there, *M~ Mathúna* (Mr) McMahon, *M~ Uí Mhathúna* Mr O'Mahony

macadam məˈkadəm *m1* macadam

macalla ˌmakˈala *m4* echo

macánta maka:ntə *a3* gentle; honest

macántacht maka:ntəxt *f3* gentleness; honesty

macaomh maki:v *m1* young person; boy

macarón makəro:n *m1* macaroni

macasamhail 'makəˌsaul' *f3*, *gs & pl* **-mhla** like, equal, counterpart; reproduction, copy

macha maxə *m4* cattle-field, -yard

máchail ma:xəl' *f2* blemish, defect

máchaileach ma:xəl'əx *a1* blemished, defective

machaire maxər'ə *m4* plain, *~ gailf* golf-course

machnaigh maxni: *vt & i* think, reflect, contemplate

machnamh maxnəv *m1* reflection, contemplation

machnamhach maxnəvəx *a*l thoughtful, reflective, contemplative

macnas maknəs *m*l dalliance; wantonness; frolicking

macnasach maknəsəx *a*l wanton; sportive; self-indulgent

macra makrə *m*4 boys; band of youths

macúil maku:l′ *a*2 filial

madhmadh maimə *m*, *gs* -**mtha** *pl* -**mthaí** eruption; rout; detonation

madra madrə *m*4 dog, ~ *rua* fox, ~ *uisce* otter, ~ *éisc* dog-fish

madrúil madru:l′ *a*2 doglike; coarse, unmannerly

magadh magə *m*l mocking; mockery; joking, *ag* ~ *faoi, ar, dhuine* mocking, making fun of a person

magairle magərl′ə *m*4 testicle

magairlín magərl′i:n′ *m*4 orchid

máguaird ˌmaːˈguərd′ *adv* around, about, *an tír* ~ the surrounding country

magúil magu:l′ *a*2 mocking, jeering, jesting

mahagaine məˈhagən′ə *m*4 mahogany

Mahamadach mahəmədəx *m*l & *a*l Mohammedan

Mahamadachas mahəmədəxəs *m*l Mohammedanism

maicín mak′i:n′ *m*4 pet; spoilt child

maicis mak′əs′ *f*2, (*spice*) mace

maicne mak′n′ə *f*4 sons, progeny; stock, people

maicréal mak′r′e:l *m*l mackerel

maide mad′ə *m*4 stick, bar, beam; log, ~ *corrach* see-saw, ~ *croise* crutch, ~ *luascáin* trapeze, ~ *rámha* oar, ~ *stiúrach* tiller, ~ *gréine* shaft of sunlight, *do mhaidí a ligean le sruth* to let things drift

maidhm maim′ *f*2, *pl* -**eanna** burst, eruption; rout; explosion, ~ *thalún* landslide, ~ *thoinne* breaker, ~ *shléibhe* avalanche, ~ *sheicne* hernia *vt & i* burst, erupt; rout; detonate

maidhmitheoir maim′iho:r′ *m*3 detonator

maidin mad′ən′ *f*2, *pl* -**eacha** morning

maidir mad′ər′ ~ *le* as for, as regards; like, as well as

maidneachan ma(d′)n′əxən *m*l dawn(-ing)

maidrín mad′r′i:n′ *m*4, ~ *lathaí* guttersnipe; bedraggled person; menial

maig mag′ *f*2, *pl* -**eanna** cock, slant, tilt

maigh mi:γ′ *vt & i, vn* -**íomh** state, claim; boast; begrudge, envy

maighdean maid′ən *f*2 maiden, virgin, ~ *mhara* mermaid, *an Mhaighdean* Virgo

maighdeanas maid′ənəs *m*l virginity

maighdeog maid′o:g *f*2 pivot

maighnéad main′e:d *m*l magnet

maighnéadach main′e:dəx *a*l magnetic

maighnéadaigh main′e:di: *vt* magnetize

maighnéadas main′e:dəs *m*l magnetism

maighreán mair′a:n *m*l grilse

maignéis mag′n′e:s′ *f*2 magnesia

maignéisiam mag′n′e:s′iəm *m*4 magnesium

máilín ma:l′i:n′ *m*4 small bag, ~ *domlais* gall-bladder, ~ *maise* vanity bag

mailís mal′i:s′ *f*2 malice; malignancy

mailíseach mal′i:s′əx *a*l malicious; malignant

maille mal′ə *prep* (with *le*) with, along with

máille ma:l′ə *f*4, (*armour*) mail

máilléad ma:l′e:d *m*l mallet; pounder

mailp mal′p′ *f*2, *pl* -**eanna** maple

maindilín man′d′əl′i:n′ *m*4 mandolin

mainéar man′e:r *m*l manor; manorhouse

maingléis maŋ′l′e:s′ *f*2 frivolity; ostentation

mainicín man′ək′i:n′ *m*4 mannequin, model

mainicíneacht man′ək′i:n′əxt *f*3 modelling (clothes)

mainistir man′əs′t′ər′ *f*, *gs* -**treach** *pl* -**treacha** monastery, abbey

máinlia ˈmaːn′ˌl′iə *m*4, *pl* -**nna** surgeon

máinliacht ˈmaːn′ˌl′iəxt *f*3 surgery

mainneachtain man′əxtən′ *f*3 negligence; default

máinneáil maːn′aːl′ *f*3 swaying motion, rolling gait; dawdling, *ag* ~ *thart* loitering about

mainséar man′s′e:r *m*l manger, crib

maintín man′t′i:n′ *f*2 dressmaker

maintíneacht man′t′i:n′əxt *f*3 dressmaking

maíomh mi:v *m*l statement, assertion; boast; envy, *cúis mhaíte* something to be proud of

mair mar′ *vt & i* live, last; survive, *go ~ e tú* long life to you; congratulations, *go ~ e tú an lá* many happy returns of the day

mairbhiteach mar′əv′ət′əx *a1* languid, torpid, numb

mairbhti mar′əv′ət′i: *f4* languor, torpor, numbness

mairbhleach mar′əv′l′əx *a1* numb

maireachtáil mar′əxta:l′ *m3* living, livelihood, subsistence

máireoigín ma:r′o:g′i:n′ *m4* marionette

mairfeacht mar′əf′əxt *f3* miscarriage, abortion

mairg mar′əg′ *f2* woe, sorrow, *mo mhairg* alas, *is ~* it is a pity, alas (that)

mairgneach mar′əg′n′əx *f2* lamenting; lamentation, wailing

mairnéalach ma:rn′e:ləx *m1* seaman, sailor

mairnéalacht ma:rn′e:ləxt *f3* seamanship

máirseáil ma:rs′a:l′ *f3 & vt & i* march; parade

máirseálai ma:rs′a:li: *m4* marcher

Máirt ma:rt′ *f4* Tuesday

mairteoil 'mart′,o:l′ *f3* beef

mairtíneach mart′i:n′əx *m1* cripple

mairtíreach mart′i:r′əx *m1* martyr

mairtíreacht mart′i:r′əxt *f3* martyrdom

maise mas′ə *f4* adornment, beauty, comeliness, *faoi mhaise* adorned; flourishing, *ba mhaith an mhaise dó é* he was equal to the occasion

maisigh mas′i: *vt* adorn, beautify, *bia a mhaisiú* to garnish food

maisiúchán mas′u:xa:n *m1* adornment, decoration; toilet

maisiúil mas′u:l′ *a2* decorative, beautiful; elegant

maisiúlacht mas′u:ləxt *f3* decorativeness, beauty; comeliness

máisiún ma:s′u:n *m1* freemason

maistín mas′t′i:n′ *m4* mastiff; cur

máistir ma:s′t′ər′ *m4*, *pl* **-trí** master; teacher; skilled person

maistíteas ,mas′t′i:t′əs *m1* mastitis

máistreacht ma:s′t′r′əxt *f3* mastery

maistreadh mas′t′r′ə *m1*, *pl* **-trí** churning

maistreán mas′t′r′a:n *m1*, (*feed*) mash

máistreás ma:s′t′r′a:s *f3* mistress; wife

maistrigh mas′t′r′i: *vt & i* churn

máistriúil ma:s′t′r′u:l′ *a2* masterful, imperious; masterly

máite ma:t′ə : **mámh**

maiteach mat′əx *a1* forgiving; forgiven

maíteach mi:t′əx *a1* boastful, begrudging

maiteachas mat′əxəs *m1* forgiveness

maith[1] mah *f2*, *gs & pl ~ e* good, *tá sé ó mhaith* it is no longer any use, *go raibh ~ agat* thank you, *~ e na tíre* the gentry of the country *a1*, *comp* **fearr** good, *tá go ~* that is satisfactory, so be it, *bheith go ~* to be well, *fliuch go ~* rather wet, *amach go ~ san oíche* well into the night, *is ~ liom go bhfuil sé déanta* I am glad it is done, *ba mhaith leis labhairt leat* he would like to speak to you, *is fearr liom* I prefer, *~ go leor* good enough; all right; tipsy, *is fearrde thú é* you are better for it

maith[2] mah *vt*, *vn* **~eamh** forgive, pardon

maithe mahə *f4* goodness, good, *ar mhaithe le* for the good of, for the sake of

maitheamh mahəv *m1* forgiveness; abatement, remission

maitheas mahəs *f3* goodness, good, *lá ~ a* working day; day's work, day's good

maithiúnas mahu:nəs *m1* forgiveness, pardon

máithreacha ma:hr′əxə : **máthair**

máithreachas ma:hr′əxəs *m1* maternity; motherhood

máithreánach ma:hr′a:nəx *m1 & a1* matriculation

máithriúil ma:hr′u:l′ *a2* motherly; kind

mál ma:l *m1* excise

mala malə *f4* brow; eyebrow; slope, incline

mála ma:lə *m4* bag, *~ láimhe* handbag, *~ droma* rucksack, *~ lóin* haversack

maláire ,ma′la:r′ə *f4* malaria

malairt malərt′ *f2* change, alternative; exchange, barter, *is é a mhalairt a dúirt sé* he said quite the opposite, *níl fios a mhalairte acu* they don't know any better

malartach malərtəx *a1* changing; changeable; exchangeable

malartaigh malərti: *vt* change; exchange, barter

malartán malərta:n *m1* changeling; (stock, labour, etc) exchange

mall mal *a1*, *gsm ~ gsf & comp* **moille** slow; late

mallacht maləxt *f3* curse

mallachtach maləxtəx *f2* cursing *a1* maledictory; accursed

mallaibh maləv' *spl, ar na* ~ of late, lately

mallaigh mali: *vt & i* curse

mallaithe malihə *a3* accursed; vicious

mallard malərd *m1* mallard

mallintinneach 'mal,in't'ən'əx *a1* slow-witted, mentally retarded

mallmhuir 'mal,vir' *f3, gs & pl* -**mhara** neap-tide

malltriallach 'mal',t'riələx *m1* slow-coach *a1* slow, sluggish

malluaireach 'mal,uər'əx *m1* late-comer

malrach malrəx *m1* young lad, youngster

mam mam *f2, pl* ~**anna** mammy

mám[1] ma:m *m3, pl* ~**anna** mountain pass

mám[2] ma:m *f3, pl* ~**anna** handful

mamach maməx *m1* mammal *a1* mammary

mamaí mami: *f4* mammy

mámh ma:v *m1, pl* **máite** trump

mamó ,ma'mo: *f4, pl* ~**nna** granny

mana manə *m4* portent, sign; attitude; motto

manach manəx *m1* monk

manachas manəxəs *m1* monasticism

manachúil manəxu:l' *a2* monastic

mandáil mandα:l' *f3* maundy, *Déardaoin Mandála* Maundy Thursday

mandairín mandər'i:n' *m4* mandarin

mangach mangəx *m1* pollock

mangaire mangər'ə *m4* hawker, pedlar; huckster

manglam mangləm *m1* jumble, hotch-potch; cocktail

mánla ma:nlə *a3* gentle, gracious, pleasant

mánlacht ma:nləxt *f3* gentleness, mildness

mant mant *m3, pl* ~**anna** gap in teeth; bite, indentation; toothless gums

mantach mantəx *a1* gap-toothed; toothless; gapped, indented

maoil mi:l' *f2, pl* ~**eanna** rounded summit, hillock; bare top; crown, *ag cur thar* ~ brimming over, full to overflowing, *de mhaoil do mhainge* on an impulse, on the spur of the moment

maoildearg 'mi:l',d'arəg *f2* mulberry

maoile mi:l'ə *f4* bareness, baldness; bluntness; obtuseness

maoileann mi:l'ən *m1, npl* ~**a** rounded summit, hillock; ridge, crest

maoin mi:n' *f2, gs & pl* ~**e** property, wealth

maoineach mi:n'əx *m1* treasured possession *a1* propertied, wealthy; precious, beloved

maoineas mi:n'əs *m1* endowment

maoinigh mi:n'i: *vt* finance, endow

maoinlathas 'mi:n',lahəs *m1* plutocracy

maoirseacht mi:rs'əxt *f3* stewardship; supervising; superintendence

maoirseoir mi:rs'o:r' *m3* supervisor, superintendent

maoithneach mi:hn'əx *a1* emotional, sentimental; melancholy

maoithneachas mi:hn'əxəs *m1* sentiment, sentimentality; melancholy

maol mi:l *m1* bare, blunt, object *a1* bare, bald; hornless; flattened, obtuse, *imill mhaola* cropped edges, *teach* ~ roofless house, *scian mhaol* blunt knife

maolaigh mi:li: *vt & i* make, become, bare or bald; blunt; lower; decrease; abate, allay

maolaire mi:lər'ə *m4* absorber; damper; moderator

maolaitheach mi:lihəx *m1* palliative *a1* alleviating, palliative

maolchluasach 'mi:l,xluəsəx *a1* crop-eared; crestfallen, subdued

maolchúiseach 'mi:l,xu:s'əx *a1* inept

maolscríobach 'mi:l',s'k'r'i:bəx *a1* slovenly, slipshod; skimped

maonáis me:na:s' *f2* mayonnaise

maor mi:r *m1* steward; warden, keeper; supervisor, overseer; (school) prefect; (army) major

maorga mi:rgə *a3* stately, dignified; sedate

maorgacht mi:rgəxt *f3* stateliness, dignity

maorlathach 'mi:r,lahəx *a1* bureaucratic

maorlathas 'mi:r,lahəs *m1* bureaucracy

maos mi:s *m1, ar* ~ steeping, steeped; saturated

maoth mi:h *a1* soft, tender; weak; moist; sentimental

maothaigh mi:hi: *vt & i* soften; moisten; steep, saturate

maothal mi:həl *f2* beestings

maothán 414 masmas

maothán mi:ha:n *m*1 ear-lobe; flank; tender shoot

maothlach mi:hləx *m*1 mush, slops; scouring liquid

mapa¹ mapə *m*4 map

mapa² mapə *m*4 mop

mar mar *prep & conj & adv* like, as; for; as if; because, ~ *an gcéanna* likewise, *tar* ~ *seo* come this way, *mile nó* ~ *sin* a mile or so, ~ *sin, is cosúil gur fíor é* in that case, it appears to be true, ~ *sin féin* even so, *agus* ~ *sin de* and so forth, *más* ~ *sin dó* if that be so, *faoi* ~ according as, ~ *atá*, ~ *a bhí* namely, ~ *le* as for, as regards, ~ *a bhfuil sé* where he is, ~ *dhea* forsooth, ~ *dhia go* pretending that

mara marə : **muir**

márach ma:rəx *s* morrow, (*lá*) *arna mhárach* on the following day

maraí mari: *m*4 mariner, seaman

maraigh mari: *vt & i* kill

marana marənə *f*4 contemplation, *tá sé ar a mharana* he is rapt in thought

maranach marənəx *a*1 thoughtful

maránta ma:ra:ntə *a*3 bland, gentle, benign

marascal marəskəl *m*1 marshal

maratón marəto:n *m*1 marathon

marbh marəv *m*1 dead person *a*1 dead; killed; numb; apathetic; exhausted; motionless, slack, *uisce* ~ stagnant water, *fág* ~ *é* say no more about it

marbhán marəva:n *m*1 corpse; spiritless person; oppressive heat

marbhánta marəva:ntə *a*3 lifeless, lethargic; dull, stagnant, *aimsir mharbhánta* sultry, oppressive, weather

marbhfháisc 'marəv,a:s'k' *f*2 swathings on corpse, ~ *ort* bad cess to you

marbhlann marəvlən *f*2 morgue

marbhna marəvnə *m*4 elegy

marbhsháinn 'marəv,ha:n' *f*2 checkmate

marc mark *m*1, *pl* ~-**anna** mark; target, goal; bearing

marcach markəx *m*1 horseman; jockey; cavalryman

marcaigh marki: *vt & i* ride

marcáil marka:l' *vt* mark; mark out, plot

marcaíocht marki:(ə)xt *f*3 riding, horsemanship; ride; drive, lift

marcas markəs *m*1 marquis

marc-chlaíomh 'mark,xli:v *m*1, *pl* -**aimhte** sabre

marcmheáchan 'mark,v'a:xən *m*1 welterweight

marcra markrə *m*4 horsemen, cavalry

marcshlua 'mark,hluə *m*4, *pl* ~ -**ite** body of horsemen; cavalry; cavalcade

marfach marəfəx *a*1 deadly, mortal, fatal; killing; intense

marfóir marəfo:r' *m*3 killer

marg marəg *m*1 (*coin*) mark

margadh marəgə *m*1, *pl* -**aí** market; bargain; agreement

margaigh marəgi: *vt* market

margáil marəga:l' *f*3 bargaining, haggling

margairín marəgər'i:n' *m*4 margarine

marglann marəglən *f*2 mart

marla ma:rlə *m*4 marl; modelling clay; plasticine

marmaláid marəmələ:d' *f*2 marmalade

marmar marəmər *m*1 marble

maróg maro:g *f*2 pudding; paunch

marós maro:s *m*1 rosemary

Mars mars *m* & *a*1 Mars

marsúipiach marsu:p'iəx *m*1 & *a*1, *gsm* ~ **marsupial**

mart mart *m*1 carcass of beef *pl* beef cattle

Márta ma:rtə *m*4 March

marthain marhən' *f*3 existence; subsistence; sustenance

marthanach marhənəx *a*1 lasting, enduring; everlasting

martraigh martri: *vt* martyr; cripple, disable

marú maru: *m*4 killing, slaying; slaughter

marún mə'ru:n *m*1 & *a*1 maroon

Marxach marksəx *m*1 & *a*1 Marxist

Marxachas marksəxəs *m*1 Marxism

más ma:s *m*1, *npl* ~ -**a** buttock; ham, thigh

másach ma:səx *a*1 having big buttocks, big-thighed

másailéam ma:səl'e:m *m*1 mausoleum

masc. mask *m*1, *pl* ~ **anna** mask *vt* mask

mascalach maskələx *m*1 manly person, *a*1 manly, vigorous

masla maslə *m*4 insult; overstrain

maslach masləx *a*1 insulting, abusive; overstrenuous

maslaigh masli: *vt* insult, abuse; strain

masmas masməs *m*1 nausea

masmasach masməsəx *a1* nauseated; nauseating

mastóideach masto:d´əx *m1 & a1* mastoid

mata matə *m4* mat

máta ma:tə *m4* mate

matal matəl *m1* mantelpiece

matalang matələŋ *m1* disaster, calamity

matamaitic 'matə,mat´ək´ *f2* mathematics

matamaiticeoir 'matə,mat´ək´o:r´ *m3* mathematician

matamaiticiúil 'matə,mat´ək´u:l´ *a2* mathematical

matán mata:n *m1* muscle

matánach mata:nəx *a1* muscular

máthair ma:hər´ *f*, *gs* **-ar** *pl* **máithreacha** mother; source, ~ *mhór*, ~ *chrionna* grandmother

máthairab 'ma:hər¸ab *f3* abbess

máthartha ma:hərhə *a3* maternal

mathshlua 'ma¸hluə *m4*, *pl* ~**ite** large crowd, congregation

matrarc 'mat¸rark *m4* matriarc

matrarcach 'mat¸rarkəx *a1* matriarchal

mátrún ma:tru:n *m1* matron

mé m´e: 1 *sg pron* I, me

meá¹ m´a: *f4*, *pl* ~**nna** balance, scales; weight, measure, *an Mheá* Libra

meá² m´a: *f4*, *pl* ~**nna** fishing-ground

meabhair m´aur´ *f*, *gs* **-bhrach** mind, memory; intellect; consciousness; sensation; meaning

meabhal m´aul *m1* deceit, treachery

meabhlach m´auləx *a1* deceitful, treacherous; illusory; beguiling

meabhlaigh m´auli´ *vt* deceive; seduce

meabhrach m´aurəx *a1* mindful; thoughtful; intelligent; aware, conscious

meabhraigh m´auri´ *vt & i* memorize, remember; remind; meditate; sense, feel

meabhraíocht m´auri:(ə)xt *f3* consciousness, awareness; intelligence

meabhrán m´aura:n *m1* memorandum

meacan¹ m´akən *m1* tap-root, ~ *bán* parsnip, ~ *dearg* carrot

meacan² m´akən *m1* whine, whimper

meáchan m´a:xən *m1* weight

méad m´e:d *m*, *ar a mhéad* at the most, *cá, cé, mhéad*? how much? *dá mhéad é* however great it might be

méadaigh m´e:di: *vt & i* increase, multiply; enlarge; grow bigger

méadail m´e:dəl´ *f3*, *gs* **-dla** *pl* **-dlacha** paunch, stomach

meadáille m´ada:l´ə *m4* medallion

méadaíocht m´e:di:(ə)xt *f3* grown state; increase, growth; self-importance

méadaitheach m´e:dihəx *a1* increasing, enlarging, amplifying

méadaitheoir m´e:dihor´ *m3* enlarger

meadar m´adər *f2*, *gs* **meidre** *pl* **-dracha** mether; wooden vessel; churn

méadar m´e:dər *m1* metre; meter, gauge

meadaracht m´adərəxt *f3* metre; metrics

meadhg m´aig *m1* whey; serum

meadhrán m´aira:n *m1* dizziness, vertigo; exhilaration; bewilderment

méadrach m´e:drəx *a1* metric

méadú m´e:du: *m4* increase, multiplication; enlargement; growth

meafar m´afər *m1* metaphor

meafarach m´afərəx *a1* metaphorical

meaig m´ag´ *f2*, *pl* ~**eanna** magpie

meáigh m´a:γ´ *vt & i* balance, weigh; estimate, measure; judge

meaingeal m´aŋ´g´əl *m1* mangel

meaisín m´aš´i:n´ *m4* machine

meaisíneoir m´aš´i:n´o:r´ *m3* machinist

meáite m´a:t´ə *a3*, *bheith* ~ *ar rud a dhéanamh* to be resolved on doing sth

meala m´alə : **mil**

méala m´e:lə *m4* grief, sorrow; cause of mourning

méalaigh m´e:li: *vt* humiliate, bring to grief

mealbhóg m´aləvo:g *f2* small bag, pouch

méaldráma 'm´e:l¸dra:mə *m4* melodrama

méaldrámata 'm´e:l¸dra:mətə *a3* melodramatic

meall¹ m´al *m1*, *pl* ~**ta** ball, globe; swelling; lump, mass; mound

meall² m´al *vt & i* charm; entice; deceive; disappoint

meallacach m´aləkəx *a1* alluring, charming

mealladh m´alə *m*, *gs* **-llta** *pl* **-ltaí** allurement, enticement; deception; disappointment

mealltach m´altəx *a1* enticing, coaxing; deceptive, deceitful; disappointing

mealltóir m´alto:r´ *m3* coaxer; deceiver

meamhlach m´auləx *f2* mewing, miaowing

meamraiméis m´amrəm´e:s´ *f2* officialese

meamram m'amrəm *m*1 parchment; memorandum

meán¹ m'a:n *m*1 middle; mean; medium; average, ~ *lae* midday, M ~ *Fómhair* September

meán-² m'a:n *pref* middle, medium, mean, average

meana m'ana *m*4 awl; bodkin

meánach m'a:nəx *a*1 middle, intermediate; medium, moderate

meánaicmeach 'm'a:n,ak'm'əx *a*1 middle-class, bourgeois

meánaíocht m'a:ni:(ə)xt *f*3 moderation

meánaois m'a:n,i:s' *f*2 middle age(s)

meánaoiseach 'm'a:n,i:s'əx *a*1 medieval

méanar m'e:nər *a* (used with *is*), *is* ~ *don té* (*a*) happy is he (who)

meánchiorcal 'm'a:n,x'irkəl *m*1 equator

meánchiorclach 'm'a:n,x'irkləx *a*1 equatorial

meancóg m'aŋko:g *f*2 mistake, blunder

meandar m'andər *m*1 instant, second

méanfach m'e:nfəx *f*2 yawn(ing)

meang m'aŋ *f*2 wile; deceit

meangadh m'aŋgə *m*, *gs* -**gtha** ~ (*gáire*) smile

meanma m'anəmə *f*, *gs* ~**n** mind, thought; spirit, morale; inclination; presentiment

meánmheáchan 'm'a:n,v'a:xən *m*1 middle-weight

meánmhúinteoir 'm'a:n,vu:n't'o:r' *m*1 secondary teacher

meanmnach m'anəmnəx *a*1 spirited; lively, cheerful

meannán m'ana:n *m*1, ~ (*gabhair*) kid

meannleathar 'm'an',l'ahər *m*1 kid (leather)

meánoideachas 'm'a:n,od'əxəs *m*1 secondary education

meánscoil 'm'a:n,skol' *f*2, *pl* -**eanna** secondary school

meántán m'anta:n *m*1 tit, titmouse

meánteistiméireacht 'm'a:n',t'es't'ə-m'e:r'əxt *f*3 intermediate certificate

meánúil m'a:nu:l' *a*2 moderate, temperate

mear m'ar *a*1, *gsm* ~ quick, nimble; hasty, rash

méar m'e:r *f*2 digit, finger, ~ *coise* toe

méara m'e:rə *m*4 mayor

méaracán m'e:rəka:n *m*1 thimble, ~ *dearg* foxglove

mearadh m'arə *m*1 madness, insanity; craving

mearaí m'ari: *f*4 craziness, bewilderment

mearaigh m'ari: *vt & i* derange, distract; bewilder; excite, infuriate; trouble

méaraigh m'e:ri: *vt* finger

méaraíocht m'e:ri:(ə)xt *f*3 fingering; fiddling, toying (*ar, le* with)

mearaithne 'm'ar,ahn'ə *f*4 slight acquaintance

mearbhall m'arəvəl *m*1 bewilderment, confusion; dizziness; error

mearbhlach m'arəvləx *a*1 bewildered, confused; bewildering, confusing; dizzy, erratic; mistaken

mearcair m'arkər' *m*4 mercury; M ~ (*planet*) Mercury

méarchlár 'm'e:r,xla:r *m*1 keyboard

meargánta m'arəga:ntə *a*3 foolhardy, reckless

mearghrá 'm'ar,γra: *m*4 infatuation

méarnáil m'e:rna:l' *f*3 phosphorescence

mearóg m'aro:g *f*2 vegetable marrow

méaróg¹ m'e:ro:g *f*2 pebble; jackstone

méaróg² m'e:ro:g *f*2, ~ *éisc* fish-finger

mearsháile 'm'ar,ha:l'ə *m*4 brackish water

mearú m'aru: *m*4 derangement; confusion, ~ *súl* hallucination, mirage

meas¹ m'as *m*3 estimation, judgment; estimate, opinion; esteem, respect, *le* ~ respectfully *vt & i* estimate, value, judge; consider

meas² m'as *m*3, (*nuts*) mast

measa m'asə : **olc**

measán m'asa:n *m*1 lapdog

measartha m'asərhə *a*3 moderate, temperate; fair, middling, ~ *maith* fairly good

measarthacht m'asərhəxt *f*3 moderation, temperance; fair amount

measc¹ m'ask *s*, *i* ~ in the midst of, among

measc² m'ask *vt & i* mix (up); stir

meascán m'aska:n *m*1 mass, lump; mixture; muddle, ~ *mearaí* confusion; hallucination

meascra m'askrə *m*4 medley, miscellany

meastachán m'astəxa:n *m*1 estimate

meastóir m'asto:r' *m*3 valuer, assessor

measúil m'asu:l' *a*2 estimable, respectable, esteemed; respectful

measúlacht m'asu:ləxt *f3* respectability, esteem

measúnacht m'asu:nəxt *f3* assessment

measúnaigh m'asu:ni: *vt* assess, assay

measúnóir m'asu:no:r' *m3* assessor, assayer

meata m'atə *a3* pale, sickly; cowardly, abject

meatach m'atəx *a1* failing; decaying; pale, sickly; cowardly, *earrai* ~ *a* perishable goods

meatachán m'atəxa:n *m1* weakling; coward

meatacht m'atəxt *f3* decline, decay; cowardice

meatán m'ata:n *m1* methane

meath[1] m'ah *m3* decline, decay, decadence; failure *vt & i* decline, decay, fail, waste

meath-[2] m'ah ~ m'a[+] *pref* failing, weak; moderately, fairly

meathán m'aha:n *m1* sucker, sapling; splinter

meathbhruith 'm'a,vrih *s, ar* ~ simmering

meathlaigh m'ahli: *vi* decline, decay, fail; sicken

meathlaitheach m'ahlihəx *a1* retrogressive

méathras m'e:hrəs *m1* fat, fat meat

meicneoir m'ek'n'o:r' *m3* mechanic

meicnic m'ek'n'ək' *f2* mechanics

meicnigh m'ek'n'i: *vt* mechanize

meicníocht m'ek'n'i:(ə)xt *f3* mechanism

meicniúil m'ek'n'u:l' *a2* mechanical

méid m'e:d' *m4* amount, quantity, extent, number, *sa mhéid sin* to that extent, *sa mhéid go* inasmuch, in so far, as *f2* size, magnitude, *dul i* ~ to grow bigger, *teacht i* ~ to grow up

meidhir m'air' *f2, gs* **-dhre** mirth, gaiety; sportiveness

meidhreach m'air'əx *a1* gay; sportive

meidhréis m'air'e:s' *f2* mirth, jollity; friskiness

meidre m'ed'r'ə : **meadar**

meigeall m'eg'əl *m1* beard; goatee

meigeallach m'eg'ələx *f2* bleating (of goat)

meil m'el' *vt & i* grind, crush; waste, squander

méile m'e:l'ə *m4, pl* **-lte** sandhill, dune

méileach m'e:l'əx *f2* bleating (of sheep)

meilt m'el't' *f2* grinding, crushing; spending, wasting

meilteoir m'el't'o:r' *m3* grinder, crusher

méin m'e:n' *f2* mind, disposition; bearing

méine m'e:n'ə : **mian**

meiningíteas ,m'en'əŋ''g'i:t'əs *m1* meningitis

méiniúil m'e:n'u:l' *a2* well-disposed, friendly; (*of land*) fertile

meirbh m'er'əv' *a1* languid, weak; sultry, close

meirbhe m'er'əv'ə *f4* languor, weakness, sultriness, closeness

meirbhligh m'er'əv'l'i: *vt* enervate, weaken

meirdreach m'e:rd'r'əx *f2* harlot, prostitute

meirdreachas m'e:rd'r'əxəs *m1* harlotry, prostitution

meirdrigh m'e:rd'r'i: *vt* prostitute

meireang ,m'er'aŋ *m4* meringue

meirfean m'er'əf'ən *m1* weakness, faintness; sultriness, oppressive heat

meirg m'er'əg' *f2* rust; irritability

meirge m'er'əg'ə *m4* banner, flag

meirgeach m'er'əg'əx *a1* rusty; irritable

meirgire m'er'əg'ər'ə *m4* standard-bearer, ensign

méirínteacht m'e:r'i:n't'əxt *f3* fingering, fiddling, meddling (*ar, le* with)

meirleach m'e:rl'əx *m1* thief; outlaw; malefactor

meirleachas m'e:rl'əxəs *m1* banditry, outlawry; villainy

meirliún m'e:rl'u:n *m1* merlin

méirscre m'e:rs'k'r'ə *m4* scar; crack, chap; crevice

meirtne m'ert'n'ə *f4* weakness; weariness, dejection

meirtneach m'ert'n'əx *a1* weak; weary, dispirited

meisce m'es'k'ə *f4* drunkenness, intoxication, *ar* ~ drunk

meisceoir m'es'k'o:r' *m3* drunkard

meisciúil m'es'k'u:l' *a2* intoxicating; drunken

méise m'e:s'ə : **mias**

Meisias m'es'iəs *m4* Messiah

meiteamorfóis 'm'et'ə,morfo:s' *f2* metamorphosis

meitéar m'et'e:r *m1* meteor

meitéareolaíocht 'm'et'e:r,o:li:(ə)xt *f*3 meteorology

méith m'e: *f*2 fat, fat meat; richness, fertility *a*1 fat; rich, fertile

méithe m'e:hə *f*4 fatness; richness

meitheal m'ehəl *f*2, *gs* -thle *pl* -thleacha working party; contingent

Meitheamh m'ehəv *m*1 June

meitibileacht 'm'et'ə,b'il'əxt *f*3 metabolism

Meitidisteach 'm'et'ə,d'is't'əx *m*1 & *a* Methodist

meitifisic 'm'et'ə,f'is'ək' *f*2 metaphysics

meitileach m'et'əl'əx *a*1 methyl(ated)

meon m'o:n *m*1, *pl* ∼ta mind, disposition; character, temperament

meonúil m'o:nu:l' *a*2 whimsical, fanciful, capricious

mí¹ m'i: *f*, *gs* ∼osa *pl* ∼onna month, ∼ na meala honeymoon

mí-² m'i: *pref* bad, ill, evil, dis-, mis-, un-

mí-ádh m'i:,a: *m*1 ill luck, misfortune

mí-ámharach 'm'i:,a:vərəx *a*1 unlucky, unfortunate

mian m'iən *f*2, *gs* méine *pl* ∼ta desire; thing desired, *tá an saol ar a mhian aige* he can live as he pleases; he has every comfort in life

mianach m'iənəx *m*1 ore; mine; material, quality, ∼ talún landmine

mianadóir m'iənədo:r' *m*3 miner

mianadóireacht m'iənədo:r'əxt *f*3 mining; excavating

miangas m'iəngəs *m*1 desire, craving; concupiscence

miangasach m'iəngəsəx *a*1 desirous; concupiscent

mianra m'iənrə *m*4 mineral

mianrach m'iənrəx *a*1 mineral

mianreolaíocht 'm'iən,ro:li:(ə)xt *f*3 mineralogy

mianúil m'iənu:l' *a*2 desirous (*ar, chun* of)

mias m'iəs *f*2, *gs* méise dish

míbhuntáiste 'm'i:,vunta:s't'ə *m*4 disadvantage

mic m'ik' : mac

míchaidreamhacht 'm'i:,xad'r'əvəxt *f*3 misanthropy

míchéadfach 'm'i:,x'e:dfəx *a*1 ill-humoured, peevish; insensate

mícheart 'm'i:,x'art *a*1 incorrect, wrong

míchéillí 'm'i:,x'e:l'i: *a*3 senseless, foolish

míchiall 'm'i:,x'iəl *f*2, *gs* -chéille senselessness, folly; misinterpretation

míchlú 'm'i:,xlu: *m*4 ill repute

míchomhairle 'm'i:,xo:rl'ə *f*4 ill advice, evil counsel

míchompord 'm'i:,xompo:rd *m*1 discomfort

míchothrom 'm'i:,xohrəm *m*1 unevenness, unbalance; unfairness, inequality *a*1 uneven, unbalanced; unfair, unequal

míchruinn 'm'i:,xrin *a*1 inexact, inaccurate

míchruinneas 'm'i:,xrin'əs *m*1 inexactness, inaccuracy

míchuí 'm'i:,xi: *a*3 improper, undue

míchuibheasach 'm'i:,xiv'əsəx ∼ 'm'i:,xi:səx *a*1 immoderate

míchumas 'm'i:,xuməs *m*1 disability

míchumasach 'm'i:,xuməsəx *a*1 disabled

míchumtha 'm'i:,xumhə *a*3 deformed; ill-made

micrea-, micri- m'ik'r'ə *pref* micro-

micreafón 'm'ik'r'ə,fo:n *m*1 microphone

micreascóp 'm'ik'r'ə,sko:p *m*1 microscope

mídhíleá 'm'i:,γ'i:,l'a: *m*4 dyspepsia, indigestion

mídhílsigh 'm'i:,γ'i:l's'i: *vt* misappropriate

mídhleathach 'm'i:,γ'l'ahəx *a*1 illegal

mídhlisteanach 'm'i:,γ'l'is't'ənəx *a*1 illegitimate; disloyal

mífhoighne 'm'i:,ain'ə *f*4 impatience

mífhoighneach 'm'i:,ain'əx *a*1 impatient

mífholláin 'm'i:,ola:n' *a*1 unhealthy, unwholesome

mífhonn 'm'i:,on *m*1 disinclination, reluctance

mífhortún 'm'i:,ortu:n *m*1 misfortune

mífhortúnach 'm'i:,ortu:nəx *a*1 unfortunate, confounded

mígheanas 'm'i:,γ'anəs *m*1 immodesty, indecency

míghléas 'm'i:,γ'l'e:s *m*1, *ar* ∼ out of order

míghnaoi 'm'i:,γni: *f*4 ugliness, disfigurement; dislike

míghreann 'm'i:,γ'r'an *m*1 mischievous talk, gossip

migréin m'i:g'r'e:n' *f*2 migraine

mí-iompar 'm'i:,impər *m*1 misconduct

mí-ionracas 'm'i:,inrəkəs *m*1 dishonesty

mi-ionraic 'm'i:ˌinrək' *a1* dishonest

mil m'il' *f3, gs* **meala** honey

míle m'i:l'ə *m4, pl* **-lte** thousand; mile, *go raibh ~ maith agat* thanks ever so much, *dá mhíle buíochas* in very spite of him

miléáiste m'i:l'a:s't'ə *m4* mileage

míleata m'i:l'ətə *a3* military; martial

míleatach m'i:l'ətəx *a1* militant

milemhéadar 'm'i:l'əˌv'e:dər *m1* milometer

mileoidean m'ə'l'o:d'ən *m1* melodeon

milí 'm'i:ˌl'i: *f4* bad colour; sickly pallor

milis m'il'əs' *a1, gsf, npl & comp* **-lse** sweet

míliste m'i:l'i:s't'ə *m4* militia

milítheach 'm'i:ˌl'i:həx *a1* pale, sickly-looking

míliú m'i:l'u: *m4 & a* thousandth

mill m'il' *vt & i* spoil; mar, ruin

milléad m'il'e:d *m1* mullet

milleadh m'il'ə *m, gs* **-llte** ruination, destruction, spoliation, mutilation, *a mhilleadh sin* the contrary to that

milleagram 'm'il'əˌgram *m1* milligram

milleán m'il'a:n *m1* blame

milliméadar 'm'il'əˌm'e:dər *m1* millimetre

millín m'il'i:n' *m4* pellet, croquette; bud, *~ leamhan* mothballs

milliún m'il'u:n *m1* million

milliúnaí m'il'u:ni: *m4* millionaire

milliúnú m'il'u:nu: *m4 & a* millionth

millteach m'il't'əx *a1* destructive; pernicious; enormous, extreme

millteanach m'il't'ənəx *a1* terrible, horrible; enormous, extreme

millteanas m'il't'ənəs *m1* destruction, havoc; mischievousness

milseacht m'il's'əxt *f3* sweetness; blandness

milseán m'il's'a:n *m1* sweet; sweetmeat

milseog m'il's'o:g *f2* sweet, sweet dish, dessert

milseogra m'il's'o:grə *m4* confectionery

milsigh m'il's'i: *vt & i* sweeten

mím m'i:m' *f2, pl* **~eanna** mime *vt & i* mime

mímhacánta 'm'i:ˌvaka:ntə *a3* dishonest

mímhacántacht 'm'i:ˌvaka:ntəxt *f3* dishonesty

mímhorálta 'm'i:ˌvora:ltə *a3* immoral

mímhoráltacht 'm'i:ˌvora:ltəxt *f3* immorality

mímhúinte 'm'i:ˌvu:n't'ə *a3* unmannerly, rude

min m'in' *f2* meal, *~ sáibh* sawdust

mín m'i:n' *f2, pl* **~te** smooth, fine, thing or part *a1* smooth; fine; gentle; still

mínádúrtha 'm'i:ˌna:du:rhə *a3* unnatural; unfeeling

mínáireach 'm'i:ˌna:r'əx *a1* shameless; vicious

minc m'iŋk' *f2, pl* **~eanna** mink

míndána 'm'i:n'ˌda:nə *spl, gpl* **míndán** *na ~* the fine arts

míne m'i:n'ə *f4* smoothness; fineness; gentleness; quietness

míneadas m'i:n'ədəs *m1* gentleness, refinement

míneas m'i:n'əs *m1* minus (sign)

minic m'in'ək' *adv & a* often, frequent(ly)

minicíocht m'in'ək'i:(ə)xt *f3* frequency

mínigh m'i:n'i: *vt* smooth; level; explain, interpret, *na móinte a mhíniú* to reclaim the bogs

mínínteacht m'i:n'i:n'əxt *f3* delicacy, refinement; niggling

ministir m'in'əs't'ər *m4, pl* **-trí** minister

mínitheach m'i:n'ihəx *a1* explanatory

míniú m'i:n'u: *m4* explanation, interpretation

míniúchán m'i:n'u:xa:n *m1* explanation

mínleach m'i:n'l'əx *m1* level sward: fairway

mínormálta 'm'i:ˌnorəma:ltə *a3* abnormal

mínós 'm'i:ˌno:s *m1, pl* **~anna** bad habit; rudeness, insolence

míntír 'm'i:n'ˌt'i:r' *f2* level country; arable land; mainland

míntíreachas 'm'i:n'ˌt'i:r'əxəs *m1* cultivation; reclamation of land

míobhán m'i:va:n *m1* dizziness

míoca m'i:kə *m4* mica

míochaine m'i:xən'ə *f4* materia medica

míochair m'ixər' *a1* tender, kind; courteous

míocht m'ixt *m3* amice

míocrób m'ikro:b *m1* microbe

míocsómatóis 'm'iksoˌma:to:s' *f2* myxomatosis

miodamas m'idəməs *m1* garbage, offal

miodóg m'ido:g *f2* dagger

míofar m'i:fər *a1* ugly, ill-favoured

míog m'i:g *f2 & vi* cheep

míogarnach m'i:gərnəx f2 dozing; drowsiness

mí-oiriúnach 'm'i:,or'u:nəx a1 unsuitable, unsuited (do to)

míol m'i:l m1, pl ~**ta** animal; insect; louse, ~ mór whale, ~ buí hare

míolach m'i:ləx a1 lousy, verminous

míoleolaíocht 'm'i:l,o:li:(ə)xt f3 zoology

míolra m'i:lrə m4 vermin

míoltóg m'i:lto:g f2 midge

mion[1] m'in a1 small, tiny; fine; detailed

mion-[2] m'in pref small, minute; minor; micro-

mionaigh m'ini: vt & i pulverize; mince, powder; diminish; crumble

mionairgead 'm'in,ar'əg'əd m1 petty cash; small change

mionchaint 'm'in,xan't' f2 small talk, tittle-tattle

mionchostas 'm'in,xostəs m1, pl petty expenses

mionchruinn 'm'in,xrin' a1 minute, detailed

mionchúiseach 'm'in,xu:s'əx a1 meticulous, over-particular; trivial

mionda m'ində a3 small, delicate; petite

miondealaigh 'm'in',d'ali: vt parse, analyse

miondíol 'm'in',d'i:l m3 & vt retail

miondíoltóir 'm'in',d'i:lto:r' m3 retailer

mionéadach 'm'in,e:dəx m1, pl -aí haberdashery

mionearraí 'm'in,ari: spl haberdashery

mionfheoil 'm'in,o:l' f3 minced meat

miongaireacht m'iŋgər'əxt f3 nibbling, gnawing

miongán m'iŋga:n m1 periwinkle

miongháire 'm'in,γa:r'ə m4 smile; soft chuckle

mionghearr 'm'in,γ'a:r vt shred, mince

mionla m'i:nlə a3 gentle, mild

mionlach m'inləx m1 minority

mionn m'in m3 crown, diadem; oath, ~ mór swear-word

mionnaigh m'ini: vt & i swear

mionnscríbhinn 'm'in',s'k'r'i:v'ən' f2 affidavit

mionphláinéad 'm'in,fla:n'e:d m1 asteroid

mionra m'inrə m4 mince

mionrabh ,m'in'rav f2 small fragments; shreds, filings

mionsamhail 'm'in,saul' f3, gs **-mhla**, pl **-mhlacha** miniature model

miontas m'intəs m1 mint

miontóir m'into:r' m3 mincer

miontuairisc 'm'in,tuar'əs'k' f2 detailed account pl minutes (of meeting)

miontúr 'm'in,tu:r m1 minaret

mionúr m'inu:r m1 minor

miorr m'ir m4 myrrh

miorúilt m'i:ru:l't' f2 miracle

miorúilteach m'i:ru:l't'əx a1 miraculous

miosa m'i:sə : **mí**

míosachán m'i:səxa:n m1 monthly (magazine)

mioscais m'iskəs' f2 hatred, spite; malice

mioscaiseach m'iskəs'əx a1 spiteful, malicious

míosta m'i:stə a3 menstrual, fuil mhíosta menstruation

miostraigh m'i:stri: vi menstruate

míosúil m'i:su:l' a2 monthly

miosúr m'isu:r m1 measure; measurement, as ~ beyond measure; exceeding

miotaigh m'iti: vt bite, nibble; whittle away

miotal m'itəl m1 metal; mettle; spirited

miotalach m'itələx a1 metallic; mettlesome, spirited

miotalóireacht m'itəlo:r'əxt f3 metalwork, metallurgy

miotas m'itəs m1 myth

miotasach m'itəsəx a1 mythical

miotaseolaíocht 'm'itəs,o:li:(ə)xt f3 mythology

miotóg[1] m'ito:g f2 mitten; glove

miotóg[2] m'ito:g f2 pinch, little bite

mír m'i:r' f2, pl ~**eanna** bit, portion; section; item, ~eanna mearaí jigsaw puzzle

mire m'ir'ə f4 quickness, rapidity; ardour; frenzy

míréasúnta 'm'i:,re:su:ntə a3 unreasonable, absurd

mírialta 'm'i:,riəltə a3 unruly, disorderly; irregular

míriar 'm'i:,riər m4 mismanagement, maladministration

mirlín m'irl'i:n' m4 (playing) marble

mirún 'm'i:,ru:n m1 evil intent; malice

misc m'i:s'k' f2 mischief

mise m'is'ə 1 sg emphatic pron I, me

misean m'is'ən m1 mission

míshásamh 'm'i:ˌha:səv *m*l displeasure, dissatisfaction

míshásta 'm'i:ˌha:stə *a*3 displeased, dissatisfied

míshásúil 'm'i:ˌha:su:l' *a*2 unsatisfactory

mísheans 'm'i:ˌhans *m*4 mischance

míshláintiúil 'm'i:ˌhla:n't'u:l' *a*2 unhealthy, unwholesome

míshuaimhneach 'm'i:ˌhuə(v')n'əx *a*l uneasy, restless, perturbed

míshuaimhneas 'm'i:ˌhuə(v')n'əs *m*l uneasiness, restlessness, perturbation

misinéir m'is'ən'e:r' *m*3 missioner; missionary

mismín m'is'm'i:n' *m*4 mint

misneach m'is'n'əx *m*l courage; hopefulness; feeling of well-being

misnigh m'is'n'i: *vt* encourage; cheer up

misniúil m'is'n'u:l' *a*2 courageous; hopeful, cheerful

místá 'm'i:ˌsta: *m*4 frown

miste m'is't'ə *a* (used with *is*) *is* ~ (*do*) it matters (to), *ní* ~ *a rá* (*go*) it is no harm to say (that), *rud nár mhiste dó* as well he might, *is* ~ *liom faoi* I mind, care, about it, *mura* ~ *leat* if you don't mind

misteach m'is't'əx *m*l & *a*l mystic

mistéir m'is't'e:r' *f*2 mystery

mistéireach m'is't'e:r'əx *a*l mysterious

místuama 'm'i:ˌstuəmə *a*3 imprudent; clumsy

mítéar m'i:t'e:r *m*l mitre

míthapa 'm'i:ˌhapə *m*4 mishap, mischance; hasty act; inactivity *a*3 unready, inactive

mithid m'ihəd' *a* (used with *is*) *is* ~ *dom imeacht* it is (high) time for me to go, *más maith is* ~ good, but not before time *s* due, convenient, time, *ag brath ar a mhithidi* awaiting his convenience

míthráthúil 'm'i:ˌhra:hu:l' *a*2 untimely, inopportune

mithreoir 'm'i:ˌhr'o:r' *f*, *gs* -**orach** misguidance; confusion; feebleness

mithuiscint 'm'i:ˌhis'k'ən't' *f*3, *gs* -**ceana** misunderstanding; mistake

mitín m'it'i:n' *m*4 mitten, glove

miúil m'u:l' *f*2, *pl* -**eanna** mule

mí-úsáid 'm'i:ˌu:sa:d' *f*2 misuse, abuse

mná mna: : **bean**

mo mə *poss a* my, *mo léan* alas, *mo thrua iad* I pity them, *mo ghrá thú* I love you,

m'anam upon my soul, *mo dhearmad* I forgot, *mo dhuine* your man

mó¹ mo: *a*3, *an* ~? how many?

mó² mo: : **mór¹**

moch mox *s* & *a*l, *gsm* ~ early, *le* ~ *na maidine* early in the morning

mochóirí moxo:r'i: *m*4 early rising; early riser

modartha modərhə *a*3 murky; muddy; cloudy; morose

modh mo: *m*3, *pl* ~**anna** mode, manner; method; honour, respect; (*grammar*) mood

Modhach mo:əx *m*l & *a*l Methodist

modhfheirm 'mo:ˌer'əm' *f*2, *pl* ~**eacha** model farm

modhnaigh mo:ni: *vt* modulate, modify

modhúil mo:u:l' *a*2 mannerly; gentle, modest

modhúlacht mo:u:ləxt *f*3 mannerliness; gentleness, modesty

modúl mo:u:l *m*l module

mogall mogəl *m*l mesh; husk, shell; cluster, ~ *súile* eyeball

mogalra mogəlrə *m*4 network

mogh mau *m*3, *gs* & *npl* ~**a** bondsman, slave

moghsaine mausən'ə *f*4 bondage, slavery

mogóir mogo:r' *m*3 (rose) hip

móid mo:d' *f*2, *pl* ~**eanna** vow

móide mo:d'ə *comp of* **mór** with **de²** more, plus, *ní* ~ *go* probably not, hardly, *ní* ~ *ar bith é* it is hardly likely, *ní* ~ *rud de* it is as likely as not

móideach mo:d'əx *m*l votary *a*l votive

móidigh mo:d'i: *vt* & *i* vow

moígl mog'l'i: *a*3 mild, placid, easy

moígliocht mog'l'i:(ə)xt *f*3 mildness, placidity

móihéar mo:he:r *m*l mohair

moileasc mol'əsk *m*l mollusc

móilín mo:l'i:n' *m*4 molecule

moill mol' *f*2, *pl* ~**eanna** delay; stop, hindrance, *aga* ~ *e* time lag, *gan mhoill* shortly, soon

moille mol'ə *f*4 slowness, lateness

moilleadóireacht mol'ədo:r'əxt *f*3 procrastination

moilligh mol'i: *vt* & *i* delay

móimint mo:m'ən't' *f*2 moment

móiminteam ˌmo:'m'in't'əm *m*l momentum

móin mo:n′ *f*3, *pl* ~te turf, peat; bog-land, moor

móincheart 'mo:n′,x′art *m*1, *npl* ~a (right of) turbary

móinéar mo:n′e:r *m*1 meadow

moing moŋ′ *f*2, *pl* ~eanna mane; long hair; thick growth; overgrown swamp

moinsineoir ,mon′′s′i:n′o:r′ *m*3 mon-signor

móinteach mo:n′t′əx *m*1 moorland, moor; reclaimed bogland

móinteán mo:n′t′a:n *m*1 bog, moor

móiréis mo:r′e:s′ *f*2 haughtiness, preten-sion

móiréiseach mo:r′e:s′əx *a*1 haughty, pre-tentious

moirfeolaíocht 'mor′f′,o:li:(ə)xt *f*3 mor-phology

moirfín mor′f′i:n′ *m*4 morphine, mor-phia

moirt mort′ *f*2 lees, dregs; heavy clay; mire

moirtéal mort′e:l *m*1 mortar

moirtéar mort′e:r *m*1, *(vessel, artillery)* mortar

moirtís mort′i:s′ *f*2 mortise

móitíf mo:t′i:f′ *f*2, *pl* ~eanna motif

mol[1] mol *m*1 hub; pivot, shaft, spindle; boss; crown, *an M~ Thuaidh* the North Pole

mol[2] mol *vt & i* praise; recommend; pro-pose, ~ *le* agree with; encourage

moladh molə *m*, *gs* -lta *pl* -ltaí praise; recommendation; proposal; eulogy

molás mola:s *m*1 molasses

moll mol *m*1, *pl* ~ta heap; large amount, number

molt molt *m*1 wether

moltach moltax *a*1 complimentary, ap-proving

moltóir molto:r′ *m*3 proposer, nomina-tor; adjudicator, umpire

moltóireacht molto:r′əxt *f*3 judging, umpiring; adjudication

mómhaireacht mo:vər′əxt *f*3 mannerli-ness; gracefulness, dignity

mómhar mo:vər *a*1 mannerly; graceful, dignified

mona monə *m*4 money; coins, coinage; kind

monabhar monəvər *m*1 murmuring, mur-mur

monagamas 'monə,gaməs *m*1 mono-gamy

monailit 'monə,l′it′ *f*2 monolith

monalóg 'monə,lo:g *f*2 monologue

monaplacht 'monə,plaxt *f*3 monopoly

monaplaigh 'monə,pli: *vt* monopolize

monaraigh monəri: *vt* manufacture

monarc monərk *m*4, *pl* ~aí monarch

monarcha monərxə *f*, *gs* ~n *pl* ~na fac-tory

moncaí monki: *m*4 monkey

moneolaíocht 'mon,o:li:(ə)xt *f*3 numis-matics

mongach moŋgəx *a*1 maned: long-haired; covered with vegetation; marshy

mónóg mo:no:g *f*2 bogberry, cranberry; bead, drop

monsún monsu:n *m*1 monsoon

monuar mə′nuər *int* woe is me, alas

mór[1] mo:r *m*1 great lot; much, many; pride *a*1, *comp* **mó** big, great, large; main; senior, *bóthar* ~ highway, *duine* ~ *le rá* notable person, *tá sé* ~ *as féin* he has a high opinion of himself, *baile* ~ town, *an fharraige mhór* the open sea, the ocean, *bheith* ~ *le duine* to be on friendly terms with a person, *ní* ~ *liom duit é* I don't begrudge it to you, *go* ~ *fada* by a long stretch, *go* ~ ~ especially, *an* ~ *é*? how much is it? *ní* ~ *(do)* it is necessary (for), *nach* ~ almost, *ní mó ná (go)* hardly, *ná déan sin níos mó* don't do that any more *vt & i* magnify; exalt, extol; increase; (with *as*) boast about, (with *ar*) be-grudge to

mór-[2] mo:r *pref* great-, grand-, main-, giant, major; general

mora morə *s*, ~ *duit (ar maidin)*, ~ *na maidine duit* good morning

móradh mo:rə *m*, *gs* -rtha magnification, extolment

mórai mo:ri: *f*4 granny

móráil mo:ra:l′ *f*3 pride; boastfulness

móráireamh 'mo:r,a:r′əv *m*1 census

mórálach mo:ra:ləx *a*1 proud; boastful

morálta mo:ra:ltə *a*3 moral

móráltacht mo:ra:ltəxt *f*3 morality; morals

móramh mo:rəv *m*1 majority

mórán mo:ra:n *m*1 much, many

mórbhonn 'mo:r,von *m*1 medallion

mórchóir 'mo:r,xo:r' *s, ar an* ~ on a large scale, in bulk

mórchroí 'mo:r,xri: *m4* generosity

mórchuid 'mo:r,xid' *f3, gs* **-choda** *pl* **-chodanna** large amount, number; greater part, number

mórchúis 'mo:r,xu:s' *f2* self-importance, pomposity

mórchúiseach 'mo:r,xu:s'əx *a1* self-important, pompous

mórdhíol 'mo:r,ɣ'i:l *m3* wholesale

mórfhoclach 'mo:r,okləx *a1* oratorical; bombastic

morg morəg *vt & i* corrupt, decompose, putrefy; mortify

mórga mo:rgə *a3* great, exalted; majestic; high-minded

mórgacht mo:rgəxt *f3* greatness; majesty; high-mindedness, *A Mhórgacht* His Highness, His Majesty; Your Majesty

morgadh morəgə *m, gs* **-gtha** corruption, putrefaction; gangrene

morgáiste morəgə:s't'ə *m4* mortgage

morgáistigh morəgə:s't'i: *vt* mortgage

morgthach morəkəx *a1* putrefactive, gangrenous

mórluachach 'mo:r,luəxəx *a1* valuable; important; self-important

Mormannach morəmənəx *m1 & a1* Mormon

mór-roinn 'mo:(r),ron' *f2, pl* **-ranna** continent

mórsheisear 'mo:r,hes'ər *m1* seven persons

mórshiúl 'mo:r,x'u:l *m1, pl* ~ **ta** procession

mórtas mo:rtəs *m1* pride; boastfulness; high spirits, *bhí ~ farraige ann* a heavy sea was running

mórtasach mo:rtəsəx *a1* proud; boastful; joyous

mórthaibhseach 'mo:r,hav's'əx *a1* spectacular

mórthimpeall ,mo:r'him'p'əl *m1* circuit; surroundings *prep & adv* surrounding, all round

mórthír 'mo:r,hi:r' *f2* mainland

mortlaíocht mortli:(ə)xt *f3* mortality, death-rate; deadliness

mos¹ mos *m1* scent

mos² mos *m1* surliness

mós mo:s *adv* rather

mosach mosəx *a1* shaggy, bristly; surly

mósáic ,mo:'sa:k' *f2* mosaic

Moslamach mosləməx *m1 & a1* Moslem

móta mo:tə *m4* moat; earthen embankment; mound

mótar mo:tər *m1* motor; motor car

mótaraigh mo:təri: *vt* motorize

mothaigh mohi: *vt & i* feel; sense, perceive; hear; bewitch, *mothaim uaim iad* I miss them

mothaitheach mohihəx *a1* sentient, perceptive

mothálach moha:ləx *a1* sensitive, responsive

mothall mohəl *m1* mop (of hair, etc)

mothallach mohələx *a1* bushy; shaggy

mothaolach mohi:ləx *a1* unsophisticated; gullible

mothar mohər *m1* thicket; jungle; large mass

mothrach mohrəx *a1* overgrown, tangled; massive; clouded

mothú mohu: *m4* feeling, perception; sensation, consciousness

mothúchán mohu:xa:n *m1* feeling, emotion

muc muk *f2* pig, ~ *mhara* porpoise, ~ *ghainimh* sandhill, sandbank, *tháinig* ~ *ar gach mala aige* he frowned darkly, ~ *shneachta* snow-drift

mucais mukəs' *f2* pigsty

múcas mu:kəs *m1* mucus

múch mu:x *f2* fumes; suffocating vapour *vt & i* smother, suffocate; quench, extinguish; dull, deaden

múchadh mu:xə *m, gs* **-chta** smothering, suffocation; quenching; asthma

múchán mu:xa:n *m1* flue; hovel

múchtach mu:xtəx *a1* smothering, suffocating; asthmatic

múchtóir mu:xto:r' *m3* extinguisher

muclach mukləx *m1* piggery; drove of pigs

mufa mofə *m4* muff

muga mogə *m4* mug

muiceoil 'mik',o:l' *f3* pork

muid mid' *1pl pron* we, us

muidne mid'n'ə *1pl emphatic pron* we, us

muifín mif'i:n' *m4* muffin

muifléad mif'l'e:d *m1* muffler

muiléad mil'e:d *m1* millet

muileann mil'ən *m1, pl* **-lte** mill, ~ *gaoithe* windmill

muileata mil'ətə *m4* (*cards*) diamond

muilleoir mil'o:r' *m3* miller; mill-owner

muilleoireacht mil'o:r'əxt *f3* milling

muin min' *f2* (upper) back; top, *ar mhuin capaill* on horseback, *ar mhuin mhairc a chéile* thrown together, higgledy-piggledy

múin mu:n' *rt & i* teach, instruct

muince miŋ'k'ə *f4* necklace, (metal) collar

muinchille min'x'əl'ə *f4* sleeve

muine min'ə *f4*, *pl* ~**acha** thicket; scrub

múineadh mu:n'ə *m*, *gs* -**nte** teaching, instruction; good behaviour, manners, ~ *scéil* the moral of a story

muineál min'a:l *m1*, *gs & npl* -**níl** neck

muinín min'i:n' *f2* trust, confidence; dependence, *dul i* ~ *ruda* to have recourse to sth

muiníneach min'i:n'əx *a1* (with *as*) trusting in; reliant on; trustworthy, reliable

muinisean ˌmin'is'ən *m1* ammunition

múinte mu:n't'ə *a3* well-behaved, polite

muinteas min't'ərəs *m1* friendliness, friendship; relationship

muinteartha min't'ərhə *a3* friendly; related, *duine* ~ relation

múinteoir mu:n't'o:r' *m3* teacher

múinteoireacht mu:n't'o:r'əxt *f3* teaching

muintir min't'ər' *f2*, *pl* ~**eacha** kinsfolk, family; people, folk, *teach* ~ *e* dwelling-house, *fear na* ~ *e* close relative, *M* ~ *Laoire* the O'Learys

muir mir' *f3*, *gs & pl* **mara** sea, ~ *théachta* frozen sea; vast amount

muirbheach mir'əv'əx *m1*, (*of seashore*) links

muirdhreach 'mir'ˌγ'r'ax *m3*, *gs & npl* ~**a** seascape

Muire mir'ə *f4* (the Virgin) Mary

muirear mir'ər *m1* charge; family; burden

muireolaíocht 'mir'ˌo:li:(ə)xt *f3* oceanography

muirgha 'mir'ˌγa *m4*, *pl* ~**thanna** harpoon

muirí mir'i: *a3* marine, maritime

muirín[1] mir'i:n' *f2*, *pl* ~**eacha** family; burden

muirín[2] mir'i:n' *m4* scallop

múirling mu:rl'əŋ' *f2* heavy sudden shower

muirmhíle 'mir'ˌv'i:l'ə *m4*, *pl* -**lte** knot, nautical mile

muirneach mu:rn'əx *a1* affectionate; beloved; caressing

muirnéis mu:rn'e:s' *f2* caressing; endearment

muirnigh mu:rn'i: *rt* fondle, cherish

muirnín mu:rn'i:n' *m4* darling, sweetheart

muirthéacht 'mir'ˌhe:xt *f3* (political) revolution

múisc mu:s'k' *f2* vomit; nausea; loathing

muiscit mis'k'it' *f2* mosquito

múisciúil mu:s'k'u:l' *a2* nauseating; dank, oppressive

muise mis'ə *int.* ~ *mhuise* indeed

múisiam mu:s'iəm *m4*, *gs* ~**aí** upset, mental disturbance; pique; nausea; heaviness, drowsiness

muisiriún mis'ər'u:n *m1* mushroom

muislín mis'l'i:n' *m4* muslin

múitseáil mu:t's'a:l' *f3* mitching, loitering

mullach muləx *m1*, *pl* -**aí** top, summit; crown (of head); elevated ground, *i* ~ *a chéile* on top of one another, *tá an geimhreadh sa mhullach orainn* winter is upon us

mullachán muləxa:n *m1* round, heap, ~ *gasúir* sturdy boy

mullán mula:n *m1* hillock

mullard mo180rd *m1* bollard

mumaí momi: *m4* (*of body*) mummy

mún mu:n *m1* urine *rt & i* urinate

mungail muŋgəl' *rt & i*, *pres* -**glaionn** munch; slur, mumble

mungailt muŋgəl't' *f2* munching; mumble

múnla mu:nlə *m4* mould; cast, moulding; form

múnlaigh mu:nli: *rt* mould; mint; form, model

múnlú mu:nlu: *m4* moulding, casting, shaping

múr mu:r *m1*, *pl* ~**tha** wall, rampart; bank, mound; shower *pl* profusion, abundance *rt* wall in, immure

mura murə *conj* if not, unless, ~ *mbeadh ann ach sin* if that were all, ~ *miste dom a rá* if I may say so, ~*b ionann is tusa* unlike you, ~*r cailleadh iad* if they were not lost

murach murəx *conj* if not, only, ~ *sin* but for that

múrail mu:ri:l′ *f3* showery conditions, shower(s)

múráil mu:ra:l′ *f3* mooring *vt* moor

murascaill ′mur,askəl *f2* gulf

murdar mordər *m1* murder

murdaróir mordəro:r′ *m3* murderer

murlach mu:rləx *m1* lagoon

murlán mu:rla:n *m1* knob; small rounded object; knuckle-bone

murlas mu(:)rləs *m1* mackerel

murnán mu:rna:n *m1* ankle

mursanta mursəntə *a3* domineering, tyrannical

murúch muru:x *f2* mermaid

músaem mu:se:m *m1* museum

muscaed moske:d *m1* musket; rifle

muscaedóir moske:do:r′ *m3* musketeer; rifleman

múscail mu:skəl′ *vt & i, pres* **-claíonn** wake, awake, ~ *do mhisneach* rouse your courage

múscailt mu:skəl′t′ *f2* awakening, state of being awake

múscailteach mu:skəl′t′əx *a1* wakeful

múscán mu:ska:n *m1* spongy substance, sponge

múscánta mu:ska:ntə *a3* spongy; oozy, dank

músclóir mu:sklo:r′ *m3* activator

mustairt mostart′ *f2* worsted

mustar mostər *m1* muster, assembly; ostentation, arrogance

mustard mostərd *m1* mustard

mustrach mostrəx *a1* ostentatious; swaggering, arrogant

mútóg mu:to:g *f2* finger-stall; flipper; stump

N

na¹ nə⁺ : **an¹**

-na² nə⁺ 1 *pl emphatic suff, ár gceantarna* our district, *thugamarna a ndúshlán* we defied them

ná¹ na: *neg vb particle used with imperative* (do) not, ~ *habair é* don't say it, ~ *bíodh eagla ort* don't be afraid

ná² na: *neg vb particle used with pres subj of* **bí** *dealbh* ~ *raibh sé* may he never be destitute

ná³ na: *conj* nor, or, *níl mac* ~ *iníon aige* he has neither son nor daughter, *ní raibh eagla* ~ *eagla uirthi* she was not in the least afraid

ná⁴ na: *conj than, tá sé níos airde* ~ *an fear eile* he is taller than the other man, *ní mó* ~ *gur fiú duit é* it is hardly worth your while

ná⁵ na: *conj* but, *cad a bheadh romham* ~ *asal* what should I find there but a donkey, ~ *go*, ~ *gur* but that

ná⁶ na: *conj used with* **is** *is é ainm a bhí air* ~ *Séadna* the name that he had was Séadna

nach¹ nax *neg interr vb particle*, ~ *bhfeiceann tú féin go bhfuil an ceart agam*? do you not see for yourself that I am right?

nach² nax⁺ *neg rel vb particle* who(m), which ... not, *an té* ~ *bhfuil ciall aige* he who has not got sense, *fear* ~ *n-aithním* a man whom I don't recognize

nach³ nax⁺ *conj* that ... not, *is fíor* ~ *gcreidim é* it is true that I don't believe it, *mar* ~ *raibh an t-ádh orainn* because we were not in luck

nach⁴ nax ~ *mór*, ~ *beag* almost

nach⁵ nax⁺ : **is**

nádúr na:du:r *m1* nature; innate character, kindliness, *dlíthe an nádúir* the laws of nature

nádúraí na:du:ri: *m4* naturalist

nádúrtha na:du:rhə *a3* natural, normal; good-natured, kindly

nádúrthacht na:du:rhəxt *f3* naturalness, artlessness; kindliness; moderateness, ~ *oibre a dhéanamh* to do a fair amount of work

nai ni: *m4, pl* ~**onna** infant

náibhí na:v′i: *m4* navvy

naíchóiste ′ni:,xo:s′t′ə *m4* baby carriage, pram

náid na:d′ *f2, pl* ~**eanna** nought; nothing

naigín nag′i:n′ *m4* noggin

naimharú 'ni:,varu: *m4* infanticide

naimhdeach nav´d´əx *a1* hostile, malevolent

naimhdeas nav´d´əs *m1* hostility, malevolence, spite

naíolann ni:lən *f2* (children's) nursery

naíonacht ni:nəxt *f3* infancy

naíonán ni:nɑ:n *m1* infant

naíonda ni:ndə *a3* childlike; fresh, innocent, beautiful

naipcín nap´k´i:n´ *m4* napkin, ~ *boird* serviette, ~ *póca* pocket handkerchief

náir na:r´ *a* (used with *is*) *is* ~ *liom é a rá leat* (*ach*) I am ashamed to say it to you (but), *ní* ~ *dó é* one would expect nothing better of him

nairciseas ,nar´´k´is´əs *m1* narcissus

náire na:r´ə *f4* shame; decency; modesty

náireach na:r´əx *a1* shameful; modest, diffident

náirigh na:r´i: *vt* shame, disgrace

naisc nas´k´ *vt & i*, *vn* **nascadh** tie, bind; link, tether

naíscoil 'ni:,skol´ *f2*, *pl* ~**eanna** kindergarten

náisiún na:s´u:n *m1* nation, *na Náisiúin Aontaithe* the United Nations

náisiúnach na:s´u:nəx *m1* national

náisiúnachas na:s´u:nəxəs *m1* nationalism

náisiúnaí na:s´u:ni: *m4* nationalist

náisiúnta na:s´u:ntə *a3* national

náisiúntacht na:s´u:ntəxt *f3* nationality

Naitseachas nat´s´əxəs *m1* Nazism

Naitsí nat´s´i: *m4* Nazi

Naitsíoch nat´s´i:(ə)x *a1*, *gsm* ~ Nazi

namhaid naud´ ~ na(:)vəd´ *m*, *gs* **-ad** *pl* **naimhde** enemy

naofa ni:fə *a3* holy, sanctified; sacred, *Pádraig N*~ Saint Patrick

naofacht ni:fəxt *f3* holiness, sanctity

naoi ni: *m4*, *pl* **naonna** *& a* nine, *a* ~ *déag* nineteen

naomh ni:v *m1* saint *a1* holy, blessed

naomhaigh ni:vi: *vt* hallow, sanctify

naomhainmnigh 'ni:v,an'əm´n´i: *vt* canonize

naomhaithis 'ni:v,ahəs´ *f2* profanity, blasphemy

naomhóg ni:vo:g *f2* currach, coracle

naomhsheanchas 'ni:v,hanəxəs *m1* hagiography; hagiology

naonúr ni:nu:r *m1* nine persons

naoscach ni:skəx *f2* snipe

naoscaire ni:skər´ə *m4* snipe-shooter; sniper

naoú ni:u: *m4 & a* ninth

naprún napru:n *m1* apron

nár[1] na:r *neg vb particle used with pres subj*, ~ *fheicimid arís é* may we never see him again, ~ *lige Dia* God forbid

nár[2] na:r *neg interr vb particle*, ~ *cheannaigh tú é*? did you buy it? ~ *imigh sé féin romhainn*? didn't he himself leave before us?

nár[3] na:r *neg rel vb particle* who(m), which ... not, *an fear* ~ *labhair* the man who didn't speak, *fear* ~ *thuig mé a chuid cainte* a man whose speech I didn't understand

nár[4] na:r *conj* that ... not, *sílim* ~ *éirigh leis* I think he didn't succeed, *biodh is* ~ *cuireadh moill orainn* even though we were not delayed

nár[5] na:r†, **nára** na:rə, **nárab** na:rəb, **nárbh** na:rv´ †: **is**

nasc nask *m1* tie, tether; clasp, bond

nath nah *m3*, *pl* ~**anna** adage; epigram, *tá sé ina* ~ *againn* it is a common saying with us, *ná cuir aon* ~ *ann* pay no attention to it

nathach nahəx *a1* aphoristic; sententious

nathaíocht nahi:(ə)xt *f3* witticism, wisecracking

nathair nahər´ *f*, *gs* **-thrach** *pl* **-thracha** snake, serpent

nathán nahɑ:n *m1* adage, aphorism, tag

-ne n´ə *1 pl emphatic suff*, *ár muintirne* our people, *bheimisne sásta leis sin* we would be satisfied with that, *sinne, muidne* we, us, *dúinne, linne, orainne* to, with, on, us

neach n´ax *m4*, *gs & gpl* ~, *npl* ~ **a** being; person; spirit

neacht n´axt *f3*, *pl* ~**anna** niece

neachtairín n´axtər´i:n´ *m4* nectarine

neachtar[1] n´axtər *m1* nectar

neachtar[2] n´axtər *pron*, *nó* ~ *acu* or else

neachtlann n´axtlən *f2* laundry

nead n´ad *f2*, *pl* ~**acha** nest; bed, lair, ~ *seangán* ant-hill

neadaigh n´adi: *vt & i* nest; nestle; set; lodge

neafaiseach n´afəs´əx *a1* trivial, trite

néal n'e:l *m*1, *pl* ~ **ta** cloud; depression; gloomy expression; fit, paroxysm; swoon, nap, snooze; daze, ~ **gréine** burst of sunshine, *níor fhan ~ aige* he was beside himself, *thit ~ orm* I dozed off

néalfartach[1] n'e:lfərtəx *f*2 dozing, drowsing

néalfartach[2] n'e:lfərtəx *f*2 tormentil

néalmhar n'e:lvər *a*l nebulous; gloomy; sleepy

néaltach n'e:ltəx *a*l cloudy

néaltraithe n'e:ltrihə *a*3 crazy, demented

neamaiteach n'a,mat'əx *a*l unforgiving

neamaiteach n'a,mahəx *a*l disobliging; useless

neamart n'amərt *m*1 neglect, ~ *a dhéanamh i rud* to neglect sth

neamartach n'amərtəx *a*l neglectful, remiss

neamh[1] n'av *f*2, *gs* **neimhe** heaven; sky

neamh-[2] n'av *pref* in-, un-, -less; non-

neamhacra n'av,akrə *s, ar an* ~ independent, in easy circumstances

neamhaí n'avi: *a*l heavenly, celestial; (*of talk*) monotonous

neamhaird n'av,a:rd' *f*2, ~ *a thabhairt ar rud* to disregard sth

neamh-aistear n'av,as't'ər *m*1 idleness; thoughtlessness; mischief

néamhanda n'e:vəndə *a*3 pearly

néamhann n'e:vən *m*1 gem; mother of pearl

neamhaontach n'av,i:ntəx *m*1 & *a*l nonconformist

neamhbhailbhe n'a(v),val'əv'ə *f*4 forthrightness

neamhbhailí n'a(v),val'i: *a*3 invalid

neamhbhailigh n'a(v),val'i: *vt* invalidate

neamhbhalbh n'a(v),valəv *a*l outspoken, forthright

neamhbhásmhaireacht n'a(v),va:svər'əxt *f*3 immortality

neamhbhásmhar n'a(v),va:svər *a*l immortal

neamhbheo n'a(v),v'o: *a*3 inanimate; still, dead

neamhbhríoch n'a(v),v'r'i:(ə)x *a*l, *gsm* ~ insignificant; ineffective; nullity

neamhbhuan n'a(v),vuən *a*l impermanent, transient

neamhchead n'av,x'ad *s, ar* ~ *do* without the permission of, in spite of

neamhchiontach n'av,x'intəx *m*1 innocent person *a*l innocent, not guilty

neamhchodladh n'av,xolə *m, gs* **-ata** insomnia

neamhchoimisiúnta n'av,xo'm'is'u:ntə *a*3 noncommissioned

neamhchoitianta n'av,xot'iəntə *a*3 uncommon, unusual

neamhchosúil n'av,xosu:l' *a*2 unlike; unlikely

neamhchúiseach n'av,xu:s'əx *a*l unconcerned; imperturbable

neamhdhuine n'av,yin'ə *m*4, *pl* **-dhaoine** nobody, nonentity

neamheaglach n'av,agləx *a*l fearless, intrepid

neamhfheidhm n'av,aim' *f*2 nonfunction; irrelevance

neamhghnách n'av,γna:x *a*l, *gsm* ~ unusual, extraordinary

neamhiontas n'av,i:ntəs *m*1, ~ *a dhéanamh de rud* to disregard, ignore, sth

neamh-mheabhair n'a(v),v'aur' *f, gs* **-bhrach** forgetfulness; unconsciousness; distraction, madness

neamh-mheisce n'a(v),v'es'k'ə *f*4 sobriety

neamh-mheisciúil n'a(v),v'es'k'u:l' *a*2 non-intoxicating; sober

neamh-mheontach n'a(v),v'o:ntəx *a*l forward, presumptuous

neamh-mheontaíocht n'a(v),v'o:nti:(ə)xt *f*3 forwardness

neamhní n'avn'i: *m*4, *pl* **-nithe** nothing, nought

neamhnigh n'avn'i: *vt* nullify, annul, annihilate

neamhoifigiúil n'av,of'əg'u:l' *a*2 unofficial

neamhphearsanta n'av,f'arsəntə *a*3 impersonal

neamhréir n'av,re:r' *f*2 inconsistency

neamhréireach n'av,re:r'əx *a*l inconsistent

neamhrialta n'av,riəltə *a*3 irregular

neamhscagach n'av,skagəx *a*l impermeable

neamh-shainchreidmheach n'av'han',x'r'ed'v'əx *a*l non-denominational

neamhshaolta n'av,hi:ltə *a*3 unworldly; ethereal

neamhshiméadrach 'n'av,him'e:drəx *al*
asymmetric

neamhshotalach 'n'av,hotələx *al* unsubmissive; impudent

neamhshrianta 'n'av,hriəntə *a3* unbridled, capricious

neamhshuim 'n'av,him' *f2* disregard, indifference

neamhshuimiúil 'n'av,him'u:l' *a2* unimportant; insignificant, ~ *i* uninterested (in), disdainful (of)

neamhspleách 'n'av,sp'l'a:x *al*, *gsm* ~ independent (*ar*, *le* of)

neamhspleáchas 'n'av,sp'l'a:xəs *ml* independence

neamhthuairimeach 'n'av,huər'əm'əx *al* unthinking; casual

neamhthuilleamaí 'n'av,hil'əmi: *m4*, *ar an* ~ independent

neamhurchóideach 'n'av,urəxo:d'əx *al* harmless, inoffensive

neantóg n'anto:g *f2* nettle

neantúil n'antu:l' *a2* irritating; irritable

néar(a)- n'e:r(ə) *pref* neur(o)-, nerve, nervous

néarailge 'n'e:r,al'əg'ə *f4* neuralgia

néareolaíocht 'n'e:r,o:li:(ə)xt *f3* neurology

néaróg n'e:ro:g *f2* nerve

néaróis n'e:ro:s' *f2* neurosis

néaróiseach n'e:ro:s'əx *ml & al* neurotic

neart n'art *ml* strength, power; plenty; control, *tá sé ina* ~ he is in his prime, *le* ~ *sainte* through sheer avarice, *tá* ~ *ama agat* you have plenty of time, *níl* ~ *air* it can't be helped, *níl* ~ *agam dul leat* I am unable to go with you

neartaigh n'arti: *vt & i* strengthen; (with *le*) reinforce, *tá sé ag neartú sa saol* he is getting on in the world, *neartú le duine* to support a person

neartmhar n'artvər *al* strong, vigorous, powerful

neartú n'artu: *m4* strengthening, reinforcement, support

neas- n'as *pref* approximate, near

neasa n'asə *comp a* nearer, nearest (*do* to)

neascóid n'asko:d' *f2* boil

neasghaol n'as,γi:l *ml*, *pl* ~**ta** next of kin

néata n'e:tə *a3* neat

néatacht n'e:taxt *f3* neatness

neimhe n'ev'ə : **neamh**

néimhe n'e:v'ə : **niamh**

Neiptiún n'ep't'u:n *ml* Neptune

neirbhís n'er'əv'i:s' *f2* nervousness

neirbhíseach n'er'əv'i:s'əx *al* nervous

néiríteas 'n'e:'r'i:t'əs *ml* neuritis

neodar n'o:dər *ml* neuter; nothing

neodrach n'o:drəx *al* neutral; neuter

neodracht n'o:drəxt *f3* neutrality

neodraigh n'o:dri: *vt* neutralize; neuter

neodrón n'o:dro:n *ml* neutron

Neoiliteach 'n'o:,l'it'əx *al* Neolithic

neon n'o:n *ml* neon

ní¹ n'i: *m4*, *pl* **nithe** thing, something; (with *neg*) nothing, *níor tharla aon* ~ nothing happened, *is mór an* ~ *é* it means a lot, ~ *nach ionadh* no wonder, (with *ba*) ~ *ba ghile ná an sneachta* whiter than snow, *níor imigh sé* ~ *ba mhó* he didn't go away any more

ní² n'i: *f4* (*in surnames*), Nuala Ní Bhriain (Miss) Nuala O'Brien, Máire Ní Ógáin (Miss) Mary Hogan

ní³ n'i: *f4* washing

ní⁴ n'i:† *neg vb particle*, ~ *fheiceann sé iad* he doesn't see them, ~ *raibh focal as he* didn't say a word, ~ *bhfaigheadh sé é* he would not get it, ~ *déarfaidh sí é* she will not say it

ní⁵ n'i: ~ *mé* I wonder

ní⁶ n'i:† : **is**

nia n'iə *m4*, *pl* ~**nna** nephew

niachas n'iəxəs *ml* prowess; chivalry

nialas n'iələs *ml* zero

niamh n'iəv *f2*, *gs* **néimhe** brilliance, sheen

niamhghlan 'n'iəv,γlan *vt* burnish

niamhrach n'iəvrəx *al* lustrous, resplendent

nic n'ik' (*in surnames*), Máire N~ Shuibhne (Miss) Mary (Mc)Sweeney, Bríd N~ an Ghoill (Miss) Brigid McGill

nicil n'ik'əl' *f2* nickel

nicitín n'ik'ət'i:n' *m4* nicotine

nideog n'id'o:g *f2* niche

nigh n'iγ' *vt & i* wash

nihileachas n'ihəl'əxəs *ml* nihilism

níl n'i:l' *pres neg of* **bí**

nimhfeach n'im'f'əx *f2* nymph

nimh n'iv' *f2*, *pl* ~**eanna** poison; virulence, animosity, *dúil* ~*e* extreme desire, ~*e neanta* venomous, stinging, scalding

nimheanta n'iv'əntə *a3* venomous, spiteful

nimhigh n'iv'i: *vt* poison, envenom

nimhíoc n'iv'i:k *f2* antidote

nimhiú n'iv'u: *m4* poisoning, ~ **bia** food poisoning

nimhiúil n'iv'u:l' *a2* poisonous, virulent

nimhneach n'iv'n'əx *a1* painful; hurtful; spiteful; touchy, *namhaid* ~ vindictive enemy

níochán n'i:(ə)xa:n *m1* washing; wash, laundry

níolón n'i:lo:n *m1* nylon

níor[1] n'i:r *neg vb particle*, ~ *chreid sé mé* he didn't believe me, ~ *cuireadh suim ann* no notice was taken of it

níor[2] n'i:r[†] : **is**

níorbh n'i:rv[†] : **is**

níos n'i:s *comp adv*, *tá tú* ~ *óige ná mé* you are younger than I am, *dá mbeadh* ~ *mó airgid agam* if I had more money

níotráit n'i:tra:t' *f2* nitrate

nithe n'ihə : **ní**[1]

nithiúil n'ihu:l' *a2* real, concrete, corporeal

nithiúlacht n'ihu:ləxt *f3* reality, concreteness

nítrea-, nítri- n'i:t'r'ə *pref* nitr(o)-

nítrigin 'n'i:t'r'ə‚g'in' *f2* nitrogen

niúmóine ‚n'u:'mo:n'ə *m4* pneumonia

nó no: *conj* or, *dubh* ~ *bán* black or white, *ní féidir* ~ *fuair sé é* he must have got it, ~ *go* until; so that

nócha no:xə *m, gs* ~ **d** *pl* ~ **idi** *& a* ninety

nóchadú no:xədu: *m4 & a* ninetieth

nocht noxt *m1* naked person *a1, gsm* ~, naked; exposed *vt & i* bare, uncover; expose, *dealbh a* ~*adh* to unveil a statue, ~ *an long ag bun na spéire* the ship appeared on the horizon

nochtachas noxtaxəs *m1* nudism

nochtacht noxtəxt *f3* nudity

nochtadh noxtə *m, gs* **nochta** baring, exposure; disclosure

nod nod *m1, npl* ~**a** abbreviation; hint

nód no:d *m1* node

nódaigh no:di: *vt* graft, transplant

nodaireacht nodər'əxt *f3* notation

nódú no:du: *m4* graft, transplant(ation)

nóibhéine ‚no:'v'e:n'ə *f4* novena

nóibhíseach no:v'i:s'əx *m1* novice

nóiméad no:m'e:d *m1* minute; moment

nóin no:n' *f3, pl* **nónta** nones; afternoon; noon

nóinín no:n'i:n' *m4* daisy

nóinléiriú 'no:n'‚l'e:r'u: *m4* matinée

nóisean no:s'ən *m1* notion; (fanciful) idea

noitmig not'm'əg' *f2* nutmeg

Nollaig noləg' *f, gs* **-ag** *pl* ~ **í** Christmas, *Oíche Nollag* Christmas Eve, *Mí na Nollag* December

normálta norəma:ltə *a3* normal

Normannach norəmənəx *m1 & a1* Norman

nós no:s *m1, pl* ~ **anna** custom; manner, style, ~ *imeachta* procedure, *ar* ~ in the manner (of), like

nósmhaireacht no:svər'əxt *f3* customariness, formality; politeness

nósmhar no:svər *a1* customary; formal; polite

nósúil no:su:l' *a2* customary; formal; polite

nósúlacht no:su:ləxt *f3* fastidiousness; mannerism

nóta no:tə *m4* note

nótáil no:ta:l' *vt* note

nótáilte no:ta:l't'ə *a3* noted

nótaire no:tər'ə *m4* notary

nua nuə *m4* newness; new thing, *as an* ~ anew, afresh *a3, gsf & comp* ~**í** new; fresh; recent

nua-aimseartha 'nuə‚am's'ərhə *a3* modern

nua-aoiseach 'nuə‚i:s'əx *a1* modern

nua-aoiseachas 'nuə‚i:s'əxəs *m1* modernism

nuabheirthe 'nuə‚v'erhə *a3* new-born; (*of eggs*) new-laid

nuachar nuəxər *m1* spouse

nuacht nuəxt *f3* news; novelty, innovation

nuachtán nuəxta:n *m1* newspaper, journal

nuachtánachas nuəxta:nəxəs *m1* journalese

nuachtaí nuəxta:ni: *m4* newsagent

nuachtghníomhaireacht 'nuəxt‚ɣ'n'i:vər'əxt *f3* newsagency

nuachtóir nuəxto:r' *m3* reporter, journalist

nuachtóireacht nuəxto:r'əxt *f3* journalism

Nua-Ghaeilge 'nuə‚ɣe:l'g'ə *f4* Modern Irish

nuair nuər′ *conj* when; considering that; although

nuálaí nu:a:li: *m4* innovator

nuaphósta 'nuə‚fo:stə *a3* newly-wed

nuasachán nuəsəxa:n *m1* postulant

núicléach nu:k′l′e:x *a1, gsm* ~ nuclear

núicléas nu:k′l′e:s *m1* nucleus

nuige nig′ə *adv, go* ~ as far as, until, even to, *go* ~ *seo* hitherto

nuinteas nin′t′əs *m1* nuncio

núíosach 'nu:‚i:səx *m1* newcomer; beginner, novice *a1* new, unaccustomed (*ag* to); unseasoned, unlearned; strange

núíosacht 'nu:‚i:səxt *f3* newness; inexperience

núis nu:s′ *f2, pl* ~eanna nuisance

nús nu:s *m1* beestings

nuta notə *m4* stump, stub

O

ó¹ o: *m4, pl* **ói** *gs* **uí** used in surnames, *npl* **uí** used in *historical sept-names, gpl* ~ & *dpl* **uíbh** used in certain place-names grandson, grandchild; descendant, *Flann Ó Briain* Flann O'Brien, *an Dochtúir Ó hUiginn* Dr O'Higgins, *Nuala (Bean) Uí Néill* (Mrs.) Nuala O'Neill, *Uí Néill* the descendants of Niall, *Uíbh Ráthach* Iveragh

ó² o:′ *prep, pron forms* **uaim** uəm′, **uait** uət′, **uaidh** uəy′ *m,* **uaithi** uəhi: *f,* **uainn** uən′, **uaibh** uəv′, **uathu** uəhu, from, *chonaic mé uaim iad* I saw them at a distance, *ó mhaidin* since morning, *níor thit siad uathu féin* they didn't fall of their own accord, *ó mo thaobhsa de* for my part, *ba mhaith uaidh é* it was good of him, *airím uaim iad* I miss them, *cad tá uait?* what do you want? *ná lig ó mhaith é* don't let it become useless, *fág uait é* leave it aside *conj, combines with* **is** *to form* **ós** since, after, *ó bhí tú anseo cheana* since you were here before, *ós agat atá an ceart* as you are in the right

ó³ o: *ó dheas, ó thuaidh* southwards, northwards

ó⁴ o: *int* o, oh, *ó, a Dhia* o God

ob ob *vt & i* refuse; shirk; fail, *seic a* ~*adh* to dishonour a cheque

obach obax *a1* refusing; shunning

obadh obə *m, gs* **obtha** *pl* **obthaí** refusal, rejection

obair obər′ *f2, gs* **oibre** *pl* **oibreacha** work; labour; task; strenuous effort, difficulty, ~ *bhaile* homework, *oibreacha uisce* waterworks, *tá an troid ar* ~ the fight has started, *ba mhór an*

~ *nár maraíodh é* it's a wonder he wasn't killed, *a leithéid d'* ~ such carry-on, *ag* ~ at work, working

Oblátach obla:təx *m1* Oblate

óbó o:bo: *m4, pl* ~nna oboe

obrádlann obra:dlən *f2* operating theatre

obráid obra:d′ *f2* (surgical) operation

ócáid o:ka:d′ *f2* occasion; incident, *níl* ~ *agam leis* I have no need for it

ócáideach o:ka:d′əx *a1* occasional; opportune

ócar o:kər *m1* ochre

ocastóir okəsto:r′ *m3* huckster

ocastóireacht okəsto:r′əxt *f3* huckstering, haggling

och ox *int & s* och, o, alas

ochlán oxla:n *m1* sigh, groan; cause of sorrow

ochón o'xo:n *int & s* alas; wail, lament

ocht oxt *m4, pl* ~**anna** *& a* eight, *a h* ~ eight, *a h* ~ *déag* eighteen

ócht o:xt *f3* virginity

ochtach oxtax *m1* octave

ochtagán oxtəga:n *m1* octagon

ochtapas oxtəpəs *m1* octopus

ochtar oxtər *m1* eight persons

ochtó oxto: *m, gs* ~**d** *pl* ~**idí** *& a* eighty

ochtódú oxto:du: *m4 & a* eightieth

ochtú oxtu: *m4 & a* eighth

ocrach okrəx *m1* hungry person *a1* hungry; mean, *na blianta* ~*a* the lean years

ocras okrəs *m1* hunger; poverty; meanness

ocsaid oksi:d′ *f2* oxide

ocsaigin 'oksə‚g′in′ *f2* oxygen

odhar aur *a1, npl* **odhra** dun; dull, dark

ofráil ofra:l' f3 offering; offertory; charity vt offer

óg o:g m1, npl ~**a** a young person, youth al young; junior; fresh

óganach o:ga:nəx m1 youth, young man; boyo

ógbhean o:g',v'an f, gs & npl **ógmhná** gpl **ógbhan** young woman

ógchiontóir 'o:g',x'into:r' m3 juvenile delinquent

ógfhear 'o:g',ar m1 young man

ógh o: f2 virgin, Muire O~ the Virgin Mary

ogham o:m m1 ogham (script, inscription)

óglach o:gləx m1 volunteer, Óglaigh na hÉireann the Irish Volunteers

ógra o:grə m4 young people, youths

oibiachtúil ob'iəxtu:l' a2 objective

oibleagáid ob'l'əga:d' f2 obligation, ~ a dhéanamh do dhuine to oblige a person

oibleagáideach ob'l'əga:d'əx a1 obligatory; obliging

oibre ob'r'ə, ~**acha** ob'r'əxə : **obair**

oibreachas ob'r'əxəs m1, an Chúirt Oibreachais the Labour Court

oibreoir ob'r'o:r' m3 operator

oibrí ob'r'i: m4 worker

oibrigh ob'r'i: vt & i work, stir up, agitate; ferment; do neart a oibriú ar rud to use one's strength on sth, bhí an míol mór á chuir féin the whale was thrashing about

oibríoch ob'r'i:(ə)x a1, gsm ~ operative

oibriú ob'r'u: m4 working; action, operation, agency; agitation; fermentation; ~ (an choirp) movement (of bowels)

oíche i:x'ə f4, pl ~**anta** night; nightfall, bhí mé ann ~ I was there one night, ~ Dhomhnaigh Sunday night, ~ chinn féile eve of festival, O~ Nollag Christmas Eve

oíchí i:x'i: a3 nocturnal

óid o:d' f2, pl ~**eanna** ode

oide od'ə m4 tutor, teacher

oideachas od'əxəs m1 education

oideachasóir od'əxəso:r' m3 educationalist

oideachasúil od'əxəsu:l' a2 educational

oideam od'əm m1 maxim

oideas od'əs m1 instruction; recipe; (medical) prescription

oideolaíocht 'od',o:li:(ə)xt f3 pedagogy

oidhe i:γ'ə f4 slaying; violent death; tragedy; ill usage, is maith an ~ ort é you well deserve it

oidhre air'ə m4 heir, níl aon ~ ar a athair ach é he is the very image of his father

oidhreacht air'əxt f3 inheritance, heredity; heritage; legacy

oidhreachtúil air'əxtu:l' a2 hereditary

oidhrigh air'i: vt bequeath (ar to)

oifig of'əg' f2 office

oifigeach of'əg'əx m1 officer

oifigiúil of'əg'u:l' a2 official

óige o:g'ə f4 youth; young people

óigeanta o:g'əntə a3 youthful, young-looking

oigheann air'ən m1 oven

oighear air m1 ice

oighearshruth 'air,hruh m3, pl ~**anna** glacier

oigheartha airhə a3 galled, chafed, irritated

oighreach air'əx a1 glacial

oighreata air'ətə a3 icy

oighrigh air'i: vt & i ice, freeze, congeal

oigiséad og'əs'e:d m1 hogshead

oil ol' vt nurture, rear; educate, bheith ~ te ar rud to be skilled, proficient, in sth

oilbheart 'ol',v'art m1, npl ~**a** evil, shameful, deed

oilbhéas 'ol',v'e:s m3, gs & npl ~**a** evil habit; mischievousness; viciousness

oilbhéasach 'ol',v'e:səx a1 mischievous, unruly; (of animal) vicious

oilbhéim 'ol',v'e:m' f2 offence, scandal

oileán ol'a:n m1 island

oileánach ol'a:nəx m1 islander a1 abounding in islands; insular

oileánrach ol'a:nrəx m1 archipelago

Oilimpeach ,o'l'im'p'əx m1 Olympian a1 Olympic

oilithreach ol'əhr'əx m1 pilgrim

oilithreacht ol'əhr'əxt f3 pilgrimage

oiliúint ol'u:n't' f3, gs -**úna** nourishment; nurture, upbringing; training

oiliúnach ol'u:nəx a1 nourishing; nurturing; instructive

oilte ol'tə a3 skilled, proficient

oilteacht ol't'əxt f3 training, proficiency, skill

oilteanas ol't'ənəs m1 breeding, manners

oiltiúil ol't'u:l' a2 over-rich, cloying

óinchiste 'o:n',x'is't'ə m4 imprest

oineach on'əx *m*1 honour, reputation; hospitality; favour, *rúnai oinigh* honorary secretary

oineachúil on'əxu:l' *a*2 generous, good-natured

óinmhid o:n'v'əd' *f*2 simpleton; jester, buffoon

oinniún on'u:n *m*1 onion

óinseach o:n's'əx *f*2 foolish woman; fool

óinsiúil o:n's'u:l' *a*2 foolish, silly

oir or' *vi, tn* ~ **iúint** suit, fit, *is é a d'~feadh duit* it is just what you need

óir o:r' *conj* for, because

oirbheart or'əv'ərt *m*1, *npl* ~ **a** wielding, casting; shift, expedient; exploit; prowess; maturity

oirbheartach or'əv'ərtəx *a*1 dexterous, skilful; valiant; mature

oirbheartaíocht or'əv'ərti:(ə)xt *f*3 (military) tactics

oirchill or'əx'əl' *f*2 preparation, readiness; expectation; treachery; ambush, *in ~ an bháis* in anticipation of death, *ag ~ an chomhraic* preparing for the encounter, *bheith in ~ ar dhuine* to lie in wait for a person

oirchilleach or'əx'əl'əx *a*1 ready, prepared (*ar* for); anticipatory

oirdheisceart 'or'γ'es'k'ərt *m*1 southeast

oireachas or'əxəs *m*1 precedence, sovereignty; rank, status

oireachtas or'əxtəs *m*1 deliberative assembly, festival, *an tO~* the legislature

oiread or'əd *s, gs* ~ amount, quantity, number, *déanfaidh mé a ~ duit* I'll do as much for you, *ach ~* no more than, either, *a ~ is pingin* (not) so much as a penny, *a dhá ~* twice as much, *a ~ eile* as much again, *an ~ seo* so much, *bhí an ~ sin feirge orm* I was so angry, *~ na fríde* the tiniest bit

oireas or'əs *m*1 record of events; history; certain knowledge

oirfide or'f'əd'ə *m*4 minstrelsy, music; entertainment

oirfideach or'f'əd'əx *m*1 minstrel, musician; entertainer *a*1 musical; entertaining

oiric or'ər'k' *a*1 eminent, illustrious

oiriceas or'ər'k'əs *m*1 eminence, distinc-

tion, *a O~* his Eminence, *a Oirircis* your Eminence

oiriseamh or'əs'əv *m*1 stay, stop; delay

oiriúint or'u:n't' *f*3, *gs* **-úna** suitability, fittingness *pl* accessories

oiriúnach or'u:nəx *a*1 suitable, fitting; ready; well-behaved

oiriúnaigh or'u:ni: *vt* fit, adapt; suit

oiriúnú or'u:nu: *m*4 adaptation, adaption

oirmhinneach or'əv'ən'əx *m*1, *a Oirmhinnigh* your Reverence, *an tO~ Seoirse de Búrca* the Reverend George Burke *a*1 reverend

oirmhinnigh or'əv'ən'i: *vt* revere, reverence, honour

oirni o:rn'i: *a*3 ordained; inaugurated; eminent; ordered

oirnigh o:rn'i: *vt* ordain; inaugurate; arrange; adorn, *oirníodh ina shagart é* he was ordained priest

oirniú o:rn'u: *m*4 ordination; inauguration; arrangement

oirthear orhər *m*1 east, eastern part

oirthearach orhərəx *m*1 oriental *a*1 eastern, oriental

oirthuaisceart 'or''huəs'k'ərt *m*1 northeast

oiseoil 'os'.o:l' *f*3 venison

oisín os'i:n' *m*4 fawn

oisre os'r'ə *m*4 oyster

oisteansóir os't'ənso:r' *m*3 monstrance

oisteapat os't'e:.pat *m*1 osteopath

oitir ot'ər' *f, gs* **-treach** *pl* **-treacha** submerged sandbank, shoal; bank

ól o:l *m*1 drink, *bheith ar an ~* to be drinking, on the booze, *teach (an) óil* public house *vt & i* drink, *bheith ~ta* to be drunk, *tobac a ól* to smoke tobacco

ola o:lə *f*4 oil, *an ~ dhéanach* extreme unction, *~ mhór* paraffin

olach o:lə *a*1 oily

ólachán o:ləxa:n *m*1 drink(ing)

olacheantar 'olə.x'antər *m*1 oilfield

olagarcacht 'olə.garkəxt *f*3 oligarchy

olagón oləgo:n *m*1 wailing; wail; lament

olagónach oləgo:nəx *a*1 wailing, lamenting

olaigh oli: *vt* oil; anoint

olaíocht oli:(ə)xt *f*3 oiliness

olanda oləndə *a*3 woolly

olann olən *f, gs* **olla** *npl* ~ **a** *gpl* ~ wool

olannacht olənəxt *f*3 woolliness

olar olər *m*1 fat, grease; unctuousness

olartha olərhə *a*3 fat, greasy; unctuous

olc olk *m*1 evil, harm; grudge, spite, ~ *a chur ar dhuine* to incense a person, *madra oilc* mad dog *a*1, *comp* **measa** bad, evil, harmful; poor, wretched, *bheith go h*~ to be seriously ill, *más* ~ *leat é* if you do not like it, *is* ~ *a chreidim é* I hardly believe it, ~ *ná maith* not at all, *is measa liom mo chás féin* I am more concerned with my own case, *cé is measa leat?* whom do you prefer? *is measaide sibh, daoibh, é* you are the worse for it

olcas olkəs *m*1 badness, *dul in* ~ to get worse

oll- ol *pref* great, gross, total

olla olə : **olann**

ollach oləx *a*1 woolly, fleecy

ollamh oləv *m*1, *pl* **ollúna** professor

ollás 'ol,a:s *m*1 pomp; rejoicing

ollchruinniú 'ol,xrin'u: *m*4 mass meeting

ollghairdeas 'ol,ɣa:rd'əs *m*1 jubilation

ollmhaitheas 'ol,vahəs *m*3 wealth, luxury; *pl* delicacies

ollmhaithiúnas 'ol,vahu:nəs *m*1 amnesty

ollmhargadh 'ol,varəgə *m*1, *pl* **-aí** supermarket

ollmhór 'ol,vo:r *a*1 huge, immense

ollphéist 'ol,f'e:s't' *f*2, *pl* ~**eanna** serpent, monster

ollphuball 'ol,fubəl *m*1 marquee

ollscartaire 'ol,skartər'ə *m*4 bulldozer

ollscoil 'ol,skol' *f*2, *pl* ~**eanna** university

ollscolaíocht 'ol,skoli:(ə)xt *f*3 university education

ollsmachtach 'ol,smaxtəx *a*1 totalitarian

olltáirg 'ol,ta:r'g' *vt* mass-produce

olltáirgeacht 'ol,ta:r'g'əxt *f*3 gross product, output

olltáirgeadh 'ol,ta:r'g'ə *m*, *gs* **-gthe** mass production

olltoghchán 'ol,tauxa:n *m*1 general election

ollúnacht olu:nəxt *f*3 professorship

ológ o'lo:g *f*2 olive

óltach o:ltəx *a*1 addicted to drink; intoxicated; absorbent

óltóir o:lto:r' *m*3 drinker

olúil olu:l' *a*2 oily, oleaginous

ómós o:mo:s *m*1 homage; reverence, respect, *in* ~ in honour of, in return for

ómósach o:mo:səx *a*1 reverential, respectful

ómra o:mrə *m*4 amber

ómrach o:mrəx *a*1 amber (-coloured)

onamataipé 'onə,matə'p'e: *f*4 onomatopoeia

onfais onfəs' *f*2 diving, dive; tumbling, floundering

onfaiseoir onfəs'o:r' *m*3 diver

onnmhaire 'on,var'ə *f*4 exported article, export

onnmhaireoir 'on,var'o:r' *m*4 exporter

onnmhairigh 'on,var'i: *vt* export

onnmhairiú 'on,var'u: *m*4 exportation

onóir ono:r' *f*3, *pl* **-óracha** honour, *príosúnach ar a* ~ prisoner on parole, *cúrsa onóracha* honours course, *ag seasamh na honóra* keeping up appearances.

onórach ono:rəx *a*1 honourable, upright; esteemed; honorary

onóraigh ono:ri: *vt* honour

ópal o:pəl *m*1 opal

optach optəx *a*1 optic

optaic optək' *f*2 optics

ór o:r *m*1 gold, ~ *Muire* marigold

oracal orəkəl *m*1 oracle

oraibh orəv' : **ar**[1]

óráid o:ra:d' *f*2 oration, speech

óráideach o:ra:d'əx *a*1 oratorical, declamatory

óráidí o:ra:d'i: *m*4 orator

óráidíocht o:ra:d'i:(ə)xt *f*3 oratory

oraigh o:ri: *vt* gild

orainn orən' : **ar**[1]

oráiste ora:s't'ə *m*4 orange

Oráisteach ora:s't'əx *m*1 Orangeman *a*1, *an tOrd O*~ the Orange Order

órang-útan 'o:raŋ'u:tən *m*1 orang-utan

oratóir orəto:r' *m*3 oratorio

ord[1] o:rd *m*1 sledge-hammer

ord[2] o:rd *m*1 order; sequence, arrangement

ordaigh o:rdi: *vt* order; command, prescribe, *mar a d'* ~ *Dia* as God ordained

ordaitheach o:rdihəx *m*1 & *a*1, (*grammar*) imperative

ordanás o:rdənə:s *m*1 ordnance

órdhonn 'o:r,ɣon *a*1 auburn

ordóg o:rdo:g *f*2 thumb, ~ (*coise*) big toe, ~ *gliomaigh* claw of lobster

ordú o:rdu: *m*4 order; command; injunction

ordúil o:rdu:l' *a2* orderly, neat; ordered

orduimhir 'o:rd,iv'ər' *f*, *gs* **-mhreach** *pl* **-mhreacha** ordinal (number)

ordúlacht o:rdu:ləxt *f3* orderliness, tidiness

órga o:rgə *a3* golden

orgán orəga:n *m1* organ

orgánach orəga:nəx *m1* organism *a1* organic

orgánaí orəga:ni: *m4* organist

orla o:rlə *m4* vomit(ing)

orlach o:rləx *m1*, *pl* **-aí** inch, *níl tusa ~ níos fearr ná é* you are not one bit better than he is

orm orəm : **ar**[1]

ornáid o:rna:d' *f2* ornament

ornáideach o:rna:d'əx *a1* ornamental; ornate

ornáidigh o:rna:d'i: *vt* ornament

órnite 'o:r,n'it'ə *a3* gilded, gilt

óró oro: *int* oh, oho

órshúlach 'o:r,hu:ləx *m1* golden syrup

ort ort : **ar**[1]

órscoth 'o:r,skoh *f3*, *pl* **-anna** chrysanthemum

ortaipéideach 'ortə,p'e:d'əx *a1* orthopaedic

ortha orhə *f4* incantation, spell, charm

orthu orhu : **ar**[1]

os[1] os *prep* over, above, *~ cionn* over, above; more than; in charge of; hanging over, *~ comhair*, *~ coinne* in front of, opposite

os-[2] os *pref* over, above; super-, supra-

ósais o:səs' *f2* oasis

osán osa:n *m1*, *~ (bríste)*, leg of trousers *pl* hose

osánacht osa:nəxt *f3* hosiery

oscail oskəl' *vt & i*, *pres* **-claíonn** open

oscailt oskəl't' *f2* opening, *ar ~* open

oscailte oskəl't'ə *a3* open

oscailteach oskəl't'əx *a1* open, frank; open-handed

oscartha oskərhə *a3* strong; lithe, agile

osclóir osklo:r' *m3* opener

osna osnə *f4* sigh

osnádúrtha 'os'na:du:rhə *a3* supernatural

osnaíl osni:l' *f3* sighing, *~ ghoil* sobbing

óspairt o:spərt' *f2* mishap, injury

ospidéal osp'əd'e:l *m1* hospital

osréalachas 'os're:ləxəs *m1* surrealism

ósta o:stə *m4* lodging, *~*, *teach ~* inn; public house

óstach o:stəx *m1* host, hostess

óstaíocht o:sti:(ə)xt *f3* lodging, entertainment, for travellers

óstlann o:stlən *f2* hotel

óstlannaí o:stləni: *m4* hotelier

óstóir o:sto:r' *m3* innkeeper; publican

ostrais ostrəs' *f2* ostrich

otair otər' *a1*, *gsf*, *npl & comp* **otra** filthy; vulgar; obese

oth oh *s* (used with *is*) *is ~ liom (go)* I regret (that), *is ~ liom do chás* I am sorry for your trouble

othar ohər *m1* invalid, patient; sickness, wound, *ag déanamh othair* festering

otharcharr 'ohər,xa:r *m1*, *pl* **-anna** ambulance

otharlann ohərlən *f2* infirmary

othras ohrəs *m1* sickness; ulcer

othrasach ohrəsəx *a1* sick, wounded; ulcerous

otrach otrəx *m1* dung, ordure; dunghill

otracht otrəxt *f3* grossness, filthiness; obesity

otrann otrən *f2* dungyard, farmyard

ózón o:zo:n *m1* ozone

P

pá pa: *m4* pay, wages

pábháil pa:va:l' *f3* paving, pavement *vt* pave

paca pakə *m4* pack

pacáil paka:l' *f3* packing *vt & i* pack

pacáiste paka:s't'ə *m4* package

pacálaí paka:li: *m4* packer

pachaille paxəl'ə *f4* bunion

padhsán paisa:n *m1* delicate, complaining, person

pádhuille 'pa:,γil'ə *m4* pay-sheet

págánach pa:ga:nəx *m1* pagan, heathen

págánta pa:ga:ntə *a3* pagan, heathen

págántacht pa:ga:ntəxt *f3* paganism

paicéad pak′e:d *m*1 packet

paidhc paik′ *f*2, *pl* ~**eanna** (turn)pike

paidir pad′ər′ *f*2, *gs* **-dre** *pl* **-dreacha** paternoster; prayer, *ná déan* ~ *chapaill de* don't make a long-drawn-out story of it

paidreoireacht pad′r′o:r′əxt *f*3 praying; incessant prayer

paidrín pad′r′i:n′ *m*4 rosary; rosary beads, *an p*~ *páirteach* the family rosary

páil pa:l′ *f*2, *pl* ~**eacha** paling, stakes, *an Pháil* the Pale

pailé(a)-, pailé(i)- pal′e- *pref* palae(o)-

pailéad pal′e:d *m*1 palette

pailin pal′ən′ *f*2 pollen

pailis pal′əs′ *f*2 palisade; fortress; palace

pailliún pal′u:n *m*1 pavilion

pailm pal′əm′ *f*2, *pl* ~**eacha** palm

pailnigh pal′n′i: *vt* pollinate

paimfléad pam′f′l′e:d *m*1 pamphlet

paincréas paŋ′k′re:s *m*1 pancreas

painéal pan′e:l *m*1 & *vt* panel

painnéar pan′e:r *m*1 pannier

páinteach pa:n′t′əx *m*1 plump creature *a* plump

paintéar pan′t′e:r *m*1 trap, snare

páipéar pa:p′e:r *m*1 paper, ~ *nuachta* newspaper

páipéarachas pa:p′e:rəxəs *m*1 stationery

páipéaraí pa:p′e:ri: *m*4 stationer

páipéaróir pa:p′e:ro:r′ *m*3 paper-hanger

páirc pa:r′k′ *f*2, *pl* ~**eanna** field, park

páirceáil pa:r′k′a:l′ *vt* park

páircíneach pa:r′k′i:n′əx *a*1, *(of cloth)* checked

pairifín par′əf′i:n′ *m*4 paraffin

pairilis par′əl′əs′ *f*2 paralysis

páirín par′i:n′ *m*4 sandpaper

páirt¹ pa:rt′ *f*2, *pl* ~**eanna** part, portion; partnership; fellowship, *tá sé i b*~ *le gach duine* he is well-liked by everybody, *i b*~ *an airgid* with regard to the money, *i b*~ *mhuitheasa* well-meant

páirt-² pa:rt′ *pref* part-, partial

páirtaimseartha 'pa:rt′,am′s′ərhə *a*3 part-time

páirteach pa:rt′əx *a*1 participating, sharing; sympathetic; partial

páirteachas pa:rt′əxəs *m*1 participation

páirteagal pa:rt′əgəl *m*1, *(grammar)* particle

páirtí pa:rt′i: *m*4 party; associates; partner; well-wisher

páirtíneach pa:rt′i:n′əx *m*1 partisan

páirtíocht pa:rt′i:(ə)xt *f*3 partnership; fellowship, association, *i b*~ *liomsa de* as far as I am concerned

páirtiseán pa:rt′əs′a:n *m*1 partisan

páis pa:s′ *f*2 passion, suffering, *Domhnach na Páise* Passion Sunday

Páiseadóir pa:s′ədo:r′ *m*3 Passionist

paisean pas′ən *m*1 passion, strong emotion, anger

paiseanta pas′əntə *a*3 passionate; angry, hot-tempered

paisinéir pas′ən′e:r′ *m*3 passenger

paisinéireacht pas′ən′e:r′əxt *f*3 passage (on boat); passage money

paiste pas′t′ə *m*4 patch; portion; place, ~ *oibre* spell of work

paisteáil pas′t′a:l′ *f*3 patching *vt & i* patch

paistéar pas′t′e:r *vt* pasteurize

paistéarachán pas′t′e:rəxa:n *m*1 pasteurization

paistil pas′t′əl′ *f*2 pastille

páistiúil pa:s′t′u:l′ *a*2 childlike, childish

páistiúlacht pa:s′t′u:ləxt *f*3 childishness

paiteana pat′ənə *m*4 paten

paiteanta pat′əntə *a*3 patent, clear; neat, exact

paiteog pat′o:g *f*2 pat; plumb creature

paiteolaíocht 'pat′,o:li:(ə)xt *f*3 pathology

paitinn pat′ən′ *f*2 patent

paitinnigh pat′ən′i: *vt* patent

pálás pa:la:s *m*1 palace

paltóg palto:g *f*2 blow, wallop

pámháistir 'pa:,va:s′t′ər′ *m*4, *pl* **-strí** paymaster

pampúta ,pam′pu:tə *m*4 pampootie

pán pa:n *m*1 pawnshop

pána pa:nə *m*4 pane

pánaí pa:ni: *m*4 plump creature

pánáil pa:na:l′ *vt* pawn

pancóg paŋko:g *f*2 pancake

panda pandə *m*4 panda

pana panə *m*4 pan

pantaimím 'pantə,m′i:m′ *f*2 pantomime

pantalún pantəlu:n *m*1 pantaloon

pantar pantər *m*1 panther

pantrach pantrəx *f*2 pantry

paor pi:r *m*4 laughing-stock; grudge

pápa pa:pə *m*4 pope

pápach pa:pəx a1 papal

pápacht pa:pəxt f3 papacy

pápaire pa:pər'ə m4 papist

pár pa:r m1 parchment

para(i)- parə pref para-

parabal parəbəl m1 parable

paradacsa 'parə,daksə m4 paradox

paragraf 'parə,graf m1 paragraph

paráid para:d' f2 parade

páráil pa:ra:l' vt pare

parailéal 'parə,l'e:l m1 parallel

parailéalach 'parə,l'e:ləx a1 parallel

paraisit 'parə,s'i:t' f2 parasite

paraisiút 'parə,s'u:t m1 parachute

paranóia 'parə,no:iə f4 paranoia

parasól 'parə,so:l m1 parasol; umbrella

paratrúipéir 'parə,tru:p'e:r' m3 para-
trooper

pardóg pa:rdo:g f2 (harness) pad; pan-
nier

pardún pa:rdu:n m1 pardon, gabhaim ~
agat I beg your pardon

parlaimint pa:rləm'ən't' f2 parliament

parlaiminteach pa:rləm'ən't'əx a1 parlia-
mentary

parlús pa:rlu:s m1 parlour, sitting-room

paróiste paro:s't'ə m4 parish

paróisteach paro:s't'əx m1 parishioner a1
parochial

párpháipéar 'pa:r,fa:p'e:r m1 vellum

parsáil parsa:l' vt parse

parthas parhəs m4 paradise, Gairdín
Pharthais the Garden of Eden

parúl paru:l m1 parole; injunction

pas pas m4, pl ~ anna pass; passage; writ-
ten permission; passport, ~ beag fuar
a little bit cold

pasáil[1] pasa:l' vt press down, trample

pasáil[2] pasa:l' vt & i (of examination, etc)
pass

pasáiste pasa:s't'ə m4 passage, sea-cross-
ing; passage-money; corridor

pastae paste: m4, pl ~ tha pasty; pie;
pastry

pastal pastəl m1 pastel

patachán patəxa:n m1 leveret; plump
creature

patraisc patrəs'k' f2 partridge

patrarc 'pat,rark m4 patriarch

patról patro:l m1 patrol

patrún patru:n m1 pattern

pátrún pa:tru:n m1 patron; (religious)
pattern

pátrúnacht pa:tru:nəxt f3 patronage

patuaire 'pat,uər'ə f4 tepidity; apathy

patuar 'pat,uər a1 lukewarm; apathetic

pé p'e: pron & a & conj whoever, what-
ever, whichever; whether, ~ scéal é
anyhow, ~ hé féin whoever he is, ~,
~ ar bith, duine whatever person, ~
áit a bhfuil sí wherever she is, ~ acu
againn whichever of us, ~ olc maith
leat é whether you like it or not

péac p'e:k f2 peak, point; sprout; thrust,
prod, thugamar ~ faoin obair we had
a go at the work, tá sé i ndeireadh na
péice he is at his last gasp vt & i sprout,
germinate; prod, thrust at

peaca p'akə m4 sin, ~ an tsinsir original
sin, is mór an ~ é it's a great pity

peacach p'akəx m1 sinner

péacach p'e:kəx a1 peaked, pointed;
showy, gaily-dressed

péacadh p'e:kə m, gs -cha germination

peacaigh p'aki vi sin

péacán p'e:ka:n m1 sprout, shoot

péacóg p'e:ko:g f2 peacock, peafowl

péacógach p'e:ko:gəx a1 showily dressed;
vain

peacúil p'aku:l' a2 sinful

peadairín p'adər'i:n' m4, ~ na stoirme
storm petrel

peaindí p'an'd'i: m4 tin mug; mashed
potatoes (with milk and butter)

peann p'an m1 pen, ~ luaidhe pencil

peannaid p'anəd' f2 penance; expiation;
torment; punishment

peannaideach p'anəd'əx a1 penal; painful

peannaireacht p'anər'əxt f3 penmanship

péarla p'e:rlə m4 pearl

pearóid p'aro:d' f2 parrot

pearsa p'arsə f, gs & gpl ~ n npl ~ na
person, ~ eaglaise churchman, na
~ na sa dráma the characters in the
play

pearsanaigh p'arsəni vt & i personate,
impersonate

pearsanra p'arsənrə m4 personnel

pearsanta p'arsəntə a3 personal; person-
able

pearsantacht p'arsəntəxt f3 personality

pearsantaigh p'arsənti vt personify

pearsantú p'arsəntu: m4 personification

péarsla p'e:rslə m4 warble (in animals)

péas p'e:s m4, pl ~ peace-officer, police-
man; pl police

peasghadaí 'p'as,ɣadi: m4 pickpocket

peata p'atə m4 pet

peataireacht p'atər'əxt f3 petting; childish behaviour

péatar p'e:tər m1 pewter

peic p'ek' f2, pl ~eanna peck; considerable amount; shallow tub

peictin p'ek't'ən' f2 pectin

peidléir p'ed'l'e:r' m3 pedlar

peig p'eg' f2, pl ~eanna peg

peil p'el' f2 football

peilbheas p'el'əv'əs m1 pelvis

peileacán p'el'əka:n m1 pelican

peileadóir p'el'ədo:r' m3 footballer

péindlí 'p'e:n',d'l'i: m4, pl ~the penal law

péine¹ p'e:n'ə m4 pine, crann ~ pine-tree

péine² p'e:n'ə : pian

péineas p'e:n'əs m1 penis

peinicillin 'p'en'ə,k'il'ən' f2 penicillin

péint p'e:n't' f2, pl ~eanna paint

peinteagán p'en't'əga:n m1 pentagon

péinteáil p'e:n't'a:l' f3 painting, paintwork vt & i paint

péintéir p'e:n't'e:r' m3 painter

péintéireacht p'e:n't'e:r'əxt f3 painting

peipteach p'ep't'əx a1 peptic

péire p'e:r'ə m4 pair

péireáil p'e:r'a:l' vt pair

peireascóp 'p'er'ə,sko:p m1 periscope

peireatóiníteas 'p'er'ə,to:'n'i:t'əs m1 peritonitis

peirigí p'er'əg'i: m4 perigee

peiriméadar 'p'er'ə,m'e:dər m1 perimeter

peiriúic p'er'u:k' f2 peruke, periwig

péirse¹ p'e:rs'ə f4, (fish) perch

péirse² p'e:rs'ə m4, (measure) perch, pole

peirsil p'ers'əl' f2 parsley

peirspictíocht ,p'er'sp'ik't'i:(ə)xt f3 perspective

péist p'e:s't' f2, pl ~eanna reptile, monster; worm, ~ chabáiste caterpillar (of large white butterfly)

peiteal p'et'əl m1 petal

peitreal p'et'r'əl m1 petrol

peitriliam ,p'e't'r'il'iəm m4 petroleum

péitse p'e:t's'ə m4 page; errand-boy

péitseog p'e:t's'o:g f2 peach

piachán p'iəxa:n m1 hoarseness

piachánach p'iəxa:nəx a1 hoarse, throaty

pian p'iən f2, gs péine pl ~ta pain vt pain; punish

pianadh p'iənə m, gs -nta torture; punishment

pianmhar p'iənvər a1 painful

pianmhúchán 'p'iən,vu:xa:n m1 painkiller

pianó p'i'ano: m4, pl ~nna piano, pianoforte

pianódóir p'i'ano:do:r' m3 pianist

pianpháis 'p'iən,fa:s' f2 anguish; agony

pianseirbhís 'p'iən',s'er'əv'i:s' f2 penal servitude

pianúil p'iənu:l' a2 punitive, penal

piara¹ p'iərə m4 peer

piara² p'iərə m4 pier

piardáil p'iərda:l' vt & i ransack, rummage

piardóg p'iərdo:g f2 crawfish

piasún p'iəsu:n m1 pheasant

pib p'i:b' f2, npl pioba, gpl piob pipe; ~ (mhála) bagpipe; windpipe; neck, ~ uilleann uilleann pipe(s)

pic p'ik' f2 pitch, chomh dubh le ~ pitch-black

píce p'i:k'ə m4 pike; fork; peak

pícéad p'i:k'e:d m1 picket

pícéadaigh p'i:k'e:di: vt picket

pícéail¹ p'i:k'a:l' vt & i pike; fork, seol a phicéail to peak a sail

pícéail² p'i:k'a:l' vi peek

picil p'ik'əl' f2 & vt pickle

picnic p'ik'n'ək' f2 picnic

pictiúr p'ik't'u:r m1 picture, dul chuig ~ to go to a film

pictiúrlann p'ik't'u:rlən f2 picture-house, cinema

pictiúrtha p'ik't'u:rhə a3 pictorial; picturesque

pigín p'ig'i:n' m4 piggin, pail

pigmí p'ig'm'i: m4 pigmy

píle p'i:l'ə m4 pile

piléar¹ p'il'e:r m1 bullet

piléar² p'il'e:r m1 pillar

píléar p'i:l'e:r m1 'peeler', policeman

píléarlann p'il'e:rlən f2 magazine (of gun)

Pilib p'il'əb' m4, ~ an gheataire daddy-longlegs

pilibín p'il'əb'i:n' m4 plover, ~ míog lapwing

piliúr p'il'u:r m1 pillow

pillín p'i:l'i:n' m4 pillion; pad

pinc p'iɲ'k' m4 & a1 pink

pincín p'iɲ'k'i:n' m4 'pinkeen', minnow

pingin p'iŋ'ən'~p'i:n' f2, pl ~e with numerals penny, ~ mhaith (airgid) a nice sum of money

pinniún p'in'u:n m1 pinion

pinniúr p'in'u:r m1 gable(-end); ball-alley

pinse p'in's'ə m4 pinch (of snuff, etc)

pinsean p'in's'ən m1 pension, dul (amach) ar ~ to retire on pension

pinsinéir p'in's'ən'e:r' m3 pensioner

píob p'i:b vt hoarsen, tá mé ~ tha ag an slaghdán I am choked with a cold

píobaire p'i:bər'ə m4 piper

píobaireacht p'i:bər'əxt f3 piping, playing on bagpipes; bagpipe music

píobán p'i:ba:n m1 pipe, tube; windpipe; neck pl bronchial tubes, ~ gairdín garden-hose

píobrán p'i:brən m1 pepper

píobarán p'i:bəra:n m1 pepper castor

píobarnach p'i:bərnəx f2 wheezing; buzz (in ears)

píoblach p'i:bləx m1 pip (in fowl); squeak in voice

pioc[1] p'ik m4 bit, jot, níl ~ aige he has nothing

pioc[2] p'ik vt & i pick; select, ag ~adh ar an mbia nibbling at the food

piocadh p'ikə m, gs -ctha pick(ing), ~ na circe moss-stitch

piocarsach p'ikərsəx m1 scanty pasture; gleanings, pickings

piochán p'ixa:n m1 pore (of skin)

piocóid p'iko:d' f2 pickaxe

piochta p'ikə a3 neat, spruce

píóg p'i:o:g f2 pie

piollaire p'ilər'ə m4 pill; pellet; bung, stopper

píolóid p'ilo:d' f2 pillory; torment

píolón p'ilo:n m1 pylon

píolóta p'i:lo:tə m4 pilot

píolótaigh p'i:lo:ti vt pilot

pioncás p'iŋka:s m1, pl ~anna pincushion

piongain p'iŋgən' f2 penguin

pionna p'inə m4 pin, peg

pionós p'ino:s m1 penalty, punishment

pionósach p'ino:səx a1 punitive

pionsa p'insə m4 fence, fencing; fencing sword

pionsail p'insəl' m4 pencil

pionsóir p'inso:r' m3 fencer, swordsman

pionsóireacht p'inso:r'əxt f3 fencing

pionsúirín p'insu:r'i:n' m4 tweezers

pionsúr p'insu:r m1 pincers

pionta p'intə m4 pint

píopa p'i:pə m4 pipe

píopáil p'i:pa:l' f3 wheezing; choking

píoráid p'i:ra:d' m4 pirate

piorra p'irə m4 pear

piorróg p'iro:g f2 pear-tree

píosa p'i:sə m4 piece, bit; patch, ~ deich bpingine tenpenny piece, amach as an b~ brand-new, tríd an b~ on the whole

píosáil p'i:sa:l' vt piece together, patch

pioscas p'iskəs m1 pyx

piostal p'istal m1 pistol

piotón p'i:to:n m1 python

pirea-, piri- p'ir'ə pref pyr(o)-

piréis p'ir'e:s' f2 pyrex

pirimid p'ir'əm'əd' f2 pyramid

pis p'is f2, pl ~eanna pea(-plant); peas; roe (of fish), ~ talún peanut

piscín p'is'k'i:n' m4 kitten

piseánach p'is'a:nəx m1 peas, lentils al leguminous

piseog p'is'o:g f2 charm, spell; superstition

piseogach p'is'o:gəx a1 superstitious

pistil p'is't'əl' f2 pistil

pit p'it' f2, pl ~eanna vulva

piteog p'it'o:g f2 effeminate man, sissy

piteogach p'it'o:gəx a1 effeminate

pitseáil p'it's'a:l' vt pitch

pitseámaí p'it's'a:mi: m4 pyjamas

pitséar p'it's'e:r m1 pitcher

piúratánach p'u:rətə:nəx m1 puritan al puritanical

plá pla: f4, pl ~nna plague, pestilence

plab plab m4 & vt & i plop, splash; slam

plac plak vt & i eat greedily, gobble

placaint plakən't' f2 placenta

plaic[1] plak' f2, pl ~eanna plaque

plaic[2] plak' f2, pl ~eanna large bite, mouthful

pláigh pla:y' vt plague; pester

pláinéad pla:n'e:d m1 planet, ~ a bheith anuas ort to be ill-starred

plaisteach plas't'əx m1 & a1 plastic

pláistéir pla:s't'e:r' m3 plasterer

pláistéireacht pla:s't'e:r'əxt f3 plasterwork

plait plat' f2, pl ~eanna bare patch; bald head; scalp

plaiteach plat'əx a1 patchy, bald

pláitín pla:t'i:n' m4 small plate; knee-cap

plámás pla:ma:s *m*1 flattery; cajolery, *ag* ~ *le duine* trying to soft-sawder a person

plámásach pla:ma:səx *a*1 flattering; cajoling

plámásaí pla:ma:si: *m*4 flatterer, cajoler

plán pla:n *m*1, *pl* ~**ta** plain

plána pla:nə *m*4, *(tool)* plane; flat surface, plane

plánáil pla:na:l′ *vt* plane

planc plaŋk *vt* beat , pommel, *rud a phlancadh (síos)* to plank down sth

plancadh plaŋkə *m, gs* -**ctha** beating, trouncing

plancstaí plaŋksti: *m*4 planxty

planctón plaŋkto:n *m*1 plankton

planda plandə *m*4 plant; scion

plandaigh plandi: *vt* plant

plandáil planda:l′ *f*3 plantation, P~ *Uladh* the Plantation of Ulster *vt* plant, settle as colony

plandóir plando:r′ *m*3 planter

plandúil plandu:l′ *a*2 vegetable

plapa plapə *m*4 flap

plás[1] pla:s *m*1 level place; smooth patch; floating patch; place

plás[2] pla:s *m*1 plaice

plásánta pla:sa:ntə *a*3 bland, plausible

plásántacht pla:sa:ntəxt *f*3 blandness, smoothness

plasma plasmə *m*4 plasma

plásóg pla:so:g *f*2 level spot, lawn, green

plastaicín plastək′i:n′ *m*4 plasticine

plástar pla:stər *m*1 plaster

plástráil pla:stra:l′ *vt & i* plaster

pláta pla:tə *m*4 plate

plátáil pla:ta:l′ *f*3 plating, sheeting, armour *vt* plate, sheet, armour

platanam platənəm *m*1 platinum

platónach plato:nəx *a*1 platonic

plé p′l′e: *m*4 discussion, dealings, *ná biodh aon phlé agat leo* have nothing to do with them

pléadáil p′l′e:da:l′ *f*3 plea; disputation *vt & i* plead; dispute

pléan p′l′an *m*4, *pl* ~**anna** plan

pleanáil p′l′ana:l′ *vt & i* plan, scheme

pleanálaí p′l′ana:li: *m*4 planner

pléaráca ˌp′l′e:′ra:kə *m*4 revelry, high jinks; reveller

pléasc p′l′e:sk *f*2, *pl* ~**anna** explosion; bang, report *vt & i* explode; burst, shatter; bang

pléascach p′l′e:skəx *m*1 explosive *a*1 explosive; flashy; *(of eyes)* protruding

pléascán p′l′e:ska:n *m*1 explosive, explosive shell

pléascánta p′l′e:ska:ntə *a*3 breezy, exuberant

pléascóg p′l′e:sko:g *f*2 cracker

pléata p′l′e:tə *m*4 pleat, fold (in cloth), ~ *talún* strip of land

pléatach p′l′e:təx *a*1 pleated

pléatáil p′l′e:ta:l′ *vt* pleat

pleidhce p′l′aik′ə *m*4 simpleton, fool

pleidhcíocht p′l′aik′i:(ə)xt *f*3 fooling; tomfoolery

pleidhcíúil p′l′aik′u:l′ *a*2 silly, stupid

pléigh p′l′e:ɣ′ *vt & i* plead; discuss; dispute; (with *le*) deal with, occupy oneself with

pléineáilte p′l′e:n′a:l′t′ə *a*3 plain

pléireacht p′l′e:r′əxt *f*3 gallivanting, revelry

pléiseam ˌp′l′e:′s′am *m*4 foolery; fool

pléisiúr p′l′e:s′u:r *m*1 pleasure, enjoyment

pléisiúrtha p′l′e:s′u:rhə *a*3 pleasurable, enjoyable; pleasant, agreeable

pleist p′l′es′t′ *f*2, *pl* ~**eanna** flop, flopping sound; limp object

pléite p′l′e:t′ə *a*3 played out, exhausted

pleota p′l′o:tə *m*4 stupid person, fool

plimp p′l′im′p′ *f*2, *pl* ~**eanna** sudden fall; crash, ~ *thoirní* thunder-clap

pliúraisí p′l′u:rəs′i: *m*4 pleurisy

plobaire plobər′ə *m*4 babbler; flabby person

plobaireacht plobər′əxt *f*3 blubbering; babbling, incoherent speech

plobarnach plobərnəx *f*2 bubbling, gurgling, splashing

plocóid ploko:d′ *f*2 plug, bung

plód plo:d *m*1 crowd, throng

plódaigh plo:di: *vt & i* crowd, throng

plota plotə *m*4 plot; conspiracy, ~ *scéil* plot of story

pluais pluəs′ *f*2, *pl* ~**eanna** cave, den

pluc pluk *f*2 (round) cheek; mouthful; bulge; pucker *vt & i* puff out, bulge; cram

plucach plukəx *a*1 chubby; large-cheeked; puckered

plucáil ploka:l′ *vt* pluck; swindle, despoil

plucamas plukəməs *m*1 mumps

plúch plu:x *vt & i* smother, stifle; throng, *ag* ~ *adh sneachta* snowing heavily

plúchadh plu:xə *m, gs* **-chta** suffocation; heavy downfall; asthma

plúchtach plu:xtəx *a1* suffocating, stuffy

pluda pludə *m4* mud, slush

pludach pludəx *a1* muddy, slushy

pludchlár 'plud,xla:r *m1* dash-board

pludgharda 'plud,ɣa:rdə *m4* mudguard

pluga plogə *m4* plug

pluid plid' *f2, pl* ~ **eanna** blanket

pluiméir plim'e:r' *m3* plumber

pluiméireacht plim'e:r'əxt *f3* plumbing

plúirín plu:r'i:n' *m4* little flower, ~ *sneachta,* snowdrop

pluis plis' *f2* plush

pluma[1] plomə *m4* plum

pluma[2] plomə *m4* plumb, plummet

plúr plu:r *m1* flour; flower

plúrach plu:rəx *a1* floury; flower-like, pretty

plus plos *adv & m4, pl* ~ **anna** plus

plútacratachas 'plu:tə,kratəxəs *m1* plutocracy

plútóiniam ,plu:'to:n'iəm *m4* plutonium

Plútón plu:to:n *m1* Pluto

pobal pobəl *m1* people; community; parish; congregation, ~ *na tíre* the population of the country

pobalbhreith 'pobəl,v'r'eh *f2, pl* ~ **eanna** plebiscite

pobalscoil 'pobəl,skol' *f2, pl* ~ **eanna** community school

poblacht pobləxt *f3* republic

poblachtach pobləxtəx *m1 & a1* republican

poblachtachas pobləxtəxəs *m1* republicanism

poc pok *m1,* (*of deer, goat*) buck; butt; 'puck' (*in games*), ~ *tinnis* bout of illness, ~ *mearaidh* touch of insanity

póca po:kə *m4* pocket

pocadán pokədə:n *m1* beagle

pocáil poka:l' *vt & i* butt; 'puck', strike (with hurley)

pocán poka:n *m1* he-goat

pócar po:kər *m1,* (*cards*) poker

pocléimneach 'pok,l'e:m'n'əx *f2* buck-jumping; frolicking

póg po:g *f2 & vt & i* kiss

poibleog pob'l'o:g *f2* poplar

poiblí pob'l'i: *a3* public

poibligh pob'l'i: *vt* make public, publish

poiblíocht pob'l'i:(ə)xt *f3* publicity

poiblitheoir pob'l'iho:r' *m3* publicist

póicéad po:k'e:d *m1* pocket, dark recess; poky place

poigheachán paixa:n *m1* shell (of snail)

póilín po:l'i:n' *m4* policeman

póilínigh po:l'i:n'i: *vt* police

poimp pom'p' *f2* pomp

poimpéis pom'p'e:s' *f2* pomposity

poimpéiseach pom'p'e:s'əx *a1* pompous

pointe pon't'ə *m4* point, dot, *ar an b~ boise* instantly, *ag na pointí deiridh* in the last extremities, *as gach uile phointe* from all parts

pointeáil pon't'a:l' *vt* point; aim; appoint; clean, spruce up, titivate

pointeáilte pon't'a:l't'ə *a3* well-kept, tidy, smart; exact, punctual

pointeáilteacht pon't'a:l't'əxt *f3* neatness; punctiliousness; punctuality

pointiúil pon't'u:l' *a2* punctual

poipín pop'i:n' *m4* poppy

poiplín pop'l'i:n' *m4* poplin

póir po:r' *f2, pl* ~ **eanna** pore

poirceallán por'k'əla:n *m1* porcelain

póirín po:r'i:n' *m4* small potato; pebble

póiriúil po:r'u:l' *a2* porous

póirse po:rs'ə *m4* porch; lobby; passage; closet

póirseáil po:rs'a:l' *f3* rummaging, searching, groping

póirtéir po:rt'e:r' *m3,* (*person*) porter

poit pot' *f2, pl* ~ **eanna** poke, nudge *vt* poke

póit po:t' *f2, pl* ~ **eanna** drinking-bout; hangover

poitigéir pot'əg'e:r' *m3* chemist

poitín pot'i:n' *m4* poteen

póitseáil po:t's'a:l' *f3* poaching *vt & i* poach (*game*)

póitseálaí po:t's'a:li: *m4* poacher

pol pol *m1* pole

pola(í)- polə *pref* poly-

polagamas 'polə,gaməs *m1* polygamy

polagán poləga:n *m1* polygon

polaimiailíteas 'polə,m'iə'l'i:t'əs *m1* poliomyelitis

polaitéin polət'e:n' *f2* polythene

polaiteoir polət'o:r' *m3* politician

polaitíocht polət'i:(ə)xt *f3* politics

polaitiúil polət'u:l' *a2* political

polaraigh poləri: *vt & i* polarize

polaróideach poləro:d'əx *m*1 & *a*1 polaroid

polasaí poləsi: *m*4 policy

polca polkə *m*4, (dance) polka

poll pol *m*1 hole; pit; burrow; shaft; aperture; orifice; perforation, ~ *aeir* air-vent, ~ *uisce* pool of water, ~ *sróine* nostril, *dul go tóin poill* to go to the bottom of the sea, *chuireamar* ~ *san obair* we did a good bit of work *vt* & *i* hole; pierce, perforate, *bonn a pholladh* to puncture a tyre

polla polə *m*4 pole, pillar

polladh polə *m*, *gs* **-llta** boring, perforation, penetration

polláire pola:r'ə *m*4 nostril; button-hole

pollóg polo:g *f*2 pollock

polltach poltəx *a*1 piercing, penetrating

póló po:lo: *m*4 polo

pomagránait poməˌgra:nət' *f*2 pomegranate

póna po:nə *m*4 (cattle-)pound

pónaí po:ni: *m*4 pony

pónaire po:nər'ə *f*4 bean

ponc poŋk *m*1, *pl* ~**anna** point; dot; full stop; detail, *duine a chur i b*~ to put a person in a fix

poncaigh poŋki: *vt* point, punctuate; dot

poncaíocht poŋki:(ə)xt *f*3 punctuation

Poncán poŋka:n *m*1 Yankee

poncloisc 'poŋkˌlos'k' *vt*, *vn* **oscadh** cauterize

poncúil poŋku:l' *a*2 punctual

poncúlacht poŋku:ləxt *f*3 punctuality

pontaif pontaf' *m*4 pontiff

pontaifiúil pontəf'u:l' *a*2 pontifical

pontún pontu:n *m*1 pontoon

popcheol 'popˌx'o:l *m*1 pop-music

pór po:r *m*1, *pl* ~**tha** seed; breed, offspring; newly-sprung seed

póraigh po:ri: *vt* & *i* propagate, breed

porainséar porən's'e:r *m*1 porringer

pornagrafaíocht 'po:rnəˌgrafi:(ə)xt *f*3 pornography

port[1] port *m*1 tune; jig, *tá a phort seinnte* it is all up with him

port[2] port *m*1 landing-place; harbour; river-bank; mound; haven; stronghold; seat, centre, ~ *na bpeacach* refuge of sinners, ~ *cabhlaigh* naval station, ~ (*coisithe*) street, traffic, island

pórt po:rt *m*1 port (wine)

portach portəx *m*1 bog; turf-bank

portaigh porti: *vt* steep

portaireacht portər'əxt *f*3 lilting

portán porta:n *m*1 crab, *an Portán* Cancer

pórtar po:rtər *m*1, (beer) porter

portfheadaíl 'portˌadi:l' *f*3 whistling a tune

pórtheastas 'po:rˌhastəs *m*1 pedigree

portráid portra:d' *f*2 portrait

portráidí portra:d'i: *m*4 portrait painter

portús portu:s *m*1 breviary

pórú po:ru: *m*4 breeding, propagation

pós po:s *vt* & *i* marry

pósadh po:sə *m*, *gs* **-sta** *pl* **-staí** wedding, marriage, matrimony

pósae po:se: *m*4, *pl* ~**tha** posy, flower

post[1] post *m*1 (letter) post

post[2] post *m*1 post; job

pósta po:stə *a*3 married

póstaer po:ster *m*1 poster

postaigh posti: *vt* post, appoint

postáil posta:l' *vt* post, mail

postas postəs *m*1 postage

postluí 'postˌli: *m*4 poste restante

postúil postu:l' *a*2 self-important, conceited

postúlacht postu:ləxt *f*3 self-importance, conceit

pota potə *m*4 pot

potaire potər'ə *m*4 potter

pótaire po:tər'ə *m*4 drunkard

potaireacht potər'əxt *f*3 pottery

potais potəs' *f*2 potash

potaisiam ˌpo'tas'iəm *m*4 potassium

pothrais pohrəs' *f*2 fricassée

potrálaí potra:li: *m*4 potterer; quack doctor

prabhait praut' *f*2 pulp, mess

prácás pra:ka:s *m*1 hotchpotch; medley; mess

prae pre: *f*4 prey; acquisition, *ní mór an phrae dom é* it is not much use to me

praghas prais *m*1, *pl* **-ghsanna** price

praghsáil praisa:l' *f*3 pricing, bidding

pragmatach pragmətəx *m*1 pragmatist *a*1 pragmatic(al)

práibeach pra:b'əx *a*1 soft, mushy

práinn pra:n' *f*2, *pl* ~**eacha** hurry, rush; urgency

práinneach pra:n'əx *a*1 urgent; pressing, pressed

práiscín pra:s'k'i:n' *m*4 apron of coarse fabric

praiseach pras'əx *f*2 pottage; (thin) porridge; (wild) cabbage, kale, ~ a dhéanamh de rud to make a mess of sth

praiticiúil prat'ək'u:l' *a*2 practical, practicable

praitinn prat'ən' *f*2 parchment

praitinniúil prat'ən'u:l' *a*2 astute; wise, sensible

pram pram *m*4, *pl* ~anna pram

pramsa pramsə *m*4 prance

pramsach pramsəx *f*2 prancing *a*1 prancing; frolicsome

pramsáil pramsa:l' *vi* prance, caper, frolic

prap prap *a*1 prompt, sudden

prapaireacht prapər'əxt *f*3 uppishness, insolence

prapanta prapəntə *a*3 pert, insolent

pras pras *a*1 quick, prompt

prás pra:s *m*1 brass

prásach pra:səx *a*1 brassy, brazen

prásaí pra:si: *m*4, (*person*) brazier

prásáil pra:sa:l' *vt & i* braze

praslacha 'pras,laxə *f, gs & gpl* ~n *npl* ~in teal

prásóg pra:so:g *f*2 marzipan

práta pra:tə *m*4 potato

preab p'r'ab *f*2 start; bounce; throb; liveliness; sod turned by spade, spadeful (of earth), de phreab suddenly, tá sé i ndeireadh na preibe he is at his last gasp, ag cur preab san ól drinking with gusto *vi* start; bounce; throb; twitch

preabach p'r'abəx *a*1 jumping; bouncing; jerky; flickering, throbbing

preabadh p'r'abə *m, gs* -btha jump, start; throb

preabaire p'r'abər'ə *m*4, ~ linbh bouncing baby, ~ na mbánta magpie

preabaireacht p'r'abər'əxt *f*3 jumping, bouncing; liveliness

preabán p'r'aba:n *m*1 patch

preabanta p'r'abəntə *a*3 quick, lively

preabarnach p'r'abərnəx *f*2 jumping, throbbing

preabúil p'r'abu:l' *a*2 lively; prompt; generous

préach p'r'e:x *vt* perish (with cold), bhíomar ~ta we were perished

préachán p'r'e:xa:n *m*1 crow, rook

preafáid p'r'afa:d' *f*2 preface (of Mass)

prealáid p'r'ala:d' *f*2 prelate

preas p'r'as *m*3, *pl* ~anna (printing-) press

preasagallamh 'p'r'as,agələv *m*1 press conference

preasáil¹ p'r'asa:l' *vt* press, iron

preasáil² p'r'asa:l' *f*3 & *vt* press, buíon phreasála press gang

preiceall p'r'ek'əl *f*2 dewlap; double chin

preicleach p'r'ek'l'əx *a*1 double-chinned

Preispitéireach p'r'es'p'ət'e:r'əx *m*1 & *a*1 Presbyterian

priacal p'r'iakəl *m*1 peril, risk

priaclach p'r'iakləx *a*1 perilous, risky; troubled, anxious

pribhéad p'r'iv'e:d *m*1 privet

pribhléid p'r'iv'l'e:d' *f*2 privilege

pribhléideach p'r'iv'l'e:d'əx *a*1 privileged; articulate; forward

príméail p'r'i:m'a:l' *vt* prime

priméar p'r'i:m'e:r *m*1 primer

princeam p'r'iŋ'k'əm *m*1 gambolling, frolicking

printéir p'r'in't'e:r *m*3 printer

printéireacht p'r'in't'e:r'əxt *f*3 printing

printiseach p'r'in't'i:s'əx *m*1 apprentice

printiseacht p'r'in't'i:s'əxt *f*3 apprenticeship

príobháid p'r'i:va:d' *f*2 privacy; private place

príobháideach p'r'i:va:d'əx *a*1 private

prioc p'r'ik *vt & i* prick, prod, goad

priocadh p'r'ikə *m, gs* -ctha prick, prod, sting

priocaire p'r'ikər'ə *m*4, (*tool*) poker; small pointed knife

prióir p'r'i:o:r' *m*3 prior

prióireacht p'r'i:o:r'əxt *f*3 priory

príomh- p'r'i:v† *pref* prime, principal, major, cardinal

príomha p'r'i:və *a*3 prime, primary

príomhach p'r'i:vəx *m*1, (*animal*) primate

príomháidh 'p'r'i:v'a:γ *m*4, *pl* -ithe primate (of church)

príomh-aire 'p'r'i:v'ar'ə *m*4 prime minister

príomhalt 'p'r'i:v'alt *m*1 leading article, editorial

príomhchathair 'p'r'i:v'xahər *f, gs* -thrach *pl* -thracha capital city

príomhoide 'p'r'i:v'od'ə *m*4 principal (teacher)

príomhúil p'r'i:vu:l' *a*2 primary

priompallán p'r'impəla:n *m*1 dung beetle

prionsa p´r´insə m4 prince

prionsabal p´r´insəbəl m1 principle

prionsabálta p´r´insəba:ltə a3 high-principled; punctilious; dogmatic

prionsabáltacht p´r´insəba:ltəxt f3 moral principles; punctiliousness

prionsacht p´r´insəxt f3 principality

prionta p´r´intə m4 print

priontáil p´r´inta:l´ vt & i print

prios p´r´is m3, pl ~anna press, cupboard

priosla p´r´islə m4 dribble, slobber

priosma p´r´ismə m4 prism

priosmach p´r´isməx a1 prismatic

priosún p´r´i:su:n m1 prison, ~ bliana a year's imprisonment

priosúnach p´r´i:su:nəx m1 prisoner

priosúnacht p´r´i:su:nəxt f3 imprisonment

prislín p´r´is´l´i:n´ m4 dribble (at mouth)

probháid prova:d´ f2 probate

próca pro:kə m4 crock; urn, jar

prócáil pro:ka:l´ f3 poking, probing

prócar pro:kər m1 crop; craw

prochóg proxo:g f2 den; hovel

profa profə m4 (printer's) proof

prognóis progno:s´ f2 prognosis

proibhinse prov´ən´s´ə f4 province

proibhinseal ˌprov´in´s´əl m1 provincial (of religious order)

proifid prof´əd´ f2 profit

próifíl pro:f´i:l´ f2 profile

proifisiún ˌprof´is´u:n m1 profession

proifisiúnta ˌprof´is´u:ntə a3 professional

proinn pron´ f2, pl ~te meal

proinnseomra 'pron´ˌs´o:mrə m4 dining-room

proinnteach 'pron´ˌt´ax m, gs -tí pl -tithe refectory; restaurant

Proinsiasach pron´s´iəsəx m1 & a1 Franciscan

próis pro:s´ f2, pl ~eanna process

próiseáil pro:s´a:l´ vt process

próiseálaí pro:s´a:li: m4 processor

próiseas pro:s´əs m1 process

próiste pro:s´t´ə m4 spindle

próitéin pro:t´e:n´ f2 protein

prólatáireach 'pro:lə,ta:r´əx m1 & a1 proletarian

prólatáireacht 'pro:lə,ta:r´əxt f3 proletariat(e)

promanád promənɑ:d m1 promenade

promh prov vt prove, test

promhadán provəda:n m1 test-tube

promhadh provə m1 proof, test, bheith ar ~ to be on probation

promhaire provar´ə m4 tester

prompa prompə m4 rump

propán propɑ:n m1 propane

propast propəst m1 provost

prós pro:s m1 prose

prósach pro:səx a1 prosaic, prosy

prosóid proso:d´ f2 prosody

próstatach pro:statəx a1 prostate

Protastúnach protəstu:nəx m1 & a1 Protestant

Protastúnachas protəstu:nəxəs m1 Protestantism

prúna pru:nə m4 prune

puball pubəl m1 tent

púbasach pu:bəsəx a1 pubic

púca pu:kə m4 hobgoblin; pooka, ~ peill toadstool, ~ na n-adharc bugbear, pet hate

púcán pu:kɑ:n m1 (kind of) open boat, fishing smack

puchán puxɑ:n m1 fluke; pl swollen glands, swellings under eyes

puchóid puxo:d´ f2 pustule

púdal pu:dəl m1 poodle

púdar pu:dər m1 powder; dust

púdrach pu:drəx a1 powdery; powdered

púdraigh pu:dri: vt pulverize

púdráil pu:dra:l´ vt powder

púic pu:k´ f2, pl ~eanna blindfold, mask; covering; moroseness; frown, ~ tae tea cosy

púiceach pu:k´əx a1 morose; frowning

púicín pu:k´i:n´ m4 blindfold, mask; blinkers; frown; cote, ~ a chur ar dhuine to hoodwink a person

púiciúil pu:k´u:l´ a2 gloomy; sullen

puifín pif´i:n´ m4 puffin

puilín pil´i:n´ m4 pulley

puilpid pil´p´əd´ f2 pulpit

puimcín pim´k´i:n´ m4 pumpkin

puinn pin´ s, níl ~ céille aige he hasn't much sense, an bhfuil ~ airgid agat? have you much money?

puins pin´s´ m4, pl ~eanna punch

puinseáil pin´s´a:l´ vt punch (with tool)

puipéad pip´e:d m1 puppet

Puir¹ pu:r´ f2 loss, tragedy

púir² pu:r´ f2, pl ~eanna flue, ~ dheataigh stream of smoke, ~ beach swarm of bees

púirín pu:r'i:n' *m*4 cote; hut, hovel; kiln flue

puisín[1] pis'i:n' *m*4 pussy-cat; kitten

puisín[2] pis'i:n' *m*4 lip; calf's muzzle

puiteach pit'əx *m*1 boggy ground, mire

puití pit'i: *m*4 putty

púitse pu:t's'ə *m*4 pouch

pulc pulk *vt & i* stuff, gorge; crowd

pulcadh pulkə *m*, *gs* -**ctha** crush, throng; large mass

púma pu:mə *m*4 puma

pumpa pompə *m*4 pump

pumpáil pompa:l' *vt & i* pump

punann punən *f*2 sheaf

punt punt *m*1 pound, ~ **ime** pound of butter, *nóta* **puint** pound note

punta pontə *m*4 punt

pupa pupə *m*4 pupa

púrach pu:rəx *a*1 tragic, calamitous; grief-stricken

púráil pu:ra:l' *f*3 beating, trouncing

purgadóir purəgədo:r' *f*3 purgatory

purgadóireacht purəgədo:r'əxt *f*3 purgatorial pains

purgaigh purəgi: *vt* purge

purgóid purəgo:d' *f*2 purgative; drench, ~ *aisig* emetic

purgóideach purəgo:d'əx *a*1 purgative

purláin pu:rla:n' *mpl* precincts

púróg pu:ro:g *f*2 round stone, pebble; bead

pus pus *m*1, *npl* ~ **a** mouth; sulky expression; snout

pusach pusəx *a*1 pouting, sulky, in a huff; whimpering

púscán pu:ska:n *m*1 ooze

puslach pusləx *m*1 muzzle

puth puh *f*2 puff, whiff, *nil ann ach an phuth* he is barely alive

puthail puhi:l' *f*3 puffing

putóg puto:g *f*2 gut, intestine; pudding

Q

quinín kwin'i:n' *m*4 quinine

R

rá ra: *m*4, *pl* ~ **ite** saying, utterance, ~ *béil* verbal statement, *fuair sé ~ a bhéil orthu* he got what he asked for them

rábach ra:bəx *a*1 bold, dashing; reckless, '*fás* ~ rank growth, *go* ~ easily

rábaire ra:bər'ə *m*4 active person; dashing fellow

rabairne rabərn'ə *m*4 prodigality, extravagance

rabairneach rabərn'əx *a*1 prodigal, extravagant

rábálaí ra:ba:li: *m*4 fast unmethodical worker; sprinter

rabhadh rauə *m*1 warning, forewarning

rabhán[1] raua:n *m*1 spasm, fit (of coughing), ~ *cainte* burst of talk

rabhán[2] raua:n *m*1 thrift (plant)

rabharta raurtə *m*4 spring tide; flood, torrent; superabundance, ~ *feirge* surge of anger

rabhcán rauka:n *m*1 simple song, ditty, ~ *marai* shanty

rabhchán rauxa:n *m*1 warning signal, beacon

rabhlaer raule:r *m*1 overall

rabhlóg raulo:g *f*2 tongue-twister

raca[1] rakə *m*4 rack; bench, settle

raca[2] rakə *m*4 (rack-)comb

ráca ra:kə *m*4 rake

rácáil ra:ka:l' *vt & i* rake

racán raka:n *m*1 racket, brawl; uproar

racánach raka:nəx *a*1 rowdy; riotous

racánaíocht raka:ni:(ə)xt *f*3 rowdyism

rachadh raxəx *cond* of **téigh**[2]

rachaidh raxi: *fut* of **téigh**[2]

ráchairt ra:xərt' *f*2 run, ~ *ar rud* demand for sth

rachmas raxməs *m*1wealth, abundance; capital

rachmasach raxməsəx *a*l wealthy

rachmasaí raxməsi: *m*4 wealthy person; capitalist

racht raxt *m*3, *pl* ~anna pent-up, violent, emotion; fit; outburst, *do* ~ *a ligean* to give vent to ones feelings

rachta raxtə *m*4 rafter; beam

rachtán raxta:n *m*l chevron

rachtúil raxtu:l' *a*2 emotional, vehement; hearty

racún ˌraˈku:n *m*l racoon

rad rad *vt* & *i* throw; (*of horse, etc*) fling, kick; caper

rada(i)- radə *pref* radio-

radacach radəkəx *m*l & *a*l radical

radacachas radəkəxəs *m*l radicalism

radachur 'radəˌxur *m*l (radio-active) fall-out

radadh radə *m*, *gs* radta pelting; (*of horse, etc*) fling, kick

radaighníomhaíocht 'radəˌɣ'n'iːviː(ə)xt *f*3 radioactivity

radagrafaíocht 'radəˌgrafiː(ə)xt *f*3 radio-graphy

radaíocht radiː(ə)xt *f*3 radiation

radaireacht radər'əxt *f*3 ranting; revelling; flirting

radaitheoir radihoːr' *m*3 radiator

radar radər *m*l radar

radharc rairk *m*l sight; range of vision; look; view; (theatrical) scene, *fad mo radhairc uaim* as far as I could see

radharcach rairkəx *a*l seeing, viewing; visual, optical

radharceolaí 'rairkˌoːliː *m*4 optician

radharcra rairkrə *m*4 (theatrical) scenery

radúil radu:l' *a*2 radial

rafar rafər *a*l prosperous; thriving; pro-lific

ráfla ra:flə *m*4 rumour

rafta raftə *m*4 raft

ragairne ragərn'ə *m*4 revelling; roister-ing; dissipation

ragairneach ragərn'əx *a*l revelling, roister-ing, rakish

ragairneálaí ragərn'a:li: *m*4 reveller; wastrel

ragobair 'ragˌobər' *f*2, *gs* -oibre overtime (work)

ragús ragu:s *m*l urge, desire; fit

ráib raˈb' *f*2, *pl* ~eanna dash, sprint

raibh rev' *p dep* & *pres subj of* bí

raibí raˈbi: *m*4 rabbi

Raibiléiseach rabˈəl'eːs'əx *a*l Rabelaisian

raic[1] rak' *f*2 wreck, wreckage, ~ (*mhara*) flotsam and jetsam

raic[2] rak' *f*2, *pl* ~eanna ruction, uproar

raicéad rakˈeːd *m*l (sports) racket

raiceáil rakaːl' *f*3 & *vt* wreck

raiciteas ˌraˈk'iːt'əs *m*l rickets

raid- rad' *pref* radio-

raideog radˈoːg *f*2 bog-myrtle

raideolaíocht 'radˌoːliː(ə)xt *f*3 radiology

raidhfil raifˈəl' *m*4 rifle

raidhse rais'ə *f*4 abundance

raidhsiúil rais'uːl' *a*2 abundant

raidiam radˈiəm *m*4 radium

raidió radˈiːo: *m*4 radio

raidis radˈəs' *f*2 radish

raifil raifˈəl' *m*4 raffle

raifleáil rafˈl'aːl' *vt* raffle

ráig ra:g' *f*2, *pl* ~eanna sudden rush; sudden outbreak; fit, attack

ráille ra:l'ə *m*4 rail; railing

raiméis ramˈeːs' *f*2 nonsense, rigmarole

raimhre ravˈr'ə *f*4 thickness, fatness

raimsce ramˈsk'ə *m*4 scapegrace, scamp

ráineach raˈn'əx *m*l hinny

raingléis raŋˈl'eːs' *f*2, ~ *ti* ramshackle house

ráinigh raːn'i: *defective v* reach, arrive, ~ *leis é a dhéanamh* he managed to do it, ~ *sé ann* he happened to be there

rainse ranˈs'ə *m*4 ranch

rainseoir ranˈs'oːr' *m*3 rancher

ráipéar raˈp'eːr *m*l rapier

raispín rasˈp'iːn' *m*4 brat, rascal; wretch

ráite[1] ra:tˈə *conj* considering, in view of

ráite[2] ra:tˈə *pp of* abair

ráiteachas ra:tˈəxəs *m*l utterance; saying, report

ráiteas ra:tˈəs *m*l statement

ráithe ra:hə *f*4 three-month period, quarter, season

ráitheachán ra:həxa:n *m*l quarterly (publication)

ráithiúil ra:hu:l' *a*2 quarterly

raithneach rahnˈəx *f*2 fern, bracken

ramallach ramələx *a*l slimy

ramallae raməle: *m*4 slime

rámh ra:v *m*3 oar

rámhaí ra:viː *m*4 oarsman

rámhaigh ra:viː *vt* & *i* row

rámhaille ra:vˈəl'ə *f*4 raving, delirium; fancies, ~ *óil, phóite* delirium tremens

rámhailleach ra:vəl'əx *a*l raving, delirious; fanciful

rámhainn ra:vən' *f*2 spade

rámhaíocht ra:vi:(ə)xt *f*3 rowing; oarsmanship

ramhar raur *a*l, *gsf & comp* **raimhre** *npl* **-mhra** fat, thick, ~ *le* thickly covered with, full of, *súil* ~ full eye

rámhlong 'ra:v,loŋ *f*2 galley

ramhraigh rauri: *vt & i* fatten; thicken, *éadach a ramhrú* to full cloth

rampar rampər *m*l rampart

rancás raŋka:s *m*l frolicking; high jinks

rancásach raŋka:səx *a*l frolicsome, frisky

rang raŋ *m*3, *pl* ~**anna** rank, line, row; order; (school-)class

rangabháil raŋgəva:l' *f*3 participle

rangaigh raŋgi: *vt* classify; grade

rangalam raŋgələm *m*l rigmarole

rangú raŋgu: *m*4 classification; grading

rann[1] ran *m*l quatrain; verse, *rainn pháistí* nursery rhymes

rann[2] ran, ~**a** ranə : **roinn**

rannach ranəx *a*l departmental

rannaireacht ranər'əxt *f*3 composing verses; versification

rannán rana:n *m*l (army) division

ranníocach 'ran,i:kəx *a*l contributory

rannóg rano:g *f*2 section

rannpháirt 'ran,fa:rt' *f*2 participation, part, share

rannpháirteach 'ran,fa:rt'əx *a*l participating, partaking

rannta rantə : **roinnt**

ransaigh ransi: *vt & i* ransack, rummage, search

raon ri:n *m*l, *pl* ~**ta** way, route; range, ~ *rásaí* race-track, ~ *cluas* earshot, ~ *maidhme* rout, headlong flight

rapáil rapa:l' *vt & i* rap

rapsóid rapso:d' *f*2 rhapsody

rás ra:s *m*3 race

rásaíocht ra:si:(ə)xt *f*3 racing

rascail raskəl' *m*4 rascal

raspa raspə *m*4 rasp, coarse file

raspáil raspa:l' *vt & i* rasp

rásúr ra:su:r *m*l razor

ráta ra:tə *m*4 rate, *faoi* ~ at a discount; not in demand

rátáil ra:ta:l' *vt* rate

rátaithe ra:tihə *a*3 rated

rath rah *m*3 prosperity; abundance; usefulness, good, *faoi* ~ succeeding, prospering, ~ *Dé ort* God prosper you, *chuaigh siad ó* ~ *orm* they went to loss on me

ráth[1] ra: *m*3, *pl* ~**anna** earthen rampart; ring-fort, rath; layer, ~ *sneachta* snow-drift

ráth[2] ra: *f*3, *pl* ~**anna** shoal (of fish)

rathaigh rahi: *vt & i* prosper, succeed; make successful

ráthaigh[1] ra:hi: *vt* guarantee

ráthaigh[2] ra:hi: *vi, vn* -**aíocht** (*of fish*) shoal

ráthaíocht ra:hi:(ə)xt *f*3 guarantee

ráthóir ra:ho:r' *m*3 guarantor

rathúil rahu:l' *a*2 prosperous, successful; fortunate

rathúnas rahu:nəs *m*l prosperity; plenty

ré[1] re: *f*4, *pl* ~**anna** moon; period, age, era, *lán na* ~ the full moon, *le mo* ~ during my lifetime, *roimh* ~ in advance, beforehand

ré[2] re: *f*4, *pl* ~**ite** stretch of ground; level ground

ré-[3] re: *pref* level, smooth; easy; moderately

réab re:b *vt & i* tear, rip up; shatter; violate

réablach re:bləx *f*2 rush, surge, ~*a gaoithe* tearing gusts of wind

réabhlóid re:vlo:d' *f*2 revolution

réabhlóideach re:vlo:d'əx *a*l revolutionary

réabhlóidí re:vlo:d'i: *m*4 revolutionary

réabóir re:bo:r' *m*3 violator

reacaire rakər'ə *m*4 seller; crier of wares; reciter of poems; ranter; newsmonger

reacaireacht rakər'əxt *f*3 selling, offering for sale; reciting; ranting; gossiping

reacht raxt *m*3, *pl* ~**anna** law; statute; accepted rule

reachta raxtə : **riocht**

reachtach raxtəx *a*l legislative

reachtaigh raxti: *vt & i* legislate; enact, decree

reáchtáil ra:xta:l' *f*3 running, *damhsa a* ~ to run a dance

reachtaíocht raxti:(ə)xt *f*3 legislation

reachtaire raxtər'ə *m*4 administrator, steward; rector; auditor (of society); master of ceremonies

reachtas raxtəs *m*l administration, stewardship, *talamh reachtais* conacre

reachtmhar raxtvər *a*1 lawful, legitimate
reachtóir raxto:r′ *m*3 lawgiver, legislator
reachtúil raxtu:l′ *a*2 statutory, statute
réadach re:dəx *a*1 real; objective
réadaigh re:di: *vt* make real, realize, *sócmhainní a réadú* to realize assets
réadán re:da:n *m*1 woodworm
réadlann re:dlən *f*2 observatory
réadúil re:du:l′ *a*2 real, realistic
réal[1] re:l *m*1, *pl* ~**acha** (old) sixpence; sixpenny bit
réal[2] re:l *vt* make clear, manifest; (*of photograph*) develop
réalachas re:ləxəs *m*1 realism
réalaí re:li: *m*4 realist
réalt- re:lt *pref* star-, astro-
réalta re:ltə *f*4 star; asterisk, ~ *eireabaill* comet, ~ *eolais* guiding star, ~ *reatha* shooting star
réaltach re:ltəx *a*1 starry; astral; beautiful
réaltbhuíon re:lt,vi:n *f*2, *pl* ~**ta** constellation
réalteolaíocht re:lt,o:li:(ə)xt *f*3 astronomy
réaltóg re:lto:g *f*2 (small) star
réaltógach re:lto:gəx *a*1 starry, starred
réaltra re:ltrə *m*4 galaxy
réam re:m *m*3, *pl* ~**anna** ream
réama re:mə *m*4 rheum; phlegm, catarrh
réamach re:məx *a*1 rheumy; phlegmy, catarrhal; (*of fish*) slimy
réamh- re:v *pref* ante-, pre-, fore-, introductory, preliminary
réamhaisnéis ′re:v,as′n′e:s′ *f*2 forecast
réamhaisnéiseoir ′re:v,as′n′e:s′o:r′ *m*3 forecaster
réamhaithris ′re:v,ahr′əs′ *f*2 prediction *vt* & *i* predict, foretell
réamhcheol ′re:v,x′o:l *m*1, *pl* ~**ta** overture
réamhchlaonadh ′re:v,xli:nə *m*, *gs* -**nta** prejudice
réamhchlaonta ′re:v,xli:ntə *a*3 prejudiced
réamhchúram ′re:v,xu:rəm *m*1, *pl* -**aimí** precaution
réamheolaire ′re:v,o:lər′ə *m*4 prospectus
réamhfhocal ′re:v,okəl *m*1 preposition
réamhghabháil ′re:v,γava:l′ *f*3 anticipation
réamhimeachtaí ′re:v,im′əxti: *spl* preliminaries

réamhléiriú ′re:v,l′e:r′u: *m*4 rehearsal (of play)
réamhrá ′re:v,ra: *m*4, *pl* ~**ite** introduction; preface
réamhráite ′re:v,ra:t′ə *a*3 aforesaid, aforementioned
réamhshampla ′re:v,hamplə *m*4 precedent
réamhstairiúil ′re:v,star′u:l′ *a*2 prehistoric
réamhtheachtach ′re:v,haxtəx *a*1 precursory; antecedent
réamhtheachtaí ′re:v,haxti: *m*4 precursor, predecessor, antecedent
réamhtheachtaire ′re:v,haxtər′ə *m*4 forerunner, harbinger
reangach[1] raŋgəx *a*1 welted, scarred; creased
reangach[2] raŋgəx *a*1 stringy, wiry; lanky, scrawny
reann ran, ~**a** ranə : **rinn**[1,2]
réasún re:su:n *m*1 reason, sense; justification, motive, *luíonn sé le* ~ it stands to reason
réasúnach re:su:nəx *a*1 reasoning, rational
réasúnachas re:su:nəxəs *m*1 rationalism
réasúnaigh re:su:ni: *vt* & *i* reason, rationalize
réasúnta re:su:ntə *a*3 reasonable; sane, sensible; fair, moderate
reatha rahə : **rith**
reathach rahəx *a*1 running, cursive
reathaí rahi: *m*4 runner
réchaite ′re:,xat′ə *a*3 half-worn; partly worn away
réchas ′re:,xas *vt* & *i* twist, turn, slowly; (*of engine*) tick over, idle
réchnocach ′re:,xnokəx *a*1, (*of country*) low-hilled, rolling
réchúiseach ′re:,xu:s′əx *a*1 easy-going; unconcerned
rédhorcha ′re:,γorəxə *a*3 moonless
réibhe re:v′ə : **riabh**
reic rek′ *m*3, *pl* ~**eanna** sale; public recital; gossip; lavish spending *vt* & *i* sell; trade, peddle; recite; proclaim; betray; squander
réice re:k′ə *m*4 rake, rover
réiciúil re:k′u:l′ *a*2 rakish

réidh re:γʹ *a*1 smooth, level; easy; free; ready, prepared; finished, *fána* ~ gentle declivity, *bheith* ~ *i rud* to be indifferent to sth

réidhe re:γʹə *f*4 smoothness, levelness; easiness, readiness; indifference

reifreann refʹrʹən *m*1 referendum

réigiún re:gʹuːn *m*1 region

réigiúnach re:gʹuːnəx *a*1 regional

reiléan re:lʹaːn *m*1 level space; sports green; expanse

reilig relʹigʹ *f*2 graveyard

reiligire relʹogʹərʹə *m*4 sexton; grave-digger

reiligiún relʹogʹuːn *m*1 religion

reiligiúnach relʹogʹuːnəx *a*1 religious

réiltín re:lʹtʹiːnʹ *m*4 (small) star; asterisk

réim re:mʹ *f*2, *pl* ~**eanna** course, career; succession; range; regimen, *bheith i* ~ to be in power, *nós atá faoi* ~ a custom that prevails

réimeas re:mʹəs *m*1 reign, sway; era; span of life

réimír ˈre:ˌmʹiːrʹ *f*2, *pl* ~**eanna** prefix

réimnigh re:mʹnʹiː *vt & i* advance; range; grade; conjugate

réimse re:mʹsʹə *m*4 stretch, tract; range, ~ *radhairc* field of vision

réinfhia ˈre:nʹˌiə *m*4, *pl* ~**nna** reindeer

réir re:rʹ *f*2 will, wish; command, *bheith faoi* ~ *duine* to be at a person's service, *de* ~ in accordance with, according to, *de* ~ *a chéile* by degrees, gradually, *faoi* ~ free, available; ready

réisc re:sʹkʹ : **riasc**

réise re:sʹə *f*4 span

reisimint resʹəmʹənʹtʹ *f*2 regiment

réiteach re:tʹəx *m*1 clearance; clearing; level space; preparation; disentanglement; settlement; agreement, *bord réitigh* conciliation board

réiteoir re:tʹoːrʹ *m*3 arbitrator; conciliator; referee

reithe rehə *m*4 ram, *an Reithe* Aries, ~ *cogaidh* battering-ram

réitigh re:tʹiː *vt* level, smooth; clear; unravel, free; arrange; solve, *réiteach le duine* to settle with a person, to make peace with a person, *ní réitíonn sé liom* it doesn't agree with me

reitine retʹənʹə *f*4 retina

reitric retʹrʹəkʹ *f*2 rhetoric

reitriciúil retʹrʹəkʹuːlʹ *a*2 rhetorical

reo ro: *m*4 frost

reoán ro:aːn *m*1 icing (on cake)

reoch ro:x *a*1, *gsm* ~ frosty

reodóg ro:do:g *f*2 icicle

reoigh ro:γʹ *vt & i* freeze; congeal, solidify

reoiteach ro:tʹəx *a*1 frosty; chilling

reoiteog ro:tʹo:g *f*2 ice-cream

reomhar ro:vər *a*1 frigid

réon re:o:n *m*1 rayon

rériomhaire ˈre:ˌrʹi:vərʹə *m*4 ready reckoner

réscaip ˈre:ˌskapʹ *vt & i*, *(of light)* diffuse

rí¹ ri: *m*4, *pl* ~**the** king, *(an)* ~ *rua* chaffinch

rí² ri: *f*4, *pl* ~**theacha** forearm

rí-³ ri: *pref* royal, kingly; exceedingly, very, ultra-

riabh riəv *f*2, *gs* **réibhe** stripe, streak

riabhach riəvəx *a*1 streaked, striped, brindled; drab; gloomy, dismal

riabhóg riəvo:g *f*2 pipit

riach riəx *m*1, *téigh sa* ~ go to the dickens, *is cuma sa* ~ it doesn't matter a damn

riachtanach riəxtənəx *a*1 necessary

riachtanas riəxtənəs *m*1 necessity, need

riail riəlʹ *f*, *gs* **-alach** *pl* **-alacha** rule, regulation; authority; ruler

riailbhéas ˈriəlʹˌvʹe:s *m*3, *gs & npl* ~**a** regular habit, discipline

rialachán riəlxaːn *m*1 regulation

rialaigh riəlʹiː *vt & i* rule; control; regulate; line (paper)

rialaitheoir riəlʹihoːrʹ *m*3, *(device)* control

rialóir riəloːrʹ *m*3, *(implement)* ruler

rialta riəltə *a*3 regular; habitual, *ord* ~ religious order

rialtacht riəltəxt *f*3 regularity; religious life

rialtán riəltaːn *m*1 regulator

rialtas riəltəs *m*1 government

rialtóir riəltoːrʹ *m*3, *(person)* ruler

rialú riəluː *m*4, rule, regulation; government

riamh riəv *adv* ever; never, *bhí sé* ~ *cointinneach* he was always quarrelsome, *go raibh tú* ~ *amhlaidh* may you be ever thus, *anois nó* ~ now or never, *gach aon duine* ~ *agaibh* every single one of you

rian riən *m*1, *pl* ~**ta** course, path; mark, trace; vigour, *fear cinn riain* pacemaker, leader, *tá a* ~ *air* he looks it; 'signs on it'

rianaigh riəni: *vt* mark out, trace; gauge

rianaire riənər'ə *m*4 marking-tool, gauge, tracer

rianta riəntə *a*3 marked out; prepared; accomplished

rianúil riənu:l' *a*2 orderly, methodical

riar riər *m*4 administration, management; provision; distribution; share, supply, sufficiency, *cuireadh* ~ *maith orainn* we were well looked after, *tá* ~ *a gcáis acu* they have enough for their needs *vt* administer, manage; distribute, supply; serve, ~ *ar mhuirín* to provide for a family

riarachán riərəxa:n *m*1 administration

riaráiste riərə:s't'ə *m*4 arrears, backlog

riarthach riərhəx *a*1 administrative; distributive, dispensing

riarthóir riərho:r' *m*3 administrator; dispenser

riasc riəsk *m*1, *gs* **réisc** *npl* ~**a** marsh; moor

riascach riəskəx *a*1 marshy; moorish

riast riəst *m*3 welt; streak, stripe

riastach riəstəx *a*1 welted; streaked, striped

riastáil riəsta:l' *vt & i* welt; score, furrow

riastradh riəstrə *m, gs* **-tartha** contortion

rib rib' *vt* snare, *iasc a* ~*eadh* to snatch a fish

ribe rib'ə *m*4 hair, bristle, ~ *féir* blade of grass, *ná cuir* ~ *air* don't raise his hackles, *tá* ~ *(fuar) ar an lá* the day is bitingly cold, ~ *róibéis* shrimp; prawn

ribeach rib'əx *a*1 hairy, bristly; bladed; tattered; *(of weather)* bitingly cold

ribeadach rib'ədəx *a*1, *(of tube)* capillary

ribeadán rib'ədə:n *m*1 capillary

ribín rib'i:n' *m*4 ribbon; band, tape, string

ríchathaoir 'ri:,xahi:r' *f, gs* ~**each** *pl* ~**eacha** throne

ricne rik'n'ə *s, ola* ~ castor oil

ridhamhna 'ri:,γ aunə *m*4 royal heir

ridire rid'ər'ə *m*4 knight

ridireacht rid'ər'əxt *f*3 knighthood; chivalry

rige rig'ə *m*4, ~**ola** oil rig

rigeáil rig'a:l' *vt* rig (ship)

righ riγ' *vt, vn* **ríochan** stretch, tauten

righin ri:n' *a*1, *gsf, npl & comp* **-ghne** tough; tenacious, stubborn; slow, lingering; viscous

righneáil ri:n'a:l' *f*2 lingering, loitering

righneas ri:n'əs *m*1 toughness, tenacity, stubbornness; tardiness; viscosity

righnigh ri:n'i: *vt & i* toughen; persevere; delay, linger; become viscous

rigín rig'i:n' *m*4 rigging (of ship); *(knitting)* ribbing

ríl ri:l' *f*2, *pl* ~**eanna**, *(dance)* reel

rill ril' *vt* riddle, sieve, *ag* ~*eadh báistí* pouring rain

rilleadh ril'ə *m, gs* **-llte** flood, torrent, downpour

rilleán ril'a:n *m*1 riddle, coarse sieve

rím ri:m' *f*2, *pl* ~**eanna** rhyme

ríméad ri:m'e:d *m*1 gladness; joyous pride

ríméadach ri:m'e:dəx *a*1 jubilant, proud

rinc[1] riŋ'k' *f*2, *pl* ~**eanna** rink

rinc[2] riŋ'k' *vt & i* dance

rince riŋ'k'ə *m*4 dance

rinceoir riŋ'k'o:r' *m*3 dancer

ringear riŋ'g'ər *m*1 crow-bar

rinn[1] rin' *f*2, *npl* **reanna** *gpl* **reann** point, tip; top, apex, ~ *(tíre)* cape, promontory

rinn[2] rin' *m*3, *gs & npl* **reanna** *gpl* **reann** star, planet

rinne rin'ə *p of* **déan**[2]

rinneach rin'əx *a*1 pointed; sharp; biting

rinnfheitheamh 'rin',ehəv *m*1 contemplation

rinse rin's'ə *m*4 wrench

rinseáil rin's'a:l' *f*3 & *vt* rinse

ríochan ri:(ə)xən *f*3 stretching; tautness; restraint, control

ríochas ri:(ə)xəs *m*1 royalty

ríocht rixt *m*3, *gs* **reachta** form, shape, guise; state, plight; *an fhírinne a chur as a* ~ to distort the truth, *dul thar do* ~ *le rud* to exceed one's capacity for sth, *i* ~ *pléascadh* ready to explode, *i* ~ *(agus)* go in such a way that, so that

ríocht ri:(ə)xt *f*3 kingdom

ríochtán rixta:n *m*1 (dressmaker's) dummy

ríog ri:g *f*2 fit, spasm; impulse

ríoga ri:gə *a*3 regal, royal

riogach ri:gəx a1 spasmodic, impulsive

ríogaí ri:gi: m4 royalist

ríomh ri:v m3 enumeration; calculation; narration vt count; reckon, compute, calculate; narrate

ríomhaire ri:vər'ə m4 counter; calculator; computer

ríomhaireacht ri:vər'əxt f3 counting; calculation; computation

ríomhchláraitheoir 'ri:v,xla:riho:r' m3 computer programmer

ríomhchlárú 'ri:v,xla:ru: m4 computer programming

ríon ri:n f ~ **acha** queen; noble lady

ríora ri:rə m4 royalty, dynasty

ríoraíoch ri:ri:(ə)x a1, gsm ~ dynastic

riosól riso:l m1 rissole

riospráid rispra:d' f2 respiration

rírá 'ri:'ra: m4 hubbub, uproar

ris ris' adv bare, uncovered, exposed

rís ri:s' f2 rice

ríshlat 'ri:,hlat f2 sceptre

ríshliocht 'ri:,hl'ixt m, gs & pl -**shleachta** royal line, dynasty

rísín ri:s'i:n' m4 raisin

ríste ri:s't'ə m4 idler, lounger

rístíocht ri:s't'i:(ə)xt f3 idling, lounging

rite¹ rit'ə a3 taut, tense; sharp, steep, ~ **le gaoth** exposed to the wind, ~ **chun oibre** eager for work, **chuaigh sé ~ leis é a dhéanamh** he barely managed to do it

rite² rit'ə a3 exhausted, extinct, ~ **anuas**, **síos** run down (in health)

riteoga rit'o:gə fpl, gpl **riteog** tights

rith rih m3, gs **reatha** pl **riti** run; course, career; rapid flow; enactment, ~ **croí** palpitation, ~ **focail** slip of the tongue, ~ **tinnis**, spell of sickness, i ~ in the course of, throughout, i ~ **an ama** all the time, **cuairt reatha** fleeting visit, **cuntas reatha** current account vt & i run; control, manage; pass, enact, ~ **sé liom (go)** it occurred to me that, ~ **an t-ádh liom** I was very lucky, **rún a** ~ to pass a resolution, **má** ~**eann leat** if you get away with it, succeed

rítheaghlach 'ri:,hailax m1 royal household

rithim rihəm' f2 rhythm

rithimeach rihəm'əx a1 rhythmic(al)

ríúil ri:u:l' a2 kingly, splendid

ró¹ ro: m4 prosperity; mildness, ~ **samh** heat haze

ró-² ro:' pref too, most, very; over-; excessive

róba ro:bə m4 robe

robáil roba:l' f3 robbery vt & i rob

robálaí roba:li: m4 robber

roc¹ rok m1, (fish) ray

roc² rok m1 wrinkle, crease, pucker vt & i wrinkle, crease; corrugate

rocach rokəx a1 wrinkled, creased, **iarann** ~ corrugated iron

róchuma 'ro:'xumə s, is ~ **liom** I couldn't care less, **níl aon** ~ **air** it doesn't look too good

ród¹ ro:d m1 road; roadstead

ród² ro:d m1 rood

ródadh ro:də m, gs **ródta** leeway

ródaidéandrón 'ro:də,d'e:ndro:n m1 rhododendron

ródaíocht ro:di:(ə)xt f3 wayfaring, travelling; riding at anchor

rodta rotə a3 (dry-)rotted; (of drink) flat, stale

rógaire ro:gər'ə m4 rogue

rógaireacht ro:gər'əxt f3 roguery

róganta ro:ga:ntə a3 roguish

rogha rau f4 choice, selection; alternative; the best, **de** ~ **air** in preference to, **is** ~ **liom imeacht anois** I prefer to go now, **do** ~ **rud** anything you like

roghnach raunəx a1 optional

roghnachas raunəxəs m1 choice; preference

roghnaigh rauni: vt choose, select

roghnóir rauno:r' m3 selector

roghnú raunu: m4 choice, selection

roicéad rok'e:d m1 rocket

roilleach rol'əx m1 oyster-catcher

roillic rol'ək' f2 rowlock

roimh riv' prep, pron forms **romham** ro:m, **romhat** ro:t, **roimhe** riv'ə m, **roimpi** rim'p'i f, **romhainn** ro:n', **romhaibh** ro:v', **rompu** rompu, before, in front of, **bhí sé ag siúl roimhe** he was walking along, **ní ag teacht romhat** pardon my interrupting you, **fáiltiú** ~ **dhuine** to welcome a person, **eagla a bheith ort** ~ **rud** to be afraid to sth

roimhe¹ riv'ə adv before, ~ **seo** formerly

roimhe² riv'ə : **roimh**

roimpi rim'p'i : **roimh**

roinn ron´ *f*, *gs & npl* **ranna** *gpl* **rann** share, portion; dealing, trading; department, *níl cuid ranna ann* it is not worth dividing, *an ~ seo tíre* this part of the country, *ranna stáit* government departments, *ranna cainte* parts of speech *vt & i* divide, share; deal, distribute, *tá trióblóid ag ~t leis* it involves trouble

roinnt ron´t´ *f*2, *pl* **rannta** division; dealing, distribution, ~ *airgid* some money, *tá sé ~ fuar* it is somewhat cold

roinnteach ron´t´əx *a*l distributive

roinnteoir ron´t´o:r´ *m*3 divider; dispenser

rois[1] ros´ *f*2, *pl* ~**eanna** volley; blast, ~ *toirní* thunder-clap, ~ *chainte* burst of talk

rois[2] ros´ *vt & i* unravel; rip, tear, *ag* ~*eadh bréag* spouting lies

roiseadh ros´ə *m*, *gs* -**ste** *pl* -**stí** rip, tear; rush, spate

roisín ros´i:n´ *m*4 resin

róiste ro:s´t´ə *m*4 roach

roitheagadh 'ro,l´agə *m*, *gs* -**gtha** rolling, revolving, twirling

roithleán rohl´a:n *m*l wheel; roller, pulley; (fishing) reel; whirling motion

roithleánach rohl´a:nəx *a*l revolving, whirling

ról ro:l *m*l role

roll rol *m*4 *& vt & i* roll

rolla rolə *m*4 roll; official record, register

rollach roləx *a*l rolling

rollaigh roli: *vt* enrol

rollán rola:n *m*l roll; small cylinder, roller

rollóg rolo:g *f*2 (small) roll, ~ *a deataigh* spirals of smoke

rollóir rolo:r´ *m*3 (mechanical) roller; child's hoop

rómánsach ro:ma:nsəx *a*l romantic, *teangacha Rómánsacha* Romance Languages

rómánsaíocht ro:ma:nsi:(ə)xt *f*3 romanticism; romancing

romhaibh ro:v´ : **roimh**

romhainn ro:n´ : **roimh**

rómhair ro:vər´ *vt & i*, *pres* -**mhraíonn** dig

romham ro:m : **roimh**

Rómhánach ro:va:nəx *m*l *& a*l Roman

rómhar ro:vər *m*l digging

romhat ro:t : **roimh**

rompu rompu : **roimh**

rón ro:n *m*l, *pl* ~**ta** seal

rondáil ronda:l´ *f*3 rundale, runrig

ronna ronə *m*4 dribble; mucus

ronnach[1] ronəx *m*l mackerel

ronnach[2] ronəx *a*l dribbling; mucous

rop rop *m*3 *& vt & i* thrust, stab; dart, dash

rópa ro:pə *m*4 rope

ropadh ropə *m*, *gs* -**ptha** thrust, stab; rush, dash; fracas

ropaire ropər´ə *m*4 stabber; robber; scoundrel; rapparee

ropaireacht ropər´əxt *f*3 stabbing, violence; thieving; villainy

ros[1] ros *m*l linseed, flax-seed

ros[2] ros *m*3 wood; headland, promontory

rós ro:s *m*l, *pl* ~**anna** rose

rosach rosəx *a*l rough, horny

rósach ro:səx *a*l rosy; roseate

rosaid rosəd´ *f*2 whitlow

rosc[1] rosk *m*l eye

rosc[2] rosk *m*l rhetorical composition, ~ *catha* war-cry, ~ *(ceoil)* rhapsody

rosca roskə *m*4 rusk

roscach roskəx *a*l rhetorical, declamatory

rósóg ro:so:g *f*2 rose-tree

róst ro:st *vt & i* roast

rosta rostə *m*4 wrist

rósta ro:stə *m*4 roast

róstadh ro:stə *m*, *gs* **rósta** roast(ing)

rosualt 'ro'suəlt *m*l walrus

rótachartaire 'ro:tə,xartər´ə *m*4 rotovator

roth roh *m*3 wheel

rothaí rohi: *m*4 cyclist

rothaigh rohi: *vi* cycle

rothaíocht rohi:(ə)xt *f*3 cycling

rothalchleas 'rohəl,x´l´as *m*l, *npl* ~**a** cartwheel (turn)

rothán roha:n *m*l small wheel, castor; loop, hank

rothánach roha:nəx *a*l circulating

rothar rohər *m*l bicycle

rótharraingt 'ro:,harən´t´ *f*, *gs* -**gthe** overdraft

rothlach rohləx *a*l rotating, rotary

rothlaigh rohli: *vt & i* rotate, gyrate; whirl, spin

rothlú rohlu: *m4* rotation, gyration; whirl, spin

rua ruə *a3* red(-haired); reddish-brown, russet; wild, fierce

ruacan ruəkən *m1* cockle

ruachan ruəxən *m3* reddening

ruacht ruəxt *f3* redness (of hair)

ruachtach ruəxtəx *f2* erysipelas

ruadhóigh 'ruə,γo:γ' *vt & i* scorch

ruaig ruəg' *f2*, *pl* ~**eanna** chase, rout; foray; hurried visit, ~ **thinnis** attack of sickness *vt* chase, put to flight

ruaigh ruəγ' *vt & i* redden

ruaille 'ruə,lə *s*, ~ **buaille** commotion, tumult

ruaim[1] ruəm' *f2* red dye; dye-wood; reddish scum, ~ **feirge** flush of anger

ruaim[2] ruəm' *f2*, *pl* ~**eanna** fishing-line

ruaimneach ruəm'n'əx *a1* red, russet; (*of water*) discoloured

ruaimneacht ruəm'n'əxt *f3* discolouration

ruaimnigh ruəm'n'i: *vt & i* dye red; flush; discolour

ruainne ruən'ə *m4* (single) hair; fibre, thread; shred, ~ **tobac** little bit of tobacco

ruainneach ruən'əx *f2* horse-hair

rualoisc 'ruə,loʃk' *vt*, *vn* ~**oscadh** scorch

ruán ru:a:n *m1* rudd, ~ **aille** sparrow-hawk

ruaphoc 'ruə,fok *m1* roebuck

ruathar ruəhər *m1* rush, onset, attack

ruatharach ruəhərəx *m1* rushing, milling about *a1* rushing, charging; impulsive

rúbal ru:bəl *m1* rouble

rubar robər *m1* rubber

rúbarb ru:barb *m4* rhubarb

rud rud *m3* thing; matter, circumstance, *na* ~*aí beaga* the little ones, *ós* ~ *é go* since it happens that, ~ *eile de* furthermore, ~ *beag fuar* a little bit cold, ~ *a dhéanamh ar dhuine* to obey a person, *ná biodh* ~ *ort faoi* don't grieve over it

rufa rofə *m4* ruff; frill

rufach rofəx *a1* ruffed, frilled

rug rug *p of* **beir**

ruga rogə *m4* rug

rugbaí rogbi: *m4* rugby

ruibh[1] riv' *f2* sulphur

ruibh[2] riv' *f2* venom, sting; eagerness

ruibhchloch 'riv',xlox *f2* brimstone

ruibheach riv'əx *a1* suphuric

ruibheanta riv'əntə *a3* venomous, sharp-tongued

ruibhiúil riv'u:l' *a2* sulphurous

rúibín ru:b'i:n' *m4* ruby

rúibric ru:b'r'ək' *f2* rubric

rúid ru:d' *f2*, *pl* ~**eanna** spurt, sprint

rúidbhealach 'ru:d',v'aləx *m1*, *pl* -**aí** runway

ruifíneach rif'i:n'əx *m1* ruffian

rúiléid ru:l'e:d' *f2* roulette

rúipí ru:p'i: *m4* rupee

ruipleog rip'l'o:g *f2* tripe

rúisc ru:ʃk' *f2*, *pl* ~**eanna** discharge, volley; loud report *vt & i*, *vn* **rúscadh** strip, shell; stir, poke, shake; trounce

ruithne rihn'ə *f4* radiance, glitter, ray of light

ruithneach rihn'əx *a1* radiant, gleaming

rúitín ru:t'i:n' *m4* ankle; fetlock

rum rom *m4* rum

rún ru:n *m1* mystery; secret; intention, purpose; (formal) resolution, *faoi* ~ in confidence, ~ *dioltais* design of vengeance, ~ *buiochais* vote of thanks, *a* ~ my dear

rúnaí ru:ni: *m4* secretary

rúnaíocht ru:ni:(ə)xt *f3* secretarial work; secretariat

rúnchara 'ru:n,xarə *m*, *gs* ~**d** *pl* -**chairde** confidant(e)

rúnda ru:ndə *a3* mysterious; secret, confidential

rúndacht ru:ndəxt *f3* secrecy

rúndaingean 'ru:n,daŋ'g'ən *a1*, *gsf*, *npl* & *comp* -**gne** strongminded, resolute

rúndiamhair 'ru:n',d'iəvər' *f2*, *pl* -**mhra** (religious) mystery *a1*, *npl* -**mhra** mystical, mysterious

runga rungə *m4* rung

rúnmhar ru:nvər *a1* close, secretive

rúnpháirteach 'ru:n,fa:rt'əx *a1* initiate, initiatory

rúnpháirtí 'ru:n,fa:rt'i: *m4* initiate

rúnscríbhinn 'ru:n',ʃk'r'i:v'ən *f2* secret writing, cipher

ruóg ru:o:g *f2* cord, twine

Rúraíocht ru:ri:(ə)xt *f3* Ulster epic cycle

rúsc ru:sk *m1* bark (of tree)

rúscadh ru:skə *m*, *gs* **rúiscthe** decortication; stirring, shaking; trouncing

rúta ru:tə *m4* root; stump, stock

ruthag ruhəg *m1* run, sprint, dash, *cuar ruthaig* trajectory curve (of bullet, etc), *thar mo* ~ beyond my means

S

sa¹ sə : **i**

-sa² sə *emphatic suff., seo mo pheannsa* this is my pen, *m'inion ógsa* my young daughter, *fansa anseo* you stay here, *an liomsa nó leatsa é?* is it mine or yours?

sá sa: *m4, pl ~ite gs as rn ~ite* thrust, stab; push; dart, lunge, *~ite ciseáin* stakes of basket

sabaitéir sabət'e:r′ *m3* saboteur

sabaitéireacht sabət'e:r′əxt *f3* sabotage

sábh sa:v *m1, npl ~a (of tool)* saw *rt & i* saw

sábháil sa:va:l′ *f3* saving; rescue; security, *tá sé ar lámh shábhála* it is in safe keeping *rt & i* save; rescue; preserve; harvest

sábháilte sa:va:l′t'ə *a3* safe

sábháilteacht sa:va:l′t'əxt *f3* safety

sabhaircín saur′k′i:n′ *m4* primrose

sábhálach sa:va:ləx *a1* saving, thrifty

sabhall saul *m1* barn

sabhdán sauda:n *m1* sultan

sabhdánach sauda:nəx *m1, (raisin)* sultana

sabhran savrən *m1, (money)* sovereign

sabóid sabo:d′ *f2* sabbath

sabóideach sabo:d′əx *a1* sabbatic(al)

sac sak *m1* sack *rt* put in sack, pack; cram; thrust

sacáil saka:l′ *rt* sack (from job)

sacán saka:n *m1* fieldfare

sacar sakər *m1* soccer

sacéadach 'sak,e:dəx *m1* sackcloth

sách sa:x *m1* well-fed person *a1* full, sated, *~ láidir* strong enough, *~ fuar* rather cold

sácráil sa:kra:l′ *f3* consecration

sacailéid sakrəl'e:d′ *f2* sacrilege

sacailéideach sakrəl'e:d'əx *a1* sacrilegious

sácráilteacht sa:kra:l′t'əxt *f3* ease, self-indulgence

sacraimint sakrəm'ən't′ *f2* sacrament

sacraimintiúil sakrəm'ən't'u:l′ *a2* sacramental

sacraisteoir sakrəs't'o:r′ *m3* sacristan

sacraistí sakrəs't'i: *m4* sacristy

sacsafón 'saksə,fo:n *m1* saxophone

sádach sa:dəx *m1* sadist *a1* sadistic

sádar sa:dər *m1* solder

sadhlann sailən *f2* silo

sadhlas sailəs *m1* silage

sádráil sa:dra:l′ *rt & i* solder

sáfach sa:fəx *f2* handle (of implement); shaft; battle-axe

ság sa:g *m1* sago

sága sa:gə *m4* saga

sagart sagərt *m1* priest, *hata an tsagairt* sea-anemone

sagartacht sagərtəxt *f3* priesthood

sagartúil sagərtu:l′ *a2* priestly

saghas sais *m1, pl -ghsanna* kind, sort, *~ fuar* somewhat cold

saibhir sev′ər′ *m4, pl -bhre* rich person *a1, gsf, npl & comp -bhre* rich

saibhreas sev′r′əs *m1* riches, wealth; richness

saibhrigh sev′r′i: *rt* enrich

sáible sa:b′l'ə *m4* sable

saicín sak′i:n′ *m4* vesicle; sachet

saidhbhéar saiv'e:r *m1* kittiwake

saidléir sad'l'e:r′ *m3* saddler

saifir saf′i:r′ *f2* sapphire

sáigh sa:y′ *rt & i* thrust; stab; push; lunge, *sáite i leabhar* engrossed in a book

saighdeadh said'ə m, *gs -ghdte* incitement

saighdeoir said'o:r′ *m3* archer; inciter, *An Saighdeoir* Sagittarius

saighdeoireacht said'o:r′əxt *f3* archery

saighdiúir said'u:r′ *m3* soldier

saighdiúireacht said'u:r′əxt *f3* soldiering; military service; courage, endurance

saighdiúrtha said'u:rhə *a3* soldierly

saighead said *f2, gs -ghde* arrow; bolt; pang, *~ reatha* stitch in side from running

saighean sain *f2, gs -ghne pl -ghní* seine (-net)

saighdigh said′ *rt & i, pres -ghdeann* incite, provoke; pierce

saighneáil sain'a:l′ *rt & i* sign

saighneán sain'a:n *m1* lightning; flash of light; blast, *na Saighneáin* the Northern Lights

saighneoireacht sain'o:r′əxt *f3* seine-fishing

sail¹ sal′ *f, gs & gpl ~each npl ~eacha* willow(-tree)

sail² sal′ *f2, pl ~eanna* beam; cudgel; prop

453

sail³ sal′ *f* 2 dirt, dross, stain, ~ **chluaise** ear-wax, ~ **chnis** dandruff

sáil¹ sa:l′ *f* 2, *npl* **sála** *gpl* **sál** heel; heeltap, ~ **sléibhe** spur of mountain, ~ **cairte** tail of cart, **ar shála a chéile** in rapid succession, **thug sé na sála leis** he managed to escape

sáil² sa:l′ *a*1 easy, restful; self-indulgent

sailchearnach 'sal′′χ′a:rnəx *f* 2 pussy-willow

sailchuach 'sal′′χuəx *f* 2 violet

sáile¹ sa:l′ə *m*4 sea-water; brine

sáile² sa:l′ə *f* 4 ease, comfort; self-indulgence; luxuriant growth

saileach sal′əx *f* 2 willow, **slat sailí** osier

sailéad sal′e:d *m*1 salad

Sailéiseach sal′e:s′əx *m*1 & *a*1 Salesian

sáilín sa:l′i:n′ *m*4 little heel; spur; small projection; small remnant, ~ **cairte** heel of cart-shaft

saill sal′ *f* 2 salted meat; fat (meat) *vt* & *i* salt, cure

sailleach sal′əx *a*1 fatty, adipose

sailleadh sal′ə *m*, *gs* -**llte** salting, curing, ~ **i** in pickle

sailpítear 'sal′′p′i:t′ər *m*1 saltpetre

sáiltéar sa:l′t′e:r *m*1 salt-cellar

sáimhe sa:v′ə *f* 4 peacefulness, tranquillity

sáimhín sa:v′i:n′ *m*4, **bheith ar do sháimhín só** to feel happy

sáimhrigh sa:v′r′i: *vt* quieten, soothe; make drowsy

sain- san′ *pref* special, particular, specific, characteristic

sainchreideamh 'san′′χ′r′ed′əv *m*1 (religious) denomination

saineolaí 'san′′o:li: *m*4 specialist, expert

saineolaíocht 'san′′o:li:(ə)xt *f* 3 specialization

sainigh san′i: *vt* state expressly; define

sainiúil san′u:l′ *a*2 specific; distinctive; special

sainmharc 'san′′vark *m*1, *pl* ~**anna** hallmark

sainmhíniú 'san′′v′i:n′u: *m*4 definition

sáinn sa:n′ *f* 2, *pl* ~**eacha** nook; trap, predicament

sáinnigh sa:n′i: *vt* corner, put in a fix; (*chess*) check

sainordú 'san′′o:rdu: *m*4 mandate

saint san′t′ *f* 2 greed, covetousness; great desire

saíocht si:(ə)xt *f* 3 learning, erudition

sairdín sa:rd′i:n′ *m*4 sardine

sáirsint sa:rs′ən′t′ *m*4 sergeant

sais sas′ *f* 2, *pl* ~**eanna** sash

sáiste sa:s′t′ə *f* 4, (*herb*) sage

sáiteach sa:t′əx *a*1 thrusting, stabbing; intrusive; nagging

sáiteán sa:t′a:n *m*1 stake; (*of plant*) set; jibe

sáith sa: *f* 2 feed, fill; enough

saithe sahə *f* 4 swarm (of bees, etc)

sáithigh sa:hi: *vt* sate, satiate

salach saləx *a*1 dirty; sordid; obscene, **gort** ~ weedy field, **farraige shalach** choppy sea, **teacht** ~ **ar dhuine** to fall foul of a person

salachar saləxər *m*1 dirt; ordure; sordidness; obscenity; weeds, ~ **craicinn** skin eruption

salaigh sali: *vt* & *i* dirty, defile, **shalaigh an aimsir** the weather became foul

salán sala:n *m*1 sprat

salanda saləndə *a*3 saline

salann salən *m*1 salt

sall sal *adv* to the far side, over, across

salm saləm *m*1 psalm

salmaireacht saləmər′əxt *f* 3 psalm-singing; prating

salón salo:n *m*1 salon

saltair saltər′ *f*, *gs* -**trach,** *pl* -**tracha** psalter

salún səlu:n *m*1 saloon

sámh sa:v *f* 2 tranquillity; rest *a*1 tranquil; restful; pleasant

samhadh sauə *m*1 sorrel

samhail saul′ *f* 3, *gs* -**mhla** *pl* -**mhlacha** likeness; image, model; spectre, ~ **a thabhairt do rud** to imagine what sth is like, **to liken sth to sth** else **slán an t** ~ God save the mark

samhailchomhartha 'saul′′xo:rhə *m*4 symbol

samhailteach saul′t′əx *a*1 imaginary

Samhain saun′ *f* 3, *gs* -**mhna** *pl* -**mhnacha** November, **Oíche Shamhna** Hallowe'en

samhalta saultə *a*3 visionary, fanciful, unreal

samhaltach saultəx *a*1 symbolic

samhaltán saulta:n *m*1 emblem, symbol

sámhán sa:va:n *m*1 nap, doze

samhas sa:vəs *m*1 voluptuousness

samhlachúil saulƏxu:l′ *a*2 typical

samhlaigh sauli: *vt & i* imagine, *samhlaitear dom* (*go*) it appears to me (that), *rud a shamhlú le rud eile* to liken sth to sth else, *ní shamhlóinn rud mar sin leis* I'd never expect anything like that of him

samhlaíoch sauli:(ə)x *a1, gsm* ~ imaginative

samhlaíocht sauli:(ə)xt *f3* imagination

samhlaoid sauli:d´ *f2* figurative illustration *pl* imagery

samhnas saunəs *m1* nausea; disgust

sámhnas sa:vnəs *m1* ease, respite; lull

samhnasach saunəsəx *a1* nauseating, disgusting; queasy, squeamish

samhradh saurə *m1, pl* -**aí** summer; summer garland

samhrata saurətə *a3* summery

sampla samplə *m4* example; sample; portent; wretch

samplach sampləx *a1* exemplifying, typical

San¹ san *s,* ~ *Nioclás* St. Nicholas, Santa Claus, ~ *Doiminic* St. Dominic

-san² sən *emphatic suff, a theachsan* his house, *a dteachsan* their house, *a mhac mórsan* his grown-up son, *rinneadarsan an obair* it was they who did the work, *dósan a thug mé é* it was to him I gave it

san³ sən´ : **i**

sanas sanəs *m1* whisper; hint, suggestion; glossary

sanasaíocht sanəsi:(ə)xt *f3* etymology

sanasán sanəsa:n *m1* glossary

sanatóir sanəto:r´ *m3* sanatorium

sanctóir saŋkto:r´ *m3* sanctuary (of church)

sann san *vt* assign

santach santəx *a1* greedy, covetous, avaricious; intensely eager

santaigh santi: *vt* covet, desire

saobh si:v *a1* slanted, twisted; askew; capricious; perverse *vt* slant, twist; lead astray; pervert

saobhadh si:və *m, gs* -**ofa** distraction, distortion, perversion

saobhnós 'si:v,no:s *m1* distraction, infatuation, folly

saochan si:xən *m,* ~ *céille* mental aberration

saofacht si:fəxt *f3* waywardness, aberration; perversity

saoi si: *m4* wise, learned, man; master, expert; eminent person

saoire si:r´ə *f4* feast, church festival; vacation, holidays

saoirse si:rs´ə *f4* freedom, liberty; exemption; cheapness

saoirseacht si:rs´əxt *f3* craftsmanship, *ag* ~ working as mason; working in building materials

saoirsigh si:rs´i: *vt & i* cheapen; become cheaper

saoiste si:s´t´ə *m4* roll; roller, wave; boss, ganger

saoisteog si:s´t´o:g *f2* low soft seat, pouf

saoithín si:hi:n´ *m4* pedant, prig

saoithiúil si:hu:l´ *a2* learned, wise; accomplished; entertaining; peculiar

saoithiúlacht si:hu:ləxt *f3* learning, wisdom

saol si:l *m1, pl* ~**ta** life, time, world, *le* ~ *na* ~ world without end, *an* ~ *mór* everybody, *os comhair an tsaoil* publicly, *tar éis an tsaoil* after all

saolach si:ləx *a1* long-lived

saolaigh si:li: *vt* be born; deliver, *go saolaí Dia thú* God grant you long life

saolré 'si:l,re: *f4* life cycle

saolta si:ltə *a3* worldly, mundane; lay, secular; respectable, *gráin shaolta* utter loathing

saoltacht si:ltəxt *f3* worldly matters; worldliness

saolú si:lu: *m4* birth, nativity

saonta si:ntə *a3* naive, gullible

saontacht si:ntəxt *f3* naivety, gullibility

saor¹ si:r *m1* craftsman; mason, ~ *báid* shipwright

saor² si:r *m1* free person, freeman *a1* free, independent; cheap, *briathar* ~ autonomous verb *vt* free, liberate; save; exonerate; exempt

saoráid si:ra:d´ *f2* ease, facility; freedom from constraint

saoráideach si:ra:d´əx *a1* easy, facile

saorálaí si:ra:li: *m4* volunteer

saoránach si:ra:nəx *m1* citizen

saoránacht si:ra:nəxt *f3* citizenship

saorealaíona 'si:r,ali:nə *spl, gpl* **saorealaíon** liberal arts

saorga si:rgə *a3* artificial, manmade

saorshealbhóir 'si:r,haləvo:r´ *m3* freeholder

saorsheilbh 'si:r,hel´əv *f2* freehold

saorstát 'si:r,sta:t *m*1 (*politics*) free state

saorthuras 'si:r,hurəs *m*1 excursion

saothar si:hər *m*1 work, labour; exertion; achievement; literary or artistic composition, ~ *anála* laboured breathing, *bhí* ~ *air* he was panting

saotharlann si:hərlən *f*2 laboratory

saothrach si:hrəx *a*1 laborious; laboured; industrious

saothraí si:hri: *m*4 labourer; bread-winner

saothraigh si:hri: *vt & i* labour, toil; cultivate; earn, *ag saothrú an bháis* in the throes of death

saothrú si:hru: *m*4 cultivation; earnings

sár¹ sa:r *m*1 czar

sár-² sa:r *pref* exceeding, surpassing; excellent; ultra-, most

sáraigh sa:ri: *vt & i* violate; infringe; frustrate; harass; exhaust, beat, surpass, *duine a sháru* to get the better of a person, *tá an leathchéad sáraithe aige* he has passed the fifty(-year) mark, *sháraigh an obair orm* the work was too much for me, *deacrachtaí a sháru* to surmount difficulties

sáraíocht sa:ri:(ə)xt *f*3 contending; disputation, argument

saraiste sarəs't'ə *f*4 serge

saranáid sarəna:d' *f*2 serenade

sárchéim 'sa:r,x'e:m' *f*2, (*grammar*) superlative

sármhaith 'sa:r'vah *a*1 excellent

sárocsaid 'sa:r'oksi:d' *f*2 peroxide

sárú sa:ru: *m*4 violation; infringement; frustration; overcoming, refutation, of argument, *níl a* ~ *le fáil* there is nothing to beat them

sás sa:s *m*1, *pl* ~**anna** snare, trap; device, apparatus, *is é* ~ *a dhéanta é* he is the very man to do it

sásaigh sa:si: *vt* satisfy, please

sásamh sa:səv *m*1 satisfaction; reparation, ~ *a bhaint as duine* to get even with a person

sásar sa:sər *m*1 saucer

sáslach sa:sləx *m*1 mechanism, machinery

sáspan sa:spən *m*1 saucepan; tin mug

sásta sa:stə *a*3 satisfied; willing; handy, easy to handle, *go* ~ easily

sástacht sa:stəxt *f*3 satisfaction, ease; willingness; handiness

sásúil sa:su:l' *a*2 satisfying, satisfactory

satail satəl' *vt & i*, *pres* **-laíonn** tread, tramp (*ar* on); trample

satailít satəl'i:t' *f*2 satellite

satailt satəl't' *f*2 tread, tramp

satair satər *m*4 satyr

Satarn satərn *m*1 Saturn

sathaoide sahi:d'ə *f*4 (fire-)damper

Satharn sahərn *m*1 Saturday

scaball skabəl *m*1 scapular; breastplate

scabhaitéir skaut'e:r' *m*3 blackguard

scabhat skaut *m*1 gap, defile; alley

scabhtáil skauta:l' *f*3 scouting

scadán skada:n *m*1 herring

scafa skafə *a*3 eager, avid (*chun ruda* for sth)

scafaire skafər'ə *m*4 strapping fellow

scafall skafəl *m*1 scaffolding, staging

scafánta skafə:ntə *a*3 tall and vigorous, strapping

scáfar ska:fər *a*1 frightful; timid

scag skag *vt & i* strain, filter; refine; sift, screen

scagach skagəx *a*1 permeable, porous; flimsy

scagadh skagə *m*, *gs* **-gtha** filtration; refinement; critical examination

scagaire skagər'ə *m*4 filter, screen; filterman; refiner

scaglann skaglən *f*2 refinery

scaibéis skab'e:s' *f*2 scabies

scaif skaf' *f*2, *pl* ~**anna** scarf

scáil ska:l' *f*2, *pl* ~**eanna** shadow; shade, darkness; reflection; gleam; ghost

scáileán ska:l'a:n *m*1 (*of cinema, etc*) screen

scáiléathan skal'e:hən *m*1 exaggeration; excitement

scailliún skal'u:n *m*1 scallion

scailp skal'p' *f*2, *pl* ~**eanna** cleft, fissure; den; layer of earth, sod, ~ *cheo* bank of fog, ~ *chodlata* spell of sleep

scailtín skal't'i:n' *m*4 whiskey punch

scaimh skav' *f*2 shavings, filings; snarl

scáin ska:n' *vt & i* split; thin out; scatter; wear thin

scaineagán skan'əga:n *m*1 shingle

scáinne ska:n'ə *f*4 skein

scáinte ska:n't'ə *a*3 thin, sparse; threadbare

scaip skap′ *vt & i* scatter; spread; dissipate; disperse

scaipeach skap′əx *a1* scattered; squandering; confused

scaipeadh skap′ə *m, gs* -pthe dissemination, dissipation, dispersion

scaipthe skap′ə *a3* scattered; scatter-brained; (*of ideas, etc*) confused

scair skar′ *f2, pl* ~eanna share; layer, stratum, *tá* ~ *ag na leacáin ar a chéile* the tiles overlap

scairbh skar′əv′ *f2, pl* ~eacha shallow; reef

scaird ska:rd′ *f2, pl* ~eanna squirt, jet, gush *vt & i* squirt, gush; pour rapidly

scairdeán ska:rd′a:n *m1* jet, spout, cascade

scairdeitleán 'ska:rd′,et′əl′a:n *m1* jet plane

scairp skar′p′ *f2, pl* ~eanna scorpion, *an Scairp* Scorpio

scairt¹ skart′ *f2, pl* ~eacha caul; diaphragm; thicket, covert *pl* lungs

scairt² skart′ *f2, pl* ~eanna shout; call; summons *vt & i* shout, call; burst out, ~ *an coileach* the cock crew

scairteach skart′əx *f2* shouting, calling *a1* shouting, clamorous

scaitheamh skahəv *m1, pl*-ití while, spell, *téim ann scaití* I go there at times

scal skal *f2* burst, flash, blast *vi* burst out, flash

scála¹ ska:lə *m4* basin, bowl *pl* scales

scála² ska:lə *m4*, (*of grading, etc*) scale

scalán ska:la:n *m1* burst, flash; panic

scall skal *vt* scald; scold, *ubh a* ~*adh to* poach an egg

scalladh ska:lə *m, gs* -llta scald; scolding, abuse

scallamán ska:ləma:n *m1* fledgling, nestling

scalltach skaltəx *a1* scalding, boiling hot

scalltán ska:lta:n *m1* fledgling, nestling

scamall skaməl *m1* cloud; web (joining bird's toes)

scamallach skaməlax *a1* cloudy, clouded; webbed

scamh skav *vt & i* peel, scale, lay bare; pare, plane down; fray, ravel, *na fiacla a* ~*adh* to bare the teeth

scamhadh skauə *m, gs* scafa shavings, filings, ~ *iongan* agnail

scamhard skauərd *m1* nutriment, nourishment

scamhardach skauərdəx *a1* nutritious, nourishing

scamhóg skavo:g *f2* lung

scan skan *vt* scan

scanadh skanə *m, gs* -nta scansion

scannal skanəl *m1* scandal

scannalach skanəlax *a1* scandalous

scannalaigh skanəli: *vt* scandalize

scannán skana:n *m1* membrane; film, ~ *lánfhada* feature film

scannánaíocht skana:ni:(ə)xt *f3* filming

scanóir skano:r′ *m3* scanner

scanradh skanrə *m1* fright; terror

scanraigh skanri: *vt & i* frighten; take fright

scanrúil skanru:l′ *a2* frightening, frightful; easily frightened

scaob ski:b *f2* scoop: shovelful *vt* scoop

scaoil ski:l′ *vt & i* loose(n), release; unfasten, slacken; spread, unfurl; disperse; dissolve, *fadhb a* ~*eadh* to solve a problem, *urchar a* ~*eadh* to fire a shot, *ualach a* ~*eadh anuas* to set down a load, ~*eadh faoi rud* to set about sth, *rud a* ~*eadh tharat* to let sth pass; to ignore sth

scaoileadh ski:l′ə *m, gs* -lte loosening; release; spreading; dispersal; solution, ~ *urchar* the firing of shots

scaoilte ski:l′t′ə *a3* loose; free; loose-limbed

scaoilteach ski:l′t′əx *a1* loose; dispersed; loose-tongued; dissolute; laxative

scaoilteacht ski:l′t′əxt *f3* looseness; laxity; diarrhoea

scaoll ski:l *m1* panic; fright

scaollmhar ski:lvər *a1* panicky

scaoth ski: *f2* swarm

scaothaire ski:hər′ə *m4* bombastic talker, windbag

scaothaireacht ski:hər′əxt *f3* bombast

scar skar *vt & i* part, separate; spread

scaradh skarə *m, gs* -rtha separation; spreading, *ar* ~ *gabhail* astride

scaraoid skari:d′ *f2* table-cloth, ~ *leapa* bedspread

scarbháil skarəva:l′ *f3* hardening, drying, crustation *vi* crust, harden, dry

scarlóid ska:rlo:d′ *f2* scarlet

scarlóideach ska:rlo:d′əx *a1* scarlet

scata skatə *m4* crowd, group; drove, pack, ~ *leabhar* a large number of books

scáta ska:tə *m4* skate, ~*í rothacha* roller-skates

scátáil ska:ta:l' *vi* skate

scátálaí ska:ta:li: *m4* skater

scáth ska: *m3, pl* ~**anna** shade, shadow; cover, screen; fear; bashfulness, ~ *fearthainne* umbrella, *ar* ~ *ar miste liom* for all I care

scáthaigh ska:hi: *vt & i* shade, obscure; screen, protect

scáthán ska:ha:n *m1* mirror

scáthbhrat 'ska:ˌvrat *m1* awning

scáthchruth 'ska:ˌxruh *m3, pl* ~**anna** silhouette

scáthlán ska:hla:n *m1* shelter; screen; open-ended shed, ~ *lampa* lampshade

sceabha s'k'au *m4* skew, slant, *ar* ~ slantwise

sceach s'k'ax *f2* thornbush; bramble, ~ (*gheal*) whitethorn, hawthorn

sceachóir s'k'axo:r' *m3* haw

scead s'k'ad *f2* blaze (on animal, tree); (light, bald) patch

sceadach s'k'adəx *a1* blazed; patchy, scant, balding

sceadamán s'k'adəma:n *m1* throat

sceal s'k'e:l *m1, pl* ~**ta** story, tale; account, report, ~ *scéil* hearsay, *seo mar atá an* ~ this is how the matter stands

scéala s'k'e:lə *m4* news, tidings; message, ~ *a dhéanamh ar dhuine* to tell on, inform against, a person

scéalach s'k'e:ləx *a1* news-bearing, gossiping

scéalaí s'k'e:li: *m4* story-teller; bearer of news

scéalaíocht s'k'e:li:(ə)xt *f3* story-telling; tale-bearing

sceallán s'k'ala:n *m1* potato set; small potato

sceallóg s'k'alo:g *f2* chip; thin slice

scealp s'k'alp *f2* splinter *vt & i* splinter; chip, flake

sceamh s'k'av *f2 & vi* yelp, squeal

sceamhail s'k'avi:l' *f3* yelping, squealing

scean s'k'an *vt* knife, stab; cut up

sceanairt s'k'anərt' *f2* cuttings, peelings, parings; (surgical) operation

sceanra s'k'anrə *m4* knives, cutlery

sceanúil s'k'anu:l' *a2* sharp, biting; (*of sea*) angry, choppy

sceart s'k'art *f2* pot-belly

sceartán s'k'arta:n *m1* tick

sceathrach s'k'ahrəx ˌ*f2* vomit(ing); spawn(ing)

sceideal s'k'ed'əl *m1* schedule

sceidealta s'k'ed'əltə *a3* scheduled

sceidín s'k'ed'i:n' *m4* skim milk

sceilg s'k'el'əg *f2, npl* -**ealga** *gpl* -**ealg** steep rock, crag

sceilp s'k'el'p' *f2, pl* ~**eanna** skelp, slap

scéim s'k'e:m' *f2, pl* ~**eanna** scheme, plan; design

scéiméir s'k'e:m'e:r' *m3* schemer, intriguer

scéimh¹ s'k'e:v' *f2* beauty; appearance

scéimh² s'k'e:v' *f2, pl* ~**eanna** overhang; edge

sceimheal s'k'ev'əl *f2, gs* -**mhle** *pl* -**mhleacha** eaves; flange; wall, rampart

sceimhle s'k'ev'l'ə *m4, pl* ~**acha** terror

sceimhligh s'k'ev'l'i: *vt & i* terrify; terrorize; take fright

sceimhlitheoir s'k'ev'l'iho:r' *m3* terrorist

scéin s'k'e:n' *f2* fright; wild look; wildness

scéiniúil s'k'e:n'u:l' *a2* frightened-looking; (*of eyes*) glaring; garish

sceipteach s'k'ep't'əx *m1* sceptic

sceiptiúil s'k'ep't'u:l' *a2* sceptical

sceir s'k'er' *f2, pl* ~**eacha** low rocky island or reef

sceird s'k'e:rd' *f2, pl* ~**eanna** bleak, windswept, place

sceirdiúil s'k'e:rd'u:l' *a2* bleak, windswept

sceireog s'k'er'o:g *f2* fib

sceiteach s'k'et'əx *a1* crumbling, brittle

sceith s'k'eh *f2* vomit; spawn(ing); overflow; discharge, ~ *aille* crumbling of cliff, *tá sé ina* ~ *bhéil* he has become a byword, *vt & i* vomit; spawn; overflow; discharge; burst open; peel off; fray; crumble, *rúna* ~*eadh* to divulge a secret

sceithe s'k'e:hə : **sciath**

sceithire s'k'e:hir'ə *m4* telltale, tattler

sceithphíopa 's'k'eˌf'i:pə *m4* exhaust-pipe

sceitimíní s'k'et'əm'i:n'i: *spl* excitement, raptures, ecstasies

sceitse s'k'et's'ə *m4* sketch

sceitseáil s'k'et's'a:l' *vt & i* sketch

scí s´k´i: *m*4, *pl* ~**onna** ski

sciáil s´k´i:a:l´ *vi* ski

sciaitíce ˌs´k´i:'at´i:k´ə *f*4 sciatica

sciamhach s´k´iəvəx *a*1 beautiful

scian s´k´iən *f*2, *gs* **-ine** *pl* **sceana** knife, *dul faoi* ~ (*dochtúra*) to undergo an operation

sciar s´k´iər *m*4, *pl* ~**tha** share

sciata s´k´iətə *m*4 (*fish*) skate

sciath s´k´iə *f*2, *gs* **scéithe** shield

sciathán s´k´iəha:n *m*1 wing; side, extension; part; arm, ~ *leathair* bat

scibhéar s´k´iv´e:r *m*1 skewer

scidil s´k´id´əl´ *f*2 skittle

scigaithris 's´k´ig´ˌahr´əs´ *f*2 parody(ing), burlesque

scigdhráma 's´k´ig´ˌγra:mə *m*4 farce

scige s´k´ig´ə *f*4 giggling; jeering; derision

scigiúil s´k´ig´u:l´ *a*2 giggling; derisive

scigmhagadh 's´k´ig´ˌvagə *m*1 jeering; derision

scigphictiúr 's´k´ig´ˌf´ik´tu:rm*l* caricature

scil[1] s´k´il´ *f*2, *pl* **-eanna** skill

scil[2] s´k´il´ *vt & i* shell, hull; flake; prate, divulge

scilléad s´k´il´e:d *m*1 skillet

scillig s´k´il´əg´ *vt & i* shell, husk; slice, shred; prattle

scilling s´k´il´əɲ´ *f*2, *pl* ~**e** *with numerals* shilling

scim s´k´im´ *f*2 film, thin coating; concern, *rud a bheith ag déanamh* ~ *e duit* to be anxious about sth

scimeáil s´k´im´a:l´ *vt & i* skim

scine s´k´in´ə : **scian**

scinn s´k´in´ *vi* start, spring; dart; gush forth; glance off, ~ *an focal uaim* the word escaped my lips

scinnideach s´k´in´əd´əx *a*1 nervous, timid; flighty

sciob s´k´ib *vt & i* snatch

sciobalta s´k´ibəltə *a*3 smart, spruce; prompt

scíobas s´k´i:bəs *m*1 sup, sip; squeeze

scioból s´k´ibo:l *m*1 barn

sciobtha s´k´ipə *a*3 fast, prompt

sciodar s´k´idər *m*1 slurry; scour

sciodarnach s´k´idərnəx *f*2 scour (in cattle)

scioll s´k´il´ *vt & i* scold, rate

sciolladh s´k´il´ə *m*, *gs* **-llta**, ~ (*teanga*) scolding, abuse

sciomair s´k´imər´ *vt & i*, *pres* **-mraíonn** scour, scrub; polish

sciomradh s´k´imrə *m*, *gs* **-martha** *pl* **-marthaí** scrubbing, burnishing; scrub, polish

scióntachán s´k´i:ntəxa:n *m*1 straggler

sciorr s´k´ir *vi* slip, slide, skid

sciorrach s´k´irəx *a*1 slippery

sciorradh s´k´irə *m*, *gs* **-rrtha** *pl* **-rrthaí** slip, slide, skid

sciorta s´k´irtə *m*4 skirt; border; piece, patch, *bhí* ~ *den ádh ort* you had a slice of luck

sciot s´k´it *m*3, *pl* ~**anna** scut, snippet *vt* lop off; prune; clip, crop

sciotach s´k´itəx *a*1 lopped, clipped; skimpy

sciotaíl s´k´iti:l´ *f*3 tittering, giggling

sciotán s´k´ita:n *m*1, ~ (*eireaball*) stump (of tail), *de* ~ suddenly

scipéad s´k´ip´e:d *m*1 skippet; drawer, cash register

scipeáil s´k´ip´a:l´ *vi* skip

scipéir s´k´ip´e:r´ *m*3 skipper

scíth s´k´i: *f*2 tiredness, fatigue; rest

scítheach s´k´i:həx *a*1 tired, weary

scitsifréine 's´k´it´s´əˌf´r´e:n´ə *f*4 schizophrenia

sciúch s´k´u:x *f*2 windpipe, throat; voice *vt* throttle

sciuird s´k´u:rd´ *f*2, *pl* ~**eanna** rush, dash; flying visit

sciúirse s´k´u:rs´ə *m*4 scourge

sciúr s´k´u:r *vt & i* scour, scrub; polish; trounce

sciúradh s´k´u:rə *m*, *gs* **-rtha** scour, scrub; trouncing

sciurd s´k´u:rd *vi* rush, dash, hurry

sciúrsáil s´k´u:rsa:l´ *f*3 scourging; affliction *vt* scourge, flog

sciútam s´k´u:təm *m*1 scramble

sclábhai skla:vi: *m*4 slave; drudge; labourer

sclábhaíocht skla:vi:(ə)xt *f*3 slavery; drudgery; labour

sclábhánta skla:va:ntə *a*3 slavish, servile, subservient

sclábhúil skla:vu:l´ *a*2 laborious

sclamh sklav *f*2, *pl* ~**anna** bite, nip, snap *vt & i* snap at, abuse

sclár skla:r *vt* cut up, tear, lacerate

scláradh skla:rə *m*, *gs* **-rtha** laceration

scláta skla:tə *m*4 slate; thin slab, tile

scléaróis s′k′l′e:ro:s′ *f2* sclerosis

scléip s′k′l′e:p′ *f2, pl ~eanna* ostentation; gaiety, sport; row, scrap

scléipeach s′k′l′e:p′əx *a1* ostentatious; festive, sportive

scleondar s′k′l′o:ndər *m1* elation, high spirits

scleondrach s′k′l′o:ndrəx *a1* elated

sclimpíní s′k′l′im′p′i:n′i: *spl* dazzlement

sliúchas s′k′l′u:xəs *m1* brawl, rumpus

sclog sklog *vt & i* gulp, gasp, choke, *ag ~adh gáire* chuckling

sclóin sklo:n′ *f2, pl ~te* swivel

sclotrach sklotrəx *a1* emaciated

scód sko:d *m1* (*sailing*) sheet; free space

scodal skodəl *m1* scamper

scóid sko:d′ *f2* showiness, gaudiness

scóig sko:g′ *f2, pl ~eanna* neck; throttle (of engine)

scoil skol′ *f2, pl ~eanna* school, *~ éisc* shoal of fish

scoilt skol′t′ *f2, pl ~eanna* split, crack, fissure; parting; crease; breach of relations *vt & i* split, crack; part; divide

scoilteach skol′t′əx *f2* acute pain *pl* rheumatics

scoilteadh skol′t′ə *m, gs* scoilte fission, scission

scoiltire skol′t′ər′ə *m4* cleaver, chopper

scóip sko:p′ *f2* scope; ambition; eagerness; elation

scóipiúil sko:p′u:l′ *a2* wide, spacious, loose-limbed; eager; joyous

scoir skor′ *vt & i, vn* -**or** unyoke; disconnect; take apart; dismiss; terminate, stop

scoirneach sko:rn′əx *m1* (*fish*) smooth hound

scoite skot′ə *a3* severed; disconnected; separated, isolated

scoiteach skot′əx *f2* dispersal, flight, scattering

scoith skoh *vt & i* cut off, lop; break apart; pull up; wean; isolate, *~ an capall crú* the horse shed a shoe, *duine a ~eadh i rás* to outrun a person in a race

scol skol *m3, gs & npl ~a* high-pitched note, call, shout

scól sko:l *vt & i* scald; torment; warp

scóladh sko:lə *m, gs* -**lta** scalding; torment; abuse, scolding

scolaí skoli: *m4* schoolman, scholastic

scolaíoch skoli:(ə)x *a1, gsm ~* scholastic

scolaíocht skoli:(ə)xt *f3* schooling, school education

scoláire skola:r′ə *m4* scholar, learned person; school-child

scoláireacht skola:r′əxt *f3* scholarship, learning; student grant

scolardach ′skola:rdəx *m1* pundit

scolártha skola:rhə *a3* scholarly

scolb skoləb *m1* indentation, scallop; "scollop," splinter; nick, chip

scolbánta skoləba:ntə *a3* wiry, lithe, strapping

scolfairt skolfərt′ *f2* shouting, guffawing; (loud) bird-song

scolgarnach skoləgərnəx *f2* cackling

scolgháire ′skol.γa:r′ə *m4* loud laugh, guffaw

scológ skolo:g *f2* farmer; hard-working young man

sconna skonə *m4* sprout; (water-)tap; rapid flow

sconnóg skono:g *f2* squirt, splash

sconsa skonsə *m4* fence; drain, ditch

scor¹ skor *m1* unyoking; disconnection; dismissal; termination, cessation of work, retirement, *an buille scoir* the finishing stroke

scor² skor *s, ar ~ ar bith* in any case, at any rate

scor³ skor *vt & i* cut, slash; score, notch

scór¹ sko:r *m1* notch; tally; (*in games*) score

scór sko:r *m1, pl ~tha* twenty, score

scorach skorəx *m1* stripling, youth

scóráil sko:ra:l′ *vt & i* score (a goal, etc)

scoraíocht skori:(ə)xt *f3* social evening

scorán skora:n *m1* pin, toggle, key

scorn sko:rn *m1* scorn, disdain, *níor ~ leis é* he made no scruple about it

scornach sko:rnəx *f2* throat

scornúil sko:rnu:l′ *a2* guttural

scot skot *m1* scot, reckoning

scoth¹ skoh *f3, pl ~anna* flower; pick, choice; tuft, bunch; arrangement, style, *~ na bhfear* the best of men, *den chéad ~* of the first quality

scoth² skoh *f3, pl ~anna* point, tip; reef; splinter (of rock)

scoth-³ skoh *~* sko⁺ *pref* semi-, medium-; fairly, middling

scoth-⁴ skoh *~* sko⁺ *pref* tufted

scothán skoha:n *m*1 bushy top, bush; (*pl*) clippings; bushy tail

scothmheáchan 'sko,v´a:xən *m*1 light heavyweight

scothóg skoho:g *f*2 tassel

scothúil skohu:l´ *a*2 beautiful, choice

scrábach skra:bəx *a*1 scratchy, scrawly; untidy, *aimsir* ~ broken weather

scrábáil skra:ba:l´ *f*3 scribble, scrawl

scrabh skrav *vt & i* scratch, scrape, score

scrabha skrau *m*4, *pl* ~**nna** scratch, scrape, score

scragall skragəl *m*1 foil, ~ *stáin* tinfoil

scráib skra:b´ *f*2, *pl* ~**eacha** scrape, scratch; scrap

scraiste skras´t´ə *m*4 loafer, layabout

scraith skrah *f*2, *pl* ~**eanna** scraw, sod; layer, coating, ~ *ghlugair* quagmire

scraithín skrahi:n´ *m*4 clod, divot

scréach s´k´r´e:x *f*2 & *vi*, *vn* ~**ach** screech, shriek

scréachóg s´k´r´e:xo:g *f*2, ~ *choille* jay, ~ *reilige* barn owl

scread s´k´r´ad *f*3, *pl* ~**anna** scream *vi* scream, screech

screadach s´k´r´adəx *f*2 scream(ing)

screamh s´k´r´av *f*2 coating, crust, scum

screamhóg s´k´r´avo:g *f*2 crust, flake

screathan s´k´r´ahən *m*1 scree

scríbhinn s´k´r´i:v´ən´ *f*2 writing; written document; inscription

scríbhneoir s´k´r´i:v´n´o:r´ *m*3 writer; author

scríbhneoireacht s´k´r´i:v´n´o:r´əxt *f*3 writing; literary work

scrimisc s´k´r´im´əs´k´ *f*2 scrimmage

scrín s´k´r´i:n´ *f*2, *pl* ~**te** shrine

scríob s´k´r´i:b *f*2 scrape, scratch; score; effort, spell; dash, swoop, *ceann scríbe* finishing-point, destination *vt & i* scrape, scratch, grate

scríobach s´k´r´i:bəx *m*1 abrasive *al* scraping, scratching, scratchy

scríobadh s´k´r´i:bə *m*, *gs* -**btha** scrape; scrapings

scríobán s´k´r´i:ba:n *m*1 grater

scríobh s´k´r´i:v *m*, *gs* -**ofa** (hand)writing *vt & i* write

scríobhaí s´k´r´i:vi: *m*4 scribe

scríobláil s´k´r´ibla:l´ *f*3 scribble, scribbling

scríobhlíne 's´k´r´i:b,l´i:n´ə *f*4, *pl* -**nte** *ar an* ~ at scratch

scrioptúr s´k´r´iptu:r *m*1 scripture

scrios s´k´r´is *m*, *gs* ~**ta** destruction, ruin; scrapings, parings *vt & i* scrape, tear, off; delete; destroy, ruin

scriosach s´k´r´isəx *a*1 destructive, ruinous

scriosán s´k´r´isa:n *m*1 eraser

scriostóir s´k´r´isto:r´ *m*3 destroyer; devastator

script s´k´r´ip´t´ *f*2, *pl* ~**eanna** script

scriú s´k´r´u: *m*4, *pl* ~**nna** screw

scriúáil s´k´r´u:a:l´ *vt & i* screw

scriúire s´k´r´u:ər´ə *m*4 screwdriver

scrobanta skrobəntə *a*3 scrubby, undersized

scrobarnach skrobərnəx *f*2 brushwood, undergrowth

scrobh skrov *vt* scramble (eggs)

scroblach skroblax *m*1 remnants (of food); refuse; rabble

scroblachóir skroblaxo:r´ *m*3 scavenger

scrofa skrofə *a*3, *ubh* ~ scrambled egg

scrogall skrogəl *m*1 long thin neck

scroidchuntar 'skrod´,xuntər *m*1 snackbar

scroigeach skrog´əx *a*1 scraggy

scrolla skrolə *m*4 scroll

scrúd skru:d *vt* try severely, test, ~ *ta ag an ocras* tormented with hunger

scrúdaigh skru:di: *vt* examine

scrúdaitheoir skru:diho:r´ *m*3 examiner

scrúdú skru:du: *m*4 examination

scrupall skrupəl *m*1 scruple; compunction; pity

scrupallach skrupələx *a*1 scrupulous

scuab skuəb *f*2 broom, brush; sheaf; bundle *vt & i* sweep

scuabach skuəbəx *a*1 sweeping, flowing

scuabáil skuəba:l´ *f*3 shuffling

scuabgheall 'skuəb,ɣ´al *m*1, *pl* ~**ta** sweepstake

scuad skuəd *m*1 squad; swarm

scuadrún skuədru:n *m*1 squadron

scuaid skuəd´ *f*2, *pl* ~**eanna** spatter, splash; diarrhoea

scuaine skuən´ə *f*4 drove, flock; train; queue

scuais skuəs´ *f*2 squash(-rackets)

scubaid skubəd´ *f*2 hussy

sculcaireacht skolkər´əxt *f*3 skulking

scun skun *s*, ~ *scan* outright, completely

scúnar sku:nər *m*1 schooner

scúnc sku:ŋk *m*1 skunk

scúp sku:p m1 scoop

scútar sku:tər m1 scooter

-se s'ə *emphatic suff, mo chuidse is do chuidse* my share and your share, *ach táimse go maith* but I am well, *sibhse a dúirt é* it was you who said it, *uaimse nó uaitse* from me or you

sé[1] s'e: 3 *sg m pron* he; it

sé[2] s'e: m4, pl ~ **anna** & a, a ~ **six**, a ~ **déag** sixteen

sea[1] s'a m4 turn; time, course, *gach re* ~ turn about

sea[2] s'a m4 strength, vigour; heed; regard

sea[3] s'a = **is ea**

seabhac s'auk m1 hawk, falcon

seabhrán s'aura:n m1 dizziness; buzz; whirr, whizz

séabra s'e:brə m4 zebra

seac s'ak m1 (*implement*) jack

seaca s'akə : **sioc**

Seacaibíteach s'akəb'i:t'əx m1 & a1 Jacobite

seacain s'akən' f2 sequin

seacál s'aka:l m1 jackal

seach[1] s'ax s, *faoi* ~ in turn; occasionally; respectively

seach[2] s'ax *prep, lit, pron forms,* **seacham** s'axəm, **seachad** s'axəd, **seacha** s'axə, **seachainn** s'axən', **seachaibh** s'axəv', **seacha** s'axə, by, past, beyond, other than, *peann seach an ceann seo* a pen other than this one, *eisean seach duine ar bith,* he of all people

seacha s'axə : **seach**[2]

seachad s'axəd : **seach**[2]

seachadadh s'axədə m, gs **-chadta,** pl **-chadtaí** delivery; hand-out, tip

seachaibh s'axəv' : **seach**[2]

seachaid s'axəd' vt, pres **-adann** deliver; hand over, present, *an liathróid a sheachadadh* to pass the ball

seachainn s'axən' : **seach**[2]

seachaint s'axən't f3 avoidance; evasion, guardedness

seacham s'axəm : **seach**[2]

seachas s'axəs *prep* besides, other than, rather than; compared to

seachfhocal 's'ax,okəl m1 aside

seachghalar 's'ax,γalər m1 complication

seachghlórtha 's'ax,γlo:rhə *spl* sound effects

seachmall s'axməl m1 aberration, abstraction; illusion

seachrán s'axra:n m1 straying; error; delusion; derangement

seachránaí s'axra:ni: m4 wanderer, strayer

seachród 's'ax,ro:d m1 by-road, by-pass

seacht s'axt m4, pl ~ **anna** & a seven, a ~ seven, a ~ **déag** seventeen, *mo sheacht ndícheall* my very best

seachtain s'axtən' f2, pl ~ **e** with numerals week

seachtainiúil s'axtən'u:l' a2 weekly

seachtanán s'axtəna:n m1 weekly (magazine)

seachtar s'axtər m1 seven persons

seachtháirge 's'ax,ha:r'g'ə m4 by-product

seachtó s'axto: m, gs ~ **d** pl ~ **idí** & a seventy

seachtódú s'axto:du: m4 & a seventieth

seachtrach s'axtrəx a1 external, exterior

seachtú s'axtu: m4 & a seventh

seacla s'e:klə m4 emaciated person; shrimp

seacláid s'akla:d' f2 chocolate

sead[1] s'ad f2 nest

sead[2] s'ad f2 shad

sead[3] s'ad vt & i blow; eject

seadaigh s'adi: vt & i settle; remain, linger

séadaire s'e:dər'ə m4 pace-maker

seadán s'ada:n m1 parasite

séadchomhartha 's'e:d,xo:rhə m4 monument

seadóg s'ado:g f2 grapefruit

seafaid s'afəd' f2 heifer

seafóid s'afo:d' f2 nonsense

seafóideach s'afo:d'əx a1 nonsensical, silly

seafta s'aftə m4 shaft (of vehicle)

seaga s'agə m4 shag

seagal s'agəl m1 rye

seagalach s'agələx f2 ryegrass

seaghais s'ais f2 pleasure, delight

seaghsach s'aisəx a1 pleasant, joyful

seaicéad s'ak'e:d m1 jacket

seaimpéin s'am'p'e:n' m4 champagne

seal s'al m3, pl ~ **anna** turn; while, spell; period

seál s'a:l m1, pl ~ **ta** shawl

séala s'e:lə m4 seal, ar shéala about to; purporting to

sealad s'aləd m1 turn, while, space of time

sealadach s'alədəx a1 temporary, provisional

séalaigh s'e:li: vt seal

sealaíocht s'ali:(ə)xt f3 alternating, taking turns; alternation

sealán s'ala:n m1 noose; loop, ring

sealbhach s'aləvəx m1 & a1 (grammar) possessive

sealbhaigh s'aləvi: vt & i possess; gain (possession of)

sealbhaíocht s'aləvi:(ə)xt f3 possession, tenure

sealbhán s'aləva:n m1 flock, herd

sealbhóir s'aləvo:r' m3 occupier; possessor, holder

sealgaire s'aləgər'ə m4 hunter, huntsman; forager

sealgaireacht s'aləgər'əxt f3 hunting; foraging

sealla s'alə m4 chalet

seallóid s'alo:d' f2 shallot

sealúchas s'alu:xəs m1 possession; possessions, property

seam s'am m3, pl ~anna rivet

seamaí s'ami: m4 chamois(-leather), shammy

seamaide s'aməd'ə m4 blade, sprig, frond

seamaigh s'ami: vt rivet

seamair s'amər' f2, gs seimre npl -mra gpl -ar clover

seamhan s'aun m1 semen

seamhrach s'aurəx a1 vigorous, hale, hearty

seamlas s'amləs m1 shambles, slaughterhouse

seampú ,s'am'pu: m4, pl ~anna shampoo

seamróg s'amro:g f2 shamrock

seamsán s'amsa:n m1 drone, hum, monotonous sound, ~ a dhéanamh de rud to make a song about sth

sean¹ s'an m4, gs & gpl ~ npl ~a senior, ancestor; oldness; old thing a1, comp sine old; mature

sean-² s'an pref old; senior; mature; old-fashioned; great, exceeding; over-

-sean s'on emphatic suff, a chuidsean agus a gcuidsean his share and their share, ceannaídís-sean é let them buy it,

dóibhsean is measa é it will be the worse for them

séan¹ s'e:n m1, npl ~a sign, omen; good luck, prosperity

séan² s'e:n vt & i deny, repudiate; (with ar) refuse

seanad s'anəd m1 senate

seanadóir s'anədo:r' m3 senator

seanaimseartha 's'an,am's'ərhə a3 old-fashioned; old

seanaois s'an,i:s' f2 old age

séanas s'e:nəs m1 gap between front teeth; harelip

seanascal s'anəskəl m1 seneschal

seanathair 's'an,ahər' m, gs -ar pl -naithreacha grandfather

seanbhlas s'an,vlas m1 stale taste; disregard, contempt

seanchaí s'anəxi: m4 traditional storyteller

seanchairteacha 's'an,xart'əxə fpl, ~ a tharraingt ort to rake up the past

seanchaite 's'an,xat'ə a3 worn-out; obsolete; trite

seanchas s'anəxəs m1 lore, tradition; story-telling; chatting

seanchríonna 's'an,x'r'i:nə a3 precocious; wise; old and experienced

seanda s'andə a3 aged; ancient; stale

seandacht s'andəxt f3 antiquity pl antiques

seandálaí 's'an,da:li: m4 archaeologist

seandálaíocht 's'an,da:li:(ə)xt f3 archaeology

seanduine 's'an,din'ə m4, pl -daoine old person; ancient, sage

seanfhaiseanta 's'an,as'əntə a3 old-fashioned

seanfhocal 's'an,okəl m1 old saying, proverb

seanfhondúir 's'an,ondu:r' m3 old inhabitant; old-timer

seang s'aŋ a1, gsm ~ slender, slim; lean, meagre

seangán s'aŋga:n m1 ant

seanléim 's'an',l'e:m' f2, bheith ar do sheanléim to be back to one's old self, recovered

séanmhar s'e:nvər a1 lucky, prosperous

seanmháthair 's'an,va:hər' f, gs -ar pl -áithreacha grandmother

seanmóir s'anəmo:r' f3 sermon; homily

seanmóireacht s'anəmo:r'əxt *f3* preaching; sermonizing

seanmóirí s'anəmo:r'i: *m4* preacher; sermonizer

sean-nós s'a(n)no:s *m1*, *pl* ~**anna** old custom, *amhránaíocht ar an* ~ traditional singing

seanóir s'ano:r' *m3* old person; senior, elder

seanphinsean s'an,f'in's'ən *m1* old-age pension

seans s'ans *m4*, *pl* ~**anna** chance; luck

séans s'e:(ə)ns *m4*, *pl* ~**anna** seance

seansáil s'ansa:l' *vt* chance, risk

seansailéir s'ansal'e:r' *m3* chancellor

seansúil s'ansu:l' *a2* chancy, risky; lucky

séantach s'e:ntax *a1* denying, disclaiming

seantán s'anta:n *m1* shanty, shack

Sean-Tiomna s'an',t'imnə *m4*, *an* ~ the Old Testament

séantóir s'e:nto:r' *m3* denier; apostate, renegade

seáp s'a:p *m4*, *pl* ~**anna** dash, rush

séarach s'e:rəx *m1* sewer

séarachas s'e:rəxəs *m1* sewerage

searbh s'arəv *m1* acid *a1*, *gsm* ~ bitter, sour, acid

searbhán s'arəva:n *m1* bitter person

searbhánta s'arəva:ntə *a3* acrid

searbhas s'arəvəs *m1* bitterness, sourness, *le* ~ *a dúirt sé é* he was being sarcastic about it

searbhasach s'arəvəsəx *a1* bitter, acrimonious

searbhónta s'arəvo:ntə *m4* servant

searc s'ark *f2* love; beloved one

searg s'arəg *vt & i* waste, wither; shrivel; decline

seargán s'arəga:n *m1* mummy

searmanas s'arəmənəs *m1* ceremony

searr s'a:r *vt* stretch, extend

searrach s'arəx *m1* foal

searradh s'arə *m*, *gs* -**rrtha** stretching of limbs, ~ *a bhaint asat féin* to stretch oneself

seas¹ s'as *m3*, *pl* ~**anna** thwart (of boat)

seas² s'as *vt & i* stand; stop, stay; withstand, endure, *má sheasann an aimsir* if the weather holds up, ~ *ar* depend, rely, on, ~*aim air (go)* I maintain (that)

seasamh s'asəv *m1* stand(ing), upright position; stationary position; wait; defence, *tá* ~ *maith ann*, it is really durable, *tá* ~ *na tíre orthu* the country is depending on them

seasc s'ask *a1*, *gsm* ~ barren; sapless *bó sheasc* dry cow

seasca s'askə *m*, *gs* ~**d** *pl* ~**idí** *& a* sixty

seascacht s'askəxt *f3* barrenness; dryness (of cattle)

seascadú s'askədu: *m4 & a* sixtieth

seascair s'askər' *a1* snug; comfortably off

seascaireacht s'askər'əxt *f3* snugness, *bheith ar do sheascaireacht* to be comfortably off, *cuir* ~ *ort féin* put on warm clothes

seascann s'askən *m1* sedgy bog; marsh

seasmain s'asmən' *f2* jasmine

seasmhach s'asvax *a1* steadfast, firm, constant

seasmhacht s'asvəxt *f3* steadfastness; firmness, constancy

seasta s'astə *a3* standing, supporting; permanent, regular

seastán s'asta:n *m1* stand

séasúr s'e:su:r *m1* season; seasoning, *breac breá séasúir* fine juicy trout

séasúrach s'e:su:rəx *a1* seasonable, seasonal; seasoned

seatnaí s'atni: *m4* chutney

seic¹ s'ek' *m4*, *pl* ~**eanna** cheque

seic² s'ek' *m4*, *pl* ~**eanna** check (cloth)

seiceadóir s'ek'ədo:r' *m3* executor; warden, watchman; wretch

seiceáil s'ek'a:l' *vt & i* check, test

seiceamar s'ek'əmər *m1* sycamore

seicear s'ek'ər *m4* chequer *a1* chequered

seicheamh s'ex'əv *m1* sequence

seicin s'ek'ən' *f2*, *gs* -**cne** integument, membrane

seict s'ek't' *f2*, *pl* ~**eanna** sect

seicteach s'ek't'əx *a1* sectarian

seicteachas s'ek't'əxəs *m1* sectarianism

séid s'e:d' *vt & i* blow; inflate; puff, pant; (swell and) inflame, *ag* ~*eadh fola* gushing blood, ~*eadh faoi dhuine* to incite a person; to needle a person

séideadh s'e:d'ə *m*, *gs* -**idte** blowing, draught; inflation; inflammation

séideán s'e:d'a:n *m1* gust; blown matter; puff, pant

séideog s'e:d'o:g *f2* puff; sniff, snort

seift s'ef't' *f2*, *pl* ~**eanna** shift, device, expedient, resource

seifteoir s'ef'to:r' *m3* provider; resourceful person

seiftigh s'ef't'i: *vt & i* devise; procure, provide

seiftiú s'ef't'u: *m4* provision; improvisation

seiftiúil s'ef't'u:l' *a2* resourceful

seilbh s'el'əv' *f2*, *npl* **sealbha** *gpl* **sealbh** occupancy, possession; property, estate

seile s'el'ə *f4* spit; saliva

seileadán s'el'əda:n *m1* spittoon

séiléir s'e:l'e:r' *m3* gaoler

seilf s'el'f' *f2*, *pl* ~**eanna** shelf

seilg s'el'əg' *f2* hunt, chase; game, quarry; foraging *vt & i* hunt, chase; forage

seilide s'el'əd'ə *m4* snail; slug

seiligh s'el'i: *vi* spit

séimeantaic s'e:m'antək' *f2* semantics

séimh s'e:v' *a1* mild, gentle, placid

séimhigh s'e:v'i: *vt & i* make, become, mild; mellow; lenite

séimhiú s'e:v'u: *m4* mellowing; lenition

seimre s'em'r'ə : **seamair**

seimide s'em'əd'ə *m4* ram, rammer

seimilín s'em'əl'i:n' *m4* semolina

seimineár s'em'ən'a:r' *m1* seminar

séine s'e:n'ə : **sian**

seinge s'in'g'ə *f4* slimness, slenderness

seinm s'en'əm' *f3* playing of musical instrument; warbling, chattering

seinn s'en' *vt & i* play (music, musical instrument); sing, warble, chatter

séinne s'e:n'ə *m4* senna

seinnteoir s'en't'o:r' *m3* player, performer (of music), ~ **ceirníní** record-player

séipéal s'e:p'e:l *m1* chapel; church

séiplíneach s'e:p'l'i:n'əx *m1* chaplain; curate

seipteach s'ep't'əx *a1* septic

seir s'er' *f2*, *pl* ~**eacha** hough

seirbhe s'er'əv'ə *f4* bitterness, sourness, acidity

seirbheáil s'er'əv'a:l' *f3* service; provision *vt* serve

seirbhís s'er'əv'i:s' *f2* service

seirbhíseach s'er'əv'i:s'əx *m1* servant

seircín s'er'k'i:n' *m4* jerkin

seirdín s'e:rd'i:n' *m4* pilchard

séire s'e:r'ə *m4* meal, repast

séiream s'e:r'əm *m1* serum

seirfeach s'er'f'əx *m1* serf

seirfean s'er'əf'ən *m1* bitterness, indignation

seirglí 's'er'əg',l'i: *m4* bedridden state, decline

seiris s'er'əs' *f2* sherry

séirse s'e:rs'ə *m4* charge; rush, dash, *ar* ~, *faoi shéirse* charging, rushing

séis s'e:s' *f2*, *pl* ~**eanna** melody; chat

seiseamhán s'es'əva:n *m1* sextant

seisean s'es'ən *3 sg m emphatic pron* he, *a chuid* ~ *den obair* his share of the work

seisear s'es'ər *m1* six persons, *col seisir* second cousin

seisiún s'es'u:n *m1* session; (social) gathering

seismeach s'es'm'əx *a1* seismic

seisreach s'es'r'əx *f2* plough-team; plough; ploughland; *an tSeisreach*, the Plough

seit s'et' *m4*, *pl* ~**eanna** (*dance*) set

séitéireacht s'e:t'e:r'əxt *f3* cheating

seitgháire 's'et',γa:r'ə *m4* derisive laugh, snigger

seithe s'ehə *f4* skin, hide

seitheadóir s'ehədo:r' *m3* taxidermist

seitreach s'et'r'əx *f2* neigh(ing), whinny; snort

seitríl s'et'r'i:l' *f3* sniggering

seo s'o *dem pron & a & adv* this; these, *ól* ~ drink this, ~ *an áit* this is the place, *idir* ~ *agus Nollaig* between now and Christmas, *ó* ~ *go Doire* from here to Derry, *go dtí* ~ up to now, *an cailín* ~ this girl, *tá sé* ~ *ag imeacht* this person is leaving, *faoi* ~ by now, *as* ~ *amach* from now on, ~ *is siúd* this and that, *a bhean* ~ my dear woman, *an teach* ~ *agamsa* my house, *an bhliain* ~ *chugainn* next year, *an mhí* ~ *caite* last month, ~ *dhuit* (é) here, take it, ~ *leat* come on, ~ *chuige* let us set to it

seó s'o: *m4*, *pl* ~**nna** show, spectacle; fun, *bhí* ~ *daoine ann* there was a huge crowd of people there

seobhaineachas s'o:vən'əxəs *m1* chauvinism

seodóir s'o:do:r' *m3* jeweller

seodóireacht s'o:do:r'əxt *f3* jewelling; jewellery (business)

seodra s'o:drə *m4* jewelry

seoid s'o:d' *f2, npl* **-oda** *gpl* **-od** jewel; precious object, ~ *chuimhne* souvenir

seoigh s'o:ɣ' *a1* wonderful

seoinín s'o:n'i:n' *m4* shoneen; flunkey, toady

Seoirseach s'o:rs'əx *a1* Georgian

seoithín s'o:hi:n' *m4* sough, whispering sound, ~, ~ *seó*, ~ *seothó* lullaby

seol¹ s'o:l *m1, pl* ~ **ta** sail; trend; course *vt & i* sail; send; direct, conduct, *litir a sheoladh chuig duine* to address a letter to a person

seol² s'o:l *m1, pl* ~ **ta** loom

seol³ s'o:l *m1, luí seoil* lying-in, *bean seoil* woman in childbirth

seoladán s'o:lədən *m1* conduit

seoladh s'o:lə *m, gs* **-lta** *pl* **-ltaí** sail(ing); course, direction; address

seolaí s'o:li: *m4* addressee

seolta s'o:ltə *a3* well-directed; smooth-running; graceful, ~ *ar rud* adept at sth

seoltóir¹ s'o:lto:r' *m3* sailor; sender, remitter; drover

seoltóir² s'o:lto:r' *m3* basking-shark

seoltóireacht s'o:lto:r'əxt *f3* sailing

seomra s'o:mrə *m4* chamber, room

seomradóir s'o:mrədo:r' *m3* chamberlain

seordán s'o:rdα:n *m1* rustling sound; wheeze

séú s'e:u: *m4 & a* sixth

sfagnam sfagnəm *m1* sphagnum

sféar sf'e:r *m1* sphere

sféarúil sf'e:ru:l' *a2* spherical

sfioncs sf'iŋks *m4, pl* ~ **anna** sphinx

sí¹ s'i: *m4, pl* ~ **the** fairy mound *a* fairy; enchanting; delusive

sí² s'i: *m4, ~ gaoithe* whirlwind

sí³ s'i: 3 *sg f pron* she; it

sia s'iə *comp a* longer, farther, *an chuimhne is* ~ *siar i mo cheann* my earliest recollection

siabhrán s'iəvrα:n *m1* slight derangement, delusion; mental confusion

siad¹ s'iəd *m3* growth, swelling

siad² s'iəd 3 *pl pron* they

siamsa s'iəmsə *m4* (musical) entertainment; amusement

sian s'iən *f2, gs* **séine** *pl* ~ **ta** whistling, plaintive, sound; squeal, whine; hum of voices

sianail s'iəni:l' *f3* whining, squealing

siansa s'iənsə *m4* strain, melody

siansach s'iənsəx *m1* ringing sound *a1* melodious, harmonious, symphonic

siar s'iər *adv & prep & a* to the west, westwards; back, ~ *ó thuaidh* to the northwest, *ná bí* ~ *is aniar leis* don't shilly-shally about it, *ól* ~ *é* drink it down, ~ *go maith san oíche* well on in the night, *baineadh* ~ *asam* I was taken aback

sibh s'iv' 2 *pl pron* you

sibhialta s'iv'iəltə *a3* civil; polite

sibhialtach s'iv'iəltəx *m1 & a1* civilian

sibhialtacht s'iv'iəltəxt *f3* civilization; civility

sibín s'i:b'i:n' *m4* illicit whiskey; shebeen; speak-easy

sic s'i:k' *m4, pl* ~ **eanna** sheik

siceach s'i:k'əx *a1* psychic(al)

siceapatach s'i:k'ə,patəx *m1* psychopath *a1* psychopathic

siceolaí s'i:k',o:li: *m4* psychologist

siceolaíocht 's'i:k',o:li:(ə)xt *f3* psychology

siciatracht 's'i:k',iətrəxt *f3* psychiatry

siciatraí s'i:k',iatri: *m4* psychiatrist

sicín s'i:k'i:n' *m4* chicken

sifilis s'if'əl'əs *f2* syphilis

sifín s'if'i:n' *m4* stem, stalk, straw

sil s'il' *vt & i* drip, trickle; shed; drain; hang down, (with *ar*) fall, descend, on, *aimsir shilte* depressing weather, *an dream bocht* ~ *te* the poor spiritless lot

sil s'i:l' *vt & i* think, consider; intend

sileadh s'il'ə *m1* drip, discharge; pus; hang, droop

sileáil s'i:l'a:l' *f3* ceiling; wainscotting; partition (in house, etc)

siléar s'il'e:r *m1* cellar

siléig s'il'e:g' *f2* dilatoriness, procrastination, neglect

silín¹ s'il'i:n' *m4* cherry

silín² s'il'i:n' *m4* little drop, trickle; pendent object

silíneach s'il'i:n'əx *a1* cerise

silleadh s'il'ə *m, gs* **-llte** look, glance

sil-leagan 's'il'(l'),l'agən *m1, pl* ~ **acha** (geological, etc) deposit

silteach s'il't'əx *a1* dripping, trickling; fluid; hanging, flowing, *duine* ~ spendthrift

silteán s'il't'a:n *m1* small drain, channel; rivulet

siméadrach s'im'e:drəx *a1* symmetrical

siméadracht s'im'e:drəxt *f*3 symmetry

simléar s'im'l'e:r *m*l chimney

simpeansaí 's'im',p'ansi: *m*4 chimpanzee

simpleoir s'im'p'l'o:r' *m*3 simpleton

simplí s'im'p'l'i: *a*3 simple; simpleminded

simpligh s'im'p'l'i: *vt* simplify

simpliocht s'im'p'l'i:(ə)xt *f*3 simplicity; simple-mindedness

sin s'in' *dem pron & a & adv* that, those, *ná habair* ~ don't say that, ~ ~ that's that, *mar* ~ *de* in that case, therefore, *agus mar* ~ *de* and so on, *a mhac* ~ that man's son, *faoi* ~ by then, *fada ó shin* long ago, *bliain ó shin* a year ago, *an fear* ~ that man, *ní raibh a fhios agam go raibh siad chomh daor* ~ I didn't know they were so dear

sín s'i:n' *vt & i* stretch; hold out; lengthen; extend; (with *le*) lay, lie, along, *nach é an gasúr sin atá ag* ~*eadh*! isn't that boy growing fast!

sinc s'iŋ'k' *f*2 zinc

sincigh s'iŋ'k'i: *vt* galvanize

sindeacáit s'in'd'əka:t' *f*2 syndicate

sindeacáitigh s'in'd'əka:t'i: *vt* syndicate

sine[1] s'in'ə *f*4 nipple, teat, ~ *siain* uvula

sine[2] : **sean**[1]

sineach s'in'əx *f*2 mammal

síneadh s'i:n'ə *m*l, *pl* **-ntí** stretch(ing); extension, ~ *láimhe* stretching out of hand; gratuity, tip, ~ *fada* length accent

singil s'iŋ'g'əl' *a*l single; slender; tenuous; meagre, *saighdiúir* ~ private

singléad s'iŋ'l'e:d *m*l singlet

sínigh s'i:n'i: *vt & i* sign

sínitheoir s'i:n'iho:r' *m*3 signatory

síniú s'i:n'u: *m*4 signature

sinn s'in' *l pl pron* we, us

sinne s'in'ə *l pl emphatic pron* we, us, *ár gcuid* ~ our portion

sin-seanathair s'in''s'an,ahər' *m*, *gs* **-ar** *pl* **-naithreacha** great-grandfather

sin-seanmháthair 's'in''s'an,va.hər' *f*, *gs* **-ar** *pl* **-áithreacha** great-grandmother

sinsear s'in's'ər *m*l senior, elder; ancestor

sinséar s'in's'e:r *m*l ginger

sinsearach s'in's'ərəx *m*l senior person; ancestor *a*l senior; ancestral

sinsearacht s'in's'ərəxt *f*3 seniority; ancestry

sinseartha s'in's'ərhə *a*3 ancestral

sínteach s'i:n't'əx *a*l stretching, extending; drawn-out; liberal

sínteán s'i:n't'a:n *m*l stretcher

sintéis s'in't'e:s' *f*2 synthesis

sintéiseach s'in't'e:s'əx *a*l synthetic

sínteoireacht s'i:n't'o:r'əxt *f*3 stretching; lolling, lazing, ~ *aimsire* procrastination

síntiús s'i:n't'u:s *m*l donation, subscription

síntiúsóir s'i:n't'u:so:r' *m*3 subscriber·

síob s'i:b *f*2 drift; gust; ride, lift *vt & i* blow (away), drive (along); blow up; drift

síobadh s'i:bə *m*, *gs* **-btha** blow, drift, ~ *sneachta* blizzard

síobaire s'i:bər'ə *m*4 hitch-hiker

síobhas s'i:vəs *m*l chive

síoc s'i:k *m*3, *gs* **seaca** frost *vt & i* freeze; congeal, set; stiffen

síocair s'i:kər' *f*, *gs* **-crach** *pl* **-cracha** (immediate) cause, occasion; pretext, (*as, ar*) ~ go because

síocaire s'i:kər'ə *m*4 chicory

síocán s'i:ka:n *m*l frost; chilly substance; frozen person

síocanailís 's'i:k,anəl'i:s' *f*2 psychoanalysis

síocánta s'i:ka:ntə *a*3 frosted, chilled; congealed, stiff

síocdhó 's'i:k,ɣo: *m*4 frostbite

síocháin s'i:xa:n' *f*3 peace

síochánachas s'i:xa:nəxəs *m*l pacifism

síochánta s'i:xa:ntə *a*3 peaceful; pacific

síociúil s'i:ku:l' *a*2 frosty

síod s'i:d *dem pron* this, ~ *é an leabhar* this is the book

síoda s'i:də *m*4 silk

síodúil s'i:du:l' *a*2 silky; urbane; courteous

síofón s'i:fo:n *m*l *& vt & i* siphon

síofra s'i:frə *m*4 sprite; changeling; precocious child

síóg s'i:o:g *f*2 fairy

síóg s'i:g *f*2 streak; seam, lode *vt* streak; stroke out, cancel

síógaí s'i:gi: *m*4 elf, fairy; weakling; know-all, gossip

síogairlín s'i:gərl'i:n' *m*4 hanging ornament, pendant *pl* pendulous flowers

síogairlíneach s'i:gərl'i:n'əx *a*l pendent, tasselled

síol s'i:l *m*1, *pl* ~**ta** seed; offspring, progeny

síoladóir s'i:lədo:r' *m*3 sower

síolchur 's'i:l,xur *m*1 propagation; propaganda

síolla s'i:lə *m*4 syllable, ~ **ceoil** note of music

síollabas s'iləbəs *m*1 syllabus

síollach s'iləx *a*1 syllabic

síollann s'i:lən *f*2 ovary

síolmhar s'i:lvər *a*1 fertile, fruitful

síolp s'i:lp *vt & i* suck; milk dry; drain

síolpaire s'ilpər'ə *m*4 suckling

síolphlanda 's'i:l,flandə *m*4 seedling

síolrach s'i:lrəx *m*1 breed, progeny

síolraigh s'i:lri: *vt & i* breed, propagate, **síolrú ó dhuine** to be a descendant of a .person

síolrú s'i:lru: *m*4, propagation, reproduction; descent (*ó* from)

síolta s'i:ltə *m*4 silt

síombail s'imbal' *f*2 symbol

síombalach s'imbələx *a*1 symbolic

síomóntacht 's'i:l,məntəxt *f*3 simony

síompóisiam s'i:mpo:s'iəm *m*4 symposium

síon s'i:n *f*2, *pl* ~**ta** weather (usually bad, stormy), **lá idir dhá shíon** pet day

síonad s'inəd *m*1 synod

síonagóg s'inəgo:g *f*2 synagogue

síonchaite 's'i:n,xat'ə *a*3 weather-worn, weathered

síoncrónaigh 's'iŋ,kro:ni: *vt* synchronize

síondróm s'indro:m *m*1 syndrome

síonnach s'inəx *m*1 fox

síonnachúil s'inəxu:l' *a*2 foxy, cunning

síons s'ins *m*4, *pl* ~**anna** chintz

síopa s'ipə *m*4 shop

síopadóir s'ipədo:r' *m*3 shopkeeper

síopadóireacht s'ipədo:r'əxt *f*3 shopping

síor[1] s'i:r *a*1 eternal, perpetual, continual, **de shíor** for ever, constantly

síor-[2] s'i:r' *pref* perpetual, continual; ever-

síoráf ,s'i'ra:f *m*1 giraffe

síoraí s'i:ri: *a*3 eternal; perpetual; continual; constant, **go** ~ for ever

síoraíocht s'i:ri:(ə)xt *f*3 eternity; permanence; constancy

síorc s'irk *m*3, *pl* ~**anna** shark

síorghnách 's'i:r,γna:x *a*1, *gsm* ~ commonplace, humdrum

síoróip s'i:ro:p' *f*2 syrup

síorradh s'irə *m*1, *pl* -**aí** blast, draught

síortaigh s'irti: *vt & i* rummage; search, forage (for)

síos s'i:s *adv & prep & a* down; hanging down; trailing, ~ **leat** down you go, ~ **go Cúige Uladh** north to Ulster, **ag seo** ~ **an óráid a rinne sé** the following is the oration he gave, **na bailte síos** the lower townlands

síosach s'isəx *m*1 sibilant *a*1 hissing, sibilant

síosarnach s'isərnəx *f*2 hissing; whispering, rustling

síoscadh s'iskə *m, gs* -**ctha** fizz, sizzle; whisper, rustle, ~ **cainte** buzz of talk

síosma s'ismə *m*4 schism; dissension; wrangle

síosmach s'isməx *m*1 schismatic *a*1 schismatic; dissenting; quarrelling; noisy

síosúr s'isu:r *m*1 scissors

síota s'itə *m*4 gust; rush, dart

síota s'i:tə *m*4 cheetah

síothaigh s'i:hi: *vt* pacify

síothlaigh s'i:hli: *vt & i* filter; drain away; subside; expire

síothlán s'i:hla:n *m*1 strainer, filter, colander

síothlú s'i:hlu: *m*4 filtration; subsidence; expiry

síothmhaor 's'i:,vi:r *m*1 peace officer

síothóilte s'i:ho:l't'ə *a*3 settled, peaceful

síothú s'i:hu: *m*4, pacification

sip s'ip' *f*2, *pl* ~**eanna** zip

sipéir s'i:p'e:r' *m*3 shepherd; sheep-dog, collie

sípris s'i:p'r'əs *f*2 crape

síprisín s'i:p'r'əs'i:n' *m*4 crepe-de-chine

siringe s'ə'r'in'g'ə *f*4 syringa

sirriam s'ir'iəm *m*4 sheriff

sirteach s'ir'həx *a*1 seeking; beseeching; begging, importunate

sirtheoir s'ir'ho:r' *m*3 seeker; petitioner; beggar; prowler; prospector

sirtheoireacht s'ir'ho:r'əxt *f*3 seeking; begging; prowling; prospecting

sise s'is'ə 3 *sg f emphatic pron* she, **a cuid** ~ her share

siseal s'is'əl *m*1 sisal

siséal s'is'e:l *m*1 & *vt & i* chisel

sistéal s'is't'e:l *m*1 cistern

síth s'i: *f*2 peace

sítheach s'i:həx *a*1 peaceful, harmonious

sitheadh s'ihə *m*1, *pl* **-thí** rush; onrush, swoop

siúcra s'u:krə *m*4 sugar

siúcraigh s'u:kri *vt* sugar

siúcrúil s'u:kru:l' *a*2 sugary

siúd s'u:d *dem pron & adv* that, yon; those, *ná creid* ~ don't believe that, ~ *é an t-oileán* yonder is the island, *go dtí* ~ up to then, *a leithéidí* ~ the likes of them, *a theach* ~ that man's house, ~ *chun siúil iad* off they went, ~ *ort* here's to you, ~ *is go* even though

siúicrín s'u:k'r'i:n' *m*4 saccharine

siúil s'u:l' *vt & i, pres* **-úlann** walk; travel, *tá an mí-ádh ag siúl leis* he is dogged by ill luck, ~ *uait* step out

siúil s'u:l' *a*2 fairy-like, elfin; weird

siúinéir s'u:n'e:r' *m*3 joiner; carpenter

siúinéireacht s'u:n'e:r'əxt *f*3 joinery; carpentry

siúl s'u:l *m*1, *pl* ~**ta** walk; movement, speed; travel, journey, *lucht siúil* itinerants, travellers, *ar* ~ going on, in progress, *ar shiúl* gone; away

siúlach s'u:ləx *a*1 inclined to travel; moving, fleet

siúlóid s'u:lo:d' *f*2 walk(ing), stroll

siúlóir s'u:lo:r' *m*3 walker; itinerant, wanderer

siúnt s'u:nt *vt & i* shunt

siúnta s'u:ntə *m*4 joint, seam; cleft, crevice

siúntaigh s'u:nti: *vt* joint

siúr s'u:r *f, gs* ~**ach** *pl* ~**acha** sister, kinswoman, *an tS*~ *Máire* Sister Mary

siúráilte s'u:ra:l't'ə *a*3 sure, certain, (*go*) ~ certainly

slaba slabə *m*4 slob; mud, ooze

slabhra slaurə *m*4 chain

slabhrúil slauru:l' *a*2 chain(-like)

slac slak *vt & i* bat

slacaí slaki: *m*4 batsman

slacán slaka:n *m*1 bat

slacht slaxt *m*3 finish, good appearance, tidiness

slachtmhar slaxtvər *a*1 well-finished, tidy

slad slad *m*3 plunder, loot; devastation *vt & i* plunder, loot; devastate

sladmhargadh 'slad,varəgə *m*1, *pl* **-aí** cheap bargain

slaghdán slaidɑ:n *m*1 cold, ~ *teaspaigh* hay fever

slaig slag' *f*2 slag

slaimice slam'ək'ə *m*4 soft lump; hunk, chunk; tatter

slaimiceáil slam'ək'a:l' *f*3 messing; gobbling

sláine sla:n'ə *f*4 wholeness; healthiness

sláinte sla:n't'ə *f*4 health, (*drink*) toast

sláinteach sla:n't'əx *a*1 hygienic

sláinteachas sla:n't'əxəs *m*1 hygiene

sláintíocht sla:n't'i:(ə)xt *f*3 sanitation

sláintiúil sla:n't'u:l' *a*2 healthy; wholesome

slám[1] sla:m *m*4, *pl* ~**anna** lock, tuft; handful; quantity, ~ *ceo* wisp of fog

slám[2] sla:m *vt & i* tease (wool)

slán sla:n *m*1, *npl* ~**a** healthy person; health; farewell; challenge, ~ *agat*, ~ *leat* good-bye *al* healthy; safe; complete, intact; exempt

slánaigh sla:ni: *vt & i* make whole, save; heal, *aois áirithe a shlánú* to attain a certain age, *conradh a shlánú* to complete a contract, *duine a shlánú ar rud* to indemnify a person against sth, *úd a shlánú* to convert a try

slánaíocht sla:ni:(ə)xt *f*3 indemnity, guarantee

slánaitheoir sla:niho:r' *m*3 redeemer, saviour

Slánaitheorach sla:niho:rəx *m*1 *& a*1 Redemptorist

slándáil sla:nda:l' *f*3 security

slánlus 'sla:n,lus *m*3 (ribwort) plantain

slánú sla:nu: *m*4 salvation; healing; completion; indemnity; after-birth

slánuimhir 'sla:n,iv'ər' *f, gs* **-mhreach** *pl* **-mhreacha** whole number

slaod sli:d *m*3, *pl* ~**anna** swath, layer; raft, ~*anna gruaige* flowing masses of hair, ~ *tinnis* prostrating bout of illness *vt & i* mow down, lay low; (*of hair*) flow; drag; trudge

slapach slapəx *a*1 sloppy, slovenly

slapar slapər *m*1 loose garment; ~ *bó* dewlap of cow, *tá sé ina shlapar i do dhiaidh* it is trailing behind you

slaparnach slapərnəx *f*2 splashing; lapping

slat slat *f*2 rod; cane; rail; *(measure)* yard; penis, ~ **draíochta** magic wand, ~ **tomhais** criterion, ~ **bhéil**, ~ **bhoird** gunwale, ~ **droma** backbone, ~ **an Rí** belt of Orion

slatbhalla 'slat,valə *m*4 parapet

sláthach sla:hax *m*1 oozy mud, slime

sleá s'l'a:*f*4, *pl* ~**nna** spear, javelin; large splinter

sleabhac s'l'auk *m*1 droop, slouch; slant *vi pres* -**bhcann** droop, wilt; *(of corn)* lodge

sléacht¹ s'l'e:xt *m*3, *pl* ~**anna** slaughter; destruction

sléacht² s'l'e:xt *vi* kneel, genuflect; bow down

sleádóir s'l'a:do:r' *m*3 spearman; turf-cutter

sleamchúis 's'l'am,xu:s' *f*2 remissness, negligence

sleamchúiseach 's'l'am,xu:s'əx *a*1 remiss

sleamhain s'l'aun' *a*1, *npl* -**mhna** smooth, slippery; sleek; sly

sleamhnaigh s'l'auni: *vt & i* slide, slip; smooth

sleamhnán¹ s'l'auna:n *m*1 slide; slip (-way); chute

sleamhnán² s'l'auna:n *m*1 sty (on eye)

sleán s'l'a:n *m*1, *pl* ~**ta** turf-spade, slane

sleasach s'l'asəx *a*1 many-sided; faceted; lateral

sléibhín s'l'e:v'i:n' *m*4 black-headed gull

sléibhteánach s'l'e:v't'a:nəx *m*1 mountain-dweller

sléibhteoir s'l'e:v't'o:r' *m*3 mountaineer

sléibhteoireacht s'l'e:v't'o:r'əxt *f*3 mountaineering

sléibhtiúil s'l'e:v't'u:l' *a*2 mountainous; hilly

slí s'l'i: *f*4, *pl* **slite** way; road; direction; space, *tá sé míle* ~ *as seo* it is a mile from here, *rud a dhéanamh as an t* ~ to do sth wrong, ~ *(bheatha)* means of living, livelihood, *tá* ~ *mhaith aige* he is well off, *ar shlí* in a way, *ar aon* ~ in any event, *ar shlí go, i* ~ *is go* in such a way that, *tá siad ar shlí na fírinne* they are gone to their eternal reward

sliabh s'l'iəv *m*, *gs* **sléibhe** *pl* **sléibhte** mountain; moor

sliasaid s'l'iəsəd' *f*2, *pl* -**sta** thigh; side; ledge

slíbhín s'l'i:v'i:n' *m*4 sly person

slige s'l'ig'ə *m*4 shell; shard; cresset

sligreach s'l'ig'r'əx *f*2 shells, shards, fragments; *(of snake)* rattles *a*1 shelled, encrusted with shells

slim s'l'im' *a*1 smooth, sleek; slim; sly; weak

slinn s'l'in' *f*2, *pl* ~**te** shingle; flat stone; slate

slinneán s'l'in'a:n *m*1 shoulder-blade

slinneánach s'l'in'a:nəx *a*1 broad-shouldered

sliob s'l'ib *vt & i* rub, smooth, polish

slíoc s'l'i:k *vt & i* sleek, stroke; blandish, *shlíoc sé leis* he slunk away

sliocht s'l'ixt *m*3, *gs & pl* **sleachta** mark, trace; offspring; posterity; passage, extract, *tá a shliocht air* "signs on it," it is borne out by the result

slíoctha s'l'i:kə *a*3 sleek, plausible

slíodóir s'l'i:(ə)do:r' *m*3 sly person, sneak

slíodóireacht s'l'i:(ə)do:r'əxt *f*3 sneaking, slyness

sliogán s'l'iga:n *m*1 shell; shellfish

sliogánach s'l'iga:nəx *a*1 shelled; dappled, mottled

sliogart s'l'i:gərt *m*1 pumice(-stone)

slíom s'l'i:m *vt & i* smooth, polish

slíomadóir s'l'i:mədo:r' *m*3 smooth, hypocritically friendly, person

slíomadóireacht s'l'i:mədo:r'əxt *f*3 smoothness, flattery, dissimulation

sliopach s'l'ipəx *a*1 slippery; butter-fingered; awkward

slios s'l'is *m*3, *gs & pl* **sleasa** side; slope; (marginal) strip

sliospholl 's'l'is,fol *m*1 porthole

sliotán s'l'ita:n *m*1 slot

sliotar s'l'itər *m*1 hurley ball

slipéar s'l'ip'e:r *m*1 slipper

slis s'l'is' *f*2, *pl* ~**eanna** chip, shaving; sliver, slice; lath; beetle *vt & i* beetle; beat; *(of ball)* cut; *(of oar)* feather

slisín s'l'is'i:n' *m*4 rasher

slisne s'l'is'n'ə *m*4 cut, section

slisneach s'l'is'n'əx *m*1 chips, shavings; slivers; laths

slisneoir s'l'is'n'o:r' *m*3 slicer

slítheánta s'l'i:ha:ntə *a*3 sly, ingratiating; sneaking

sloc slok *m*1 pit, shaft; groove; cavity

slocach slokəx *a*1 pitted; rutted

slocán sloka:n *m*1 socket

slócht slo:xt *m*3 hoarseness *vt & i* hoarsen

slóchtach slo:xtəx *a*1 hoarse

slog slog *m*1, *pl* ~anna gulp, swallow; swig *vt & i* swallow; engulf; recede, *bhí siad ag* ~*adh (isteach) a chuid cainte* they were drinking in his words

slóg slo:g *vt & i* mobilize

slogadh slogə *m*1, *gs* -gtha swallow

slógadh slo:gə *m*1, *pl* -aí mobilization, hosting, gathering

slogaide slogəd'ə *f*4 swallow-hole; gullet

slogóg slogo:g *f*2 gulp, swig, draught

sloinn slon' *vt* tell, express; state name; (sur)name

sloinne slon'ə *m*4, *pl* -nnte family name, surname

sloinnteoir slon'to:r' *m*3 genealogist

slua sluə *m*4, *pl* ~ite host, army; crowd, ~ *muiri* naval force

sluaíocht sluəi:(ə)xt *f*3 (military) expedition

sluaisteáil sluəs't'a:l' *vt & i* shovel; scoop

sluaistrigh sluəs't'r'i: *vt & i* earth, mould

sluasaid sluəsəd' *f*2, *gs* -uaiste *pl* -uaistí shovel; shovelful

sluga slogə *m*4 slug (for gun)

sluma slomə *m*4 slum

slúpa slu:pə *m*4 sloop

slusaí slusi: *m*4 dissembler; toady

smacht smaxt *m*3, *npl* ~a rule; control, discipline, *tír a chur faoi* ~ to subjugate a country

smachtaí smaxti: *m*4 disciplinarian

smachtaigh smaxti: *vt* control, discipline; subdue

smachtbhanna 'smaxt,vanə *m*4 sanction

smachtín smaxt'i:n' *m*4 cudgel

smachtúil smaxtu:l' *a*2 controlling, disciplinary; repressive

smailc smal'k' *f*2, *pl* ~eacha mouthful; puff *vt & i* gobble; puff

smailleac smal'ək *f*2 smack

smál sma:l *m*1 stain; smudge; cloud; gloom, misfortune, ~ *grís* coating of ash; blotch on skin

smaoineamh smi:n'əv *m*1, *pl* -nte thought; idea

smaoinigh smi:n'i: *vt & i* think; consider; recollect

smaointeach smi:n't'əx *a*1 thoughtful, pensive

smaointeoir smi:n'to:r' *m*3 thinker

smaoisil smi:s'i:l' *f*3 snivelling

smaragaid smarəgəd' *f*2 emerald

smeach sm'ax *m*3, *pl* ~anna flick; snap (of fingers); click (of tongue); smack (of lips); gasp *vt & i* flick; click; smack; gasp

smeachail sm'axi:l' *f*3 clicking (of tongue); smacking (of lips)

smeachán sm'axa:n *m*1 nip, small amount

smeachóid sm'axo:d' *f*2 live coal, ember

smeachstoda 'sm'ax,stodə *m*4 press-stud

smeadar sm'adər *m*1 smear; paste; smattering

smeámh sm'a:v *m*1 breath, puff

smear sm'ar *vt* smear; smudge; grease; thrash

sméar sm'e:r *f*2 (black)berry, ~ *mhullaigh an chnuasaigh* the pick of the bunch

smearadh sm'arə *m*1, *pl* -rthaí smear; grease; polish; smattering; thrashing

sméaróid sm'e:ro:d' *f*2 live coal, ember, ~ *chéille* spark of sense

sméid sm'e:d' *vt & i* wink, nod; signal, ~ *anall air* beckon him to come over

sméideadh sm'e:d'ə *m*, *gs & pl* -dte wink, nod, beckoning sign

smid sm'id' *f*2, *pl* ~eanna breath, puff; word

smideadh sm'id'ə *m*1 make-up

smidiríní sm'id'ər'i:n'i: *spl* smithereens

smig sm'ig' *f*2, *pl* ~eanna chin

smionagar sm'inəgər *m*1 shattered pieces, fragments

smior sm'ir *m*3, *gs* smeara marrow; pith, quintessence

smiot sm'it *vt* hit, strike; chop; whittle

smiota sm'itə *s*, ~ *gáire* snigger

smíst sm'i:s't' *vt* pound, trounce

smiste sm'i:s't'ə *m*4 pestle; cudgel; heavy blow, ~ *a dhéanamh de dhuine* to flatten a person

smitín sm'it'i:n' *m*4 rap, tap

smocáil smoka:l' *vt & i* smock

smoirt smort' *f*2 rust (on grain crops)

smol smol *m*3 blight, decay *vt & i* blight; wither

smól smo:l *m*1 live coal, ember; charred object

smólach smo:ləx *m*1 thrush

smolchaite 'smol,xat'ə *a*3 threadbare, shabby; (*of fire*) smouldering

smúdáil smu:da:l' *vt & i* iron (clothes)

smúdar smu:dər *m*1 dust, mould, ~ *guail* slack, ~ *móna* turf mould

smuga smugə *m*4 mucus; snot

smugairle smugərl'ə *m*4 thick spittle, ~ *róin* jelly-fish

smuigleáil smig'l'a:l' *vt & i* smuggle

smuigléir smig'l'e:r' *m*3 smuggler

smuigléireacht smig'l'e:r'əxt *f*3 smuggling

smuile smil'k' *f*2, *pl* ~*eanna* snout; surly expression

smuilceach smil'k'əx *a*1 surly; sulky

smúit smu:t' *f*2 smoke; mist; gloom; dust

smúiteán smu:t'a:n *m*1 cloud of smoke or dust; smudge, smut

smúitiúil smu:t'u:l' *a*2 smoky; misty; murky; gloomy; oppressive

smúr[1] smu:r *m*1 ash, dust; rust; soot, grime

smúr[2] smu:r *vt & i* sniff

smúrach smu:rəx *a*1 dusty, sooty, grimy

smúránta smu:ra:ntə *a*3, (*of weather*) dull, hazy

smúrthacht smu:rhəxt *f*3 nosing, sniffing; prowling, *ag* ~ *romhat* feeling one's way

smúsach smu:səx *m*1 (red) marrow; pith, pulp

smut smut *m*1 stump, stub; snout; sulky expression *vt* truncate, shorten

smutach smutəx *a*1 stumpy, short; sulky

smután smuta:n *m*1 stump; chunk of wood

sna snə : **i**

snab snab *m*3, *pl* ~*anna* stub, *an* ~ *a bhaint de choinneal* to snuff a candle

snag[1] snag *m*3, *pl* ~*anna* gasp, catch (in breath); sob; hiccup; lull

snag[2] snag *m*3, *pl* ~*anna* ~ *darach* woodpecker, ~ *breac* magpie

snagach snagəx *a*1 gasping, sobbing; hiccuping, (*of style*) staccato

snagaireacht snagər'əxt *f*3 gasping, sobbing; stammering; hiccuping; tippling

snagcheol 'snag,x'o:l *m*1 syncopated music; jazz

snaidhm snaim' ~ sni:m' *f*2, *pl* ~*eanna* knot; bond; (physical) constriction; tie, brace; difficulty, problem *vt & i* knot; bind, entwine; unite, (*of bone*) knit; brace

snáith sna: *vt*, *vn* -**áthadh** sip, take as relish (*le* with)

snáithe sna:hə *m*4 (single) thread; stitch; grain, fibre, ~ *an droma* the spinal cord, *ba é lán a shnáithe é* it was as much as he could do

snáitheach sna:həx *a*1 grained, fibrous

snáithín sna:hi:n' *m*4 filament, fibre

snáithíneach sna:hi:n'əx *a*1 fibrous, stringy

snamh snav *m*1 bark; skin, complexion *vt & i* decorticate, peel

snámh sna:v *m*3 swim(ming); swimming-stroke; (*of ship*) draught; crawl, ~ *abhann* swimming-place, fish-pool, in river, *amuigh ar an* ~ out in deep water *vt & i* swim; float; crawl; dawdle

snámhach sna:vəx *a*1 floating, buoyant; (*of water*) flowing; crawling; dawdling; sneaky

snámhacht sna:vəxt *f*3 buoyancy

snámhaí sna:vi: *m*4 crawler; dawdler; sneak

snámhaíocht sna:vi:(ə)xt *f*3 crawling, creeping, dawdling

snámhán sna:va:n *m*1 float

snámhóir sna:vo:r' *m*3 swimmer

snámhraic sna:vrək' *f*2 flotsam

snaoisín sni:s'i:n' *m*4 snuff

snap snap *m*4, *pl* ~*anna* snap; catch; short spell; wrench *vt & i* snap; catch

snas snas *m*3 polish, good appearance; accent; lisp, ~ *liath* blue mould

snasaigh snasi: *vt* polish

snasán snasa:n *m*1 polish

snaschraiceann 'snas,xrak'ən *m*1 veneer

snasleathar 'snas'l'ahər *m*1 patent leather

snasta snastə *a*3 finished, polished, glossy

snáth sna: *m*3, *pl* ~*anna* thread, yarn; web, ~ *mara* (line of seaweed, etc, indicating) high-water mark

snáthadán 'sna:hə da:n *m*1 netting-needle, ~ (*cogaidh*) crane-fly, daddy-longlegs

snáthaid sna:həd' *f*2 needle; indicator

sneachta s'n'axtə *m*4 snow

sneachtúil s'n'axtu:l' *a*2 snowy

sní s'n'i: *f*4 flow; pouring; permeation

snigh s'n'iγ' *vi* pour (down), flow; filter through; crawl

sniodh s'n'i f, *gs & pl* **sneá** nit

sniog s'n'ig *f*2 drop *vt* milk dry, drain completely

sníomh s'n'i:v *m3* spinning; twisting, twining; strain; anxiety *vt & i* spin; turn; twist; twine; strain; (with *le*) struggle with

sníomhaí s'n'i:vi: *m4* spinner

snítheach s'n'i:həx *a1* flowing, coursing, gliding smoothly

snoí sni: *m4* cutting, carving; refining; wearing away

snoigh snoy' *vt & i* cut, carve; shape; refine; wear down, waste away

snoíodóir sni:(ə)do:r' *m3* cutter, carver, sculptor

snoíodóireacht sni:(ə)do:r'əxt *f3* cutting, carving, sculpturing

snoite snot'ə *a3* thin, emaciated; refined

snoiteacht snot'əxt *f3*, (*of shape, figure*) cleanness, refinement; emaciation

snua snuə *m4*, *pl* ~**nna** complexion; colour, appearance

snuaphúdar 'snuə,fu:dər *m1* face-powder

snúcar snu:kər *m1* snooker

snúda snu:də *m4* snood

snúúil snu:u:l' *a2* of good complexion, healthy-looking

so- so† *pref* easy to; good

só so: *m4* comfort, ease; enjoyment; luxury; prosperity

so-adhainte so'ain't'ə *a3* inflammable

sobal sobəl *m1* foam, froth; lather

sobhriste so'v'r'is't'ə *a3* fragile, brittle

sóbráilte so:bra:l't'ə *a3* sober

soc sok *m1* nose; nozzle; (*of animal*) muzzle, ~ *céachta* ploughshare

socadán sokədə:n *m1* busybody

socair soker' *a1*, *gsf*, *npl & comp* **-cra** quiet, still; calm, steady; settled

sócamas so:kəməs *m1* confection *pl* delicacies, confectionery

sóch so:x *a1*, *gsm* ~ comfortable; luxurious

sochaí soxi: *f4* multitude; social community, society

sochaideartha ,so'xad'ərhə *a3* approachable, sociable

sochar soxər *m1* benefit, profit; advantage; produce

sóchas so:xəs *m1* comfort, pleasure

socheolaíocht 'sox,o:li:(ə)xt *f3* sociology

sochma soxmə *a3* soft, easy-going, placid

sochomhairleach ,so'xo:rl'əx *a1* docile; tractable

sochorraithe ,so'xorihə *a3* easily moved, excitable

sochrach soxrəx *a1* profitable, advantageous, beneficial

sochraid soxrəd' *f2* funeral; cortege

sochraideach soxrəd'əx *m1* funeral-goer; mourner

sochreidte ,so'x'r'et'ə *a3* credible

sócmhainn so:kvən' *f2* asset

sócmhainneach so:kvən'əx *a1* solvent

sócmhainneacht so:kvən'əxt *f3* solvency

socracht sokrəxt *f3* quietness, calmness; ease, rest

socraigh sokri: *vt & i* settle; calm; arrange, *socrú ar rud a dhéanamh* to decide to do sth

socrú sokru: *m4* settlement; arrangement

sócúl so:ku:l *m1* ease, comfort

sócúlach so:ku:ləx *a1* easy, comfortable

sodamacht sodəməxt *f3* sodomy

sodar sodər *m1* trot(ting)

sodóg sodo:g *f2* soda-cake; buxom girl

sofaisticiúil sofəs't'ək'u:l' *a2* sophisticated

sofheicthe ,so'ek'ə *a3* visible; manifest, obvious

sofhriotal ,so'r'itəl *m1* euphemism

sofhulaingthe ,so'uləŋ'hə *a3* bearable, endurable

soghluaiste ,so'γluəs't'ə *a3* mobile; inconstant; accessible; responsive; tractable

soghluaisteacht ,so'γluəs't'əxt *f3* mobility; transience; accessibility; responsiveness, tractableness

soghonta ,so'γontə *a3* vulnerable

soibealta sob'altə *a3* impudent, saucy

soicéad sok'e:d *m1* socket

soicind sok'ən'd' *m4* second

sóid so:d' *f2* soda

sóidiam so:d'iəm *m4* sodium

soighe soy'ə *m4* soya

soilbhir sol'əv'ər' *a1*, *gsf*, *npl & comp* **-bhre** pleasant, cheerful; merry; well-spoken

soilbhreas sol'əv'r'əs *m1* pleasantness, cheerfulness; merriment

soiléir sol'e:r' *a1* clear, distinct; obvious

soiléireacht sol'e:r'əxt *f3* clarity, distinctness; obviousness

soiléirigh sol'e:r'i: *vt* clarify, manifest

soiléirse sol'e:rs'ə *f4* axiom

soilíos sol'i:s *m*1 contentment, pleasure; ease; benefit, favour

soilíosach sol'i:səx *a*1 obliging

soilíre sol'ər'ə *m*4 celery

soilse sol's'ə *f*4 brightness, light; flash of lightning, *a Shoilse* his Excellency; your Excellency

soilseach sol's'əx *a*1 bright

soilseán sol's'a:n *m*1 light, torch

soilsigh sol's'i: *vt & i* shine; illuminate; enlighten; reveal

soilsiú sol's'u: *m*4 lighting, illumination; enlightenment

soinéad son'e:d *m*1 sonnet

soineann son'ən *f*2 calmness, fair weather; serenity (of expression); guilelessness

soineanta son'əntə *a*3 (*of weather*) calm, fair; (*of expression*) pleasant; guileless

soinneán son'a:n *m*1, ~ (*gaoithe*) blast (of wind)

sóinseáil so:n's'a:l' *f*3 & *vt & i* change

soiprigh sop'r'i: *vt* nestle, snuggle, down

soir sor' *adv & prep & a* to the east, eastward, ~ *lámh ó thuaidh* (to) east by north

soirbhigh sor'əv'i: *vt & i* make easy, pleasant (*do* for); prosper, *go soirbhí Dia duit* I wish you godspeed

soirbhíoch sor'əv'i:(ə)x *m*1 optimist

soirbhíochas sor'əv'i:(ə)xəs *m*1 optimism

soiscéal sos'k'e:l *m*1 gospel

soiscéalach sos'k'e:ləx *a*1 evangelic(al)

soiscéalaí sos'k'e:li: *m*4 evangelist; preacher

sóisear so:s'ər *m*1 junior

sóisearach so:s'ərəx *a*1 junior

sóisialach so:s'iələx *a*1 socialist

sóisialachas so:s'iələxəs *m*1 socialism

sóisialaí so:s'iəli: *m*4 socialist

sóisialta so:s'iəltə *a*3 social

soith soh *f*2, *pl* ~**eanna** bitch

soitheach sohəx *m*1, *pl* -**thí** vessel; container, dish; ship

sóivéadach so:v'e:dəx *a*1 soviet

sól so:l *m*1, (*fish*) sole

solabhartha ˌso'laurhə *a*3 affable; eloquent

solad soləd *m*1 solid

soláimhsithe ˌso'la:v's'ihə *a*3 easily handled, manageable

sólaisteoir so:ləs't'o:r' *m*3 confectioner

sólaistí so:ləs't'i: *spl* dainties, delicacies

solamar soləmər *m*1 rich food; good things; profit

solámhach ˌso'la:vəx *a*1 deft, dexterous

solaoid soli:d' *f*2 illustration, example

solas soləs *m*1, *pl* **soilse** light, brightness; lamp; flame; enlightenment, *le mo sholas* as long as I live

sólás so:la:s *m*1 consolation; comfort

sólásach so:la:səx *a*1 consoling; comfortable

sólásaí so:la:si: *m*4 consoler, comforter

solasmhar soləsvər *a*1 bright; clear

solathach soləhəx *a*1 venial

soláthair sola:hər' *vt & i*, *pres* **-thraíonn** gather, procure; provide

soláthar sola:hər *m*1, *pl* **-airtí** collection; supply, provision

soláthraí sola:hri: *m*4 gatherer, provider; industrious person

soléite ˌso'l'e:t'ə *a*3 readable; legible

sollúnaigh solu:ni: *vt* solemnize, celebrate

sollúnta solu:ntə *a*3 solemn

sollúntacht solu:ntəxt *f*3 solemnity

solúbtha ˌso'lu:pə *a*3 flexible, pliable, adaptable

sómas so:məs *m*1 ease, comfort

sómasach so:məsəx *a*1 easy, comfortable; easy-going

sómhar so:vər *a*1 comfortable, luxurious

somheanmnach ˌso'v'anəmnəx *a*1 in good spirits, cheerful

somhúinte ˌso'vu:n't'ə *a*3 easily taught, docile

son son *s*, *ar* ~ for the sake of, on behalf of, *ar* ~ *grinn a bhí mé* I was only joking, *ar a shon* notwithstanding, even though, *sin a bhfuil ar a shon agam* that is all I have to show for it

sona sonə *a*3 happy; fortunate

sonach sonəx *a*1 sonic

sonáid sona:d' *f*2 sonata

sonas sonəs *m*1 happiness; good fortune, ~ *ort* thank you

sonasach sonəsəx *a*1 happy; fortunate

sonc sonk *m*4, *pl* -**anna** poke, nudge

sonda sondə *a*3 sonorous

sondas sondəs *m*1 sonorousness, sonority

sonite ˌso'n'it'ə *a*3 washable

sonnach sonəx *m*1 paling, palisade, stockade

sonóg sono:g *f*2 mascot

sonra sonrə m4 characteristic; detail; apparition, shape, *próiseáil ~í* data processing

sonrach sonrəx a1 particular, specific

sonraigh sonri: *vt & i* particularize; specify, define; perceive, distinguish

sonraíoch sonri:(ə)x a1, gsm ~ noticeable; peculiar; abnormal

sonraíocht sonri:(ə)xt f3 specification; remarkableness; peculiarity, abnormality

sonrasc sonrəsk m1 invoice

sonrú sonru: m4 specification; notice, perception

sonuachar ˌso'nuəxər m1 spouse

sop sop m1 wisp, small bundle (of straw, etc); straw bedding

soprán sopra:n m1 soprano

sor sor m1 animal louse, tick

során sora:n m1 wireworm

so-ranna ˌso'ranə a3 easy to get on with; sociable, companionable

sorcas sorkəs m1 circus

sorcha sorəxə f4 brightness a3 bright; cheerful

sorchaigh sorəxi: *vt* enlighten, illuminate

sorcóir sorko:r' m3 cylinder

sorn so:rn m1 furnace

sornóg so:rno:g f2 stove, range

sórt so:rt m1, pl ~**anna** sort; kind, variety, ~ *amaideach* somewhat foolish

sórtáil so:rta:l' *vt & i* sort (letters, etc)

sos sos m3, pl ~**anna** pause, interval; respite; (*of shift, supply, etc*) relief, ~ *cogaidh* truce, ~ *lámhaigh* cease-fire

sotal sotəl m1 arrogance; impudence; *gan bheith faoi shotal do dhuine,* not to be subservient to a person

sotalach sotələx a1 arrogant; impudent

sotar sotər m1 (*dog*) setter

sothuigthe ˌso'hik'ə a3 easily understood; comprehensible, simple

sóúil so:u:l' a2 comfortable, luxurious; (*of food, etc*) delicious

spá spa; m4, pl ~**nna** spa

spád spa:d f2 spade

spadach spadəx a1 heavy and wet

spadalach spadələx m1 sodden, soggy, substance

spadánta spada:ntə a3 sluggish, lethargic

spadhar spair m1 (temperamental) fit, *bhuail ~ é* he got into a passion

spadhrúil spairu:l' a2 temperamental

spág spa:g f2 big, clumsy, foot

spaga spagə m4 pouch, purse

spágach spa:gəx a1 flat-footed, clumsy

spágáil spa:ga:l' *vt* shamble, trudge

spaic spak' f2, pl ~**eanna** crooked stick, makeshift hurley

spaigití ˌspa'g'it'i: m4 spaghetti

spailp spal'p' f2, pl ~**eanna** spell; bout, turn

spailpín spal'p'i:n' m4 migratory farm labourer; scamp

spáinnéar spa:n'e:r m1 spaniel

spairn spa:rn' f2 fight, struggle, contention *vt & i* fight, contend (*le* with)

spairt spart' f2, pl ~**eanna** wet clod; soggy thing; inert body; clot

spaisteoireacht spas't'o:r'əxt f3 strolling, sauntering

spall spal *vt & i* scorch, parch, shrivel

spalla spalə m4 gallet, spall; chip, pebble; slice

spalladh spalə m, gs -**llta** scorching, parching; drought, ~ *náire* acute embarrassment

spallaíocht spali:(ə)xt f3 flirting, philandering; bickering, ~ *léinn* smattering of learning

spalp spalp *vt & i* burst forth; pour out, *ag* ~*adh bréag* lying profusely

spalpadh spalpə m, gs -**ptha** burst, eruption, outpouring

spalptha spalpə a3 parched

spanla spanlə m4 shank; shin

spáráil spa:ra:l' f3 sparing, economy *vt & i* spare

spárálach spa:ra:ləx a1 sparing, frugal

sparán spara:n m1 purse

sparánacht spara:nəxt f3 bursary

sparánaí spara:ni: m4 bursar, treasurer

sparra sparə m4 spar; bar; spike; barred gate

spártha spa:rhə a3 spare, left over

spás spa:s m1, pl ~**anna** space; room; interval of time, period of grace

spásáil spa:sa:l' f3 spacing *vt* space

spásaire spa:sər'ə m4 spacer; astronaut

spasmach spasmax m1 & a spastic

spásmhar spa:svər a1 spacious

spáslong ˈspa:sˌloŋ f2 spaceship

spaspas spaspəs m1 spasm, convulsion

speabhraid spa'uraid' f2 hallucination pl illusions, ravings

speach sp'ax *f* 2 (*of animal*) kick; (*of gun*) recoil *vi* recoil

spéacla sp'e:klə *m* 4 eye-glass *pl* spectacles

spéacláireacht sp'e:kla:r'əxt *f* 3 speculation

speal sp'al *f* 2 scythe *vt & i* mow; shell, scatter, squander; grow thin, decline

spealadóir sp'alədo:r' *m* 3 scytheman, mower

speár sp'a:r *m* 4, *pl* ~ **anna** spar, bout of sparring

speic sp'ek' *f* 2, *pl* ~ **eanna** peak (of cap); inclination, slant; sidelong glance

speiceas sp'ek'əs *m* 1 species

speictreach sp'ek't'r'əx *a* 1 (*of colours*) spectral

speictream sp'ek't'r'əm *m* 1 spectrum

speir sp'er' *f* 2, *pl* ~ **eacha** hough; shank, shin; spur (of mountain) *vt & i* hough, hamstring

spéir sp'e:r' *f* 2, *pl* -**eartha** sky; air; airiness; brightness

spéirbhean sp'e:r',v'an *f*, *gs & npl* -**mhná** *gpl* -**bhan** beautiful woman

spéireata sp'e:r'ətə *m* 4 (*cards*) spade

spéirghealach sp'e:r',γ'aləx *f* 2, *oíche spéirghealaí* starlit night

spéiriúil sp'e:r'u:l' *a* 2 airy; bright; cheerful; beautiful

spéirléas sp'e:r',l'e:s *m* 1, *pl* ~ **acha** skylight

spéirling sp'e:rl'əŋ' *f* 2 (thunder-)storm; violence, strife

spéirlint sp'e:r'l'ən't' *f* 2 sand-eel, ~ (*mhara, fharraige*) garfish

spéis sp'e:s' *f* 2 interest; affection

speisialach sp'es'iələx *m* 1 special (constable)

speisialaigh sp'es'iəli: *vt & i* specialize

speisialta sp'es'iəltə *a* 3 special

speisialtacht sp'es'iəltəxt *f* 3 speciality

speisialtóir sp'es'iəlto:r' *m* 3 specialist

spéisiúil sp'e:s'u:l' *a* 2 interesting; neat and clean; attractive

spiacánach sp'iəka:nəx *a* 1 jagged, spiky

spiagaí sp'iəgi: *a* 3 flashy, gaudy

spiaire sp'iər'ə *m* 4 spy; informer

spiaireacht sp'iər'əxt *f* 3 spying, espionage; informing (*ar* against)

spice sp'i:k'ə *m* 4 spike, ~ *solais* thin ray of light

spiceach sp'i:k'əx *a* 1 spiky, spicate

spíd sp'i:d' *f* 2 aspersion, detraction, slander

spideog sp'id'o:g *f* 2 robin

spídigh sp'i:d'i: *vt* revile, slander

spídiúchán sp'i:d'u:xa:n *m* 1 slandering; disparagement, abuse

spídiúil sp'i:d'u:l' *a* 2 disparaging, vituperative, abusive

spiléireacht sp'il'e:r'əxt *f* 3 fishing with trawl-line

spinéar sp'in'e:r *m* 1, (*fishing*) spinner

spinéireacht sp'in'e:r'əxt *f* 3 spinning (for fish)

spiogóid sp'igo:d' *f* 2 spigot

spíon¹ sp'i:n *f* 2, *pl* ~ **ta** spine, thorn; thorns

spíon² sp'i:n *vt & i* tease, comb; search; exhaust

spíonach sp'i:nəx *a* 1 spiny, thorny

spíonáiste sp'ina:s't'ə *m* 4 spinach

spíonán sp'i:na:n *m* 1 gooseberry

spíonlach sp'i:nləx *m* 1 spines, thorns, ~ *giúise* pine-needles

spíonnadh sp'inə *m* 1 vigour; animation

spior sp'ir *s*, ~ *spear a dhéanamh de rud* to make light of, to pooh-pooh, sth

spiora sp'irə *m* 4 sharp projection; slender branch

spiorad sp'irəd *m* 1 spirit; courage, *an S ~ Naomh* the Holy Spirit

spioradachas sp'irədəxəs *m* 1 spiritism; spiritualism

spioradálta sp'irəda:ltə *a* 3 spiritual

spioradáltacht sp'irəda:ltəxt *f* 3 spirituality

spioradúil sp'irədu:l' *a* 2 spirited, courageous

spióróg sp'iro:g *f* 2 sparrow-hawk

spíosra sp'i:srə *m* 4 spice(s); flavouring; sweetmeats

spíosrach sp'i:srəx *a* 1 spicy, aromatic

spladhas splais *m* 1, *pl* -**dhsanna** splice

spladhsáil splaisa:l' *vt* splice

splanc splaŋk *f* 2, *pl* ~ **acha** flash, spark, *níl* ~ *chéille aige* he hasn't an ounce of sense *vi* flash, spark; blaze

spleách spl'a:x *a* 1, *gsm* ~ dependent, subservient (*ar* to); obsequious (*le* towards); sly

spleáchadh spl'e:xə *m* 1 glance, glimpse

spleáchas spl'a:xəs *m* 1 dependence, subservience; flattery

spleodar sp'l'o:dər *m*1 cheerfulness, vivacity; exuberance

spleodrach sp'l'o:drəx *a*1 cheerful, vivacious; exuberant

splinc sp'l'iŋk' *f*2, *pl* ~eacha pinnacle

splinceáil sp'l'iŋ'k'a:l' *f*3 squinting

spliontaíocht sp'l'i:nti:(ə)xt *f*3 maltreatment; hardship

spóca spo:kə *m*4 spoke of wheel

spoch spox *vt & i* castrate; expurgate, *ag ~adh as* teasing him

spochán spoxa:n *m*1 crop; craw

spól spo:l *m*1 spool, reel

spóla spo:lə *m*4 joint (of meat)

sponc spoŋk *m*1 coltsfoot; tinder; spirit, courage

sponcán spoŋka:n *m*1 tinder

sponcúil spoŋku:l' *a*2 spunky, courageous

spor spor *m*1 *& vt & i* spur

spór spo:r *m*1 spore

spórt spo:rt *m*1 sport; diversion, fun

sportha sporhə *a*3 exhausted; broke

spórtúil spo:rtu:l' *a*2 sportive, amusing

spota spotə *m*4 spot; stain, blemish; particular place

sprae spre: *m*4 spray

spraeáil spre:a:l' *vt & i* spray

spraeire spre:ər'ə *m*4 sprayer

spraic sprak' *f*2, *pl* ~eanna address, reprimand

sprais spras' *f*2, *pl* ~teacha spattering, splash; shower

spraíúil spri:u:l' *a*2 playful, sportive, amusing

sprang spraŋ *f*2 four-pronged fork

spraoi spri: *m*4, *pl* ~aionna fun, sport; spree

spré¹ spr'e: *f*4 cattle; property, wealth; dowry

spré² spr'e: *f*4, *pl* ~acha spark

spré³ spr'e: *m*, *gs* ~ite spread, splay

spreab spr'ab *f*2 spadeful

spreacadh spr'akə *m*, *gs* ~tha vigour, forcefulness

spréach spr'e:x *f*2 spark; fire, spirit *vt & i* sparkle; sputter; spray, spread, spatter; lash out, *duine a ~adh* to infuriate a person

spréacharnach spr'e:xərnəx *f*2 sparkling, sparkle

spreacúil spr'aku:l' *a*2 vigorous, forceful

spreag spr'ag *vt* incite; arouse, inspire, *ag ~adh Béarla* rattling away in English

spreagadh spr'agə *m*, *gs* -gtha *pl* -gthaí incitement; encouragement, stimulus

spreagthóir spr'ako:r' *m*3 inciter, prompter; stimulant

spreagúil spr'agu:l' *a*2 rousing, encouraging; spirited

spreang spr'aŋ *m*3 jump, bound; impulse; fit

spreangach spr'aŋgəx *a*1 impulsive; quick-tempered

spreangadh spr'aŋgə *m*1 wrench, sprain

spreasán spr'asa:n *m*1 twig; worthless person

spreasánta spr'asa:ntə *a*3 good-for-nothing, worthless

spréigh spr'e:γ' *vt & i* spread; spatter

spréire spr'e:ər'ə *m*4 sprinkler

spréite spr'e:t'ə *a*3 full-blown, *sciorta ~* flared skirt

spréiteoir spr'e:t'o:r' *m*3 spreader

spreota spr'o:tə *m*4 length of timber; chop; slice

spreotáil spr'o:ta:l' *f*3 hacking; chipping; messing, *ná bí ag ~ mar sin* don't beat about the bush like that

sprid spr'id' *f*2, *pl* ~eanna spirit, ghost; courage, morale

spridiúil spr'id'u:l' *a*2 courageous; high-spirited

sprinlín spr'in'l'i:n' *m*4 scintilla, spark

sprioc¹ spr'ik *f*2, *pl* ~anna mark, target; landmark; point of time, *súil sprice* bull's-eye, *nuair a tháinig sé go dtí an ~* when it came to the point, *ceann sprice a bhaint amach* to reach one's goal, one's destination *vt & i* mark out, stake; fix, arrange

sprioc-² spr'ik *pref* fixed, appointed

spriocúlacht spr'iku:ləxt *f*3 promptness, punctuality

spriolladh spr'ilə *m*1 spirit, spunk

sprionga spr'iŋgə *m*4 (mechanical) spring

sprionlaithe spr'inlihə *a*3 mean, miserly

sprionlaitheacht spr'inlihəxt *f*3 meanness, miserliness

sprionlóir spr'inlo:r' *m*3 miser, skinflint

spriúch spr'u:x *vi*, (of animal) lash out, kick; fly into a rage; sputter

sprochaille sproxəl′ə f4 wattle; dewlap; double chin, *sprochailli faoi na súile* bags under the eyes

spruadar spruədər m1 crumbled matter, bits, ~ *móna* turf mould

sprúille spru:l′ə m4 crumb, fragment

sprús spru:s m1 spruce

spruschaint 'sprus,xan′t′ f2 small-talk, chatter

spuaic spuək′ f2, pl ~**eanna** blister; pinnacle; huff; spell, ~ *eaglaise* church steeple

spuaiceach spuək′əx a1 blistered; pinnacled; huffed

spúinse spu:n′s′ə m4 sponge

spúinseáil spu:n′s′a:l′ vt sponge

spúinsiúil spu:n′s′u:l′ a2 spongy

spuirse spirs′ə f4 spurge

spúnóg spu:no:g f2 spoon(ful)

srac[1] srak vt & i pull, tear; drag; struggle

srac[2] srak pref cursory, sketchy, slight

sracadh srakə m1, pl -**aí** pull, jerk; drag; spell, portion; extortion, ~ *talún* strip of land, *fear a bhfuil* ~ *ann* a man of mettle

sracúil sraku:l′ a2 strong and spirited

sráid sra:d′ f2, pl ~**eanna** street; level ground around house; village

sráidbhaile 'sra:d′,val′ə m4, pl -**lte** village

sráideog sra:d′o:g f2 shake-down, pallet

sraith srah f2, pl ~**eanna** swath; course, layer; series; row; rate, tax, *comórtas* ~*e* league competition

sraithadhmad 'srah,aiməd m1 plywood

sraithchomórtas 'sra,xomo:rtəs m1 (*sport*) league

sram sram m3, pl ~**aí** (*of eyes*) gum; rheum, slaver, slime vt & i (*of eyes*) become blear; discharge mucus; besmear

sramach sraməx a1 (*of eyes*) bleary; rheumy; slimy; (*of weather*) clammy, damp; mean, shoddy

srann sran f2 snore; snort; humming sound vi snore; snort; wheeze

sraoill[1] sri:l′ f2, pl ~**eanna** slattern, ~ *deataigh* trail of smoke

sraoill[2] sri:l′ vt & i tear apart; drag, trail; trudge

sraoilleach sri:l′əx a1 tattered; trailing; slatternly

sraoilleán sri:l′a:n m1 trailing thing; streamer

sraoillín sri:l′i:n′ m4 file, train, ragged line

sraon sri:n vt & i pull, drag; struggle along; deflect

sraoth sri: m3, pl ~**anna** sneeze; snort

sraothartach sri:hərtəx f2 sneezing; snorting

srathach srahəx a1 layered; tiered; serial

srathaigh srahi: vt & i stratify; serialize; levy

srathair srahər′ f, gs -**thrach** pl -**thracha** straddle

srathnaigh srahni: vt & i spread, stretch out

sreabh srav f2 stream; flow; trickle, ~ *chodlata* spell of sleep vi flow

sreabhach sraux a1 streaming, flowing; fluid

sreabhann sraun m1 membrane; chiffon

sreabhnach sraunəx a1 membranous; fine, filmy

sreang sran f2 string; wire, cord

sreangach sranɡəx a1 stringed; stringy; (*of eye*) bloodshot

sreangadh sranɡə m, gs -**gtha** pull, wrench

sreangaigh sranɡi: vt wire

sreangán sranɡa:n m1 string; cord, twine

sreangánach sranɡa:nəx a1 stringy, fibrous

sreangscéal 'sran,s′k′e:l m1, pl ~**ta** telegram

sreangshúil 'sran,hu:l′ f2, gpl -**úl** bloodshot eye

srian srian m1, pl ~**ta** bridle; restraint; rein vt bridle, restrain

srianta sriantə a3 restrained, controlled, restricted

sroich srox′ vt & i reach, attain, achieve

sról sro:l m1 satin

srón sro:n f2 nose; prow; projection

srónach sro:nəx a1 nasal; nosy, inquisitive

srónail sro:ni:l′ f3 nasality; nasalization; inquisitiveness; snuggling

srónbheannach 'sro:n,v′anəx m1 rhinoceros

srubh sruv f2 snout, ~ *lao* snapdragon

srúill sru:l′ f2 river, stream; current; tidal flow

sruithléann 'sru₁l'e:n *m*1, *an* ~ the humanities

sruth sruh *m*3, *pl* ~**anna** stream; current, flow

sruthaigh sruhi: *vi* stream, flow

sruthán sruha:n *m*1 stream, rivulet; flow

sruthlaigh sruhli: *vt* rinse; wash out, flush

sruthlam sruhləm *m*1 turbulence (in sea, etc)

sruthlíneach 'sru₁l'i:n'əx *a*1 streamlined

sruthlíon 'sru₁l'i:n *m*1, *pl* ~**ta** drift-net

sruthshoilseach 'sru₁hol's'əx *a*1 fluorescent

sruthshoilsiú 'sru₁hol's'u: *m*4 fluorescent lighting

stá sta: *m*4 good appearance, bloom

stábla sta:blə *m*4 stable *pl* mews

stáca sta:kə *m*4 stake, post; stack, rick

stacán staka:n *m*1 pale, stake; stump

stad stad *m*4, *pl* ~**anna** stop, halt; impediment (of speech), *baineadh* ~ *asam* I was taken aback *vt & i* stop, halt, cease; stay

stadach stadəx *a*1 faltering, stammering; staccato

stádar sta:dər *m*1, *ar* ~ on beat

stádas sta:dəs *m*1 status

staic stak' *f*2, *pl* ~**eanna** stake; post; stump, *fágadh ina* ~ *é* he was left rooted to the spot, ~ *mhagaidh* laughing-stock

staid¹ stad' *f*2, *pl* ~**eanna** stadium; furlong

staid² stad' *f*2, *pl* ~**eanna** state, condition

stáidbhean 'sta:d'₁v'an *f*, *gs & npl* -**dmhná** *gpl* -**dbhan** stately woman

staidéar stad'e:r *m*1 study; steadiness, level-headedness; station; habitat

staidéarach stad'e:rəx *a*1 studious; steady, level-headed

stáidiúil sta:d'u:l' *a*2 stately; pompous

staidiúir stad'u:r' *f*2 pose, posture

staidreamh stad'r'əv *m*1 statistics

staighre stair'ə *m*4 stair(s); storey, ~ *beo* escalator

stail stal' *f*2, *pl* ~**eanna** stallion

stailc¹ stal'k' *f*2, *pl* ~**eanna** sulk, sulkiness; strike

stailc² stal'k' *f*2 starch

·stailceoir stal'k'o:r' *m*3 striker

staimín stam'i:n' *m*4 stamen

stainc staŋ'k' *f*2 huffiness, pique, spite

stainceach staŋ'k'əx *a*1 huffy, petulant

stainnín stan'i:n' *m*4 stand, stall, booth

stair star' *f*2, *pl* -**artha** history; account, story

stáir sta:r' *f*2, *pl* -**artha** spell, stretch; dash; fit, *ar na stártha* blind drunk

stairiúil star'u:l' *a*2 historic(al); storied

stáirse sta:rs'ə *m*4 starch

stáirseáil sta:rs'a:l' *vt* starch

stáisiún sta:s'u:n *m*1 station

staitistic sta't'is't'ək' *f*2 statistic(s)

staitistiúil ₁sta't'is't'u:l' *a*2 statistical

stáitse sta:t's'ə *m*4 stage, platform; vantage-point

stáitsigh sta:t's'i: *vt* stage

stáitsiúil sta:t's'u:l' *a*2 histrionic

stálaigh sta:li: *vt & i* stale; season, toughen

stálaithe sta:lihə *a*3 stale; stiff, obstinate; tough

stalc stalk *vt & i* set, harden, stiffen; stuff

stalcach stalkəx *a*1 stubborn, sulky; stiff, stodgy

stalcacht stalkəxt *f*3 stubbornness, sulkiness; stiffness, stodginess

stalla stalə *m*4 stall

stamhlaí stauli: *a*3 blustery

stampa stampə *m*4 stamp

stampáil stampa:l' *vt & i* stamp

stán¹ sta:n *m*1 tin; tin vessel

stán² sta:n *vi* stare

stánadh sta:nə *m*1 stare

stánaigh sta:ni: *vt* coat with tin; pack in tins

stang¹ staŋ *f*2 pin, peg; dowel; rood *vt* dowel; peg out, stake out; charge, load; stuff

stang² staŋ *vt & i* sag; warp; lag

stangadh staŋgə *m*, *gs* -**gtha** sag; warp; wrench, *baineadh* ~ *asam* I was taken aback, disconcerted

stangaireacht staŋgər'əxt *f*3 haggling; quibbling; shirking, idling

stánúil sta:nu:l' *a*2 tinny; stannous

staon sti:n *vt* stop, desist; abstain; flinch

staonadh sti:nə *m*, *gs* -**nta** abstention; cessation; restraint

staonaire sti:nər'ə *m*4 total abstainer, teetotaller

staontach sti:ntəx *a*1 abstinent, teetotal

stápla sta:plə *m*4 staple

stápláil sta:pla:l' *vt* staple

staraí stari: *m*4 historian; story-teller; gossip

staróg staro:g *f*2 anecdote, yarn

starr¹ sta:r *f*3, *pl* ~**tha** prominence, projection

starr-² sta:r *pref* projecting, prominent

starrach starəx *a*l projecting, prominent; rugged; uncouth

starragán starəga:n *m*l projection; obstacle, *bhain* ~ *dó* he stumbled

starraic starək′ *f*2 peak, prominence; pinnacle (of rock)

starraiceach starək′əx *a*l peaked, prominent; tufted, crested

starrfhiacail 'sta:r,iəkəl′ *f*2, *pl* -**cla** prominent tooth; fang, tusk

stát sta:t *m*l (political) state; dignity

statach statəx *a*l static

státaire sta:tər′ə *m*4 statesman

státaireacht sta:tər′əxt *f*3 statesmanship

státchiste 'sta:t,x′is′t′ə *m*4 exchequer

státseirbhís 'sta:t′,s′er′əv′i:s′ *f*2 civil service

státúil sta:tu:l′ *a*2 stately, dignified

státurraithe 'sta:t,urihə *a*3 state-sponsored

steall s′t′al *f*2, *pl* ~**ta** splash; dash; gush; spell *vt & i* splash; spout, pour; dash, bash

stealladh s′t′alə *m*l, *pl* -**aí** outpouring, downpour; bashing; squabble, *ar steallaí meisce* raging drunk

steallaire s′t′alər′ə *m*4 syringe

steanc s′t′aŋk *m*4 *& vt & i* squirt; splash

stéig s′t′e:g′ *f*2, *pl* ~**eacha** slice; strip; steak; intestine

stéigeach s′t′e:g′əx *a*l intestinal

steillbheatha 'st′el′,v′ahə *s, ina* ~ as large as life

steip s′t′ep′ *f*2, *pl* ~**eanna** steppe

steiréafón 's′t′er′e:,fo:n *m*l stereo(phone)

steirilígh s′t′er′əl′i: *vt* sterilize

steiteascóp 's′t′et′ə,sko:p *m*l stethoscope

stiall s′t′iəl *f*2, *gs* **stéille** *pl* ~**acha** strip, slice; piece; stroke, lash *vt* cut in strips; tear; lash, wound; criticize

stiallach s′t′iələx *a*l torn, tattered

stialladh s′t′iələ *m, gs* -**llta** laceration

stiallbhratacha 's′t′iəl,vratəxə *spl, gpl* **stiallbhratach** bunting

stibheadóir s′t′i:v′ə do:r′ *m*3 stevedore

stibhín s′t′iv′i:n′ *m*4 dibble

stil s′t′il′ *f*2, *pl* ~**eanna** still

stíl s′t′i:l′ *f*2, *pl* ~**eanna** (artistic) style

stíleach s′t′i:l′əx *a*l stylistic

stiléir s′t′il′e:r′ *m*3 distiller

stiléireacht s′t′il′e:r′əxt *f*3 distilling; poteen-making

stílí s′t′i:l′i: *m*4 stylist

stióbhard s′t′i:vərd *m*l steward

stiogma s′t′igmə *m*4 stigma

stionsal s′t′insəl *m*l stencil

stíoróip s′t′i:ro:p′ *f*2 stirrup

stiúg s′t′u:g *vi* expire, perish

stiúideo s′t′u:d′o: *m*4, *pl* ~**nna** studio

stiúir s′t′u:r′ *f, gs* -**úrach** *pl* -**úracha** rudder; control; set, posture, *fear stiúrach* helmsman, *tá* ~ *nimhe air* he has a venomous expression *vt & i, pres* -**úrann** steer; guide, control

stiúradh s′t′u:rə *m, gs* -**rtha** steering; guidance, control

stiúrthóir s′t′u:rho:r′ *m*3 steersman; conductor; director, controller

stiúsaí s′t′u:si: *m*4 hussy

stobh stov *vt* stew

stobhach stovəx *m*l stew

stoc¹ stok *m*l stock, ~ *crainn* trunk of tree, ~ *daoine* race of people

stoc² stok *m*l bugle, trumpet, ~ *fógartha* megaphone

stoca stokə *m*4 stocking, ~ *gearr* sock

stócach sto:kəx *m*l young (unmarried) man; youth, *tá* ~ *aici* she has a boyfriend

stócáil sto:ka:l′ *f*3 preparation(s) *vt & i* stoke; make preparations

stocaire stokər′ə *m*4 trumpeter; odd man out; gate-crasher; scrounger

stocaireacht stokər′əxt *f*3 trumpeting; blowing one's own trumpet; gate-crashing; scrounging

stocáireamh 'stok,a:r′əv *m*l stocktaking

stócálaí sto:ka:li: *m*4 stoker

stóch sto:x *m*l stoic

stóchas sto:xəs *m*l stoicism

stoda sto:də *m*4 stud; stump; stake

stoidiaca stod′iəkə *m*4 zodiac

stoil stol′ *f*2, *pl* ~**eacha** stole

stóinsithe sto:n′s′ihə *a*3 solidly built; stubborn, tough

stóinsitheacht sto:n′s′ihəxt *f*3 stubbornness, toughness

stoirm stor'əm' *f2, pl* ~**eacha** storm; bluster, rage

stoirmeach stor'əm'əx *a1* stormy, tempestuous

stoith stoh *vt* pull, pluck, uproot

stoitheadh stohə *m, gs* -**ite** pull, extraction

stoithneach stohn'əx *a1* shock-haired, tousled

stól sto:l *m1, pl* ~**ta** stool

stoll stol *vt & i* tear, rend

stolla stolə *m4,* ~ (*cloiche*) pinnacle (of rock); standing-stone

stolladh stolə *m, gs* -**llta** tear, laceration, ~ *gaoithe* blustery wind

stollaire stolər'ə *m4* strapping person; stolid, obstinate person or beast; standing-stone

stolp stolp *m1* stodge; caked substance *vi* become stodgy; harden, stiffen

stolpach stolpəx *a1* stodgy, stiff; constipating

stop stop *m4* stop *vt & i* stop; stay, lodge

stopadh stopə *m, gs* -**ptha** stop, stoppage, cessation

stopainn stopən' *f2* stoppage, obstruction

stopallán stopəla:n *m1* stopper, plug

stór[1] sto:r *m1, pl* ~**tha** store; stock, provision; abundance; wealth, *a* ~ *darling*

stór[2] sto:r *m1, pl* ~**tha** storey

stóráil sto:ra:l' *f3* storage *vt* store

stóras sto:rəs *m1* storehouse, storeroom; stores; riches

storrúil storu:l' *a2* strong, vigorous; determined; stirring

stórthóir sto:rho:r' *m3* warehouseman

stoth stoh *m1, pl* ~**anna** mop, shock, tuft

stothach stohəx *a1* (*of hair*) bushy, unkempt

strabhas straus *m1* grimace

strácáil stra:ka:l' *f3* striving, struggling

stradúsach stradu:səx *a1* cocky, cocksure

strae stre: *m4* straying, *ar* ~ astray

straeire stre:ər'ə *m4* strayer, wanderer

straibhéis strav'e:s' *f2* ostentation, show

straibhéiseach strav'e:s'əx *a1* ostentatious, showy

stráice stra:k'ə *m4* strip; strake; flamboyance, conceit

straidhn strain' *f2* strain; frenzy, fury

straigléir strag'l'e:r' *m3* straggler

stráinín stra:n'i:n' *m4* strainer, colander

strainséartha stran's'e:rhə *a3* strange

strainséarthacht stran's'e:rhəxt *f3* strangeness; reserve, shyness

strainséir stran's'e:r' *m3* stranger

stráisiúnta stra:s'u:ntə *a3* bumptious, cheeky

straitéis strat'e:s' *f2* strategy

straitéiseach strat'e:s'əx *a1* strategic

strambánaí stramba:ni: *m4* long-winded speaker; slow person; late-comer

straois stri:s' *f2, pl* ~**eanna** grin, grimace

strapa[1] strapə *m4* strap, strop

strapa[2] strapə *m4* cliff-path, climb; stile

strapaire strapər'ə *m4* strapping person

strataisféar 'stratə,sf'e:r *m1* stratosphere

streachail s't'r'axəl' *vt & i, pres* -**chlaíonn** pull, drag; strive, struggle

streachailt s't'r'axəl't' *f2* struggle against difficulties

streachlánach s't'r'axla:nəx *a1* straggling, trailing

streancán s't'r'aŋka:n *m1* strain of music, strum; air, tune

streancánacht s't'r'aŋka:nəxt *f3* strumming, scraping

streill s't'r'el' *f2* foolish grin; simper, smirk

striapach s't'r'iəpəx *f2* harlot

striapachas s't'r'iəpəxəs *m1* harlotry, fornication

stricnín s't'r'ik'n'i:n' *m4* strychnine

strioc s't'r'ik *f2* streak, stripe; stroke; parting (in hair) *vt & i* lower; strike; reach; yield, surrender

striocach s't'r'i:kəx *a1* streaky, striped; lined; submissive

striocadh s't'r'i:kə *m, gs* -**ctha** submission

stró stro: *m4* stress, exertion; delay; wealth; ostentation; elation

stróc stro:k *m4* (paralytic) stroke

stróic stro:k' *f2, pl* ~**eacha** stroke; tear, tatter; strip *vt & i* tear; wrench, *tá sé ag* ~*eadh leis* he is working away as fast as he can

stroighin strain' *f2, gs* -**ghne** cement

stroighnigh strain'i: *vt* cement

stróinéiseach stro:n'e:s'əx *a1* pushful; overbearing

stromp stromp *vt* stiffen, harden, ~ *tha le fuacht* stiff with cold

stróúil stro:u:l' *a2* ostentatious; conceited; elated

struchtúr struxtu:r *m*1 structure

struipeáil strip'a:l' *vt & i* strip

strus strus *m*1 stress, strain; wealth, means

stua stuə *m*4, *pl* ~**nna** arch; arc, ~ **ceatha** rainbow

stuacach stuəkəx *a*1 pointed, peaked; sulky, stubborn

stuacacht stuəkəxt *f*3 sulkiness, stubbornness

stuach stuəx *a*1, *gsm* ~ arched

stuaic stuək' *f*2, *pl* ~**eanna** peak, tip; spire; inclination of head; sullen appearance, sulk

stuáil stu:a:l' *f*3 stowage; stuffing, padding; storage *vt & i* stow; stuff, pad; store

stuaim stuəm' *f*2 self-control, good sense, prudence; ingenuity, *as a* ~ *féin a rinne sé é* he did it on his own initiative

stuaire stuər'ə *f*4 handsome woman

stuama stuəmə *a*3 sensible, prudent; skilful, steady

stuamaigh stuəmi: *vt* calm down, steady

stuara stuərə *m*4 arcade

stuca stukə *m*4 stook (of corn)

stuif stif' *m*4, *pl* ~**eanna** stuff, material

stuifin stif'i:n' *m*4 sprat, fry

stuimine stim'ən'ə *m*4 stem (of boat)

stumpa stumpə *m*4 stump

sú¹ su: *m*4 juice; sap; energy; nourishment; soup

sú² su: *f*4, *pl* ~**tha**, ~ **craobh** raspberry, ~ **talún** strawberry

sú³ su: *m*4 absorption, suction

suáilce su:a:l'k'ə *f*4 virtue; efficacy; joy, pleasure

suáilceach su:a:l'k'əx *a*1 virtuous; joyful, pleasant

suáilceas su:a:l'k'əs *m*1 virtuousness; pleasantness, happiness

suaill sual' *f*2 (sea-)swell

suaimhneach suə(v')n'əx *a*1 peaceful, tranquil; easy

suaimhneas suə(v')n'əs *m*1 peace, tranquillity; rest

suaimhneasach suə(v')n'əsəx *a*1 soothing, tranquillizing, sedative

suaimhneasán suə(v')n'əsa:n *m*1 sedative, tranquillizer

suaimhnigh suə(v')n'i: *vt & i* quiet, pacify; calm

suairc suər'k' *a*1 pleasant, agreeable; cheerful

suairceas suər'k'əs *m*1 pleasantness, agreeableness; cheerfulness

suaite suət'ə *a*3 mixed; exhausted; agitated

suaiteacht suət'əxt *f*3 confusion, agitation; exhaustion

suaiteoir suət'o:r' *m*3 mixer; agitator, disturber

suaith suə *vt & i* mix, knead; exercise; tire; agitate, confuse; discuss

suaitheadh suəhə *m*, *gs* **-ite** mix; confusion, agitation; weariness; discussion

suaitheantas suəhəntəs *m*1 badge, emblem; crest, flag; display, show

suaithinseach suəhən's'əx *a*1 remarkable, distinctive; special

suaithne suəhn'ə *m*4 cord, string

suaithní suəhn'i: *a*3 remarkable; queer

suan suən *m*1 sleep

suanach suənəx *a*1 lethargic, apathetic; dormant

suanbhruith 'suən,vrih *vt & i*, *vn* ~ simmer

suanchógas 'suən,xo:gəs *m*1 soporific

suanlaíoch suənli:(ə)x *a*1, *gsm* ~ soporific

suanlios 'suən',l'is *m*3, *gs* **-leasa** *pl* ~**anna** dormitory

suanmhaireacht suənvər'əxt *f*3 sleepiness, drowsiness, somnolence

suanmhar suənvər *a*1 sleepy, drowsy, somnolent

suantraí 'suən,tri: *f*4 lullaby

suarach suərəx *a*1 petty; mean; frivolous

suarachán suərəxa:n *m*1 petty, mean, person

suarachas suərəxəs *m*1 pettiness; meanness

suas suəs *adv & prep & a* up, ~ **go Corcaigh** south to Cork, *an t-aos óg atá ~ anois* the young people who are going now

suathaireacht suəhər'əxt *f*3 massage

subh suv *f*2 jam

subhach su:əx *a*1 glad, joyful; cheerful

subhachas su:əxəs *m*1 gladness, joyfulness; cheerfulness

substaint substən't' *f*2 substance; solid worth; property, wealth

substainteach substən't'əx *a*1 substantial, solid, well-to-do

substaintiúil substən′t′u:l′ *a2* substantial

súchaite 'su:ˌxat′ə *a3* sapless; trite

súdaire su:dər′ə *m4* tanner

súdaireacht[1] su:dər′əxt *f3* tanning

súdaireacht[2] su:dər′əxt *f3* cajoling; toadyism

sufraigéid sofrəg′e:d′ *f2* suffragette

súgach su:gəx *a1* merry, tipsy

súgán su:ga:n *m1* straw-rope; straw-mat

súgrach su:grəx *a1* playful, sportive

súgradh su:grə *m, gs* **-gartha** playing, sporting; fun

suí si: *m4, pl* ∼**onna** sitting (position); location; situation, position, *bí i do shuí* be seated, *tá siad ina* ∼ *go luath* they are up early *tá an urchóid ina* ∼ there is mischief afoot, *tá siad ina* ∼ *go te* they are well off

suibiachtúil sib′iəxtu:l′ *a2* subjective

súiche su:x′ə *m4* soot

súicheach su:x′əx *a1* sooty; dirty

suigh siɣ′ *vt & i* sit; let, rent; seat; locate; arrange, *suí ar thalamh duine eile* to squat on someone else's land

súigh su:ɣ′ *vt* absorb, suck

súil su:l′ *f2, gs & npl* ∼**e** *gpl* **súl** eye; expectation, hope; opening, mouth, *rud a chur ar a shúile do dhuine* to make a person aware of sth, *rinne sé mo shúile dom* it opened my eyes for me, *ag* ∼ *le rud* expecting sth, ∼ *droichid* archway of bridge, ∼ *ribe* snare, *seoladh i* ∼ *na gaoithe* to sail close to the wind

súilaithne 'su:l′ˌahn′ə *f4, tá* ∼ *agam uirthi* I know her to see

súilfhéachaint 'su:l′ˌe:xən′t′ *f3, gs* **-ana** glance

suilfid sil′f′i:d′ *f2* sulphide

súilín su:l′i:n′ *m4* eyelet; bead, bubble, globule

súil-lia 'su:(l′)ˌl′iə *m4, pl* ∼**nna** oculist

suim sim′ *f2, pl* ∼**eanna** sum, amount; account; extent, number; summary; interest, regard

suimigh sim′i: *vt & i* add

suimín su:m′i:n′ *m4* sip, sup

suimint sim′ən′t′ *f2* cement

suimiú sim′u: *m4* addition

suimiúchán sim′u:xa:n *m1* summation

suimiúil sim′u:l′ *a2* interesting; considerable; conceited

suíochán si:(ə)xa:n *m1* seat; sitting, ses-

sion, *rud a chur ar* ∼, *i* ∼ to set sth in position; to let sth settle; to establish sth

suíomh si:v *m1* site, location; arrangement

suipéar sip′e:r *m1* supper

suirbhé sir′əv′e: *m4* survey

suirbhéir sir′əv′e:r′ *m3* surveyor

suirbhéireacht sir′əv′e:r′əxt *f3* survey (-ing)

suirí sir′i: *f4* wooing, courting

suiríoch sir′i:(ə)x *m1* wooer, suitor

suirplís sir′p′l′i:s′ *f2* surplice

súisín su:s′i:n′ *m4* coverlet

súiste su:s′t′ə *m4* flail

súisteáil su:s′t′a:l′ *f3* flailing, threshing; beating *vt & i* flail, thresh; trounce

suite sit′ə *a3* situated; fixed; certain

súiteach su:t′əx *a1* absorbent

súiteán[1] su:t′a:n *m1* suction, absorption; undertow; blotting-pad

súiteán[2] su:t′a:n *m1* juiciness, succulence

sula sulə *conj & prep* before, lest, ∼ *mbíonn an ghrian ina suí* before the sun has risen, ∼*r casadh orm é* before I met him

súlach su:ləx *m1* sap, juice; gravy

sulfáit solfa:t′ *f2* sulphate

sulfar solfər *m1* sulphur

sult sult *m1* satisfaction; pleasure; fun

sultmhar sultvər *a1* satisfying; pleasant, enjoyable

súmadóir su:mədo:r′ *m3* tadpole

súmaire su:mər′ə *m4* blood-sucker, leech; vampire; scrounger; swallow-hole; whirlpool

súmhar su:vər *a1* sappy, juicy, succulent

súmóg su:mo:g *f2* sip, draught

suncáil suŋka:l′ *vt & i* sink; invest (money)

sunda sundə *m4* sound, strait

suntas suntəs *m1* notice, attention

suntasach suntəsəx *a1* noticeable, remarkable; distinctive

súp su:p *m1* soup

súrac su:rək *m1* suction, *poll súraic* swallow-hole; whirlpool, *gaineamh súraic* quicksand

súraic su:rək′ *vt & i* suck

súram su:rəm *m1* liquid extract, ∼ *mairteola* beef-tea

sursaing sursəŋ′ *f2* surcingle, girdle

súsa su:sə *m4* covering, rug, blanket

súsán su:sa:n *m*1 sphagnum, peat-moss

sútán ,su:'ta:n *m*1 soutane

suth suh *m*3, *pl* ~**anna** produce; progeny; foetus, embryo

suthach suhəx *a*1 fruitful, productive; embryonic

suthain suhən' *a*1 perpetual, eternal

suthaire suhər'ə *m*4 glutton

suthaireacht suhər'əxt *f*3 guzzling, gluttony

svae swe: *m*4 sway, victory

svaeid[1] swe:d' *m*4, *pl* ~**eanna** swede (turnip)

svaeid[2] swe:d' *f*2 suede

T

tá ta: *pres of* **bí**

tábhacht ta:vəxt *f*3 importance; substance

tábhachtach ta:vəxtəx *a*1 important; substantial

tabhaigh taui: *vt* earn, deserve

tabhair tu:r' ~ taur' ~ to:r' *vt & i* give, grant; assign; give way, fail; take, remove; bring; cause, *mionn a thabhairt* to take an oath, *thug an fiabhras a bhás* the fever caused his death, *ná bí ag* ~ *t amach mar sin* don't be giving out like that, *cath a thabhairt* to engage in battle, *thug sé rúid orm* he made a rush at me, *thug sé amadán orm* he called me a fool, ~ *orthu suí síos* make them sit down, *thug sé an sliabh air féin* he took to the mountain, *thug an misneach air* his courage failed him, ~*t faoi rud a dhéanamh* to set about doing sth, *thug sé fúm* he attacked me, *failí a thabhairt i rud* to neglect sth, *thug sé a bheo leis* he escaped with his life, *thug an balla uaidh* the wall collapsed

tábhairne ta:vərn'ə *m*4 tavern, *teach* ~ public-house

tábhairneoir ta:vərn'o:r' *m*3 tavern-keeper, publican

tabhairt tu:rt' ~ taurt' ~ to:rt' *f*3, *gs* -**artha** grant, delivery, yield, ~ *amach* issue; display, demonstration, ~ *faoi* subsidence, ~ *suas* surrender; upbringing

tabhall[1] taul *m*1 sling (for casting)

tabhall[2] taul *m*1, *pl* **taibhle** (writing-) tablet

tabharfaidh tu:rhi ~ taurhi ~ to:rhi *fut of* **tabhair**

tabhartas tu:rtəs ~ taurtəs ~ to:rtəs *m*1 gift, donation

tabhartasach tu:rtəsəx ~ taurtəsəx ~ to:rtəsəx *a*1 generous

tabharthach taurhəx ~ to:rhəx *m*1 & *a*1 dative

tabharthóir taurho:r' ~ to:rho:r' *m*3 giver, donor

tábla ta:blə *m*4 table

táblaigh ta:bli: *vt* tabulate

tabló tablo: *m*4, *pl* ~**nna** tableau

taca takə *m*4 prop, support; point of time, ~, *fear* ~ supporter, second, *an* ~ *seo den bhliain* at this time of year, *do chosa a chur i d*~ to plant one's feet firmly; to refuse to budge, *i d*~ *le* as regards *i d*~ *le holc* all things considered

tacaí taki: *m*4 supporter; second

tacaigh taki: *vt* support, back

tacaíocht taki:(ə)xt *f*3 support, backing

tacar takər *m*1, *ábhar tacair* ersatz material, *marmar tacair* imitation marble

tacas takəs *m*1 easel

tachrán taxra:n *m*1 small child

tacht taxt *vt & i* choke; suffocate, strangle

tachtach taxtəx *a*1 choking

tachtaire taxtər'ə *m*4 strangler; choke (of engine)

tácla ta:klə *m*4 tackle *pl* trappings, harness; rigging (of ship)

tacóid tako:d' *f*2 tack, ~ *ordóige* drawing-pin, ~ (*ghaoithe*) (aromatic) clove

tacsaí taksi: *m*4 taxi

tacúil taku:l' *a*2 supporting; solid, reliable; sturdy; timely

tadhaill tail' *vt & i*, *pres* -**dhlaíonn** touch, contact

tadhall tail *m*1 touch, contact

tadhlach tailəx *a*1 touching, adjoining; tactile

tae te: *m*4 tea

tafann tafən *m*1 bark(ing)

tafata tafətə *m*4 taffeta

tagair tagər′ *vt & i*, *pres* **-graíonn** refer, allude (*do* to); mention

tagairt tagərt′ *f*3, *gs* **-artha** *pl* ~ **i** reference, allusion

tagann tagən *pres of* **tar**[1]

taghd taid *m*1, *pl* ~ **anna** fit, impulse

taghdach taidəx *a*1 impulsive, quick-tempered; capricious

tagrach tagrəx *a*1 allusive; impertinent

tagtha takə *pp of* **tar**[1]

taibearnacal tab′ərnəkəl *m*1 tabernacle

taibhdhearc 'tav′,γ′ark *f*2, *T*~ *na Gaillimhe* the Galway theatre

táibhle ta:v′l′ə *spl* battlements

taibhreamh tav′r′əv *m*1 dream; vision

taibhrigh tav′r′i: *vt & i* dream; manifest

taibhriúil tav′r′u:l′ *a*2 imaginary

taibhse tav′s′ə *f*4 ghost, apparition; appearance; ostentation

taibhseach tav′s′əx *a*1 showy; ostentatious; pretentious

taibhsigh tav′s′i: *vi* loom; seem, *taibhsítear dom (go)* I have a presentiment (that)

taibhsiúil tav′s′u:l′ *a*2 ghostly, spectral

táibléad ta:b′l′e:d *m*1 tablet

taidhiúir taiu:r′ *a*1 tearful; plaintive; sad; melodious

taidhleoir tail′o:r′ *m*3 diplomat, diplomatist

taidhleoireacht tail′o:r′əxt *f*3 diplomacy

taifead taf′əd *m*1 & *vt* record

taifeadadh taf′ədə *m*, *gs* **-eadta** *pl* **-eadtaí** recording

taifeadán taf′ədα:n *m*1, (*apparatus*) recorder

taifi taf′i: *m*4 toffee

taighd taid′ *vt & i* poke, probe; research

taighde taid′ə *m*4 research

taighdeoir taid′o:r′ *m*3 researcher

táille ta:l′ə *f*4 tally, charge; fee; rate; fare

táilliúir ta:l′u:r′ *m*3 tailor

táilliúrtha ta:l′u:rhə *a*3 tailored

tailm tal′əm′ *f*2, *pl* ~**eacha** thump, bang

táimhe ta:v′ə *f*4 torpidity; lethargy

táin ta:n′ *f*3, *pl* ~ **te** herd, flock; great number, *chosain sé na* ~ *te* it cost a great deal of money

tainnin tan′ən′ *f*2 tannin

táinrith 'ta:n′,rih *m*3, *gs* **-reatha** *pl* **-ití** stampede

táinséirin ta:n′s′e:r′i:n′ *m*4 tangerine

taipéis tap′e:s′ *f*2 tapestry

taipióca tap′i:o:kə *m*4 tapioca

táiplis ta:p′l′əs′ *f*2 backgammon-board, ~ (*bheag*) draughts, ~ *mhór* backgammon

táir ta:r′ *a*1 mean, vile, wretched *vt* demean, degrade

tairbhe ta:r′əv′ə *f*2 benefit, profit, *de thairbhe* by virtue of, as a result of

tairbheach ta:r′əv′əx *a*1 beneficial, profitable

tairbhí ta:r′əv′i: *m*4 beneficiary

tairbhigh ta:r′əv′i: *vt & i* benefit, profit

táire ta:r′ə *f*4 meanness, sordidness

táireach ta:r′əx *a*1 degrading

tairg ta:r′əg′ *vt & i* offer; attempt

táirg ta:r′g′ *vt* produce, manufacture

táirge ta:r′g′ə *m*4 product

táirgeadh ta:r′g′ə *m*, *gs* **-gthe** production, output

táirgeoir ta:r′g′o:r′ *m*3 offerer, bidder

táirgeoir ta:r′g′o:r′ *m*3 producer

táirgiúil ta:r′g′u:l′ *a*2 productive

táirgiúlacht ta:r′g′u:ləxt *f*3 productivity

tairiscint ta:r′əs′k′ən′t′ *f*3, *gs* **-ceana** *pl* ~**i** offer, bid

tairise ta:r′əs′ə *f*4 loyalty; reliability

tairiseach ta:r′əs′əx *a*1 loyal; reliable

táiriúil ta:r′u:l′ *a*2 base, vile

tairne ta:r′nə *m*4 nail

tairneáil ta:r′nα:l′ *vt & i* nail

tairngeartach tarəŋ′g′ərtəx *a*1 prophetic

tairngir tarəŋ′g′ər′ *vt & i*, *pres* **-gríonn** foretell, prophesy

tairngire tarəŋ′g′ər′ə *m*4 prophet; sage

tairngreacht tarəŋ′g′ər′əxt *f*3 prophecy

tairseach tars′əx *f*2 threshold, ~ *fuinneoige* window-sill, ~ *bus* platform of bus

tais tas′ *a*1 damp, moist; humid; soft; gentle, compassionate, *ní* ~ *e domsa é* it is the same with me

taisc tas′k′ *vt & i* store; hoard, *airgead a thaisceadh in Oifig an Phoist* to deposit money in the Post-Office

taisce tas′k′ə *f*4 store, treasure, hoard; treasury, ~ *bainc* bank deposit, *a thaisce* my dear

taisceadán tas′k′ədα:n *m*1 depository; locker, safe

taiscéal tas´k´e:l *vt & i* explore, examine; reconnoitre, *ag ~adh óir* prospecting for gold

taiscéalaí tas´k´e:li: *m4* explorer; prospector

taiscéalaíocht tas´k´e:li:(ə)xt *f3* reconnoitring; exploration, reconnaissance

taisceoir tas´k´o:r´ *m3* saver, hoarder; depositor

taischtéitheoir 'tas´k´,he:ho:r´ *m3* storage heater

taiscumar 'tas´k´,umər *m1* reservoir

taise[1] tas´ə *f4* dampness, humidity; tenderness, mildness; compassion

taise[2] tas´ə *f4* wraith; apparition *pl* relics

taiséadach 'tas´,e:dəx *m1, pl -aí* shroud, winding-sheet

taiseagán tas´əga:n *m1* reliquary

taisleach tas´l´əx *m1* damp, moisture

taisléine 'tas´,l´e:n´ə *f4, pl -nte* shroud

taisme tas´m´ə *f4* accident, mishap, *de thaisme* by chance

taismeach tas´m´əx *m1* casualty *a1* accidental; tragic

taispeáin tas´p´a:n´ *vt, pres -ánann vn ~t* show, exhibit, reveal; indicate, *airm a thaispeáint* to port arms

taispeáint tas´p´a:n´t´ *f3, gs -ána* show, exhibition

taispeánadh tas´p´a:nə *m, gs -nta pl -ntaí* revelation, apparition; demonstration

taispeántach tas´p´a:ntəx *a1* demonstrative; showy

taispeántas tas´p´a:ntəs *m1* show, exhibition; indication

taisrigh tas´r´i: *vt & i* damp, moisten; *(of walls)* sweat

taisteal tas´t´əl *m1* travel

taistealaí tas´t´əli: *m4* traveller

taistil tas´t´əl´ *vt & i, pres -tealaíonn* travel

taithí tahi: *f4* frequentation; practice, habit; experience

taithigh tahi: *vt & i* frequent, resort to; experience, practise, *taithí le duine* to consort with a person

táithín ta:hi:n´ *m4* wisp, tuft

taithíoch tahi:(ə)x *a1, gsm ~* accustomed, familiar *(ar* to, with)

taithíocht tahi:(ə)xt *f3* familiarity, intimacy

taitin tat´ən´ *vt & i, pres -tníonn* shine;

(with *le*) please, *taitníonn sí liom* I like her

taitneamh tat´n´əv *m1* shine, brightness; liking, enjoyment

taitneamhach tat´n´əvəx *a1* bright, shining; likeable, enjoyable

tál ta:l *m1* lactation, yield (of milk); secretion *vt & i* yield (milk); shed; secrete

tálach ta:ləx *m1* cramp in wrist

talamh taləv *m, gs -aimh f, gs talún pl tailte* earth, ground, land, *ar ~* on earth, *ní fheadar ó thalamh an domhain* I haven't a notion, *ar thalamh slán* on safe ground, *~ slán a dhéanamh de rud* to take sth for granted

talamhiata 'taləv,iətə *a3* landlocked

talcam talkəm *m1* talcum

tallann talən *f2* talent, gift; impulse, fit, *~óir* gold talent

tallannach talənəx *a1* talented; fitful, impulsive

talmhaí[1] taləvi: *m4* agriculturist; husbandman

talmhaí[2] taləvi: *a3* earthly; worldly; thick-set

talmhaigh taləvi: *vt & i* dig (oneself) in; earth (cable, etc); *(rugby)* touch down

talmhaíocht taləvi:(ə)xt *f3* agriculture

támáilte ta:ma:l´t´ə *a3* sluggish; *(of soil, etc)* heavy; shy

tamall taməl *m1* while, spell, *thug sé ~ den leabhar dom* he let me have the book for a while, *~ den bhóthar* a bit of the road

tambóirín tambo:r´i:n´ *m4* tambourine

támh ta:v *f2* trance; stupor, lethargy, *~ (chodlata)* doze, nap *a1* inert, passive

támhach ta:vəx *a1* lethargic, torpid, inert

tamhan taun *m1* trunk; stock, stem

támhnéal 'ta:v,n´e:l *m1, pl ~ta* swoon, trance

tanaí[1] tani: *f4, pl ~ocha* shallow water

tanaí[2] tani: *a3* thin, *uisce ~* shallow water

tanaigh tani: *vt & i* thin, slim; dilute, *tá an pobal ag tanú* the population is dwindling

tanaíocht tani:(ə)xt *f3* thinness, sparseness; shallowness

tánaiste ta:nəs´t´ə *m4* tanist, heir presumptive; deputy prime minister, *i d~ do* next to, almost, *rith sé i d~ a anama* he ran for dear life

tánaisteach ta:nəs′t′əx *a*1 secondary

tanalacht tanələxt *f*3 shallow, shallowness

tanc taŋk *m*4, *pl* ~**anna** (military) tank

tancaer taŋke:r *m*1 tanker

tancard taŋkərd *m*1 tankard

tangant taŋgənt *m*1 tangent

tanú tanu: *m*4 attenuation, dilution, rarefaction

tanúchán tanu:xa:n *m*1 thinning; attenuation

taobh ti:v *m*1, *pl* ~**anna** side, flank, ~ *tíre* countryside, *ó mo thaobh féin de* for my, part, *bheith i d~ le* rud to be relying on sth, *i d ~ ruda* concerning sth, *cad ina thaobh*? why? *le* ~ compared with; besides, *fá d~ de* about, concerning, ~ *amuigh de sin* apart from that, ~ *thiar den chnoc* on the west side of the hill; behind the hill, *i d~ (is)* go because, *d'aon* ~ united

taobhach ti:vəx *a*1 lateral; partial, biased

taobhaí ti:vi: *m*4 companion; adherent, supporter

taobhaigh ti:vi: *vt* draw near, approach; side with; have recourse to; rely on

taobhaitheoir ti:viho:r′ *m*3 supporter, sympathizer

taobhán ti:va:n *m*1 purlin; stave

taobhlach ti:vləx *m*1 (railway) siding

taobhthrom 'ti:v‚hrom *a*1 heavy-sided, lop-sided; heavy with child

taoibhín ti:v′i:n′ *m*4 side-patch

taoide ti:d′ə *f*4 tide

taoidmhear ti:d′v′ər *a*1 tidal

taoisc ti:s′k′ *f*2, *pl* ~**eanna** gush; downpour

taoiseach ti:s′əx *m*1 chief, ruler; prime minister

taom¹ ti:m *m*3, *pl* ~**anna** fit, paroxysm

taom² ti:m *vt & i* empty of water, bail

taomach ti:məx *a*1 fitful, spasmodic; moody

taos ti:s *m*1 dough; paste

taosc ti:sk *vt & i* bail; drain, *ag ~ adh fola* pouring with blood, *ag ~adh créafóige* shovelling clay

taoscach ti:skəx *a*1 gushing, overflowing

taoscadh ti:skə *m*, *gs* -**ctha** bailing, pumping; drainage

taoscán ti:ska:n *m*1 dash, drop, of liquid

taosmhar ti:svər *a*1 heavy; substantial

taosrán ti:sra:n *m*1 pastry

tapa tapə *m*4 quickness, readiness, vigour, *de thapa na huaire* by chance *a*3 quick, ready, active

tapaigean tapəg′ən *m*1 start, spring; mishap

tapaigh tapi: *vt* quicken; grasp, ~ *do dheis* seize your opportunity

tapóg tapo:g *f*2 nerviness; sudden impulse

tapúil tapu:l′ *a*2 speedy, active

tapúlacht tapu:ləxt *f*3 speediness

tar¹ tar *vt & i*, *vn* **teacht** come, approach; move towards; reach, *tháinig trua agam dóibh* I took pity on them, ~ *ar* come on, find; fall to, devolve on, *má thagann ort* if you must, if you find yourself in difficulty, *ná ~ salach air* don't fall foul of him, ~ *as* escape, recover, from, *tháinig as an éadach* the material stretched, *tá sé ag teacht chuige féin* he is recovering, *thiocfadh dó* that may be, *teacht gan rud* to do without sth, *ó tháinig ann (dó)* since he grew to manhood, *teacht isteach ar rud* to get the hang of sth, *teacht le duine ar rud* to agree with a person about sth, *tiocfaidh mé leis* I'll do with it, *ní thiocfadh liom é a dhéanamh* I couldn't do it, *tiocfaidh tú uaidh* you'll get over it, *ná bí ag teacht romham ar gach focal* don't anticipate every word I say, *ag teacht suas leis an obair* catching up on the work, *teacht thar scéal* to refer to a matter

tar-² tar *pref* over-, trans-

tarae tare: *m*4, *pl* ~**nna** mill-race

tarathar tarəhər *m*1 auger

tarbh tarəv *m*1 bull, *an Tarbh* Taurus

tarbhadóir tarəvədo:r′ *m*3 toreador

tarbhánta tarəva:ntə *a*3 bull-like; powerful

tarbhealach 'tar‚v′aləx *m*1, *pl* -**aí** viaduct

tarcaisne tarkəs′n′ə *f*4 contempt; insult

tarcaisneach tarkəs′n′əx *a*1 contemptuous; insulting, *obair tharcaisneach* degrading work

tarcaisnigh tarkəs′n′i: *vt* scorn; insult

tarchuir 'tar‚xir′ *vt* remit, refer, transmit

tarchur 'tar‚xur *m*1 remittal; transmission, ~ *chun eadrána* reference to arbitration

targaid tarəgəd′ *f*2 target

tarlaigh¹ ta:rli: *vi*, *p* **tharla** happen, occur

tarlaigh² ta:rli: *vt & i* haul, *an fómhar a tharlú* to gather in the harvest

tarlú ta:rlu: *m4* incident, occurrence

tarnocht 'ta:r‚noxt *a1, gsm ~* (stark) naked

tarpól tarpo:l *m1* tarpaulin

tarr ta:r *m1* belly, *aorta tairr* ventral aorta

tarra tarə *m4* tar

tarracóir tarəko:r′ *m3* tractor

tarraiceán tarək′a:n *m1*, (*furniture*) drawer

tarráil tara:l′ *vt* tar

tarraing tarəŋ′ *vt & i, pres ~ionn* pull, draw, drag; attract, *achrann a tharraingt* to cause strife, *anáil a tharraingt* to breathe, *scéal a tharraingt anuas to* broach a subject, *ag ~ t ar an aonach* making for the fair, *tá siad ag ~ t go maith le chéile* they are getting on well, *ag ~ t ar a trí a chlog* getting on for three o'clock, *focal a tharraingt siar* to withdraw a statement

tarraingeoireacht tarəŋ′o:r′əxt *f3* drawing, illustration

tarraingt tarəŋ′t′ *f, gs* **-gthe** *pl ~***í** pull, tug, drag; extraction; suction; suck; attraction, *~ na téide* tug-of-war, *~ fola* blood-letting, *bain do tharraingt as* to take what you want of it, *tiocfaidh ~ as* it will stretch, *tá ~ na dúiche ar an siopa sin* everybody in the locality goes to that shop, *tá ~ ar shiúcra inniu* there is a demand for sugar today, *~ tríd* confusion

tarraingteach tarəŋ′t′əx *a1* attractive

tarraingteacht tarəŋ′t′əxt *f3* attractiveness, appeal

tarramhacadam ‚tarəvə'kadəm *m1* tarmacadam

tarrghad 'ta:r‚γad *m1* belly-band

tarrtháil ta:rha:l′ *f3* rescue; help; deliverance; salvage *vt* rescue; save, deliver; salvage

tarrthálaí ta:rha:li: *m4* rescuer

tarsann tarsən *m1* seasoning, condiment

tart tart *m3* thirst

tartmhar tartvər *a1* thirsty; thirst-provoking

tasc task *m1, pl ~***anna** task; piecework

tásc ta:sk *m1, npl ~***a** report of death; death; tidings; fame

táscach ta:skəx *m1 & a1*, (*grammar*) indicative

táscaire ta:skər′ə *m4* indicator

táscmhar ta:skvər *a1* famous, renowned

tascobair 'task‚obər′ *f2, gs* **-oibre** piecework

tascóireacht tasko:r′əxt *f3* piecework

tástáil ta:sta:l′ *f3* taste, sample; test, trial *vt* taste; test, try

tátal ta:tal *m1* inference, deduction

táth ta: *m3, pl ~***anna** tuft, bunch, *~ gruaige* lock of hair

tathag tahəg *m1* solidity, substance; fullness, body

tathagach tahəgəx *a1* solid, substantial

táthaigh ta:hi: *vt & i* weld, solder, bind, *tá an chnámh ag táthú* the bone is knitting

tathant tahənt *m3* incitement, exhortation

tathantaigh tahənti: *vt & i* urge, incite

táthar ta:hər *pres aut of* **bí**

táthchuid 'ta:‚xid′ *f3, gs* **-choda** *pl* **-chodanna** ingredient

táthfhéithleann 'ta:h‚e:hl′ən *m1* woodbine, honeysuckle

te t′e *a3, npl & comp* **teo** hot, warm

té t′e: *indefinite pers pron* the person (who), *an ~ a dúirt é* the person who said it

téac t′e:k *f2* teak

teach t′ax *m, gs* **tí** *pl* **tithe** *ds in certain phrases* **tigh** house, habitation, *dul i dtigh diabhail* to go to blazes, *~ solais* lighthouse, *~ na ngeall* asylum, *~ pobail* chapel, church, *~ spéire* skyscraper

teachín t′axi:n′ *m4* small house, cottage

teacht t′axt *m3* approach, arrival; growth; access; reach, *~ an earraigh* the coming of spring, *~ amach* issue, appearance, *~ aniar* stamina, durability, *teacht ar aghaidh, chun cinn* progress, *~ isteach* income, *~ le chéile* concord, harmony

téacht t′e:xt *vt & i* freeze; congeal; set, solidify

teachta t′axtə *m4* messenger; envoy, *~ Dála* Dáil deputy

téachtadh t′e:xtə *m, gs* **téachta** congealment; solidification

teachtaire t′axtər′ə *m4* messenger

teachtaireacht t´axtər´əxt *f*3 message, errand, ~ *an Aingil* the Annunciation

téachtán t´e:xta:n *m*1 clot (of blood)

teachtmhar t´axtvər *a*1 suitable, convenient

téacs t´e:ks *m*4, *pl* ~**anna** text; citation, verse

téacsach t´e:ksəx *a*1 textual

téad t´e:d *f*2 rope; (*music*) string, chord, ~*a damháin alla* cobwebs

téadach t´e:dəx *a*1 stringed

téadán t´e:da:n *m*1 short rope; string, line

téadléimneach t´e:d´,l´e:m´n´əx *f*2 skipping

téagar t´e:gər *m*1 substance, bulk; shelter, comfort

téagartha t´e:gərhə *a*3 substantial, bulky; sheltered, comfortable

teagasc t´agəsk *m*1, *npl* ~**a** teaching, instruction; doctrine *vt & i* teach, instruct

teagascach t´agəskəx *a*1 didactic

teagascóir t´agəsko:r´ *m*3 tutor, instructor

teaghlach t´ailəx *m*1 household, family

teaghlachas t´ailəxəs *m*1 domestic economy, housekeeping

teaghrán t´aira:n *m*1 tether, rope

teaglaim t´agləm´ *f*3 collection, gathering

teagmhaigh t´agvi: *vi* chance, happen; (with *ar, do, le*) meet with, encounter; make contact with

teagmháil t´agva:l´ *f*3 meeting, encounter; communication; contact

teagmhálaí t´agva:li: *m*4 person encountered; go-between; meddler; opponent

teagmhas t´agvəs *m*1 occurrence, incident, contingency

teagmhasach t´agvəsəx *a*1 accidental, incidental, contingent

teallach t´aləx *m*1 fire-place, hearth

téaltaigh t´e:lti: *vi* go furtively, slink

téama t´e:mə *m*4 theme

téamh t´e:v *m*1 heating, warming

teamhair t´aur´ *f*, *gs* ~**mhrach** *pl* ~**mhracha** hill, eminence

teampall t´ampəl *m*1 temple; (medieval) church; Protestant church; churchyard

teamparálta t´ampəra:ltə *a*3 temporal

teamplóir t´amplo:r´ *m*3 templar

téana t´e:nə *defective v* come, go, ~ *ort* come along, ~*m abhaile* let's go home

teanchair t´anəxər´ *f*2 tongs; pincers; pliers, forceps

teanga t´aŋgə *f*4, *pl* ~**cha** tongue; language, ~ *liom leat* double-talk; double-dealer, ~ *labhartha* spokesman; interpreter, ~ *cloig* clapper of bell

teangaire t´aŋgər´ə *m*4 interpreter

teangeolaíocht t´aŋ,go:li:(ə)xt *f*3 linguistics

teann t´an *m*3, *gs & npl* ~**a** *gpl* ~ strength, force; stress; support; assurance, *teacht i d*~ to come to power, *tá sé ar theann a dhíchill* he is doing his very best, *le* ~ *nirt* by sheer strength *a*1, *gsm* ~ tight, taut; distended; firm, solid, *ag obair go* ~ working strenuously *vt & i* tighten, tauten; distend, inflate; press; make fast, *tá an geimhreadh ag* ~*adh linn* winter is close at hand, ~*aigí leis an obair* get on with the work

teannadh t´anə *m*1 tightening; pressure; stress

teannaire t´anər´ə *m*4 inflator, pump

teannán t´ana:n *m*1 tendon

teannas t´anəs *m*1 tautness; tension

teannóg t´ano:g *f*2 tendril

teannta t´antə *m*4 difficulty, predicament, prop, support, *i d*~ along with, in addition to

teanntaigh t´anti: *vt & i* hem in, corner; put in a fix; prop, support

teanntaíocht t´anti:(ə)xt *f*3 grant-in-aid, subvention

teanntán t´anta:n *m*1 brace, clamp

teanntás t´anta:s *m*1 assurance; forwardness, audacity; familiarity

teanntásach t´anta:səx *a*1 assured; forward, audacious; familiar

teanór t´ano:r *m*1 tenor

tearc t´ark *a*1, *gsm* ~ few, scarce, scanty; sparse

tearcamas t´arkəməs *m*1 scarcity

téarma t´e:rmə *m*4 term; period

téarmach t´e:rməx *a*1 terminal

téarmaíocht t´e:rmi:(ə)xt *f*3 terminology

tearmann t´arəmən *m*1 sanctuary, place of refuge; refuge; protection

téarnaigh t´e:rni: *vi* escape; recover; return; come to an end; die

téarnamh t´e:rnəv *m*1 escape; recovery; departure; death, *teach téarnaimh* convalescent home

téarnamhach t´e:rnəvəx *a*1 convalescent

teas t´as *m*3 heat, warmth; feverishness; passion

teasaí t´asi: *a*3 hot, ardent, fiery; feverish; hot-tempered

teasaíocht t´asi:(ə)xt *f*3 heat, warmth; passion; hot temper; feverishness

teasairg t´asər´(ə)g´ *vt, pres* **-argann** save, rescue

teasargan t´asər(ə)gən *m*1 deliverance, rescue; intervention; peacemaking

teasc[1] t´ask *f*2 disc; discus

teasc[2] t´ask *vt* cut off; lop; amputate, sever, hack, hew

teascán t´aska:n *m*1 section, segment

teascóg t´asko:g *f*2 sector

teasdíon 't´as´d´i:n *vt* insulate (against heat)

teaspach t´aspax *m*1 sultriness; hot weather; comfort; exuberance

teaspúil t´aspu:l´ *a*2 well off; exuberant; wanton

teastaigh t´asti: *vi, vn* **-táil** be wanted, needed (*ó by*), *an dteastaíonn uait labhairt leis*? do you want to speak to him?

téastar t´e:stər *m*1 tester, bed-canopy; pelmet

teastas t´astəs *m*1 testimonial, certificate; reputation

téatar t´e:tər *m*1 theatre

teibí t´eb´i: *a*3 abstract

teibíocht t´eb´i:(ə)xt *f*3 abstract quality, abstraction

teicneoir t´ek´n´o:r´ *m*3 technician

teicneolaíocht 't´ek´n´o:li:(ə)xt *f*3 technology

teicníc t´ek´n´i:k´ *f*2 technique

teicníocht t´ek´n´i:(ə)xt *f*3 technique

teicniúil t´ek´n´u:l´ *a*2 technical

teicniúlacht t´ek´n´u:ləxt *f*3 technicality

teideal t´ed´əl *m*1 title, entitlement, *bheith i d~ ruda* to be entitled to sth

teidealach t´ed´ələx *a*1 titular; titled; haughty

teidhe t´ai(ə) *m*4, *pl* **-anna** notion, whim

teidheach t´ai(ə)x *a*1 whimsical; crotchety

teifeach t´ef´əx *m*1 & *a*1 fugitive, refugee

téigh[1] t´e:γ´ *vt & i, vn* **téamh** heat, warm; inflame

téigh[2] t´e:γ´ *vt & i, vn* dul go, move; reach, *~ ag* succeed, prevail, *chuaigh agam é a dhéanamh* I managed to do it, *ní rachadh an saol amach air* nobody could fathom him, *is daor a chuaigh sé orm* it cost me dear, *chuaigh an lá orainn* the day went against us, *tá sí ag dul as go mór* she is getting very frail, *ní dheachaigh an bia do mo ghoile* the food did not agree with my stomach, *chuaigh díom é a dhéanamh* I failed to do it, *tá an ghrian ag dul faoi* the sun is setting, *rachaidh mé faoi duit (go)* I'll warrant you (that), *dul i gcomhairle le duine* to consult a person, *chuaigh san éadach* the cloth shrank, *dul i neart* to grow strong, *chuaigh sí lena máthair* she took after her mother, *dul le polaitíocht* to engage in politics, *ní rachaidh leat an iarraidh seo* you won't succeed this time, *dul trí thine* to go on fire, *ní rachadh sé thar a fhocal* he wouldn't break his word

téigle t´e:g´l´ə *f*4 calmness, stillness

téiglí t´e:g´l´i: *a*3 calm; languid

teile t´el´ə *f*4 lime, linden

teileács t´el´e:ks *m*4 telex

teileafón 't´el´ə,fo:n *m*1 telephone

teileafónaí 't´el´ə,fo:ni: *m*4 telephonist

teileagraf 't´el´ə,graf *m*1 telegraph

teileagram 't´el´ə,gram *m*1 telegram

teileapaite 't´el´ə,pat´ə *f*4 telepathy

teileascóp 't´el´ə,sko:p *m*1 telescope

teilg t´el´əg´ *vt & i* cast, throw, *éadach ag ~ean* cloth fading, *miotal a theilgean* to cast metal, *aol a theilgean* to slake lime

teilgcheárta 't´el´əg´,x´a:rtə *f*4 foundry

teilgean t´el´əg´ən *m*1 cast, throw, *~ pictiúr ar scáileán* projection of picture on screen, *~ cainte* idiom, *~ a bhaint as rud* to make sth last

teilgeoir t´el´əg´o:r´ *m*3 thrower; pitcher; *~ scannán* cine-projector

teilifís 't´el´ə,f´i:s´ *f*2 television

teilifíseán 't´el´ə,f´i:s´a:n *m*1 television set

teilifisigh 't´el´ə,f´i:s´i: *vt* televise

teimheal t´ev´əl *m*1 darkness; stain; trace, sign

teimhleach t´ev´l´əx *a*1 dark; stained

teimhligh t'ev'l'i: *vt & i* darken; tarnish, stain

teimhneach t'ev'n'əx *a1* dark, opaque

teinne t'en'ə *f4* tightness, rigidity; solidity; hardness

teip t'ep' *f2* failure *vi* fail

téip t'e:p' *f2, pl* ~**eanna** tape

téipthaifeadán 't'e:p',haf'ədɑ:n *m1* tape-recorder

teirce t'er'k'ə *f4* scarcity; sparseness; lack

teiriléin t'er'əl'e:n' *f2* terylene

téirim t'e:r'əm' *f2* urgency, haste

teiripe t'er'əp'ə *f4* therapy

teiripeach t'er'əp'əx *m1* therapeutist *al* therapeutic

teirmeach t'er'əm'əx *a1* thermal

teirmeastat 't'er'əm'ə,stat *m1* thermostat

teirmiméadar 't'er'əm'ə,m'e:dər *m1* thermometer

teirminéal t'er'əm'ən'e:l *m1,* (electricity) terminal

téis t'e:s' *f2, pl* ~**eanna** thesis

teiscinn t'es'k'ən' *f2* open sea

téisclim t'e:s'k'l'əm' *f2* preparing; preparations

téisclimí t'e:s'k'l'əm'i: *m4* pioneer

téisiúil t'e:s'u:l' *a2* forward, shameless

teist[1] t'es't' *f2, pl* ~**eanna** testimony; report; reputation

teist[2] t'es't' *f2, pl* ~**eanna** test

teisteán t'es't'a:n *m1* decanter

teistiméireacht t'es't'əm'e:r'əxt *f3* testimony; testimonial; reference; certificate

teiteanas t'et'ənəs *m1* tetanus

teith t'eh *vi* run away, flee, *ag* ~*eadh romhainn* avoiding us

teitheadh t'ehə *m, gs* -**ite** flight; evasion

téitheoir t'e:ho:r' *m3* heater

teo- t'o: *pref* hot, warm

teochreasach t'o:,x'r'asəx *a1* tropical

teochrios 't'o:,x'r'is *m3, gs* -**reasa** *pl* ~**anna** tropical zone, tropics

teocht t'o:xt *f3* warmth, heat; temperature

teoiric t'o:r'ək' *f2* theory

teoiriciúil t'o:r'ək'u:l' *a2* theoretical

teoirim t'o:r'əm' *f2* theorem

teolaí t'o:li: *a3* warm, comfortable; fond of comfort; delicate

teorainn t'o:rən' *f, gs* -**ann** *pl* ~**eacha** boundary, limit, border

teorannaigh t'o:rəni: *vt* limit, restrict

teoranta t'o:rəntə *a3* limited, restricted

teorantach t'o:rəntəx *a1* restrictive; bordering

thagadh hagəx *p hab of* **tar**[1]

tháinig hɑ:n'əg' *p of* **tar**[1]

thairis har'əs' : **thar**

thairsti hars't'i : **thar**

thall hal *adv & a* over, beyond, *breith* ~ *ar dhuine* to catch a person unawares, *an taobh* ~ *den ghleann* the far side of the glen

thángthas hɑ:nəkəs *p aut of* **tar**[1]

thar har *prep, pron forms* ~**am** harəm, ~**at** harət, **thairis** har'əs' *m,* **thairsti** hars't'i *f,* ~**ainn** harən', ~**aibh** harəv', ~**stu** harstu, over, across; by, past; beyond; ~ *sáile,* ~ *lear,* overseas, *níl dul thairis agat,* you can't evade it, ~ *barr* tip-top, *scéal thairis anois é* it is over and done with now, *tá mé* ~ *m'eolas anseo* I don't know where I am here, *tá sé* ~ *a bheith maith* it is exceedingly good, *thairis sin* moreover, ~ *a bhfaca tú riamh* for all the world

tharaibh harəv' : **thar**

tharainn harən' : **thar**

tharam harəm : **thar**

tharat harət : **thar**

tharla hɑ:rlə *p of* **tarlaigh**

tharstu harstu : **thar**

thart hart *adv & prep* round, about; by, past

théadh he:x *p hab of* **téigh**[2]

theas has *adv & a* (in the) south

thiar hiər *adv & a* (in the) west; back, at the rear, *tráthnóna* ~ late in the evening, *tá* ~ *orm le mo chuid oibre* I am behind with my work

thiocfadh hikəx *cond of* **tar**[1]

thíos hi:s *adv & a* down, *an ceann* ~ *den bhord* the lower end of the table, *mar atá ráite* ~ as stated below, *mise a bhí* ~ *leis* I had to bear the consequences

thoir hor' *adv & a* (in the) east

thú hu: : **tú**

thuaidh huəy' *adv & a* (in the) north, *ó* ~ to the north, northwards

thuas huəs *adv & a* up, *beidh tú* ~ *leis* you will gain by it, ~ *i gCúige Mumhan* south in Munster

thug hug *p of* **tabhair**

thusa husə : tusa

ti¹ t'i: f4, ar ~ in pursuit of; on the point of, about to

ti² t'i: m4, pl ~onna tee

ti³ t'i: : teach

tiachóg t'iəxo:g f2 wallet, satchel

tiara t'iərə m4 tiara

tiarach t'iərəx f2 crupper

tiaráil t'iəra:l' f3 toiling, slogging; laborious work

tiarcais t'iərkəs s, a thiarcais my goodness

tiargáil t'iərga:l' f3 preparing; preparatory work

tiarna t'iərnə m4 lord; peer, ~ talún landlord

tiarnas t'iərnəs m1 lordship, rule; dominion

tiarnúil t'iərnu:l' a2 lordly; overbearing, domineering

tiarpa t'iərpə m4 posterior, buttocks

ticéad t'ik'e:d m1 ticket

ticeáil t'ik'a:l' vt & i tick; tick off

tifeas t'i:f'əs m1 typhus

tig t'ig' pres of tar¹

til t'i:l' f2, pl ~eanna tile

tim- t'im' pref about, around

tím t'i:m' f2 thyme

timbléar t'im'b'l'e:r m1 tumbler

time t'im'ə f4 tenderness; weakness

timire t'im'ər'ə m4 attendant, messenger, ~ Gaeilge Irish language organizer

timireacht t'im'ər'əxt f3 doing odd jobs; chores

timpeall t'im'p'əl m1 round, circuit, roundabout; circumference, sheas siad ina thimpeall they stood around him, ag dul ~ going round, ~ na Nollag around Christmas, ~ (is) fiche bliain ó shin about twenty years ago

timpeallacht t'im'p'ələxt f3 surroundings, environment

timpeallaigh t'im'p'əli: vt go round; encircle; circumvent

timpeallán t'im'p'əla:n m1 roundabout

timpeallghearr 't'im'p'əl,γ'a:r vt circumcise

timpireacht t'im'p'ər'əx a1 anal

timpireacht t'im'p'ər'əxt f3 anus

timpiste t'im'p'əs't'ə f4 accident, mishap

timpisteach t'im'p'əs't'əx a1 accidental

tincéir t'iŋ'k'e:r' m3 tinker

tincéireacht t'iŋ'k'e:r'əxt f3 tinkering

tine t'in'ə f4, pl -nte fire; glow; firing of guns, tine chnámh bonfire

tinil t'in'i:l' f, gs ~each pl ~eacha limekiln

tinn t'in' a1 sore; distressing; sick

tinneall t'in'əl s, ar ~ set, ready, tá a chorp ar ~ his body is tense

tinneas t'in'əs m1 soreness, sickness; pain, distress, bean i d~ clainne woman in labour, ní hé atá ag déanamh tinnis dom that is not what troubles me

tinreamh t'in'r'əv m1 service, attendance

tinsil t'in's'əl' m4 tinsel

tinteán t'in't'a:n m1 fire-place, hearth

tintiúr t'in't'u:r m1 tincture

tintreach t'in't'r'əx f2 lightning pl flashes, sparks

tintrí t'in't'r'i: a3 fiery, hot-tempered; flashing

tintríocht t'in't'r'i:(ə)xt f3 fieriness, hot temper

tiocfaidh t'iki: fut of tar¹

tíofóideach t'i:fo:d'əx m1 & a1 typhoid

tíofún t'i:fu:n m1 typhoon

tíogar t'i:gər m1 tiger

tíolacadh t'i:ləkə m, gs -ctha pl -cthaí grant, bestowal, ~ ó Dhia gift from God

tíolaic t'i:lək' vt & i, pres -acann bestow; dedicate; convey

tiomáin t'ima:n' vt & i drive, urge along, ~ leat carry on

tiomáint t'ima:n't' f3, gs -ána driving, drive; rush, bustle

tiomairg t'imər'(ə)g' vt & i, pres -argann gather, collect

tiománaí t'ima:ni: m4 driver

tiomanta t'iməntə a3 sworn; set, determined

tiomna t'imnə m4 will, testament

tiomnaigh t'imni: vt & i bequeath; enjoin; commend; dedicate; delegate

tiomnóir t'imno:r' m3 testator

tiomnú t'imnu: m4 bequeathal; enjoyment; dedication (of church, etc.); delegation

tiompán t'impa:n m1 tympan, drum; eardrum; tambourine; kettledrum

tiomsaigh t'imsi: vt & i collect; compile; assemble; ransack

tiomsaitheach t'imsihəx a1 collective, accumulative

tiomsú t'imsu: *m4* collection; compilation; assembly

tionchar t'inəxər *m1* influence

tionlacaí t'inləki: *m4* accompanist

tionlacan t'inləkən *m1* accompaniment; escort; convoy

tionlaic t'inlək' *vt, pres* -**acann** *vn* -**acan** accompany; escort; convoy

tionóil t'ino:l' *vt & i, pres* -**ólann** collect, gather; assemble, convene

tionóisc t'ino:s'k' *f2* accident, mishap

tionól t'ino:l *m1* gathering, assembly

tionónta t'ino:ntə *m4* tenant

tionóntacht t'ino:ntəxt *f3* tenancy

tionóntán t'ino:nta:n *m1* tenement

tionscadal t'inskədəl *m1* contrivance, project

tionscain t'inskən' *vt & i, pres* -**cnaíonn** begin; initiate; establish; contrive, attempt

tionscal t'inskəl *m1* industry

tionscantach t'inskəntəx *a1* initial, original; possessing initiative, enterprising

tionsclach t'insklax *a1* industrious

tionsclaí t'inskli: *m4* industrialist

tionsclaigh t'inskli: *vt* industrialize

tionsclaíoch t'inskli:(ə)x *a1, gsm* ~ industrial

tionsclaíocht t'inskli:(ə)xt *f3* industrialism

tionscnamh t'insknəv *m1* origin; initiation; institution

tionscnóir t'inskno:r' *m3* beginner; originator; promoter

tiontaigh t'inti: *vt & i* turn, return; revolve; translate

tiontú t'intu: *m4* turn(ing), ~ *focal* translation of words

tionúr t'inu:r *m1* tenon

tíor t'i:r *vt* dry up, parch; scorch, singe

tíoránach t'i:ra:nəx *m1* tyrant; bully

tíoránta t'i:ra:ntə *a3* tyrannical, oppressive

tíorántacht t'i:ra:ntəxt *f3* tyranny, oppression

tíoróideach t'i:ro:d'əx *m1 & a1* thyroid

tíos t'i:s *m1* housekeeping; domestic economy; thrift, *dul i d~* to set up house, to marry and settle down

tíosach t'i:səx *m1* householder; housekeeper; host *a1* economical, thrifty; hospitable

tipiciúil t'ip'ək'u:l' *a2* typical

tír t'i:r' *f2, pl* **tíortha** country, land; state, nation; region; rural district(s), *dul i d~* to go ashore, *teacht i d~ ar rud* to make a living out of sth, ~ *mór* mainland, *ceol tíre* folk music

tírdhreach t'i:r',γ'r'ax *m3, gs & npl* ~**a** landscape

tíreachas t'i:r'əxəs *m1* domesticity

tíreolaíocht t'i:r',o:li(ə)xt *f3* geography

tírghrá t'i:r',γra: *m4* patriotism

tírghrách t'i:r',γra:x *a1, gsm* ~ patriotic

tírghráthóir t'i:r',γra:ho:r' *m3* patriot

tirim t'ir'əm' *a1* dry; parched, *airgead* ~ hard, ready, cash

tiriúil t'i:r'u:l' *a2* homely, sociable

tiriúlacht t'i:r'u:ləxt *f3* homeliness, sociability

tír-raon t'i:(r')ri:n *m1, pl* ~**ta** terrain

tit t'it' *vi* fall, decline; collapse; deteriorate, *thit siad amach le chéile* they quarrelled, *cad é a thit amach?* what happened? *ag* ~ *im chun feola* getting fat, *thit néal orm* I dozed off, *b'fhéidir gur leat a thitfeadh an áit* you might be the one to inherit the place, *thit sé le m'intinn (go)* it occurred to me (that)

tithe t'ihə : **teach**

tithíocht t'ihi:(ə)xt *f3* housing, housebuilding

titim t'it'əm' *f2* fall, ~ *aille* slope of cliff, ~ *cainte* expression, idiom, ~ *amach* quarrel

titimeas t'it'əm'əs *m1* epilepsy

tiúb t'u:b *f2, pl* ~**anna** tube

tiúbar t'u:bər *m1* tuber

tiubh t'uv *m4* thick part; throng *a, gsm* ~ *gsf & comp* **tibhe** thick, dense; fast, *ag cur go* ~ raining heavily

tiubhaigh t'uvi: ~ t'iu:i: *vt & i, vn* **tiúchan** thicken

tiúilip t'u:l'əp' *f2* tulip

tiúin t'u:n' *f2, pl* ~**eanna** tune; mood *vt & i, pres* -**únann** tune

tiús t'u:s *m1* thickness, closeness, density

tláith tla: *a1* weak, wan; tender, gentle

tláithíneach tla:hi:n'əx *a1* soft-spoken; wheedling

tláithínteacht tla:hi:n't'əxt *f3* softspokenness; wheedling

tlás tla:s *m1* feebleness; gentleness

tlú tlu: *m4, pl* ~**nna** tongs

tnáite tna:t'ə *a3* jaded, exhausted

tnáith tna: *vt* wear down, exhaust

tnúth tnu: *m3* envy; expectation, longing *vt & i* envy; long for, desire

tnúthach tnu:həx *a1* envious

tnúthán tnu:ha:n *m1* expectancy, yearning, *ag ~ le rud* hankering after sth

tnúthánach tnu:ha:nəx *a1* yearning

tobac tə'bak *m4* tobacco

tobacadóir tə'bakədo:r' *m3* tobacconist

tobainne tobən'ə *f4* suddenness, unexpectedness; hastiness

tobairín tobər'i:n' *m4* dimple

tobán toba:n *m1* tub

tobann tobən *a1* sudden, unexpected; hasty, impulsive; quick-tempered

tobar tobər *m1, pl* **toibreacha** well; fountain, source

tobhach taux *m1* levy, exaction

tóch to:x *vt & i, vn ~* dig, root

tochail toxəl' *vt & i, pres* **-chlaíonn** dig, excavate; root, burrow

tochailt toxəl't' *f2* digging, excavation; uprooting

tochais toxəs' *vt & i, pres* **-asann** scratch

tochaltach toxəltəx *a1* digging, excavating; rooting; burrowing

tochaltán toxəlta:n *m1* dig, excavation

tochaltóir toxəlto:r' *m3* digger, excavator; burrower

tóchar to:xər *m1* causeway; culvert

tochard toxərd *m1* capstan

tochas toxəs *m1* itch

tochrais toxrəs' *vt & i* wind

tochras toxrəs *m1* winding

tocht¹ toxt *m3, pl ~*anna mattress

tocht² toxt *m3* deep emotion; (intestinal) obstruction

tochta toxtə *m4* thwart (of boat)

tochtán toxta:n *m1* hoarseness; croup

tochtmhar toxtvər *a1* deeply emotional

tocsaineach toksən'əx *a1* toxic

todhchaí tauxi: *f4* future, *sa ~* in the future

todóg todo:g *f2* cigar

tofa tofə *a3* choice; elect

tóg to:g *vt & i, vn ~* **áil** lift, raise; take up, take; build; rear, *cuaille a thógáil* to erect a pole, *an áit ar ~adh mé* where I was brought up, *bhí a chuid fola ~ tha* his blood was up, *cnoc a thógáil* to ascend a hill, *cíos a thógáil* to collect rent, *ná ~ orm é* don't blame me for it, *rud a thógáil chugat féin* to take sth personally

tógáil to:ga:l' *f3* lifting, raising, taking, *~ tithe* construction of houses, *~ teaghlaigh* rearing of family

tógaíocht to:gi:(ə)xt *f3* excitement; notions

tógair togər' *vt & i, pres* **-graíonn** *vn* **-gradh** wish, choose; attempt

tógálach to:ga:ləx *a1* infectious, catching; (of person) touchy

tógálaí to:ga:li: *m4* raiser; builder, *~ stoc* stockbreeder

togh tau *vt & i* choose, select; elect

togha tau *m4* pick, choice, *~ fir* bravo

toghadh tauə *m, gs* **tofa** choice, selection; election

toghair 'to,γar' *vt* summon; invoke

toghairm 'to,γar'əm' *f2, pl ~* **eacha** summons

toghán taua:n *m1* polecat

toghchán tauxa:n *m1* election

toghchánaíocht tauxa:ni:(ə)xt *f3* electioneering

toghlach tauləx *m1* constituency

toghroinn 'tau,ron' *f2, npl* **-ranna** *gpl* **-rann** electoral division

toghthóir tauho:r' *m3* elector

toghthóireacht tauho:r'əxt *f3* electorate

tograch togrəx *a1* ready, eager; tending (*do* to)

togradh togrə *m, gs* **-gartha** will, inclination

toibhigh tov'i: *vt, vn* **tobhach** levy, exact

toice¹ tok'ə *f4* wealth, prosperity

toice² tok'ə *f4* hussy, wench

toicí tok'i: *m4* wealthy person

toiciúil tok'u:l' *a2* wealthy, prosperous

toighis tais' *f2, gs* **-ghse** taste, fancy

toil tol' *f3* will; inclination, desire, *le do thoil, más é do thoil é* (if you) please, *dá mbeadh an teanga ar mo thoil agam* if I were fluent in the language, *thug mé ~ don cheol* I liked the music

toiligh tol'i: *vt & i* will, consent, agree

toilíocht tol'i:(ə)xt *f3* willingness, consent

toiliú tol'u: *m4* volition; consent

toiliúil tol'u:l' *a2* wilful, intentional

toill tol' *vi* fit, find room (*i, ar* in, on)

toilleadh tol'ə *m, gs* **-llte** capacity

toilteanach tol't'ənəx *a1* willing, voluntary

toilteanas tol't'ənəs *m1* willingness

toimhde tov'd'ə *f, gs ~* **an** supposition, presumption

toimhdigh tov'd'i: *rí* think, presume

tóin to:n' *f*3, *pl* ~**eanna** bottom; backside, posterior

tóineáil to:n'a:l' *f*3 rearing (on hind legs)

toinníteas ,to'n'i:t'əs *m*1 conjunctivitis

tointe ton't'ə *m*4 thread; strand, stitch

tointeáil ton't'a:l' *f*3 shuttling, *seirbhís tointeála* shuttle service

tóir to:r' *f*3, *pl* ~**eacha** pursuit, chase; search

toirbheartach tor'əv'ərtəx *a*1 openhanded, generous

toirbheartas tor'əv'ərtəs *m*1 presentation, gift; generosity

toirbhir tor'əv'ər' *vt* & *i*, *pres* -**bhríonn** deliver; give, present; dedicate

toirbhirt tor'əv'ərt' *f*3, *gs* -**bheartha** delivery, presentation; offering; dedication

toirceoil 'tor'k',o:l' *f*3 boar's flesh, brawn

toircheas tor'əx'əs *m*1 pregnancy; offspring

toircheasach tor'əx'əsəx *a*1 pregnant

toirchigh tor'əx'i: *vt* fertilize, impregnate

toirchim tor'əx'əm' *f*2 heavy sleep; torpidity

toirchiú tor'əx'u: *m*4 fertilization, impregnation

tóireadóir to:r'ədo:r' *m*3 probe

toireasc tor'əsk *m*1 saw

toirm tor'əm' *f*2 tumult, tramp

toirmeasc tor'm'əsk *m*1 prohibition; prevention; mischief; mishap

toirmeascach tor'əm'əskəx *a*1 prohibitive; preventive; mischievous; accidental

toirmisc tor'əm'əs'k' *vt* & *i* prohibit; prevent, hinder

toirneach to:rn'əx *f*2 thunder

toirnéis to:rn'e:s' *f*2 noise, commotion

toirniúil to:rn'u:l' *a*2 thundery; noisy

toirpéad tor'p'e:d *m*1 torpedo

toirpín tor'p'i:n' *m*4 porpoise

tóirse to:rs'ə *m*4 torch

tóirsholas 'to:r',holəs *m*1, *pl* -**oilse** searchlight

toirsiún tors'u:n *m*1 torsion

toirt tort' *f*2, *pl* ~**eanna** mass, volume; size; shape, *ar an* ~ on the spot, immediately

toirtéis tort'e:s' *f*2 haughtiness, self-importance; pride

toirtéiseach tort'e:s'əx *a*1 haughty, self-important; proud

toirtín tort'i:n' *m*4 tart, cake

toirtís tort'i:s' *f*2 tortoise

toirtiúil tort'u:l' *a*2 bulky

toirtiúlacht tort'u:ləxt *f*3 bulkiness

toisc tosk' *f*2, *pl* **tosca** errand, purpose; circumstance, ~, *de thoisc* because, on account of, *d'aon* ~ on purpose

toise tos'ə *m*4 dimension, measurement

toistiún tos't'u:n *m*1 fourpenny piece; fourpence (old money)

toit tot' *f*2 smoke; vapour

toitcheo 'tot',x'o: *m*4 smog

toiteach tot'əx *a*1 smoky

toitín tot'i:n' *m*4 cigarette

toitrigh tot'r'i: *vt* smoke, fumigate

tólamh to:ləv *s*, *i d~* always, all the time

tolg[1] toləg *m*1 couch, sofa

tolg[2] toləg *m*1 attack; force; gap, rent *vt* & *i* attack; buffet; contract, catch (illness), *tá sé ag ~adh stoirme* there is a storm brewing, *tá an chnéa ag ~adh* the wound is gathering to a head

tolgach toləgəx *a*1 violent, buffeting

tolgadh toləgə *m*, *gs* -**gtha** gathering (of storm); contraction (of disease)

tolglann toləglən *f*2 lounge (of bar, etc)

toll[1] tol *m*1 hole, hollow; buttocks, *rudaí a chur i d~ a chéile* to put things together

toll[2] tol *a*1 perforated; hollow, empty, *(of sound, voice)* deep *vt* & *i* bore, pierce, perforate

tolladh tolə *m*, *gs* -**llta** boring, perforation

tollán tola:n *m*1 tunnel

tolltach toltəx *a*1 piercing, penetrating

tom tom *m*1 bush, shrub; clump, tuft

tomhail to:l' *vt* & *i* eat, consume

tomhailt to:l't' *f*2 consumption (of food, drink)

tomhais to:s' *vt* & *i* measure; weigh, gauge, estimate; guess

tomhaisín to:s'i:n' *m*4 small measure; (paper) poke

tomhaisiúil to:s'u:l' *a*2, *(of garment)* well-fitting

tomhaiste to:s't'ə *a*3 measured

tomhaltóir to:lto:r' *m*3 consumer; big eater

tomhas to:s *m*1 measure, gauge; guess, riddle

ton ton *m*1, *(of music, colour)* tone

tona tonə *m4* tonne

tónacán to:nəka:n *m1* moving on one's bottom

tonach tonəx *a1* tonic

tónáiste to:na:s′t′ə *m4*, *(tax)* tonnage; imposition; hardship

tónáisteach to:na:s′t′əx *a1* burdensome

tondath 'ton,dah *m3* timbre

tonn[1] ton *f2*, *pl* ~ **ta** *ds* **toinn** & *gpl* ~ *in certain phrases* wave, *thar toinn* overseas, ~ *teasa, teaspaigh* heat-wave, *tá* ~ *mhaith aoise aige* he is getting on in years, ~ *ar bogadh*, ~ *chrithir* quaking sod

tonn[2] ton *vt* & *i* surge; pour; undulate

tonna tonə *m4* ton

tonnadh tonə *m*, *gs* **-nnta** *pl* **-nntaí** wave, surge; wave (in hair)

tonnadóir tonədo:r′ *m3* tundish, funnel

tonnail toni:l′ *f3* waving, rippling; undulation

tonnáiste tona:s′t′ə *m4* tonnage

tonnán tona:n *m1* wavelet, ripple

tonnaois 'ton,i:s′ *f2* fairly advanced age

tonnaosta 'ton,i:stə *a3* getting on in years

tonnchosc 'ton,xosk *m1*, *pl* ~ **anna** breakwater

tonnchreathach 'ton,x′r′ahəx *a1* vibrating, vibrant

tonnchrith 'ton,x′r′ih *m3*, *gs* **-reatha** *pl* **-reathanna** vibration *vi* vibrate, quiver

tonnmhar tonvər *a1* billowy

tonntaoscadh 'ton,ti:skə *m*, *gs* **-ctha** sudden vomiting

tonnúil tonu:l′ *a2* wavy, undulating

tonnús tonu:s *m1* tannery

tonóg tono:g *a2* duck

tonúil tonu:l′ *a2* tonal

topagrafaíocht 'topə,grafi:(ə)xt *f3* topography

tópás to:pas *m1* topaz

tor tor *m1* bush, shrub; clump, tuft, ~ *cabáiste* head of cabbage

tóracs to:raks *m4*, *pl* ~ **anna** thorax

toradh torə *m1*, *pl* **-rthaí** fruit; product; result, heed, attention

tórai to:ri: *m4* pursuer; seeker; robber; outlaw, T~ Conservative

tóraigh to:ri: *vt* & *i* pursue; seek, search for

tóraíocht to:ri:(ə)xt *f3* pursuit; hunt, search

torann torən *m1* noise

torannach torənəx *a1* noisy

torathar torəhər *m1* ogre, monster

torbán torəba:n *m1* tadpole

torc[1] tork *m1* boar

torc[2] tork *m1* torque

torcán torka:n *m1*, ~ *craobhach* porcupine

tórmach to:rməx *m1* gathering, swelling; increase, *bó thórmaigh* springing heifer

tormáil torəma:l′ *f3* rumble

tormán torəma:n *m1* noise

tormánach torəma:nəx *a1* noisy, resounding

tormas torəməs *m1* carping, grumbling; sulking

tornádó ,to:r′na:do: *m4*, *pl* ~ **nna** tornado

tornapa tornəpə *m4* turnip

tornóg to:rno:g *f2* kiln

torpa torpə *m4* clump, clod

torpánta torpa:ntə *a3* pot-bellied; sluggish

torrach torəx *a1* pregnant

tórraigh to:ri: *vt* hold obsequies of, wake

tórramh to:rəv *m1* wake; funeral

tortaobh 'tor,ti:v *s*, *i d~ le* depending solely on

torthaigh torhi: *vi* fruit, fructify

torthóir torhor′ *m3* fruiterer

torthúil torhu:l′ *a2* fruitful, fertile, rich

torthúlacht torhu:ləxt *f3* fruitfulness, fertility, richness

tortóg torto:g *f2* hummock, tussock

tosach tosəx *m1* beginning; front; leading position; sole (of boot, etc), *i d~ at first, chun tosaigh ar* ahead of, ~ *a thabhairt do dhuine* to give precedence to a person; to give a start to a person (in competition), *roth tosaigh* front wheel

tosaí tosi: *m4* forward

tosaigh tosi: *vt* & *i* begin, start

tosaíocht tosi:(ə)xt *f3* precedence, priority

tosaitheoir tosiho:r′ *m3* beginner

toscaire toskər′ə *m4* delegate, deputy

toscaireacht toskər′əxt *f3* delegation, deputation

tost tost *m3* silence, *bí i do thost* be silent, shut up *vi* become silent

tósta to:stə *m4*, *(of bread)* toast

tostach tostəx *a1* taciturn

tóstaer to:ste:r *m*l toaster

tostail tosti:l′ *f*3 silence, taciturnity

tóstáil to:sta:l′ *vt* toast

tóstal to:stəl *m*l assembly, muster; pageant

tóstalach to:stələx *a*l arrogant, conceited

tostóir tosto:r′ *m*3 silencer

tosú tosu: *m*4 beginning, commencement, start

tothlaigh tohli: *vt* desire, crave

trá[1] tra: *f*4, *pl* ~**nna** strand, beach, *tá sé ina thrá (mhara)* the tide is out

trá[2] tra: *m*4 ebb; subsidence, decline

trácht[1] tra:xt *m*3, *pl* ~**anna** sole (of foot); instep; tread (of tyre); base; dimension

trácht[2] tra:xt *m*3 travelling; journey; traffic *vt & i* journey, travel

trácht[3] tra:xt *m*3 discourse, comment, ~ *ar* mention of, *vt & i* discuss, comment on; relate, ~ *ar rud* to mention sth

tráchtáil tra:xta:l′ *f*3 trade, commerce

tráchtaire tra:xtər′ə *m*4 commentator

tráchtaireacht tra:xtər′əxt *f*3 commenting; commentary

tráchtálaí tra:xta:li: *m*4 trader

tráchtas tra:xtəs *m*l treatise, dissertation; thesis

tráchtearra ′tra:xt,arə *m*4 commodity

trádáil tra:da:l′ *f*3 trade

trádálach tra:da:ləx *a*l commercial

trádálaí tra:da:li: *m*4 trader

trae tre: *m*4, *pl* ~**nna** tray

traein tre:n′ *f*, *gs* **-aenach** *pl* **-aenacha** train

traenáil tre:na:l′ *f*3 training *vt & i* train

traenálaí tre:na:li: *m*4 trainer

tragóid trago:d′ *f*2 tragedy

tragóideach trago:d′əx *a*l tragic

traidhfil traif′əl′ *f*4 trifle

traidín traid′i:n′ *m*4 bundle, load, carried on back

tráidire tra:d′ər′ə *m*4 tray

traidisiún ,trad′is′u:n *m*l tradition

traidisiúnta ,trad′is′u:ntə *a*3 traditional

traighélde traɡ′el′d′ə *f*4, *(theatre)* tragedy

tráigh tra:γ′ *vt & i* ebb; abate, recede, decline

tráill tra:l′ *f*2, *pl* ~**eanna** thrall, slave; wretch

traimil tram′əl′ *f*2, *gs* **-mle** *pl* **-mlí** trammel(-net)

traipisí trap′əs′i: *spl* personal belongings, *caite i d*~ scrapped, discarded

tráiteoir tra:t′o:r′ *m*3 beachcomber

tráithnín tra:hn′i:n′ *m*4 dry grass-stalk, *ní fiú ~ é* it's not worth a straw

trál tra:l *m*l trawl(-net)

trálaeireacht tra:le:r′əxt *f*3 trawling

trálaer tra:le:r *m*l trawler

tralaí trali: *m*4 trolley

tram tram *m*4, *pl* ~**anna** tram(-car)

tranglam traŋləm *m*l confusion, disorder, clutter

traoch tri:x *vt* overcome; wear out, exhaust

traochadh tri:xə *m*, *gs* **-chta** exhaustion

traochta tri:xtə *a*3 exhausted, worn out

traoith tri: *vt & i* abate, subside; reduce; waste, consume

traonach tri:nəx *m*l corncrake

Trapach trapəx *m*l & *a*l Trappist

tras- tras *pref* cross-, trans-

trasna trasnə *prep, adv, a & s* across; cross, transverse; width, *dul* ~ *na habhann* to go across the river, *trí troithe* ~ three feet across, *teacht* ~ *ar dhuine* to cross, contradict a person, *barra* ~ cross-bar, *ar a thrasna* along its breadth, crosswise

trasnaigh trasni: *vt & i* cross; traverse; intersect; contradict; heckle

trasnáil trasna:l′ *f*3 crossing, traversing; contradicting, interrupting

trasnaíocht trasni:(ə)xt *f*3 contradiction, interference

trasnálaí trasna:li: *m*4 heckler

trasnán trasna:n *m*l cross-piece; cross-bar

trasnánach trasna:nəx *a*l crosswise; diagonal

trasraitheoir trasriho:r′ *m*3 transistor

trasrian ′tras,riən *m*l, *pl* ~**ta** ~*coisithe* pedestrian crossing

trastomhas ′tras,to:s *m*l diameter

trasuigh ′tra,siγ′ *vt* transpose

tráta tra:tə *m*4 tomato

tráth tra: *m*3, *pl* ~**anna** *npl* ~**a** & *gpl* ~ in certain phrases hour; time, day, period, *na cairde a bhí againn* ~ the friends we once had, ~ *is go bhfuil sé anseo* since he is here, *i d*~ *a na Nollag* around Christmas

tráthchlár ′tra:,xla:r *m*l timetable

tráthnóna ,tra:′no:nə *m*4, *pl* **-nta** afternoon, evening

tráthrialta ˌtra:'rɪəltə *adv*, *go* ~ regularly; punctually

tráthúil tra:hu:l' *a2* timely, opportune; apt; witty

tráthúlacht tra:hu:ləxt *f3* timeliness, opportuneness; aptness, wittiness

tré– t'r'e: *pref* through–

treabh t'r'av *vt* & *i* plough, *níl siad ag* ~ *adh le chéile* they don't get along

treabhadh t'r'auə *m*, *gs* -**eafa** ploughing

treabhchas t'r'auxəs *m1* tribe, people

treabhdóir t'r'audo:r' *m1* ploughman

treabhsar t'r'ausər *m1* (pair of) trousers

treacha t'r'axə : **triuch**

tréad t'r'e:d *m3*, *gs* & *npl* ~**a** flock, herd; congregation; community

tréadach t'r'e:dəx *a1* pastoral

tréadaí t'r'e:di: *m4* shepherd; pastor

tréadaíocht t'r'e:di:(ə)xt *f3* herding

tréadlitir 't'r'e:d',l'it'ər' *f*, *gs* -**treach** *pl* -**treacha** pastoral (letter)

tréadúil t'r'e:du:l' *a2* gregarious

treaghdán t'r'aidə:n *m1* nit

treáigh t'r'a:γ' *vt* pierce, penetrate

treáire t'r'a:ər'ə *m4* piercer, borer

treáiteach t'r'a:t'əx *a1* piercing, penetrating

trealamh t'r'aləv *m1* equipment, gear

treall t'r'al *m3*, *pl* ~**anna** short period, spell; fit, caprice; streak, patch

treallach t'r'aləx *a1* fitful; capricious; streaky, patchy

treallús t'r'alu:s *m1* industriousness, enterprise; assertiveness, forwardness

treallúsach t'r'alu:səx *a1* industrious, enterprising; assertive, forward

trealmhaigh t'r'aləvi: *vt* fit out, equip

tréan t'r'e:n *m1* strong man, warrior; strength, intensity; abundance, *le* ~ *a nirt* by dint of his strength, *tá* ~ *airgid acu* they have plenty of money *a1*, *comp* **treise** & **tréine** strong, powerful; intense, violent

tréanas t'r'e:nəs *m1* abstinence from flesh meat

treas¹ t'r'as *m3*, *gs* & *npl* ~**a** line, file

treas² t'r'as *m3*, *gs* & *npl* ~**a** combat, battle

treas³ t'r'as *num a* third

tréas t'r'e:s *m3* treason; disloyalty

tréasach t'r'e:səx *a1* treasonable

treascair t'r'askər' *vt* & *i*, *pres* -**craíonn** knock down, overthrow

treascairt t'r'askərt' *f3*, *gs* -**artha** knockdown, overthrow, defeat

treascrach t'r'askrəx *a1* overpowering; prostrating

tréaslaigh t'r'e:sli: *vt*, *rud a thréaslú do dhuine* to congratulate a person on sth

tréaslú t'r'e:slu: *m4* congratulation

treaspás t'r'aspa:s *m1* trespass

tréasúil t'r'e:su:l' *a2* rebellious; outrageous

treatúir t'r'e:tu:r' *m3* traitor

tréatúrtha t'r'e:tu:rhə *a3* traitorous, treacherous

trébhealach 't'r'e:,v'aləx *m1*, *pl* -**aí** throughway

trébhliantúil 't'r'e:,v'l'iəntu:l' *a2* perennial

trédhearcach 't'r'e:,γ'arkəx *a1* transparent; diaphanous

treibh t'r'ev' *f2*, *pl* ~**eanna** house, household, family; tribe, people

treibheach t'r'ev'əx *a1* tribal

Tréidín t'r'e:d'i:n' *m4*, *an* ~ the Pleiades

tréidlia 't'r'e:d',l'iə *m4*, *pl* ~**nna** veterinary surgeon

tréig t'r'e:g' *vt* & *i* abandon, desert, forsake; fade; fail

tréigean t'r'e:g'ən *m1* desertion, abandonment; fading

treighid t'r'aid' *f2*, *gs* -**ghde** *pl* -**ghdeanna** pang; gripes

tréigtheach t'r'e:k'əx *a1* deserting, forsaking; inclined to fade

tréigtheoir t'r'e:k'o:r' *m3* deserter

tréimhse t'r'e:v's'ə *f4* period, term

tréimhseachán t'r'e:v's'əxa:n *m1* periodical

tréimhsiúil t'r'e:v's'u:l' *a2* periodical

tréine t'r'e:n'ə *f4* strength, power; intensity

treis t'r'es *s*, *i d~* in power; in conflict; at issue; involved, *teacht i d~* to attain power; to grow strong; to flourish, *i d~ leis an namhaid* in conflict with the enemy, *an rud atá i d~ eadrainn* what is at issue between us

treise t'r'es'ə *f4* strength, dominance; force, emphasis, ~ *leat*! more power to you!

treisigh t'r'es'i: *vt* & *i* strengthen, reinforce; gather strength

treisiúil t'r'es'u:l' *a2* strong, vigorous

tréith¹ t′r′e: *f2, gs & pl* ~**e** trait, quality; accomplishment; achievement; trick, prank

tréith² t′r′e: *a1* weak, feeble

tréiteach t′r′e:həx *a1* accomplished, talented; promising; playful; characteristic

tréithlag 't′r′e:ˌlag *a1* enervated, exhausted

tréithrigh t′r′e:hr′i: *vt* characterize

tréithriú t′r′e:hr′u: *m4* characterization

treo t′r′o: *m4, pl* ~**nna** direction, way; trend, drift, *i d*~ (*is*) *go* in such a way that, so that, *i d*~ (*do*) close to, along with, *i d*~ *an mheán oíche* towards midnight, *táimid i d*~ *a chéile ó mhaidin* we have been together all day

treodóireacht t′r′o:do:r′əxt *f3* orienteering

treoir t′r′o:r′ *f, gs* -**orach** *pl* -**oracha** guidance, direction; indicator; index; progress; effort, strength, *duine a bhaint dá threoir* to confuse a person, to lead a person astray, *i d*~ in order, ready, *ó threoir* out of action, in disrepair

treorach t′r′o:rəx *a1* guiding, directive; strong, vigorous

treoraí t′r′o:ri: *m4* guide, leader

treoraigh t′r′o:ri: *vt & i* guide, lead, direct

treorán t′r′o:ra:n *m1* index

treoshuíomh 't′r′o:ˌhi:v *m1* orientation

tréscaoilteach 't′r′e:ˌski:l′t′əx *a1* permeable

tréshoilseach 't′r′e:ˌhol′s′əx *a1* translucent

trí¹ t′r′i: *m4, pl* ~**onna** & *a* three, ~ *déag* thirteen

trí² t′r′i: *prep, pron forms* ~**om** t′r′i:m, ~**ot** t′r′i:t, ~**d** t′r′i:d′ *m*, ~**thi** t′r′i:hi *f*, ~**nn** t′r′i:n′, ~**bh** t′r′i:v′, ~**othu** t′r′i:hu, through; among, throughout, *cuir ola* ~*d* mix it with oil, *chuir tú* ~*na chuntas é* you put him out in his count, *tá sé i bhfad* ~*d* he is far gone, ~*d síos* right through, on the whole, ~*d is* ~*d* through and through, in the main, ~*chéile*, ~*na chéile* mixed-up, confused

triacla t′r′iəklə *m4* treacle

triail t′r′iəl′ *f, gs* -**alach** *pl* -**alacha** trial, test *vt & i* try, test

triailleadán t′r′iəl′ədа:n *m1* test-tube

trialach t′r′iələx *a1* trial, experimental, tentative

triall t′r′iəl *m3, pl* ~**ta** journey, expedition, *cá bhfuil do thriall?* where are you going? *vt & i* journey, travel

trian t′r′iən *m1, pl* ~**ta** third

triantán t′r′iəntа:n *m1* triangle

triantánach t′r′iəntа:nəx *a1* triangular

triantánacht t′r′iəntа:nəxt *f3* trigonometry

triarach t′r′iərəx *a1* triple, triplicate

tríbh t′r′i:v′ : **trí²**

tric t′r′ik′ *a1* quick, sudden, frequent

tríd t′r′i:d′ : **trí²**

trilis t′r′il′əs *f2, gs & pl* -**lse** tress

trillín t′r′il′i:n′ *m4* burden, encumbrance

trilseach t′r′il′s′əx *a1* braided, plaited; bright

trilseán t′r′il′s′a:n *m1* tress, plait; torch, ~ *oinniún* string of onions

trilsigh t′r′il′s′i: *vt & i* braid, plait; sparkle

trilsín t′r′il′s′i:n′ *m4* string (of pearls, etc)

trínn t′r′i:n′ : **trí²**

trinse t′r′in′s′ə *m4* trench

trioblóid t′r′iblo:d′ *f2* trouble, affliction

trioblóideach t′r′iblo:d′əx *a1* troublesome

trioc t′r′ik *m4* furniture

triocha t′r′i:xə *m, gs* -**d** *pl* -**idí** & *a* thirty

tríochadú t′r′i:xədu: *m4* & *a* thirtieth

triológ t′r′ilo:g *f2* trilogy

tríom t′r′i:m : **trí²**

triomach t′r′iməx *m1* dry weather, drought

triomacht t′r′iməxt *f3* dryness, aridity

triomadóir t′r′imədo:r′ *m3* dryer

triomaigh t′r′imi: *vt & i* dry

Tríonóid t′r′i:no:d′ *f2* Trinity

triopall t′r′ipəl *m1* cluster, bunch; festoon, ~ *treapall* disorder, confusion

triopallach t′r′ipələx *a1* clustered; neatly gathered; tidy

tríopas t′r′i:pəs *m1* tripe

tríot t′r′i:t : **trí²**

tríothu t′r′i:hu : **trí²**

trípéad t′r′i:p′e:d *m1* tripod, trivet

triptic t′r′ip′t′ək′ *f2* triptych; triptique

tríréad t′r′i:r′e:d *m1, (music)* trio

trírín t′r′i:r′i:n′ *m4* triplet

trírothach 't′r′i:ˌrohəx *m1* tricycle

tritheamh t′r′ihəv *m1, pl* -**thí** fit, paroxysm

tríthi t'r'i:hi : **trí²**

tríthoiseach 't'r'i:,hos'əx a1 three-dimensional

triú t'r'i:u: m4 & a third

triuch t'r'ux m3, gs **treacha** whooping-cough

triuf t'r'uf m4, pl ~**anna** (cards) club

triúr t'r'u:r m1 three persons

triús t'r'u:s m1 trousers

trócaire tro:kər'ə f4 mercy; leniency, compassion

trócaireach tro:kər'əx a1 merciful; lenient, compassionate

troch trox m3, gs & npl ~**a** wretch

trochailte troxəl't'ə a3 run down, enfeebled, in wretched state

trochlú troxlu: m4 deterioration, decay; defilement

trodach trodəx a1 combative, pugnacious, quarrelsome

trodaí trodi: m4 fighter, combatant; brawler

tródam tro:dəm m1 cordon

trodán trodɑ:n m1 file (for papers)

troid trod' f3 & vt & i fight, quarrel

troigh troy' f2, pl -**ithe** foot; step

troime trom'ə f4 heaviness, weightiness

troimpéad trom'p'e:d m1 trumpet

troisc tros'k' vi, vn -**oscadh** fast

troitheach trohəx m1 foot-soldier; pedestrian

troitheán trohɑ:n m4 pedal; treadle

troithín trohi:n' m4 tread (of spade)

trom¹ trom m1 elder(-tree)

trom² trom m4 weight; burden; oppression; bulk; importance; blame

trom³ trom a1, gsm ~ heavy; laborious; severe, harsh; profound; important

tromaí tromi: a3 weighty; grave; heavy-hearted

tromaigh tromi: vt & i become heavier; add weight to; intensify; deepen; oppress

tromaíocht tromi:(ə)xt f3 condemnation, censure, ~ a dhéanamh ar dhuine faoi rud to blame a person wrongly, unduly, for sth

tromán tromɑ:n m1 weight, ~ (dorú) sinker

trombóis trombo:s' f2 thrombosis

trombón trombo:n m1 trombone

tromchúis 'trom,xu:s' f2, pl ~**eanna** grave matter; gravity, importance

tromchúiseach 'trom,xu:s'əx a1 grave, important; (of person) self-important

tromlach tromləx m1 greater part, majority

tromluí 'trom,li: m4 nightmare

trom-mheáchan 'trom,v'a:xən m1 heavyweight

trópaic tro:pək' f2 tropic

trópaiceach tro:pək'əx a1 tropical

trosc trosk m1 cod

troscadh troskəx a1 fasting

troscadh troskə m1 fast, bheith i do throscadh to be fasting

troscán troskɑ:n m1 furniture

trostal trostəl m1 tramp (of feet), thud (of hooves)

trua truə f4 pity, sympathy, compassion; wretch; lean meat, mo thrua alas a3 pitiable, miserable; lean; emaciated, is ~ (go) it is a pity (that)

truacánta truəkɑ:ntə a3 piteous, plaintive

truaill truəl' f2 sheath; covering, case

truaillí truəl'i: a3 corrupt, contaminated; vile; miserly

truailligh truəl'i: vt corrupt, contaminate; desecrate

truaillitheach truəl'ihəx a1 corrupting, contaminating, polluting

truailliú truəl'u: m4 corruption, contamination, pollution

truaillmheasc 'truəl',v'ask vt adulterate

truaínteacht truəi:n't'əxt f3 talking piteously, making a poor mouth

truamhéala 'truə,v'e:lə f4 plaintiveness; pity, compassion

truamhéalach 'truə,v'e:ləx a1 piteous, plaintive; pathetic

truán tru:ɑ:n m1 miserable person, wretch

truas truəs m1, (of meat) leanness

trucaid trukəd' f2 kit-bag

trucail trukəl' f2 truck, trolley; cart pl belongings

truflais trufləs' f2 rubbish, trash

truicear trik'ər m1 trigger

trúig tru:g' f2 cause, occasion

truip trip' f2, pl ~**eanna** trip; journey

trúipéir tru:p'e:r' m3 trooper

trumpa trompə m4 trumpet; Jew's harp

trumpadóir trompədo:r' m3 trumpeter

trunc tronk m3 trunk

trup trup m4, pl ~**anna** tramp; noise, din

trúpa tru:pə *m*4 troop

truslóg truslo:g *f*2 hop; long stride, lope

tú tu: 2 *sg pron* you

tua tuə *f*4, *pl* ~**nna** axe; hatchet

tuadóir tuədo:r′ *m*3 axe-man, hewer

tuáille tu:a:l′ə *m*4 towel

tuailm tuəl′m′ *f*2 (mechanical) spring

tuaiplis tuəp′l′əs′ *f*2 blunder

tuaiplisiúil tuəp′l′əs′u:l′ *a*2 blundering

tuairgneach tuər′g′n′əx *a*l beating, pounding, pummelling

tuairgnín tuər′g′i:n′ *m*4 beetle; pestle

tuairim tuər′əm′ *f*2 opinion, ~ *an ama sin* about that time, ~ *ar chéad, is céad* about a hundred, *faoi thuairim* to, towards, for, for the purpose of,

tuairimeach tuər′əm′əx *a*l speculative; discerning

tuairimigh tuər′əm′i: *vt & i* opine, conjecture

tuairimíocht tuər′əm′i:(ə)xt *f*3 guessing; guess-work, speculation

tuairín tuər′i:n′ *m*4 grassy plot; bleaching-green

tuairisc tuər′əs′k′ *f*2 information, tidings; account (of whereabouts); report, ~ *duine a chur* to inquire for, about, a person

tuairisceoir tuər′əs′k′o:r′ *m*3 reporter, correspondent

tuairiscigh tuər′əs′k′i: *vt* report

tuairisciúil tuər′əs′k′u:l′ *a*2 descriptive

tuairt tuərt′ *f*2, *pl* ~**eanna** thud, crash

tuairteáil tuərt′a:l′ *vt* pound, thump, buffet

tuairteálach tuərt′a:ləx *a*l pounding, buffeting; bumpy

tuairteoir tuərt′o:r′ *m*3 bumper (of car)

tuaisceart tuəs′k′ərt *m*l north, northern part

tuaisceartach tuəs′k′ərtəx *m*l northerner *a*l northern; surly

tuama tuəmə *m*4 tomb; tombstone

tuar¹ tuər *m*l, *pl* ~**tha** sign, omen, ~*ceatha, báistí* rainbow *vt* augur, forbode; deserve

tuar² tuər *vt & i* bleach; whiten; season; inure, *tá mé* ~ *tha den bhia seo* I have had enough of this kind of food

tuarascáil tuərəska:l′ *f*3, *pl* -**álacha** account, report, description

tuarascálaí tuərəska:li: *m*4 reporter

tuarastal tuərəstəl *m*l salary, wages

tuargain tuərgən′ *vt, pres* **tuairgníonn** pound; batter; thump

tuargaint tuərgən′t′ *f*3, *gs* -**ana** pounding, battering

tuarúil tuəru:l′ *a*2 presaging; portentous

tuaslagadh tuəsləgə *m, gs* -**gtha** solution, resolution (of problem, etc); solution, dissolution (in liquid)

tuaslagán tuəsləgə:n *m*l (chemical) solution

tuaslagóir tuəsləgo:r′ *m*3 solvent

tuaslaig tuəsləg′ *vt, pres* -**agann** solve, dissolve

tuata tuətə *m*4 layman; non-professional person *a*3 lay, secular

tuath tuə *f*2 country, territory; laity; rural districts

tuathaigh tuəhi: *vt* laicize

tuathal tuəhəl *m*l *& adv* direction against the sun, wrong direction; blunder, *an taobh tuathail* the left-hand side; the wrong side

tuathalach tuəhələx *a*l towards the left, anti-clockwise; awkward

tuathánach tuəha:nəx *m*l countryman, rustic

tuatheolaíocht ′tuəh,o:li:(ə)xt *f*3 rural science

tuathghríosóir ′tuə,γ′r′i:so:r′ *m*3 demagogue

tuathúil tuəhu:l′ *a*2 rustic

tubaiste tubəs′t′ə *f*4 calamity, disaster

tubaisteach tubəs′t′əx *a*l calamitous, disastrous

Túdarach tu:dərəx *m*l *& a*l Tudor

tufar tufər *a*l malodorous

tuga tugə *m*4 tug, trace (of harness); tugboat

tugann tugən *pres of* **tabhair**

tugtha tukə *a*3 spent, exhausted, ~ *do* given to, prone to

tui ti: *f*4 thatch; straw

tuig tig′ *vt & i, vn* **tuiscint** understand; realize, ~*eadh dom go mbeadh do chuidiú againn* I got the idea that we would have your help

tuil til′ *vt & i* flood, flow; fill to overflowing

tuile til′ə *f*4, *pl* -**lte** flood, flow

tuill til′ *vt* earn, deserve

tuilleadh til'ə *m*1 addition; increase; more, *a thuilleadh eolais* additional information, *ní raibh eagla uirthi a thuilleadh* she was no longer afraid, ~ *ar, le, agus* more than

tuilleamaí til'əmi: *vt* depend, *bheith i d~ duine* to be dependent on a person

tuilleamaíoch til'əmi:(ə)x *a*1, *gsm* ~ dependent

tuilleamh til'əv *m*1 earning; merit; wages

tuillmheach til'əv'əx *a*1 productive, profitable

tuillteanach til't'ənəx *a*1 deserving

tuillteanas til't'ənəs *m*1 merit, desert

tuilsoilsigh 'til'sol's'i: *vt* flood-light

tuilsolas 'til'soləs *m*1, *pl* -**oilse** floodlight

tuilteach til't'əx *a*1 flooding, overflowing

tuin tin' *f*2, *pl* ~**eacha** tone, accent

tuineach tin'əx *f*2 tunic

tuineanta tin'əntə *a*3 pressing, persistent

tuíodóir ti:(ə)do:r' *m*3 thatcher

tuirbín tir'əb'i:n' *m*4 turbine

tuire tir'ə *f*4 dryness, aridity; dullness

tuireamh tir'əv *m*1 dirge, lament

túirín¹ tu:r'i:n' *m*4 turret

túirín² tu:r'i:n' *m*4 tureen

tuirling tu:rl'əŋ' *vi, pres* ~**ionn** descend, alight

tuirlingt tu:rl'əŋ't' *f*2, *gs* -**gthe** descent, landing

tuirne tu:rn'ə *m*4 spinning-wheel

tuirpintín tir'p'ən't'i:n' *m*4 turpentine

tuirse tirs'ə *f*4 tiredness, fatigue; sorrow

tuirseach tirs'əx *a*1 tired, weary; sorrowful

tuirsigh tirs'i: *vt & i* tire, weary

tuirsiúil tirs'u:l' *a*2 tiring, fatiguing

túis tu:s' *f*2 incense

túisce tu:s'k'ə *comp a & adv* sooner, rather; first, *an té is ~ a labhair* the person who spoke first, *ní ~ thoir ná thiar iad* they are no sooner here than there, *ba thúisce liom suí ná seasamh* I'd rather sit than stand, *an ~ is féidir* as soon as possible

tuisceanach tis'k'ənəx *a*1 understanding; wise; considerate

tuiscint tis'k'ən't' *f*3, *gs* -**ceana** understanding; wisdom; consideration

tuiseal tis'əl *m*1, *(grammar)* case

túiseán tu:s'a:n *m*1 censer, thurible

tuisle¹ tis'l'ə *m*4 fall, stumble; trip; blunder, mishap

tuisle² tis'l'ə *m*4 hinge

tuisleach tis'l'əx *a*1 stumbling; faltering

tuisligh tis'l'i: *vi* stumble; falter, stagger

tuismeá 'tis',m'a: *f*4 horoscope

tuismigh tis'm'i: *vt & i* beget, procreate; produce; bring about; originate

tuismitheoir tis'm'iho:r' *m*3 parent

tulach tuləx *f*2 low hill; mound

tulán tula:n *m*1 protuberance; mound, hillock

túlán tu:la:n *m*1 kettle

tulca tulkə *m*4 flood, deluge; wave; gust

tulcach tulkəx *a*1 flooding, gushing

tulchach tuləxəx *a*1 hilly

tulgharda 'tul,ɣa:rdə *m*4 advance-guard

tulmhaisiú 'tul,vas'u: *m*4 frontispiece

tum tum *vt & i* dip, immerse; plunge, dive

tumadh tumə *m, gs* -**mtha** *pl* -**mthaí** dip, immersion; plunge, dive

tumadóir tumədo:r' *m*3 diver

tumaire tumər'ə *m*4 dipper, diver; plunger

tur tur *a*1 dry, arid; cold, unsympathetic; dull, uninteresting, *bia ~* food without condiment, ~ *te* at once, immediately

túr tu:r *m*1 tower

turadh turə *m*1 cessation of rain

turas turəs *m*1 journey; pilgrimage; time, occasion, ~ *na Croise* the Stations of the Cross, *d'aon ~* on purpose; in jest

turasóir turəso:r' *m*3 tourist

turasóireacht turəso:r'əxt *f*3 journeying, touring; tourism

turban torəbən *m*1 turban

turbard torəbərd *m*1 turbot

turcaí torki: *m*4 turkey

turcaid turkəd' *f*2 turquoise

turgnamh turəgnəv *m*1 experiment

turnaimint tu:rnəm'ən't' *f*2 tournament

turnamh tu:rnəv *m*1 descent, fall, decline

turraing turəŋ' *f*2 rush, dash; attack; thrust; lurch; fall; grief; (electric) shock

turraingeach turəŋ'əx *a*1 thrusting, violent

turtar tortər *m*1 turtle

tús tu:s *m*1 beginning, start, origin; precedence; van, *ar d~* at first, ~ *áite* pride of place

tusa tusə 2 *sg, emphatic pron* you

tútach tu:təx *a*1 crude, awkward; stupid; churlish

tútachas tu:təxəs *m*1 clumsiness, awkwardness; churlishness

tuth tuh *f*2 odour, stench

tuthóg tuho:g *f*2 puff, fart

tuthógach tuho:gəx *a*1 puffing, farting; malodorous

U

uabhar uəvər *m*1 pride, arrogance, *tháinig ~ uirthi* she was offended

uachais uəxəs *f*2 burrow; den

uacht uəxt *f*3, *pl* ~**anna** will, testament, *fágaim le h~* (go) I solemnly declare (that), *bheith in ~ an bháis* to be preparing for death, in the last extremity

uachtaigh uəxti: *vt* will, bequeath; declare

uachtar uəxtər *m*1 top, upper part, ~ (*bainne*) cream, ~ *reoite* ice-cream, *ar ~ an uisce* on the surface of the water, *an lámh in ~*, *an lámh uachtair*, *a fháil ar dhuine*, to get the upper hand of a person

uachtarach uəxtərəx *a*1 upper, top, *talamh ~* upland, *oifigeach ~* superior officer

uachtarán uəxtəra:n *m*1 president; head, superior

uachtaránacht uəxtəra:nəxt *f*3 presidency; authority, power

uachtarlann uəxtərlən *f*2 creamery

uachtarúil uəxtəru:l' *a*2 creamy

uachtóir uəxto:r' *m*3 testator

uafar uəfər *a*1 dreadful, horrible

uafás uəfa:s *m*1 horror, terror, *is mór an t~* é it is most astounding, *tá an t~ airgid aige* he has a vast amount of money

uafásach uəfa:səx *a*1 horrible, terrible; astonishing, *tá neart ~ ann* he has terrific strength

uaibh uəv' : **ó²**

uaibhreach uəv'r'əx *a*1 proud, arrogant; spirited; very emotional, *bia ~* rich food

uaidh uəγ' : **ó²**

uaiféalta uəf'e:ltə *a*3 awful

uaigh uəγ' *f*2, *pl* ~**eanna** grave

uaigneach uəγ'n'əx *a*1 lonely; lonesome, eerie, *dithreabhach ~* solitary hermit, *tá méin ~ aige* he is of a retiring disposition, *peaca ~* secret sin

uaigneas uəg'n'əs *m*1 loneliness, solitude; eeriness; privacy

uail uəl' *f*2 group, flock

uaill uəl' *f*2, *pl* ~**eacha** wail; howl

uaillbhreas 'uəl',v'r'əs *m*3, *gs* & *npl* ~**a** exclamation

uaillmhian 'uəl',v'iən *f*2, *gs* -**mhéine** *pl* ~**ta** ambition

uaillmhianach 'uəl',v'iənəx *a*1 ambitious

uaim¹ uəm' *f*3, *pl* **uamanna** seam (in cloth); joint (in book-binding); alliteration *vt*, *pres* **uamann** *vn* **uamadh** join together, unite

uaim² uəm' : **ó²**

uaimh uəv' *f*2, *pl* ~**eanna** cave; underground chamber

uaimheadóireacht uəv'ədo:r'əxt *f*3 exploration of caves; potholing

uaimheolaíocht 'uəv',o:li:(ə)xt *f*3 speleology

uain uən' *f*2, *pl* ~**eacha** opportune time; occasion; opportunity, *ba ghearr a h~ ar an saol* her span of life was short, *is é m'~ é* it is my turn, *bhí an ~, go hálainn* the weather was beautiful

uainchlár 'uən',xla:r *m*1 roster, rota

uaine uənə *f*4 (vivid) green; verdure *a*3 (vivid) green; verdant

uaineadh uən'ə *m*1 interval between showers

uaineoil 'uən',o:l' *f*3, (*meat*) lamb

uainíocht uən'i:(ə)xt *f*3 alternation; rotation, *bhí siad ag ~ ar a chéile* they were taking turns

uainn uən' : **ó²**

uair uər' *f*2, *pl* ~**eanta**, ~**e** *with numerals* hour; time, season, *ar feadh ~e* for an hour, *ar ~ un mheán lae* at the hour of midday, *baois na huaire* the folly of the times, *den chéad ~* for the first time, *cá h~?* *cén ~?* when? ~ *sa bhliain* once a year, ~ *nó dhó* once or twice, *seacht n-uaire níos fearr* seven times better, ~*eanta* sometimes, *ar ~ibh* occasionally

uaireadóir uər'ədo:r' *m3* watch

uaisle uəs'l'ə : **uasal**

uaisleacht uəs'l'əxt *f3* nobility, gentility

uaisligh uəs'l'i: *vt* ennoble; elevate, exalt

uait uət' : ó²

uaithi uəhi : ó²

ualach uələx *m1, pl* **-aí** load, burden

ualaigh uəli: *vt* load; burden

uallach uələx *a1* giddy; excitable; vain

uallachas uələxəs *m1* giddiness; excitement; vanity, vainglory

uallfairt uəlfərt' *f2* howl, yell; grunt

uallfartach uəlfərtəx *f2* howling, yelling

uamach uəmax *a1* alliterative

uamhan uəvən *m1, npl* **-mhna** fear; dread; object of terror, ~ *clóis* claustrophobia

uamhnach uəvnəx *a1* dreadful, terrifying; timorous

uan uən *m1* lamb

uanach uənəx *a1* frothy, foaming

uanán uənaːn *m1* froth

uas- uəs *pref* top, maximum

uasaicme 'uəs,ak'm'ə *f4* upper class, aristocracy

uasal uəsəl *m1, pl* **uaisle** nobleman, gentleman, *uaisle na tíre* the nobility of the country, *an tU~* Mr *a1, gsf, npl & comp* **uaisle** noble; gentle; precious, fine, *fear* ~ gentleman, *a dhuine uasail* (dear) sir, *a dhaoine uaisle* ladies and gentlemen, *Brian U~ Bairéid* Mr Brian Barrett

uasalathair 'uəsəl,ahər' *m, gs* **-thar** *pl* **-laithreacha** patriarch

uasalathartha 'uəsəl,ahərhə *a3* patriarchal

uascán uəska:n *m1* hogget

uascánta uəska:ntə *a3* sheepish; simpleminded

uaschamóg 'uəs,xamo:g *f2* apostrophe

uaschúirt 'uəs,xu:rt' *f2* superior court

uaslathach 'uəs,lahəx *a1* aristocratic

uaslathaí 'uəs,lahi: *m4* aristocrat

uaslathas 'uəs,lahəs *m1* aristocracy

uasta uəstə *a3* highest, maximum

uath- uəh ~ uə¹ *pref* auto-; spontaneous

uatha uəhə *m4 & a3*, (*grammar*) singular

uathdhó 'uə,γo: *m4* spontaneous combustion

uathfheidhmeach 'uəh,aim'əx *a1* automatic

uathlathach 'uə,lahəx *a1* autocratic

uathlathas 'uə,lahəs *m1* autocracy

uathoibreán 'uəh,ob'r'a:n *m1* automaton

uathoibríoch 'uəh,ob'r'i:(ə)x *a1, gsm* ~ automatic

uathoibriú 'uəh,ob'r'u: *m4* automation

uathu uəhu : ó²

uathúil uəhu:l' *a2* unique

ubh uv *f2, pl* **uibheacha, uibhe** *with numerals* egg

ubhach uvəx *a1* oval

ubhagán uvəga:n *m1* ovary

úbhal u:vəl *m1* uvula

ubhán uva:n *m1* ovum

ubhchruthach 'uv,xruhəx *a1* oval

ubhchupán 'uv,xopa:n *m1* egg-cup

ubhsceitheadh 'uv,s'k'ehə *m, gs* **-ite** ovulation

úc u:k *vt* full, tuck

úcaire u:kər'ə *m4* fuller; three-spined stickleback

ucht uxt *m3, pl* ~ **anna** chest; breast; lap, ~ *an aird* the slope of the hillock, *as* ~ for the sake of, on behalf of, in return for, *as* ~ *go* because

uchtach¹ uxtəx *m1* breastplate

uchtach² uxtəx *m1* courage; hope, ~ *cainte* vigour of speech

uchtaigh uxti: *vt* adopt

uchtbhalla 'uxt,valə *m4* parapet

uchtleanbh 'uxt,l'anəv *m1, pl* **-naí** adopted child

uchtóg uxto:g *f2* armful; small heap; bump

uchtú uxtu: *m4* adoption

uchtúil uxtu:l' *a2* full-chested; courageous

úd¹ u:d *a* yon, yonder, *an cnoc* ~ *thall* that hill over there, *ná bac leis an diúlach* ~ don't mind that fellow

úd² u:d *m1* (*rugby*) try

údar u:dər *m1* author; origin; writer; expert, *ní mé is* ~ *leis* I am not the person who started it, *na húdair mhóra* the great authors, *tá* ~ *maith agam leis* I have it on good authority, *bhí* ~ *gearáin aici* she had cause for complaint

údarach u:dərəx *a1* authentic

údaracht u:dərəxt *f3* authenticity

údaraigh u:dəri: *vt* authorize; originate, cause

údarás u:dərɑ:s *m*1 authority, ~ **áitiúil** local authority, *na húdaráis* the authorities, *scéal gan* ~ unauthenticated story

údarásach u:dərɑ:səx *a*1 authoritative; dictatorial

ugach ugəx *m*1 encouragement; confidence, courage

Úgónach u:go:nəx *m*1 *& a*1 Huguenot

uí i: : ó[1]

uibheacha iv'əxə : **ubh**

uibheagán iv'əga:n *m*1 omelette

uige igʹə *f*4 woven fabric, web, ~ *chadáis* cotton tissue, ~ *mhiotail* metal gauze

uigeach igʹəx *a*1 web-like; gauzy

Uigingeach igʹənʹəx *m*1 *& a*1 Viking

uile ilʹə *a & s & adv* all, every, *gach* ~ *dhuine* everybody, *an scéal* ~ the whole story, *an* ~ all, all things, *bhí mo chuid éadaigh fliuch* ~ my clothes were all wet, *a theaghlach go h*~ his entire family

uilechumhachtach 'ilʹə'xu:əxtəx *a*1 omnipotent, almighty

uilefheasach 'ilʹə'asəx *a*1 omniscient

uileghabhálach 'ilʹə'ɣava:ləx *a*1 comprehensive, exhaustive

uileláithreach 'ilʹə'la:hrʹəx *a*1 omnipresent, ubiquitous

uileloscadh 'ilʹə'loskə *m, gs* **-oiscthe** *pl* **-oiscthí** holocaust

uilíoch ilʹi:(ə)x *a*1, *gsm* ~ universal

uilíocht ilʹi:(ə)xt *f*3 universality

uiliteach 'ilʹitʹəx *a*1 omnivorous

uiliteoir 'ilʹitʹo:rʹ *m*3 omnivore

uilleach ilʹəx *a*1 angular

uillinn ilʹənʹ *f*2, *pl* ~ **eacha** *gs & gpl* **-leann** *in certain phrases* elbow; corner, angle, ~ *ar* ~ arm in arm, *cathaoir uilleann* armchair

uillinntomhas 'ilʹənʹ,to:s *m*1 protractor

úim u:mʹ *f*3, *pl* **úmacha** harness; gear, tackle *pl* panniers *vt, vn* **úmadh** harness

uime imʹə : **um**

uimhearthacht iv'ərhəxt *f*3 numeracy

uimhir iv'ərʹ *f, gs* **-mhreach** *pl* **-mhreacha** number; numeral, figure, ~ *de pháipéar nuachta* edition of a newspaper

uimhrigh iv'rʹi: *vt & i* number

uimhríocht iv'rʹi:(ə)xt *f*3 arithmetic

uimhríochtúil iv'rʹi:(ə)xtu:lʹ *a*2 arithmetical

uimhriú iv'rʹu: *m*4 numbering, numeration; *(of music)* figuring

uimhriúil iv'rʹu:lʹ *a*2 numerical

uimpi imʹpʹi : **um**

úinéir u:nʹe:rʹ *m*3 owner, proprietor

úinéireacht u:nʹe:rʹəxt *f*3 ownership, proprietorship

uinge inʹgʹə *f*4, ~ *óir, airgid* ounce of gold, of silver

Uinseannach inʹsʹənəx *m*1 *& a*1 Vincentian

úir u:rʹ *f*2 earth, soil, *dul san* ~ to be laid in earth, buried

uirbeach irʹəbʹəx *a*1 urban

úire u:rʹə *f*4 freshness, newness, *déan as* ~ *é* do it all over again, *tá* ~ *oinigh ann* he is lavish of his hospitality

uireasa irʹəsə *f*4 lack, deficiency, absence, *d'* ~ *cúnaimh* for want of help, *d'* ~ *a bheith ag caint leatsa* besides talking to you

uireasach irʹəsəx *a*1 lacking; deficient

uiríseal 'irʹ,i:sʹəl *a*1, *gsf, npl & comp* **-sle** lowly, humble; base, servile

uirísle 'irʹ,i:sʹlʹə *f*4 lowliness, humility; baseness, servility

uiríslígh 'irʹ,i:sʹlʹi: *vt* humble; abase, humiliate

uirísliú 'irʹ,i:sʹlʹu: *m*4 abasement, humiliation

uirlis u:rlʹəs *f*2 tool, implement

urthi erhi : ar[1]

uisce isʹkʹə *m*4 water; body of water, ~ *beatha* whiskey, *idir dhá* ~ partly submerged, waterlogged, ~ *faoi thalamh* underground water; intrigue

uisceadán isʹkʹəda:n *m*1 aquarium

Uisceadóir isʹkʹədo:rʹ *m*3, *an t*~ Aquarius

uiscealach isʹkʹələx *m*1 weak drink

uiscedhíonach 'isʹkʹə,ɣi:nəx *a*1 waterproof

uiscerian 'isʹkʹə,riən *m*1, *pl* ~ **ta** aqueduct

uiscigh isʹkʹi: *vt* water, irrigate

uisciú isʹkʹu: *m*4 irrigation

uisciúil isʹkʹu:lʹ *a*2 watery

uisciúlacht isʹkʹu:ləxt *f*3 wateriness

uiséir u:sʹe:rʹ *m*3 usher

uisinn isʹənʹ *f*2, *(of head)* temple

úisiúil u:sʹu:lʹ *a*2 fulsome

úithín u:hi:nʹ *m*4 cyst

ula ulə *f* 4, *pl* **~cha** sepulchre; charnel-house; penitential station, ~ *mhagaidh* object of ridicule

ulán ula:n *m*1 block of stone, boulder

ulcha uləxə *f* 4 beard

ulchabhán uləxava:n *m*1 owl

ulchach uləxəx *a*1 bearded

úll u:l *m*1, *npl* **~a** apple; ball-joint; globular object, ball, ~ *caithne* arbutus-berry, ~ *gráinneach* pomegranate, ~ *na haithne* the forbidden fruit, ~ *na brád, na scornaí* Adam's apple

úllagán u:ləga:n *m*1 dumpling

ullamh uləv *a*1 ready, willing, prompt, *bí* ~ be prepared, ~ *chun trioblóide* ready to cause trouble, *an bhfuil tú* ~ *leis sin fós?* have you finished with that yet?

ullmhaigh uləvi: *vt & i* make ready, prepare

ullmhóid uləvo:d′ *f* 2 preparation

ullmhúchán uləvu:xa:n *m*1 preparation, *coláiste ullmhúcháin* preparatory college

úllóg u:lo:g *f* 2 apple charlotte

úllord 'u:l,o:rd *m*1 orchard

úlóg ulo:g *f* 2 pulley

ulpóg ulpo:g *f* 2 (bout of) infectious disease

ultach ultəx *m*1 armful; load, burden

ultra- ultrə *pref* ultra-

um um *prep, pron forms* **umam** uməm, **umat** umat, **uime** im′ə *m*, **uimpi** im′p′i *f*, **umainn** umən′, **umaibh** uməv′, **umpu** umpu, about, at; round, on, *um thráthnóna* in the evening, *um Cháisc* at Easter, *tá sé ag cur uime* he is dressing himself

úmacha u:məxə : **úim**

umaibh uməv′ : **um**

umainn umən′ : **um**

umam uməm : **um**

úmadóir u:mədo:r′ *m*3 harness-maker

umar umər *m*1 trough; vat; sink, ~ *baiste* baptismal font, ~ *peitril* petrol-tank, ~ *ola* oil-sump

umat umat : **um**

umha u:ə *m*4 copper; copper alloy, bronze

umhal u:əl *a*1, *npl* **umhla** humble, submissive, obedient, *an méid atá* ~ *dó* all who are subject to him, *capall* ~ willing horse, *tá sé* ~ *sna cosa* he has supple legs

umhlaigh u:li: *vt & i* humble; bow, genuflect, *umhlú do thoil duine* to bow to a person's will

umhlaíocht u:li:(ə)xt *f* 3 humility; obedience, ~ *do na sinsir* respect for one's elders

umhlóid u:lo:d′ *f* 2 submission; lowly service; ministration; suppleness, ~ *slaite* pliancy of rod, *ag* ~, *ag déanamh* ~ *e* exercising the body

umhlú u:lu: *m*4 genuflection, obeisance; curtsey; submission

umpu umpu : **um**

uncail uŋkal′ *m*4 uncle

únfairt u:nfərt′ *f* 2 wallowing; rolling about, *ag* ~ *le rudaí* messing about with things

ung uŋ *vt* anoint

ungadh uŋgə *m*, *gs* **-gtha** *pl* **-gthaí** ointment; unguent, salve, ~ *(éadain)* (face) cream

ungthach[1] uŋhəx *m*1 anointed person

ungthach[2] uŋhəx *a*1 unctuous

unlas unləs *m*1 windlass, winch

unsa unsə *m*4 ounce

upa upə *f* 4 love-charm, philtre

ur- ur *pref* before, ante-, pro-; very

úr u:r *m*1 anything fresh or new, ~ *olla* wool-grease *a*1 fresh, new

úrach[1] u:rəx *m*1 green timber

úrach[2] u:rəx *a*1 uric

uraiceacht urək′əxt *m*3 first instruction; elements, ~ *léinn* rudiments of learning

uraigh uri: *vt* eclipse

úraigh u:ri: *vt & i* freshen; scour, *tá an talamh ag úrú* the ground is getting damp

úráiniam ,u:'ra:n′iəm *m*4 uranium

Úránas ,u:'ra:nəs *m*1 Uranus

urbholg 'ur,voləg *m*1 pot-belly

urchall urəxəl *m*1 spancel

urchar urəxər *m*1 cast, shot, ~ *a scaoileadh* to fire a shot, *d'imigh sé d'urchar* he went off like a shot

urchóid urəxo:d′ *f* 2 harm, iniquity, *le teann* ~ *e* out of sheer mischief, *tá* ~ *sa chneá sin* that wound is malignant

urchóideach urəxo:d′əx *a*1 harmful, malignant

urchomhaireach 'ur,xo:r′əx *a*1 opposite

urchuil 'ur,xil' f2, pl ~**eanna** (house-) cricket

urdhún 'ur,γu:n m1, pl ~**ta** bastion

urghabháil 'ur,γava:l' f3 seizure (of property)

urghaire uryər'ə f4 injunction; interdict

urgharda 'ur,γa:rdə m4 vanguard

urghnách 'ur,γna:x a1, (of meetings, etc) extraordinary

urghránna 'ur,γra:nə a3 hideous, ghastly

urla u:rlə m4 lock of hair, forelock; butt; handle, ~ ti eaves of house

urlabhra 'ur,laurə f4 faculty of speech; utterance; diction

urlabhraí 'ur,lauri: m4 spokesman

urlabhraíocht 'ur,lauri:(ə)xt f3 articulation

urlacan u:rləkən m1 vomit

urlaic u:rlək' vt & i, pres -**acann** vomit

urlámhas 'ur,la:vəs m1 control: jurisdiction, authority

urlár u:rla:r m1 floor; level surface, teach aon urláir one-storey house

úrleathar 'u:r,l'ahər m1 untanned leather

urlios 'ur,l'is m3, gs -**leasa** forecourt, front enclosure

urnaí f4 prayer, ag ~ praying

urnaitheach u:rnihəx a1 prayerful; devout

úrnua 'u:r,nuə a3 brand-new; fresh, go h~ afresh, all over again

úrnuacht 'u:r,nuəxt f3 freshness, novelty

urphost 'ur,fost m1 outpost

urra urə m4 gaurantor, surety; guarantee, faoi ~ warranted, ceann ~ head, chief, tá ~ maith agam leis I have it on good authority, ~ coirp strength of body

urraigh uri: vt go surety for, secure

urraim urəm' f2 respect, esteem

urraíocht uri:(ə)xt f3 suretyship

urramach urəməx m1, an tÚ~ Mac Dónaill the Reverend Mr MacDonald a1 respectful, reverential; respected, reverend

urramacht urəməxt f3 respectfulness, reverence

urramaigh urəmi: vt respect, revere, cúnant a urramú to observe a covenant

urrann urən f2 compartment

urróg uro:g f2 heave, jerk

urrúnta uru:ntə a3 strong, robust

urrúntacht uru:ntəxt f3 strength, robustness

urrús uru:s m1 security, guarantee; strength; confidence; forwardness

urrúsach uru:səx a1 strong; confident; forward

ursain ursən' f2, pl ~**eacha** door-post, jamb

ursal ursəl m1 fire-tongs

Ursalach ursələx m1 & a1 Ursuline

urscaoil 'ur,ski:l' vt discharge

úrscéal u:r,s'k'e:l m1, pl ~**ta** novel

úrscéalaí 'u:r,s'k'e:li: m4 novelist

úrscéalaíocht 'u:r,s'k'e:li:(ə)xt f3 novel-writing; novel genre

urthrá 'ur,hra: f4 foreshore

urtlach urtlax m1 apron-bag

urú uru: m4 eclipse; eclipsis

úrú u:ru: m4 refreshment, refection, (of cloth) scour

ús u:s m1 interest (on money)

úsáid u:sa:d' f2 use, usage vt use

úsáideach u:sa:d'əx a1 useful

úsáideoir u:sa:d'o:r' m3 user, consumer

úsaire u:sər'ə m4 usurer

úsaireacht u:sər'əxt f3 usury

úsc u:sk m1 oily, greasy, substance; fat; exudation, ~ éisc fish-oil, ~ olla wool-fat, lanolin, ~ na heorna the juice of the barley vt & i ooze, exude; extract

úscach u:skəx a1 oily, fatty; sappy

úscadh u:skə m, gs -**ctha** pl -**cthaí** exudation

úscra u:skrə m4 extract, essence

úsphàirtí 'u:s,fa:rt'i: m4 sleeping partner

útamáil u:təma:l' f3 fumbling, groping; pottering, ag ~ thart groping around; pottering about, ~ chainte bumbling talk

útamálaí u:təma:li: m4 fumbler, bungler; potterer

útaras u:tərəs m1 uterus

úth u: m3, pl ~**anna** udder

úthach u:həx m1, ~ (tarta) devouring thirst

Útóipeach ,u:'to:p'əx a1 Utopian

V

vác va:k *m*4, *pl* ~ **anna** quack
vácarnach va:kərnəx *f*2 quacking
vacsaín vaksi:n′ *f*2 vaccine
vacsaínigh vaksi:n′i: *vt* vaccinate
vacsaíniú vaksi:n′u: *m*4 vaccination
vaidhtéir vait′e:r′ *m*3 groomsman; coastguard
vaigin vag′i:n′ *m*4 waggon
vailintín val′ən′t′i:n′ *m*4 valentine
vaimpír vam′p′i:r′ *f*2 vampire
valbaí valəbi: *m*4 wallaby
válcaeireacht va:lke:r′əxt *f*3 walking, strolling
vallait valət′ *f*2 wallet
válsa va:lsə *m*4 waltz
válsáil va:lsa:l′ *vi* waltz
vardrús va:rdru:s *m*1 wardrobe
vása va:sə *m*4 vase
vasáilleach vasa:l′əx *m*1 vassal
vásta va:stə *m*4 waste
vástáil va:sta:l′ *vt* waste
vástchóta 'va:st,xo:tə *m*4 waistcoat
vata vatə *m*4 watt
vatacht vataxt *f*3 wattage
veain v′an′ *f*4, *pl* ~ **eanna** van
vearanda v′ə′randə *m*4 verandah
vearnais v′a′rnəs′ *f*2 varnish
véarsa v′e:rsə *m*4 verse; stanza
véarsaíocht v′e:rsi:(ə)xt *f*3 versification; verse
veasailín v′asəl′i:n′ *m*4 vaseline

veidhleadóir v′ail′ədo:r′ *m*3 violinist
veidhleadóireacht v′ail′ədo:r′əxt *f*3 playing the violin
veidhlín v′ail′i:n′ *m*4 violin
veigeatóir v′eg′əto:r′ *m*3 vegetarian
veilbhit v′el′əv′ət′ *f*2 velvet
veilbhítín v′el′əv′ət′i:n′ *m*4 velveteen
veiliúr v′el′u:r *m*1 velour
Véineas v′e:n′əs *f*4 Venus
veirteabrach v′ert′əbrəx *m*1 & *a*l vertebrate
veist v′es′t′ *f*2, *pl* ~ **eanna** vest, waistcoat
Victeoiriach v′ik′t′o:r′iəx *m*1 & *a*l Victorian
vinil v′in′əl′ *f*2 vinyl
vióla ,v′i:′o:lə *f*4 viola
viosa v′i:sə *f*4 visa
víreas v′i:r′əs *m*1 virus
vitimín v′it′əm′i:n′ *m*4 vitamin
vitrial v′it′r′iəl *m*1 vitriol
voil vol′ *f*2 voile
vól vo:l *m*1 vole
volta voltə *m*4 volt
voltas voltəs *m*1 voltage
vóta vo:tə *m*4 vote
vótáil vo:ta:l′ *f*3 voting, poll *vt* & *i* vote
vótálaí vo:ta:li: *m*4 voter
vuinsciú vin′s′k′u: *m*4 coping; wainscot

W

wigwam 'wig′,wam *m*4, *pl* ~ **anna** wigwam

X

x-gha 'ek′s,ɣa *m*4, *pl* ~ **thanna** x-ray
x-ghathaigh 'ek′s,ɣahi: *vt* x-ray

x-ghathú 'ek′s,ɣahu: *m*4 x-ray (photograph)
xileafón 'z′il′ə,fo:n *m*1 xylophone

Y

yóyó 'ɣ′o:,ɣ′o: *m*4, *pl* ~ **nna** yo-yo

Z

zó(i)- zo: *pref* zoo-, zo-
zó-eolaíocht 'zo:,o:li:(ə)xt *f*3 zoology

zú zu: *m*4, *pl* ~ **nna** zoo

508

GEOGRAPHICAL NAMES

Afghanistan	An Afganastáin *f*2
Africa	An Afraic *f*2
Albania	An Albáin *f*2
Algeria	An Ailgéir *f*2
Alps	Na hAlpa *mpl*, *gpl* na nAlp
Amazon	An Amasóin *f*2
America	Meiriceá
Amsterdam	Amstardam
Andes	Na hAindéis *mpl*, *gpl* na nAindéas
Antarctic	An tAntartach *m*1, ~ *Ocean* an tAigéan *m*1 Antartach
Appenines	Na hAipiníní *mpl*
Aran Islands	Oileáin Árann
Arctic Ocean	An tAigéan *m*1 Artach
Argentina	An Airgintín *f*2
Asia	An Áise *f*4
Athens	An Aithin *f*, *gs* na hAithne
Atlantic Ocean	An tAigéan *m*1 Atlantach; An tAtlantach *m*1
Australia	An Astráil *f*2
Austria	An Ostair *f*2
Balkans	Na Balcáin *mpl*
Baltic Sea	Muir Bhailt
Bangladesh	An Bhanglaidéis *f*2
Beijing	Péicing; Beijing
Belfast	Béal Feirste
Belfast Lough	Loch Lao
Belgium	An Bheilg *f*2
Belgrade	Béalgrád
Bengal	Beangál
Berlin	Beirlín
Bethlehem	An Bheithil *f*2
Biscay, Bay of	Bá na Bioscáine
Black Sea	An Mhuir *f*3 Dhubh
Bolivia	An Bholaiv *f*2
Boston	Bostún
Brazil	An Bhrasaíl *f*2

Bristol	Briostó
Britain	An Bhreatain *f*2 (Mhór)
Brittany	An Bhriotáin *f*2
Brussels	An Bhruiséil *f*2
Bulgaria	An Bhulgáir *f*2
Bucharest	Búcairist
Burma	Burma
Budapest	Búdaipeist
Byzantium	An Bhiosáint *f*2
Cairo	Caireo
Calcutta	Calcúta
Cameroon	Camarún *m*1
Canada	Ceanada
Canary Islands	Na hOileáin *mpl* Chanáracha
Cardiff	Caerdydd
Carribean Sea	Muir Chairib
Caspian Sea	Muir Chaisp
Catalonia	An Chatalóin *f*2
Celtic Sea	An Mhuir *f*3 Cheilteach
Channel Islands	Oileáin Mhuir nIocht
Chile	An tSile *f*4
China	An tSín *f*2
Columbia	An Cholóim *f*2
Congo	An Congó *m*4
Copenhagen	Cóbanhávan
Cork	Corcaigh *f*, *gs* Chorcaí
Cornwall	Corn na Breataine
Corsica	An Chorsaic *f*2
Costa Rica	Cósta Ríce
Crete	An Chréit *f*2
Cuba	Cúba
Cyprus	An Chipir *f*2
Czechoslovakia	An tSeicslóvaic *f*2
Danube	An Danóib *f*2
Dead Sea	An Mhuir *f*3 Mharbh
Delhi	Deilí
Denmark	An Danmhairg *f*2
Derry	Doire
Dublin	Baile Átha Cliath
East Indies	Na hIndiacha *fpl* Thoir

Ecuador	Eacuadór
Edinburgh	Dún Éideann
Egypt	An Éigipt *f*2
El Salvador	An tSalvadóir *f*2
England	Sasana
English Channel	Muir nIocht
Ethiopia	An Aetóip *f*2
Europe	An Eoraip, *gs* na hEorpa
Finland	An Fhionlainn *f*2
Florence	Flórans; Firenze
France	An Fhrainc *f*2
Galway	Gaillimh *f*2
Ganges	An Ghainséis *f*2
Gaul	An Ghaill *f*2
Geneva	An Ghinéiv *f*2
Genoa	Genova
Germany	An Ghearmáin *f*2
Ghana	Gána
Glasgow	Glaschú
Greece	An Ghréig *f*2
Greenland	An Ghraonlainn *f*2
Guatemala	Guatamala
Guinea	An Ghuine *f*4
Gulf of Mexico	Murascaill Mheicsiceo
Guyana	An Ghuáin *f*2
Hague, the	An Háig *f*2
Haiti	Háítí
Hebrides	Inse Ghall
Helsinki	Heilsincí
Himalayas	Na Himiléithe
Holland	An Ollainn *f*2
Holy Land	An Tír *f*2 Bheannaithe; an Talamh *m*1 Naofa
Hungary	An Ungáir *f*2
Iberia	An Ibéir *f*2
Iceland	An Íoslainn *f*2
India	An India *f*4
Indian Ocean	An tAigéan *m*1 Indiach
Indonesia	An Indinéis *f*2
Iran	An Iaráin *f*2

Iraq	An Iaráic *f*2
Ireland	Éire *f*, *gs* na hÉireann
Irish Sea	Muir Éireann; Muir Meann
Israel	Iosrael
Istanbul	Iostanbúl
Italy	An Iodáil *f*2
Jamaicia	Iamáice
Japan	An tSeapáin *f*2
Jerusalem	Iarúsailéim *f*2
Jordan	An Iordáin *f*2
Kenya	An Chéinia *f*4
Korea	An Chóiré *f*4
Kuwait	Cuáit
Lagan	Abhainn an Lagáin
Latin America	Meiriceá *m*4 Laidineach
Lebanon	An Liobáin *f*2
Lee	An Laoi *f*4
Libya	An Libia *f*4
Liffey	An Life *f*4
Limerick	Luimneach *m*1
Lisbon	Liospóin *f*2
Liverpool	Learpholl *m*1
London	Londain *f*, *gs* Londan
Lough Derg	(1) Loch Dearg (2) Loch Deirgeirt
Lough Erne	Loch Éirne
Lough Neagh	Loch nEathach
Louvain	Lováin
Luxembourg	Lucsamburg
Madagascar	Madagascar
Madeira	Maidéara
Madrid	Maidrid
Majorca	Mallarca
Malaysia	An Mhalaeisia *f*4
Malta	Málta
Man, Isle of	Manainn *f*, *gs* Mhanann; Oileán *m*1 Mhanann
Manchester	Manchain
Mediterranean Sea	An Mheánmhuir *f*3
Mexico	Meicsiceo

Monaco	Monacó
Mongolia	An Mhongóil *f*2
Morocco	Maracó
Moscow	Moscó
Mozambique	Mósaimbíc *f*2
Nazareth	Nasaireit
Nepal	Neipeál
Netherlands	An Ísiltír *f*2
Newfoundland	Talamh an Éisc
New Guinea	An Nua-Ghuine *f*4
New York	Nua-Eabhrac
New Zealand	An Nua-Shéalainn *f*2
Nicaragua	Nicearagua
Niger	(1) An Nígir *f*2 (2) Abhainn na Nígire
Nigeria	An Nigéir *f*2
Nile	An Níl *f*2
North Channel	Sruth na Maoile
North Sea	An Mhuir *f*3 Thuaidh
Norway	An Iorua *f*4
Nova Scotia	Albain Nua, *gs* na hAlban Nua
Orkneys	Inse Orc
Oslo	Osló
Pacific Ocean	An tAigéan *m*1 Ciúin
Pakistan	An Phacastáin *f*2
Palestine	An Phalaistín *f*2
Paraguay	Paragua
Paris	Páras
Peking	Péicing; Beijing
Persian Gulf	Murascaill na Peirse
Peru	Peiriú
Philippines	Na hOileáin *mpl* Fhilipíneacha
Poland	An Pholainn *f*2
Portugal	An Phortaingéil *f*2
Prague	Prág
Pyrenees	Na Piréiní *mpl*
Red Sea	An Mhuir *f*3 Rua
Rhine	An Réin *f*2
Rome	An Róimh *f*2
Rumania	An Rómáin *f*2

Russia	An Rúis *f*2
Sahara	An Sahára *m*4
St George's Channel	Muir Bhreatan
Sardinia	An tSairdín *f*2
Saudi Arabia	An Araib *f*2 Shádach
Scandinavia	Críoch Lochlann
Scotland	Albain *f*, *gs* na hAlban
Shannon	An tSionainn *f*2
Shetlands	Sealtainn
Siberia	An tSibéir *f*2
Sicily	An tSicil *f*2
Singapore	Singeapór
Sophia	Sóifia
South Africa	An Afraic *f*2 Theas
Soviet Union	Aontas na Sóivéadach
Spain	An Spáinn *f*2
Sri Lanka	Srí Lanca
Stockholm	Stócólm
Strangford Lough	Loch Cuan
Sudan	An tSúdáin *f*2
Sweden	An tSualainn *f*2
Switzerland	An Eilvéis *f*2
Syria	An tSiria *f*4
Tanzania	An Tansáin *f*2
Tasmania	An Tasmáin *f*2
Thailand	An Téalainn *f*2
Tibet	An Tibéid *f*2
Tiber	An Tibir *f*2
Tokyo	Tóiceo
Tunisia	An Túinéis *f*2
Turkey	An Tuirc *f*2
Uganda	Uganda
United Arab Emirates	Aontas na nÉimíríochtaí Arabacha
United Kingdom	An Ríocht *f*3 Aontaithe
United States of America	Stáit Aontaithe Mheiriceá
Uruguay	Uragua
Vatican City	Cathair na Vatacáine
Venezuela	Veiniséala
Venice	An Veinéis *f*2

Vienna	Vín
Vietnam	Vítneam
Wales	An Bhreatain *f*2 Bheag
Warsaw	Vársá
Waterford	Port Láirge
West Indies	Na hIndiacha *fpl* Thiar
Yemen	Éimin
York	Eabhrac
Yugoslavia	An Iúgslaiv *f*2
Zaire	An tSáir *f*2
Zambia	An tSaimbia *f*4
Zimbabwe	An tSiombáib *f*2

LANGUAGES

Afrikaans	Afracáinis
Albanian	Albáinis
Arabic	Araibis
Aramaic	Aramais
Basque	Bascais
Breton	Briotáinis
Bulgarian	Bulgáiris
Catalan	Catalóinis
Chinese	Sínis
Czech	Seicis
Danish	Danmhairgis
Dutch	Ollainnis
Egyptian	Éigiptis
English	Béarla $m4$
Flemish	Pléimeannais
French	Fraincis
Frisian	Freaslainnis
German	Gearmáinis
Greek	Gréigis
Hebrew	Eabhrais
Hindi	Hiondúis
Hungarian	Ungáiris
Icelandic	Íoslainnis
Irish	Gaeilge $f4$
Italian	Iodáilis
Japanese	Seapáinis
Latin	Laidin
Manx	Manainnis
Norwegian	Ioruais
Persian	Peirsis
Polish	Polainnis
Portuguese	Portaingéilis
Rumanian	Rómáinis
Russian	Rúisis
Scots Gaelic	Gaeilge na hAlban
Spanish	Spáinnis
Swedish	Sualainnis
Turkish	Tuircis
Welsh	Breatnais

TABLE OF REGULAR VERBS

Verbs may be identified by 1 sg of pres or by 2 sg imperative (in brackets)

Molaim (Mol)		Brisim (Bris)	

Pres

sg	pl	sg	pl
1. molaim	molaimid	brisim	brisimid
2. molann tú	molann sibh	briseann tú	briseann sibh
3. molann sé	molann siad	briseann sé	briseann siad
aut moltar		bristear	

Past

1. mhol mé	mholamar	bhris mé	bhriseamar
2. mhol tú	mhol sibh	bhris tú	bhris sibh
3. mhol sé	mhol siad	bhris sé	bhris siad
aut moladh		briseadh	

Past hab

1. mholainn	mholaimis	bhrisinn	bhrisimis
2. mholtá	mholadh sibh	bhristeá	bhriseadh sibh
3. mholadh sé	mholaidís	bhriseadh sé	bhrisidís
aut mholtaí		bhristí	

Fut

1. molfaidh mé	molfaimid	brisfidh mé	brisfimid
2. molfaidh tú	molfaidh sibh	brisfidh tú	brisfidh sibh
3. molfaidh sé	molfaidh siad	brisfidh sé	brisfidh siad
aut molfar		brisfear	

Cond

1. mholfainn	mholfaimis	bhrisfinn	bhrisfimis
2. mholfá	mholfadh sibh	bhrisfeá	bhrisfeadh sibh
3. mholfadh sé	mholfaidís	bhrisfeadh sé	bhrisfidís
aut mholfaí		bhrisfí	

Pres subj

1. mola mé	molaimid	brise mé	brisimid
2. mola tú	mola sibh	brise tú	brise sibh
3. mola sé	mola siad	brise sé	brise siad
aut moltar		bristear	

Imperative

1. molaim	molaimis	brisim	brisimis
2. mol	molaigí	bris	brisigí
3. moladh sé	molaidís	briseadh sé	brisidís
aut moltar		bristear	

vn

moladh	briseadh

vb a

molta	briste

517

Sábhálaim (Sábháil) Tíolacaim (Tíolaic)

Pres

sg	pl	sg	pl
1. sábhálaim	sábhálaimid	tíolacaim	tíolacaimid
2. sábhálann tú	sábhálann sibh	tíolacann tú	tíolacann sibh
3. sábhálann sé	sábhálann siad	tíolacann sé	tíolacann siad
aut sábháiltear		tíolactar	

Past

1. shábháil mé	shábhálamar	thíolaic mé	thíolacamar
2. shábháil tú	shábháil sibh	thíolaic tú	thíolaic sibh
3. shábháil sé	shábháil siad	thíolaic sé	thíolaic siad
aut sábháladh		tíolacadh	

Past hab

1. shábhálainn	shábhálaimis	thíolacainn	thíolacaimis
2. shábháilteá	shábháladh sibh	thíolactá	thíolacadh sibh
3. shábháladh sé	shábhálaidís	thíolacadh sé	thíolacaidís
aut shábháiltí		thíolactaí	

Fut

1. sábhálfaidh mé	sábhálfaimid	tíolacfaidh mé	tíolacfaimid
2. sábhálfaidh tú	sábhálfaidh sibh	tíolacfaidh tú	tíolacfaidh sibh
3. sábhálfaidh sé	sábhálfaidh siad	tíolacfaidh sé	tíolacfaidh siad
aut sábhálfar		tíolacfar	

Cond

1. shábhálfainn	shábhálfaimis	thíolacfainn	thíolacfaimis
2. shábhálfá	shábhálfadh sibh	thíolacfá	thíolacfadh sibh
3. shábhálfadh sé	shábhálfaidís	thíolacfadh sé	thíolacfaidís
aut shábhálfaí		thíolacfaí	

Pres subj

1. sábhála mé	sábhálaimid	tíolaca mé	tíolacaimid
2. sábhála tú	sábhála sibh	tíolaca tú	tíolaca sibh
3. sábhála sé	sábhála siad	tíolaca sé	tíolaca siad
aut sábháiltear		tíolactar	

Imperative

1. sábhálaim	sábhálaimis	tíolacaim	tíolacaimis
2. sábháil	sábhálaigí	tíolaic	tíolacaigí
3. sábháladh sé	sábhálaidís	tíolacadh sé	tíolacaidís
aut sábháiltear		tíolactar	

vn

sábháil tíolacadh

vb a

sábháilte tíolactha

Cráim(Cráigh)		Dóim(Dóigh)	

Pres

sg	pl	sg	pl
1. cráim	cráimid	dóim	dóimid
2. cránn tú	cránn sibh	dónn tú	dónn sibh
3. cránn sé	cránn siad	dónn sé	dónn siad
aut	cráitear		dóitear

Past

1. chráigh mé	chrámar	dhóigh mé	dhómar
2. chráigh tú	chráigh sibh	dhóigh tú	dhóigh sibh
3. chráigh sé	chráigh siad	dhóigh sé	dhóigh siad
aut	crádh		dódh

Past hab

1. chráinn	chráimis	dhóinn	dhóimis
2. chráiteá	chrádh sibh	dhóiteá	dhódh sibh
3. chrádh sé	chráidis	dhódh sé	dhóidis
aut	chráiti		dhóiti

Fut

1. cráfaidh mé	cráfaimid	dófaidh mé	dófaimid
2. cráfaidh tú	cráfaidh sibh	dófaidh tú	dófaidh sibh
3. cráfaidh sé	cráfaidh siad	dófaidh sé	dófaidh siad
aut	cráfar		dófar

Cond

1. chráfainn	chráfaimis	dhófainn	dhófaimis
2. chráfá	chráfadh sibh	dhófá	dhófadh sibh
3. chráfadh sé	chráfaidis	dhófadh sé	dhófaidis
aut	chráfaí		dhófaí

Pres subj

1. crá mé	cráimid	dó mé	dóimid
2. crá tú	crá sibh	dó tú	dó sibh
3. crá sé	crá siad	dó sé	dó siad
aut	cráitear		dóitear

Imperative

1. cráim	cráimis	dóim	dóimis
2. cráigh	cráigi	dóigh	dóigi
3. crádh sé	cráidis	dódh sé	dóidis
aut	cráitear		dóitear

vn

crá		dó	

vb a

cráite		dóite	

Léim (Léigh)   Fím (Figh)

Pres

sg	pl	sg	pl
1. léim	léimid	fím	fimid
2. léann tú	léann sibh	fíonn tú	fíonn sibh
3. léann sé	léann siad	fíonn sé	fíonn siad
aut	léitear		fítear

Past

1. léigh mé	léamar	d'fhigh mé	d'fhíomar
2. léigh tú	léigh sibh	d'fhigh tú	d'fhigh sibh
3. léigh sé	léigh siad	d'fhigh sé	d'fhigh siad
aut	léadh		fíodh

Past hab

1. léinn	léimis	d'fhinn	d'fhimis
2. léiteá	léadh sibh	d'fhiteá	d'fhíodh sibh
3. léadh sé	léidis	d'fhíodh sé	d'fhidis
aut	léití		d'fhití

Fut

1. léifidh mé	léifimid	fífidh mé	fífimid
2. léifidh tú	léifidh sibh	fífidh tú	fífidh sibh
3. léifidh sé	léifidh siad	fífidh sé	fífidh siad
aut	léifear		fífear

Cond

1. léifinn	léifimis	d'fhifinn	d'fhifimis
2. léifeá	léifeadh sibh	d'fhifeá	d'fhifeadh sibh
3. léifeadh sé	léifidis	d'fhifeadh sé	d'fhifidis
aut	léifí		d'fhifí

Pres subj

1. lé mé	léimid	fí mé	fimid
2. lé tú	lé sibh	fí tú	fí sibh
3. lé sé	lé siad	fí sé	fí siad
aut	léitear		fítear

Imperative

1. léim	léimis	fím	fimis
2. léigh	léigi	figh	figi
3. léadh sé	léidis	fíodh sé	fidis
aut	léitear		fítear

vn

léamh		fí

vb a

léite		fite

520

| Beannaím (Beannaigh) | | Cruinním (Cruinnigh) | |

Pres

sg	pl	sg	pl
1. beannaím	beannaímid	cruinním	cruinnímid
2. beannaíonn tú	beannaíonn sibh	cruinníonn tú	cruinníonn sibh
3. beannaíonn sé	beannaíonn siad	cruinníonn sé	cruinníonn siad
aut beannaítear		cruinnítear	

Past

1. bheannaigh mé	bheannaíomar	chruinnigh mé	chruinníomar
2. bheannaigh tú	bheannaigh sibh	chruinnigh tú	chruinnigh sibh
3. bheannaigh sé	bheannaigh siad	chruinnigh sé	chruinnigh siad
aut beannaíodh		cruinníodh	

Past hab

1. bheannainn	bheannaímis	chruinninn	chruinnímis
2. bheannaíteá	bheannaíodh sibh	chruinníteá	chruinníodh sibh
3. bheannaíodh sé	bheannaídís	chruinníodh sé	chruinnídís
aut bheannaítí		chruinnítí	

Fut

1. beannóidh mé	beannóimid	cruinneoidh mé	cruinneoimid
2. beannóidh tú	beannóidh sibh	cruinneoidh tú	cruinneoidh sibh
3. beannóidh sé	beannóidh siad	cruinneoidh sé	cruinneoidh siad
aut beannófar		cruinneofar	

Cond

1. bheannóinn	bheannóimis	chruinneoinn	chruinneoimis
2. bheannófá	bheannódh sibh	chruinneofá	chruinneodh sibh
3. bheannódh sé	bheannóidís	chruinneodh sé	chruinneoidis
aut bheannófaí		chruinneofaí	

Pres subj

1. beannaí mé	beannaímid	cruinní mé	cruinnímid
2. beannaí tú	beannaí sibh	cruinní tú	cruinní sibh
3. beannaí sé	beannaí siad	cruinní sé	cruinní siad
aut beannaítear		cruinnítear	

Imperative

1. beannaím	beannaímis	cruinním	cruinnímis
2. beannaigh	beannaígí	cruinnigh	cruinnígí
3. beannaíodh sé	beannaídís	cruinníodh sé	cruinnídís
aut beannaítear		cruinnítear	

vn

| beannú | | cruinniú | |

vb a

| beannaithe | | cruinnithe | |

Ceanglaim (Ceangail)		Dibrím (díbir)	

Pres

sg	pl	sg	pl
1. ceanglaim	ceanglaimid	dibrím	dibrímid
2. ceanglaíonn tú	ceanglaíonn sibh	dibríonn tú	dibríonn sibh
3. ceanglaíonn sé	ceanglaíonn siad	dibríonn sé	dibríonn siad
aut	ceanglaítear		dibrítear

Past

1. cheangail mé	cheanglaíomar	dhíbir mé	dhíbríomar
2. cheangail tú	cheangail sibh	dhíbir tú	dhíbir sibh
3. cheangail sé	cheangail siad	dhíbir sé	dhíbir siad
aut	ceanglaíodh		dibríodh

Past hab

1. cheanglainn	cheanglaímis	dhíbrínn	dhíbrímis
2. cheanglaíteá	cheanglaíodh sibh	dhíbríteá	dhíbríodh sibh
3. cheanglaíodh sé	cheanglaídis	dhíbríodh sé	dhíbrídis
aut	cheanglaítí		dhíbrítí

Fut

1. ceanglóidh mé	ceanglóimid	díbreoidh mé	dibreoimid
2. ceanglóidh tú	ceanglóidh sibh	dibreoidh tú	dibreoidh sibh
3. ceanglóidh sé	ceanglóidh siad	dibreoidh sé	dibreoidh siad
aut	ceanglófar		dibreofar

Cond

1. cheanglóinn	cheanglóimis	dhíbreoinn	dhíbreoimis
2. cheanglófá	cheanglódh sibh	dhíbreofá	dhíbreodh sibh
3. cheanglódh sé	cheanglóidis	dhíbreodh sé	dhíbreoidis
aut	cheanglófaí		dhíbreofaí

Pres subj

1. ceanglaí mé	ceanglaímid	díbrí mé	dibrímid
2. ceanglaí tú	ceanglaí sibh	díbrí tú	dibrí sibh
3. ceanglaí sé	ceanglaí siad	díbrí sé	dibrí siad
aut	ceanglaítear		dibrítear

Imperative

1. ceanglaim	ceanglaímis	díbrím	dibrímis
2. ceangail	ceanglaígí	dibir	dibrígí
3. ceanglaíodh sé	ceanglaídis	dibríodh sé	dibrídis
aut	ceanglaítear		dibrítear

vn

ceangal	dibirt

vb a

ceangailte	dibeartha

522

THE IRREGULAR VERBS

Verbs are identified by either 1 sg pres indic or by 2 sg imperative (in brackets).
Only irregular parts of the verbs are indicated below.

Beirim (Beir)

Past	*Fut*	*Cond*
rug mé, etc	béarfaidh mé, etc	bhéarfainn, etc
	vn breith *vb a* beirthe	

Cluinim (Cluin)/Cloisim (Clois)

Past
Chuala mé, etc *aut* chualathas
vn cluinstin/cloisteáil

Déanaim (Déan)

Past	
(*independent*) rinne mé, etc/dhein mé, etc	(*dependent*) ní dhearna mé, etc
vn déanamh	

Deirim (Abair)

Pres	*Pres hab*	*Fut*	*Cond*
deirim, etc	deirinn, etc	déarfaidh mé, etc	déarfainn, etc
Past dúirt mé, etc 1*pl* dúramar *aut* dúradh	*Pres subj* go ndeire mé, etc	*Imperative* abraim, etc 2*sg* abair	
	vn rá *vb a* ráite		

Faighim (Faigh)

	Fut	
Past fuair mé, etc *aut* fuarthas	*(independent)* gheobhaidh mé, etc *aut* gheofar	*(dependent)* ní bhfaighidh mé, etc *aut* ní bhfaighfear
(independent) gheobhainn, etc 2*sg* gheofá *aut* gheofaí	*Cond*	*(dependent)* ní bhfaighinn, etc 2*sg* ní bhfaighfeá *aut* ní bhfaighfí

vn fáil
vb a faighte

Feicim (Feic)

Past	
(independent) chonaic mé, etc *aut* chonacthas	*(dependent)* ní fhaca mé, etc *aut* ní fhacthas

vn feiceáil
vb a feicthe

Tagaim (Tar)

Past tháinig mé, etc 1*pl* thángamar *aut* thángthas	*Fut* tiocfaidh mé, etc	*Cond* thiocfainn, etc
Pres tagaim, etc	*Past hab* thagainn, etc	*Pres subj* go dtaga mé, etc
Imperative tagaim, etc 2*sg* tar		

vn teacht
vb a tagtha

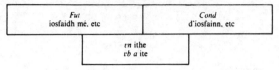

Ithim (Ith)

Fut	*Cond*
iosfaidh mé, etc	d'iosfainn, etc

vn ithe
vb a ite

Téim (Téigh)

Past	
(*independent*)	(*dependent*)
chuaigh mé, etc	ni dheachaigh mé, etc
aut chuathas	1*pl* ni dheachamar
	aut ni dheachthas

Fut	*Cond*
rachaidh mé, etc	rachainn, etc
aut rachfar	2*sg* rachfá
	aut rachfai

vn dul
vb a dulta

Tugaim (Tabhair)

Past	*Fut*	*Cond*
thug mé, etc	tabharfaidh mé, etc	thabharfainn, etc
Pres	*Past hab*	*Pres subj*
tugaim, etc	thugainn, etc	go dtuga mé, etc
Imperative		
tugaim, etc		
2*sg* tabhair		

vn tabhairt
vb a tugtha

TÁIM (BÍ)

The verb 'to be'

Pres

(independent)		(dependent)	
1. táim (tá mé)	táimid	nílim (níl mé)	nílimid
2. tá tú	tá sibh	níl tú	níl sibh
3. tá sé	tá siad	níl sé	níl siad

aut táthar

(go, etc., bhfuilim (bhfuil mé, etc.)
níltear, go, etc., bhfuiltear

Pres hab / Past hab

1. bím	bímid	bhínn	bhímis
2. bíonn tú	bíonn sibh	bhíteá	bhíodh sibh
3. bíonn sé	bíonn siad	bhíodh sé	bhídís

aut bítear   bhití

Past

(independent)		(dependent)	
1. bhí mé	bhíomar	raibh mé	rabhamar
2. bhí tú	bhí sibh	raibh tú	raibh sibh
3. bhí sé	bhí siad	raibh sé	raibh siad

aut bhíothas   rabhthas

Fut / Cond and Past subj

1. beidh mé	beimid	bheinn	bheimis
2. beidh tú	beidh sibh	bheifeá	bheadh sibh
3. beidh sé	beidh siad	bheadh sé	bheidís

aut beifear   bheifí

Pres subj / Imperative

1. raibh mé	rabhaimid	bim	bímis
2. raibh tú	raibh sibh	bí	bígí
3. raibh sé	raibh siad	bíodh sé	bídís

aut rabhthar   bítear

vn
bheith

The Copula

Pres (and Fut)

	Positive	Neg.	Interrogative Positive	Neg.
INDEPENDENT ...	is	ní	an	nach
DEPENDENT ...	gur (gurb)	nach	—	—
RELATIVE ...				
DIRECT ...	is	nach	—	—
INDIRECT ...	ar (arb)	nach	—	—

OTHER FORMS

```
with:—cá    do        má    mura             ó
      cárb  dar (darb) más  mura  (murab)    ós
```

Past and Cond

	Positive	Neg.	Interrogative Positive	Neg.
INDEPENDENT ...	ba	níor (níorbh)	ar (arbh)	nár (nárbh)
DEPENDENT ...	gur (gurbh)	nár (nárbh)	—	—
RELATIVE ...				
DIRECT ...	ba (ab)	nár (nárbh)	—	—
INDIRECT ...	ar (arbh)	nár (nárbh)	—	—

```
with:—cá    cé           dá       do          má     mura
      cárb  cér (cérbh)  dá mba   dar (darbh)  má ba  murar (murarbh)
```

THE PHONETIC SYSTEM: SUPPLEMENTARY NOTES

THE DEFINITE ARTICLE *an, na*

1. The singular form *an, an t-*
The pronunciation of the singular form *an, an t-* varies,
according to the type of consonant or vowel that precedes
or follows it.
- (a) With broad *n* or *nt*
    - (i) /ən/, as in *an bád, an oíche*
    - (ii) /ənt/, as in *an t-uisce, an tsúil*
- (b) With slender *n* or *nt*
    - (i) /ən'/, as in *an imirt*
    - (ii) /ən't'/, as in *an t-iasc, an tseachtain*
- (c) With the *n* deleted
    - (i) /ə/, as in *Oifig an Phoist*
    - (ii) /ət/ as in *teach an tsagairt*
    - (iii) /ət'/ as in *aimsir an tsneachta*

2. The genitive singular feminine and plural form *na*
The *na* form of the article is always pronounced as /nə/, as
in *na lámha, Bord na Móna, barr na sráide, Cathair na
Mart.*

3. Compound forms of prepositions with the article
The prepositions *i, de, do, ó* and *faoi* when compounded
with the article become *san, den, don, ón* and *faoin* respec-
tively. The final *n* in these words follows the same pronoun-
ciation rules as the singular form of the article
    With broad *n*   *san oifig*
    With slender *n*   *san imirt*

THE PREPOSITION *ag* WITH THE VERBAL NOUN

The pronunciation of *ag* is determined by the initial sound of
the word following it.
- (a) With broad *g* /əg/, as in *Tá siad ag ól tae*
- (b) With slender *g* /əg'/, as in *Tá siad ag ithe*
- (c) With *g* deleted /ə/, as in *Tá siad ag caint*

THE COPULA

1. Present tense forms

   The copula has a variety of forms in the present tense, which are classified below under three headings.

   (a) Declarative forms:
   (i)   *Is* is normally pronounced as /is/, as in *is cuma liom, is maith liom tae.*
         At the beginning of a word, however, the *i* of *is* may be deleted. Thus, *is cuma liom* becomes *scuma liom* in pronunciation. Similarly, in pronunciation, *is maith liom tae* becomes *smaith liom tae.*
   (ii) *Is* is pronounced as /s'/ before *é, í, iad, ea* and *éard*. Thus *is é* becomes *sé* and *is ea* becomes *sea* in pronunciation.
   (iii) The negative form *ní* is always pronounced as /n'i:/, as in *Ní mé a rinne é.*
   (iv) The negative *chan* (a distinctive Ulster negative form) has two pronunciations, depending on the word following it.
         With broad *n*, as in *Chan mé a rinne é.*
         With slender *n*, before *é, í, iad, ea* and *éard*. Thus *Chan ea* is pronounced as though it were *Cha nea.*

   (b) Interrogative forms:
   (i)   *An* is usually pronounced with broad *n* /ən/, except before *é, í, iad* and *ea.*
         With broad *n*, as in *An maith leat caife? An uisce maith é?*
         With slender *n*, as in *An é a bhí ann?*
   (ii) The negative interrogative *nach* is pronounced as /nax/, as in *Nach breá an aimsir í?*

   (c) Reported or indirect speech forms:
   The indirect speech forms are *gur, gurb* and *nach.*
   (i)   *gur* is always pronounced as /gər/, as in *Dúirt sé gur maith leis caife.*
   (ii) The *b* of *gurb* is broad, except before words beginning with *e, i, fhe* and *fhi*, where it becomes slender. Note that the *b* is pronounced as though it were attached to the initial vowel of the following word.

With broad *b* *Dúirt sé gurb olc an scéal é*, pronounced
as though *gurb olc* were written *gur bolc*.

With slender *b* *Shíl sí gurb ea*, pronounced as though
gurb ea were written *gur bea*.

(iii) The indirect form *nach* is also pronounced /nax/, as in
Dúirt sé nach maith leis é.

2. Past tense and conditional forms
   (a) Declarative and interrogative forms:
      (i) In the past tense and conditional mood, the forms
          of the copula are determined by the initial sound
          of the following word. Before consonants, *ba* and
          the forms ending in *r* are used. They are pro-
          nounced more or less as written, as in
          Ba mhaith leis imeacht.
          Níor mhaith leis fanacht.
          Ar mhian leis teacht?
          Nár cheart dó labhairt?

The abbreviated form of *ba*, which is *b'* is used before
words beginning with a vowel or *fh* followed by a vowel.

With broad *b*
   B'olc an scéal e.
   B'fhusa fanacht.
   B'iontach an lá é.

With slender *b*
   B'fhearr dó imeacht.
   B'in é. B'fhiú é.

Ba is written before *é*, *í*, *iad* and *éard*. This *b* is broad when
the *a* of *ba* is retained in pronunciation. However, the *b*
becomes slender when the *a* is deleted in pronunciation.
   Ba é a bhí ann.
   Ba iad a rinne é.

(ii) *Forms ending in 'bh':*
     The forms ending in '*bh*' are the negative '*níorbh*'
     and the question forms '*arbh?*' and '*nárbh?*'.
     They are used before words beginning with a
     vowel or '*fh*' followed by a vowel. The '*bh*' is pro-
     nounced as a broad /v/ except before words begin-
     ning with '*e*', '*i*', '*fhe*' and '*fhi*' where it becomes
     slender /v'/.

> *Niorbh fhada gur tháinig siad.*
> *Arbh éigean di fanacht?*
> *Nárbh í a bhí ann?*

(b) Reported and Indirect Speech Forms:

The indirect speech forms are '*gur*', '*nár*', '*gurbh*' and '*nárbh*'. The forms '*gur*' and '*nár*' are used before words beginning with a consonant as in:-

> *Dúirt sí gur mhaith léi imeacht.*
> *Shilfeá nár chuala siad an scéal.*

'*gurbh*' and '*nárbh*' are used before words beginning with a vowel or '*fh*' followed by a vowel. Again the '*bh*' is a broad /v/ except before words beginning with '*e*', '*i*', '*fhe*' and '*fhi*' where it becomes slender /v'/.

> *Dúirt sé gurbh é a rinne é.*
> *Shíl sé nárbh fhéidir a dhéanamh.*
> *Dúradh nárbh fhada go dtiocfadh sí.*

VERBAL PARTICLES

Verbal particles, when used, always precede the main verb in a sentence and are normally unstressed. They are divided into two groups.

GROUP 1. *an*, *cha*, *chan*, *go*, *nach* and *ní*

Cha, *go*, *nach* and *ní* are pronounced /xa/,/gə/, /nax/ and /n'i:/, more or less as written but *an* and *chan* vary in their pronunciation, as explained below.

The particle *an*

(i) /ə/ before consonants   *An bhfuil Seán anseo?*
(ii) /ən/ before the vowels *a*, *o* and *u*   *An ólann tú bainne?*
(iii) /ən'/ before the vowels *i* and *e*   *An itheann tú feoil?*

The particle *chan*

Chan, a distinctive Ulster negative form, is used before vowels or *fh* followed by a vowel.

(i) With broad *n* before *a, o, u* and *fh* followed by *a, o, u.*
  Chan ólann sé.
  Chan fhuair sé duais.

(ii) With slender *n* before *i* or *e* and before *fhi* or *fhe*
  Chan itheann sé feoil.
  Chan fheiceann sé thú.

  GROUP 2. Verbal particles ending in *r*
   (*ar, char, gur, nár* and *níor*)

The *r* is broad, except before verbs beginning with *i, e, fhi* or *fhe,* where it may be broad or slender.

(i) With broad *r*
  Ar chuala tú an scéal?
  Níor fhan siad ach seachtain.

(ii) With broad or slender *r*
  Níor éist sé liom.
  Ar imigh sé abhaile?

OTHER PARTICLES

(i) The vocative particle (a^1) = /ə/, except before vowels, where it is not pronounced.
  A chairde
  but *A Éamainn* becomes simply *Éamainn*, when pronounced.

(ii) The numeral particle (a^2) = /ə/, except after vowels, where it is not pronounced.
  a haon
  a dó
  but *fiche a trí* becomes *fiche trí* /f'ix'ə t'r'i:/, when pronounced.

(iii) The *a* with the verbal noun (a^3) = /ə/, except before or after a vowel, where it is not pronounced.
  litir a scríobh
  but *deoch uisce a ól* becomes *deoch uisce ól* when pronounced.

(iv) The relative particle (a^5) = /ə/, except before or after a vowel, where it is not pronounced.
  an fear a tháinig.

but *an lá a thit sé* becomes *an lá thit sé* in pronunciation.

(v) The relative particle *ar* (ar³). The *r* is broad, except before written *i, e, fhi* and *fhe* where it may be broad or slender

> With broad *r*
> *an lá ar tháinig sé.*
> With broad or slender *r*
> *an lá ar imigh sí.*

THE CONJUNCTION *agus*

Agus may always be pronounced as /agəs/, more or less as written, but it is often reduced to /əs/ or simply /s/.
For example, /agəs/ or /əs/ *Seán agus Pádraig*
/agəs/ or /s/ *lá agus bliain*

STRESS IN COMPOUND WORDS

The following is a general guide. Certain individual compound words may constitute exceptions as illustrated in the main section of the dictionary. Generally speaking, in relation to stress, prefixes may be divided into four groups.

1. The major group take primary stress, with secondary stress on the following element in the word.
2. The following prefixes take secondary stress, with primary stress on the element following:
   > *do-* as in *dothuigthe*
   > *so-* as in *sodhéanta*
   > *in-* (possible) as in *inchaite*

   Note, however, that *in-* "in, into" is in the group 1 (Primary/Secondary) category.
3. The following prefixes take primary stress, with another primary stress on the element following:

an- (intensive)	as in *an-mhaith*
bith- (perpetual)	as in *bithbhuan*
colg-	as in *colgsheasamh*
comh-	as in *comhbhrón*
dian-	as in *dianchúram*

533

> *glan-*   as in *glanmheabhair*
> *gnáth-*   as in *gnátháit*
> *lán-*   as in *lánseol*
> *príomh-* as in *príomhoide*

Note that *an-*, "in-, un-", etc, and *bith-* "bio-" are in the group 1 (Primary/Secondary) Category.

4. A fourth group may have different combinations of the above stress patterns. Generally speaking, the following prefixes fall into this category:

> *ard-: dearg-: droch-: fíor-: iar-: ró-: síor-*

The following variations may occur:

(i) Variation from Primary/Primary to Primary/Secondary stress. Whereas in words such as *Fíor-Dhia*, the second element has primary stress, in *fíoruisce*, the stress on the second element is a secondary one.

(ii) Variation from Primary/Secondary to Primary/Zero stress.

Many words originally perceived as compounds are no longer regarded as such, and the original stress pattern may have changed. An example of such words would be *goltraí* and *suantraí*.

(iii) In some cases, the same prefix will take one stress pattern when the second element in the compound is a noun and a different stress pattern when the second element is an adjective.

> *droch-*, with following primary stress, as in *droch-dhuine*; with following secondary stress, as in *drochbhéasach*
>
> *Ard-Easpag* and *ardnósach* follow the same pattern.

ASSIMILATION OF PREFIXES

In compound words, the end consonant of a prefix is pronounced as written, except in the following cases:

(i) A broad *single d, n, t, l* or *s* becomes slender before slender *d, n, t, l* or *s*.

> as in   *bánliath*
>
> but note   *foltliath* (where the double consonant "*lt*" remains broad)

534

(ii) The prefix *in-* meaning 'possible, capable of', has broad
   n except before *i, e, fhi* and *fhe* (and slender *d, n, t, l*,
   or *s*)

   With broad *n*   *inráite*   With slender *n*   *inite*
                    inólta   *infheicthe*
                    indóite   *indéanta*

   (Note however that the prefix *in-* meaning 'in, into'
   follows the normal pattern)

(iii) The *l* of *il-* is slender except before broad *d, n, t, l, s*.

      With broad *l*   *ildathach*
      With slender *l*   *ilchodach*

(iv) When identical consonants come together, the first
    need not be pronounced, e.g.

        droch-chaint
        neamhbhuan

(v) Final *th* in prefixes is pronounced, except preceding a
   consonant.

   Pronounced   *atheagrán*
                   leathuair
                   gnátháit

   Not pronounced *athdhéanamh*
                   leathchos

PRONUNCIATION OF 'CHUIG'

The preposition 'chuig' and its pronominal forms may be
pronounced with initial *x* or *h*;
   i.e.

chuig	*xig′*	or	*hig′*
chugam	*xugəm*	or	*hugəm*
chugat	*xugət*	or	*hugət*
chuige	*xig′ə*	or	*hig′ə*
chuici	*xik′i*	or	*hik′i*
chugainn	*xugən′*	or	*hugən′*
chugaibh	*xugəv′*	or	*hugəv′*
chucu	*xuku*	or	*huku*